擬音語・擬態語4500

日本語オノマトペ辞典

小野正弘 編

小学館

装画——ミヤケマイ
装丁——海野幸裕＋宮本 香

擬音語・擬態語４５００

日本語オノマトペ辞典

——千以上の言葉を並べても……

「千以上の言葉を並べても言い尽くせないこともある」(「千以上の言葉を並べても…」AZUKI七 作詞)というフレーズが、この辞典の企画が始まってから、ずっと頭をはなれなかった。

オノマトペは、通常の言葉をいくつ並べても、そのニュアンスを正確に伝えることが難しい。たとえば、「すっかり」という言葉が使えないと仮定してみよう。つまり、たとえば、「どうもすっかり遅くなってすみません」と言えなくなるのである。これを「どうも完全に遅くなってすみません」と言おうとすると、まず第一にすわりが悪く、また、「完全に」でも申し訳ない気持ちが伝わらなくはないが、どこか客観的な判定を他人事のようにしている感じで、「すっかり」の持つ、「自分でも申し訳ないと、ずっと気にしていたのですが、実は、途中で捨て猫を見付けてしまって、あ、いや、すぐに何とかなると思っていたんですけど、そうもいかなくて……あっと気がついたら、もうこんなに遅くなっていて……」などという、そこに来るまでの当人の行動や心の動きが見えてこない。「すっかり」が含む物語を終えるには、千以上の言葉を必要とする。「すっかり」以外でも、たとえば、「ずきずき」「しくしく」「きりきり」という痛みの言葉でもいい。これが使えないとなると、本当に困ってしまうことは、すぐ実感できる。

この通常の言葉では言い尽くせないことを、ずばりと言うことができるところに、オノマトペの強い

表現力と尽きぬ魅力がある。けれども、この表現力と魅力は両刃の剣でもある。「がーと来たから、ばっとかわして、とんと押してやったら、こてんと転んだ」では、生き生きとした状況は伝わるが、あまりに感覚的すぎる。これまでの文章読本などで、オノマトペの使いすぎを戒めるのも、客観的な伝達をする言葉の修練の大切さを説くためである。だから、あるとき、ふと立ち止まり、いま心に浮かんだオノマトペを通常の言葉で言おうとするとどうなるのかを考えてみるのもいい。もちろん、さきに述べたように、そのニュアンスをすみずみまで正確に言い表すことは難しい。オノマトペを、なるべく実感を失わずに、しかも客観的な言葉で説明できたら——というのは、オノマトペに関わるものすべての見果てぬ夢かもしれない。けれども、オノマトペとそれを説明する言葉の両方を手にできたら、それは、強い感情の言葉と、固い論理の言葉の双方を手にすることを意味する。

このオノマトペは、日本語においても、古くから用いられている。特に、生き生きとした口語を文字に写すようになった中世、近世以降のオノマトペは、かなりの数にのぼる。このオノマトペの中には、現在では耳慣れないものも多くある。また、現代と微妙に違った形のもの、同じ形でもまったく違った意味で用いられているものもある。こんな言い方も昔はあったのか、というのは、純粋な発見である。また、それらを眺めているうちに、現在では使われていなくても、復活させると面白いのではないかというものの発見もあろう。ただの古くさい言葉を並べたものではない。その際、そのオノマトペが具体的にどのように用いられていたのかという実例は、復活の可否を判定する際のよい拠りどころとなろう。また、鳥や動物の鳴き声を古くさかのぼって、今とは異なる鳴き声に耳をかたむけるのも面白い。

さらに、オノマトペは、方言の世界でも豊かな生命力をもって用いられている。全国共通語とは異なる形で独自のニュアンスを持って使われるのはもちろん、同じ形でも、微妙に違った意味で用いられる場合もある。その土地土地で使われる、独自のオノマトペを一つ一つ見ていけば、新しい発見もある。学生時代、同級生が「今日は、ほんとうに暑いよ、お日様がジラジラと照っていてさあ」と言ったとこ

ろ、別の友達が「ゆみちゃん、へんだよ、ジラジラなんて普通言わないよ」と返したのを今でも覚えている。たしかに、「ジラジラと日が照る」とはあまり聞かない。方言だったのかもしれない。即興でつくったのかもしれない。しかし、「ゆみちゃん」にとっては、「ジリジリ」とも「ギラギラ」とも異なる「ジラジラ」だけが、その日の太陽の照りつける感覚を言い表すことができたのである。これまでにないオノマトペを個人的につくることができて、それでその場は結構伝わるということも、オノマトペの特徴の一つである。今日も、日本のどこかで、「ゆみちゃん」が新しいオノマトペを編みだしているに違いない。

日本語のオノマトペは、和語だけにとどまらず、漢語にも存在し、「あいまい」「こつこつ」(働く)、「ごうごう」(たる非難)、「そうそう」(たるメンバー)、「もうもう」(と立つ煙)、などのように、日常語にすっかりとけ込んでいるものもある。これらは、漢語が起源なのであるが、一方でまた、それとは別個につくられたオノマトペのように思えることもある。もちろん、漢語は、漢字ひと文字にそれぞれ意味があるから、純粋に音の感覚だけで用いられているわけではない。が、漢語のオノマトペを意識することは、やはり、日本語のオノマトペを総合的に捉えるうえで大切なことである。

以上述べてきたことを、時に、類義のオノマトペ同士の使い分けを確認し、時に、オノマトペの根源(もと)から理解しながら、オノマトペ・オンパレードとして、全部一つの辞典で実現しようとしたのが、本書である。よくばりな辞典である。このよくばりな辞典で、四千五百の、千以上の言葉を並べても言い尽くせないオノマトペの世界を楽しんでいただきたい。

二〇〇七年九月

小野正弘

目次

オノマトペのたのしみ

小野正弘

オノマトペとは?

オノマトペとは、これまで、擬音語(または擬声語)・擬態語なども呼ばれてきた言葉の総称です。「オノマトペ」というカタカナ言葉そのものの語源はフランス語で、onomatopée とつづります。英語だと onomatopoeia で、発音はオノマトピーアのような感じになります。おおもとは古代ギリシア語にまでさかのぼり、造語すること、名前を造ることという意味があったとされています(『小学館ランダムハウス英和辞典』より)。そういえば、『聖書』創世記第二章には、神がアダムを造ったあと、「野のあらゆる獣、空のあらゆる鳥を土で形づくり、人のところへ持って来て、人がそれぞれをどう呼ぶか見ておられた。人が呼ぶと、それはすべて、生き物の名となった」(新共同訳)という部分があります。このとき、人は、鳥や獣を何を手がかりにして呼んだのでしょう。そこは推測するしかないのですが、自然なのは、

その鳥や獣がどう鳴くかとか、どういう印象を心に与えてくるか、といったものではないでしょうか。もしそうだとすれば、まさに、それがオノマトペ—名前を造る—です。

オノマトペという言い方は、擬音語・擬態語という言い方にくらべて、少し耳慣れない言葉のようにも思えます。とはいえ、最近は、かなり市民権を得てきていて、インターネットの検索をしてみると、意外に多くヒットするので驚かれるのではないでしょうか。

では、なぜ、オノマトペという言葉をあえて用いるのでしょうか。もちろん、これまで用いられてきた擬音語・擬態語という言い方も悪いというわけではありません。けれども、この擬音語・擬態語をまとめた言い方をさがそうとすると、困ってしまいます。意外に、よい言い方がありません。そこで、オノマトペという言い方を用いる理由の一つは、**擬音語・擬態語をまとめた言葉**だからだ、ということになります。擬音語と擬態語をまとめた言葉があると便利なことの一つとして、次のようなものが考えられます。たとえば、「濁流がごうごうと流れている」などという場合の「ごうごう」はどうでしょうか。これは、音を表しているとも、その様子を表しているともとれます。近くにいれば、もちろん濁流の渦巻く音が聞こえます。が、遠くから見ていると、音は聞こえません。しかし、その濁流の逆巻くさまを「ごうごう」と感じる、ということはありえます。そうなると、「ごうごう」を、擬音語か、擬態語かのどちらか一つに分類するということ自体、あまり意味がなくなります。そのとき、両者をまとめた言葉があると便利なのです。

もう一つ、ここまでの解説では、「擬音語」という言い方をしてきて、オノマトペをさらに区分する必要のあるときは、以後もこれを用いますが、「擬声語」という言い方もあって、そのほうがなじみ深いという場合もあるかと思います。また、人によっては、擬音語・擬態語の総称として擬声語を使う、ということもあります。これはちょっとやっかいです。つまり、人によって、擬音語・擬声語・擬態語のどれを用いるか、また、それをどのように用いるかに差があるのです。以上のことは、擬音語・擬声語・

擬態語という言い方が、長い間用いられてきている分、それぞれに人による微妙な違いが生まれてきたという事情によります。それらに比べてオノマトペという言い方は、日常語としては新しい言葉[注]ですので、人によって違いが出てくるということがまだ比較的少ないと思われます。そこで、オノマトペという言い方を用いる、もう一つの理由は、**用語上の無用な混乱を回避する**ためだ、ということになります。

［注］「オノマトピーア」という言い方そのものは、すでに二〇世紀初頭、一九〇九年の例が知られていて、「擬声語」という言い方の早い例一九〇七年、および「擬態語」の早い例一九一四年と比べると、ほぼ同時期ということになります（『日本国語大辞典第二版』より）。

さて、それではどういうものがオノマトペになるのでしょうか。これまでにも、オノマトペの定義はありますが、今回は、少し異なった観点から、オノマトペの範囲について考えてみます。

まず、これまで用いられてきて、すでに知っている擬音語・擬態語を手がかりに考えてみましょう。

擬音語・擬態語というものの定義は、ものの音・声などを表した語、音のない仕草や動作を音に表した語、のように定義されます。つまり、オノマトペには、その元となるものや事象に、音のあるものとないものとがある、ということになります。

音のあるほうから考えてみましょう。

ニャーオ（猫の鳴き声）
ワンワン（犬の鳴き声）
コケコッコー（鶏の鳴き声）

ゴーン（鐘をつく音）
トントン（肩をたたく音）
カチカチ（ボールペンをノックする音）

これらの音や声は、人間が口やのどなどの発声器官を用いて出しているものとは異なります。つまり、「アメ（雨）」とか「ソラ（空）」という音は、人間が、日本語を用いて、口の開け方や舌の位置、のどのしぼり方などを巧みに組み合わせて出しているものです。

一方、これらのオノマトペですが、たとえば、猫の鳴き声「ニャーオ」は、猫が人間と同じ発声器官を使って「ニャ」とか「オ」を発音しているものではありません。逆に、猫の鳴き声を、人間の発声器官でまねて、近似的に「ニャーオ」と写しているものです。声帯模写の巧みな人がいますが、それでも、猫の本当の鳴き声は、人間の発声器官では、厳密には再現不可能なのでしょう。また、「ゴーン」という鐘の音のもとのものは、金属でできた鐘を木製の突き棒でついて出した音です。鐘が口を開いて「ゴーン」と言っているわけでないことは言うまでもありません。そんなことがあったら、妖怪です。さらに、肩をたたく「トントン」も、本当に「トントン」という音をたてているでしょうか。試しに肩を軽くたたいてみてください。その音は、たしかに「トントン」と聞けば、そうも聞こえますが、それ以外にたとえば「サンサン」などと聞こうとするとそれらしくも聞こえてきます。犬の鳴き声は、英語では「バウワウ」のように表されるときいて、日本語とずいぶん違っていると思いもしますが、近くで大きな犬が太い声で吠えているのを聞くと、「バウワウ」でも確かに間違いではないような気もしてくるから不思議です。それでは、どうして「サンサン」とか「バウワウ」ではないのでしょうか。それは、日本語においてはそう言い表すことに、社会的に決まっているからです。

つまり、これらのオノマトペは、人間の発声器官以外から出た音を、人間の声で表現したもので、さ

らに、それは、言語ごとに、表現のしかたが決まっているものです。面白いことに、日本語では、子どものころから、猫は「ニャーオ」、鐘は「ゴーン」というものだと教えられてきた結果、そう聞こえるようになってもいます。そこで、オノマトペとなる基準の第一は、**人間の発声器官以外から出た音を表した言葉**、ということになります。

さて、そうしますと、逆に、人間の発声器官から出したものに、オノマトペは含まれないということになりましょうか。感動詞と呼ばれるものなどは、どう考えるべきでしょうか。感動詞でも、「おい」「やあ」「はい」のようなものは、ひとつひとつの音に分解することができます。ですから、これはオノマトペには入りません。けれども、

ワーン（泣き声）
オギャーオギャー（赤ん坊の泣き声）
ウーム（考え込むときの声）
ガヤガヤ（多くの人間が話す声）

のようなものはどうでしょう。

声をあげて泣き悲しむ人は、「ワ」を伸ばしたあとに「ン」を発音しているでしょうか。赤ん坊は「オ」のあとに「ギャ」を伸ばしているでしょうか。考え込む人は、「ウ」を伸ばしたあと「ム」といい納めているでしょうか。「ガヤガヤ」も、まるで混声合唱のように、ある一団が「ガ」と発音したあと、別の一団が「ヤ」と発音しているでしょうか。すべて、否です。これらの語も、前の「ニャーオ」「トントン」「ゴーン」と同じく、ひとつひとつの音に分解できない音声を、人間の声の範囲内で、社会的にある一定の言い方に決めているものです。

そこで、オノマトペとなる基準の第二は、**人間の発声器官から出した音声で、ひとつひとつの音に分**

解できない音を表した言葉、ということになります（なお、本辞典には、このような言葉も、積極的に載せてあります）。

次に、現実には音など出ていないのに、それを音に表したものがあります。

きらっ（ものが光るさま）
ひらひら（蝶が飛ぶさま）
バーン（迫力をもって登場するさま）
たらっ（冷や汗が出るさま）
ガーン（感動したり、衝撃を受けるさま）
ぎくり（動揺するさま）

これらの語が表す場面では、右記のような音は、実際には出ません。テレビドラマなどで、「ガーン」と聞こえる効果音を流すことがありますが、これは、むしろ、テレビ画面では、文字を使ってオノマトペを書き表せないため、音をその代わりにしていると考えたほうがよいでしょう。これらは、従来「擬態語」と呼ばれてきた語群です。これを、さらに下位区分して、「きらっ」「ひらひら」「ぶるぶる」のような、外面的なありさまを表すものを「擬容語」、「たらっ」「ガーン」「ぎくり」のような、内面的な感情を表すものを「擬情語」と分類する場合もあります（ただし、厳密に区別しようとするとなかなか難しいところもあります）。すなわち、オノマトペとなる基準の第三は、**音のないもの、または聞こえないものに対して、その状況をある音そのものが持つ感覚で表現した言葉**、ということになります。

以上のように、オノマトペとなる基準が三つ指摘できました。おおむね、この基準で考えていればよいと思われますが、それでも、まだ微妙な問題が残っています。それをもう少し考えてみましょう。

まず、オノマトペには、**音を伴ったものなのか、そうでないのか、判定に困るものがある、**ということが問題となります。たとえば、

暑いので、ざあざあ水を浴びている。

の「ざあざあ」などはどうでしょう。これは、大量の水が流れ、身に降りかかってたてている音だとも、水が際限なく大量に降り注ぐさまを表しているともとれます。「水をじゃんじゃん浴びている」だと、ほぼ、音がないほうになると思われますが、「ざあざあ」は、少し微妙です。ただ、そのこと自体は、実は、今までも指摘され続けたことであり、また、この問題はオノマトペの下位区分に関わるもので、「ざあざあ」が、いずれにしてもオノマトペに属することに変わりはありません(なお、本辞典では、そのような場合、「〜の音。また、そのさま。」のような意味表記をしてあります)。

次の問題として、**ある言葉がオノマトペになるのか、それとも通常の言葉になるのか、**というものがあります。実は、これがオノマトペにとっては、もっとも難しくやっかいな問題になります。なお、ここでは、オノマトペ以外の言葉を「通常の言葉」と表現しますが、もちろん、オノマトペも「通常」使う言葉ですから、この言い方は、少し語弊があるかもしれません。けれども、ここでは、オノマトペを「特徴のある言葉」として他の語と区別し、その特性を考えているわけですから、オノマトペ以外は、通常の言葉としておきます。

さて、たとえば、「ひかり(光)」という言葉を考えてみます。これは、どこから見ても通常の言葉で、何も問題がないように思えます。ところが、この「ひかり」という言葉の「ひ」の発音は、日本語の歴史において古くさかのぼれば「ピ」であったと考えられています。そうしますとその時の「光」の発音は「ピカリ」です。そして、この発音は、現代語で「ピカリときらめく」などというときの「ピカリ」と一致します。そうすると、この「ひかり」の語源は、あるいはオノマトペだったのかもしれないわけです。ただ、それに

しても、少なくとも現代語の意識では、「ひかり」はオノマトペではないと言えます。しかし、たとえば今から千三百年以上もさかのぼって、まだ、ハ行の音がPの音であった昔は、どのような意識が持たれていたのでしょうか。そう考えると、なかなか難しい問題になります。また、現代語の「ぷちぷち」などはどうでしょうか。これは、壊れやすい大事な品物をくるむときなどに使う、空気の入った小さなビニールの粒が一面に並んでいるシートです。この「ぷちぷち」は、実は、商標登録された名前ですが、語源は、それを、プチプチつぶすときの音か、あるいは、気泡の丸く小さい袋の並び方が与える雰囲気から来ていると考えられますから、オノマトペ由来の言葉です。けれども、「ぷちぷちをつぶす」などというときは、通常の言葉として使っていて、何かの様子を表すための言葉として用いているわけではないように思われます。これがさらに進むと、「ぷちぷち」は、なぜそう言うのかが忘れられて、ちょうど今、われわれが「ひかり」をオノマトペとは関連づけて考えないように、通常の言葉の仲間だと思われることになるかもしれません。

オノマトペのもっとも典型的な用法は、何かの音声や、何かの様子を表すもので、文法的に言えば、副詞と呼ばれる語群の働きになります。この副詞のなかでも、通常の言葉なのか、オノマトペなのかという問題が起こります。基本的には、前に述べた、普通名詞かオノマトペなのかという問題と似たものになりますが、それよりもさらに微妙な問題をはらみます。たとえば、

あまりのお追従に、しらじらとした気分になる。

などという場合の「しらじら」はどうでしょう。これと、

夜がしらじらと明ける。

を比べると、その関係はいっそう難しいものと感じられるようになります。「しらじら」の語源は、いうまでもなく「白々」で、漢字で書かれる場合もあり、その時は、「白(しろ)」という言葉との結びつきが、強く感じられます。また、「夜がしらじらと明ける」の場合は、現実に闇夜がだんだん白くなっていきますから、語源との関わりも、分かりやすく思われます。しかし、「しらじらとした気分」の場合は、実際に、その場が白くなっているわけではありませんので、なにか「しらじら」が、オノマトペのような気にもなります。けれども、ここをもう少し深く考えてみますと、ある場の雰囲気について、その状況を音そのものの持っているイメージを用いて表すと「しらじら」となる、というのではどうもなさそうです。つまり、

座が一瞬でほんわかしたものになった。
座が一瞬でしらじらしたものになった。

を比べてみると、「ほんわか」は、「ほ」とか「わ」といった音の持つ柔らかいイメージ(「ほくほく」「ほわっ」「ふわふわ」なども思いおこしてください)を利用して、その場の雰囲気を表しているのに対して、「しらじら」は、特に音の持つイメージを利用しているわけではないことが感じられます。かりに、「し」や「ら」に、なにか乾いた空疎な感覚を感じるとしても、「しらじら」は、そのような音のイメージを最初に利用して造られた語ではなく、あくまでも、普通名詞「白(しろ)」の母音が変わった形である「しら」を用いて二次的に造られた語であるということになります。ここで、さらにゆずって、そのもとの形「しろ」あるいは「しら」そのものに、乾いて何もないというようなオノマトペとしての感覚があるとか、もっと進んで、前述の「ひかり」のように、「しろ」「しら」自体がそのような感覚を有するオノマトペだったのだ、ということになったとします。しかし、こうなると、オノマトペという語群を区別する理由そのものがなくなります。

さて、ここで、見方を少し変えて、それでは、なぜ「しらじら」がオノマトペのような印象を与えてしまうのかを考えてみます。その理由の第一は、その形にあります。オノマトペには、

ぐんぐん　どんどん　ぴかぴか　わさわさ

といったような同じ形をくりかえす言葉（「畳語」とも呼ばれます）が数多くあります。このことが、その形の上での仲間である「しらじら」をオノマトペのように感じさせるのでしょう。しかし、畳語という特徴だけでは、オノマトペだと認定する強い条件にはなりません。その証拠に、

あかあか　あおあお　くろぐろ　しらじら

と、四種類の色をもとにした畳語を並べてみますと、「あかあか」「あおあお」「くろぐろ」をあえてオノマトペだと主張する人は、そういないように思います。それは、その構成要素が「あか」「あお」「くろ」という、はっきりとオノマトペとは言えないものだからです。「あか」「あお」「くろ」は、「その絵の赤（青・黒）は、画面でひときわ印象的なものだった」のように、そのままの形での用法を持ちます。ところが、「しら」は、実は、「しらを切る」のような用法は持つものの、いま見た色を表す「その絵のしらは、画面で〜」のような例では用いることができません。これが、「しらじら」をオノマトペのように思わせる理由だったのです。すなわち、理由の第二は、構成要素がそのままの形では用いられない、というものです。

つまり、まとめると、畳語という特徴だけでは、オノマトペだと思わない人でも、その構成要素がそのままの形では用いられないようなものになると、オノマトペのように感じる場合がある、ということになります。このようなものは、他に、

いよいよ　おずおず　しずしず　しみじみ　しめしめ　つくづく

のようなものが挙げられましょう。これらの構成要素は、今ではふつう用いられない、古い活用パターンの動詞（の活用形）であったり（「怖（お）ず」→「おじる」、「染（し）む」→「しみる」、「尽（つ）く」→「つきる」）、独立して用いられない形容動詞の構成要素であったり（「静（しず）かだ」）、古語であったり（「弥（いよ）」）しますが、そこに共通する特徴は、現代ではそのままの形で用いられないというものです。しかし、これは、あくまでも現代における感覚であり、このほうは、さきほどの「ひかり」の場合とは逆に、時代をさかのぼればさかのぼるほど、オノマトペという感覚ではなくなっていると考えられます。時代をさかのぼれば、それらの構成要素は、より独立性が高いものであったからです。したがって、このようなものまでオノマトペに含めるのは、かえって全体を不均一なものにしてしまうことになるでしょう。

さらに、いかにもオノマトペらしい形という方向から、オノマトペ認定の問題をもう少し考えてみましょう。

典型的なオノマトペを思い浮かべてみます。すると、前述の畳語形のほかに、

きらり　こっくり　どきん　ばたん　ばーん　ぴかっ　ふっくら　べりり

のようなものが思い浮かべられます。これらは、いかにもオノマトペらしいオノマトペですが、形の上でも、特徴的なものを持っています。それは、「り」「っ」「ん」「ー」「ら」のような要素が、ときには最後に、ときには途中に現れるというものです。この要素が、普通の語の要素に加わって、いわば、もとの形をこわしてしまうと、オノマトペらしさが高まります。たとえば、「あっさり」などはどうでしょうか。この「あっさり」のなかに「浅い」の「あさ」を見つけ出すことができ、さらに、「あっさり」と「浅い」に意味的な関連性を見出すことができるでしょうか。言われてみれば、

あっさりした味の漬け物。

などは、なるほど漬け方が「浅い」ということからなのか、などと発見した気分にもなります。けれども、

あっさりと白状した。

などの場合はどうでしょう。もちろん、一つの説明として、深く追究されない段階、つまりは、「浅い」追究の段階で白状したのだと言えば言えそうですが、それはどうも、この「あっさり」と「浅い」とが関わりがありそうだという認識が先にあってこその知恵のような気もします。したがって、「あっさり」が「浅い」と関わりがあるとしても、「あっさり」という姿になった段階で、これはオノマトペとして姿を改めたのだと解してよいのではないでしょうか。似たものとして、「はんなり」(「花なり」が語源と言われる)、「とっとと」(古語「疾く疾く」が変化したものと言われる)などが指摘できます。といっても、このようなものは、実は、そう多くはありません。

以上のことからもわかるように、通常の言葉の要素とオノマトペの要素(これを、本辞典では「オノマトペのもと」と呼んでいます)は深く関わりを持ちます。たとえば、歴史をさかのぼると、「ふくふく」「ふっくり」というオノマトペがあります。意味は、柔らかく張りのあるさま、といったものです。この「ふっくり」からは、現代語の「ふっくら」を連想します。さらに、「ふくらむ」、「ふくれる」(古語だと「ふくる」)という動詞も思い起こされます。ここまでくると、実は、通常の言葉のように思えていた「ふくらむ」「ふくれる」の「ふく」は、「オノマトペのもと」だったのだと気づきます。さらに、「ふく」の「ふ」を半濁音・濁音にすると、「ぷく」「ぶく」となりますが、これは、「ぷくっとふくれる」「最近ぶくぶく太りぎみで…」の「ぷくっ」「ぶくぶく」へと展開していきます。つまり、オノマトペのもとである「ふく」「ぷく」「ぶく」は一つのグ

ループで、それぞれが、反覆したり、前述の「り」「っ」「ん」「ー」のようないかにもオノマトペらしい構成要素と結びついたり、さらには、動詞をも派生させるわけです。とはいえ、「ぷくれる」「ぶくらむ」というような動詞はありませんので、動詞を派生させるのは「ふく」だけのようです。また、「ふっくら」「ぷっくら」はありそうだけれども、「ぶっくら」はない、などということを考えると、オノマトペのもと「ふく」「ぷく」「ぶく」がすべて同じように「り」「っ」「ん」「ー」「ら」などと結びつくわけでもなさそうで、これは、それぞれの個別的な研究と、これ以外のオノマトペのもととあわせた、総合的な研究を要しそうです。しかも、現代だけでなく、過去にもさかのぼって、さらに全体的にとらえていかなければならないので、これは、今後の大きな課題になりそうです。

オノマトペのもとの総合的な研究は、まだ完成していませんが、節を改めて、そのオノマトペのもとがどのように表現を広げるのかを、少しだけ覗いて見てみることにします。

「オノマトペのもと」とその活用

「オノマトペのもと」と聞くと、なにか、料理をつくるときの調味料や基本的な具材のようなものを連想するかもしれません。オノマトペのもとは、さきの「ふく」「ぷく」「ぶく」で見たように、具体的なオノマトペをもとに取り出した、少し抽象的なものです。逆に言えば、そのオノマトペのもとを根本にして、実際のオノマトペができていくわけです。そうすると、料理のもとに他の具材をあわせて、炒めたり、煮たりして、実際の料理ができるということを考えると、オノマトペのもとについての、前述の料理のイメージは、そう外れているわけではないかもしれません。

さて、ここでは、オノマトペのもとを、どのように活用していくのかを、「きら」「ぎら」をもとにして

考えてみましょう。

「きら」に、「り」を付けてみましょう。「**きらり**」です。どんな言い方に結びつくでしょう。「きらり」だけだと、「きらり光る才能」などと使うことはできますが、少しすわりの悪い感じは否めません。これに「と」を付けて「**きらりと**」になると、「胸のペンダントが、きらりと輝いた」のように、すわりよく使えます。この場合、「胸のペンダントが、きらりと輝いた」と「胸のペンダントが、きらり輝いた」で、少し違いがありそうです。この感じ方は、人によって個人差があるかもしれません。私の場合、「胸のペンダントが、きらり輝いた」のほうが、何か、いま目の前で起こっているような臨場感を感じますが、いかがでしょうか。

次に、「っ」を付けてみましょう。「**きらっ**」となります。ただ、これは「きらっ」だけでは、使いづらいようにも思えます。もちろん、「きらっ、闇夜のむこうに何かが光った」というような使い方、それから、マンガの絵の部分などに、「きらっ」と書くことはできそうです。この場合、カタカナで「キラッ」と書くこともあります。ひらがなとカタカナで、受ける感じも違ってきます。カタカナのほうが、なにか冷たくするどい感じです。ただ、ちょっと文章にするには、「きらっ」だけでは浮いた感じです。使いやすくするためには「と」を付けます。「**きらっと**」になると、「きらっと、小次郎の長刀が日差しをはね返した」のようにすわりよく使えます。

今度は、「きら」を繰り返してみましょう。「**きらきら**」です。どんな感じになるでしょう。「水面が、きらきら日の光を反射していた」というと、ずっと続いている感じがします。いつ始まって、いつ終わるのかは分からないけれども、とりあえず、いま、そうなっている最中だ、という感じでしょうか。先ほどの「きらっ」は、これだけだとすわりの悪さが感じられましたが、「きらきら」のほうは、このまま使っても、あまり違和感を感じません。もちろん、「**きらきらと**」という言い方もあって、「きらきらと輝く宝石の数々」などとも用いることができます。「きらきら」と「きらきらと」の違いも微妙です。ただ、これも、

やはり前に述べたように、「きらきら」だとすぐ目の前で起こっているような臨場感がある感じがします。

ところで、「きら」に「ん」を付けた「**きらん**」という言い方は可能でしょうか。これは、絶対に言ってはならないということはないでしょうが、あまり聞かない言い方ではあると思います。ちなみに、「らん」で終わるオノマトペを調べてみますと、

からん　がらん　じゃらん　たらん　だらん　ばらん　ぱらん　ぶらん　ぷらん

などが挙げられます。これらを眺めてみますと、ずっと続く状態であったり、なにか、ある種の余韻が残るようなものであるように思われます。「ネジが一つ工具箱に落ちてカランと音をたてた」「だらんとたれ下がった電線」というような例を思い浮かべると、それが確認できます。そうしますと、もし、「きらん」というオノマトペを使おうとするならば、なにか、輝きが余韻を持つような効果を出したいようなとき、ということになりそうです。「これが王女の印なのよと、胸のペンダントをキランと輝かせた」というような感じでしょうか。すこしマンガっぽい感じがすることも事実ですが、絶対にまちがった言い方だとも言えなさそうです。現在あまり聞かない言い方でも、絶対に言えないのではなく、潜在的には言いうるが、言う習慣がないだけであるというオノマトペは、数多く存在すると思われます。

それでは、さらに、「きら」に「ー」を付けた「**きらー**」はどうでしょうか。同じ光でも「ぴかー」はよいのですが、「きらー」は、ちょっとありえない言い方だと思われます。それでも頑張って、「きらーと、流れ星が落ちていった」はどうでしょうか。やはり、少し苦しい言い方のようです。とはいえ、このように例をつくってみると、これまでの慣用ではあまり聞かない言い方とはいえ、「きらっと(きらりと、きらきら)、流れ星が落ちていった」と比べてみると、やはり、ちょっとマンガっぽい言い方のようにも思われますが、流れ星が細い光の筋を描きながら、流れ落ちるさまは、「きらっと(きらりと、きらきら)」では言い表せないようにも思えます。

こうしてみると、オノマトペには、現在普通に使われていないものでも、意外な潜在能力があることに改めて気づきます。なかなか深い世界です。とはいえ、自分で勝手に慣用と異なるオノマトペを編みだすと、伝わりにくかったり、その場に居合わせない人が後から聞いてもわからなかったり、という場合が多々ありうるということには注意する必要があります。

次に、「きら」にもう一つ「ら」を付けてみましょう。「**きらら**」となります。「きらら」は、「きらきら」から後ろの「き」が落ちたものとも、「ふっくら」のように、オノマトペのもとに「ら」が付いたものとも考えられますが、ここでは後者と解しておきます。それはともかくとして、この「きらら」は、「きららと、星が輝く夜だった」のようなオノマトペとしてはあまり使われないのですが、固有名詞として、現在、きわめて多くのものに名付けられています。米、電車、駅からはじまって、人名、病院、温泉、割烹、建物、団体……と枚挙にいとまがありません。「きらら」の持つ、澄んだ輝きのイメージは、それらのものがずっと輝く魅力を持ち続けてほしいという命名者の祈りによくかなうものなのでしょう。私もこの辞典に、『きらら日本語オノマトペ辞典』と名付けたくもなります。そういえば、「ひかり」もおそらくオノマトペと関わりがあり、しかも通常の名詞ではもちろん、固有名詞としても用いられています。光とその輝きとは、名付けをするときの、いや、それ以上に、人間が生きていくうえで、最も重要なものの一つです。それを表す言葉を支えるものがオノマトペなのだということは、非常に面白く意義深いことだと思います。

さて、今度は、「きら」の「き」を濁音に変えてみましょう。「ぎら」になります。「きら」で行ったように、「り」「っ」を付けたり、畳語にしてみたりすると、それぞれ「**ぎらり**」「**ぎらっ**」「**ぎらぎら**」となります。これらからは、強さや迫力のある光を感じます。「ぎらりと（ぎらっと）ナイフが光った」「ぎらぎらした太陽」のようにです。一般に、清音や半濁音で始まるものに対応したかたちの、濁音で始まるオノマトペは、悪いイメージ、強さ、重さなどを感じさせます。「くるくる／ぐるぐる」「さらさら／ざらざら」「とろ

とろ／どろどろ」「ぱたぱた／ばたばた」のようにです。また、「きら」でも見たように、「**ぎらん**」「**ぎらー**」は、かなり特別な状況の場合には使えるかもしれませんが、一般的にはあまり聞かないものです。このとき、今度は「**ぎらら**」は、「きらら」とは対照的に、ちょっとない言い方になっていることにも注目させられます。この強く迫力のあるかたちは、怪獣の名前ぐらいにしか使えないのではないか、などと思って調べてみたら、昔の松竹映画の怪獣の名前に使われていたので、驚きました。やはり、オノマトペは奥が深いものです。

以上のところから、オノマトペに付く「り」「っ」「ん」「ー」と畳語の性質を、大まかにまとめてみましょう。ただし、「ら」は、ちょっと他のものとは異なりますので、今回の考察からは省きます（「ら」は、古いオノマトペに付いていることが多く、オノマトペを歴史的に考える際には、必要な要素です）。

まず、「り」ですが、これは、**音や動作・状況などをひとまとまりのものとして表現する**もののように思われます。「うっかり」「きらり」「ことり」「さらり」「どたり」「ぷかり」などを思い浮かべると、音や動作・状況をひとまとまりにしているということがわかってもらえるのではないかと思います。「そろりそろり」「ちびりちびり」なども、「そろり」「ちびり」というひとまとまりの動作を何度も繰り返しているというニュアンスですし、「どたりばたり」だと、「どたり」と「ばたり」という微妙に異なる動作を繰り返しているというものになります。

次に、「っ」は、**音や動作・状況などがあるところで瞬間的な区切りが付くということを表現している**もののように思われます。「ぱんっ」「さっ」「ぴっ」「むっ」などのような、もともとのものが瞬間的なものは言うまでもなく、「きーっ」（ブレーキの音）、「だらーっ」「わーっ」のように、継続性のあるものでも、「っ」が最後にはいることにより、そこで、一区切りつくということになります。前の「り」が全体的なひとまとまりをつくるのに対して、こちらの「っ」は一区切りつけるという特性を持っているようです。

「り」と「っ」は、このように注目点が異なりますから、「っり」という、一区切り付けたあとにまとめるというタイプのオノマトペは存在しません。ただし、「ひらりっ」「べりりっ」のように、まとまった動作が一区切りつくというタイプのオノマトペは存在します。

また、「ん」は、**音や動作・状況などがとりあえず終わりはするが、その結果が残存したり、余韻が残るということを表現している**もののようです。「かたん」「がつん」「どぶん」「ぶらん」「ぽとん」などがそうですが、とくに「ーん」という伸ばす音が「ん」の前に付いたタイプのオノマトペ「かきーん」「がらーん」「どすーん」などは、その残存・余韻のニュアンスが強くなるようです。「ん」が残存・余韻を示す要素であることから、「んっ」で終わるオノマトペはちょっと考えられません。「がらーんっとした部屋」というのはやはり変です。ただし、「からんっ」「かきんっ」「がつんっ」などのような瞬間的な音や動作・状況の場合には、やや許容度が上がるかもしれません。「かんっ、という鋭い音を残して、打球はレフト前に飛んだ」のようにです。けれども、「かきーんっ、とホームランの打球が夜空に舞い上がった」は、やはり駄目なのではないでしょうか。これでは内野のあたりで失速しそうです。また、「っん」で終わるオノマトペもなさそうです。さらに、「んり」で終わるオノマトペはないようですが、「りん」で終わるものは、「かたりん」「くるりん」「つるりん」「ぶらりん」など、そう多くはないのですが、あります。また、前述のように、「くるりんっ」「つるりんっ」のように、瞬間的な音や動作・状況の場合は、「んっ」が許されそうです。

次に、「ー」は、**音や動作・状況などがある程度続くということを表現する**もののようです。ただし、「ー」は、「じわーり」「とろーり」「かちーん」「しゅーん」「がらーっ」「でれーっ」のように、そのあとに「り」や「っ」「ん」がくることが多く、末尾が「ー」で終わるものは、「しゅー」「ぬめー」「ふわー」などのようなものが考えられはするものの、これらも「しゅーっ」「ぬめーっ」「ふわーっ」のように、「っ」で閉じられる場合も多いように思われます。

以上の「り」「っ」「ん」「ー」の関係を、その相互の結びつきかたに注目してまとめると、下の表のようになります。つまり、「もと」には、その下に第Ⅰ段階として、「り」「っ」「ん」「ー」の四種類が普通付きうるが、「っ」が第Ⅰ段階で付いてしまうと、そのあとには何も付くことができないことになります。「ん」もそれに近いのですが、「っ」だけは第Ⅱ段階で付くことができます。第Ⅰ段階で、「り」と「ー」が付いた場合は、第Ⅱ段階で、それぞれ「っ」「ん」「ー」、「っ」「り」「ん」が付くことができます。この場合も「っ」が付くと、そのあとにはもう何も付けることができません。第Ⅱ段階で「り」「ん」「ー」が付いた場合は、第Ⅲ段階でさらに「っ」を付けることができます。そして、「っ」が付いたら、それ以上は何も付きません。

すなわち、「っ」が最もオノマトペを断ち切る力が強く、「ん」がそれに次ぎ、「ー」がほぼ「っ」「り」「ん」を必須に要求するというところから、最も断ち切る力が弱いということになります。

オノマトペのもとを根本にすえて、このような整然とした造語が行われていたのです。

最後に、オノマトペのもとを畳語にするものは、**音や動作・状況が継続したり繰り返されたりしていることを表現する**もののようです。「きらきら」「くねくね」「ざあざあ」「ばたばた」「りんりん」などが、その例です。この場合、「ー」と比べると、意識の対象となっている時間が長めであるという特徴がありそうです。「雨がざあざあ降ってきた」「雨がざあーっと降ってきた」を比べると、やはり、「ざあーっ」のほうが短めのように思われます。また、畳語になるのは、オノマトペのもとだけではなく、右下の表の第Ⅰ段階でできたものも可能です。たとえば、「ぴかっぴかっ」「どたんどたん」「ぶらりぶらり」「ふわーふわー」のように。そして、さらに、それ自体が、オノマトペのもとになって「どたんどたんっと、二階から音が聞こえてきた」のように用いることができそうです。ただ、この問題をこれ以上論じていくと、さらに長くなってしまいますので、これは指摘だけにとどめます。

もと／段階	「もと」			
[Ⅰ]	っ	ん	り	ー
[Ⅱ]		っ	っ ん ー	っ り ん
[Ⅲ]			っ っ	っ っ

オノマトペのたのしさ

最後に、オノマトペのたのしさをまとめて、この解説を終わることにしましょう。

オノマトペのたのしさは、まず、なんといっても、その**生き生きとした表現力**にあります。「がつんと文句を言ってやる」というときの「がつんと」を、「厳しく打撃を与えるように」などと表現すると、その生気が失われてしまいます。実際にひらひら飛んでいる蝶々と、虫ピンで刺されて箱に入っている蝶々の違いほどの差を感じます。また、「厳しく打撃を与えるように」などと言うのは、第一、角が立つ表現です。明確すぎるからなのでしょう。「がつんと」は、具体的にどうして、どこに打撃を与えるかなどということはあまり思わずに、じつにたくみに感覚的に表現されたものです。もちろん、オノマトペの感覚的な性格が、実際の言語伝達にとって妨げになる場合もありますから、無条件でオノマトペのほうがいいということを言いたいわけではありません。けれども、たとえば、川端康成の『伊豆の踊子』には「ころころ笑う」という表現があって、これが「ころころ」でも「けたけた」でも、むろん、「がはがは」「げたげた」「げらげら」などではないところに、思わず、うまいなあ、と言ってしまいそうになります。その生き生きとした表現力を無心に味わえたら、オノマトペをたのしんだと言えるでしょう。

次のたのしさは、**通常の言葉との交流**にあります。通常の言葉とオノマトペの見分け方は、すでに述べたとおりですが、「がたつく」「きしむ」「きらめく」「ひらめく」「ふくれる」「チンする」などの動詞は、オノマトペのもとから派生したものです。動詞だけでなく、「がしゃぽん」「しゃぶしゃぶ」「プッチンプリン」「わんわん」のような名詞（商品名・商標名などを含め）、「ひょろ長い」「ピリ辛い」「むずがゆい」のような形容詞までも、オノマトペのもとが、どれほど活躍しているのかを、気をつけて観察すると、これ

ほどまでにあるのかと驚くことでしょう。どんなオノマトペのもとが、どれほど活躍しているかをまとめれば、優に、別の一冊の辞典になるでしょう。

また、この解説で、オノマトペのもとというものと、それを活用させるときの基本を述べました。これは、詳しくするともう少し複雑になりそうなのですが、オノマトペが、実に整然としたフォーメーションの中でできあがっているということがわかります。そこで、もう一つのたのしさは、**オノマトペのできかたの規則**です。ちょっとコアなオノマトペファンには、ちょうどよいたのしみかもしれません。同じ光なのに、「きら」と「ぴか」はなぜオノマトペのできかたに差があるのか、清音・半濁音のオノマトペのもとと、濁音のオノマトペのもとは基本的には意味的に対応しているのだけれども、「からりと晴れた空」と「がらりと晴れた空」はなぜ対応しないのか……疑問は尽きません。

ただ無心にたのしむ。少し意識してたのしむ。ちょっと研究してたのしむ。オノマトペのたのしみかたは、どっさりとあります。

◎凡例

■本辞典の構成

本辞典は、日本語に特徴的といわれるオノマトペ（擬音語・擬態語）を広く集め、古代から現代までに至る用例を豊富に掲げて、意味・用法について解説を施した。見出し語は、本編に四〇六〇語（方言項目二五三語を含む）、付録の「漢語オノマトペ編」に二八七語、「鳴き声オノマトペ編」に二一七語、総計四五六四語を数える。コラム「オノマトペのもと」や「使い分け」欄で扱った関連語、方言項目の異形、「鳴き声オノマトペ編」の見出し語以外のオノマトペ表現などを含めると、総収録語数四七〇〇余語を数える。

本編には主に和語（若干の外来語を含む）を収め、漢語由来の表現については、本編中では参照見出しにとどめ、巻末付録に「漢語オノマトペ編」として解釈と用例を紹介した。

また、鳥・虫・動物などの鳴き声の表現についても、基本的な語は本編に収めたが、聞きなしの類などことば遊び的なものも含まれることから、「鳴き声オノマトペ編」として巻末に集めた。本編には、適宜参照見出しを設けて便宜を図った。

編者による巻頭の解説のほかに、巻末には鈴木雅子氏の総括的な解説を掲載した。

■見出し語について

1　配列と仮名遣い

(ア)　和語・漢語は平仮名で、外来語は片仮名で示した。

(イ)　現代仮名遣いの五十音順に配列した。長音を表す場合

は、「あーん」のように、長音符号「ー」を用いた。

・清音、濁音、半濁音の順。

はたはた → ばたばた → ぱたぱた

・促音・拗音が先、直音が後。

かっかっ → かつかつ

きゃきゃ → きやきや

・長音符号「ー」は、直前の仮名の母音と同じに扱う。

「あーん」は「ああん」、「げーげー」は「げえげえ」、「ぴーぴー」は「ぴいぴい」の位置に置いた。

(ウ) 和語は、古語・現代語の別なく現代仮名遣いで示し、長音符号「ー」を用いた。

うわうわ ← うはうは

こーろこーろ ← こをろこをろ

ずけずけ ← づけづけ

ひょーずわ ← ひゃうづは

(エ) 付録「漢語オノマトペ編」及び本編の参照見出しで、漢語を表す場合には、長音符号「ー」を用いず、通行の仮名遣いに従った。

しゅーしゅー〈略〉

❸⬇漢語編①「しゅうしゅう(啾啾)」 ②「しゅうしゅう(颼颼)」

せいせい ⬇漢語編①「せいせい(正正)」 ②「せいせい(済済)」 ③「せいせい(清清・晴晴)」

2 語形

オノマトペは多く「と」を伴って用いられるが、本辞典では原則として、「と」の付かない形を見出し語とした。ただし、「じっと」「ちゃんと」などの語は、使いやすさを考慮して、適宜、参照見出しを設けた。

語末の促音「っ」については、「うか」「うかっ」「ちら」「ちらっ」などのように意味としてまとめられるものは、「っ」を伴った形を見出し語にした。ただし、「びく」「びくっ」のように、促音の有無によって、語義に違いが生じる場合などは、両方の語形を見出し語に立てた場合がある。また、用例の語形に合わせて、促音の付かない形の見出し語に記述を集めた場合もある。

3 その他

オノマトペ(擬声語・擬音語・擬態語など)に関する既刊の辞典類を中心に、『分類語彙表 増補改訂版』(国立国語研究所編)など数点の資料を加えて検討し、七〇〇余語を基本的な頻出語と認定して、大きな見出しで示した。

■解説文について

1 見出し語の下に、類別を試みた。

音 擬音語として用いられるもの。

声 擬音語のうち、人間や動物など、主として生命体の出す音声を 声 として扱った。

さま 擬態語として用いられるもの。品詞に関係なく広く様態を表す語を含める。

音・さま 声・さま 音・声・さま 擬音語・擬態語の両方の用法があるもの。

名 特に、名詞として用いられる性格のもの。

古 古めかしい表現や、多く古典などに用例が見られる語などについて特に示した。

2 語義が分かれる場合は、区分を明らかにするため、❶❷❸…の番号を付した。説明文中でこれらの❶❷❸…を指示する場合は①②③…とした。

3 語釈のあとにつづけて同義語を示した場合もある。参照項目は、→を付して注記した。

■用例文について

語釈の理解を助けるため、つとめて用例を掲げた。

1 古典からの引用に当たっては、見出し語の部分以外については原典の仮名を漢字に、漢字を仮名に改めるなど、必ずしも原文のままではない。

2 拗音・促音は、拗音・促音が確実なものに限って小字とする。

3 漢字は原則として常用漢字表の字体に従う。常用漢字表外の漢字については、原則として拠ったテキストの字体を尊重するが、極端な異体字や、なりたちが同じで、形が類似しているものについては、なるべく通行の形を採用した。

4 用例中、語句の一部を省略した場合は、〈略〉で示した。また、難解の語句に( )で注釈を施した箇所もある。

5 引用出典の書名はなるべく略称をさけ、巻名、章段名などは省略した。近代の作品には、作者名を書名の下に・を付して注記した。近世の作品にも、著名な作家においては作者名を注記したものもある。

6 作品のジャンルを示したものもある。

(ア) 幸若・謡曲・狂言・御伽草子などの類。

(イ) 近世の作品で作者名を掲げなかったものには、仮名草子・浮世草子・咄本・談義本・俳諧・雑俳・随筆・洒落本・滑稽本・人情本などのジャンルを冠するようにした。浄瑠璃・歌舞伎については、すべてにジャンルを冠した。

(ウ) 童謡・唱歌・軍歌・落語などの類。

7 用例中の見出しに当たる部分は太字で示した。その際、片仮名、漢字表記、および清音・濁音・半濁音の形については、原則として原文の形を尊重したため、見出し語と形が必ずしも同一ではない場合がある。

8 用例の並べ方は、概略、時代の新しいものから古いものへと順次並べたが、理解を損なわないために語釈の順序にそろえた場合などもある。

9 文献からの用例が添えられなかった場合や、用法をわかりやすくするために、実例を参考に作った例文(作例)を『 』を用いて補った。ことわざや慣用表現などについても『 』を用いた。また、作例の場合で、見出しに当たる部分を片仮名表記にした場合もある。

10 用例の収録の範囲は、『日本国語大辞典 第二版』(全一三巻+別巻、二〇〇〇～二〇〇二年 小学館刊)に収められた用例に加えて、新資料と新聞雑誌などからも、新たに用例を採取した。古語的なもの、方言的なもの、俗語・流行語など、できるだけ広く呈示できるよう努めた。

■補助注記について

補足的な情報を、✸の下に示した。

■方言欄について

1　近代の方言集・地誌の類から、方言オノマトペを選別し、用例とともに収録した。

2　一般語で扱う見出しと語義の近いものは、その見出しまたは語義区分の番号の箇所にまとめて、方言の下に解説と用例を紹介した。

3　一般語に該当する見出しがないものは、単独の見出しを立て、語釈の冒頭に方言の下に解説と用例を紹介した。

4　方言欄の解説は、語釈、地域、異形の紹介、用例、用例を採取した都道府県名から成り、その順に記述する。都道府県名は、各方言集などに示される地域名を現在の行政区画に当てはめて、原則として都道府県名で示した。離島など、さらに限定された地域を掲げたものもある。

それぞれの語釈の中で複数の都道府県名を示す場合、その順は、おおむね北から南へ並べた。

5　参考文献中の歴史的仮名遣いや用字については、読みやすさを考慮して適宜手を加え、（　）を用いて、意味を注記したり補ったりした場合もある。

6　典拠とした方言集その他の資料については、６４９ページの「方言参考文献」に示す。

■コラムについて

①「オノマトペのもと」では、オノマトペを形成する語基について七六のテーマを選定し、それぞれに特徴的な意味・用法、語群や派生語、表現などについて解説した。

②「使い分け」欄を本編の一二五か所に設け、共通の意味をもつことばを集めて、ニュアンスの違いについて解説した。紹介した表現は必ずしもオノマトペに限らなかった。

■付録について

①漢語オノマトペ編……漢語由来のオノマトペを巻末に集めて解説し、用例を添えた。

②鳴き声オノマトペ編……鳥・虫・動物の鳴き声について、巻末に集めて解説し、用例を添えた。

■索引について

①「自然」「人間」「事物」に三大別し、意味からの検索を可能にした「意味分類別さくいん」を巻頭に配した。

②巻末には、本辞典に収載されているすべての見出し語、使い分け欄の語などを集めた「五十音順さくいん」を配した。

◎主要参考文献

『擬音語・擬態語辞典』 天沼寧／編 東京堂出版 一九七四
『擬音語・擬態語辞典』 浅野鶴子／編・金田一春彦／解説 角川書店 一九七八
『擬声語擬態語慣用句辞典』 白石大二／編 東京堂出版 一九八二
『日英擬音・擬態語活用辞典』 尾野秀一／編著 北星堂書店 一九八四
『和英擬音語・擬態語翻訳辞典』 藤田孝・秋保慎一／編 金星堂 一九八四
『擬声語の研究』 大坪併治／著 明治書院 一九八九
『〈和英〉擬態語・擬音語分類用語辞典』 アンドルー・チャン／著 大修館書店 一九九〇
『擬音語・擬態語の読本』 日向茂男／監修・尚学図書／編 小学館 一九九一
『擬音語・擬態語使い方辞典』 阿刀田稔子・星野和子／著・創拓社 一九九三
『日中擬声語・擬態語辞典』 郭華江ほか／編 東方書店 一九九四
『現代擬音語・擬態語用法辞典』 飛田良文・浅田秀子／著 東京堂出版 二〇〇二
『オノマトペ擬音・擬態語をたのしむ（もっと知りたい！日本語）』 田守育啓／著 岩波書店 二〇〇二
『暮らしのことば 擬音・擬態語辞典』 山口仲美／編 講談社 二〇〇三

意味分類別さくいん

ここでは、本辞典に収録している約四五〇〇の見出し語のうち、延べ二四七〇語を採り上げ、自然・人間・事物に三分類し、それぞれに簡略な解説を付して意味・用法の違いが分かるようにした。数字は見出し語のページを表す。本書の全収録語については巻末の「五十音順さくいん」参照。

天気に関するオノマトペ

【照る・晴れる】

- 春の日ざしがのどかで　**うらうら** 14
- 日ざしがおだやかで　**おっとり** 19
- 日光が熱く照りつけて　**かっ** 35　**かっか** 36
- 湿度が低く気持ちよく晴れて　**からっ** 51　**からり** 51
- 夏の強い日ざしが照りつけて　**かんかん** 58
- 真夏の太陽が強く照りつけて　**ぎらぎら** 76
- 曇っていた空が明るく晴れて　**けろり** 116
- 日ざしがいっぱいに差しこみ　**さんさん**(燦燦) 521
- 太陽が焼けつくように照り　**じりじり** 192
- 雲ひとつなく晴れ上がって　**すかっ** 201
- 日光の照り輝いて　**てかてか** 278
- すっかり日が暮れて　**とっぷり** 298
- 水や日ざしが満ち満ちて　**なんなん** 311
- あたたかい日ざしが差しこみ　**ぽかぽか** 434
- 日が射したり、光がともって　**ぽっ** 448

【雨・雪・氷】

- 雷の音がとどろき響いて　**ごろごろ** 138
- 雪やあられが次々と降って　**こんこん** 143
- 大量の雨が続けて降って　**ざーざー** 145
- 通り雨が軽く一時に降って　**さーっ** 145　**さっ** 149
- 夕立がはげしく一時に降って　**ざーっ** 145　**ざっ** 149
- 雨や波が勢いよく打ちつけて　**ざざっ** 148
- 雨や風などが騒がしく　**ざんざら** 158
- 雨が勢いはげしく降って　**ざんざん** 158
- 雨などがしめやかに降って　**しとしと** 169
- 雨が降り続いて、湿って　**じとじと** 169
- **じめじめ** 173
- 雪や砂などを踏んで歩いて　**しゃりしゃり** 182
- 小雨が陰気に降り続いて　**しょぼしょぼ** 191
- 空から雪がまばらに散り落ち　**ちらほら** 265
- 多量の雨がはげしく降って　**どしゃどしゃ** 293
- いまにも雨が降りそうで　**どんより** 310
- 粉雪などがごく軽いようすで　**はらはら** 346

もくじ

大粒の雨や雹などが急に降り　ばらばら 346
少量の雨や霰などが急に降り　ぱらぱら 346
水たまりになりつつ雨が降り　びしゃびしゃ 360　びちゃびちゃ 366
梅雨の長雨が絶えまなく降り　びしょびしょ 361　びちょびちょ 367
雨が一粒ずつまばらに落ちて　ぽつぽつ 455
氷などがひび割れて　みりり 471

【風・吹く】

強い風が吹きすさんで　ごーっ 117
風で木の葉がこすれ合って　さーさー 145
瞬間的に風が吹き過ぎて　さーっ 145
風がはげしく木の葉をゆすり　ざーっ 145
微風が木の葉の音を立てて　さやさや 153
草木をそよがせながら吹いて　さわさわ 157
枝や葉をはげしく鳴らして　ざんざ 158
すきま風などが吹きこんで　すーすー 198
すきま風や微風を体に感じて　すーっ 199
風や空気が通りぬけて　すかすか 200
やさしい風が静かに吹いて　そよそよ 232
風が軽く静かに吹きすぎて　そよ 232　そより 233
風に布などがひるがえって　はたはた 336
風に布などが強くあおられて　ばたばた 337
風に布などが軽くあおられて　ぱたぱた 337
少し強い風が音を立てて吹き　ひゅー 372　ぴゅー 372
強風が音を立てて吹き過ぎ　びゅー 372
強風が木や電線にあたって　ひゅーひゅー 373
台風などの強風が吹き続けて　びゅーびゅー 373
木枯しなどの強風が吹き続け　ぴゅーぴゅー 373
ものが風を切って飛んで　ひゅっ 373　びゅっ 373　ぴゅっ 373
風が鋭く空をわたって　ひゅるるん 374
連続的に強風が吹いて　びゅんびゅん 374　ぴゅんぴゅん 374
風が吹いて　ふー 388
風などがはげしく吹き出して　ぶぉーっ 390
重く鋭く風を切って　ぶんぶん 412
草や木の葉をそよがせて　わさわさ 505

温度に関するオノマトペ

【寒い・冷たい】

寒さがだんだん身にしみて　じわじわ 195
寒さが身に深くしみとおって　しん 195
体がしびれるほど冷えてきて　じんじん 196
すきま風が吹き、うすら寒く　すーすー 198
空気の移動を感じて肌寒く　すかすか 200
鳥肌が立って背筋が寒く　ぞーっ 227
冷気や発熱などで寒気がして　ぞくぞく 228
急に、はげしく寒気を感じて　ぞくり 228
水や空気などが肌に冷たくて　ひやっ 372　ひやり 372
肌に冷たく感じて　ひやひや 372
繰り返し冷たさを肌に感じて　ひやりひやり 372
寒気で気分が引き締まって　りん 502
過剰なほどよく冷えて　ぎんぎん 80
冷たさを感じて　ひんやり 387
冷えすぎるくらいよく冷えて　きーん 59

【暑い・あたたかい】

春の日ざしがあたたかく　うらら 14
火や怒りで熱くなって　かっ 35　かっか 36
あたたかい所で心地よく　ぬくぬく 317　ぬっくり 318
体や食べ物などがあたたかく　ほかほか 434
心地よく感じるあたたかさで　ぽかぽか 434
日ざしがあってあたたかく　ぽかりぽかり 435
あたたかくて、気持ちがよく　ほこっ 440　ほこほこ 440
息や湯気があたたかくかかり　ほっかり 449　ぽっかり 449
体の中から熱くなって　ぽっぽっ 455
心の中があたたかく感じられ　ほのぼの 458
湯気が立つほどできたてで　ほやほや 459
あたたかさに包まれ、なごんで　ほわっ 463
あたたかな雰囲気で心地よく　ほんわか 466
湿気が多く、不快に暑くて　むしむし 475
熱気などが一面に広がって　むわっ 480　もわっ 492

熱気がにわかに感じられ **むん** 480
熱気などが強く立ちこめて **むんむ** 481 **むんむん** 481
湯気などが一面に広がって **もわもわ** 492

水・液体に関するオノマトペ

【水滴・滴る・落ちる・はねる】

少量の水が細く勢いよく飛び **ちゅっ** 255 **ぴゅっ** 373
水が勢いよく飛び散って **ばしゃっ** 334
水が軽く砕けたり飛び散って **ぱしゃっ** 334
水が大きくはねかかって **ばちゃっ** 339
水が小さくはねて **ぱちゃっ** 339
涙がとめどなく流れて **はらはら** 346
水が勢いよくはねかかって **びしゃっ** 360
水が鋭くはねかかって **ぴしゃっ** 360
水が勢いよく音高くかかって **びちゃっ** 366
少量の水がはねかかって **ぴちゃっ** 366
瞬間的に重く水がはねて **ぼしゃっ** 443
水滴などが一滴表面に落ちて **ぽたり** 446 **ぽたん** 446
ぽつり 455 **ぽつん** 456
ぽとり 458 **ぽとん** 458
大きめの水滴などが連続して **ぼたぼた** 445
少量の水などが次々に落ちて **ぽたぽた** 446
大きめの水滴などが重そうに **ぼとぼと** 457
少量の水などが垂れ落ちて **ぽとぽと** 458

涙が次々にこぼれ落ちて **ぽろぽろ** 462

【流れる・垂れる・注ぐ】

大量の水が勢いよく流れ出て **がばがば** 42
大量の水が重く鳴りひびいて **ごーっ** 117
水が軽やかにわき出て **ころころ** 136
大量の水が一度に **さーっ** 145 **ざーっ** 145
大量の水が連続的に **ざーざー** 145
小川など浅い水が静かに **さらさら** 153
水が軽やかに流れ続けて **しゃーしゃー** 173
蛇口の水などが流れ続けて **じゃーじゃー** 173
水が少しばかり流れて **しょろしょろ** 192
谷川の浅い清流などが流れて **せんせん**（潺潺）526
汗などが大量に **だくだく** 236
多めの水や液体を注ぎかけて **だぼだぼ** 241
汗・血などがつたい落ちて **たらたら** 241
汗・血・油などが玉となって **だらだら** 241
小川の水などが細く流れて **ちょろちょろ** 262
大量の水が一度に勢いよく **どーっ** 285
大量の水が流れ落ちて **どーどー** 286
口の小さな入れ物から注いで **とくとく** 290
血などがあふれ出て **どくどく** 290
大量の水が一気に吹き出て **どばどば** 300
水や酒を音をたてて注いで **どぶどぶ** 300
液体を続けて大量に注いで **どぼどぼ** 302
とろみのある液体が流れて **とろとろ** 304

【湿る・にじむ】

気持ちわるく絶えず水分が **じくじく** 162
水分を多く含んで **じたじた** 165
適度な水分がいきわたって **しっとり** 167
気持ちわるく汗ばんで **じっとり** 168
雨などで湿気をおびて不快で **じとじと** 169
湿気が軽く全体にいきわたり **しとっ** 169 **しとり** 170
湿気や水分が不快で **じとっ** 169 **じとり** 170
湿気が感じられて **じみじみ** 172
ひどく湿気を帯び不快・不潔で **じめじめ** 173
湿気が中からしみ出して **じゅくじゅく** 186
水分が少しずつにじんで **じわじわ** 195
液体がしみこんだり、しみ出て **じわっ** 195
汗や涙などが徐々にしみ出て **じんわり** 197
汗などが表面に濃くにじみ **べっとり** 422
汗などが表面について粘り **べとべと** 422

【ぬれる】

服などが完全にぬれて **ぐしょぐしょ** 88
ぐちょぐちょ 95
服などが完全に重くぬれて **ぐっしょり** 98
春の雨などにやさしく包まれ **しっぽり** 168
小雨や霧などにぬれて **しとしと** 169
雨や水に気持ちわるくぬれて **ずくずく** 202
雨や大量の水に全身がぬれて **ずっぷり** 210
湯や液体にじゅうぶんつかり **とっぷり** 298

どっぷり 298
汗などに不快にぬれて　ぬたくた 317
大量の水でひどくぬれて　びしょびしょ 361
びちょびちょ 367
表面に水が溜まるほどで　びしゃびしゃ 360
びちゃびちゃ 366
ちょうど浸るくらいの水で　ひたひた 364
大量の汗などでひどくぬれて　びっしょり 369
大量の水などで完全にぬれて　びっちょり 370
水けを含んでやわらかくなり　べちゃべちゃ 419
水分を過度に含んで不快で　べちょべちょ 420

【波立つ・泡立つ・沈む】

水が波立って　がぼがぼ 46
液体が小さく泡立って　こぽこぽ 135
泡が重い音をたてて　ごぼごぼ 135
水が空気と入りまじって　ごぽごぽ 135
波がはげしく打ち寄せて　ざざっ 148
大量の水をかきわけて　ざばっ 152
水に飛びこんだりかきわけて　ざぶっ 152　ざぶん 153
波が大きく寄せては返し　ざんぶり 159
勢いよく飛びこんで　じゃぶん 180
じゃぼん 180
水がゆれ動いたり、波立って　たぷんたぷん 241
水が音をたててゆれ動いて　たぽたぽ 241
水が軽く波立って　ちゃぷちゃぷ 251
重いものが水中に落ちて　どぶん 302　どぼん 303
水がゆれて軽い音をたてて　とぷんとぷん 302
水中に勢いよく沈んで　どんぶりこ 310
大洋の海面がうねって　のたりのたり 324
波などが岸に打ち当たって　ひたひた 364
次々と泡立って　ぶくぶく 392
こまかい泡が次々と生まれて　ぷくぷく 392
大きな泡が浮かび上がって　ぼこぼこ 440

火・土に関するオノマトペ

【火・燃える・燃やす】

太陽や火が持続的に熱く燃え　かっか 36
炭火が盛んにおこって　かんかん 58
ストーブの火が勢いよく燃え　がんがん 58
小さい炎で持続的に燃えて　ちょろちょろ 262
小さい炎でゆれながら燃えて　ちろちろ 267
弱火で長時間燃えて　とろとろ 304
火が強くはぜて燃えて　ぱちぱち 339
大きな炎で勢いよく燃えて　ぱっぱっ 344
乾燥した状態で燃えさかって　ぱりぱり 350
煙だけ出してくすぶって　ぶすぶす 394
ぷすぷす 394
炎をあげてよく燃えて　べらべら 425
炎が一瞬大きく燃え上がって　ぼーっ 431　ぼっ 448
火事などが燃えさかって　ぼーぼー 432
爆発的に火が燃え上がって　ぼーん 432
ときどき大きな炎で燃えて　ぽっぽっ 455
急に勢いよく燃え上がって　めらめら 483
見る間に燃え広がって　わらわら 508

【土・土砂・岩石】

道が舗装されていなくて　がたがた 29
岩肌などが角ばってかたく　ごつごつ 128
岩などが無造作に転がって　ごろごろ 138
山が丸みをおびて盛り上がり　こんもり 144
砂などが勢いよく動いて　ざーっ 145
やわらかい土や砂の上を踏み　さくさく 146
砂を混ぜたり踏んだりして　さくっ 146
やわらかい土や砂の上を歩き　さくりさくり 148
砂などを勢いよくつかんで　ざっく 149
乾いた砂がこぼれて　さらさら 153
砂などをすくって　じゃくり 176
小石や砂などがこすれ合って　じゃりじゃり 182
小石などがこすれながら落ち　じゃりっ 184
沼や砂地などに沈みこんで　ずぶずぶ 214
ずぼずぼ 216
砂などを踏んで歩いて　そくそく 228
地面などに凹凸があって　でこぼこ 279
泥や塗料などを塗りつけて　べちょっ 420
窪みや穴がたくさんあって　ぼこぼこ 440
土ぼこりが大きく舞い上がり　もー 483

動作・状態に関するオノマトペ

【歩く・走る】

目的もなく歩き回って　**うろうろ** 15
やっとのことで歩いて　**えっちらおっちら** 17
ウマがひづめの音をたてて　**かっぽかっぽ** 42
足を小気味よく動かして　**さっさ** 150
さっさっ 150
しなやかに気どって歩いて　**しゃなりしゃなり** 178
軽い音をたてながら歩いて　**しゃらりしゃらり** 182
急ぎ足で懸命に歩いて　**すたこら** 205
振り返りもせずに逃げだして　**すたこらさっさ** 205
足どり軽く見向きもしないで　**すたすた** 205
せかされるように小走りで　**せかせか** 225
軽快に一気に走り抜けて　**たー** 236　**たたーっ** 237
子どもなどが足音高く走って　**たかたか** 236
足もとが定まらずよろめいて　**たじたじ** 237
力強く走り抜けて　**だだーっ** 237
ひた走りに一目散に走って　**たたたた** 237
勢いよく突進して　**だだだだ** 237
軽快に走って　**たったかたったか** 238
足早に大またで歩いて　**たったっ** 238
不確かな足どりで　**たどたど** 240
小またでこきざみに　**ちょこちょこ** 256
遠い距離を踏みしめながら　**てくてく** 279
同じ調子で歩いて　**てけてけ** 279
体重をかけ力強く踏みつけて　**どっしどっし** 296
勢いよく足を踏みつけて　**どーん** 286
子どもが小またで小きざみに　**とことこ** 290
足早に調子をとって小またで　**とっとことっとこ** 297
とっとっ 297
すばやく歩いて　**とっと** 297
小走りで　**ととと** 299
騒々しく走り回って　**どたばた** 294
遠い距離を肩を落として　**とぼとぼ** 302
われ関せず落ち着き払って　**のさのさ** 323
力強く重々しい足どりで　**のしのし** 323
大男がにぶそうな動きで　**のそのそ** 324
巨漢が大またで悠然と　**のっしのっし** 324
あてもなくゆっくりと歩いて　**のらりのらり** 326
にぶい動きでなかなか進まず　**のろのろ** 326
のろりのろり 327
ウマが軽やかに足音をたてて　**ぱかぱか** 329
ぱっぱか 344
音をたてて、勢いよく歩いて　**ぱたぱた** 337
ばたばた 337
足早に歩いて　**ぴたぴた** 364
気軽にそのあたりを出歩いて　**ひょこひょこ** 376
目的もなくさまよい歩いて　**ふらふら** 404
ぶらぶら 404
老人や病人などが足どり弱く　**よたよた** 499
幼児などが慣れない足どりで　**よちよち** 499
老人がひざをふるわせながら　**よぼよぼ** 499
今にも倒れそうな足取りで　**よろよろ** 500
リズムをとりながら行進して　**らったった** 501
迷いあわてて、落ち着きなく　**わたわた** 506
恥じらいもなく平気で現れて　**のこのこ** 323
活発に歩いて　**ぱっぱ** 344

【起きる・立つ】

急に一気に起き上がって　**がばっ** 44
率先して気軽に立ち上がって　**さっ** 149
直立して　**しゃっきり** 177
まっすぐに、しっかり立って　**しゃん** 184
勢いよく、まっすぐに立って　**すくっ** 202　**すっく** 208
身軽に降り立って　**すたっ** 206
何気なく気軽に立ち上がって　**すっ** 206
飛んで身軽に降り立って　**すとん** 212
何もせず黙って突っ立って　**ぬーっ** 316
まっすぐに毅然として立って　**ぬっく** 317
勢いよく立ち上がって　**ぬっく** 317
悠然と見おろすように　**のっそり** 324
すばやい反応で立ち上がって　**ぱっ** 340
多数が次々に立ったり、動いて　**ばらばら** 346
身軽に立ち上がって　**ひょい** 374
はね上がったり、直立して　**ぴん** 386

無意味に立ち続けて　ぼさっ 442
突然立ったり、起きあがって　むくっ 472　むっく 477
むっくり 477
うごめきながら起きあがって　むくむく 472

【眠る・寝る】

なかば眠りなかばさめて　うとうと 12
うつらうつら 12
急に短い眠けにおそわれて　うとっ 12
居眠りして体が前後に動いて　こっくりこっくり 127
鼻を鳴らしながらよく眠って　くーくー 83
いびきをかきながらよく眠り　ぐーぐー 83
ぐーすか 83
深い眠りで完全に熟睡して　ぐっすり 98
居眠りで頭が急に前後に動き　こっくり 127
急に力が抜けたように倒れて　こてっ 131
疲れはててすぐに眠りに落ち　ことっ 132
横になり簡単に眠りに落ちて　ころっ 138　ころり 140
横たわって　ごろっ 140　ごろり 140
ごろん 142
深く長い眠りに落ちて　こんこん（昏昏）520
規則的に呼吸しながら眠って　すーすー 198
安らかな寝息を立てて眠って　すやすや 218
疲れていかにもだるそうに　どたん 294
眠けをもよおして　とろっ 303
浅くまどろんで　とろとろ 304

今にも眠りそうな目で　とろん 306
横になるや深い眠りに落ちて　ばたんきゅー 338
まばたきなどをして眠れずに　まじまじ 467
ほんの少し眠って　まんじり 469

【働かない】

怠けてばかりで気力がなく　ぐーたら 83
何もしないで過ごして　ごろごろ 138
ごろりごろり 142
いい加減に過ごして　ごろちゃら 138
怠けて寝ころがって　ごろんごろん 143
周囲を気にせず、楽にして　のーのー 322
何となく怠惰に時を過ごして　のめのめ 326
漫然と時を過ごして　のらりくらり 326
怠けて気楽に遊んで　のらくら 326
仕事をしないで心身を休めて　のんびり 327
だらしなく時を過ごして　のんべんだらり 327
なすこともなく怠惰に暮らし　ぶらぶら 404
なすこともなく手持ちぶさたで　ぶらり 405
のんびりと無為に過ごして　べらり 425
無為にだらしなく過ごして　ぼけっ 438

【疲れる】

しつこさに嫌気がさして　うんざり 15
ひどく消耗して気力も失せて　がっかり 37
ひどく疲れて体に力が入らず　くたくた 92
ぐだぐだ 94

疲れて動けなくなって　くたっ 94　ぐたっ 94
ぐったり 99
ひどく消耗してやせ衰えて　げっそり 113
疲れや暑さに弱ってしまい　げんなり 117
心身が疲れきって　ずたぼろ 206
疲労困憊で、息もたえだえに　へとへと 422
心身ともに疲れきって　ぼろぼろ 462
疲れきってまともに歩けず　よたよた 499

【ふるえる】

関節など上下左右にふるえて　がくがく 22
こきざみに凍えるようにして　がじがじ 28
寒さや恐怖ではげしくふるえ　がたがた 29
寒さや恐怖で歯の根も合わず　がちがち 32
気味のわるさに鳥肌が立って　ざわざわ 157
恐怖で背筋に悪寒がはしって　ぞーっ 227
寒さ・恐怖・興奮に身ぶるいし　ぞくぞく 228
寒さ・恐怖・感動に一瞬ふるえ　ぞくっ 228
不快な寒けを感じて　ぞぞっ 230
恐怖に体の表面が一瞬ふるえ　ぞっ 231
突然体や体の一部が引きつり　ひくっ 355　ぴくっ 355
ぴくり 356　ぴくん 356
驚いて反射的に身をふるわせ　びくっ 355
体の一部がこきざみに痙攣し　ひくひく 355
体の一部が小さくひきつって　びくびく 355
ぴくぴく 356

間をおいて何度もふるえつつ **ぴくりぴくり** 356
ぴくんぴくん 356
少しずつこまかくふるえて **ぴこぴこ** 356
急激な刺激に体がしびれて **びりっ** 382 **びりん** 385
一瞬、ふるえ動いて **ぴりっ** 382
ガラスなどが爆音に共鳴して **びりびり** 384
寒さなどで一瞬全身がふるえ **ぶるっ** 408
小さく瞬間的に振動して **ぷるっ** 408
軽くこまかくふるえ動いて **ふるふる** 408
ぷるぷる 410
寒さ・恐怖・怒りにわななないて **ぶるぶる** 408
急にふるえ動いて **ぶるり** 410
腕などを大きく振り動かして **ぶるん** 410
続けざまに大きく体をふるわせ **ぶるんぶるん** 410
寒さ・恐怖・怒りなどでふるえ **わなわな** 506

【見る・見える・にらむ】

見えたり見えなかったりで **うつらうつら** 12
目を大きく見開きにらんで **かっ** 35
目つきや態度をきつくして **きっ** 66
落ち着きなく何度もまばたき **きょときょと** 75
落ち着きなくあたりを見回し **きょろきょろ** 75
大きい目玉を鋭く光らせて **ぎょろぎょろ** 75
愛らしく目を丸く見開いて **きょろっ** 75
目玉をむいてひとにらみして **ぎょろっ** 75
ぎょろり 75
周囲をすばやく見回して **きょろり** 75
眼光鋭く／強い欲望を隠さず **ぎらぎら** 76
目玉などが一瞬すばやく動き **きろっ** 79
大きな目で鋭くにらんで **ぎろっ** 79 **きろり** 79
威嚇するように鋭い視線で **ぎろり** 79
目を大きく見開き続けて **ぎんぎん** 80
焦点を鋭く合わせにらんで **ぐっ** 96
視線を対象からそらさず **じーっ** 160 **じっ** 165
近くから何度もよく見つめて **しげしげ** 164
恨めしげ、うらやましげに **じとっ** 169 **じとり** 170
何度もしきりにまばたきして **しばしば** 172
目を長く開けていられずに **しょぼしょぼ** 191
開いているかわからない目で **しょぼっ** 191
無遠慮に何度も眺め回して **じろじろ** 194
冷たく相手をにらみつけて **じろっ** 194 **じろり** 194
無遠慮にしつこく視線を送り **じろりじろり** 194
強い光が目を刺激して **ちかちか** 246
目のはしで何度も見て **ちらちら** 264
目のはしで一瞬視線を向けて **ちらっ** 264 **ちらり** 265
ものが目に見えかくれして **ちらりちらり** 265
目玉を鋭く動かし横目で見て **ちろっ** 267
感慨にふけりながら見つめて **つくづく** 271
眠けや酔いでにぶい目つきで **とろり** 306 **とろん** 306
どろん 307
生気の失せた、にごった目で **どんより** 310
目を据えて強くにらんで **はた** 336 **はった** 342
目を大きく見ひらいて **ぱちっ** 339 **ぱちり** 340
ぱちぱち 339
ぱっちり 343
対象が明瞭に見えて **はっきり** 341
ものが小さく目に見えて **ぼつっ** 453 **ぽつっ** 453
ぽつん 456
ものの形や輪郭が不明瞭に **ぼんやり** 466
目前の出来事かのように **まざまざ** 467
目をそらさずじっと見つめて **まじまじ** 467

【食べる・かむ・なめる】

大口をあけて一口に食べて **あんぐり** 3
乱暴にかみ砕いて **がしがし** 28
欲望のままにむさぼり食って **がつがつ** 36
口の奥深くかみついて離さず **がっぷり** 42
食べ物を勢いよく食べ続けて **がばがば** 42
一度に深くかみついて **がぶっ** 46 **がぶり** 46
かたいものを軽くかみ砕き **かりかり** 53
かたいものを粗くかみ砕いて **がりがり** 54
かたいものを一度歯切れよく **かりっ** 54 **かりり** 54
かりん 54
かたいものをひと口かじって **がりっ** 54 **がりり** 54
音をたてながら品なく食べて **くしゃくしゃ** 86
くちゃくちゃ 94
ぐちゃぐちゃ 95

口をすすいだりものをかんで　ぐちゅぐちゅ 95
軽く歯ごたえを感じながら　こしこし 121
かたいものを口の中でかんで　こりこり 136
かたいものを一口かんで　こりっ 136
かたいものを強くかんで　ごりっ 136
軽い歯ごたえで　さくっ 146
汁物を音を立てて食べて　さぶさぶ 152
ざぶざぶ 152
歯ごたえを楽しんでかみしめ　しこしこ 164
心地よい歯ごたえで　しこっ 164
セロリなど繊維のあるものを　しゃきしゃき 174
水けの多い食べ物をすすって　じゅるっ 189
さわやかな軽い歯ごたえで　しょりしょり 191
粒状のものが口中でざらつき　じょりじょり 191
麺などを音高く品なくすすり　ずるずる 221
麺などを軽くすすりながら　つるつる 274
やわらかいものを口中でかみ　にちゃにちゃ 313
大口で、勢いよく食いついて　ばくっ 330　ぱくっ 330
大口を盛んに開け閉めして　ばくばく 330
ぱくぱく 330
ばくりばくり 331
ぱくりぱくり 331
大きな口で一度に飲みこんで　ぱくり 331　ぱくん 331
ぱっくん 341
かたいものをかみ砕いて　ばりばり 350
歯切れよくものをかんで　ぱりぱり 350
耳ざわりな舌の音をたてて　ぴちゃぴちゃ 366
ぺちゃぺちゃ 419
品のない音をたてつつ食べて　べちゃべちゃ 419
すばやく舌でなめて　ぺろっ 426　べろっ 426
きれいに食べ尽くして　ぺろり 428　べろり 428
舌でものをなめ回して　べろべろ 428
ぺろぺろ 428
舌で大きく何度もなめて　ぺろぺろ 428
舌でものを大きく一度なめて　べろん 429　ぺろん 429
舌で大きく何度もなめ回して　べろんべろん 429
ぺろんぺろん 429
かたいものを音高くかじって　ぼりっ 460
かたいものをかみ砕いて　ぼりぼり 460
軽やかにものをかみ砕いて　ぽりぽり 460
口をあけずにものをかんで　むぐむぐ 472
勢いこんで食べて　むしゃむしゃ 475
勢いよくひと口食べて　むしゃり 476
続けざまに勢いこんで食べて　むしゃりむしゃり 476
ゆっくりと口を動かしてかみ　むにゃむにゃ 479
口にほおばり、何度もかんで　もくもく 484
もぐもぐ 484
あごをよく動かして食べて　もごもご 486
水けの少ないものをまずそうに　もそもそ 487
旺盛な食欲で次々と食べて　もりもり 491
勢いよくまたたく間に食べて　わしわし 505

【飲む・酔う】

ビールなどを大量に飲み続け　がばがば 42
大口で一度に大量に飲んで　がばっ 44
飲み物を勢いよく大量に　がぶがぶ 44
息をつぎつつ勢いよく飲んで　がぷがぷ 46
一度に大口で大量に飲んで　がぶっ 46　がぶり 46
大口で大量に何度も飲んで　がぶりがぶり 46
大量に急に勢いよく飲んで　がぼがぼ 46
一気に気分よく飲みこんで　かぽっ 48　がぼっ 48
強い酒を味わいつつ一気に　きゅー 72　きゅっ 73
酒などを軽くひと息に飲んで　くい 82
酒などをあおるように一気に　ぐい 82
酒などをあおるように続けて　くいくい 82
酒などを勢いよく多く飲んで　ぐいぐい 82
飲み物をひと息に飲んで　くー 82　ぐー 83
ぐーっ 83　くくー 84
ひと息に飲みくだして　くっ 96　ぐっ 96
息もつかずに勢いよく飲んで　ぐっぐっ 97
酒に酔って正体をなくして　ぐでんぐでん 100
体が起こせないほど泥酔して　ぐたぐた 94
のどを鳴らして酒をあおって　ぐびっ 102　ぐびり 102
酒を続けてあおりのどが鳴り　ぐびぐび 102
ぐびりぐびり 102
味わいながらおいしそうに　こくこく 118

のどを鳴らして続けて飲んで　**ごくごく** 120
ごっくごっく 127
ごぶごぶ 134
一口小さく飲みこんで　**こくっ** 120　**こくり** 120
こくん 120
こっくん 127
一口のどを鳴らして飲みこみ　**ごくっ** 120　**ごくり** 120
ごくん 121
ごっくん 127
一口ずつ味わうように飲んで　**こくりこくり** 120
続けて大きくのどを鳴らし　**ごくりごくり** 120
のどを鳴らしながら勢いよく　**ごくんごくん** 121
大きくのどを鳴らしひと息に　**ごっくり** 127
つばや汁けのものを飲みこみ　**じゅるっ** 189
汁けのものを音高く吸って　**ずーずー** 198
汁などを音を立てて吸いこみ　**ずーっ** 199
すすっ 205　**ずずっ** 205
麺や汁などを音高くすすって　**ずるずる** 221
汁ものや鼻水を一気にすすり　**ずるっ** 222
酒を少しずつ飲んで　**ちびりちびり** 249
少しずつ吸いあげるように　**ちゅーちゅー** 254
ちゅるちゅる 255
汁などを短くすすって　**ちゅっ** 255
酒をじゅうぶんに飲んで　**とっちり** 297
イヌなどが舌で音をたてて　**ぴちゃぴちゃ** 366

酒に酔ってしゃっくりが出て　**ひっく** 368
舌の音をたてて飲み食いして　**ぺちゃぺちゃ** 419
泥酔して視点や口調が乱れて　**へべれけ** 424
酔って体がまともに動かせず　**べろべろ** 428
べろんべろん 429
ほどよく酒に酔って心地よく　**ほろっ** 460　**ほろり** 462
酔いが回り気もそぞろになり　**ぽわん** 464
酒や薬などで舌がもつれて　**れろれろ** 502

【吐く・もどす】

吐き出したり、うがいをして　**がらがら** 50
がらがらぺっ 51
飲食物を吐いて　**げー** 111　**げっ** 113
飲食物を続けて嘔吐して　**げーげー** 112
げろげろ 116
ひと思いに吐いて　**げろっ** 116
口中から勢いよくふき出して　**ぷっぷっ** 401
つばや痰を勢いよく吐き出し　**ぺっぺっ** 422
胃の奥から吐きけをもよおし　**むかっ** 472
むかむか 472

【言う・話す】

こまごまとうるさく言って　**うざうざ** 8
際限なく言い訳やぐちを続け　**うだうだ** 9
不平・文句などを言いつのり　**がたがた** 29
上の者が何度も強い口調で　**がみがみ** 48
大勢の人が口々にうるさく　**がやがや** 48

強いことばで言い切って　**きっぱり** 69
文句などを大声で繰り返して　**ぎゃーぎゃー** 71
かん高い声で騒ぎ立てて　**きゃんきゃん** 72
きんきん 80
不平・不満を聞かせるともなく　**ぐじぐじ** 85
ぐちぐち 94
不平や言い訳、独り言などを　**ぐじゃぐじゃ** 86
不平などを不明瞭につぶやき　**ぐずぐず** 90
ぐずらぐずら 90
同じことを繰り返ししつこく　**くだくだ** 92
ぐだぐだ 94
くどくど 100
しつこく不平・不満を並べ立て　**ぐたぐた** 94
とりとめもなくしゃべり続け　**ぐちゃぐちゃ** 95
不平や言い訳をあれこれと　**ごじゃごじゃ** 122
ごたごた 124
ごちゃごちゃ 125
周りに聞こえないような小声で　**こそこそ** 122
耳元であれこれ言って　**ごちょごちょ** 125
口の中で不明瞭に言い続けて　**ごにょごにょ** 134
内情や心底を隠さずに率直に　**ざっくばらん** 149
弁解などを脈絡なく言って　**しどろもどろ** 170
沈んだ口調で静かに言って　**しんみり** 197
遠慮なくあからさまに言って　**ずけずけ** 202
核心などを遠慮なく指摘して　**ずばずば** 213

ずばっ 213　ずばり 214
ことばが口からよどみなく　すらすら 218
不満・不平を長々と際限なく　たらたら 241
要領を得ないことを言い続け　だらだら 241
幼稚なことを脈絡なく騒いで　ちーちーぱーぱー 245
軽薄でおしゃべりで　ちゃらちゃら 252
遠慮なく思ったままを言って　つけつけ 271
つかつか 271
不平や理屈などをうるさく　つべこべ 273
自慢や作り話を言ってのけて　ぬけぬけ 317
返事やことばが活発で明るく　はきはき 329
遠慮なくきびしいもの言いで　ばしばし 334
苦境におちいってあえぎつつ　ひーこら 352
かん高い声でやかましく騒ぎ　ぴーちくぱーちく 352
強い口調で決めつけるように　ぴしゃっ 360
ぴしゃり 361
まわりに聞かれぬよう小声で　ひそひそ 362
不平などをうるさく言い立て　ぶいぶい 388
不平・不満・文句などを盛んに　ぶーぶー 389
入れ歯が外れて空気がもれて　ふがふが 390
くぐもった声で不満などを　ぶすぶす 394
小声で不平・不満を言い続け　ぶちぶち 397
ぶつくさ 397
ぶつぶつ 401
ひとこと小声でつぶやいて　ぶつっ 398　ぶつり 402
他愛なくしゃべり続けて　べちゃくちゃ 418
ぺちゃくちゃ 419
ぺちゃぺちゃ 419
流暢にあっさりとしゃべって　ぺらっ 424
外国語を流暢に操って　べらべら 425
ぺらぺら 425
低く小さい声で一言だけ　ぼそっ 444　ぼそり 445
ぼそん 445　ぼつっ 453
ぼつり 455　ぽつり 455
張りのない低く沈んだ声で　ぼそぼそ 444
次々と威勢よくたたみかけて　ぽんぽん 466
寝言や不平・不満などを言って　むにゃむにゃ 479
もにゃもにゃ 490
口をよく開けずこもった声で　もぐもぐ 484
もごもご 486
何度も催促したり口出しして　やいのやいの 493
酒や薬などで舌がもつれて　れろれろ 502
大勢が声高に言いたてて　わいわい 504
わやくや 508
それぞれ勝手に言い合って　わちゃわちゃ 506

【せきをする・むせる】

せきこんだり、せき払いして　えへん 17
気どったり、いばったりして　おほん 20
痰をのどから口の奥に上げて　かーっ 21
痰やつばを勢いよく吐いて　かっ 35
のどにものや息をつまらせて　ぐぐっ 84
軽くむせて　けほけほ 114
強くせきこんで　げほげほ 114
ごほごほ 135
軽くせきをして　こほこほ 135　こん 143
こんこん 143
のどにつかえた重いせきを一回　ごほん 135
軽いせきがとまらずに　こほんこほん 135
何度も強くせきこんで　ごほんごほん 135
痰などがからまって息をして　ぜーぜー 225
ぜりぜり 227

【騒ぐ】

大勢の人が集まって騒ぎ立て　がやがや 48
かん高く鋭い声で騒がしく　きーきー 59
喜びや恐怖で奇声を発して　きゃーきゃー 71
ぎゃーぎゃー 71
騒ぎ立てたり、泣きわめいて　ぎゃんぎゃん 72
不平や文句をつけて　ごたごた 124
酒を飲んでにぎやかに騒いで　ざざんざ 148
その場の人々が騒ぎ動いて　ざわざわ 157
だらしなくふざけて　じゃらくら 180
楽器などを鳴らして騒いで　じゃんじゃか 185
宴席などで遊び騒いで　ちゃんちゃか 253
大勢が先を争って混乱して　てんやわんや 285
大混乱になって　どがちゃが 286

混雑や事件などで取りこんで　どさくさ 292
大勢がいちどきに入り乱れて　どさどさ 292
乱暴に音を立てて動き回って　どたどた 293
走り回ったり暴れ騒いで　どたばた 294
どたんばたん 294
大勢が一時に騒がしく出入し　どやどや 303
宴席で鳴物入りで遊び騒いで　どんちき 308
どんちゃか 308
どんちゃん 308
忙しく動き回って騒いで　ぱたぱた 337
落ち着きなく騒ぎたてて　やいやい 493
大勢の人が混乱して騒いで　やっさもっさ 494
やんさもんさ 495
泣き声や叫び声を上げ騒いで　わーわー 504
大勢がにぎやかに騒いで　わいわい 504
わやわや 508
大勢がいっせいにどよめき　わっ 506
大勢が一度にかけ声を出し　わっさわっさ 506
やかましく騒いで　わんわ 509

感情・感覚に関するオノマトペ

【笑う】

快活に大声で笑って　あっはっは 2
あはは 3　わはは 508
口をあけて無遠慮に笑って　あはあは 2
口を横に引いて陰険に笑って　いひひ 6
うまくやったとほくそえんで　うっしっし 10
大儲けなどして大声で下品に　うはうは 13
企みをもって野卑に笑って　うひひ 13
うれしい声を小さくもらし　うひょひょ 13
小声で短く笑って　うふっ 13
口をやや開けて秘密めかして　うふふ 13
照れながら恥ずかしそうに　えへへ 17
不適切なときに締まりなく　えへらえへら 17
口をすぼめて上品に気どって　おほほ 20　ほほほ 458
愉快そうに、または見下して　かかか 22
大声で余裕をみせつつ豪快に　がはは 44
豪快に、屈託なく笑って　からから 48
かんらかんら 58
けたたましい声で笑って　きゃー 71
子どもなどがはしゃぎながら　きゃっきゃっ 72
好都合なことに接して下品に　ぎゃはは 72
のど元から笑いがこみあげて　きゅっきゅっ 74
笑いをこらえながらも思わず　くーっ 83　くっ 96
おさえたように笑って　くくっ 84
笑いをこらえきれずひそかに　くすくす 89
ほんの少しだけ声を出して　くすっ 90　くすり 90
続けざまにしのび笑いして　くすりくすり 90
鼻先で軽く笑って　くすん 92
おかしさを抑えられず小声で　くっく 96
くっくっ 97
高い声で不気味に笑って　けけ 112
高い声で軽薄そうに笑って　けたけた 112
大声で下品に高笑いして　げたげた 113
下品に表情をゆるめて笑って　げたっ 113
からかったり、満足して　けっけっ 113
高い声で無邪気に笑って　けらけら 114
けろけろ 114
下品に締まりなく笑って　げらげら 114
高い声で明るく笑いころげて　ころころ 136
大勢が一度に高笑いして　どっ 294　どっと 297
意味ありげに／薄気味わるく　にーっ 312
歯を見せてほほえんで　にかっ 312
うれしそうな顔でほほえんで　にこっ 312　にこり 312
にっこり 314
うれしそうに明るく笑って　にこにこ 312
喜びを隠しきれずに下品に　にたっ 313
にたにた 313
いやみな笑いを繰り返して　にたりにたり 313
声をたてず愛嬌を漂わせて　にっ 313
心底うれしげに笑って　にっこにこ 313
喜びを隠しきれず、思わず　にやっ 314
冷ややかに薄笑いを浮かべて　にやにや 314
にやり 315
望むとおりになって満足げに　にんまり 316

屈託なく笑って　**はっはっ** 344
ははは 345
悪人などが狡猾そうに下品に　**ひっひっ** 370
ひひひ 371
おかしなことに吹き出して　**ぷー** 389　**ふっ** 397
ぷっ 397
不敵な笑いを浮かべて　**ふっふっ** 400
喜びを隠せず、含み笑いして　**ふふ** 403
相手を見下して鼻先で笑って　**ふふん** 403
卑屈に／照れて／得意になり　**へっへっ** 422
へへへ 424
だらしなく軽薄に笑って　**へらへら** 424
多額の利益などを得て喜んで　**ほくほく** 437
大きな声で息を切るように　**ほっほっ** 454
突然、大声で笑って　**わーっ** 504

【泣く】

子どもが周りをはばからず　**あーん** 1
うわーん 15
人が大声を上げて泣いて　**あんあん** 3
えんえん 17
意気地なく口をへの字に曲げ　**うえんうえん** 7
心を動かされて涙ぐんで　**うるうる** 14
うるるん 14
思わず涙がこぼれそうになり　**うるっ** 14
子どもが訴えるように泣いて　**えーん** 16
人が悲しみに泣き叫んで　**おーおー** 18
大人などが情けなさそうに　**おいおい** 18
赤ん坊が泣きわめいて　**おぎゃーおぎゃー** 18
声をうるませて涙声になって　**おろおろ** 20
泣き声を飲みこみながら　**おんおん** 20
きかん気の子どもがわめいて　**ぎゃー** 71
ぎゃーぎゃー 71
涙をたくさん流して　**ぐしょぐしょ** 88
泣いて鼻水をすすって　**ぐすぐす** 89
鼻水をすすったり、涙ぐんで　**ぐすっ** 90　**ぐすり** 90
鼻水を大きくすすり上げて　**ぐすりぐすり** 92
涙ぐんで鼻を鳴らして　**くすん** 92　**ぐすん** 92
ぐっすん 99
しきりに涙を流して静かに　**さめざめ** 153
気持ちがしぼんで涙を流して　**しおしお** 160
勢いなくあわれげに泣いて　**しくしく** 161
涙にうるんで、まばたきして　**しぼしぼ** 172
苦役などで悲鳴をもらして　**ひーこら** 352
情けない声で悲鳴をあげて　**ひーひー** 352
ひきつけるように泣いて　**ひっく** 368
声をおさえてしゃくり上げて　**ひっひっ** 370
ぐずりながら泣いて　**べそべそ** 415
同情や感動で涙が一粒こぼれ　**ほろっ** 460　**ほろり** 462
ぽろり 463
大粒の涙を流して　**ぼろぼろ** 462
涙がこぼれ続けて　**ぽろぽろ** 462
涙が一滴ずつこぼれ落ちて　**ほろりほろり** 463
ぽろりぽろり 463
幼児が意気地なく泣いて　**めーめー** 481
意気地なくいつまでも泣いて　**めそめそ** 481
女性が力なく泣きくずれて　**よよ** 499
所かまわず大声で泣きわめき　**わーわー** 504
わーん 504
わんわん 510
急にはげしく泣き出して　**わっ** 506

【怒る・不機嫌・無愛想】

とりすまして愛想もなく　**いけつんつん** 4
思いどおりにならず逆上して　**かーっ** 21
言われたことにすぐ反応して　**かちん** 35　**かつん** 42
恥辱や怒りで頭に血がのぼり　**かっ** 35
怒りや不満で興奮して　**かっか** 36
かっかっ 36
がみがみ 48
神経が高ぶり怒りやすくなり　**かりかり** 53
激怒のあまり理由も聞かず　**かんかん** 58
態度や目つきを急に硬化させ　**きっ** 66
不快さや不満で気分が晴れず　**くさくさ** 84
不平・不満が強くこみあげて　**ぐつぐつ** 97
怒りや嫉妬で心が燃えたぎり　**くらくら** 103
ぐらぐら 103

癇にさわって　こちん 126
いい気持ちがしないで　ぞっ 231
愛想もなくぶっきらぼうに　つっけんどん 272
不機嫌にそっぽを向いて　つん 276　つんつん 277
とげのある口調や態度で　つんけん 277
意地のわるい口調や目つきで　とげとげ 290
口もきかずに横を向いて　ぷい 388
不満や怒りで頬をふくらませ　ぷー 389
不機嫌にふくれっ面をして　ぶすっ 393　ぶすり 394
不満や怒りで頬をふくらませ　ぷっ 397　ぷりっ 406
ぷりぷり 406
ふくれっ面をしたまま黙って　ぷん 412
腹を立てて不機嫌さを隠さず　ぷんぷん 412
無愛想な態度で　ぼさっ 442
怒りや不機嫌さをむき出して　むーっ 471
怒りが急激にこみあげてきて　むかっ 472
むかむか 472
平静さを失い無性に腹が立ち　むしゃくしゃ 475
不機嫌におし黙って　むすっ 476
相手の言動にむかっ腹を立て　むっ 477
愛想もなくぶっきら棒に　むっつり 478
怒りが腹の底からわいてきて　むらむら 479

【元気がない】

急に軽く力が抜けて　かくっ 24　がくっ 24
不本意な結果に気落ちして　がっかり 37
期待がかなわず軽く失望して　がっくり 38
かくん 24
かっくん 38
ひどく打ちのめされて　がびーん 44
やりこめられひと言も返せず　ぎゃふん 72
やりこめられ打ちのめされて　ぎゅー 72
やる気や期待がしぼんで　くしゃっ 86
気持ちがくじけて　くしゅん 88
疲労や病気で体の力が抜けて　ぐったり 99
過去や些細なことに悩んで　くよくよ 103
病気や心労で急激に衰えて　げっそり 113
すっかり気力を失って　けちょん 113
ひどさのあまり気力をそがれ　げんなり 117
自分の失敗などに気落ちして　しおしお 160
元気をなくし、うなだれて　しゅん 189
しょぼしょぼ 191
しょぼっ 191
気力をなくし、落ちこんで　しょぼん 191
しおれて、さびしそうにして　しょんぼり 192
ものさびしくしめやかに　しんみり 197
元気なくその場を立ち去って　すごすご 204
意気消沈してうなだれ歩いて　とぼとぼ 302
情けなくみじめなようすで　とほほ 303
急に力が抜けて倒れこんで　へたへた 416
力が抜け、その場に座りこみ　へなへな 424
年老いて気力・体力が衰えて　よぼよぼ 499
元気がなくすっかり弱りきり　よれよれ 500

【喜ぶ】

うれしさに心をはずませて　いそいそ 5
期待に胸はずませ楽しそうに　うきうき 8
うまくことが運んでうれしく　うしうし 8
うれしさに笑いがこみあげて　うはうは 13
若い女性が快活にはしゃいで　きゃぴきゃぴ 72
豊かに富み栄え、幸せそうに　ふくふく 392
深く考えずに喜んで応じて　ほいほい 430
満足でうれしさを隠しきれず　ほくほく 437
気分が浮き立って躍りあがり　らんらん 501
気分が浮き立ち鼻歌まじりで　るんるん 502
喜びや期待で心がときめいて　わくわく 504

【驚く】

急に気づいて思わず声が出て　あわわ 3
驚きのあまり悲鳴をあげて　うぎゃー 8
心理的に強い衝撃を受けて　がーん 21
大げさにひどく驚いて　がびょーん 44
不意に秘密などにふれられて　ぎく 60　ぎくっ 60
ぎくり 61　ぎくん 61
一瞬、不意をつかれて動揺し　ぎっくん 67
驚き・恐怖・苦痛に悲鳴をあげ　きゃー 71　ぎゃー 71
きゃーきゃー 71
きゃっ 71　ぎゃっ 71

ひどく驚きあきれて　**ぎょえー** 74
突然のことに目をむいて　**ぎょぎょ** 74
ぎょっ 74
状況がわからず目を丸くして　**きょとっ** 75
きょとん 75
意外なことに出会って驚いて　**ぐきり** 84
心に強い衝撃を受けて　**ぐっ** 96
意外なものごとを見聞きして　**げー** 111　**げっ** 113
驚きあきれ／あっけにとられ　**だー** 236
驚き・恐怖・期待に動悸がして　**どきっ** 288　**どきり** 289
どっきり 295
驚きあきれ、盛んにまばたいて　**ぱちくり** 338
突然気づいて、驚いて　**はっ** 340
驚き・恐怖・苦しさに声をあげ　**ひー** 352
一瞬の恐怖に、身をふるわせ　**びくっ** 355　**びくり** 356
驚いたりして息をのんで　**ひっ** 367
ひどく驚いて　**ひっく** 368
急なことや意外なことに驚き　**びっくら** 368
びっくり 368
わるい結果を感じて瞬間的に　**ひやっ** 372　**ひやり** 372

【あわてる・もがく・落ち着かない】

気持ちや時間などに余裕なく　**あくせく**（齷齪）513
突然のことに慌てて動き回り　**あたふた** 1
水におぼれて苦しみもがいて　**あっぷあっぷ** 2
余裕や平常心を失って　**あわあわ** 3
期待に浮き立ち、はりきって　**いそいそ** 5
思いどおりにならずあせって　**いらいら** 6
喜びや期待で、心がはずんで　**うきうき** 8
することを前に腕が鳴って　**うずうず** 9
むずむず 476
突然のことにあわてふためき　**おたおた** 18
緊張や恐れなどでたじろいで　**おどおど** 19
驚きや心配で適切に動けず　**おろおろ** 20
落ち着きがなく、騒がしくて　**がさがさ** 26
あわてて思わず声を出して　**ぎゃっ** 71
落ち着きのない目つきで　**きろきろ** 79
あせってあわて、もがいて　**じたばた** 165
はげしく身もだえして　**じたんばたん** 165
あれこれとあわただしくて　**しっちゃこっちゃ** 167
応対にまごついて　**しどもど** 170
話の内容やことばが不確かで　**しどろもどろ** 170
思うようにならないあせりで　**じりじり** 192
気持ちがあせり、急いで行動し　**せかせか** 225
こまかく動いて落ち着かずに　**せこせこ** 226
こせこせ 122
早く終わらせたい気持ちで　**そそくさ** 230
別のことが気になり不安で　**そわそわ** 235
動作に落ち着きがなく　**ちゃかちゃか** 249
心配や恐怖に鼓動が速まり　**どきどき** 289
真実を見透かされてうろたえ　**どぎまぎ** 289
さまざまな雑事に追われて　**どたばた** 294
あわただしくことを行って　**ばたばた** 337
どうなることかと心配で　**はらはら** 346
不安や恐れで心も体もふるえ　**びくびく** 355
うろたえて返答につまって　**へどもど** 422
心配で何も手につかないで　**まんじり** 469
心配で身もだえして　**もだもだ** 488
心配やあせりで落ち着かずに　**やきもき** 493
期待・喜び・楽しさなどで　**わくわく** 504
集中できず、落ち着かないで　**わさわさ** 505

【ためらう・ひるむ】

態度や行動がはっきりせず　**いじいじ** 5
前向きになれず決断もできず　**うじうじ** 8
恐れや緊張でためらいがちに　**おずおず** 18
態度や行動、動作などが遅く　**ぐだぐだ** 94
心配や後悔で心が落ち着かず　**くよくよ** 103
誘惑などに決心がゆらいで　**くらくら** 103
決心が弱くあれこれ迷って　**ぐらぐら** 103
困難さや、相手に威圧されて　**たじたじ** 237
対処がわからずうろたえて　**まごまご** 467
遠慮や恥じらいで決心できず　**もじもじ** 487

【思う・感じる】

美しいものなどに恍惚として　**うっとり** 10
悲哀などで胸が締めつけられ　**きゅーん** 73
一瞬、胸が切なくなって　**きゅん** 74

- 深く心にしみ入って　**さめざめ** 153
- 感動が静かに湧き上がって　**じーん** 160
- 深く静かに考えこんで　**じーっ** 160
- 強く胸に迫り、涙が出そうで　**じん** 196
- 同情して少し悲しく感じて　**しんみり** 197
- 強い感動が身内を走り抜け　**ぞっ** 231
- 心の底から、そう思って　**つくづく** 271
- ものごとを深く考えて　**つらつら** 274
- はっきりと手ごたえを感じて　**ぴーん** 354
- 直感的に強く感じて　**ぴぴっ** 371　**ぴん** 386
- 相手の思いが強く心に伝わり　**ぴんぴん** 387
- 相手に同情して　**ほろり** 462
- 感情や考えが急に浮かんで　**むくむく** 472
- 突如、感情や思いがわいて　**むらっ** 479
- 抑えられない思いが次々に　**むらむら** 479
- のぼせたり、欲情が起きて　**もやもや** 491

【痛む】

- のどの粘膜が刺激されて痛み　**いがいが** 4
- 皮膚やのどが痛さや辛さで　**いらいら** 6
- 　**ひりひり** 382
- 痛みをにぶく感じ続けて　**うずうず** 9
- 寒さなどで体がこわばって　**がじがじ** 28
- 騒音や痛みが頭などにひびき　**がんがん** 58
- 胃などが刺されるように痛み　**きりきり** 78
- 頭が絶えずひどく痛んで　**ぎんぎん** 80
- 厳しい言葉に心に打撃を受け　**ぐさぐさ** 85
- 相手の言動に心理的に傷つき　**ぐさっ** 85　**ぐさり** 85
- 目に異物が入ってにぶく痛み　**ごろごろ** 138
- 痛さや寒さで感覚がまひして　**じーん** 160
- 虫などに鋭く刺されて痛んで　**しく** 161
- にぶい痛みがさしこみ続けて　**しくしく** 161
- 針で刺すような痛みが何度も　**しくりしくり** 162
- 手足などが重くしびれて　**じん** 196
- 患部が始終痛んだりしびれて　**じんじん** 196
- 絶えまなく、うずき痛んで　**ずきずき** 202
- 　**ずんずん** 224
- はげしいうずきが一瞬走って　**ずきっ** 202　**ずきり** 202
- 　**ずきん** 202
- 脈打つように絶えずうずいて　**ずきんずきん** 202
- 目が光線などに刺激されて　**ちかちか** 246
- 針で何度も刺されるように　**ちくちく** 246
- 針や虫に一瞬刺されたように　**ちくっ** 247　**ちくり** 247
- 　**ちくん** 247
- 傷や皮膚が焼けるように痛み　**ちりちり** 266
- はげしい動悸がして　**どきんどきん** 290
- 　**どっきどっき** 295
- 　**どっきんどっきん** 295
- しびれや刺激が体中にひびき　**びーん** 353
- けいれんして神経をとがらせ　**ぴきぴき** 354
- 急激な刺激・痛み・辛味を感じ　**ひりっ** 382　**ぴりっ** 382
- 刺激や痛みを継続して感じて　**びりびり** 384
- 　**ぴりぴり** 384
- 瞬間的な刺激や痛みを感じて　**ひりり** 384
- 瞬間的な刺激にしびれて　**びりり** 384　**ぴりり** 384
- 虫がはうようなかゆみを感じ　**むずむず** 476
- 　**もぞもぞ** 488

性格・性質に関するオノマトペ

【平気・平然】

- ためらいや恥じらいもなく　**あっけらかん** 1
- ものごとを深く考えないで　**あっぱらぱー** 2
- 　**ぱっぱらぱー** 345
- 憎らしいほどにあつかましく　**いけしゃーしゃー** 4
- 　**いけずーずー** 4
- 間延びしてみえるほど悠然と　**おっとり** 19
- 恥じらいもなく平然として　**おめおめ** 20
- 　**のめのめ** 326
- 抜け目なくて／押しが強くて　**がっちり** 40
- 何の打撃も感じないようすで　**けろけろ** 114
- 　**けろっ** 116　**けろり** 116
- 執着や深刻さが感じられず　**さばさば** 152
- 恥を恥とも思わず、すまして　**しゃーしゃー** 173
- 何でもなさそうなようすで　**しらっ** 192　**しれっ** 194
- 遠慮なく踏みこんできて　**ずかずか** 200
- 相手が傷つくことを言って　**ずけずけ** 202

抜け目のなさも憎めなくて　ちゃっかり 250
無遠慮な動作や口調で　つけつけ 271
能天気であせることもなく　てれんこてれんこ 282
自分だけうまいことをやって　ぬくぬく 317
知らないふりでしらじらしく　ぬけぬけ 317
何くわぬ顔をして　ぬっぺり 318
心配やとらわれごともなく　のーのー 322
周囲の状況に無頓着に現れて　のこのこ 323
ものに動じず気も利かせずに　のさのさ 323
あわてずゆったりとして　のたり 324
気ままに／なんの心配もなく　のほほん 326
心身ともにくつろいで　のんびり 327
露骨に自分の気持ちを表して　はっきり 341
ことに動じることなく平気で　まじまじ 467
うるさくせがんだり催促して　やいやい 493

【元気な】

エネルギーに満ち、よく動いて　ぎんぎん 80
すばやく手ぎわよく処理して　しゃきしゃき 174
体や気持ちに張りがあって　しゃきっ 174
しゃっきり 177
行動や考えがしっかりして　しゃん 184
元気に立ち働いて　しゃんしゃん 185
子どもが順調に成長して　すくすく 202
元気よく、手早くやって　ちゃきちゃき 249
勢いが盛んで活動的で　ぱりぱり 350
新入生が期待と喜びで輝いて　ぴかぴか 354
ぴっかぴか 368
若く健康で／魚のいきがよく　ぴちぴち 366
年齢の割に元気がよくて　ぴんしゃん 386
元気に満ちあふれて　びんびん 387
元気で生き生きして　ぴんぴん 387
元気で勢いがよくて　ぶいぶい 388
元気・意欲などが次々にわき　もりもり 491

体格・姿に関するオノマトペ

【太った・頑健な】

丸々と太って　ころころ 136
背の低いわりに太って　ずんぐり 223
肥え太って、ふくれて　ずんぐりむっくり 224
締まりなく太って　だぶだぶ 240
腹などに脂肪や肉がついて　でっぷり 280
肉や脂肪でみっともなく太り　でぶでぶ 281
体が肥満して　どたり 294
締まりなくふくらんで　ぶくんぶくん 393
太りすぎて締まりがなく　ぶよぶよ 403
顔や体つきがふっくらして　ぽちゃっ 447
肥え太っていても愛らしくて　ぼちゃぼちゃ 447
少し太りぎみで　ぽちゃぽちゃ 448
ふっくら肥えてかわいらしく　ぼっちゃり 452
ぽっちゃり 452
肉づきが重たげに豊かで　ぼってり 453
ふくよかに肥えて愛らしく　ぽってり 453
顔などが垂れるように肥えて　ぽてっ 456
不必要な肉などがついて　ぼてぼて 457
肉づきがよく、張りがあって　ぽてぽて 457
腹がふくれて／妊娠して　ぼてれん 457
ふっくらとして血色がよくて　ぽやぽや 459
肌に張りがあり、肉づきがよく　むちっ 477
むちむち 477
むっちり 478
体や骨組みなどが頑丈で　がしっ 28
がっしり 39
がっちり 40
女性のプロポーションがよく　ぼんきゅっぼん 464
肉づきがよくなって　みっしり 471
筋肉が盛り上がって強そうで　もりもり 491

【やせた】

骨や血管が浮き出るほどやせ　がりがり 54
立ち姿がやせて格好よく　すらっ 220　すらり 220
やせ衰えて、やつれて　そげそげ 228
やせて身長が高く、頼りなげで　ひょろっ 379
ひょろひょろ 379
ひょろり 379
ひょろん 380
細くて流れるような姿をして　ほっそり 451

動き・変化に関するオノマトペ

【進む・運ぶ】

勢いよく押し寄せて　がーっ 21
はげしい勢いで進んで　ががっ 22
急激に動いては、元に戻り　がくりがくり 24
大幅に動き続けて　がくんがくん 24
周囲を気にせず突き進んで　がんがん 58
引っ張るようにして進み　ぐいぐい 82
次第に加速しながら前進して　ぐんぐん 111
ものごとが滞りなく進んで　さくさく 146
こだわりなく気軽に進んで　さっさっ 150
ものごとがすみやかに進んで　さらさら 153
ものごとが景気よく進んで　じゃんじゃん 185
少しずつ相手の方に迫って　じりじり 192
家の奥などへ遠慮なく上がり　ずい 197
抵抗もなく気持ちよく進んで　すいすい 198
静かにものごとが進んで　すーっ 199
相手の領域に無遠慮に入って　ずかずか 200
すばやく静かに進んで　すっ 206
ものごとをいっそう推し進め　ずっ 206
ものごとが支障なく進行して　すっすっ 209
ものごとを力強く押し進めて　ずっずっ 209　ずんずん 224
滞りなくなめらかに進行して　すらすら 218　するする 221
抵抗なくおだやかに進んで　すんなり 225
静かにゆるやかに進んで　そくそく 228
ある状態へ徐々に進行して　そろそろ 233
勢いをつけて突っ走って　だー 236
細かいことは飛ばして進んで　たったっ 238
勢いをたもって推し進めて　だっだっ 238
期待していないほうに進んで　ついつい 270
ためらわずに大股で近寄って　つかつか 271
ものごとが妨げられず進んで　つーつー 270
事柄がすばやく進展して　てきぱき 279
目的に積極的に進んで　どしどし 293
ためらわずにことを進めて　どんどこ 309
続けざまに、順調に運んで　とんとん 309
勢いよくためらわずに進めて　どんどん 309　ばんばん 351
細長いものがうねり進んで　にょろり 316
軽く飛び越えて進んで　ひらりひらり 382
調子よく気軽に進んで　ほいほい 430
少しずつだが着実に前進して　ぽちぽち 447　ぼつぼつ 454
目に見えて程度が進んで　めきめき 481　めっきり 482

【落ちる】

軽くかたいものが転倒・落下し　かたん 31　かたり 31
重いものが急に転倒・落下し　がたん 31　がたり 31
重いものが次々にくずれ落ちて　がらがら 50
軽いものが倒れたり落ちて　ことり 134　ことん 134
重いものが倒れたり落ちて　ごとり 134　ごとん 134
まっすぐに落ちて　すとん 212
液体が垂れ落ちて　たらたら 241
大きいものが水の中に落ちて　だぼん 241
水に何かが落ちて　ちゃぽん 251
何かが落ちて、水がはねて　ちゃぽっ 251
雪や花などがゆれつつ落ちて　ちらちら 264
はずみをつけて落ちて　とーん 286
大きなかたまりが一度に落ちて　どかっ 286
重いものが続けて落ちて　どかどか 288
重いものが落ちて、当たって　どかり 288
大きな重いものが一度に落ちて　どさっ 292　どさり 292　どさん 292　どたり 294　どたん 294
重いものが続けざまに落ちて　どさどさ 292
大きく重いものが落ちた衝撃で　どすん 293
開いた本などが落ちて　ばさっ 331　ばさり 332
広げた紙などが落ちて　ぱさっ 331　ぱさり 332
重いものが勢いよく落ちて　ばたっ 336
軽いものが落ちて　はたり 337　ぱたり 338
たくさん勢いよく散って　ばっばっ 344
紙や木の葉などが散って　はらっ 345

雨や葉などがまばらに落ちて　ぱらっ 345
涙や花びらなどが次々と落ち　はらはら 346
こまかくなって落ちて　ばらばら 346
雨や霰や葉などがまばらに　ぱらぱら 346
軽いものが落ちて　はらり 346　ぱらり 348
重みを感じさせながら落ちて　ばらり 348
水や液体が一滴落ちて　ぼたっ 445　ぽたっ 445
ぼたり 446　ぽたり 446
ぽとっ 457
大粒の液体が次々と垂れ落ち　ぼたぼた 445
ぼとぼと 457
小さいしずくが続けて落ちて　ぽたぽた 446
ぽとぽと 458
水滴などが高い所から落ちて　ぼたん 446　ぽたん 446
ものがつぶれたように落ちて　ぽちゃっ 447
小さいものが液体の中へ落ち　ぽちゃん 448
雨などのしずくが一粒落ちて　ぽつり 455
不用意にとり落として　ぽてっ 456
ものや液体が重たげに落ちて　ぼとり 458　ぼとん 458
ものや水滴が軽そうに落ちて　ぽとり 458　ぽとん 458
間をおいてひとつずつ落ちて　ぽとりぽとり 458
涙などが一滴こぼれ落ちて　ほろっ 460　ほろり 462
ものをうっかりとり落として　ぽろっ 460　ぽろり 463
涙や水滴などが流れ落ちて　ほろほろ 460
粒状のものが大量にこぼれて　ぼろぼろ 462

涙やごはん粒がこぼれ落ちて　ぽろぽろ 462
涙や花・葉などが続けて落ち　ほろりほろり 463
涙や液体が間をおいて落ちて　ぽろりぽろり 463
何かをあっけなく落として　ぽろん 463

【折れる】

急に強く折れ曲がって　がくり 24
がっくり 38
急に折れ曲がったりはずれて　かくん 24
かっくん 38
角立って折れ曲がり　きくきく 60
ぎくしゃく 60
大きく角立って折れ曲がり　ぎくぎく 60
ものが急に折れ曲がって　ぎくっ 60　ぎくり 61
突然はげしく折れ曲がって　ぎくん 61
足をくじいて／棒が折れて　ぐきり 84
かたく薄いものが急に折れて　ばきっ 329　ばきん 330
細いものが折れて　ぱきっ 329　ぱきん 330
乾いたものが勢いよく折れて　ばきばき 329
細いものが次々に折れて　ぱきぱき 329
かたく薄いものが折れ曲がり　ぱしぱし 334
かたいものが折れて　ぱちり 340
細くて弾力のあるものが折れ　びしっ 358　びしり 361
小さく折れたり、割れて　ぴしっ 358
かたい棒状のものが折れて　ぼきっ 436　ぼきり 437
かたく軽い棒状のものが折れ　ぽきっ 436　ぽきり 437

かたい棒状のものを何度も折り　ぼきぼき 436
軽い棒状のものを何度も折り　ぽきぽき 436
かたい棒状のものが完全に折れ　ぼきん 437
軽い棒状のものが完全に折れ　ぽきん 437
強くたたいたり、折れて　ぼくっ 437
枯れ枝などが次々に折れて　ぽちぽち 447
あっけなくきれいに折れて　ぽっきり 450

【ゆれる】

ゆっくりとゆれ動いて　うつらうつら 12
重いものが不安定にゆれて　がたがた 29
急にはげしくゆれて　がくん 24
重ったるくゆれ動いて　ぐずり 90
めまいなど、不安定にゆれて　くらくら 103
全体的に大きくゆれ続けて　ぐらぐら 103
急に大きくゆれ動いて　くらっ 104　くらり 104
急激に大きく一瞬ゆれ動いて　ぐらっ 104　ぐらり 104
繰り返し大きくゆれ動いて　くらりくらり 104
大きくゆっくりゆれ動いて　ぐらりぐらり 104
しこりが内部でゆれ動いて　ぐりぐり 104
列車などが規則的にゆれて　ごとごと 132
わずかの幅でしなりゆれて　じわじわ 195
液体が容器の中でゆれ動いて　たぽたぽ 241
ふくらんだものがゆれ動いて　たぷたぷ 240
長いものがだらしなくゆれて　だらりだらり 242
こきざみにゆれたり動いて　ちょろちょろ 262

- 入れ物の中の水がゆれて　**とぷんとぷん** 302
- 広がったものがゆれ動いて　**ばさらばさら** 332
- 布や舌などがゆれ動いて　**びろびろ** 385
- 軽いものが静かにゆれ動いて　**ふよふよ** 403
- 体の平衡が取れずにゆれて　**ふらふら** 404
- 下がっているものがゆれ動き　**ぶらぶら** 404
- 軽いものが風などでゆれて　**ぷらぷら** 405
- ゆっくりと大きくゆれ動いて　**ふらりふらり** 405
- 重たげにゆっくりゆれ続けて　**ぶらりぶらり** 405
- 軽くゆっくりゆれ動き続けて　**ぷらりぷらり** 405
- 重たげに釣り下がってゆれて　**ぶらん** 406
- たれ下がって頼りなげにゆれ　**ぶらんぶらん** 406
- 振動したりゆれ動いて　**ぶるぶる** 408
- **ぶるる** 410　**ぶるん** 410
- 小さく振動したりゆれ動き　**ぷるる** 410　**ぷるん** 410
- 軽々とふるえ動いて　**ぷるんぷるん** 410
- 頼りなげにゆれ動いて　**へらへら** 424
- 薄いものがこきざみにゆれて　**ぺらぺら** 425
- 弾力を伴ってゆれて　**ぽよぽよ** 459
- 重々しげに大きくゆれ動いて　**ゆさゆさ** 495
- 大きなものがゆれ動いて　**ゆさり** 495
- 大きなものが何度もゆれて　**ゆさりゆさり** 495
- 大きく重そうなものがゆれて　**ゆっさゆっさ** 496
- 大きく一度、ゆれ動いて　**ゆらっ** 497
- 何度もゆれ動いて　**ゆらゆら** 497
- 一度、軽くゆっくりゆれ動き　**ゆらり** 497
- 何度もゆるやかにゆれ動いて　**ゆらりゆらり** 497
- 足がもつれながらゆれ動いて　**よろりよろり** 500

【切る・切れる】

- 不規則に細かく切りきざまれ　**きざきざ** 61
- 野菜などを粗くきざんで　**ざくざく** 146
- 食べ物などを鋭利な刃物で　**さくっ** 146　**さくり** 148
- **さっくり** 150
- 刃物で力をこめて大きく深く　**ざくっ** 146　**ざくり** 148
- **ざっくり** 150
- 勢いよく切ったり、たたき割り　**ざぐり** 148　**ざっく** 149
- はさみで厚布などを切り進め　**じょきじょき** 190
- はさみで布などをひと思いに　**じょきり** 190
- 鋭利な刃物で、よく切れて　**すかすか** 200
- あざやかに気持よく切れて　**すかっ** 201
- 鋭い刃物で力強く切りこんで　**ずかり** 201
- ものを勢いよく切って　**ずきずき** 202
- 何度も切られて、破れそうで　**ずたずた** 205
- 鋭い刃物で完全に切り落とし　**すっぱり** 210
- **すぱっ** 213　**すぱり** 214
- 軽く切り落とされて　**すとん** 212
- 刃物で容赦なく切りこんで　**ずばずば** 213
- 刃物で一気に切りこんで　**ずばり** 214
- 勢い鋭く、何度も切って　**ずばりずばり** 214
- はさみで紙や植木などを　**ちょきちょき** 256
- はさみで完全に切り落として　**ちょきん** 256
- **ちょっきり** 258
- 刃物などで大きく切り落とし　**ばさり** 332
- **ばっさり** 342
- 刀で相手を次々と倒して　**ばっさばっさ** 341
- 刀などで勢いよく切って　**ぱっさり** 342
- 糸・紐や継ぎ目などが切れて　**ばらり** 348
- 急にはぜたり、切れて　**ぴちっ** 365
- 糸や紐などが切れて　**ぷすり** 394
- 急に完全に断ち切られて　**ぶちっ** 396
- 急に軽い調子で断ち切れて　**ぷちっ** 397
- 蕎麦などが切れやすくて　**ぶちぶち** 397
- ものを突然断ち切って　**ぷっつ** 398
- 綱・縄や音信などが突然切れ　**ぷつっ** 398
- 思いきってものを断ち切り　**ふっつり** 400
- 紐や関係などが完全に切れて　**ぷっつり** 400
- はげしくものが断ち切られて　**ぶっつん** 400
- 鋭くものが断ち切られて　**ぷっつん** 400
- ものを細かく切って　**ぶつぶつ** 401
- ものごとが切れ切れになって　**ぷつぷつ** 401
- 急激に完全に切れて　**ぶつり** 402　**ぶつん** 402
- 話や音信などが突然絶えて　**ぷつり** 402　**ぷつん** 402
- きれいに切れたり、中断して　**ぽっきり** 450
- いくつにも切ったり、中断して　**ぽつぽつ** 455
- 突然、途中で切れて　**ぽつり** 455

【破る・破れる】

何度も切り裂いて　**ずたずた** 205
かたいものが割れたり破れて　**ばりっ** 348
薄いものが割れたり破れて　**ぱりっ** 350
強く引き裂いたり引き剝がし　**ぱりぱり** 350
布や紙が勢いよく破れて　**ぱりぱり** 350
勢いよく裂いたり、剝いで　**びっ** 367　**ぴっ** 367
びびっ 371
布や紙などを勢いよく破って　**びりっ** 382　**ぴりっ** 382
紙や布などが続けて裂けて　**びりびり** 384
ぴりぴり 384
一気に破ったり、剝がして　**べりっ** 425
薄手のものを勢いよく剝がし　**ぺりっ** 425
厚手のものを何度も破って　**べりべり** 425
薄手のものを何度も破って　**ぺりぺり** 426
布などが細かく破れて　**ぼろぼろ** 462
もろく裂け破れたり、砕けて　**めりっ** 483
めりめり 483

【貼る・くっつく】

小さなものがくっついて　**ちょこん** 258
ちょん 262
完全にすきまなく密着して　**ぴたっ** 362　**ぴたり** 364
ぴったり 370
ぴっちり 370
続けざまに密着して　**ぴたぴた** 364
一面について　**びたり** 364
印判を押したりものを貼って　**ぴたん** 365
ぴたんぴたん 365
密着したり、貼りつけて　**べたっ** 416
平らに全面的に張りついて　**ぺたっ** 416　**ぺたん** 418
かたまりになって張りついて　**べたり** 418
押しつけるように貼って　**ぺたり** 418
しっかりとくっついて　**べたん** 418
軽く貼りつけたり塗りつけて　**ぺちょっ** 420
軽く一面に張りついて　**ぺったり** 421
張りついたり離れたりして　**ぺったんぺったん** 421
粘りけのあるものが一面に　**べっとり** 422
粘液状のものが一面について　**ぺっとり** 422

【刺す】

刃物で何度も深く刺して　**ぐさぐさ** 85
刃物で一度に深く刺して　**ぐさっ** 85　**ぐさり** 85
矢や槍などが突き刺さって　**ずばっ** 213
急所や核心を鋭く突いて　**ずばりずばり** 214
やわらかいものを刺し貫いて　**ずぶずぶ** 214
刃物で根元まで深く刺して　**ずぶっ** 214　**ずぶり** 216
針などで繰り返し刺されて　**ちくちく** 246
ちくりちくり 247
針などで一度だけ刺されて　**ちくっ** 247　**ちくり** 247
ちくん 247
一度、軽く突っついて　**つん** 276
何度も軽く突っついて　**つんつん** 277
やわらかいものを突き刺して　**ぶすっ** 393　**ぷすっ** 393
ぶすり 394　**ぷすり** 394
何度も突き刺して　**ぶすぶす** 394
ぷすぷす 394
刃物などで続けざまに刺して　**ぶすりぶすり** 396
急に勢いよく刺して　**ぶつっ** 398
刃物を勢いよく突き刺して　**ぶっつり** 400
鋭いもので何度も穴をあけて　**ぶつぶつ** 401
鋭いものでたくさん穴をあけ　**ぷつぷつ** 401
とがったもので突き刺して　**ぶつり** 402　**ぷつり** 402

【曲がる・しわがよる】

高く低く左右に曲がりながら　**うねうね** 13
繰り返し軽く折れ曲がって　**かくんかくん** 24
急に軽い感じで折れ曲がって　**かっくり** 37
急に強く折れ曲がって　**がっくり** 38
角ばって何度も曲がって　**ぎくぎく** 60
ものを急に曲げて　**くい** 82
軽く二、三度曲げて　**くいくい** 82
一部分が突然曲がって　**くにゃ** 101　**ぐにゃ** 101
くにゃり 101
ぐにゃり 101
やわらかく自在に曲がって　**くにゃくにゃ** 101
ぐにゃぐにゃ 101
左右にゆれるように曲がって　**くねくね** 101

たわいなく曲がって　**ぐんにゃり** 111
直線がZ字形に曲がって　**ジグザグ** 161
身をしなやかに動かして　**しゃなりしゃなり** 178
たわみ、しなって　**しなしな** 170
しなっ 170
ものがやわらかく曲がって　**しんなり** 196
弱々しく曲がりくねって　**なよなよ** 311
弱々しくたわみやすくて　**へこへこ** 413

形・状態に関するオノマトペ

【張る・ふくらむ】

破裂しそうにふくれ上がって　**ぱんぱかぱん** 351
はち切れそうにふくらんで　**ぱんぱん** 352
お餅がふくれて　**ぷー** 389
やわらかそうにふくらんで　**ふかふか** 390
ふくふく 392
やわらかくふくれ、くずれそうで　**ぶくっ** 391
一部分だけふくれ上がって　**ぷくっ** 391
不快にふくらんだり太って　**ぶくぶく** 392
かわいらしいほどふくれて　**ぷくぷく** 392
一部分だけ丸くふくらんで　**ぷくり** 393
ぷっくり 398
ふくれて丸みを帯びて　**ぷくん** 393
豊かにやわらかくふくらんで　**ふっくら** 398
子どもの頬などがふくらんで　**ふっくり** 398
ふくらんでやわらかくて　**ふわふわ** 411
ふんわか 412
ふんわり 412
締まりがなくふくらんで　**ぶわぶわ** 411
目立つぐらいにふくらんで　**ぼっこり** 451
小さく出っ張って　**ぽっこり** 451
厚みとふくよかさがあって　**ぽってり** 453
見苦しいほど厚み・重みがあり　**ぼてっ** 456
腹がいっぱいにふくれて　**ぽんぽこ** 465
ぽんぽん 466
厚くやわらかくふくらんで　**むくむく** 472
丸く盛り上がって　**むっくり** 477
盛り上がったりうごめいて　**もくもく** 484
丸く目立って盛り上がって　**もこっ** 486
ふくらんで厚みがあり　**もこもこ** 486
丸みを帯びて高く盛り上がり　**もっこり** 490
毛や草が生えて、盛り上がり　**もっさり** 490

【光る・輝く】

光り輝いて非常に明るく　**かっか** 36
明るくまぶしく光り輝いて　**きらきら** 76
どぎついほど強く光り輝き　**ぎらぎら** 76
一瞬、明るく鋭く光って　**きらっ** 76　**きらり** 76
すごみを帯びて強く光り輝き　**ぎらっ** 76　**ぎらり** 78
明るくまぶしく輝き続けて　**きらら** 76
軽々しいほど光り輝いて　**きんきら** 80
はでな装飾が光り輝いて　**きんきらきん** 80
はでにどぎつく光り輝いて　**ぎんぎらぎん** 80
金色に光り輝いて　**きんきんきらきら** 80
はでに強く光り輝いて　**ぎんぎんぎらぎら** 80
金色に光り輝き／真新しくて　**きんぴか** 80
金色にはなやかに光り輝いて　**きんぴかぴか** 80
明るく光り輝いて　**こうこう**（煌煌）519
にぶい光が断続的に光って　**ちかちか** 246
ごく一瞬鋭く光って　**ちかっ** 246
一瞬、光ったり、ひらめいて　**ちかり** 246
弱い光が断続的に光って　**ちらちら** 264
かすかに断続的に光って　**ちろちろ** 267
光沢があって美しく　**つやつや** 274
表面につやがあり、光って　**てかっ** 278
てかてか 278
表面がぬれてにぶく光って　**てらてら** 281
つやを帯びてひかって　**てろてろ** 282
表面がぬれてやわらかく光り　**ぬめぬめ** 319
急に明るく／電気や火がつき　**ぱっ** 340
光が点滅して　**ぱっぱっ** 344
稲妻などが一瞬鋭く光って　**ぴかっ** 354　**ぴかり** 354
つやがあり嫌味なほど光って　**びかびか** 354
点滅したり光線をよく反射し　**ぴかぴか** 354
何度もまたたくように光って　**ぴかりぴかり** 354
まぶしいほど光り輝いて　**ぴっかぴか** 368

かわいらしく光って　ぴっかりこ 368
炎がゆれ動いて　ひらひら 381
ぴらぴら 381
一瞬きらめき輝いて　ひらり 381
空中にひるがえってきらめき　ひらりひらり 382
猛獣の目が暗い所で鋭く光り　らんらん（爛爛）539

【焼く・焼ける】

適度なこげめでこうばしく　こんがり 143
油やものが焼けこげて　じーじー 159
じじ 164
肉など油分の多いものを焼き　じぶじぶ 172
じゅーじゅー 186
熱いフライパンに材料を入れ　じゃっ 177
脂肪分が焼けて溶け出して　じゅっ 188　じゅー 186
水分が高温に接し、蒸発して　じゅっじゅっ 188
食べ物が適度においしく焼け　じゅわじゅわ 189
じゅわっ 189
肉や魚の脂身が焼けてはねて　じりじり 192
ものが焼けたりとけたりして　じわり 195
毛などが焼けて　ちりちり 266
ものが焼けたり火花が散って　ばちばち 339

【煮る】

形を失うほど長く煮こんで　くたくた 92
ぐたぐた 94
強い火力で煮込んで　ぐつぐつ 97

弱火で長く煮込んで　くつくつ 97
鍋の中のものが静かに煮えて　ことこと 132
鍋の中のものがよく煮えて　ごとごと 132
やかんなどの湯が沸きたって　しゅんしゅん 189
やかんなどの湯が沸騰して　ちんちん 268

【浮く・浮かぶ】

軽いものが空や水に浮いて　ぷかっ 390
ものが浮いたり、漂って　ふかふか 390
なすすべなく水に浮くだけで　ぶかぶか 390
軽そうに水に浮き／浮遊して　ぷかぷか 391
ぷかりぷかり 391
ゆっくりと浮き上がって　ぷかり 391
瞬間的に軽く浮き上がって　ふわっ 410　ふわり 411
軽々と空中や水上に漂って　ふわふわ 411
ふわりふわり 411
静かに空中に浮かんで　ふんわり 412
空中や水面に浮かんで　ぽかり 435
煙草の煙などが上がって　ぽかりぽかり 435
空中に軽々と浮かんで　ぽっかり 449

【粘る・ぬめる】

油ぎって、ひどく粘りついて　ぎたぎた 62
気持ちわるく油ぎって　ぎとぎと 70
油が気持ちわるく粘りついて　ぎとっ 70
粘りけのあるものをかんで　くちゃくちゃ 94
粘りけのある水分をすすって　じゅるじゅる 189

しつこく、粘っこくて　しんねり 197
水分や粘りけがあって　ずるずる 221
やわらかく粘りけがあって　とろっ 303
液体に粘りや濁りがあって　どろっ 304
粘りけのある濁った液状で　どろどろ 304
すべってつかみどころがなく　にゅるにゅる 315
にゅるり 315
なめらかで、よくすべって　ぬめっ 319　ぬめり 319
油や粘液などで表面が粘って　ぬめぬめ 319
ぬらぬら 319
ぬるぬる 320
表面に粘りけや油けがあって　ぬらっ 319
すべって、つかまえにくくて　ぬらりくらり 319
粘液状でつかみどころがなく　ぬるっ 320
押さえてもすべってすり抜け　ぬるり 320
すべるようにあちこち動き回り　ぬるりぬるり 320
表面が粘液でおおわれて　ぬんめり 320
しつこく不快に粘りついて　ねちねち 321
気味悪く粘りついて　ねちゃっ 321
水けを含んで粘りついて　ねちゃねちゃ 321
汗や油などがまとわりついて　ねっとり 321
しきりに粘りついて　ねとねと 322
粘るようにぴったりくっつき　ねとっ 322
納豆などが粘って糸を引いて　ねばねば 322
粘液状のものが張りついて　べたっ 416

ものがいやにくっついて　**べたべた** 416
ものが軽く粘りついて　**ぺたぺた** 416
しつこく粘りついて　**べたりべたり** 418
水けを含んで広く粘りつき　**べったり** 420
べっちゃり 421
汗や血などが一面について　**べっとり** 422
粘りつくようで／湿って　**べとっ** 422
汗や油などが粘りついて　**べとべと** 422
弾力やぬめりが感じられて　**むにゅむにゅ** 479
重みやよどみが感じられて　**もったり** 490

【かわいた】

肌などの表面が乾燥して　**かさかさ** 24
肌などが乾燥して荒れて　**がさがさ** 26
食べ物などの水分がなくなり　**かすかす** 29
水けや油けがなく、こわばって　**かぱかぱ** 42
うるおいがなく、こわばって　**がびがび** 44
全体的に乾燥して軽くなり　**からから** 48
ものが乾燥しきって　**がらがら** 50
湿気がなく気持ちよくかわき　**からっ** 51　**からり** 51
水分がなくなって固まり　**かりかり** 53
食べ物がこのましく乾いて　**かりっ** 54
表面が乾燥して快くて　**さっぱり** 151
気持ちよくかわいていて　**さばさば** 152
適度に乾燥してよくすべり　**さらさら** 153
適度に乾燥して快くて　**さらっ** 154　**さらり** 156

水分が熱せられて蒸発し　**じくじく** 162
かわいて水分がたりなくて　**ぱさっ** 331
食品の水分が不足してまずく　**ばさばさ** 332
ぼそぼそ 444
しっとりしたうるおいがなく　**ぱさぱさ** 332
水分が少なく干からびて　**ぽそっ** 444
水分が不足して、もろくなり　**ぼろぼろ** 462
水分がなくなって、くだけて　**ぽろぽろ** 462

【のびる・縮む】

目に見えて速くのびて　**ぐんぐん** 111
線状のものがのびて　**しゅるしゅる** 188
ひゅるひゅる 374
細長くまっすぐにのびて　**すーっ** 199　**すっ** 206
勢いよくまっすぐにのびて　**すっき** 207
健康に順調にのびて　**すくすく** 202
背が高くやせていて　**すらっ** 220
足などが細長くて格好よく　**すらり** 220
長細くしなやかで　**すんなり** 225
棒状のものが勢いよくのびて　**するする** 221
細くまっすぐにのび出て　**つい** 269
長くうねるものがのび進んで　**にゅるにゅる** 315
植物などが次々に生えてのび　**にょきにょき** 315
ものが長くのび出て　**にょっき** 316
不意に大きくのびて出て　**にょっきり** 316
細長いものが長くのび出て　**にょろっ** 316

障りなくのびたり、成長して　**のびのび** 325
よくのびて　**びよーん** 375
細長く弱々しげにのびて　**ひょろひょろ** 379
しわが寄って縮れて　**しわくしゃ** 194
しわくちゃ 194
ひどくしわが寄って　**しわしわ** 194
毛髪などが縮れてひきつれ　**ちりちり** 266

【乱雑】

目も当てられないほど散らかり　**がしゃがしゃ** 28
雑然と入り混じって　**がちゃがちゃ** 32
紙くずや髪などが入り乱れて　**くしゃくしゃ** 86
本来あった形がくずれて　**ぐしゃぐしゃ** 86
複数のものが雑然として　**ぐじゃぐじゃ** 86
だらしなく形をたもてないで　**ぐしゃっ** 86
衣類などにしわが寄って　**くちゃくちゃ** 94
形がくずれ全体が入り混じり　**ぐちゃぐちゃ** 95
はげしく入り乱れ、混雑して　**ごしゃごしゃ** 122
ごじゃごじゃ 122
ものごとが入り乱れて混乱し　**ごたごた** 124
混乱したりもめごとが起きて　**ごたすた** 124
雑多に秩序なく入り混じって　**ごちゃ** 125　**ごった** 128
ごっちゃ 128
秩序なく入り乱れて　**ごちゃくちゃ** 125
細かいものが入り乱れて　**こちゃこちゃ** 125
区別がつかず乱雑でうるさく　**ごちゃごちゃ** 125

細々していて、煩わしくて　ごちょごちょ 125
ものごとが入り組んで　ごてごて 131
まとまりがなく雑然として　ごみごみ 136
回復できないほど混乱して　しっちゃかめっちゃか 167
だらしなく乱れたり、引きずり　じょろりじょろり 192
髪や書類などが乱れて　ばさばさ 332
ものごとが混乱して　はちゃめちゃ 340
ひとつにならずに散らばって　ばらっ 345
少しずつ散らばって　ぱらっ 345
まとまらずに分散・独立して　ばらばら 346
まばらに散らばって　ぱらぱら 346
ぱらり 348
紙などが乱雑に毛羽立って　ぼさぼさ 443
毛などが乱雑に密生して　むしゃむしゃ 475
もさもさ 486
壊れ方がひどくて　めためた 482
あきれるほど無秩序で　めちゃくちゃ 482
嘆かわしいほど無秩序で　めちゃめちゃ 482
もつれたり、紛糾して　もじゃくじゃ 487
毛や草が不ぞろいに密生し　もしゃもしゃ 487
もじゃもじゃ 487
乱れたようすで　ももくちゃ 491
破れ乱れて　わらわら 508

【あいまい】

回答や返事などが不明瞭で　あやふや 3
結末や態度があいまいで　うやむや 14
態度がはっきりしないで　しねくね 172
ものの輪郭が不明瞭で　ぼっ 448
景色や記憶などがかすんで　ぼやっ 458
輪郭があいまいな状態が続き　ぼやぼや 459
形や色がぼけてはっきりせず　ぼやり 459　ぼわっ 463
ぼんやり 466
実体が定かでなく頼りなくて　ぼわぼわ 463
事柄がはっきりしないで　ぼんやり 466
はっきりと見分けられないで　ほのぼの 458
煙や湯気で視界が不明瞭で　もやもや 491
もやっ 491
形や動きがはっきりしないで　もわもわ 492
湯気がたちこめて　もわっ 492

音・道具・金銭に関するオノマトペ

【こすれる・きしむ】

枯葉や紙などが軽くこすれて　かさかさ 24
かさこそ 26
騒がしくこすれ合って　がさがさ 26
がさごそ 26
一瞬ふれ合ってかすかに　かさっ 26　かさり 26
一瞬ふれ合ってうるさく　がさっ 26　がさり 26
金属や氷などがこすれ合って　かしゃかしゃ 28
古い家具や建具がきしんで　がたぴし 30
かたいものがこすれ合って　きー 58　きーっ 59
きーきー 59
重いものがきしんで　ぎー 59　ぎーっ 59
ぎーぎー 59
ものが繰り返しきしんで　ぎーこぎーこ 59
規則的にものがきしんで　ぎーとんぎーとん 59
固定されているものがこすれ　ぎしぎし 61
かたいものが一瞬こすれ合い　きしっ 62　ぎしっ 62
かたいものが何度もこすれて　ぎしりぎしり 62
ものが一瞬きしんで　きっ 66　ぎっ 66
ものが動くときにきしんで　ぎっこんぎっこん 67
強い摩擦によって　きゅー 72　きゅっ 73
きしんだり、押しつけられ　きゅーきゅー 72
ぎゅーぎゅー 73
何度もきしんだり、こすれて　きゅっきゅっ 74
強くきしんだり、こすれて　ぎゅっぎゅっ 74
ものがかん高くきしんで　きりきり 78
紐などが締まりながらこすれ　ぎりぎり 78
力を込めてしぼったり巻いて　ぎりっ 78　ぎりり 79
かたいものが互いにすれ合い　ごきごき 118
かたいものが折れたり、こすれ　こきっ 118　ごきっ 118
強く力を入れて何度もこすり　ごしごし 121
かわいたものが騒がしくこすれ　ごそ 122　ごそり 123
かわいたものが荒くふれ合い　ごそごそ 122
ものがふれ合って、かすかに　こそっ 123　こそり 123

かたいものが当たってこすれ **ごりごり** 136
かたい紙や布などがすれ合い **ごわごわ** 143
小判などがこすれ合って **ざくざく** 146
金や小石を無造作につかんで **ざっくり** 150
木の葉や絹が軽くふれ合って **さやさや** 153
髪や砂がすべって、こすれて **さらさら** 153
表面の粗いものがこすれて **ざらざら** 154
ものが軽くふれ合って **さらっ** 154
軽いものがこすれ合って **さらり** 156
重いものがこすれ合って **ざらり** 156
軽いもの同士が何度もこすれ **さらりさらり** 156
粗いもの同士がこすれ合って **ざらりざらり** 156
薄く軽いものに何かがふれて **さわっ** 158
すばやくこすったり、削って **しゃっしゃっ** 177
布など薄いものがすれ合って **しゃらしゃら** 180
小銭や鍵がたくさんふれ合い **じゃらじゃら** 180
粒の細かいものがこすれ合い **しゃりしゃり** 182
小石や砂などがこすれ合って **じゃりじゃり** 182
鈴や細い鎖がふれ合って **しゃりんしゃりん** 184
薄くて軽いものがふれ合って **しゃわしゃわ** 184
絹ものなどがすれ合って **しゅー** 186
すばやく、勢いよくこすれて **しゅっ** 188
布などやわらかいものがこすれ **しゅっしゅっ** 188
一瞬、なめらかにこすれ合って **しゅるっ** 189
髪・ひげなどを剃って **じょりじょり** 191
ぞりぞり 233
髪・ひげを勢いよく剃って **じょりっ** 192
ぞりっ 233
木をのこぎりでひいて **ずいこん** 198
ものがこすれ合って **ずずっ** 205
ずっずっ 209
ものがずれたり、こすれて **ずっ** 206
ものがなめらかにこすれて **すっすっ** 209
するする 221
金属やかたいものがふれ合い **ちゃらちゃら** 252
ちゃらんちゃらん 252
こわばったものがふれ合って **ばりばり** 350
柱や板などが一瞬きしんで **みしっ** 469 **みしり** 470
木組や骨組が続けてきしんで **みしみし** 469
みしりみしり 470
骨組みがきしんだり、壊れて **みりみり** 471
ものが壊れたり、きしんで **めきめき** 481

【打つ・たたく】

かたいもので軽いものを打ち **かーん** 21
かたいもので強く打って **がーん** 21
バットでボールを打って **かん** 54
かたいもので強く打って **がん** 54
ブリキ缶などをたたいて **がんがらがん** 56
ドラム缶などを何度も打って **がんがん** 58
やわらかいものがつぶれて **くしゃっ** 86
かたいものを軽くたたき続け **ことこと** 132
金属をたたいて **じゃん** 184
何かを強く打ちたたいて **だーん** 236
ものを軽く打って **たん** 244
ものを軽く連続して打って **たんたん** 244
ものを力強く連続してたたき **だんだん** 244
刀と刀などを打ち合わせて **ちゃんちゃん** 253
たたいたり踏み鳴らして **とーとー** 286
とんとん 309
何度も強く打ち／踏み鳴らし **どしどし** 293
どしんどしん 293
はずみをつけて軽くたたいて **とん** 307
金槌などをたたいて **とんてんかん** 308
戸などを何度も強くたたいて **どんどん** 309
勢いよく打ったり、たたいて **ばーん** 328
ばかすか 329
こぶしで容赦なくなぐり **ぼかすか** 433
ぽかぽか 434
ものを軽くたたいて **ぱこっ** 331
平手などで強くたたいて **ばしっ** 332 **ばしん** 336
ばちっ 338 **ばちん** 340
平手などで何度も強くたたき **ばしばし** 334
ばちばち 339
かたいものを打ちつけて **ばしり** 336
平たいものを強くたたきつけ **ぱしん** 336

膝などを手で軽く打って **はた** 336
続けざまに打ち合わせて **はたはた** 336
続けてはげしく打ち合わせ **ばたばた** 337
続けざまに軽く打ち合わせて **ぱたぱた** 337
拍手して **ぱちぱち** 339
刀などで勢いよく強く打って **はっし** 342
ものを勢いよく打って **ぱん** 351
柏手を打って **ぱんぱん** 352
むちなどで一回強く打って **びしっ** 358
むちなどで何度も強く打って **びしびし** 358
ぴしぴし 360
平たいものを強く打って **びしゃっ** 360
びしゃり 360
平手などで一回軽くたたいて **ぴしゃっ** 360
ぴしゃり 361
平手などで何度も軽くたたき **ぴしゃぴしゃ** 360
棒などで強く打って **びしり** 361
むちなどで鋭く一撃して **ぴしり** 361
平手でたたいて **びたっ** 362
平手で軽くたたいて **ぴたっ** 362
平手で何度も軽くたたいて **ぴたぴた** 364
ぺたぺた 416
平らな面で何度も軽くたたき **ぺたりぺたり** 418
餅など粘るものをついて **ぺったんぺったん** 421
尻などを軽くたたいて **ぺんぺん** 430

軽々と勢いよく打って **ぽーん** 433
こぶしでなぐって **ぽかっ** 433 **ぽかり** 435
かたいものを強く打って **ぼかん** 435
かたいものを軽く打って **ぽかん** 435
中空なものをはげしくたたき **ぼこぼこ** 440
ものをたたいたり、投げつけ **ぼこり** 442
中空なものを軽くたたいて **ぽこん** 442
続けて軽くたたいて **ぽたぽた** 446
ボールなどを軽く打って **ぽん** 464

【ぶつかる】

強くぶつけたり、削れて **ががっ** 22
勢いよくぶつかって **がしっ** 28
写真のシャッターなどが **かしゃっ** 28
一瞬でつぶれたり、ぶつかり **がしゃっ** 28
硬質で小さいものがぶつかり **かしゃり** 28
かたいものが強くぶつかり **がしゃり** 28
かたいものが軽くぶつかって **かしゃん** 28
かたいもの同士がぶつかって **がしゃん** 29
窓などが何度もぶつかって **かたかた** 29
ドアなどが何度もぶつかって **がたがた** 29
かたいものがふれ合って **かたこと** 30
騒がしくふれ合って **がたごと** 30
かたいものがぶつかって **かたっ** 30 **がたっ** 30
かたいものが軽くぶつかって **かたり** 31
重いものが騒がしくぶつかり **がたり** 31

かたいものが落ちたり、ぶつかり **かたん** 31
重いものが落ちたり、ぶつかり **がたん** 31
かたいものが続けてぶつかり **かたんかたん** 31
重いものが続けてぶつかって **がたんがたん** 31
かたいものがぶつかり合って **かたんことん** 31
重いものがぶつかり合って **がたんごとん** 31
時計や拍子木などが規則的に **かちかち** 31
歯などが何度もぶつかり合い **がちがち** 32
軽くてかたいものがふれ合い **かちっ** 32
かたいものが勢いよく当たり **がちっ** 32
鍵束などが何度もぶつかって **かちゃかちゃ** 32
陶器などが何度もぶつかって **がちゃがちゃ** 32
陶器などが一度ぶつかって **がちゃっ** 34
かたいものが一度ふれ合って **かちゃり** 34
がちゃり 34
鍵がはまったり、はずれたり **かちゃん** 34
がちゃん 34
かたいものがぶつかり合って **かちり** 34 **がちり** 35
小さくかたいものが勢いよく **かちん** 35
重くかたいものが勢いよく **がちん** 35
軽くかたいものが何度も **かちんかちん** 35
重くかたいものが続けて強く **がちんがちん** 35
重みのあるものがはげしく **がっ** 36
靴やウマのひづめが当たって **かっかっ** 36
杖などが低い音で何度も **かつかつ** 36

続けて強く打ち当たって　**がっがっ** 36
はげしくぶつかってかみ合い　**がっき** 37
壊れるぐらいにぶつかって　**がっしゃん** 39
規則正しく軽くぶつかり合い　**かっしゃんかっしゃん** 39
かたいものがぶつかって　**かったん** 39
重くてかたいものがぶつかり　**がったん** 39
重くてかたいものが連続して　**がったんがったん** 39
かたいものを強く打ち合わせ　**かったんこっとん** 40
小さくかたいものがあたって　**かっちゃん** 40
はげしくぶつかったり壊れて　**がっちゃん** 40
小さいものなどが強くあたり　**かつっ** 41　**がつっ** 41
中空のものがかたいものと　**かっぽん** 42
かぽかぽ 46
軽くてかたいものが当たり　**かつん** 42
重くてかたいもの同士が強く　**がつん** 42
下駄などが軽い音をたてて　**からから** 48
からころ 51
重いものがくずれたり移動し　**がらがら** 50
かたいものが急激にぶつかり　**がらり** 51
かたいものがぶつかり続け　**がらんがらん** 53
かたいものが何度もぶつかり　**かんから** 56
金属や石などがぶつかって　**かんかん** 58
重いものが何度もぶつかって　**がんがん** 58
かたいもの同士がぶつかって　**こーん** 118
かたいものが一度ぶつかって　**こちっ** 125　**ごちっ** 125

かたいものが軽くぶつかって　**こちり** 125　**こちん** 126
かたく重いもの同士が　**ごちん** 126
靴が床に何度も当たって　**こつこつ** 127
小さくかたいものがぶつかり　**こつっ** 129
重くかたいものがぶつかって　**ごつっ** 129
かたいもの同士が軽く　**こっつん** 129
かたいもの同士が両方から軽く　**こっつんこ** 129
かたいものが規則的にぶつかり　**こっとんこっとん** 130
ことんことん 134
かたく重いものがぶつかって　**ごっとんごっとん** 130
ごとんごとん 134
かたいもの同士がぶつかって　**こつり** 130　**ごつり** 131
小さくかたいものがぶつかり　**こつん** 131　**ことん** 134
重いものが強くぶつかり　**ごつん** 131　**ごとん** 134
かたく重いものがぶつかり続け　**ごとごと** 132
ごとりごとり 134
かたいものが一瞬打ち当たり　**ことっ** 132　**ごとっ** 134
大きいものがぶつかって　**ごとり** 134
かたいものが打ち当たって　**こん** 143
かたいもの同士がぶつかって　**ごん** 143
かたいもので何度もたたいて　**こんこん** 143
かたいもので強くたたき続け　**ごんごん** 144
小さくかたいものがふれ合い　**じゃらじゃら** 180
金属が強くふれ合って　**じゃらん** 182
重みのある金属が連続して　**じゃらんじゃらん** 182

ものが軽く打ち当たって　**すこん** 204
ものが何かに当たり、調子よく　**すっとんとん** 209
重いものがぶつかって　**だっ** 238
硬貨などがぶつかり合って　**ちゃりん** 252
鐘や陶器などがぶつかって　**ちゃん** 253
金属などがぶつかって　**ちん** 267
金属製のものがぶつかって　**ちんからり** 267
金属やかたいものがふれ合い　**ちんちん** 268
大きな重いものが強く当たり　**どー** 285
重いものが強くぶつかって　**どーん** 286
大きくて重いものがぶつかり　**どかん** 288　**どしん** 293
重いものがぶつかって　**どしり** 293　**どすっ** 293
勢いよく倒れたり、ぶつかり　**どしんばたん** 293
大きく重いものが突き当たり　**どすん** 293
何かが勢いよくぶつかって　**どたっ** 293
重いものが間をおいてぶつかり　**どたりばたり** 294
重いものが強くぶつかって　**どん** 307
ものが軽く打ち当たって　**ぱしっ** 332
はげしい勢いで当たって　**ぴしっ** 358
弾力のあるものが当たって　**ぼいん** 431
ものが他のものに打ち当たり　**ぼこっ** 440
勢いよくぶつかって　**ぼん** 464

【楽器】
横笛がはやしたてるように　**おひゃりこひゃり** 20
太鼓の縁をたたいて　**かかか** 22

琴を弾いて　ころりん 142　ころりんしゃん 142

琴やピアノの音色が軽やかに　ころん 142　ころんころん 143

弦楽器を一度かき鳴らして　ざらりん 157　じゃらん 182

マラカスやタンバリンが　しゃかしゃか 174

楽器やレコードが大きな音で　じゃかじゃか 174

鈴や三味線を鳴らして　しゃん 184

吹奏楽などの楽隊が　じんたった 196

太鼓をたたいて　すってんてれつく 209

小鼓をたたいて　すっぽすっぽ 210　すぽぽん 218

鉦や笛・鼓などがにぎやかに　ちゃかぽこ 249

規則正しく鉦をたたいて　ちゃんちき 253

三味線を続けて弾いて　ちゃんちゃん 253

鉦・鼓・三味線などを合奏し　ちゃんぽん 254

三味線の音が　ちりとてちん 266　てんつるてん 284

鉦や鈴の音が　ちりんちりん 267

琵琶や三味線の弦をはじいて　ちんちん 268

鉦と太鼓の音がいりまじって　ちんどん 269

三味線や口三味線の音が　ちんとんしゃん 269

三味線をつまびいて　つんつん 277

エレキギターが速いリズムで　てけてけ 279

三味線・銅鑼・太鼓が重く　ででん 281　でんでん 285

太鼓をたたいて　てれつく 282　てんつく 284　てんてこ 284　てんてんてれつく 285

太鼓や三味線などの音が　てれつくてん 282

らっぱを鳴らして　とてちてたー 299

太鼓の音がリズミカルに　どどんがどん 300

軽快に太鼓を打ち鳴らして　ととんとんとん 300

太鼓と鉦を同時に打ち鳴らし　どんちゃん 308

うちわ太鼓をたたく音が　どんつく 308

太鼓を勢いよくたたいて　どんどこ 309

祭の太鼓が　どんどんかかか 309

笛の音が鳴りひびいて　ぱっぱらぱー 345　ぴー 352　ぴーぴー 353

笛やチャルメラの音が　ぴーひゃら 353

笛の音が短く強く　ひっ 367　ぴっ 367

笛・口笛・指笛などを鳴らし　ひゅー 372　ぴゅー 372　ひゅーひゅー 373　ぴゅーぴゅー 373

笛などを吹き鳴らして　ぴりぴり 384

らっぱや笛を盛んに吹いて　ぷかぷか 391

らっぱや笛に太鼓が加わり　ぷかぷかどんどん 391

下手な三味線の音が　べこべこ 414　ぺこぺこ 414

琵琶や三味線の音が　べべんべんべん 424

三味線を弾いて　ぺんぺん 430

琵琶の音が　べろべろ 428　べろんべろん 429

三味線や太鼓の音がひびいて　べんべん 429

ピアノや弦楽器を弾いて　ぼろん 463　ぽろん 463

鼓などを調子よく打って　ぽんぽこ 465

タヌキが腹鼓を打って　ぽんぽこぽん 465

鐘や三味線のこもった音が　ぼんぼん 465

【武器】

銃や大砲などを発射して　ずどん 213

銃などを撃ったり爆発して　だーん 236

軽機関銃などを撃って　たたたた 237

重機関銃などを撃って　だだだだ 237

刀で斬り合いをして　ちゃんちゃん 253　ちゃんちゃんばらばら 254

大砲や鉄砲などを発射して　どーん 286　どかん 288

ピストルで撃ち合って　どんぱち 310

拳銃を発砲して　ばきゅん 330

石や弾丸が続けて発射され　ばりばり 350

矢が風を切って　ひー 352

次から次へと的を射って　ぴしぴし 360

矢などが強く風を切って　びゅんびゅん 374　ぴゅんぴゅん 374

矢が弦を離れて飛んで　ぴょー 375
矢が音をたてて飛び命中して　ひょーふっ 375
鉄砲を撃ち続けて　ぼんぼん 465
刀・槍・矢などが風を切って　りゅーりゅー 501

【金銭】

かろうじて基準や目標に達し　かすかす 29
生活などに余裕がなくて　かちかち 31
どうにかこうにかで　かつかつ 36
時間や金銭が限界に達して　がちがち 32
時間や数量などが正確で　かっきり 37
きっかし 66
きっかり 66
金が一度にたくさん入って　がっぽがっぽ 42
がっぽり 42
がぼっ 48
多額の金を次々にもうけて　がばがば 42
がぼがぼ 46
多額の金を一気にもうけて　がばちょ 44
生活に金銭的ゆとりがなくて　ぎちぎち 64
時間や勘定などが正確で　きちっ 64　きちん 64
仕送りなどを几帳面に続けて　きちんきちん 66
貧乏で暮らしに余裕がなく　きゅーきゅー 72
限界に達して　ぎりぎり 78
金などを出し惜しみして　けちけち 113
小判などが次々と大量に出て　ざっくざっく 149
金・米などを無造作につかみ　ざっくり 150
小銭や鍵の束などがぶつかり　じゃらじゃら 180
金などを惜しみなく消費して　じゃかすか 174
無一文または無一物になって　すってんてん 209
金などを満足できるだけ得て　たんまり 244
金の支払いなどを少しずつ　ちびちび 248
硬貨などがふれ合い、ぶつかり　ちゃりん 252
ちゃりんちゃりん 252
収支が五分五分で　とんとん 309
無一文になって　ぱーぱー 328
金などを惜しげもなく使って　ぱっぱ 344
ぱっぱか 344
景気や羽振りがよく　ばりばり 350
金がいつもなくて、貧しく　ぴーぴー 353
惜しげなく金品を差し出して　ぽーん 433　ぽん 464
ちょうどそれだけで　ぽっきり 450

程度に関するオノマトペ

【やわらかい】

水けを含んで／形がくずれて　ぐじゃぐじゃ 86
水分を多く含んで／かゆ状で　ぐじゅぐじゅ 88
水分を含んでひどくくずれて　ぐしょぐしょ 88
ぐじょぐじょ 88
今にもくずれそうで　ぐずぐず 90
古くなって張りがなくなり　くたくた 92
強火でよく煮こんで　ぐたぐた 94
元の形を留めぬほどつぶれて　くちゃくちゃ 94
ぐちゃぐちゃ 95
水けでやわらかくなって　ぐちゅぐちゅ 95
ぐちょぐちょ 95
やわらかく適度にかたさがあり　くにくに 101
急にやわらかく曲がって　くにゃ 101
やわらかく張りがなくなって　ぐにゃ 101
やわらかく軽く力が抜けて　くにゃくにゃ 101
弾力を保ちながらやわらかく　ぐにゃぐにゃ 101
力が抜けて頼りなく　ぐにゃらぐにゃら 101
やわらかで手ごたえがなく　ぐにゃり 101
やわらかく張りがあって　くにゅくにゅ 101
姿や動きがやわらかくくねり　しなしな 170
しねしね 172
かたかったものが軟化して　しんなり 196
やわらかいが歯ごたえがあり　しんねり 197
やわらかいものを踏みぬいて　ずぼっ 218
やわらかく粘りけがあって　とろっ 303
固体がやわらかく液状に溶け　とろとろ 304
どろどろ 304
肌ざわりがやわらかく快くて　とろり 306
芯がなくて弱々しく　なよなよ 311
空気を含んでやわらかく　ぱふぱふ 345
やわらかくふくらんで　ふかふか 390

ふくふく 392
灰や粉などに足を踏み入れて　**ふかり** 391
やわらかく、くずれそうで　**ぶくっ** 391
不快なほどやわらかくふくれ　**ぶくぶく** 392
かわいくやわらかにふくらみ　**ぷくぷく** 392
やわらかく豊かにふくらんで　**ふっくら** 398
やわらかく包みこむようで　**ふっくり** 398
餅などがやわらかくふくらみ　**ぷっくり** 398
押すとやわらかくへこんで　**ふにゃ** 402
張りや締まりがなく　**ふにゃふにゃ** 402
やわらかく弾力が感じられず　**ふにゃり** 403
水けを含んでやわらかく　**ふやふや** 403
押すと沈み込むやわらかさで　**ぶよぶよ** 403
押すと弾力がありやわらかく　**ぷよぷよ** 403
やわらかくゆるやかで　**ぷるっ** 408
とろけるようにやわらかくて　**ぷるぷる** 410
やわらかく軽やかで　**ふわっ** 410　**ふわり** 411
多量の空気を含みやわらかく　**ふわふわ** 411
ふんわり 412
やわらかいものにくるまれて　**ふわりふわり** 411
軽くてやわらかくて　**ふんわか** 412
やわらかく弱々しくなって　**ぺこぺこ** 414
やわらかいものがつぶれて　**べしゃっ** 414
べしゃり 415
支えがはずれ弱々しくくずれ　**へなへな** 424
支えが失われ自立できないで　**へろへろ** 426
やわらかで弾力があり　**ぼくぼく** 437
肌にやわらかく感じて　**ほやほや** 459
やわらかに草などがふくらみ　**ぽやぽや** 459
やわらかく、あたたかくて　**ほわっ** 463
ほんわり 466
やわらかくて頼りなく　**ぽわぽわ** 464
ものの性質がやわらかくて　**まろまろ** 468
厚くやわらかくふくらんで　**むくむく** 472
やわらかくあたたかい感じで　**もくもく** 484
水中のものがやわらかで　**もろもろ** 492
感触がやわらかで　**やわやわ** 494
物の言い方などがやわらかく　**やんわり** 495
溶けるなどしてやわらかくて　**ゆるゆる** 498

【かたい】

ぎこちなく、かたい感じで　**かきかき** 22
食品や体などがこわばって　**かちかち** 31
かちんかちん 35
かちんこちん 35
かたいものがさらに硬化して　**がちがち** 32
がちんがちん 35
ものが非常に強く固まって　**かちんこ** 35
凍ったり干からびたりして　**かっちんかっちん** 41
凍ったり干からびてかたくて　**がっちんがっちん** 41
かたいものを削ったり、砕いて　**かりかり** 53
がりがり 54
すきまなく詰まって固められ　**きちきち** 64
ぎちぎち 64
ゆるんだものを締めつけて　**きゅっ** 73　**ぎゅっ** 73
きゅー 72　**ぎゅー** 72
こわばって固まり　**ぎりぎり** 78
水分が抜け、かたく固まって　**こちこち** 124
こちんこちん 126
小さくまとまって固まり　**こちん** 126
織物などがかたくこわばって　**ごりごり** 136
食品に弾力や歯ごたえがあり　**こりっ** 136
弾力を失ってかたく荒くなり　**ごわごわ** 143
弾力があり、かむと歯ごたえが　**しこしこ** 164
繊維質の食品を歯切れよく　**しゃきしゃき** 174
かたくて歯切れのよい感じで　**しゃきっ** 174
力強く、しっかりしていて　**しゃっきり** 177
かたくこわばって　**ばきばき** 329
かたくて張りがあって　**ぱりん** 351
弾力性に富み中身が締まって　**ぷりっ** 406　**ぷりん** 408
重々しく弾力性に富んで　**ぶりぶり** 406
はじけそうに弾力性に富んで　**ぷりぷり** 406
弾力性があり、弾んでゆれて　**ぷりんぷりん** 408

【多い】

生き物がたくさん群れ動いて　**うじゃうじゃ** 9
うじょうじょ 9

うようよ 14
持続的にたくさんもうかって　**がっぽがっぽ** 42
一度にたくさんもうかって　**がっぽり** 42
どんどん大量に飲み食いして　**がばがば** 42
がぼがぼ 46
大勢の人が口々にうるさく　**がやがや** 48
すきまなくたくさん詰まって　**ぎっしり** 68
一度に大量のものが動いて　**ごそっ** 123　**ごそり** 123
ごっそり 128
ごっぽり 130
多様なものが雑然と集まって　**ごちゃごちゃ** 125
いやになるほど多すぎて　**こってり** 129
ごってり 129
くどいくらいに濃厚で　**こてこて** 131
数や種類がくどいくらい多くて　**ごてごて** 131
不必要にたくさん飾って　**ごてっ** 131
財宝などが大量に現れて　**ざくざく** 146
ものや程度がじゅうぶんで　**しっかり** 166
惜しみなく大量に消費して　**じゃかすか** 174
多くのものや人が流れ寄せて　**じゃぶじゃぶ** 178
程度がはなはだしくて　**じゃんじゃん** 185
同様のものが次々に並んで　**ずらずら** 220
多くが並び連なり　**ずらっ** 220　**ずらり** 220
程度が隔たってはなはだしく　**ずん** 223
小さな虫などが群がり集まり　**ぞよぞよ** 232

多くのものが連なって現れ　**ぞろぞろ** 233
多くのものがひとつながりで　**ぞろっ** 234　**ぞろり** 234
大勢がひとつながりに続いて　**ぞろりぞろり** 234
あまるほど大量にあって　**たっぷり** 238
必要以上に大量にあって　**たぶたぶ** 240
木の枝にたくさん実がなって　**たわわ** 244
金などをじゅうぶんに得て　**たんまり** 244
重量のあるものが多くて　**どー** 285
一度に大量に押し寄せて　**どーっ** 285　**どっ** 294
どどっ 299
一度にたくさん集まって　**どかっ** 286
大勢が遠慮なく踏み込んで　**どかどか** 288
液体が多量に流れ出て　**どくどく** 290
次から次へたくさん続いて　**どしどし** 293
たくさんあって　**どっさり** 296
大量に勢いよく噴き出て　**どばっ** 300
勢いよく続けざまに噴き出て　**どばどば** 300
大勢が騒ぎながら出入りして　**どやどや** 303
あふれるほど大量について　**なみなみ** 311
大量にすきまなく並んで　**びっしり** 369
次から次へ数多く出てきて　**ひょこひょこ** 376
小さいものが次々に現れて　**ぴょこぴょこ** 376
毛が房のように豊富にあって　**ふさふさ** 393
ふっさり 398
調子よく次々に現れて　**ぼこぼこ** 440

ぽこぽこ 440
すきまなくたくさんあって　**みっしり** 471
毛が多く重なり合って生えて　**むくむく** 472
盛り上がるほどたくさんで　**もりもり** 491
大勢がにぎやかに騒いで　**わいわい** 504
大勢がいっせいに声を出して　**わーっ** 504
数や量がたくさんあって　**わさわさ** 505
大量に一度に押し寄せて　**わんさ** 509
わんさか 509
大勢が押し寄せ混み合って　**わんさわんさ** 509

【少ない】

ものごとの度合がかすかで　**うっすら** 10
わずかな出費も出し惜しんで　**けちけち** 113
髪・ひげなどがまばらで　**しょぼしょぼ** 191
なくなるのを惜しみつつ使い　**ちびちび** 248
ちびりちびり 249
量・程度や時間がわずかで　**ちょこっ** 256
ちょびっ 260
ちょっぴり 259
時間などが少しだけ必要で　**ちょっくら** 258
少量ずつあちこちに存在して　**ちょぼちょぼ** 260
ほんのわずかで　**ちょぼっ** 260
わずかに　**ちょろり** 262
あちこちで少しずつ見られて　**ちらほら** 265
すっかりなくなって　**ぱー** 328

量が少なくて **ぽちぽち** 447
量や程度がごくわずかで **ぽっちり** 452
あちこちで少しずつ行われて **ぼつぼつ** 454 **ぼつりぼつり** 456
広い所にたったひとつだけで **ぼつり** 455 **ぽつん** 456
形・色・香りなどがかすかに **ほんのり** 465

【はやい・すばやい】

あたりをすばやく動き回って **うろちょろ** 15
かげですばやく動き回って **こそこそ** 122
反応がよくて動作がすばやく **さっ** 149
迷いや気づかいなく、すばやく **さっさ** 150
手際がよくて行動がすばやく **さっさっ** 150
すばやく動いたり変化して **すい** 197 **すすっ** 205
自発的にすばやく動いて **すっ** 206 **すっすっ** 209
一瞬のうちに切るように **すぱっ** 213
よどみなく順調に進んで **すらすら** 218
動作がたやすく、すみやかで **するり** 222
遅滞なく次から次へと進んで **ずんずん** 224
すばやい動作で **たっ** 238 **たった** 238
勢いよく飛び出して **だっ** 238
動作が迅速で **ちゃっ** 250
巧妙で迅速に動いて **ちょろり** 262
手早くかたづけて立ち去り **とっと** 297
動作や状態が急に変化して **はっ** 340 **ばっ** 340 **ぱっ** 340
手早く、あたりを憚らないで **ぱっぱっ** 344

すばやい動きで **ぱぱっ** 345
風を切ってすばやく飛んで **ひゅっ** 373
高速で風を切って進んで **びゅっ** 373
ものが勢いよく飛び出して **ぴゅっ** 373
乗り物が飛ぶように速く走り **びゅわーん** 374
高速で飛んだり、走って **びゅん** 374 **ぴゅん** 374
突然、現れたり動いて **ひょい** 374 **ひょこ** 376
障害物や攻撃を迅速にかわし **ひらっ** 380 **ひらり** 381
突然、行動をおこして **わーっ** 504
不意に事が起きて **わっ** 506
急いで行動して **わらわら** 508

【遅い】

態度・動作がためらいがちで **ぐずぐず** 90
動作が非常ににぶくて **ぐずらぐずら** 90
じゅうぶんに時間をかけて **じっくり** 167
少しずつ、確実に進んで **じりじり** 192
じわじわ 195
じわっ 195 **じわり** 195
間をおいて少しずつ進んで **じりりじりり** 193
少しずつ進行したり圧迫して **じわりじわり** 195
汗や涙が徐々にしみ出して **じんわり** 197
振動しながらゆっくり動いて **ずしりずしり** 205
心配しながらゆっくり動いて **そろそろ** 233
ものごとが締まりなく長びき **だらだら** 241
動作が緩慢で **とろとろ** 304

無頓着にゆっくり出てきて **のこのこ** 323
動作が遅くて **のそのそ** 324
にぶい動作でぶっきらぼうに **のそり** 324
にぶい動きでゆっくり歩いて **のそりのそり** 324
いらだたしいほどゆっくりと **のたのた** 324
のたらのたら 324
のたりのたり 324
いらいらするほど遅くて **のろくさ** 326
いかにも動きがにぶくて **のろっ** 326
動作が遅くてなかなか進まず **のろのろ** 326
少しずつ時間をかけて進んで **のろりのろり** 327
むだに時間を浪費して **のんべんぐらり** 327
決断できずに迷って **ふらふら** 404
何ごとにも気のりがしないで **ぼさぼさ** 443
気のりがしないようすで **ぼそっ** 444
仕事などに少しずつ取り組み **ぽちぽち** 447
ぽつぽつ 455
気がきかなくて **ぼやぼや** 459
動作がのろく意気があがらず **もさもさ** 486
動作がにぶく、はかどらずに **もたもた** 488
話しぶりや態度が滞りがちで **もったらもったら** 490
動作・進展・回転などが遅く **ゆっくり** 496
ゆるゆる 498
動作・進展などがゆるやかで **ゆったり** 496
ゆるり 498

あ

あーん ❶ さま 口を大きくひらくさま。「子供にアーンと口を開かせる積りで、思はず伯母は自分の口を開いた」〈家・島崎藤村〉 ✿「あーん(を)する」のように名詞的にも用いる。
❷ 声・さま 子どもなどがあたりをはばからずに大声で泣く声。また、そのさま。「アーン、アンアン。姉ちゃんが悪いんだ」〈子供の四季・坪田譲治〉

あいあい ⬇漢語編 ①「あいあい(哀哀)」 ②「あいあい(藹藹)」

あいたい ⬇漢語編「あいたい(靉靆)」

あおーあおー 声 カラスやアオバトなどの鳴く声。「一羽の鳥が、**アオーアオー**と啼いて、飛んでいった」〈小鳥の声・尾崎一雄〉

あおらあおら さま 方言 衰弱しているさま。東北地方・新潟県。「あきらあきら」ともいう。「むげ(向かい)の爺《じ》さま どごわりあ(わるい)だが **あおらあおら**て ありてる(歩いている)」〈秋田県〉

あくあく さま しきりに口を開け閉めするさま。ぱくぱく。「彼が物を云はうとして口を**あくあく**させるところは」〈医師高間房一氏・田畑修一郎〉

あくせく ⬇漢語編「あくせく(齷齪)」 ⬇使い分け「せっせ」

あぐり さま 口を大きくあけるさま。→あんぐり。「**あぐり**と餅の角を一寸許り食ひ込んだ」〈吾輩は猫である・夏目漱石〉

あけらかん さま あきれたり何かに気をとられたりして、口を閉じるのを忘れるさま。→あっけらかん。「**呆然惘然**《あけらかん》と頤《おとがひ》を垂れて」〈義血侠血・泉鏡花〉

あたふた さま ひどくあわてるさま。あわてふためくさま。あったふた。「上衣を脱ぎ捨てた船医らしい男が、**あたふた**と細長いなま白い顔を突き出したが」〈或る女・有島武郎〉 ⬇使い分け「そそくさ」

あっか さま 古 あるものに心をうばわれて、口をあけたままでいるさま。「赤月をとっくと見て、裳のぬるるをも知らぬと云は、**あっか**と対した時、全体一片の月だぞ」〈三百則抄〉

あっけらかん ❶ さま 意外な状況に直面したり、あきれはてたりして、放心状態にあるさま。「一仕事すませて片づけたりすると、そのあと**アッケラカン**として、次の仕事にとりかかるまで時間がかかる」〈マンボウぼうえんきょう・北杜夫〉
❷ さま その場所にあるべきものがなく、ただっ広くあいているさま。「元日の昼過ぎ、町は**あっけらかん**と、人通りも少なかった」〈春夏秋冬帖・安住敦〉
❸ さま 情趣や感興をわきたたせることもなく、空虚な印象を与えるさま。何事もないようなさま。「羽根をつく音もなく、獅子舞いもこない異国のお正月は、たしかに**あっけらかん**としている」〈父の詫び状・向田邦子〉
❹ さま 当然あるはずの屈託やためらい、恥じらいといった感情がなく、平然としているさま。「『わるいことねえ、やってみてもいいけど、どんなことがありますか』京野、しごく**あっけらかん**といった」〈自弔の鐘・野坂昭如〉 ⬇使い分け「あっけらかん」

あっさり ❶ さま 人やものごとの状態・性質が、淡白であるさま。「江戸っ子は何処までも**アッサリ**とした俳味を忘れぬ所に愛すべき点が有るので有る」〈東京年中行事・若月紫蘭〉「顧みて東方の半天を眺むれば、**淡々**《あっさり》とあがった水色、諦視《ながめつめ》たら宵星の一つ二つは鑿《ほじ》り出せさうな空合《そらあひ》」〈浮雲・二葉亭四迷〉「大体が、日本料理、日本

式の食物のことなので、総て**あっさり**してゐる」〈ロッパ食談・古川緑波〉 ⬇使い分け「さっぱり」

❷ さま 意外に手数のかからないさま。簡単に。手軽に。「空地は明日にでも同じような安普請の家に**あっさり**塞がれてしまう運命を待っているというふうである」〈妻隠・古井由吉〉「胴の上縁《うはべり》は離山路《はなれやまみち》で**簡単**《あっさり》囲まれ」〈武蔵野・山田美妙〉 ⬇使い分け「ほいほい」

あっはっは 声・さま 快活に大声で笑う声。また、そのさま。「嫁に行口があらばおばさん、仲人して呉《く》んなよ。鬼も六十、今が婆《あばば》盛りだ。**アッハッハッ**ハハハハハハハ」〈浮世風呂・式亭三馬〉

あっぱっぱ 名 夏に女性が家で着用するワンピース。「碑の傍に腰をおろしてゐると、一緒に上ってきた**アッパッパ**に日傘の娘さん達も、そこに来て休んだ」〈浅間山麓・若杉鳥子〉

✱大正末期ごろから関西で言われはじめた俗語という。「簡単服」「改良服」ともよばれた。「全体にだぶっとした半袖ワンピースで、裾がぱっぱっと開くから」〈総合服飾史事典・丹野郁〉生じた名称という。

あっぱとっぱ さま 方言 あわてふためくさま。「急に客来たもんだから、**あっぱとっぱ**しちゃったよ」〈茨城県〉

あっぱらぱー さま ものごとを深く考えないさま。また、そのような人。ぱっぱらぱー。「あるだけ全部パーッと使ってしまう、**アッパラパー**なバカ学生だったので」〈東京バカッ花・室井滋〉

あっはん さま 女性が性的な魅力を発散させようとしたり、性的に興奮しているという態度を示すさま。うっふん。「いや、ダメだったら、ダメ、**アッハン**」〈イケイケどんどん小沢昭一的こころ・小沢昭一・宮腰太郎〉

あっぷあっぷ ❶ さま 水におぼれて苦しむさま。「死に切れねえで**あっぷあっぷ**やってゐるうちに」〈ゆく年・久保田万太郎〉

❷ さま 困難に苦しむさま。『**あっぷあっぷ**の生活』「人間諸悪に**あっぷあっぷ**しながら、ひどいもんだ、ひどいもんだと呟くことで、その場をしのいできた」〈われら戦友たち・柴田翔〉

あっぺとっぺ さま 方言 話のつじつまが合わないさま。あべこべ。岩手県・宮城県。「あれのかだること(あの人の話すことは)**あっぺとっぺ**だ」〈岩手県〉

あはあは 声・さま 口をあけて無遠慮に笑う声。また、そのさま。「『それに相違ないぜ』といひつつ**アハアハ**と打笑へば」〈当世書生気質・坪内逍遙〉

使い分け

【共通の意味】
こだわらずに平気そうにしていたり、急に変わったりするようす。

あっけらかん
けろり／ころり／がらり

❶**あっけらかん**は本来なら恥ずかしいと思われることをして、平然としているようす。「万引きをしてつかまっても、悪びれることもなく**あっけらかん**としている」。**けろり**は何事もなかったかのように、平然としているようす。「厳しく叱られても、**けろり**としている」 ❷**ころり**、**がらり**は何かのきっかけで急に態度を変えるようす。「昇進させると言ったとたん、**ころり**と態度が変わって辞めないと言いだした」のように、**ころり**が簡単に態度を変えるのに対して、**がらり**は急に強気になるなど態度が大きく変わるようす。「おとなしくしていたが、先生が出て行ったとたん、**がらり**と態度を変えていばりだした」

あばあば 声・さま 別れのときなどに手を振る動作をしながら出す声。また、そのさま。幼児語。「ハイ、さやうなら。お鮫《めさ》さん**あばあば**」〈浮世床・式亭三馬・滝亭鯉丈〉

◆「さらば」をまねた幼児語「あば」から。「あば」に「よ」が付いて「あばよ」の語ができたという。

あばちゃば さま 方言 あわててうろたえるさま。「ほんな、こんで、**あばちゃば**、しちょし（そんな、ことで、あわて回ったりするなよ）」〈山梨県〉

あはは 声・さま 口を大きくあけて高く笑う声。また、そのさま。「『べらぼうめ頭巾を冠《かぶ》って居るはい』『アハハハ』」〈浮世床・式亭三馬〉

あぶあぶ ❶さま 口を開け閉めするさま。あっぷあっぷ。水におぼれて苦しむさま。「水を喰《く》らふて**あぶあぶ**と、浮きあがれば」〈浄瑠璃―天神記・近松門左衛門〉 ❷声・さま ことばを話しだす時期の赤ん坊が機嫌よくしているときの声。また、そのさま。「『アブアブ期の赤ちゃん』」 ❸さま 古 あやぶむ気持ちのはなはだしいさま。恐れ気づかうさま。はらはら。ひやひや。「徳兵衛も白刃を合せる。お辰も**あぶあぶ**しながら、其処にある枕屏風にて白刃を押へ」〈歌舞伎―謎帯一寸徳兵衛・鶴屋南北〉

あぷあぷ ❶さま 呼吸が苦しくなり、口を大きく開け閉めして吸ったり吐いたりするさま。「上から押しつけられて、〈略〉口を**あぷあぷ**させて、奇妙な声を挙げる」〈嗚咽・加藤武雄〉 ❷さま 困難に追いつめられて苦しむさま。「有能でない人間は、結婚なんてどうでもいいことにあふられて、**あぷあぷ**するんですよ」〈セルロイドの塔・三浦朱門〉

あふらあふら さま 古 とりたてて何をするということもなく、いたずらに時を過ごすさま。「悠長らしく、**あふらあふら**と遊んで居《ゐ》るのだ」〈吾嬬春雨・為永春水〉

あへあへ さま 息苦しそうなさま。性的にもだえるさま。「『**あへあへ**と息を切らしながら山頂にたどりついた』」

あべこべ さま ものごとの位置、順序、方向、関係などが、通常のものと反対であるさま。「高柳を見送って、**反対**《あべこべ》な方角へ一町ばかりも歩いて行った頃」〈破戒・島崎藤村〉

あむあむ さま 口の中でものをかむさま。幼児語。「『ハムスターがエサをしきりに**あむあむ**する』」

あやふや さま ものごとが確かでないさま。あいまいで判断のつかないさま。いずれとも決定しないさま。「右の記事が、すこぶる**あやふや**なものであるということは」〈小説平家・花田清輝〉 ⬇使い分け「ごちゃごちゃ」

あらり さま 古 大きく明瞭なさま。歴然。はっきり。「中に木をまげ入れ、両に革を引張っていぼの**あらり**と付いたを求めて来い」〈狂言―張蛸〉

あわあわ さま 余裕を失って、ものが手につかないさま。「足の下にあるハズの床が急にかき消えてしまったような気分で、家族一同**アワアワ**しているうちに手術が始まり」〈日曜くらぶ・毎日新聞・96・11・17〉

あわわ 声・さま 急に気づいたり、驚いたり、事をしそこないそうになって、思わず声を発するさま。「『言いかけて、**あわわ**と口をつぐんだ』」

あん さま 口をいっぱいにあけるさま。↓あーん①。「一杯にもった積りでも、**あん**とあけると三口程で食って仕舞ふ」〈吾輩は猫である・夏目漱石〉

あんあん ❶声・さま 人が大きな声を上げて泣く声。また、そのさま。わんわん。「人を怒りつける、大声あげて**あんあん**と泣く、したい放題のことをして」〈病牀苦語・正岡子規〉 ❷⬇漢語編「あんあん（暗暗）」

あんぐり ❶さま 驚いたり、あきれたり、放心して、思わず口をあけたままにするさま。「声をも出せないまでに驚いて、**アングリ**と歯を露はしたまま恐怖の神経の顫動してゐる顔を」〈疑惑・近松秋江〉

❷さま 大きく口をあけて、ものを食べるさま。「比較的奇麗なのを摘《まっ》み出して、あんぐり遣《や》った。油の味が舌の上へ流れ出したと思ふ間もなく」〈坑夫・夏目漱石〉

あんけ さま 古 放心のあまり、口をあけっぱなしにしているさま。ぽかん。「魚のごみによりて、口を開て、**あんけ**としてをるなりぞ」〈史記抄〉

✵「開《あ》け」の変化した語。

あんごり さま 口をあけたままにしているさま。「其癖口を**アンゴリ**開《あ》いて、眼鏡越しにじっと文三の顔を見守《つみ》め」〈浮雲・二葉亭四迷〉

あんざり ❶さま 古 あざやかなさま。「物のあざやかなるを、**あんざり**などといふ」〈かた言〉

❷さま 古 人のことば遣いや発音が明瞭なさま。「言語《げんぎょ》不レ清《すずしからず》物を云に、**あんざり**ときこゑぬを言語不レ清と云」〈病論俗解集〉

あんじり さま 古 気のすむまでながめ続けようとするさま。まんじり。「切《せめ》ては顔を今一度、**あんじり**と見て死にたい」〈浄瑠璃―甲賀三郎窟物語・竹田出雲ら〉

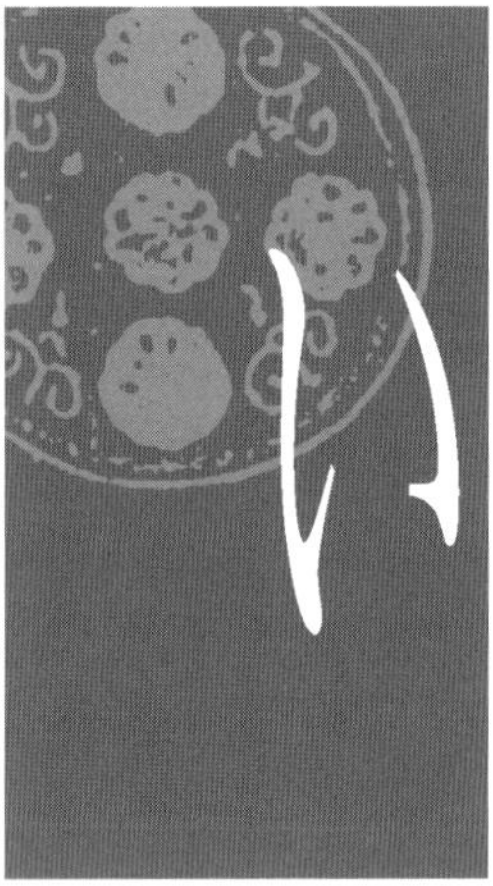

いあ 音 古 舟をこぐ艪《ろ》の音。吚啞《あい》。

いい ⬇漢語編 ①「いい(依依)」 ②「いい(易易)」 ③「いい(唯唯)」

いーあー 音 古 舟をこぐ艪《ろ》の音。吚啞《あい》。「**吚々啞々**(小説語) 舟をこぐとき舟のなるおと」〈俚言集覧―増補〉

いーん ❶声 古 ウマのいななく声。「『**いんいいん**』と云ながら」〈咄本―鹿の巻筆〉

❷さま 体や顔つきで、いかにもにくらしいという感じ。「白い歯を、**イーン**と露して」〈別れた妻に送る手紙・近松秋江〉

いう 声 古 ウマのいななく声。「顔つきただ駒のやうに、鼻いららぎたる事限りなし。**いう**といななきて引き離れていぬべき顔したり」〈落窪物語〉

いかいか 声 古 赤んぼうの泣く声。おぎゃーおぎゃー。「みこ**いかいか**と泣き給ふ」〈栄花物語〉

✵「いがいが」と濁るという説もある。

いがいが さま とげとげしたさま。また、そのように感じる状態。『長い**イガイガ**が特徴のウニ』「のどの**イガイガ**やいがらっぽい感じがなくなった」〈使ってみると・朝日新聞・89・1・20〉

いぎいぎ さま 古 勢いのよいさま。思いきりよく。さっぱり。「鶏が鳴**いぎいぎ**御立なされぬか」〈雑俳―二重袋〉

いけしゃーしゃー さま にくらしいほどに平気でいるさま。非常にあつかましいさま。「犬がきても、**いけしゃアしゃア**として居おるから、さては狐《つきゃ》ではねへ」〈東海道中膝栗毛・十返舎一九〉

✵「いけ」は卑しめたり、非難する気持ちを表す接頭語。

いけずーずー さま にくらしいほどに周りに気をつかわずに行動するさま。「当り合《あ》へのものを枕にして、**いけずうずう**と昼寝さ」〈浮世風呂・式亭三馬〉

✵形容詞「いけずうずうしい」の語幹。

いけつんつん さま とりすまして、いやになるほど愛想のないさま。「面のいいのを鼻にぶらさげて、**イケつんつん**する我鬼だ」〈人情本―春秋二季種〉

いけまじまじ さま にくらしいほどに平気でいるさま。非常にあつかましいさま。

✵「いけ」↓いけしゃーしゃー。

「女の智恵を借りてその上に、**いけまじまじ**と、おかるが親里へ行て、居候になって居るはサ」〈浮世風呂・式亭三馬〉

❖「いけ」→いけしゃーしゃー。

いごいご ❶さま古 うるさくしゃべるさま。「二歳め迄が**いごいご**と、身体《だから》に過ぎたあごた骨、捻ぢ歪めんと飛びかかるを」〈浄瑠璃―富仁親王嵯峨錦〉

❷さま 活気がなく、にぶく動くさま。「いごいご半死半生の物の動くをいふ」〈両京俚言考〉

いさくさ ❶名 双方の折り合いがつかずに起こるもめごと。いざこざ。ごたごた。『作さん、きのふの**いさくさ**はどうなりました』『済んだ済んだ』」〈浮世風呂・式亭三馬〉

❷さま うるさく苦情を言うさま。ぐずぐず。つべこべ。いざこざ。「何んでも正面から打《ぶ》っ突かって、**いさくさ**云はせず決めてしまふ外はないよ」〈或る女・有島武郎〉

いざこざ ❶名 双方の折り合いがつかずに起こるもめごと。「自分は、人間の**いざこざ**に出来るだけ触《さは》りたくないのでした」〈人間失格・太宰治〉 ⬇使い分け「ごたごた」

❷さま うるさく文句をつけるさま。「さっきに庄八が**いざこざ**いふたが。新造様はなんにもいわずと。よふ逢たナア」〈洒落本―短華蘂葉〉

いじいじ さま 態度や行動があいまいで、ひっこみ気味でいるさま。いじくじ。『**いじいじ**した声』「お前さんのやうな**いじいじ**した人は」〈社会百面相・内田魯庵〉 ⬇使い分け「たじたじ」

いじむじ ❶さま古 ものごとが入り乱れているさま。くしゃくしゃ。ごちゃごちゃ。「**いじむじ**と焼き筆でかくせうきのゑ」〈雑俳―うき世笠〉

❷さま古 何やかやともめるさま。いざこざ。とやかく。「それに**いぢむぢ**言ふ人はほからかいて置かしゃんせ」〈浄瑠璃―心中万年草・近松門左衛門〉

❸さま古 あれこれと文句をいって、もめるさま。いざこざ。「跡で**いぢむぢ**せぬ様に、持合せの銀成と、内入にやってしまはしゃれ」〈浄瑠璃―いろは蔵三組盃・近松半二〉

いじゃもじゃ さま古 乱れるさま。いざこざ。いじむじ。もめごと。「**いじゃもじゃ**の内は初中後在に居て」〈雑俳―銭ごま〉

いそいそ さま 心がはやり、勇むさま。うれしさに心をはずませているさま。「はにかんだ様な笑顔を見せて軽く会釈《えしやく》しながら**いそいそ**奥へはひった」〈まじょりか皿・寺田寅彦〉 ⬇使い分け「わくわく」

いぞいぞ さま古 葉などが多く繁っているさま。一般に密集しているさま。「くさの一所に**いぞいぞ**とあつまり生じてしげったなりぞ」〈玉塵抄〉

使い分け

【共通の意味】男女が仲むつまじいようす。

いちゃいちゃ／べたべた／あつあつ

❶いちゃいちゃ、べたべた、あつあつは、どれも俗な表現。**いちゃいちゃ**、**べたべた**は、第三者が見て不快感を覚えるほど、度が過ぎており、いくらか非難がこもる。**あつあつ**は「新婚夫婦は**あつあつ**だから二人だけにしてあげよう」のように使い、非難する意味合いはない。❷**べたべた**は「子どもに**べたべた**しすぎて、過保護だといわれた」のように、男女間に限らず、肉親間や友人間でも用いる。また片方が一方的にまつわりつく場合にも使う。❸**いちゃいちゃ**は、もとは、男女で言い合うという意味があることから、男女が二人でふざけあっているようす。

いだもだ さま 何だかんだと文句を言うさま。いざこざ。「是が勝負の切上場、跡で**いだもだ**いふまいと」〈浄瑠璃―歌枕棣棠花合戦〉

いちゃいちゃ さま 男女が、戯れたり、

またはあれこれ言い争ったりするさま。いちゃつくさま。「わかれを惜しむ妹背中、いちゃいちゃいふて、これもうきよのゆめかいな」〈歌謡―粋の懐〉 ⬇使い分け「いちゃいちゃ」

いちゃくちゃ さま あれこれ文句を言い合うさま。いちゃこちゃ。いちゃいちゃ。「大門口の茶屋でかの傾城瀬川と、**いちゃくちゃいちゃくちゃ**。余り埒が明きませぬから」〈浄瑠璃―生写朝顔話〉

いちゃこちゃ ❶ さま あれこれ文句を言い合うさま。いちゃいちゃ。「つい暮前になれば、もう別れにゃならぬと**いちゃこちゃ**暮々になって」〈咄本―滑稽即興噺〉

❷ さま あれやこれやと言い訳をするさま。「**いちゃこちゃ**いはずと、すなをにわっさり白猪口《しろちょく》まわして、これでおとり」〈歌謡―粋の懐〉

✻「いちゃくちゃ」の変化した語。多く男女の恋愛沙汰に用いられる。

いっきり さま 古 活気があふれているさま。いきいき。「生花に**いっきり**とする心かな〈正利〉」〈俳諧―毛吹草〉「やはらかに、むくむくとしたるばかりにて、**いっきり**としたる所なし」〈評判記―満散利久佐〉

いっくりがっくり さま 古 不快なものや鋭いものに触れて、反射的に体を縮めるさま。「がん木やすり鮫肌。刺すやうで突くやうで。**いっくりがっくり**して」〈歌謡―新編歌祭文集〉

いっそり さま 古 心が喜びはずむさま。いそいそ。「長蠟燭《ながらふそく》なかばたつその陰より、たった今しまふたと火の光を後にあて居《すゐ》る女郎に、気も**いっそり**」〈洒落本―遊客年々考〉

いびいび ❶ さま 古 絶えずこごとを言うさま。ねちねち。「おらが所《とこ》の悪婆《あくば》は、ホンニホンニ**いびいび**こごとの本家だらうぞ」〈浮世風呂・式亭三馬〉

❷ さま 子どもなどが絶えず泣くさま。びーびー。「あの児《がき》めが、**いびいび**啼《ほえ》て」〈浮世風呂・式亭三馬〉

いひひ 声・さま ごまかし、気まずさ、恥じらい、いやらしさなどを含んで、かん高く笑う声。また、そのさま。「な、な、何、大丈夫だ大丈夫だ。**イヒヒ**イヒヒイヒヒヒヒヒヒ　トまけおしみのにが笑して」〈浮世風呂・式亭三馬〉 ⬇使い分け「えへへ」

いらいら ❶ さま あせって心に余裕のないさま。思うようにならなくて、感情が高ぶってくるさま。「夜行動物が朝を恐れて、**いらいら**歩き廻るやうな落ちつきのなさだった」〈雪国・川端康成〉 ⬇使い分け「かりかり」

❷ さま 皮膚や粘膜に、小さく繰り返しつつかれるような刺激や、しみるような刺激を感じるさま。『魚の骨がささって、のどが**いらいらする**』「刺《とげ》に手を触れて見ると、**いらいら**と指をさす」〈草枕・夏目漱石〉 ⬇使い分け「ちかちか」

いらくら さま 古 気が急《せ》いてあせるさま。感情が高ぶるさま。いらいら。『**いらくら**のだらくら』（＝急ぐ時はむやみに急ぎ、いったんやめると、なかなか手をつけないこと。また、いらだって急ぎながら、実際には仕事がはかどらないこと）「道下手で気ばかり**いらくら**、船頭とすっぽんは陸《くが》では埒《らち》のあかぬもの」〈浄瑠璃―平仮名盛衰記〉

いらり ❶ さま 古 ものの形状が鋭く突き出たさま。「芒はきっさきの**いらり**とするを云ぞ。麦芒と云も麦ののぎが**いらり**とするを云ぞ」〈湯山聯句鈔〉

❷ さま 古 あざやかに光り輝くさま。「的皪《てきれき》は沙《いさご》の**いらり**とある皃也」〈中華若木詩抄〉「**いらり**と字性《じしやう》正しく、するすると謡ふなり」〈八帖花伝書〉

いりいり ❶ さま ものの先がとがって鋭いさま。反応が鋭くかしこいさま。「才穎はのぎの前《さき》のやうに**いりいり**と利根な者ぞ」〈蒙求抄〉

❷ さま 皮膚やのどなどが、痛みや辛みなどの小さな刺激を感じるさま。ひりひり。いらいら。「杉野の父はあの病気に特有の喉に妙に**いりいり**する神経的な声を出して」〈若き日・広津和郎〉

いるりいるり さま 動きは遅いけれども、つかみどころがない感じで動くさま。ゆるり。「鶏卵はまるきほどに筋にてはさめば、**いるりいるり**としてはさまれず」〈蒙求抄〉

いんいん ⬇漢語編①「いんいん（殷殷）」②「いんいん（陰陰）」

いんぐりちんぐり さま 方言 不ぞろいなさま。曲がりくねっているさま。四国地方。「いんぐりちゃんぐり」ともいう。「私は歯が**いんぐりちんぐり**に生えとる」〈徳島県〉「この道は**いんぐりちゃんぐり**で見通しもきかん」〈高知県〉

いんごり さま 虫などが、こきざみに動くさま。蠢爾《しゅんじ》。「**いんごり**〔百俚談〕居動小動《いんごり》の貌すこし動く也　はたらき動く心にはあらず。鞘の上を這ふ米虫、八町先のつみ草の姿、榼にのせたる舎利」〈俚言集覧〉

いんぞ さま 古 数多く群がっているさま。「霧霞の中に村里や人の家の**いんぞ**とあるやうにみゆることぞ」〈詩学大成抄〉

う

ういーん 音 機械などがうなりをあげて動くときの音。

ういやういや さま 古 小虫のやうにわき出て、細かく動き続けるさま。うじゃうじゃ。うようよ。「芸者が**うゐやうゐや**と出て来て」〈洒落本—中洲の花美〉

うーうー ❶ 音 パトカーや消防車などのサイレンの音。→ぴーぽーぴーぽー。❷ 声・さま 動物などのうなる声。苦しんでうめくさま。『宿題を前に、頭をかかえて、**うーうー**やっている』「**ウーウー**といふ真に物凄いやうな、とても此の小さな子猫の声とは思はれないやうな声を」〈鼠と猫・寺田寅彦〉

うえんうえん 声・さま あたりをはばからずにはげしく泣く声。また、そのさま。えんえん。『腕にすがりついて、**うえんうえん**と泣かれた』

うおーん 音・声 低く大きくひびく音。イヌの遠吠えなど、余韻のある長くのびた声。『スピーカーのエコーが会場に**ウォーン**と響いた』「正坊にちがいないことがわかると、クロは**ウォーン**ウォーンと、のどをしぼるような、うれしなきのさけびをあげました」〈正坊とクロ・新美南吉〉

うかうか ❶ さま 注意が不足しているさま。『**うかうか**していると、足をとられるぞ』「はじめは知ってゐながら、つい、**うかうか**と引ずりこまれて」〈鏡花氏の文章・中島敦〉❷ さま 明確な目的や計画がないさま。のほほん。「引留められるまま、**うかうか**と、いい気になって酔っぱらってゐるうち」〈春泥・久保田万太郎〉「浮袋にて**うかうか**と　游ぐ童子に異ならず」〈新体詩抄・外山正一訳〉 ⬇使い分け「ひょっ」

うかっ さま 性格に抜けたところのあるさま。気づかないさま。うかうか。うっかり。ぼんやり。「誰ぞたしかな人に持たして、今から一時間以内、おそても十時までに云ひますけど、**うかッ**とした者頼む訳に行きませんし」〈卍・谷崎潤一郎〉

うから さま 古 気が抜けているさま。ぼんやり。うっかり。「妻にしかられて**うから**として有ぞ」〈四河入海〉

うからうから さま 古 あてもなく気の向く

まま、ただ流れに身をまかせているさま。うかうか。「江戸へ著て一分別と思ひしに、爰《ここ》にも足がとまらねば、**うからうから**と坂東太郎といふ川をわたり」〈浮世草子―商人職人懐日記〉

うかり ［さま］［古］何かに気をとられて不注意でいるさま。ぼんやり。うっかり。「**うかり**とするとおとし穴へはまるよ」〈浮世床・式亭三馬〉

うかりうかり ［さま］［古］不注意をそのままにして重ねるさま。「こんな客人を**うかりうかり**呼んだら、とんだ事が出来ようと心付」〈復讎後祭祀・山東京伝〉

うかりひょん ［さま］［古］魂の抜けたさま。うかうか。うっかりひょん。「夕兒にみとるるや身も**うかりひょん**〈芭蕉〉」〈俳諧―続山の井〉

うきー ［声］サルの鳴く声。

うきうき ［さま］心のはずむさま。晴れやかなさま。快活・軽快なさま。『**うきうき**しながら遠足に出かけた』「健康が思はしくないから余り**浮き浮き**しないで物思に沈むで居たに違いない」〈忘れえぬ人々・国木田独歩〉 ⬇使い分け「わくわく」

うぎゃー ［声・さま］驚いたときなどにあげる声。また、そのさま。

うぐるぐやぐや ［音］［古］独楽《まこ》のうなる音。うぐるぐっ。「すはりもやらずうねどりて、**うぐるぐやぐや**、うぐるぐっとも鳴ったるは、なはしろ小田のかはづごま」〈浄瑠璃―松風村雨束帯鑑・近松門左衛門〉

うごうご ❶［さま］虫やものなどが絶えず少しずつ動くさま。うざうざ。「ムッと来る風に塵煙が自動車電車を掩ふ辺に、虫のやうな人が**蠢々**《うごうご》する」〈紐育・原田棟一郎〉

❷［さま］活気なく、無為に過ごすさま。うじうじ。「あたら身躰《しんだい》をつぶし、若盛りにあてがひ世帯《ぜたい》、**うごうご**と生きて居て」〈西鶴置土産・井原西鶴〉

うざうざ ❶［さま］小さなものがうるさく感じられるほど多く集まってこきざみに動いているさま。うじゃうじゃ。「大豆にはくちかきむしの成虫が**うざうざ**する程集まった」〈カインの末裔・有島武郎〉

［方言］たくさん集まりうごめくさま。関東・中部地方・島根県・長崎県壱岐。「蛇が**うざうざ**して居る」〈長崎県壱岐〉「人間ばっかり**うざうざ**しちょる」〈長崎県壱岐〉

❷［さま］こまごまとうるさく言うさま。くどくど。『**うざうざ**文句を言うな』「酒もかはねいくせに、**うざうざ**用ばかりのまァいめいましいかかあだ」〈滑稽本―寒紅丑日待〉

✹若者ことばの「うざい」（うるさく感じるの意）の語源。

うさりうさり ［さま］［古］状況が把握できずにあちこちを見まわすさま。「**うさりうさり**起し人のない眼が覚る」〈雑俳―太箸集〉

うしうし ［さま］ものごとがうまくいってうれしがるさま。しめしめ。『**ウシウシ**と喜び勇んで出かけた』

✹一九七〇年代、明星ラーメン・ビーフ味のテレビCMで流行した語。

うじうじ ❶［さま］勇気がなかったり、具合のわるいことがあったりして、しなければならないと知りつつためらっているさま。ぐずぐず。もじもじ。『いつまでも**うじうじ**と後悔している』「出発前の二三ケ月間のあの眼まぐるしい、其癖、何となく**うじうじ**した不快《ふやい》な生活」〈暗夜行路・志賀直哉〉 ⬇使い分け「たじたじ」

❷［さま］絶えず小さく動いて落ち着きのないさま。小さい虫のはいまわるさま。もぞもぞ。「何百尺の真上から一目に見下す奇観。男も女も〈略〉両腕と両足とを動《うご》かして、**うじうじ**蠢《うごめ》いて行く様」〈あめりか物語・永井荷風〉

うじかわ ［さま］［古］恥ずかしさなどのため、することをためらうさま。もじもじ。ぐずぐず。「手水其外衣紋《えもん》なそ取つくろい**うじかはすれば**」〈洒落本―当世気どり草〉

✹「うじ」は「うじうじ」と同じ擬態語。「かわ」はそのような状態であることを強調す

る接尾語。

うじくさ さま 古 不満な気持ちを直接にではなく、つぶやきや態度で示すさま。ぶつぶつ。「**うぢくさ**とひとりぐちをいふなり」〈洒落本―妓情返夢解〉

うじゃうじゃ ❶さま たくさん集まってこまかく動き続けるさま。うじょうじょ。うようよ。「人間も斯様《かやう》に**うじゃうじゃ**居るが同じ顔をして居る者は世界中に一人も居ない」〈吾輩は猫である・夏目漱石〉 ➡使い分け「ぞろぞろ」

❷さま 何のかんのと長びくさま。話などが長たらしく際限のないさま。「**ウジャウジャ**いうより、どぎつい言葉で仮面をむしりとるんや」〈初稿・エロ事師たち・野坂昭如〉

うじゃくじゃ さま 多くのものが集まっていて、混雑しているさま。ごちゃごちゃ。「**うじゃくじゃ**と星のつどふや橋の本〈求我〉」〈俳諧―続連珠〉

うじょうじょ さま 小さい生き物などがたくさん集まってこまかく動き続けているさま。うじゃうじゃ。「一坪に足らぬ腐れた水でも御玉杓子《おたまじゃくし》の**うぢょうぢょ**湧く所は怖しい」〈虞美人草・夏目漱石〉

うじりうじり さま 古 ためらいながら少しずつ慎重に行うさま。「**うぢりうぢり**とうぢりうぢりと銭盗むかいなのぬけぬ竹の筒」〈雑俳―寄太鼓〉

うすうす さま 方言 あてもなくふらつくさま。うろうろ。うそうそ。関東地方。「**うすうす**、どごさ行ってたんだ」〈茨城県〉「**うすうす**歩き（目的もなく歩き回ること）」〈千葉県〉

うずうず ❶さま 虫などが気味わるくこまかく動き続けるさま。「軍医の肥えた柔い掌が、**うずうず**と背中を這った」〈軍隊病・立野信之〉

❷さま はれものなどの痛みを、にぶく感じ続けるさま。「十吉は**うずうず**痛む頸筋を押へた儘《まま》」〈小鳥の巣・鈴木三重吉〉

❸さま 何かをしたくてたまらないさま。落ち着いていられない気持ちになるさま。むずむず。「二十歳の青年のやうに、妙に胸の**うづうづ**するのをおぼえた」〈苦の世界・宇野浩二〉 ➡使い分け「やきもき」

❹さま 小声で、ひとりごとや不平を言うさま。ぐずぐず。「吉田、何をそんなとこで**うずうず**いうとるんか…え」〈真空地帯・野間宏〉

うすらかすら さま 方言 目的もなくさまようさま。まごまご。「うつかつ」ともいう。「用もないのに、**うすらかすら**歩いてんでねぇ」〈福島県〉「夜に**うつかつ**と出て歩くのをやめろ」〈岩手県〉

うそうそ ❶さま 落ち着かない態度で、見回したり歩き回ったりするさま。きょろきょろ。うろうろ。まごまご。「捜し物でもしているらしく、そこらに生え繁った小笹の中を**うそうそ**かき分けているのが眼につきました」〈初蛙・薄田泣菫〉「媼《あば》さんは闇を透して**うそうそ**と旅人の容《よう》子《す》を嗅ぎ分けるらしかった」〈茶話・薄田泣菫〉

❷さま どことなくものごとの明瞭でないさま。『**うそうそ時**』（＝もののよく見えない夕暮れ時。または夜明け時）

方言 薄暗いさま。「**うそうそ**してきたさかい、電気付けや」〈京都府〉

❸さま 態度がはっきりしないさま。間の抜けたさま。「仕舞湯をつかった作が、浴衣を引っかけて出て来ると、**うそうそ**傍へ寄って来た」〈あらくれ・徳田秋声〉

うぞうぞ さま 古 心がひかれて、身の内がつき動かされるようなさま。特に色情のおさえがたいさまにいう。「我が一目見たら、どこもかしこも、**うぞうぞ**さそふと思ふてゐたに」〈浄瑠璃―おなつ清十郎寿連理の松〉

うだうだ さま 際限もなく、あれこれと言い訳やぐちを言い続けるさま。ぐずぐず。「ええ加減においとくれ、野口さん、**うだうだ**と何んや」〈太政官・上司小剣〉

✹形容詞「うだうだしい」の語幹から。

うだらうだら さま とりとめもなく、締まりのないさま。うだうだ。「此やうに、**うだらうだら**、用も無いのに駕籠に乗ってあるくのも」〈歌舞伎―月出村廿六夜諷・鶴屋南北〉

うつうつ ❶ さま なかば眠り、なかばさめているさま。夢うつつのさま。うとうと。うつらうつら。「また、**うつうつ**となって来ると、このまま気が遠くなって死んで了ふのかも知れないと」〈帰郷・大仏次郎〉

❷⬇漢語編「うつうつ(鬱鬱)」

うっか さま 古 放心しているさま。心をうばわれている状態。うっかり。「恋の中川**うっか**とわたるとて、袖をぬらひた」〈閑吟集〉

✹「うか」の変化した語。

うっかすっか さま 方言 気抜けして呆然とするさま。ぼんやり。「**うっかすっか**してるうちに日が暮れる」〈群馬県〉

うっかり ❶ さま あまり深く考えずに、ものごとを行うさま。不用意に。ぼんやり。「**漫然**《うっかり》洒落も言へない! 今のは洒落だよ」〈多情多恨・尾崎紅葉〉 ⬇使い分け「ひょっ」

❷ さま 放心しているさま。心をうばわれている状態。気が抜けているさま。うっから。うっか。「**うっかり**している間に学年試験が目の前に来ていたり」〈春六題・寺田寅彦〉

❸ さま 古 美しいもの、快いものなどに心をひかれているさま。うっとり。「男もつくづくと見れば思へはうつくしきすがたに**うっかり**」〈春色梅児誉美・為永春水〉

❹ 名 注意が足りないこと。また、そのような人。うっかり者。「其《その》いひかたが巧なるゆゑ、**うっかり**の須河は少しもさとらず」〈当世書生気質・坪内逍遙〉

うっかりひょん さま 注意を怠っているさま。うっかりぽん。「巾着切られ徘徊して、**うっかりひょん**としている油断を見すまし」〈孔子縞于時藍染・山東京伝〉

うっかりぽん さま 気が回らないさま。「戸を閉めに此処へ来て、**空然**《うっかり》**ぽん**と馬鹿らしい」〈人情本―処女七種〉

うっきそっき さま 心の落ち着かないさま。うきうき。「**うっきそっき**うはき成さま。江戸うきうき」〈浜荻・仙台〉

うっきり さま 古 気が浮き立ってはなやぐさま。「**うっきり**と小うた流るる舟ゆさん」〈雑俳―ちゑぶくろ〉

うっしっし さま うまくやったとほくそえむさま。「いやーまいったなこりゃあ。辛抱たまらんわい。**うッしッし**」〈東京困惑日記・原田宗典〉

うっすら さま ものごとの度合いのかすかなさま。うすく。かすかに。ほのかに。うっすり。「遙かの果てに地方《ちがた》の山が薄っ**すら**見える」〈千鳥・鈴木三重吉〉「彼女はいかにもうぶな若い人妻らしく、機体が接地するまで恐怖のあまり額に**うっすら**汗さえうかべて」〈新西洋事情・深田祐介〉 ⬇使い分け「ほんのり」

うっすり さま ほんの少しだけ感じられるさま。「青く、**うっすり**と四国の山々が眺められた」〈暗夜行路・志賀直哉〉

うっそり ❶ さま あたりに注意を払わず、気の散るさま。「色光沢《やつ》の悪い薄汚ない、**うッそり**とした婿殿の顔を見ると」〈其面影・二葉亭四迷〉

❷ 名 注意が足りないこと。また、そのような人。うっそり者。うすらぼんやり。「かねをにぎって帰られしを此**うっそり**が夢にも知らず」〈浄瑠璃―曾根崎心中・近松門左衛門〉

うっとり ❶ さま 美しいもの、好もしいものなどによる快感に身をゆだねているさま。恍惚《こうこつ》。また、気抜けしたさま。呆然。「『いいね、パリは。』と**うっとり**した顔で云ふことがあったが」〈旅愁・横光利一〉 ⬇使い分け「ぽかん」

❷ さま 意識を失うさま。「好い加減に頭が疲れて、**皆空**《うっと》**り**した心持になって黙っ

コラム オノマトペのもと

うと

「うと」は、ぼんやりと意識が遠くなるようすを表す。「うっとり」は、「あこがれの人にうっとりと見とれる」「音楽にうっとりと聴きほれる」のように、現代では美しいものや心地よいものに心を奪われてぼんやりするようすに言うが、古くは、「別れのつらさにうっとりと、気抜けのごとくよろよろと」（浄瑠璃『寿の門松』）のように、気が抜けてぼんやりしたようすや、「それからウットリとなって、その跡はとんと覚えませぬ」（歌舞伎『貞操花鳥羽恋塚《みさおのはなとばのこいづか》』）のように意識が朦朧《もうろう》とするようすにも用いた。

「うとうと」は、意識が遠のいて浅く眠っているようすを表す。「うとっ」と「うとり」が瞬間的に眠りに落ちて、その後すぐに意識が戻るのに対して、「うとうと」「うとりうとり」は、浅い眠りに落ちている状態が続いている場合に使う。「うとっ」は「うとり」よりも、眠りに落ちた瞬間が短いイメージを表す。

似た語の「うつらうつら」は、眠ったり、ぼんやりと意識が戻ったりしている状態を表す。

［うとの語群］

うとうと
うとっ・（うっと）
うとり・うっとり・（うっとら）
うとろうとろ・うとりうとり

	眠くて―（と）する	―（と）まどろむ	―（と）見とれる
うとうと	○	○	―
うとっ	○	―	―
うとり	○	―	―
うとりうとり	○	○	―
うっとり	―	―	○

［表現］

「うっとり」は、古くは気が抜けてぼんやりしたようすを表したことから、人を指して「うっとり」という場合は、「ぼんやりした人、まぬけ」という意味で使われた。明治時代にも「うっとり者」という語があり、「我如きうっとりものには荷重くしてちと不釣合なる縁談」（『夏痩』尾崎紅葉）のように「ぼんやり者」の意味で使われた。

「うっかり」という語も、古くは「うっとり」と同じく、気が抜けてぼんやりしたようすを表す意味があり、「物を落としたやうにうっかりとなり」（洒落本『令子洞房《むすこべや》』山東京伝）のように使われた。また「うっかり」には、現在の「うっとり」と同じく、「心地よいものに心惹かれる」という意味もあり、「うっかりと春の心ぞほととぎす」（俳諧『曠《あら》野《の》』）のように使われていた。

「うっとり」と「うっかり」は、もともと類義関係にあったが、それぞれが意味変化を起こし、現代では、「うっとり」は心地よいものに心を奪われるというプラスの意味に、「うっかり」は不注意であるというマイナスの意味に分かれている。

なお、「うかうか」と「うとうと」は、現代の意味と同じように、前者は、何かに気をとられて不注意であるようす、後者は眠けをもよおすようすに使われており、類義関係にはなかった。

（中里理子）

て了ふ」〈青春・小栗風葉〉

うっぽうっぽ さま 古 水に浮いて漂い続けるさま。「土左衛門に成って流るる時〈略〉うっぽうっぽ流れをる」〈浄瑠璃―伊賀越乗掛合羽〉

うっぽり ❶ さま 古 急に水面に姿を現すさま。「遙かの沖へうっぽりと浮き上ったる長太が母《かか》」〈浄瑠璃―奥州安達原〉 ❷ さま 心が浮き立つさま。「うっぽりとさまを待《まち》ぬる夕暮《ゆふぐれ》に心はひょろらひょんとうかれ女」〈俳諧―やっこはいかい〉

うっぽりうかり さま 古 水に浮いて漂い流れるさま。そのように心が定まらないで浮かれるさま。うっぽうっぽ。「姉が妹のヤレ酌をする。うっぽりうかりと浮いて来た、浮気盛りの此のお娘《むす》」〈歌舞伎―御摂勧進帳〉

うつらうつら ❶ さま よく見えたり見えなかったりし続けるさま。「船頭と同じ方角の奇岩から、春の海原のうつらうつらと霞んでゐる遠方などを見渡した」〈城ヶ島の春・牧野信一〉 ❷ さま 眠け、病気などで意識がうすれたりもどったりし続けるさま。うとうと。「病室の寝台に、うつらうつらして居た早瀬は、フト目が覚めたが」〈婦系図・泉鏡花〉「山田巡査は眼を閉じたまま何を考へるともなくうつらうつらとして居る様子であった、半分居眠って居るのである」〈巡査・国木田独歩〉 ↓使い分け「こっくりこっくり」 ❸ さま ゆるやかにゆれ動くさま。「長い藻が、うつらうつらと揺《うご》いて」〈永日小品・夏目漱石〉 ❹ さま 古 よく目に見えるさま。まざまざ。くっきり。「なでしこが花とり持ちてうつらうつら見まくの欲しき君にもあるかも〈船王〉」〈万葉集〉「目もうつらうつら、かがみに神の心をこそは見つれ」〈土佐日記〉

✹ ①～③は「空《うつ》ら・虚《うつ》ら」(=うつろ)を重ねた語。④は「現《うつ》ら」(=うつつ)を重ねた語。

うと ↓コラム「うと」

うとうと ❶ さま 眠けをもよおすさま。眠りの浅いさま。とろとろ。うつらうつら。「労《かっ》れてついうとうとすると凄じい音がした」〈生・田山花袋〉 ↓使い分け「こっくりこっくり」 ❷ さま 古 歩行などのおぼつかないさま。とぼとぼ。「うとうとと夜すがら君を負《おひ》て行く〈芭蕉〉 豆腐仕かける窓間《まどあひ》の月〈素牛〉」〈俳諧―ゆずり物〉

うとっ さま 急に短い眠けにおそわれるさま。『運転中に一瞬でも、うとっとしたら危ないぞ』 ↓使い分け「こっくりこっくり」

うとり さま 眠けをもよおしてわずかに意識を失うさま。うっとり。うとうと。「夫《それ》からウトリと為《す》ると和郎《おまい》に起こされ、四辺《あたり》を見ると女は居ないから少し驚いたが」〈落語―手向の酒・三代目三遊亭円遊〉

うとりうとり さま 軽く眠けをもよおしては覚めることを繰り返すさま。「眠い眼を鯨波音《ときのこゑ》に寤《さま》されて、うとりうとりと馬にまたがる」〈大千世界楽屋探・式亭三馬〉

うとろうとろ さま 浅い眠りの状態が続くさま。「けふは一日うとろうとろしておいでなんすが、わるひ夢でもみやなんせんか」〈洒落本―青楼小鍋立〉

うなうな ❶ さま 古 力なくゆれ動くさま。うならうなら。「うなうなとして備へなうて居れども、人がをつるぞ」〈周易抄〉 ❷ 名 古 おどして叱るさまをいう幼児語。「にくい母《おっかあ》めだの。うなうなをしてやらう」〈浮世風呂・式亭三馬〉

✹ ②の「うな」は「汝《ぬう》は」の変化した語。「うな」と言ってにらんだところから。

うならうなら さま 古 とらえどころのないさま。「『気にかからんではなけれど、何分知ってゐてじゃ通りの此節の仕儀じゃによって』と、うならうならといふ」〈洒落本―北川蜆殻〉

うならすなら さま 古 無抵抗なさま。すなおなさま。「どしゃうぼねの太いげんさいめ。**うならすなら**に渡しゃよし、強ばると此だんびら、どん腹へお見舞申す」〈浄瑠璃―小夜中山鐘由来・近松半二〉

✵「うなら」は力のないさま。「すなら」は息苦しいさま。

うならふなら さま 古 何の目的もなく流されるように過ごすさま。「はじめは風の心地のやうにして、**うならふなら**と明かし暮すほどに」〈他我身の上・山岡元隣〉

✵「うなら」は力のないさま。「ふなら」はふらつくさま。

うねうね ❶ さま 高くなったり低くなったりしながら続いていくさま。「鹿子斑《かのこまだら》の山が**起伏**《うね》うねと続く」〈多情多恨・尾崎紅葉〉

❷ さま 何度もみぎひだりに曲がって続くさま。曲がりくねりながら進むさま。「感情と理窟の縺《もつ》れ合った所を解《ほ》ごしながら前へ進む事の出来なかった彼等は、何処迄も**うねうね**歩いた」〈明暗・夏目漱石〉⬇使い分け「くねくね」

うねくね さま 高く低く、または左右に繰り返し曲がっているさま。うねすね。「芋虫が苦しまぎれに、身体を**うねくね**、うねらせる光景を」〈百鬼園随筆・内田百閒〉

うねすね さま みぎひだりに曲がりながら続いてゆくさま。「歩いた下駄の跡が、居坐った二つの漁船の間に**うねすね**と二筋に続いてゐる」〈千鳥・鈴木三重吉〉

うはうは 声・さま うれしくて笑いがこみあげ、おさえられないさま。『あまりにおいしくて**うはうはする**』「うちの蛇酒は伝説的なんでね、朝一杯飲むだけでもう**ウハウハ**よ」〈不味い！・小泉武夫〉⬇使い分け「わくわく」

うはは 声・さま 大口をあけて笑う声。また、そのさま。「糠代番頭代が四文と、売てあるけばいい**ウハハハウ**ハハハハ　とわらひながらあたりを見廻し」〈浮世風呂・式亭三馬〉

うひひ 声・さま 何か企みをもって野卑に笑う声。また、そのさま。「『へえ、生活美化委員ねぇ。〈略〉その委員の皆さんがたのご面相はどんなもんすか』ジャナリは**うひひひ**と笑って」〈青葉繁れる・井上ひさし〉

うひょひょ 声・さま うれしくて小さな笑いをもらす声。また、そのさま。

うふっ 声・さま 小声で短く笑う声。笑いをこらえながら軽く出す声。また、そのさま。「私と甘楽は〈略〉無邪気な悪戯でも仕おほせた時するやうに目を見合せて『**ウフッ**』と首を縮《すく》めた」〈ガトフ・フセグダア・岩藤雪夫〉

うふふ 声・さま おさえていた笑いが思わず出るときに発する声。また、そのさま。「小関は頷いて、**ウフフ**と独り笑ひをした」〈故旧忘れ得べき・高見順〉⬇使い分け「えへへ」

うほうほ さま 満足しきって心が浮かれているさま。うはうは。『お年玉をもらって、**うほうほ**と買い物に出かけた』

うぼうぼ さま 古 水面にものが頼りなげに浮かび漂うさま。うっぽうっぽ。「今見て来たんだが、瓢箪池にもその死骸が、**うぼうぼ**浮いてるんだぜ」〈浅草紅団・川端康成〉

うぽうぽ さま 心が定まらないで浮かれているさま。ふぬけなさま。うぽっぽ。「名からして太夫の位はある松山に上りつめて魂魄抜け、**うぽうぽ**になって通ふさうな」〈椀久物語・幸田露伴〉

うぽっぽ さま のんきに浮かれているさま。うぽうぽ。「おのしがやうに、**うぽっぽ**で遊んであるく者は、又一人とありャアしねへ」〈浮世風呂・式亭三馬〉

うまうま ❶ さま たくみな手順で事をしとげるさま。まんまと。「何かしら、**うまうま**はめられたという気がする」〈階級・井上光晴〉

❷ さま 快く感じられるさま。おいしく感じられるさま。『赤ちゃんが、ビスケット

をうまうまする』 「六月十三日(月)晴 佳織ウマウマという」〈育児日記・山田風太郎〉

✹幼児語。「うま」は「うまい」の語幹。

うやうや さま 虫などがわいて出たようにたくさんいるさま。「着物はボロボロ、髪はボウボウ、其髪に虱が**ウヤウヤ**して居るのが見える」〈福翁自伝・福沢諭吉〉

うやむや ❶ さま ものごとの結末や態度があいまいなさま。「一と月か二た月きまりの悪い思ひをするだけだ。どうせ**うやむや**に済んでしまふんだ」〈異端者の悲しみ・谷崎潤一郎〉 ⬇使い分け「ごちゃごちゃ」 ❷ さま 思いわずらって心が晴れないさま。もやもや。「遂には胸の**有耶無耶**《うやむや》払ひたさの強飲」〈いさなとり・幸田露伴〉

✹「有耶無耶」とも書き、ものごとが有るか無いかはっきりしないことの意からという。

うようよ さま 生き物が多数むらがって、細かく動いているさま。うじゃうじゃ。うやうや。「多くの才能のない人間が**うようよ**と世のなかに生きてゐるのは」〈都会の憂鬱・佐藤春夫〉 ⬇使い分け「ぞろぞろ」

うらうら ❶ さま 春の日ざしが暖かなさま。うららか。「**うらうら**に照れる春日にひばりあがり心悲しもひとりし思へば」〈大伴家持〉」〈万葉集〉 「**うらうら**と春の日の照り渡った中に木樵りの爺さんを残したまま」〈女仙・芥川龍之介〉 ⬇使い分け「うらうら」 ❷ さま ゆるやかにゆれ動くさま。「**うらうら**と幾つも漂った凧」〈長崎・芥川龍之介〉 「傾斜になった渚は吹揚げの砂が奇麗に盛上って、**麗々**《うらうら》立騰る蒸発気に夜露の湿も乾いて光って」〈青春・小栗風葉〉 ❸ さま 人の心や態度がおだやかで余裕のあるさま。「**うらうら**と死なんずるなと思ひ解けば心のやがて然《し》かぞと答ふる」〈山家集〉

うらら さま 空が晴れて、日ざしが暖かく明るいさま。春の日をいう場合が多い。うららか。うらうら。「春の**うらら**の隅田川、のぼりくだりの船人が」〈唱歌―花・武島羽衣〉 「春の日の**うらら**にさして行く船は竿のしづくも花ぞ散りける」〈源氏物語・胡蝶〉

うらり さま 古 よくわかるさま。明確なさま。「景文は文の詞きっくつに艱難《かんなん》にして、ゆくゆくのびのびとないぞ。つまって心がふかうて**うらり**ときこえぬぞ」〈玉塵抄〉

うるうる さま 水気があり余るさま。つやのあるさま。特に、目が涙でいっぱいになるさま。「初実が大きな眼を**うるうる**させながら岩木氏を笑った」〈真理の春・細田民樹〉

うるっ さま 思わず涙がこぼれそうになるさま。『話の結末に**うるっ**ときた』

使い分け

【共通の意味】

天気がよくて気持ちのよいようす。

うらうら

のどのど／ぽかぽか／はればれ

❶**うらうら**、**のどのど**は、天気がよくて気分のいいようすを表す雅語。**うらうら**は春や秋の快い日差しに使う。「**うらうら**と気持ちのいい春の一日だった」。**のどのど**はまたのんびりした風景の中で、風もなく穏やかなようす。「**のどのど**した田舎の風景に心がなごむ」 ❷**ぽかぽか**は冬や春の日差しがあたたかいようす。「**ぽかぽか**暖かい縁側でひなたぼっこをする」 ❸**はればれ**は、雲がなく空が晴れわたって明るいようす。「**晴れ晴れ**とした秋空のもと、運動会が行われた」。天候だけでなく、悩みや心配事がなくなったときのさわやかな気持ちにも使う。「やっと論文も書き終わり、**はればれ**した気分だ」

うるら さま 古 水分が豊かにあって美しいさま。「美人のそらだきなどのにおいをきき、やわらかに**うるら**とした手をとっつなどすれば」〈玉塵抄〉

うるるん さま 目に涙がいっぱいたまるさ

ま。『別れ際にうるるんとなる』

うろうろ ❶さま どうしたらよいかわからないまま、あたりを動き回るさま。『まアまア、兄さん、腹もたたうが堪忍して、堪忍して』と、うろうろしながら私を姉から別け隔てた」〈綿・須井一〉 ⬇使い分け「まごまご」

❷さま 目的もなくあちらこちら動き回るさま。同じ場所を行ったり来たりするさま。「迷ひに迷ひ、挽馬場《ひきばば》と馬券の売場の間をうろうろ行ったり来たりして」〈競馬・織田作之助〉「久《しば》らく文壇を彷徨《うろうろ》してゐる中に、当り作が漸く一つ出来た」〈平凡・二葉亭四迷〉 ⬇使い分け「ちょろちょろ」

❸さま 古 外に表れるようすが頼りないさま。よろけたり、声がつまったり、涙ぐんだりするさま。「咎《とが》むる心に詞つまりて答へ何やら宇漏々々《うろうろ》に成りぬ」〈別れ霜・樋口一葉〉

うろちょろ さま 目ざわりなほど、あちらこちら落ち着きなく動き回るさま。うろうろ。ちょろちょろ。「若い女はその谷間をうろちょろして自己の本来の理想、主張を忘れてしまうのである」〈男の遠吠え・藤本義一〉

うろり さま 古 驚きのあまり何も考えられずにいるさま。「我・人只うろりとせずに胸中に覚へあれば」〈大学垂加先生講義・山崎闇斎〉

うろりうろり さま あちらこちらを動き回るさま。「人の腰元大小や、ふところなどをさがしつつ、うろりうろりとするもあり」〈仮名草子—元の木阿彌〉

うわーん 音・声・さま 子どもなどが、大声で泣く声。空間にこだまする音。また、そのさま。『大音響で、耳の奥がうわーんとなる』

うわうわ さま 古 落ち着いていられないさま。うかうか。うきうき。「あれからといふものは、千代春さんが、うはうはと用もろくに手が付かぬわいな」〈歌舞伎—天衣紛上野初花（河内山）・河竹默阿彌〉

うんうん ❶音・さま ハチやアブなどの昆虫が多数音をたてて飛び続けるさま。機械などが低い稼動音をたてるさま。「限りなき飛虫の雪の如く紛々として樹を繞《めぐ》り蜂虻《はうばう》の呍々《うんうん》として日光に飛ぶを見よ」〈自然と人生・徳冨蘆花〉

❷声・さま うなずきながら承知や同意の意を表す声。また、そのさま。「夫ぢゃあ、只うんうん云って聞いてる振をして居りゃ宜からう」〈琴のそら音・夏目漱石〉

❸声・さま 苦しがってうめく声。力んだときに思わず出す声。また、そのさま。「マラリヤの熱でうんうん云ってゐる時」〈帰郷・大仏次郎〉「一人では動かないのを承知しながらうんうんそれを押して見たり」〈トロッコ・芥川龍之介〉

うんざり さま ものごとがじゅうぶんすぎて、いやになるさま。同じ状態が続いたり、何度も繰り返されたりしてあきてしまうさま。『お前は三度三度無駄飯を食って、〈略〉厭になっちまふ。』と新吉はウンザリした顔をする」〈新世帯・徳田秋声〉 ⬇使い分け「げんなり」

うんすん さま 古 苦しいときに、気をつめてうなるさま。「役にも法にもない事にあたまをわらし、うんすんと気をつめけり」〈浮世草子—商人職人懐日記〉

うんなり さま 古 だらしないさま。ぐんにゃり。「どうやらうんなりした侍ぢゃと思うたが、気の短い奴ぢゃ」〈歌舞伎—近江源氏鎧講釈・並木正三〉「たたきたてうんなり板へへばり付け」〈雑俳—机の塵〉

えいえい ↓漢語編①「えいえい（曳曳）」②「えいえい（盈盈）」③「えいえい（営営）」↓使い分け「せっせ」

えーん 声・さま 泣くときに発する声。人目をはばからず、幼稚な感じで泣くさま。「『エーン、口惜しい！　口惜しい！』〈略〉おせいは子供のやうに泣きじゃくった」〈蠢く者・葛西善蔵〉

えきえき ↓漢語編「えきえき（奕奕）」

えこえこ さま 古 うれしそうなさま。にこにこ。「手をひろげ口を**ゑこゑこ**として、しばしものをもいわず」〈咄本—正直咄大鑑〉 方言 ほほえむさま。北関東地方。「えごえご」ともいう。「**えこえこ**してええ娘だと思うんだが」〈栃木県〉「一等賞をもらって**えごえご**している」〈群馬県〉

えごえご ❶ さま 古 肥え太っていたりして動作がにぶく、行動がゆるやかなさま。のそのそ。よちよち。「大きな腹だよのう。我ながらなぜこんなに**ゑごゑご**するだらう」〈浮世風呂・式亭三馬〉 ❷ さま 肩を前後、上下などにゆするさま。「欽哉は肩を**エゴエゴ**させながら、『でも、色々行《だく》らん事を言ったと云ふぢゃ有りませんか？』」〈青春・小栗風葉〉 ❸ さま 方言 まがっているさま。北陸地方。「こないに**えごえご**んなったらもう真っ直ぐんならん」〈石川県〉「ほんな**えごえご**した字い書いたらあかん」〈福井県〉

えごちゃら さま 体をもてあまして動作のにぶいさま。よたよた。よちよち。「肥った身体を**えごちゃら**と自分を追ひ廻した」〈父の婚礼・上司小剣〉

えこらすこら さま 方言 動きが鈍いさま。のろのろ。よぼよぼ。「えこらまから」ともいう。「**えこらすこら**て歩く」〈山形県〉「実家の爺《じ》さま**えこらまから**て年とたごと（年とったね）」〈秋田県〉

えざらまざら さま 古 ものごとの遅いさま。態度や動作が緩慢なさま。のろのろ。ぐずぐず。「のろのろを**ゑざらまざら**」〈浜荻・庄内〉

えたえた さま 古 おぼつかない足どりで進むさま。よたよた。「姿をつくづくとながめましたれば、こふあひるのありくやうに**ゑたゑたゑたゑたと**」〈狂言—縄綯〉

使い分け

［共通の意味］さまざまな声を出して笑うようす。

えへへ

おほほ／わはは／がはは／うふふ／いひひ

❶**えへへ**は、照れたり、恥ずかしい気持ちをごまかそうとする笑い。「遅刻の理由を聞かれて、**えへへ**と笑った」❷**おほほ**は、上品に気どって笑うようす。「奥様は**おほほ**と口をすぼめてお笑いになった」❸**わはは**は大きく口を開けた豪快な笑い方。「三歳の孫のかいた似顔絵を見て、**わはは**とおなかを抱えて笑った」。**がはは**は**わはは**より品のない笑い。❹**うふふ**は、うれしいとき、また当惑したときに笑うようす。「『テストどうだった』と尋ねられて中学生は**うふふ**と小声で笑った」❺**いひひ**は何か悪いことをたくらんでいるときなどに出る、卑しげな笑い。「魔法使いは、毒入りのりんごを姫に渡すと、**いひひ**と笑って去った」

えちえち さま 古 思うように歩けないさま。よちよち。「卜常磐木〈略〉みどりを合羽の下に入れ、**ゑちゑち**と上の方へ通り」〈歌舞

伎―貞操花鳥羽恋塚・鶴屋南北〉

えちらえちら さま やっとのことで歩いているさま。「ふたりながらつゑにすがり、**ゑちらゑちら**と行く」〈東海道中膝栗毛・十返舎一九〉

えっさえっさ さま 調子づいてものごとをしているさま。「**エッサエッサ**飛ぶが如く奔《はし》り去り」〈雪中梅・末広鉄腸〉

えっさもっさ さま 大勢が寄って騒がしく何かをし合うさま。もめたり混乱したりするさま。やっさもっさ。「**エッサモッサ**と景気よく一つの大万燈担いで来て」〈東京年中行事・若月紫蘭〉

えっさらおっさら さま やっとのことで何かを行うさま。「**えっさらおっさら**煮染《にしめ》と赤飯《こわめし》を持って逢ひに行きやした」〈酩酊気質・式亭三馬〉

えっちおち さま 息も絶えだえに動くさま。「お袋はいとしや土手を**ゑっちおち**」〈雑俳―川傍柳〉

えっちらおっちら さま つらそうに歩くさま。やっとのことで歩いているさま。「爺やに手伝はせて、**えっちらおっちら**担《かつ》ぎあげ」〈大道無門・里見弴〉
✹多く、重いものを持ち運んだり、疲れたり、あるいは老人などが歩くさまに用いられる。⬇使い分け「よちよち」

えっちり さま 古 苦しそうに、一歩一歩歩くさま。えっちらおっちら。「**ゑっちり**越後の山坂越えて、来て見りゃほんに江戸の花」〈常磐津―后の月酒宴島台(角兵衛)〉

えへへ 声・さま 人にこびたり、卑屈そうに笑う声。また、そのさま。「**えへへへへ**、世の中の事はさう、こっちの思ふ様に埒《らち》があくもんぢゃありませんよ」〈吾輩は猫である・夏目漱石〉 ⬇使い分け「えへへ」

えへらえへら さま 締まりなく笑うさま。「**えへらえへら**笑ってゐやがるあいつの顔が」〈一兵卒の銃殺・田山花袋〉

えへん 声・さま せきばらいの声。せきこんだり、人の注意を促すさま。いばっているさま。『壇上で、**エヘン**とえらそうにしていた』「何処の隅からか、**エヘン**と一つ奇声を発して咳払ひをすると」〈思出の記・徳冨蘆花〉

えみえみ さま 古 気味のわるい笑いを浮かべるさま。にやにや。「修行者のふしぎなるが〈略〉袖をかきあはせて**ゑみゑみ**とわらひて」〈今物語〉

えらえら ❶ さま 古 楽しみ笑うさま。上きげんなさま。にこにこ。「千歳《ちとせ》寿《ほ》き寿きとよもし**ゑらゑら**に仕へまつるを見るが貴《たふと》さ」〈大伴家持〉」〈万葉集〉
❷ さま 方言 のどがいがらっぽいさま。「しぇらしぇら」ともいう。「のどが**えらえら**でぇ風邪ひだでろが(ひいたのだろうか)」〈秋田県〉

えりえり さま 古 足どりのおぼつかないさま。「思立て久く企て**えりえり**と尋て来たればありあって留守にきたぞ」〈三体詩幻雲抄〉

えんえん ❶ 声・さま 声をあげて泣く声。また、そのさま。「ハルキチは変な顔で私をみるが、ともかく泣いてやれ、と母子《おやこ》声を揃えて**エンエン**やり出すのだ」〈海を見に行く・石坂洋次郎〉
❷⬇漢語編①「えんえん(奄奄)」②「えんえん(延延)」③「えんえん(炎炎)」⬇使い分け「めらめら」④「えんえん(焔焔)」⑤「えんえん(蜿蜒)」

えんやらえんやら さま 重いものを力を込めてやっとのことで動かすさま。「おじいさんはびっくりして、大きな声でおばあさんを呼びたてて、**えんやらえんやら**、小判をうちの中に運び込みました」〈花咲かじじい・楠山正雄〉

お

おいおい 声・さま 深い感情を込めて泣き続ける声。また、そのさま。「**おいおい**泣いてゐたぢゃないの」〈爛・徳田秋声〉 ⇩使い分け「わんわん」

おーおー ❶ 声・さま 人が泣き叫んだり、わめき騒ぐときの声。また、そのさま。「せむ方なさに**をうをう**と、わが泣く声の我が耳に、入りて夢は覚めぬ」〈御伽草子―伊香物語〉 ⇩使い分け「わんわん」 ❷⇩漢語編①「おうおう(汪汪)」 ②「おうおう(快快)」

おーしーつくつく 声 ツクツクボウシの鳴く声。⇩鳴き声編

おがおが さま 方言 わけのわからないことを言うさま。「何を**おがおが**言うてんねや、さっぱりわからへん」〈大阪府〉

おぎゃーおぎゃー 声 赤ん坊の泣き声。ほぎゃーほぎゃー。「奥様のお腹より、**おぎやあおぎやあ**と飛出せしお子宝」〈今様夫婦気質・清水紫琴〉

おごおご ❶ さま 古 小さいものがたくさん集まってうごめくさま。体がこきざみに動くさま。「鼻を**ごをご**として語也。嘘がましき顔つき也」〈花屋抄〉 方言 絶えず体を動かすさま。「ウジが**おごおご**這い出た」〈島根県〉 「蒲団《ふとん》の中で**おごおご**する」〈島根県〉 ❷ さま 方言 ぎこちなく感じのわるいさま。「おとうちゃんのズボンをへえたら、**おごおご**してから歩きにきい(歩きにくい)」〈岡山県〉

おじおじ さま 遠慮して恐れるさま。おずおず。おどおど。「いいわけもあとやさき、**をぢをぢ**して」〈西洋道中膝栗毛・仮名垣魯文〉

おじゃん →じゃんじゃん⑦。

おずおず さま 恐れや緊張でためらっているさま。「重兵衛の後に跟っいて**怖々**《おづおづ》入って来る松太郎を見ると」〈赤痢・石川啄木〉 ＊動詞「怖《お》ず」を重ねたもの。⇩使い分け「おどおど」

おたおた さま 思いがけない事態に、どう対処していいかすぐに判断がつかず、何もできないさま。「今なら、ゲイボーイ氏に襲われて、あんなに**おたおた**しなくてもすむだろうと思う」〈かさぶた喰いの思想・野坂昭如〉 ⇩使い分け「まごまご」

使い分け

【共通の意味】恐れや緊張などのために落ち着かず、ためらっているようす。

おどおど

おずおず／びくびく／おそるおそる／こわごわ

❶**おどおど**は恐れなどから自信をなくして、態度が落ち着かないようす。「親があまり厳しいので、子どもはいつも**おどおど**している」。**びくびく**はこれから起こる不安や恐怖からおびえているようす。「無賃乗車がばれるのではないかと**びくびく**している」 ❷**おずおず**、**おそるおそる**、**こわごわ**は、怖さにしり込みしながらも行動をするようす。「校長先生に促されて、生徒は**おずおず**と話し始めた」。**おそるおそる**は、畏敬する人に対する態度にも使う。「上司に**おそるおそる**転職願いを申し出る」。**こわごわ**は、怖いものを見たり触れたりする場合に使う。「おおきな犬を、**こわごわ**なでてみた」

おだおだ さま 方言 かき回された水がにごり、不純物が浮いているさま。「誰かが水盤をまぜたから、水が**おだおだ**濁っとる」

〈島根県〉

おちおち ［さま］落ち着いたり、安心して何かをするさま。『**おちおち**していられまい』「夜も昼も**おちおち**眠らないもので」〈銀の匙・中勘助〉

✸多く下に打ち消しの語がくる。

おっちり ［さま］余裕があって安らかなさま。「夜も**平穏**《おっちり》と眠られないんです」〈火の柱・木下尚江〉

［方言］おだやかに落ち着いているさま。関東・近畿・中国・四国地方。「おっちら」ともいう。「忙しいのに**おっちり**構えている」〈群馬県〉「あの人は**おっちり**話がでける人じゃ」〈徳島県〉「人がどがあこがあ言うても、**おっちら**と構えとりんさった」〈広島県〉

おっつかっつ ［さま］時間、優劣、程度などにおいて、両者の差が少なく、ほとんど同じであるさま。『兄と僕は**おっつかっつ**に出かけた』「正己の政治熱はお粂の夫弓夫と**おっつ、かっつ**で」〈夜明け前・島崎藤村〉

✸「追っつ縋《すが》っつ」、または「乙甲《おつかつ》」の変化した語という。

おっとり ❶［さま］人柄、態度などが、間延びしていると思えるほど悠然としたさま。「起居振舞から言葉から、こころばせまでが〈略〉**おっとり**とした中に情深いやうなところがありました」〈正直者・国木田独歩〉「練太郎は**おっとり**と煙草を吹かしつつ窓の傍へよって来た」〈家族会議・横光利一〉 ⬇使い分け「どっしり」

❷［さま］日ざしやあたりのようすなどがおだやかなさま。「白い霜を一度に摧《だく》いた日が、木枯しにも吹き捲くられずに、穏かな往来を**おっとり**と一面に照らしてゐた」〈彼岸過迄・夏目漱石〉

✸大急ぎで駆けつけるときの形容に使われる「おっとり刀《ながた》」は、擬態語の「おっとり」とは別の語。非常の場合に刀を腰に差す間もなく、押し取って（手にとって）出かけたことから、押し取りが「おっとり」になった。

おててこてん ［音］おでてこ（人形の一種）を使う見せ物のはやしの音。おでてこでん。すててこてん。「宝暦年中の事にも有べし。おでてこといふ見世物の人形出で、大に時行し、是は近頃の事ゆゑ人能知れり〈略〉後にて囃子方《はやしかた》の者、**おでてこでん**、すててこてんと囃す度々に種々の品を取替る也」〈奇異珍事録〉

おどおど ［さま］緊張したり恐れたりして、どうしてよいかわからず心が落ち着かないさま。自信なげなさま。「新吉は現在自分が殺したと思ふと**おどおど**して手が附けられません」〈真景累ケ淵・三遊亭円朝〉「声もほそぼそと、歴史といふ遠い昔の夢をロマンチックに**おどおど**と語る——」〈ある男の死・岡本かの子〉

✸「おずおず（おづおづ）」の変化した語。

⬇使い分け「おどおど」

おどろ ［さま］音が大きく、不気味に鳴りひびくさま。「神鳴りさへ**おどろ**と鳴り渡ったに」〈きりしとほろ上人伝・芥川龍之介〉

おどろおどろ ［さま］うす気味わるく、腹の底から恐れを感じるさま。『廊下には**おどろおどろ**とした絵がかかっていた』「驟雨《むらさめ》颯《さっ》と降そそぎ、**おどろおどろ**と雷鳴《なるかみ》に、電《いなびかり》間なくして」〈椿説弓張月・曲亭馬琴〉

✸もとは、雷や風雨、大波などの物音に関して使われることが多かった。

おねおね ❶［さま］口の中でものをあちこち動かしながらかみ続けるさま。「大阪屋のポタージュとハヤシライスを食って、**おねおね**してるともう夜の『芝居』が開く」〈古川ロッパ日記・古川緑波〉「**をねをね**と釣柿《つるし》喰ふや尉と姥」〈雑俳—西国船〉

［方言］口の中でかむことも、のみこむこともできずにいるさま。「何を口ん中で**おねおね**さしとんね」〈兵庫県〉

❷［さま］［方言］腹にもたれるさま。「餅を食べ過ぎて**おねおねする**」〈香川県〉

❸［さま］［方言］曲がりくねるさま。「ひょっと

見たらヘビが**おねおね**しとってな」〈兵庫県〉「体を**おねおね**させえな」〈島根県〉「道が**おねおね**走っちょる」〈島根県〉

おひゃりこひゃり 音 はやしたてるような、にぎやかな横笛の音。「遊山船がさはぎ集りて、しゃぎり（＝囃子）の音の、**おひゃりこひゃり**、ひゃりこひゃりこひゃりひゃり」〈歌謡―松の葉〉「二人連れ**ヲヒャリコヒャリ**の夕間暮」〈雑俳―玉柏〉

おぼおぼ さま 古 あいまいな態度をとるさま。「あやしきまで言少《ことすく》なに、**おぼおぼ**とのみものし給ひて」〈源氏物語・蜻蛉〉

おほほ 声・さま 口をすぼめて軽く笑う声。上品に、または気どって笑うさま。「外《そと》なるは**おほほ**と笑ふて、お父様《とっさん》私で御座んすといかにも可愛き声」〈十三夜・樋口一葉〉
✻特に女性の動作に用いられることが多い。⬇使い分け「えへへ」

おぼり さま 古 ものの輪郭が明瞭に見えないさま。ぼーっ。「一樹の幽花が水を隔て、**をほり**と見へた。水を隔てたれば、幽に見ゆる也」〈中華若木詩抄〉
✻「朧《おぼろ》」の変化した語か。

おほん 声・さま 気どったり、いばったり、相手の注意を喚起するために、せきばらいをする声。また、そのさま。「表《おもて》の方にてせき払ひ**ヲホン**」〈七偏人・梅亭金鵞〉

おめおめ さま 恥をかいて、そのままにするさま。のめのめ。「結局私は白い花瓶と、こわれない別の青い壺との二点をさげて**おめおめ**と帰って来た」〈ある日の経験・寺田寅彦〉
✻動詞「怖《お》む」（＝おそれて尻込みする意）の連用形を重ねたもの。

おろおろ ❶ さま どうしてよいかわからず落ち着きを失っているさま。「僕が**おろおろ**してゐる所へ兄夫婦が出てきた」〈野菊の墓・伊藤左千夫〉「ヒデリノトキハナミダヲナガシサムサノナツハ**オロオロ**アルキ」〈雨ニモマケズ・宮沢賢治〉⬇使い分け「まごまご」
❷ さま 涙もろい状態。声をうるませて涙声になっているさま。『**おろおろ**声』『**おろおろ**涙』「涙**おろおろ**と落しながら推まろめて投やり」〈艶魔伝・幸田露伴〉
❸ さま 古 不十分で整わないさま。また、部分的なさま。どうやらこうやら。ところどころ。「さては鎌倉にての御うたへのやうは、**おろおろ**うけたまはりてさふらふ」〈親鸞聖人消息・親鸞〉

おろろん ❶ 声 ウミガラスの鳴く声。
❷ さま 泣きたい気分になるさま。『ラストシーンで**おろろん**となった』

おんおん 声・さま 声をあげて周囲を気にせず泣く声。また、そのさま。「おれも、母ちゃんにしがみついて、**おんおん**泣いちゃった」〈虎ちゃんの日記・千葉省三〉⬇使い分け「わんわん」

おんぼり さま きつさや鋭さがなく、とらえどころのないさま。ぼんやり。ぼんじゃり。おぼり。「阿堵《あどけ》なくして座敷を**おんぼり**ととりまはし」〈洒落本―金枕遊女相談〉

か

かー 声 カラスの鳴く声。「此の鳥は**かあ**とは鳴かぬ。きやけえ、くうと曲折して鳴く」〈京に着ける夕・夏目漱石〉 ⬇鳴き声編

がー 声 アヒル、カモなどの鳴く声。

かーかー 声・名 カラスの鳴く声。カラスをいう幼児語。「飛去る時**かあ、かあ、**と鳴く声は我が局量を嘲る者の如し」〈秋窓雑記・北村透谷〉 ⬇鳴き声編

がーがー ❶音・声 アヒルやカラスなどの鳴く声。スピーカーなどの機械が出す重くにごった雑音。「たくさんの朋輩の鴉《からす》が**があがあ**と噪《はしや》いで飛んでゐた」〈竹青・田中貢太郎〉「インターフォンて奴を、店内各所に置いて、**ガアガア**言い通しの店がある」〈悲食記・古川緑波〉

❷さま 騒がしく音や声をたてるさま。『朝から掃除機で**ガーガー**する』「何やらわからぬことばにて**ガアガア**がなりて」〈西洋道中膝栗毛・仮名垣魯文〉

かーっ ❶音 痰《たん》をのどから口の奥に上げる音。「**かアット**痰を彼の若侍の面上《ほか》に唾き付けましたゆゑ」〈怪談牡丹燈籠・三遊亭円朝〉

❷さま 急に怒ったり、のぼせたりするさま。「章三郎は**かあっ**となって、遮二無二機械を廻さうと焦り出したが」〈異端者の悲しみ・谷崎潤一郎〉「胸が**かあっ**と熱くなって、眼には涙さえたまった」〈肉体の悪魔・田村泰次郎〉

がーっ ❶音 かたいものが削れたり、重いものが動いて出す大きな音。「ガード下へかかると、電車の音も自動車の警笛の響も急に**ガーッ**と通行人の体を四方から押しつつむやうにやかましくなる」〈道づれ・宮本百合子〉

❷さま 勢いよく押し寄せたり、のしかかったりするさま。『たまった仕事を**ガーッ**と一気に片付けた』

かーん ❶音・さま 高く鋭い金属音などを発しているさま。また、その音。「淋しい山里の空気が、心細い夕暮れを促がすなかに、**かあん**かあんと鉄を打つ音がする」〈二百十日・夏目漱石〉「**カーン**と桜井のバットに音がした」〈日本野球史・国民新聞社運動部〉

❷さま 耳が残響で働かず、音を受けつけない状態。きーん。「今までやかましく荷物をまき上げてゐた扛重機《クレーン》の音が突然やむと、**かーん**とする程人々の耳は却って遠くなった」〈或る女・有島武郎〉

❸さま 色などが抜けるように冴えきっているさま。「その檸檬の色彩はガチャガチャした色の階調をひっそりと紡錘形の身体の中へ吸収してしまって、**カーン**と冴えかへってゐた」〈檸檬・梶井基次郎〉

がーん ❶音・さま 大きな音。大きく音がひびくほど、はげしくぶつかるさま。「櫓の上で時計の音が**があん**と鳴る」〈倫敦塔・夏目漱石〉「帯が頸部に食ひ込んで来た。呼吸も出来ない。頭に血が上って**ガーン**と鳴り出した」〈いのちの初夜・北条民雄〉

❷さま 心理的に強い衝撃をうけるさま。「すぐ根源的な問題、死や生を考えてしまう。〈略〉『愛と死の歌』なんて、**がーん**と訴えるものがあったわけだ」〈人に本あり・読売新聞・02・9・1〉

がい さま 強い力を込めるさま。ぐい。「汽車は**ガイ**と一と動《ゆ》りして進行を始めぬ」〈火の柱・木下尚江〉

かいかい ❶声 古 赤ん坊の泣く声。「此の唐道人が前では電電は赤子の**かいかい**と鳴たものぞ」〈四河入海〉

❷声 ニワトリ、ガン（雁）、チドリ、またカエルやキツネなどの高く軽快に鳴く

声。⬇鳴き声編
❸⬇漢語編「かいかい(恢恢)」

がいがい ❶さま 古 騒々しいさま。がやがや。「はて、がいがいとやかましい」〈浄瑠璃―唐船噺今国性爺・近松門左衛門〉
❷さま 方言 乱雑なさま。「がいがらがい」ともいう。「自分の部屋をがいがいにして遊んどる」〈滋賀県〉「教室をがいがらがいにして帰った」〈滋賀県〉
❸⬇漢語編「がいがい(皚皚)」

かいよ 声 シカの鳴く声。⬇鳴き声編

かか ⬇漢語編「かか(呵呵)」

がが ⬇漢語編「がが(峨峨)」

かかか ❶音 太鼓の縁をたたく音。『どんどん、かかか』
❷声・さま 愉快そうに、または、見下して、高らかに笑う声。また、そのさま。『カカカと勝ち誇るように笑った』

がかがか さま 方言 炭火などの盛んにおこっているさま。「こんろの火ががかがかおこっとるど」〈京都府〉

ががっ ❶音・さま 強くぶつけたり、削れたりする音。また、そのさま。『ブロック塀に愛車をガガッとぶつけた』
❷さま はげしい勢いで進むさま。『体重ががががっと増えた』

がかもか ❶さま 方言 平らでないさま。がたがた。でこぼこ。「この山道ががかもかでくて、走りにぎ(走りにくい)」〈秋田県〉
❷音・さま 方言 騒がしい音がするさま。がたがた。「戸口でががかもかしている。誰かいるな」〈岩手県〉

かき ⬇コラム「かき・がき」

かきかき さま ぎこちなく、かたい感じを与えるさま。『カキカキとした稚拙な線画を描く』『カキカキに凍結した道路』

がきがき ❶さま こわばって機械的な動きをするさま。「帽子をキチンとかぶって、几帳面な、ガキガキと歩いて、一銭も人から借り倒さないで」〈海に生くる人々・葉山嘉樹〉
❷さま かた苦しくて融通のきかないさま。「奇妙にあのガキガキの武田と女たらしの、ニヤケ連中が赤い徽章ばつけて」〈不在地主・小林多喜二〉

かきこき 音・さま かわいた、折れるような音。また、そのさま。かくかく。『運動不足で骨がカキコキいう』「バラをくわえたカップルが『ラ・クンパルシータ』に合わせて頭をカキコキと動かしながら踊る」〈メッセージ'02仙台・河北新報・00・8・16〉

がきっ 音・さま 強くくいこんだり、かみ合う音。また、そのさま。『ご飯を食べていたら、なにかがガキッと歯に当たった』

かきん 音 金属的で高く明るく澄んだ音。『大空にカキンとホームランを打った』

がく さま 急に、はげしく動くさま。↓がくっ。「隣に寝て居た客が愕然《がく》と刎ね起きてきょろきょろ四辺見廻はした」〈思出の記・徳冨蘆花〉

かくかく ❶音・さま こきざみに続く軽くぶつかる音。また、そのさま。『入れ歯がカクカクと鳴っている』
❷さま 古 謡曲などをよどみなく真直にうたうさま。「『昔は京洛の、花やか成りし身なれ共』の一うたひ、様もなく、真直に、かくかくと謡ひし」〈申楽談儀〉
❸⬇漢語編「かくかく(赫赫)」

がくがく ❶さま ものがゆるんで動きやすくなっているさま。ひどくふるえ続けるさま。「ガクガクの入れ歯や入れ歯もないばさまたちの唱え、唄う声は、むしろ薄気味悪いのです」〈月山・森敦〉「膝ががくがくして震へがちっとも止りゃアしねへ」〈七偏人・梅亭金鵞〉
❷⬇漢語編「がくがく(諤諤)」 ⬇使い分け「がくがく」

かくしゃく ⬇漢語編①「かくしゃく(赫灼)」②「かくしゃく(矍鑠)」

がくそく さま 古 言語、動作などがぎこちないさま。ものごとが思うように円滑にいかないさま。ぎくしゃく。「私も今は些と不自由な身になって、夫れ故世間ががく

かき・がき

「かき」「がき」が擬音語となる場合、どちらもかたいもの同士がぶつかったときに出る音となるが、「かき」のほうが明るく澄んだ、高い音を表し、「がき」のほうが重量感があり、低く大きい音を表す。

「かきかき」「がきがき」は連続して鳴る音を表し、「かきっ」「かきり」「かきん」「がきっ」「がきり」「がきん」は一回鳴る音を表す。「かきっ」「がきっ」は瞬間的に鳴る音を表し、「かきん」「がきん」は音の響きが残っている印象を与える。「かきーん」「がきーん」は、音がのびやかに続いているようすを表す。

「かきり」「がきり」は、音とともにその動きが止まる印象になる。

【かきの語群】

かきかき・がきがき
かきっ・がきっ
かきり・がきり
かっき・がっき
かっきり・がっきり
かきん・がきん
かっきん・がっきん

	あごが―(と)鳴る	―(と)太い幹が折れた	―十時に来た
かきかき	○	―	―
がきがき	△	△	―
かきっ	○	―	―
がきっ	○	○	―
かきり	○	―	―
がきり	○	○	―
かっきり	△	―	○
がっきり	△	△	―
かきん	△	―	―
がきん	△	△	―

【表現】

「かきーん」は、現在では野球のバット音に使われることが多い。ボールが真芯に当たった快音を表し、ホームランなど、ボールが遠くまで飛んでいくときに使う。「かきん」「がきん」をボールに当てる音に使う例もある。その場合、野球に限らずゲートボールなど他の球技にも使われる。「かきん」は芯に当てた音、「がきん」は芯を外した音、という違いもある。

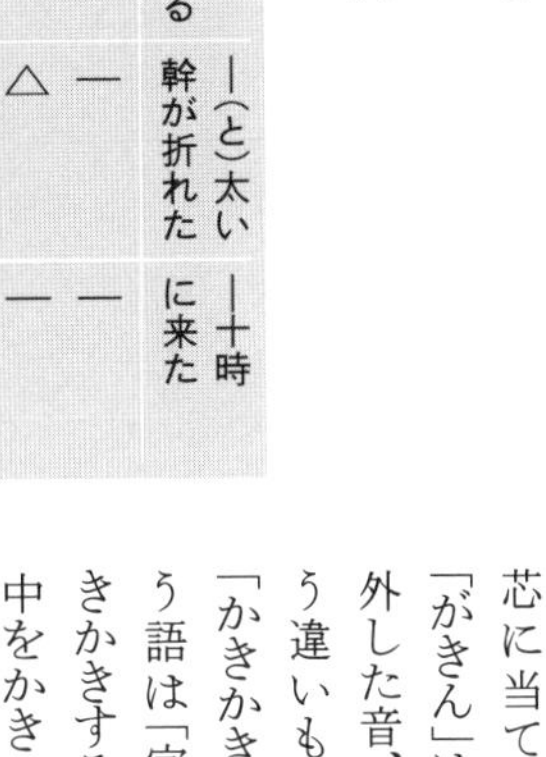

©熊倉いさお

「かきかき」という語は「字をかきかきする」「背中をかきかきする」などと使うことがあるが、この場合は、それぞれ「書く」「掻く」という動詞の連用形を重ねたもので、擬態語とは認められない。ただし、実際の使用場面では、一生懸命に書くようすを「かきかき」と表したり、照れて頭を掻くときに「かきかき」と表したり、擬態語同様の使い方をしているものも見られる。

「かきっ」「がきっ」「かきん」「がきん」などは、金属音、機械音を表すことが多く、ロボットの動きなどにも使われている。

「かっきり」は、「百円かっきり」「三時かっきり」のような意味の場合には、「こっきり」「きっかり」と類義語になるが、いずれもカ行音が使われており、正確さ、厳格さ、几帳面などのイメージでつながっている。

（中里理子）

そくしますのサ」〈人情本—花筺〉

かくっ ❶さま 急に軽く力が抜けたり、落胆するさま。『ひざが**かくっ**となった』
❷さま 折れ曲がったように角張っているさま。『眉の濃い、あごが**かくっ**とした顔』

がくっ さま ものが瞬間的にはげしく欠落したり、落胆したりするさま。「きまって或る時に**がくっ**と尻ごみしてみせる」〈われ深きふちより・島尾敏雄〉

がくり ❶さま ものが急に折れたり、取れたり、抜けたりするさま。勢いを失ったりするさま。がっくり。「怖いから眼をつぶったら、**ガクリ**と音がして揺《ごう》いてゐた歯がぬけた」〈旧聞日本橋・長谷川時雨〉「首をひねられた鶏のやうに、首を**ガクリ**胸に落し込んで」〈蟹工船・小林多喜二〉
❷さま 大きく口をあけてものを食べるさま。「なんどもこすってから、大きく**がくり**とやった。がくりとやってから、彼は急に妙な顔をして〈略〉できそこなひのサツマイモだらうと」〈路傍の石・山本有三〉

がくりがくり さま 急激に動いては、またもとにもどることを繰り返すさま。「小児《こども》の背に片手を置きながら**がくりがくり**と居眠りして居て」〈都会・生田葵山〉

かくん ❶さま 急にゆれたり、折れ曲がったり、はずれたりするさま。軽い衝撃をうけるさま。かっくん。『エレベーターが**かくん**と止まった』
❷さま 急に力が抜けたり、拍子抜けするさま。かっくん。『膝が**かくん**となった』

がくん ❶さま ものが急にはげしく動いたり、ゆれたり、はずれたりするさま。強い衝撃をうけるさま。『**ガクン**と列車が動き出した』「おみやげのシュクリーム食ってたら又前歯**ガクン**と、とれた」〈古川ロッパ日記・古川緑波〉
❷さま ものごとの段階が急にはげしく落ちこむさま。『この海は赤いブイの向こうが、**ガクン**と深くなっている』

かくんかくん さま 軽く折れ曲がったり落ちこむことを繰り返すさま。『筋肉痛で、ロボットみたいに、**かくんかくん**としか動けない』

がくんがくん ❶さま 強い衝撃をうけ続けたり、ものごとの段階がはげしく落ち続けるさま。『乱気流で機体が**がくんがくん**となった』
❷さま 静止したり、固定されないで、大幅に動き続けるさま。「首が**ガクンガクン**するほど体を揺《ゆす》ぶった」〈今年竹・里見弴〉

かげんろ 声 古 ニワトリの鳴く声。かけろ。⬇鳴き声編

かさ ⬇コラム「かさ・がさ」

使い分け

がくがく

【共通の意味】
体が震えるようす。

がたがた／ぶるぶる／わなわな／びくびく

❶**がくがく**、**がたがた**、**ぶるぶる**、**わなわな**は、恐ろしさや寒さのために、体全体または体の一部が震えるようす。「寒くて体が**がたがた**震えた」は体全体がゆれるようすを表すのに対して、**がくがく**は体の一部がはげしくゆれるようすや、「怖くてひざが**がくがく**した」のように、ひざが震えたり歯の根が合わないようす。**ぶるぶる**はこきざみに震えるようす。❷**わなわな**、**ぶるぶる**は、怒りのために震えるようすにも使う。「怒りに唇が**わなわな**と震えた」「かたく握り締めたこぶしが**ぶるぶる**震えている」 ❸**びくびく**は、こわがっている気持ちが態度に出ているようす。「予習していなくて、指されたらどうしようと**びくびく**している」

かさかさ ❶音 干からびてこわばったものなどが、こすれ合って発する軽い音。かさこそ。「**かささかさと**表の方に砂利道を

かさ・がさ

「かさ」は、かわいた軽いものがこすり合わさったり、他のものにふれたりしたときにたてる音を表す。「がさ」のように、濁音になると、重さと音の大きさが増し、不快な音を表すこともある。「かさかさ」も「がさがさ」も室町時代ごろに生じた表現で擬音語だが、あわただしいようすを表す擬態語としても用いられていた。

　また、水分があってあたりまえのものや、水分やうるおいがあるほうが望ましいものの水分がなくなってしまったときの状態を表す擬態語としても用いられ、乾燥してうるおいがなく、ささくれだったような肌のようすを表したり、食べ物などの水分がなくなって乾燥してしまった状態や、気持ちにうるおいがない場合にも用いる。心がかわいていることから、性格や行動などの粗雑なようすを表すこともある。「かさ」の「か」が濁音の「がさ」は使われるが、「さ」が濁音の「かざ」や「がざ」は使われていない。

【かさの語群】

かさかさ・がさがさ・かさこそ・がさごそ
かさっ・がさっ
かさり・がさり・かっさり・がっさり

「〜つく」で動詞となるオノマトペは、否定的な意味合いをもっている。「かさ」「かさかさ」は必ずしも否定的な意味をもっているとは言えないが、「かさつく」「がさつく」という場合の「かさ」「がさ」には否定的な意味合いがある。「きらめく」「ざわめく」など、「〜めく」で動詞となるオノマトペには否定的な意味をもつものも、そうでないものもあるが、「がさめく」の場合には、あたりを威嚇するように、気ぜわしく行動するといった、否定的な意味合いがある。

【表現】

　風で枯れ葉が動いて「かさかさ」と音をたてている場合は、同じような調子の音が続いているが、「かさこそ」だと音に変化があり、枯れ葉の動き方も一定ではない。耳の中で乾燥した耳あかが動いてたてる音も、「かさかさ」と同じ音が続くのではなく、「かさこそ」と音に変化があったり、「かさっ」と一回きりだったりする。

「がさごそ」「がさっ」になると、耳あかが大きいか動きが大きく不快感が増す。正体がわからず不安や恐怖を感じたり、耳障りな物音やきちんとしておらず乱雑なようすを表す場合には濁音が使われ、「がさがさ」「がさごそ」「がさくさ」「がさもさ」などという。

　冬季の乾燥や皮膚病で、手や肌が「かさかさ」になるのを防いだり治療するために使われるクリームなどは、肌を「すべすべ」「つるつる」「しっとり」とさせる。「かさかさ」は、肌の表面が荒れている状態と、水分が足りない状態とを表すが、「すべすべ」「つるつる」は表面のなめらかな状態を、「しっとり」はうるおいのある状態を表す。

　「がさがさ」は「かさかさ」よりも肌荒れの状態がひどく、皮膚もかたく、痛む場合もある。肌荒れの状態は一度きりということはないので、「かさっ」「がさっ」「かさり」「がさり」などは使われない。いずれにしても、肌の状態を表す場合には、「かさかさ」という清音であっても、好ましい状態ではない。

　江戸期の漢方医学書には、かさかさに「甲錯」、がさがさに「辟々」の字を当てて皮膚の状態を説明したものもある。（守山恵子）

踏む音がきこえて」〈苦の世界・宇野浩二〉

❷さま 干からびて、もともとあった水けや油けがうしなわれているさま。また、そのような感じがするさま。「額の皮膚が**かさかさ**と鱗のように乾いている」〈階級・井上光晴〉 ⬇使い分け「ぱさぱさ」

❸さま かわいてうるおいのない感じがするさま。態度・しぐさなどに感情がこもっていないさま。『**かさかさ**したことばづかい』「乾いて**かさかさ**の生活だから」〈記念碑・堀田善衛〉

がさがさ ❶音 水けがなく、薄いものなどが、騒がしくこすれ合って発する音。「**がさがさ**笹にさはる音がして」〈野菊の墓・伊藤左千夫〉

❷さま かわいて油けがなく、ひどく荒れはてているさま。『しわだらけの**がさがさ**の手』「**がさがさ**した縁の板敷に雑巾がけをしたり」〈爛・徳田秋声〉 ⬇使い分け「ざらざら」

❸さま 落ち着きがなくて騒がしいさま。こまやかな気づかいがなくて粗雑なさま。「例《いつも》この通り、**がさがさ**した私が、何ともその挨拶が口へ出ましなんだヨ」〈人情本―花筐〉

❹さま 中身が少なく、すきまだらけで整っていないさま。がらがら。『箱ばかり大きくて、中身は**がさがさ**だ』「小さな**ガサガサ**の商店町が世界の何大強国の一つと自称する大帝国の首都の一等道路であると予想出来なかったらう」〈読書放浪・内田魯庵〉

がさくさ さま 整っていないさま、乱雑なさま。「唐紙の根に**がさくさ**と積み寄せられてゐた」〈小鳥の巣・鈴木三重吉〉

がさこさ 音・さま 急いで大きくかき回したり乱暴に入れたりしてたてる、耳ざわりな音。また、そのさま。「郵便脚夫が門の郵便受函に**がさこさ**と手紙を入れて行った気勢《けはひ》がした」〈生・田山花袋〉

かさこそ 音 薄いもの同士がこすれ合ってたてる、かわいたかすかな音。かさかさ。「今朝から見るひまもなかった新聞を、**かさこそ**音を立てて」〈あらくれ・徳田秋声〉

がさごそ 音 薄いもの同士がはげしくふれ合って発する騒がしい音。「すると後の森の方で**ガサゴソ**と妙な音がした」〈郊外・国木田独歩〉「入口の土間で祖母が**がさごそ**と何か探してゐる」〈小鳥の巣・鈴木三重吉〉

かさっ 音 かわいたものなどが一瞬ふれ合ってかすかにたてる音。「袋と袋がすれ合って、**カサッ**て音を立てたりすることがあるが」〈路傍の石・山本有三〉

がさっ ❶音・さま かわいたものなどが一瞬ふれ合ってうるさくたてる音。ものが荒々しく動くさま。「ゴソッ、**ガサッ**といふ音が漸々《だんだん》近いて来やうで気になって成ない」〈郊外・国木田独歩〉

❷さま 一気にたくさん取り去るさま。ごそっ。『証拠書類を**がさっ**と運び出した』

がさもさ さま 乱雑なさま。落ち着きがなくて騒がしいさま。「何度も便所へ起き出して行き、**がさもさ**戻って来たかと思ふと」〈鶯・伊藤永之介〉

かさり 音 かわいた、ややかたいものなどが、瞬間ふれて発するかすかな音。「板塀に取附けてある郵便受箱に**カサリ**といふ音がした」〈水籠・伊藤左千夫〉

がさり 音 かわいたかたいものなどが、こすれ合ったり、踏まれたりして瞬間に発するざわついた音。「**がさり**と音を立てて枯薄の中へ仰向けに倒れた」〈虞美人草・夏目漱石〉

かし ⬇コラム「かし・がし・がじ」

かしかし ❶さま 古 きつく、かたく打ったり、締めるさま。「クギ、クサビナドヲ caxicaxito（カシカシト）シムル」〈ロドリゲス日本大文典〉

❷音・さま 古 ウマなどが軽やかにたてる足音。また、そのさま。「その時寄手の方よりも、駒**かしかし**とあゆませ出で」〈浄瑠璃―

コラム オノマトペのもと

かし・がし・がじ

「かし」「がし」は、ともに様態や動作が堅固なようすを表す。語頭音の清濁により語義に若干の違いがあり、清音形の「かしっ」は、ものが勢いよく何かに当たるさまを表すが、濁音形の「がしっ」は、勢いよくぶつかってくるものを確実に受け止めるさまを表す。

「がし」類は現代語での用法が比較的広く、いくつかの派生語形がある。たとえば「がっしり」は構造が頑丈でたくましいようすを表す代表的な語形である。また、反復形「がしがし」は、かたく確実であるさまといった中心的な意味から派生して、乱暴さや勢いのよさを表すこともある。

「がじ」も「がんじ」「がんじり」など、古語ではかたいようすや確実であるさまなどを表す

言葉として使われていたが、現代語で使われるのは、主に「がじがじ」の形で、ものをかむ音やふるえるようすといった意味を表す。

【かしの語群】

かしかし・がしがし・がじがじ
かしっ・がしっ
かっし・がっし・がんじ
かっしり・がっしり・がんじり
がしん・がっしん

	―(と)当たる	―(と)受け止める	―(と)した体格	―(と)かむ
かしっ	○	―	―	―
がしっ	○	○	○	○
がっしり	―	○	○	―
がしがし	―	―	―	○
がじがじ	―	―	―	○

【表現】

オノマトペには、語頭音の清濁によって意味に違いが生じる語のペアが多い。「かし」「がし」もその一例であるが、現代語では、濁音形の「がし」類のほうが、より豊富な表現を生み出しやすいようである。

「がしがし」は、もともと「かむ／洗う／こする／つぶす」など力を加える動作の表現と共起するオノマトペであるが、近ごろではこうした本来の共起制限にとらわれない新たな用法を見かけるようになった。

たとえば「がしがし読む」「がしがし働く」「がしがし稼ぐ」「がしがし買う」など、「がしがし」を用いた新たな表現の例は枚挙に暇《いとま》がない。こうした用例では、「稼ぐ／作る／使う／読む／進める／配る」といった、直接何かに力を加える動作を表さない動詞と共起して、勢いのよさを表す語として使われている。「一心不乱に」「躊躇せずに」「次々と」「大いに」などの副詞的表現によって表されていた語義を、「がしがし」一語に集約した表現だといえる。なかには「オヤジの余裕は高級グラスをあえてのサリ気のガシ使い」(『LEON』二〇〇六年一二月号、主婦と生活社)のように、語根「がし」を動詞と直接複合させた新たな用法も最近は見られる。これも「がしがし」と「使う」の結びつきが強まったことのよい例で、「がし」本来が持つ「手荒く(使う)」という意ではなく、「もったいぶらずに、普段に(使う)」といった意味であろう。

(那須昭夫)

公平つるぎのりっくゎ〉

がしがし ❶ さま 荒っぽく乱暴なさま。手荒くひっかいたり、かみくだいたりするさま。「彼は〈略〉干からびた細長い甘薯を見付け出して、直ぐ捥《も》ぎ取って**がしがし**と嚙んだ」〈虻・青木健作〉 ❷ さま 古 口やかましいさま。がみがみ。「女共めが毎日毎日何かに付けて、**がしがし**と小言を申すに依って」〈狂言―石神〉

がじがじ ❶ 音・さま 歯で、ものをはげしくかむ音。また、そのさま。「Gajigaji（ガジガジ）〈訳〉歯でかむ音」〈ロドリゲス日本大文典〉 ❷ さま 体が強く絶えずあおられるように痛むさま。心がひどくいらだち続けるさま。「頭が痛い。**がじがじ**痛い」〈小鳥の巣・鈴木三重吉〉 ❸ さま こきざみにはげしくこごえるようにふるえるさま。「敗戦日本といふよわり果てた肉体に、動脈が硬張って**がじがじ**震へてゐる」〈続女ひと・室生犀星〉

かしっ ❶ 音・さま かたいものが勢いよくぶつかる音。また、そのさま。「繰り返される歌に合わせ、鷺が羽を広げるたびに、カシッ、カシッと小気味のいい音」〈神々の祭り・鷺舞・毎日新聞・94・6・5〉 ❷ さま 整って、引き締まったさま。「ガチリと佩剣《はいけん》の腰を捌いて、框《かまち》の板に背後《うしろ》むきに、**かしッ**と長靴の腰を掛ける」〈日本橋・泉鏡花〉

がしっ ❶ さま 体、構造などが強くたくましいさま。がっしり。がっちり。「八畳の座敷は総栗の**がしっ**とした造りで」〈青井戸・秦恒平〉 ❷ 音・さま 勢いよくぶつかる音。また、ぶつかってくるものを、強く受けとめ、ゆるがないさま。がっぷり。「ミネラルウォーターの瓶が揺らいで、**ガシッ**と音をたてた」〈ヴァンサンカン・泉麻人〉

かしゃかしゃ 音 金属や氷など、硬質で小さいものや薄いものなどがこすれ合ったりぶつかって発するかわいたかすかな音。『マラカスを**カシャカシャ**と振る』「セロファン包みの**かしゃかしゃ**した音をさせて新しいガーゼの肌着に小町袖を載せ」〈流れる・幸田文〉

がしゃがしゃ ❶ 音・さま 耳ざわりで雑然とした感じの音。また、そのさま。「ミシンを**ガシャ・ガシャ**踏んでるのが、バカらしくなる時もあった」〈自由学校・獅子文六〉 ❷ さま 目も当てられないほど乱雑に散らかっているさま。『**がしゃがしゃ**に散らかった部屋』

がじゃがじゃ さま 何の秩序もなく乱れているさま。『おもちゃ箱を**がじゃがじゃ**にする』「意味のない**ガジャガジャ**の線を落書してゐた手を休めて」〈都会の憂鬱・佐藤春夫〉

かしゃっ 音 硬質で小さいものなどが、ふれ合ったときに発する、澄んでかわいた音。『**かしゃっ**とシャッターを切った』

がしゃっ 音 かたいものが一瞬でつぶれたり、ぶつかったりするときのはげしく大きな音。『自転車が**ガシャッ**と変形した』『倉庫の下ろし錠が**ガシャッ**とおりた』

がしゃぽん 名 子どもの集まる小売店などに置いてある玩具販売機の商標名。✹硬貨を入れてがしゃがしゃとハンドルを回すと、ぽんとカプセル入りの玩具が出てくるところから。「がちゃがちゃ」「がちゃぽん」とも。

かしゃり 音 硬質で小さいものなどが、ぶつかったり、ふれ合ったときに一瞬発する軽い音。『腕時計を**カシャリ**とはめた』

がしゃり 音 かたいもの同士がはげしくぶつかったり、こわれたりするときに出る大きな音。『電話の受話器を**がしゃり**と置いた』

かしゃん 音 かたいもの同士が、軽くぶつかり合うときの高い音。『**カシャン**とワイングラスが触れ合った』

がしゃん 音 かたいもの同士がぶつかり合うときに出る重く強い音。「京吉はいきなり、芳子の手から受話機をひったくって、ガシャンと切ってしまった」〈土曜夫人・織田作之助〉

がじゃん 音 かたくて重いものがぶつかったり、落ちたりしてたてる、にぶく大きい音。「がちゃんと、錠をおろして巡査が去ってから」〈大喧嘩・金子洋文〉

かすかす ❶さま うるおいのないさま。食べ物などに水分がなく、うまみのないさま。「手紙から顔を上げると、カスカスした低い声で、『〈略〉弔ひ合戦をやるんだ』と云った」〈蟹工船・小林多喜二〉「甘みがなくって、変に水けがあるくせに、かすかすしてゐた。きっと、できそこないのサツマイモだらうと」〈路傍の石・山本有三〉 ⬇使い分け「ぱさぱさ」

❷さま かろうじて基準や目標に達するさま。ぎりぎり。『かすかすで合格した』「私共は十一時間働いてかすかすの月給をとって」〈幸福の建設・宮本百合子〉 ⬇使い分け「かすかす」

がすがす さま 水分などがなく、もろくくだけ、こぼれ落ちるさま。「片側は石炭殻がガスガス頽れ落ちて来る暗い斜傾で」〈善心悪心・里見弴〉

かすっ 音 空気がもれるようなひそやかな音。『習いたてのトランペットなので、カスッと情けない音しか出ない』

がた さま 機械などを長く使い続けて調子がわるくなったさま。『がたがくる』「まえの車は最初の一年で七万キロ近く走ったから、だいぶガタが来てたんだよ」〈月は東に・安岡章太郎〉

✵組織・健康などの不安定な状況についてもいう。「がた車（ぐるま）」は、使い古して、がたがきている（＝不調になった）車のこと。「がた落ち」（急激に落ちること）、「がた減り」（急激に減ること）。「がた馬車」は、明治時代の乗り合い馬車の俗称で、がたがた音がすることから。

かたかた ❶音・さま かたいものが連続的にふれ合って発する軽い音。また、そのような音をたててゆらぐさま。「娘は赤いサンダルをかたかた鳴らしてタップをふみながら」〈岸うつ波・壺井栄〉「黄ろい大津の安壁貸家仕立の踏む度にカタカタするおかぐら二階」〈百夜・田山花袋〉

❷名 転がすと、①のような音がする玩具。

がたがた ❶音 かたいものがふれ合って発する、重く騒々しい音。「其処の横手の肱掛窓をがたがたと明けた」〈魔風恋風・小杉天外〉

❷さま 恐怖や寒さなどのため、はげしくふるえるさま。「五郎兵衛はがたがた震へて、返事もせず、身動きもしない」〈大塩平八郎・森鷗外〉 ⬇使い分け「がくがく」

❸さま ものごとが騒々しく、また、勢いよく行われるさま。『事件ががたがたと片づく』「威勢よくがたがたと下りて来た

使い分け

【共通の意味】限度に非常に近いようす。

かすかす ぎりぎり／すれすれ／かつかつ

❶**かすかす**は、「かすかすの成績でやっと卒業できた」のようにほとんど余裕がないようす。❷**ぎりぎり**はそれを越えると許容できないところまで来ているようす。「締め切りにぎりぎりで間に合った」「ぎりぎりまで価格を下げる」。**すれすれ**は、基準となるものに非常に近いようす。「カモメが水面すれすれのところを飛ぶ」「違反すれすれの危ない商売」❸**かつかつ**は、最低限度の乏しい状態でどうにかこうにかできるようす。「かつかつの生活だが、なんとか暮らせる」

一人の社員らしい男に」〈都会の憂鬱・佐藤春夫〉

❹**さま** 減ったり、ゆるんだりして、合わなくなっているさま。組織や健康などの具合が悪い状態におちいったさま。「**がたがた**の抽斗から出して来た、小さい名刺入の函に」〈桑の実・鈴木三重吉〉「長山博士だって、死んで一月も経てば、もう学校は**ガタガタ**するし」〈セルロイドの塔・三浦朱門〉

❺**さま** 騒々しく聞き苦しい不平を言ったり、騒ぎ回ったりするさま。『**がたがた**抜かすな』「心配する事ありませんよ。**がたがた**騒いだって、どの道《みち》場《ば》は建てなけりゃならねえんだ」〈金・宮嶋資夫〉

がたがたん **音** かたいものが転がったり、ふれ合ったりして、騒々しくひびきわたる音。「蜜柑の空箱を見事に一個、**ぐゎた、ぐゎたん**と引転覆《ひっくりかへ》しして」〈日本橋・泉鏡花〉

がたくさ **さま** とりこんでいるさま。騒々しいさま。混雑しているさま。「風が変ったから少し待て。荷は担ぎ出さずといいんだ。**ガタクサ**為るなてへ事ヨ」〈落語―素人茶道・春風亭柳枝〉

がたくり **音・さま** つっかえながら動き続ける音。また、そのさま。「建附の悪い格子を**がたくり**引開けて」〈二人女房・尾崎紅葉〉「老馬が喘ぎ喘ぎ鼻から息を吹き吹き脂汗を垂らして**ガタクリ**走ってゐたのが」〈読書放浪・内田魯庵〉

がたくりん **さま** つっかえて、いったん止まるさま。「車は凸凹道を踏みて、**がたくりん**と跌《つま》きぬ」〈義血侠血・泉鏡花〉

かたこと **音** かたいものが、ふれ合ってたてる小さな音。「子供が**カタコト**と唐紙をあけて半分顔を出して」〈枯菊の影・寺田寅彦〉

がたごと **音** かたくてすべりのわるいものが、ふれ合ってたてる騒々しい音。「**がたごと**と立てつけの悪い戸を開けて」〈苦の世界・宇野浩二〉

かたっ **音** かたいものが、急に動いたり、落ちたり、ぶつかったりしてたてる、かわいた軽い小さな音。「署長が役所へ出て出勤簿を検査して〈略〉ふうと一つ息をしたとき扉が**かたっ**と開いて」〈税務署長の冒険・宮沢賢治〉

がたっ ❶**音** かたいものが、急に動いたり、落ちたり、ぶつかったりしてたてる、かわいた重い音。「春吉君は、**がたっ**とこしかけをうしろへのけ、直立不動のしせいをとり」〈屁・新美南吉〉

❷**さま** ものごとが急に変わるさま。「不破数馬はがぶ飲みの故か、俄《はに》かに**がたっ**と参ってしまって、畳に伸びてしまった」〈ボロ家の春秋・梅崎春生〉「分娩後に、**がたっ**と来るであろうことは眼に見えていた」〈記念碑・堀田善衛〉

がたぴし ✹②は多く悪いほうに変わる場合に使う。

❶**音・さま** 造りが悪かったり、古くなったりした木造の家具、建具などがきしんでたてる、安っぽい音。また、そのさま。「歪みたる戸は、**ガタピシ**と開きぬ」〈火の柱・木下尚江〉

❷**音・さま** 混雑したり、ぶつかり合ったりしてやかましくたてる音。また、そのさま。「用事がつかへて気が忙くやうに**がたぴし**と味噌汁の鍋をかけたりして」〈小鳥の巣・鈴木三重吉〉

❸**さま** 人と人との関係、組織の管理、機械の動きなどが、円滑さを欠くさま。ぎこちないさま。「器械は**がたぴし**して来て、とうとう油をさしても動かなくなる」〈不思議な鏡・森鷗外〉「**がたぴし**の調子外れの演奏におどらされて」〈シベリヤ物語・長谷川四郎〉

がたぴしゃ ❶**音・さま** 造りが悪かったり、古くなったりした木造の家や家具、乗り物のたてる音。また、そのさま。がたぴし。「古い、**がたぴしゃ**のバスで」〈カールスバートにて・柏原兵三〉

❷**さま** ぎこちなく進むさま。「そして活動

写真が始まった〈略〉宮城、松島、江ノ島、京都…が、**ガタビシャ**ガタビシャと写って行った」〈蟹工船・小林多喜二〉

がたぴち 音・さま ものとものとがぶつかり合ったり、すれ合ったりして発する音。また、そのさま。「表の障子を**がたぴち**させ一さんに奥へ二人の子供が飛びこんできた」〈春の潮・伊藤左千夫〉「**がたひち**音をさせ、家の隅隅をぐるぐる雑巾がけをする」〈隣の嫁・伊藤左千夫〉

かたり 音 かたいものがぶつかってたてる軽くかわいた音。「やがて**かたり**と書物を置き易へる音がする」〈虞美人草・夏目漱石〉

がたり ❶音 重いものがぶつかってたてる騒がしい音。「急に其方を見向ける時、表の戸を**がたり**とあけて」〈化銀杏・泉鏡花〉

❷さま ものごとが急に動いたり、落ちたり、変化したりするさま。「**がたり**と調子の変った地味な森になる」〈虞美人草・夏目漱石〉

がたりびしり 音・さま 音をたててざわつくさま。「あの竹に取附き、**がたりびしり**とし給ふこそ見ぐるしけれ」〈義経記〉

がたりみしり 音・さま 重いものがぶつかるような大きい音や、板を踏むようなひそかな音などが入りまじっているさま。「折々**がたりみしり**と云ふ音が二階で為れば」〈多情多恨・尾崎紅葉〉

かたん 音 かたいものが落ちたり、ぶつかったりして軽くたてる音。「若菜家の格子の**カタン**と開く音」〈日本橋・泉鏡花〉

がたん ❶音 重いものが落ちたり、ぶつかったり、はずれたりしてたてる大きな音。「椅子が後ろへ**ガタン**と倒れた」〈暗夜行路・志賀直哉〉

❷さま ものごとが急に低調になったり、変わったりするさま。「『同じレベルでみんなの生活が**ガタン**と落ちたからじゃないかと思うんですよ』というのが薗部さんの意見だ」〈余録・毎日新聞・95・8・25〉

✵②は多く悪いほうに変わる場合に使う。

かたんかたん 音 かたいものがぶつかったとき、連続して出る音。『**カタンカタン**と鍋のふたが鳴っている』

✵一回ごとに小休止がはいったり、回転しているような感じを添える。

がたんがたん 音 重いものが落ちたり、ぶつかったりして、連続して出す音。車や機械などが、つっかえながら動くときに出す連続した音。「三助は空いた桶を**がたんがたん**と流しの一隅に片寄せて行った」〈生・田山花袋〉

がだんがだん さま 方言 急ぐさま。「**がだんがだん**、追いかけろ」〈山形県〉「**がだんがだん**、仕事をしろ」〈山形県〉

がたんこ 名 シーソーをいう幼児語。ぎったんばっこん。「川崎船と本船を、**ガタンコ**の両端にのせたやうに、交互に激しく揺り上げたり、揺り下げたりした」〈蟹工船・小林多喜二〉

かたんことん 音 かたいものがぶつかったとき、連続して出る音。『電車が**カタンコトン**と軽やかに走る』

✵軽くリズミカルな感じを添える。

がたんごとん 音 かたくて重いものがぶつかったときなどに、連続して出る音。「貨車というのは、バネジカケの緩衝機がついてないから、**ガタンゴトン**がきつく響いて」〈贈り物・丸谷才一〉

がたんぴしん 音 造りが悪かったり、古くなったりした木造の家具、建具などを開け閉めする際に出る音。「妹の出したお茶も飲まない無言のまま、**ガタンピシン**と戸棚を引開けて」〈二重心臓・夢野久作〉

かち ⇨コラム「かち・がち」

かちかち ❶音 かたいものが規則的に軽くぶつかってたてる軽くかわいた音。「柱時計がかかり、**かちかち**といふ音がし出した」〈夜明け前・島崎藤村〉

❷さま ものが非常にかたいさま。かたく感じられるさま。「オイ、こんな乾物が食へるか。**かちかち**して板のやうだ」〈別天地・

国木田独歩〉「風呂場は氷で**かちかち**光ってゐる。水道は凍り着いて、栓が利かない」〈永日小品・夏目漱石〉

❸さま ひどく緊張しているさま。性質などが融通のきかないさま。こちこち。「いつものおしゃべりもどこへやら〈略〉がたがた**かちかち**とふるえている有様」〈凍った言葉の伝説・渡辺一夫〉

❹さま ほぼ限界に近く、生活などに余裕のないさま。かつかつ。「四月の終り頃村へ帰ってくる。それはどの百姓も大抵さうした。―それで百姓の生活が**カチカチ**だった」〈防雪林・小林多喜二〉

がちがち ❶音 かたいものが、何度かぶつかり合ってたてる重い音。「鍵を**がちがち**やりながら戸を開けた」〈或る女・有島武郎〉

❷さま 寒さや恐怖のためにひどくふるえて歯の根も合わないさま。「薄い寝衣《ねまき》の冷へ渡って、与三は覚へず**ガチガチ**と震へた」〈良人の自白・木下尚江〉

❸さま これ以上ないほどひどくかたまったさま。融通がきかないさま。『**がちがち**の頑固頭』「おごりたかぶった心で握れば、シャリも**ガチガチ**に固まってしまうんだッ!!」〈美味しんぼ・雁屋哲〉

❹さま 時間や金銭に関する限界に達しているさま。「年が年中**がちがち**して居て鼻の先の観音さんへもろくろくお参りをせぬ様な者ばかりでは」〈春雨文庫・松村春輔〉『冗談ぢゃないよ、時間がないんだよ！』〈略〉**がちがち**の所でやっとその時は間に合ったが」〈舗道雑記帖・高田保〉

かちこち ❶音 かたいものが規則的に、軽くぶつかってたてるかわいた音。『時計の**カチコチ**という音が耳について眠れない』

❷さま ものが非常にかたくなっているさま。「**カチコチ**の硬い体がすうっと柔らかくなるように感じられた」〈NY発ヨガ・朝日新聞・04・10・16〉

❸さま 非常に緊張して動きがぎこちないさま。性質などが頑固で、融通のきかないさま。こちこち。『新郎は気の毒なほど**カチコチ**だった』

かちっ ❶音 かたくて小さいものが勢いよく打ち当たる、鋭い音。「壁際に立て掛けた竹箒が倒れて柄が**かちっ**と草刈籠を打った」〈土・長塚節〉

❷さま ちょうどよい具合にかみ合うさま。『**カチッ**とはまるまで押しこんでください』「二人の目が**かちっ**と合ってしまった」〈薪能・立原正秋〉

❸さま 冷たさを感じさせるほど引き締まったさま。まじめで几帳面なさま。「クリーム色の膚の、ほっそりと**カチッ**とした感じがどこかお能に出る女人を思はせる婦人」〈竹沢先生と云ふ人・長与善郎〉

がちっ ❶音・さま かたくて重いものが勢いよく打ち当たる、鋭い音。すきまなく強くかみ合う音。また、そのさま。「その男は、**ガチッ**と引鉄《ひきがね》を引いた」〈武装せる市街・黒島伝治〉

❷さま きわめて頑丈なさま。性質、構造などが厳格で、すきのないさま。『**ガチッ**とした研究を積み重ねていく』

かちゃかちゃ ❶音 うすい皿とか金属製のものなど、軽くかたいものが、いくつかふれ合ってたて続ける小さく高い音。「**かちゃかちゃ**と皿を鳴して立働く」〈藁草履・島崎藤村〉

❷音・さま ダイヤルをみぎひだりに回す音。何度も続けて切り替えるさま。『テレビ画面を**カチャカチャ**と切り替える』

がちゃがちゃ ❶音 陶器や金属など、重くかたいものが、何度もぶつかり合ってたてる騒々しい音。「屋根から茶碗が二つ三つ転がり落ちて**がちゃがちゃ**と砕ける」〈山彦・鈴木三重吉〉

❷音・さま ダイヤルを回す音。特に、テレビのチャンネルを続けて切り替えるさま。

コラム　オノマトペのもと

かち・がち

「かち」はとてもかたいようすや、かたいものがぶつかってたてるときの音を表す。濁音形の「がち」では、よりかたさが増し、ぶつかったときの衝撃も大きい感じを表す。

「かちかち」は、室町時代の『玉塵抄』に「火うちの石をかちかちと打ば」という表現が見え、中世には使われている。

「かち」「がち」を含むオノマトペには、多くの語群があるが、対象物に、自由に流動する水分が含まれておらず、とてもかたそうなようすを表す場合は擬態語であり、かたいものがぶつかってたてる音を模した場合は擬音語である。

かたいというイメージから発展して、「かっちりした人」「がちがちに緊張する」「がっちり屋」のように、人の性格が堅実なさま、すきやゆとりがないさま、抜け目がないさまにも使われる。

さらに、「かちんとくる」のように、相手の言動が、まるでかたいものが鋭く自分の感情にあたったように感じられて不愉快なさまにも使われる。

【かちの語群】

かちかち・がちがち
かちっ・がちっ
かちり・がちり・かっちり・がっちり
かちん・がちん・かっちん・がっちん
かっちんかっちん・がっちんがっちん

	お餅が—になる	ライターが—(と)鳴る	彼の態度に—とくる
かちかち	○	○	—
がちがち	○	○	—
かちっ	—	○	—
がちっ	—	○	—
かちん	—	○	○
かっちん	—	—	△
がっちん	—	—	—

	—(と)した服装	—(と)した体つき	—(と)握手する
かちっ	○	○	—
がちっ	—	○	△
かっちり	○	○	—
がっちり	—	○	○

【表現】

「かちかち」について、一九九九年に調理の専門家三一人に調査したところ、食感も見た目も表す語であり、餅やアイスクリームなどによく使われていた。食表現としてはどちらかといえばよくないイメージがある。

たとえば、パンや餅が古くなって、かちかちになってしまったら、決しておいしくはないし、かちかちに凍ったアイスクリームも、とても食べられない。国木田独歩の『別天地』では、軍艦での朝食の魚の干物がかちかちして板のようだと不快感をこめて使われている。

現在は、かちかちにかたい食べ物にかじりつく機会は少ない。そのせいか、一九九六年に首都圏で一般の人を対象として調査したところ、「かちかち」を食の表現だと認識する人は約半数しかいなかった。しかし、中高年の女性に限っては、食表現と認識する割合が高かった。これは、彼女たちが台所でかちかちの食材にしばしば苦労した経験があるからかもしれない。

現在は、かちかちの食材は食卓ではなく、台所で体験されることのほうが多いのかもしれない。

（早川文代）

かちゃかちゃ。『**ガチャガチャ**テレビ』（＝ダイヤルで操作をする旧式のテレビの通称）

❸ 声・名 クツワムシの鳴く声。また、クツワムシ。⬇鳴き声編

❹ さま 入りまじっているさま。雑然としたさま。ごちゃごちゃ。『**がちゃがちゃ**とあれこれ注文をつけるな』「その檸檬の色彩は**ガチャガチャ**した色の階調をひっそりと紡錘形の身体の中へ吸収してしまって」〈檸檬・梶井基次郎〉

❺ 名 ガムや玩具を販売する機具の商標名。→がしゃぽん。

かちゃくちゃ ❶ さま 方言 乱雑なさま。めちゃくちゃ。「がちゃもちゃ」ともいう。「**かちゃくちゃ**どす（乱雑だ）」〈青森県〉「書物を**がちゃもちゃ**に散らして」〈山形県〉

❷ さま 方言 気が晴れないさま。気持ちが落ち着かないさま。くさくさ。「がちゃくちゃ」ともいう。「毎日の雨で外さ出られねぇもの、**かちゃくちゃ**どす（とする）」〈青森県〉「彼来るど**がちゃくちゃ**でくて気疲える」〈秋田県〉

かちゃっ 音 金属などのかたいものが組み合わさったり、カギがかかったりするときの音。「**かちゃっ**とかちあふ音がした。助手があまり慌てたために、膿盤《のうばん》を〈略〉柱にぶっつけたのだ」〈惨めな戯れ・岡田三郎〉「両手にマラカスを持つと、**カチャッ**、**カチャッ**と鳴らしたりする」〈巷談本牧亭・安藤鶴夫〉

がちゃっ 音 陶器や金属など、重くかたいものが一度ぶつかってたてる音。「骨膜を剝がすエレバトリウムや肋骨刀やピンセットなどが互いに触れあって**ガチャッガチャッ**と音をたてる」〈海と毒薬・遠藤周作〉

がちゃぽん ❶→がしゃぽん。

❷ さま 方言 こわれるさま。「とうとう話は**がちゃぽん**になってしもうとる」〈福岡県〉

❸ さま 方言 反対であるさま。「もうくっどころが（もうけるどころか）**がちゃぽん**に損しとる」〈福岡県〉

かちゃり 音 小さくかたいものが一度ふれ合ってたてる、鋭い音。「**かちゃり**と小刀があたる度に」〈草枕・夏目漱石〉

がちゃり 音 かたいものが一度ぶつかってたてるにぶく重い音。「庭下駄で踏んだ。笛は**がちゃり**と云って砕けた」〈灰燼・森鷗外〉

かちゃん 音 小さくかたいものが、他のかたいものに打ち当たってたてるにぶく余韻のある音。「**カチャン**と澄んだ音がして、ガラスがこまかくこはれた」〈薄明・太宰治〉

がちゃん ❶ 音 ガラスや金属製などのかたいものが勢いよくぶつかったり、落ちたりしてたてる大きい音。ぶつかってものがはげしくこわれる音。『**ガチャン**と部屋のカギをかけた』「**がちゃん**と物の破《はこ》れたやうな音がしたので」〈多情多恨・尾崎紅葉〉

❷ 音 電話の受話器を乱暴に置く音。「**ガチャン**と邪見に受話器を掛け」〈暗夜行路・志賀直哉〉

がちょーん さま 大きくあてがはずれたり、あきれはてたさま。「銭湯の女湯に登場してしまった森進一みたいな顔になった。まさに**ガチョーン**である」〈十七歳だった！・原田宗典〉

✸ 一九六〇年代、テレビ番組でコメディアンの谷啓がコントのオチで使って広まった語。

かちり ❶ 音 小さくかたいものが、他のかたいものにぶつかったり、ふれてたてる、かすかで澄んだ感じの音。『**カチリ**と電気をつける音がした』「十銭銀貨を一枚床几の上へ**かちり**と投げ出して立ち上がる」〈草枕・夏目漱石〉

❷ さま ちょうどよい具合にかみ合うさま。「コンクリートの塀《へい》に添ふ並木の姿が彼の眼に**カチリ**と触れた」〈死のなかの風景・原民喜〉

がちり 音 かたいもの同士がこすれたり、ぶつかり合ってたてる強く大きな音。「私は〈略〉漸く自分の鶴嘴を**がちり**と鉱脈に掘り当てたやうな気がしたのです」〈私の個人主義・夏目漱石〉

かちりかちり 音・さま 金属など、硬質のものが規則的にぶつかってひびく音。また、几帳面に続けるさま。「植木屋はカナメの生籬《いけがき》など**カチリカチリ**と刈り込んで居る」〈売文集・堺利彦編〉

かちん ❶ 音 小さくかたいものが、他のかたいものに勢いよくぶつかってたてる、小さく鋭い音。「むかうの船に返事せず、此方の船に**くゎちん**とあたる」〈松翁道話〉

❷ さま 相手の言動が、気に障るさま。「親方の何かいったことに、すぐ唾を返したといふんだよ。─それが来たんだね、**カチン**と」〈ゆく年・久保田万太郎〉

✿多く「かちんとくる」の形で用いられる。

❸ さま まじめで几帳面なさま。「セビロ売場のマネキン人形の如く、**カチン**と身に合った新調の服を着て」〈泣虫記者・入江徳郎〉

がちん 音 重くかたいものが、勢いよくぶつかり合ってたてるにぶい音。「堅いものに**ガチン**とどたま（頭の事）打付《ぶつ》けて」〈鱧の皮・上司小剣〉

かちんかちん ❶ 音 軽くかたいものが何度もぶつかってたてる軽く鋭い音。「焼跡で、**かちんかちん**と金槌の音を響かせて」〈黒い雨・井伏鱒二〉

❷ さま 凍ったり干からびたりして、非常にかたくなったさま。かちかち。「何しろ零下三十五度乃至四十度といふ気温だから、手に取って見ると皆反っくりかへったまま**カチンカチン**になってゐる」〈通学物語・渋沢秀雄〉

❸ さま きわめて緊張しているさま。かちかち。かちんこちん。「それを見て、姪も、いっそう**カチンカチン**になる」〈三ちゃんも三ちゃんや・古山高麗雄〉

がちんがちん ❶ 音 重くかたいものが、何度も勢いよくぶつかり合ってたてる重くにぶい音。「巡査が、剣を**ガチンガチン**鳴らしながら」〈子をつれて・葛西善蔵〉

❷ さま 凍ったり干からびたりして、非常にかたくなったさま。人が緊張してかたくなったさま。『**ガチンガチン**に凍った湖』

かちんこ ❶ さま ものが非常に強くかたまったさま。「トタンの流しには、**かちんこ**になった飯粒のこびりついた飯茶碗が」〈歪んだ自画像・阿川弘之〉

❷ 名 映画撮影の際に用いる道具。打ち合わすことができる二本の棒の下に小さな黒板がついており、シーンやカット番号を書く。「例の**カチンコ**と称するものを打つ人だけは何か仕事しているように見えるけれど」〈百万人の映画知識・赤坂長義〉

✿②はカチンと音がすることから。

がちんこ 名 お互いに真っ向から組み合う真剣勝負。

かちんこちん さま ものが非常にかたくなったさま。きわめて緊張しているさま。かちかち。かちんかちん。「娘が**カチンコチン**に緊張している」〈愛さずにはいられない・柴門ふみ〉

かっ ❶ 音 痰《たん》やつばを勢いよく吐く音。「つばきを**かっ**と云て吐てすてるであとのさっぱりとする味の様に」〈雑話筆記〉

❷ さま 古 動作がはげしく強い勢いでおこるさま。「とかく商売は心ながふ、遊女狂ひは、急に、**くはっ**としたがよし」〈傾城色三味線・江島其磧〉

❸ さま 急に目や口を大きくあけるさま。「三年か間ふさいだる両眼を**くゎっ**と見開き」〈幸若─いるか〉

❹ さま 怒って逆上したり、恥じたりして、頭に血がのぼるさま。『すぐに**かっ**となる』「**カッ**と逆上せて耳朶が火の如くカッと潮紅《まっか》になり」〈怪談牡丹燈籠・三遊亭円朝〉

❺ さま 光が急に一段と明るくなるさま。

火の勢いが急に強くなるさま。「梅雨《さみだれ》の中に一日カッと晴れた日があった」〈田舎教師・田山花袋〉

がっ ❶音・さま 重みのある、またはとがったものなどがはげしくぶつかる音。また、そのさま。「手負ひの猛獣をいたはるつもりで、傷口に手をやりガッと嚙みつかれたと同じ按排である」〈故旧忘れ得べき・高見順〉

❷さま 動作がはげしく強い勢いで行われるさま。「息をつめ、がっと眼をむいたままであった」〈江戸忍法帖・山田風太郎〉

かっか ❶さま 光り輝くさま。非常に明るいさま。「海底の珊瑚枝まで日が**かっか**と照して」〈巨海代抄〉

❷さま はげしい熱で熱くなるさま。火が盛んにおこるさま。「**かっか**と燃え照ってゐる強い瓦斯の下に」〈あらくれ・徳田秋声〉 ⬇使い分け「めらめら」

❸さま 体が燃えるように熱くなるさま。怒りや不満などで興奮するさま。「酒で胸元が**カッカ**とするのを感じながら」〈故旧忘れ得べき・高見順〉「なんぼおとなしいワシでもな、**カッカ**するときはカッカする」〈笹まくら・丸谷才一〉

❹さま 古 景気がよいさま。気前のよいさま。「昔の**くはっくは**に引かへて御不自由なお住居」〈浄瑠璃―難波丸金鶏〉

❺声・さま 愉快そうに大声で笑うさま。「義介は焼酎をあおると、**カッカ**と声をたてて笑った」〈霧の中・田宮虎彦〉

かっかっ ❶音 靴音やウマのひづめなどの軽快に鳴りひびく音。「ああ蹄の音も**かっかっ**として私はうつつにうつつを追ふ」〈青猫・萩原朔太郎〉

❷さま 光り輝くさま。非常に明るいさま。火が盛んにおこりたつさま。「大きなかなぐしを〈略〉**かっかっ**と石炭がもえている中へ、つっこみました」〈アラビヤンナイト・菊池寛〉

❸さま しだいに上気するさま。逆上するさま。「まださめきっていない侮辱感が、あらためて身内に**かっかっ**と燃え立ってくるのだった」〈後裔の街・金達寿〉

❹さま 勢いの盛んなさま。また、景気のよいさま。「激水とは水をせいて**くゎっくゎっ**と流すことぞ」〈蒙求抄〉

❺さま 息を荒くつくさま。「鬼だまいに**くはっくはっ**と、ため息ついてぞひかへたる」〈浄瑠璃―日本振袖始・近松門左衛門〉

かつかつ ❶音 かたいものがぶつかり続けるかわいた音。こつこつ。「堅い嘴を**カツカツ**とうちならして」〈ビルマの竪琴・竹山道雄〉 ⬇漢語編「かつかつ〈戛戛〉」

❷さま ある事態がどうにかこうにか成り立つさま。限度いっぱいのさま。「おくみ一人の口を立てるのに**かつかつ**ぐらゐなわけだったので」〈桑の実・鈴木三重吉〉「ハマは、やっと時間**かつかつ**に間に合ったのを欣《よろこ》びながら」〈湘南電車・井上友一郎〉 ⬇使い分け「かすかす」

✹②は「かっつかっつ」「かっつかつ」ともいう。多く暮らし向きについて用いる。「且《か》つ且《が》つ（＝不十分ながら成り立つさま。且つは耐えるの意）」の変化した語か。

がっがっ ❶音 かたいものやとがったものなどが続けて強く打ち当たったり、削れたりする鋭い音。『氷壁を**ガッガッ**とけずった』

❷音 重いもので続けて強くたたきつけるような音。「此折から譬へば荒滝を寸々《ずたずた》に切って落すやうな、**がっがっ**といふ響がした」〈湯島詣・泉鏡花〉

❸声 鳥の鳴く声。「虫がないて、五位鷺の群が**がっがっ**と鳴きわたる夜が多くあった」〈銀の匙・中勘助〉

がつがつ ❶さま 欲望のままに食べ物をむさぼり食うさま。自分の欲望をひたすら満足させるさま。「餓ゑ切った痩せ犬が不時の食にありついたかのやうに彼は**がつがつ**と忽ちの間に平げて了った」〈小僧の神様・志賀直哉〉 ⬇使い分け「ぱくぱく」

❷さま 満たされない気持ちを強く表に出

すさま。「余りにガツガツと不平ばかりこぼして人を羨む者は」〈竹沢先生と云ふ人・長与善郎〉

がっかり ❶さま 落胆したさま。失望したさま。がっくり。「彼限《あれき》りお出でが御座いませぬので、**落胆**《がっかり》いたして居りましたが」〈歌舞伎―籠釣瓶花街酔醒・河竹新七〉 ⬇使い分け「がっかり」

❷さま ひどく疲労するさま。張りつめていた気が一時にゆるんで、元気が抜けるさま。がっくり。「一日起ち続けで日が暮れると**疲労**《がっかり》して座睡《ゐねむり》が出て来るの」〈くれの廿八日・内田魯庵〉

かっき ❶音古 弓から矢が放たれるときの音。矢が鋭く刺さったときの音。「きりきりきりと引しぼり、しばしかためて**かっき**とはなし」〈浄瑠璃―百合若大臣野守鏡・近松門左衛門〉「矢ふみ一すじ飛来って、茶屋が柱に**かっき**と立」〈洒落本―淫女皮肉論〉

❷さま古 たしかに見てとれるさま。かっきり。はっきり。「ひたいのきず、**かっき**としたる事也。おもてきずなれば、もししまばら陣の時分、手がらなどありたるにやと、心にくし」〈評判記―難波物語〉

がっき 音・さま はげしくぶつかって、かみ合う音。また、そのさま。がきっ。『太刀を**がっき**とうけ止める』「仲々実の入った勝負だ。双方左に**ガッキ**と組んでゐる」〈蚤の市・石黒敬七〉「正面《まとも》に、**ガッキ**とばかり視線を合はせて」〈大道無門・里見弴〉

かっきし さま 正確で過不足がないさま。「十時**かっきし**に」〈ことばのくずかご・見坊豪紀〉
✿「かっきり」のくだけた言い方。

かっきり ❶さま 区別の明瞭なさま。他との区別がきわだってあざやかなさま。きっぱり。はっきり。「由比が浜に砕ける波が闇に**カッキリ**と白い線になって見え」〈痴人の愛・谷崎潤一郎〉

❷さま 時間や数量などが正確に合っていて、過不足がないさま。ちょうど。きっかり。「十二時**かっきり**に午飯を食ふ積で」〈彼岸過迄・夏目漱石〉

❸さま 動かないように固定するさま。がっきり。「『八っちゃん、吐くんですよう』婆やは八っちゃんを**かっきり**膝の上に抱き上げて又背中をたたいた」〈碁石を呑んだ八っちゃん・有島武郎〉

がっきり さま 重いものを力を込めて受けとめたり、固定するさま。「**がっきり**と渡瀬を抱きとめた」〈星座・有島武郎〉「儒教的禁欲主義がそれに対しては**がっきり**とブレーキをかけたのだ」〈森鷗外・高橋義孝〉

かっくり ❶さま 急に元気がなくなったり、死んだりするさま。「なにか熱中の出

使い分け

【共通の意味】
気持ちが沈んでいるようす。また、そのような気持ちが態度に表れているようす。

がっかり
しょんぼり／すごすご／つくねん／ぽつねん／悄然

❶**がっかり**は、期待がはずれて沈んだ気持ちを表す。「楽しみにしていた旅行が取りやめになり、**がっかり**した」❷**しょんぼり**は、気持ちが沈んでさびしそうなようす。「訪ねてきていた家族を空港に見送って、**しょんぼり**と寮に帰った」❸**すごすご**は、元気をなくしてその場から離れるようす。「腕相撲大会に張り切って出たものの、一回戦で負けて**すごすご**引き揚げた」❹**つくねん**、**ぽつねん**はひとりでさびしそうなようす。**つくねん**は何もしないでぼんやりしているようす。「ひとりで部屋のすみに**つくねん**とうずくまり、もの思いにふける」。**ぽつねん**は周りから離れてひとりぼっちでいるようす。「校庭のすみに**ぽつねん**と立って、皆の遊ぶのを見ている」❺**悄然**は気落ちしたようすの漢語。「不合格の通知に、**悄然**と肩を落とした」

来るようなおもちゃを持たせていないと、**かっくり**、不意に死んじゃうんじゃないかと」〈巷談本牧亭・安藤鶴夫〉

❷さま ものや体が急に軽い感じで折れ曲がったり、傾いたりするさま。「笄《かうがひ》を抜くと島田髷が**カックリ**下り」〈落語―姫かたり・三遊亭円遊〉

がっくり ❶さま ものや体が急に強く折れ曲がったり、くじけたりするさま。「遂に両膝を**がっくり**と折って坐り込む」〈女猿・田中千禾夫〉

❷さま 折れるように、いきなり首が前に傾いたり倒れたりするさま。「『謙さん』といへるがまま、**がっくり**横に僵《ふた》れたり」〈琵琶伝・泉鏡花〉

❸さま 時間的または量的に、前との差がはげしいさま。急に。いきなり。一度に。「頬肉《ほほじし》**がっくり**と落ち、小鼻が出て」〈婦系図・泉鏡花〉

❹さま 張りつめた気が一時にゆるんで、元気が抜けるさま。がっかり。「**がっくり**と急に気落ちのした感じ」〈ゆく年・久保田万太郎〉

かっくりかっくり さま 体や頭が前後に何度も動くさま。居眠りするさま。こっくりこっくり。『演奏中に、**かっくりかっくり**と船をこいでいた』

がっくりしゃっくり さま古 動きが角張っているさま。「鮫肌突く様で刺す様で、しっくりぼっくり、**がっくりしゃっくり**寝返りうったら寝られまいと」〈浄瑠璃―日本振袖始・近松門左衛門〉

がっくりそっくり ❶さま古 釣り合いのとれないさま。くいちがうさま。「あちらをほんの菅原ぢゃというて、今又私を菅原ぢゃの、いや見ぬ恋に風ひいたのと、**がっくりそっくり**な物の言ひやう」〈浄瑠璃―一谷嫩軍記〉

❷さま古 不細工にゆがんでいるさま。「ええ、**がっくりそっくり**と歪《がい》んだ荒神様ぢゃ」〈歌舞伎―幼稚子敵討・並木正三〉

❸さま古 足をひきずって歩くさま。でこぼこ道などを歩くさま。「山道の、**がっくりそっくり**だくぼくの、脚《ねす》引ずって迫て行」〈浄瑠璃―祇園女御九重錦〉

かっくん ❶さま 急に軽く折れたり、曲がったりするさま。軽い衝撃をうけるさま。『武者人形の腕が、**かっくん**と折れた』

❷さま 元気が抜けたり、拍子抜けするさま。期待がかなえられずに落胆、失望するさま。「案外、調子がよかったところへ、あれで**カックン**とやられました」〈問答有用・徳川夢声〉

※②は、一九五七年ごろ、コメディアンの由利徹が「ちんちろりんのかっくん」の語で流行らせた。

がっくん さま 力や緊張が急激にゆるんで、折れたり、曲がったりするさま。落胆や失望するさまにもいう。『この先で、道が**がっくん**となっているから、気をつけて』『首が**がっくん**とたれた』

かっこー 声 カッコウの鳴く声。⇒鳴き声編

かっさり 音古 爪などでものをひっかく音。「**かっさり**は爪にて物をかくをと歟」〈かた言〉

がっさり ❶音 ものが荒々しく倒れる音。障子などを手荒くあける音。「**がっさり**は、障子など俄にあらくあくる音歟」〈かた言〉

❷さま 荒々しいさま。大まかなさま。『従業員が**がっさり**減ってしまった』「惣体付合ふて面白きは誹諧にあそぶ人なり。しかし万事うがちたるものにて、**ぐゎっさり**とするゆへ、あたりつけぬ人はびくびくする物じゃ」〈洒落本―列仙伝〉「ごっそり」⇒使い分け

かっし 音・さま古 かたいものがぶつかってたてる、かわいた音。また、そのさま。かしっ。「真向みぢんと打てかかるを、襟にさしたる如意を持、右手に**カッシ**と請と

める」〈七偏人・梅亭金鵞〉

がっし さま 重みのあるものを力を込めて受けとめるさま。「裸の胸に、**がっし**とばかり春代を抱き締めてゐた」〈今年竹・里見弴〉

がっしゃん 音 かたいもの同士がこわれるぐらいにぶつかり合う音。『車が電柱に**がっしゃん**とぶつかる』

かっしゃんかっしゃん 音 かたいもの同士が、軽く規則正しくぶつかり合うときの音。「借りものの機《はた》を据ゑつけ、**カッシャン、カッシャン**とやりはじめた」〈だるまや百貨店・宮本百合子〉

かっしり 音 古 かたいものが、強く打ち当たる音。「刀の鍔にて眉間**くゎっしり**、流るる血汐、ヤわりゃ男の面に疵付けたな」〈浄瑠璃―糸桜本町育〉

がっしり ❶ さま 体、構造などが強くたくましいさま。ゆるぎのないさま。「試験制度でまもられた国家体制がそれほど**ガッシリ**出来上っていて」〈聊斎私異・安岡章太郎〉

⬇使い分け「がっちり」「ごつごつ」

❷ さま 事を確実に、正面から行うさま。「そういう危機感を、**がっしり**と受けとめて」〈文学の根本問題・中島健蔵〉「やるときは、**がっしり**やれってさ」〈死者の遺したもの・李恢成〉

がったがた さま ものの骨組みなどがこれ以上いったらこわれるしかないほどゆるみきったさま。組織や健康などの具合がわるい状態におちいったさま。『社長が逮捕されて、会社が**がったがた**になる』

がったがった ❶ 音 かたいものがぶつかってたてる、大きく騒がしい音。『**ガッタガッタ**と台車をひいていった』「仮屋のあゆみ、**ぐはったぐはった**ふみならして引かへし」〈浄瑠璃―曾我会稽山・近松門左衛門〉

❷ さま ものがはげしくぶつかるさま。大きくゆれるさま。『車体が**ガッタガッタ**と大きく揺れた』「我らが胸さきにかゝらうすのさほ程よこたはり、**ぐはったぐはった**といためるは、此うつくしいお姿」〈浄瑠璃―日本武尊吾妻鑑・近松門左衛門〉

かったり 音 古 かたいもの同士が一度ぶつかってたてる軽くかわいた音。「暖簾には縁の木があって、重ほどに、**かったり**と云わぬやうに、手をつけて、そっとあげよぞ」〈百丈清規抄〉

がったり ❶ 音 ものが倒れたり、ゆれたりしてたてる大きくひびく音。「天窓《あたま》の上で**ガッタリ**音して」〈国貞ゑがく・泉鏡花〉

❷ さま 目に見えて衰えるさま。ひどく弱っているさま。がっくり。「小林氏が帝国館を手に入れて、キネマカラーが其の方にも出る様になってから、キリン館は又も**ガッタリ**となって了った」〈夢声半代記・徳川夢声〉

❸ さま 古 思いきったことをするさま。豪勢なさま。「随分金銀を惜しまず、**ぐはったり**とした遊びをして」〈傾城禁短気・江島其磧〉

❹ 名 歌舞伎の鬘《かつら》の仕かけの一つ。髷《まげ》の根のところに栓《せん》が差しこんであり、演技中にその栓を引くと、髷の根がゆるんで後ろへがっくり落ちるもの。「弁天小僧」浜松屋の場や「忠臣蔵」六段目の勘平などで使われる。

かったん 音 かたいものがぶつかったり、はずれたりしてたてる軽く明るい音。『モップが**カッタン**とひとりでに倒れた』

がったん ❶ 音 重くてかたいものが動くときに、ぶつかったりはずれたりしてたてる重くにぶい音。「**がったん**、電車は、ひとつ大きくゆれて」〈狂言の神・太宰治〉

❷ 音・さま 重いものが落ちたり倒れたりする音。ものごとが急に悪いほうへ傾くさま。『休憩のあと、スコアが**がったん**と落ちた』

がったんがったん 音 重くてかたいものが、連続してぶつかったり、はずれたりしてたてる音。「只今明けます。と石の鈎してある門を**がったんがったん**と明ける」〈怪談牡丹燈籠・三遊亭円朝〉「**がったんがったん**と懈《だる》い音を立てて水車が一日廻ってゐ

たが」〈爛・徳田秋声〉

かったんこっとん 音 かたいものを強く打ち合わせたときの軽くひびく明るい音。「風車が、青空に白い羽根をゆるゆる動かしながら、**かったんこっとん**と呑気らしく音を立てて廻ってゐた」〈或る女・有島武郎〉「監視の一人が退屈さうに**カッタン、コットン**、カッタン、コットン、故《わざ》と靴で調子を取りながら」〈暗夜行路・志賀直哉〉

がったんごっとん 音 かたくて重いものが、規則的に回ったりぶつかってたてる音。『**ガッタンゴットン**と夜列車にゆられていく』

かっち 音 かたいものを一度強く打ち合わせたときの鋭くひびく高い音。『矢印の方向に**カッチ**という音がするまで回します』

かっちかち さま ものが非常にかたいさま。また、そう感じられるさま。『**かっちかち**のフランスパン』

かっちかっち 音 かたいものが規則的に、軽く打ち合ってたてる高い音。「**カッチカッチ**と時計の刻む音もするのだ」〈苦の世界・宇野浩二〉

かっちゃん 音 小さくかたいものが、他のかたいものに打ち当たったり、部品などがはめこまれてたてる鋭い音。『シートベルトを**かっちゃん**とはめた』

がっちゃん ❶ 音 ガラスや金属製のもの、かたいものなどが、はげしくぶつかったり、こわれるときに発する、大きく耳にひびく音。「**ガッチャン**と烈しい音と共に車体が大《おおき》く波を打って止まった」〈正義派・志賀直哉〉 ❷ 音・さま 機械などで刻印したり、綴《と》じつけたりする音。また、そのさま。『番号を**ガッチャン**と打刻する』

かっちり ❶ 音 小さくかたいものがぶつかってたてる、軽く明るい音。「時計も心なき陰の鉄《くろがね》なれども、**かっちり**といふ陽の拍子の声出《いで》て」〈仮名草子―ぬれぼとけ〉 ❷ さま ものがかたく引き締まっているさま。ものごとが正面から合わさって、すきまのないさま。「太っては居なかったが、**かっちり**した身体で」〈お目出たき人・武者小路実篤〉「**かっちり**ぶつかった目と目」〈今年竹・里見弴〉 ❸ さま 時間などが正確なさま。「四つ**カッチリ**に締めるのだけれども、半夜や一時は猶予して有るのだ」〈落語―団子平・桂文治〉

⬇使い分け「きっかり」

がっちり ❶ さま 体格やものの構造、体系、組織などが、強く引き締まってゆるぎないさま。がっしり。『**がっちり**した椅子』「**がっちり**した保守派の壁には到底かなひやうがない」〈鴨長明・唐木順三〉「寝室の鍵をやはり**ガッチリ**と掛けて、その上か

使い分け

【共通の意味】**ゆるみがなく固定されているようす。**

がっちり

しっかり／がっしり

❶**がっちり**、**しっかり**、**がっしり**は、建物やものの組み立てが、堅固で安定しているようす。**がっちり**は、「大きな石を**がっちり**と組んだ城の石垣」のように組み立てや結合に緩みがなく確実で頑丈なようす。**がっしり**は、「**がっしり**と重厚なたたずまいの屋敷」のように、構造が堅固で重みのあるようす。❷かたく結合している場合には、**しっかり**、**がっちり**を使う。「人ごみの中で子どもと**しっかり**手をつなぐ」「**がっちり**と握手する」❸**しっかり**は、性格、記憶や判断、技術、仕事のやり方など、さまざまな事柄について使う。「秘書が**しっかり**しているから安心だ」「昔のことを**しっかり**覚えている」。**がっちり**は、金銭的に抜け目のないようす。「**がっちり**しているから、なかなか金を出さない」

ら今一つ差込の閂《かんぬき》まで卸すと」〈三重心臓・夢野久作〉 ➡使い分け「がっちり」「ごつごつ」

❷さま 抜け目がないさま。ずうずうしくて押しの強いさま。『**がっちり屋**』「うちの社長ったら、**がっちり**してゐますからね」〈斜陽・太宰治〉

✲②はやや非難、軽蔑の意を含むこともある。強く握って放さないという意から出た語。➡使い分け「しっかり」

かっちん 音 小さくかたいものがぶつかってたてる軽く高い音。『スナップを**カッチン**とはめる』

がっちん 音・さま 人やものなどがぶつかってたてる重たげな音。強く締まるさま。『金具で**ガッチン**と留めておく』

かっちんかっちん ❶音 軽いものが規則的にぶつかってたてる軽く高い音。「とけいはあさから**かっちんかっちん**」〈唱歌—とけいのうた・筒井敬介〉

❷さま ものが凍ったり干からびたりして、非常にかたいさま。『**カッチンカッチン**の冷凍みかん』

❸さま 緊張して、態度がかたいさま。『人前で極度に**かっちんかっちん**になる』

がっちんがっちん ❶音 規則的にものがぶつかってたてる、力強く重い音。「懸時計が**ガッチンガッチン**と懶げに振子を動かしてゐるばかりで」〈桐畑・里見弴〉

❷さま ものが凍ったり干からびたりして、これ以上にはならないぐらいかたいさま。『**ガッチンガッチン**の鏡餅』

❸さま 緊張して、態度がかたいさま。『**ガッチンガッチン**で声も出ない』

かっちんこっちん ❶音 時計が規則的に時をきざむ音。「枕元の時計の音が『**カッチン**、**コッチン**、カッチン、コッチン、ナッシン・バッタテーラ』といふ風に聞こえた」〈音楽的映画としての「ラヴ・ミ・トゥナイト」・寺田寅彦〉

❷さま 極度に緊張して動けないさま。かちんこちん。『**かっちんこっちん**に肩がこる』

かつっ 音・さま 小さいもの、細くてかたいもの、とがったものなどが強く打ち当たったときの鋭い音。また、そのさま。『車が道の小石を**かつっ**とはじいた』

がつっ 音・さま 小さいもの、少し幅があるものなどが強く打ち当たったときの重くてにぶい音。また、そのさま。『頭にテニスボールが**がつっ**と当たった』

かっつかつ さま かなり限界に達しているさま。「母さんと二人で喰って行くのが**かっつかつ**だぜ」〈あくる朝の蟬・井上ひさし〉

がっつり ❶さま 体力や気持ちが急激に弱まるさま。がっくり。「去年の僂麻質斯《リウマチ》で**がっつり**弱り申した」〈不如帰・徳冨蘆花〉

❷さま 万全の態勢をとるさま。『試合の前に**がっつり**食べた』

❸さま 方言 過不足なく適合するさま。九州地方・沖縄県。「勘定してみたら**がっつり**じゃった」〈宮崎県〉

かっつん 音・さま かたいものに、小さいかたいものが一度打ち当たったときなどに出る軽快な音。また、そのさま。『ヒールの音が**カッツン**と響いた』

がっつん 音・さま かたいもの同士が勢いよくぶつかる音。強い衝撃をうけるさま。『出会い頭に**がっつん**とぶつかった』

かっぱ ❶音・さま 古 勢いをこめてものごとをするさま。はげしい音をたてるさま。がば。「持ちたる兜を**かっぱ**と投げ捨て」〈謡曲—羅生門〉

❷さま 古 はげしい勢いで、急に倒れ伏したり起き上がったりするさま。がば。「いづくに大蛇のあるべきぞと、祈り祈られ**かっぱ**と転《まろ》ぶが」〈謡曲—道成寺〉

がっはっは 声・さま 大声で余裕をみせるように豪快に笑う声。また、そのさま。『まかせたまえ。**がっはっは**』

がっぱり ❶さま 古 力を落とし、元気をな

くしたさま。がっくり。「嫁《よめ》らして夜すがら母のがっぱりと」〈雑俳―若紫〉
❷ さま 方言 一致するさま。ぴったり。「その提案、この前彼が話してだごどがっぱりだ」〈秋田県〉
❸ さま 方言 多いさま。はなはだしいさま。すっかり。「むげ（向こう）の思うつぼさがっぱりはめらえでしまた」〈秋田県〉

かっぷ さま 古 急に倒れ伏すさま。かっぱ。「もとよりしした弁慶でかれ木をたをすごとくにかっぷとまるびけり」〈幸若―高たち〉

がっぷり さま かたく組み合ったり、かみついたりするさま。「くちばしを一ぱい広げて**がっぷり**枝先に喰いついた鴉が」〈夢の中での日常・島尾敏雄〉

かっぺかっぺ さま 方言 かたまってこわばるさま。「かっぺかっぺ」ともいう。青森県・栃木県・北陸地方・岐阜県。「柿のシブ（渋とり）したら手が**かっぺかっぺ**になった」〈福井県〉「長いこと洗わんもんやさかいに（洗わないものだから）**かっぺかっぺ**んなっとる」〈石川県〉

かっぽかっぽ 音 うつわ状のものが平面とついたり離れたりするときなどに出る軽快な音。『ウマのひづめを**かっぽかっぽ**いわせて進む』

がっぽがっぽ さま 金銭などが一度にたくさん手にはいったり、もっていかれたりすることが、勢いよく続くさま。「売り出したら、おめえ、**ガッポガッポ**、カネが儲かるぞったら」〈駐車場物語・柳家小三治〉

がっぽり さま 金銭などが、一度にたくさん手にはいったり、なくなったりするさま。「俺たちのため、人民同盟のために、なお一層**がっぽり**稼いでくれ」〈われら戦友たち・柴田翔〉 ⇩使い分け「ごっそり」「しっかり」

かっぽん 音 中が空洞のものがかたいものに一度ぶつかってたてる音。びんの栓などが一気に抜ける音。『**カッポン**と、鹿威しの音が聞こえてくる』

かっらかっら 声・さま 古 強弱をつけながら豪快に高く笑う声。また、そのさま。→かんらかんら。「為成**からからから**とわらひ」〈浄瑠璃―花洛受法記・近松門左衛門〉

かつん ❶ 音 かたいものに、小さいかたいものが打ち当たったときなどに出る軽くひびく音。『窓に**カツン**と合図の小石が当たった』
❷ さま 相手の言動が、自分の気にさわって不愉快に思うさま。かちん。「教えたろうという態度で来よる。これがいかん。**カツン**ときます」〈青い月曜日・開高健〉
✤多く「かつんとくる」の形で用いられる。

がつん 音・さま かたいもの同士が勢いよくぶつかる音。強い衝撃を与えるさま。『がつんと一発おみまいしてやった』 ⇩使い分け「きっぱり」

かなかな 声 ヒグラシ（セミ）の鳴く声。 ⇩鳴き声編

かぱ ⇩コラム「かぱ・がば・がぱ」

がば ❶ 音・さま はげしい物音や力鋭く貫く音。また、そのさま。
❷ さま 大きな動きを伴った動作を突然、はげしく行うさま。→がばっ。「口を**がば**とあき、飲みけりとなん」〈咄本―醒睡笑〉「彼は、**瓦破**《がば》と起き上ると」〈恩讐の彼方に・菊池寛〉

かぱかぱ ❶ さま 干からびて、水けや油けがなくなり、こわばっているさま。「ひからびた血で薄絹地は**かぱかぱ**になってゐた」〈血・岡田三郎〉
❷ さま サイズが大きめで、ゆるくて固定しなかったり、すぐにはずれるさま。『**かぱかぱ**の長靴』

がばがば ❶ 音・さま 水などがはげしくゆれ動いてたてる音。水が勢いよく流れ出る音。また、そのさま。「此のお医者は泅《およ》ぎを全《まる》っきり知りません〈略〉是れから**ガバガバガバガバ**と、漸やくのことで向ふの岸の堤《どて》の傍へ来て」〈落語―泅の医師・初代三遊

かぱ・がば・がぱ

「がば(っ)」は、急に大きく体勢を変えたり、勢いよく行動を始めたりするようすを表し、起き伏しの描写に使われることが多い。また、大量のもの(液体・小さな粒状のものなど)を一度に動かす場合にも用いられ、特に飲食物や金銭の摂取・獲得に関して言及する例が目立つ。「がばがば」と繰り返すと、連続性が出るため、起き伏しの描写には使われない。

「かぱ(っ)」は、あまり日常的に用いられないが、「がば」に比べて移動の対象が軽く、量も少ない。「か(っ)ぱか(っ)ぱ」は、「がばがば」と同様に、多量の液体を立て続けに飲むようすを表すが、「か(っ)ぱ」のほうは、一杯を空けることを繰り返すというニュアンスが出る。

どれも基本的には擬態語だが、まれに、「〜と音をたてて」というような表現で、擬音語としても用いられる。

さらに「がばがば」は、薄いものが乾燥したり凍ったりして板状にこわばったようすを表す場合や、服や靴が大きすぎて中身が動いてしまう感じを表す場合があり、これらの意味では、「がばがば-だ(な・に)」という形容動詞としても使われる。

「かぱかぱ」にも同様の用法があるが、やはり軽さ、小ささが含意される。

【かぱの語群】

かぱかぱ・がばがば・がぱがぱ
かぱっ・がばっ・がぱっ
かっぱ・がっぱり・がばり
かっぱかっぱ・がっぱがっぱ

	―と起きる	―(と)飲む	―(と)儲ける
かぱっ	―	○	―
かぱかぱ	―	○	―
がばっ	○	○	○
がばがば	―	○	○

【表現】

現代語ではふつう用いられない「かっぱ」は、一三世紀ごろの軍記物語などに用例が見られ、勢いよくものごとを行うさまや、急に起きたり倒れたりするようすを表す。近世初めの「御伽草子」やキリシタン文献などにも例が見られるが、江戸時代に入ったころから、次第に「がば」に、その役割を譲ったと考えられる。「がば」も、中世には「がは」だったらしいことは、『日葡辞書』に「Gafato」「Gappato」の見出しはあっても「Gabato」がないことから認められよう。

「がばがば」の古い例は、水などが勢いよく流れるときや水のあるところを移動するときの音などを表しているため、もともと一回的なはげしい動作を表す擬態語である「かっぱ」や「がは」と、液体のたてる音を表す「がばがば」とは、発生的には別のものであったのだろう。「かっぱ」も「がは」も、「かは」の強調形として生まれた語形であろうと推測されるが、現代日本語の「は」の音は「勢いのよさ」「はげしさ」の表現としてはふさわしくないと感じられる。しかし、実は昔のハ行子音は両唇摩擦音であったことがわかっている。これが現在のような非唇音になったのは江戸時代からで、おそらくそのころに、「がは」は語音と表現しようとする事柄との間にズレを生じ、「がば」に合流していったものとも考えられる。（宮武利江）

亭円左〉

❷さま 多額の金を次々ともうけるさま。『ひところは株で**がばがば**儲けた』

❸さま 飲食物を勢いよく食べるさま。『**がばがば**と飯をかっこむ』 ⇒使い分け「ぐいぐい」

❹さま 衣服などのサイズが大きすぎて、ゆるいさま。がぼがぼ。『すっかり痩せて、ズボンが**ガバガバ**になった』「仏蘭西の漁夫が着るやうな、**ガバガバ**した雨外套と、白いリンネルの洋袴の姿を見た瞬間」〈恋人たちの森・森茉莉〉

❺音・さま こわばった布やかたい革製品などがたてる音。また、そのさま。ごわごわ。「漁夫達は垢でスルメのやうに**ガバガバ**になったメリヤスやネルのシャツを脱いで」〈蟹工船・小林多喜二〉

がばちょ さま 多額の金を調子よく一気にもうけるさま。がばりんちょ。『**ガバチョ**と儲けて海外へ高飛びした』

かぱっ さま ものが一時に大きくきれいに割れたり、開いたりなどするさま。「かたまった石膏を、ブリキのところから**カパッ**と二つに割り」〈とむらい師たち・野坂昭如〉

がばっ ❶さま 瞬間的で大きい動作をはげしく行うさま。『犯人に、**がばっ**とのしかかる』『もうこねえからな、あの姐ちゃんによろしくいってくれいっ』**がばっ**と、痰を吐いて帰った」〈巷談本牧亭・安藤鶴夫〉「人のけはいにおどろいて、**ガバッ**と新聞をはねのけ、起きあがりました」〈いぼ・新美南吉〉

❷さま 大ざっぱで迫力のあるさま。「本来、サンドイッチに入れるハム等は、**ガバッ**と厚味がなくてはいけない」〈男の遠吠え・藤本義一〉

がはは 声・さま 大口をあけて笑う声。また、あけっぴろげに笑うさま。『**がはは**笑い』 ⇒使い分け「えへへ」

がばり ❶音・さま 大量の水などが勢いよく、泡だって流れるときの音。また、そのさま。「小さい杓を取って、**ガバリ**ガバリと花御堂の台に流れて居る甘茶を掬んでは、それを仏像の頭からざぶと二三度浴せかけて」〈東京年中行事・若月紫蘭〉「水枕**ガバリ**と寒い海がある」〈旗・西東三鬼〉

❷さま 瞬間的で大きな動作でものごとを行うさま。「大阪屋は**ガバリ**と立ち上ると、おきみの襟がみを引っ摑んだ。そしてぐずりと引き立てた」〈天国の記録・下村千秋〉

❸さま はげしく、また、すばやく刺したり、はがしたりするさま。「膝の下にある懐剣を抜くより早く、咽喉へ**ガバリッ**と突き立てましたから」〈怪談牡丹燈籠・三遊亭円朝〉

がびーん さま ひどく打ちのめされた気持ちになるさま。「それぞれから、少なからぬ影響を受けていた私は、**ガビーン**とその都度、魂消《たまげ》たものだった」〈子どもたちへ大人たちへ・東京新聞・05・9・14〉

がびがび さま うるおいがないさま。こわばっているさま。「こんなほっぺた**がびがび**にして」〈ちょー火祭り・野梨原花南〉

がびょーん さま 大げさにひどく驚くさま。「私の両眼は、その場で**ガビョーン**と一〇メートルほど飛び出した」〈女殺借金地獄・中村うさぎ〉

がぶ ⇒コラム「がぶ・がぷ」

かぶかぶ ❶音 停泊している船などに、水が当たってたてる音。「ほりのふなばし、**かぶかぶ**とわたしけり」〈浄瑠璃―安宅高館〉

❷音・さま 水などを、勢いよく飲んだり吐き出したりする音。また、そのさま。「吸ひ飲みから口へ含んだものを喉へ通すのが急にいやになるのか、そのまま**かぶかぶ**と吐きだしたりする」〈父―その死・幸田文〉

がふがふ さま 方言 寸法が大きすぎて合わないさま。ゆるくて締まりのないさま。ぶかぶか。東北地方。「がふっ」ともいう。「ながぐじ(長靴)**がふがふ**でぇ」〈秋田県〉「この服**がふっ**としてる」〈秋田県〉

がぶがぶ ❶音・さま 酒、水などを、勢いよく、むさぼるように飲む音。また、その

コラム　オノマトペのもと

がぶ・がぷ

「がぶ」は、「水をがぶがぶ飲む」「がぶりとリンゴをかじる」などのように、飲み物を大量に飲んだり、大口でものにかみつくときの音やようすを表す。また、「ビールで腹がガブガブになった」のように、液体がゆれ動く音やようすも表す。

「がぷ」は「がぶ」と同様に、勢いよく飲んだり、ものにかみついたりする音やようすを表すが、「がぶ」のように濁音＋濁音のほうが、対象物のかたさが増し、ぶつかったときの衝撃も大きい印象がある。

「洗ってカプリとかぶりつくと、柿のような甘みが口の中に広がった」（平成十四年はしがき・産経新聞・02・1・3）のように、清音＋半濁音「かぷ」の例も見かけるが、対象物により水分を感じさせる印象がある。

また、「かぶりかぶりと麦酒《ビール》傾け居るは」（『火の柱』木下尚江）など、清音＋濁音「かぶ」の例は、明治時代までよく見られるが、現代ではほとんど例を見ない。

【がぶの語群】

がぶがぶ・がぷがぷ
がぶっ・がぷっ・がっぷり
かぶり・かぷり・がぶり・がぷり

	ー（と）飲む	ー（と）かみつく	ー（と）水音がする
がぶがぶ	○	ー	○
がぷがぷ	○	ー	△
がぶっ	○	○	ー
がぶり	○	○	○
がぷり	△	△	△
がっぷり	ー	○	ー

【表現】

「がぶり」「がぶがぶ」など、これらの語群には荒々しい印象が伴う。「ぐびぐび」「ごくごく」「がつがつ」のように、子音に「g」の音がつく飲食のようすの表現は、勢いのよさ、粗雑、粗野、品のなさ、豪快などの印象を与えることが多い。

たとえば、夏目漱石の『永日小品』「柿」には、「泥の着た柿を拾った。さうして、拾ふや否や、がぶりと横に食付た」のように、がぶりには荒々しい感じがある。

黒田三郎の詩「夕方の三十分」（『小さなユリと』一九六〇年・昭森社）は、小さな娘のために夕食を作る父親が、せわしなさのあまり、苛立つようすが次のように書かれている。

〔前略〕
卵焼きをかえそうと
一心不乱のところに
あわててユリが駆けこんでくる
「オシッコデルノー　オトーチャマ」
だんだん僕は不機嫌になってくる
味の素をひとさじ
フライパンをひとゆすり
ウィスキーをがぶりとひと口
だんだん小さなユリも不機嫌になってくる

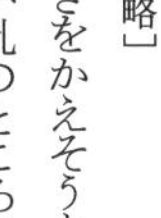

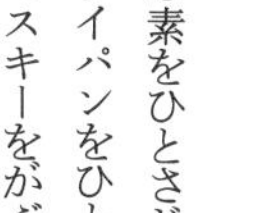

＊「味の素」は商標名。

父が荒々しく飲んだので、小さな娘にも不機嫌が伝わってしまう。「がぶり」は父娘の苛立ちの象徴となっている。

ちなみに、「がぶり」と飲むことを英語では「gulp」という。英語でも日本語でも似たような音のひびきである。荒々しい飲食のようすを言葉に映すセンスには、共通するものがあるようだ。

（早川文代）

さま。ぐびぐび。「三杯目の飯碗に注いだ茶を**がぶがぶ**と飲みながら」〈思出の記・徳冨蘆花〉 ⬇使い分け「ぐいぐい」

❷さま 水がいっぱいで、はげしく波立っているさま。胃に液体がたまっているさま。がぼがぼ。「腹の中が、**がぶがぶ**になってしまうぜ」〈盗まれた影・佐野洋〉

❸さま 大きすぎてゆるいさま。だぶだぶ。『**がぶがぶ**の服をリフォームする』

がぷがぷ 音・さま 息をつぎながら酒、水などを、勢いよく飲む音。また、そのさま。「さしいでたる口をおのれが口へあてがひて**ガプガプ**ドクンとのみかける」〈西洋道中膝栗毛・仮名垣魯文〉

がぶっ さま 大きく口をあけて、ひと息にかみつくさま。飲食物を一度に大量に口に入れるさま。「鯛の二段引きと申しまして、偶《また》には一度に**ガブッ**と食べて釣竿を持って行くといふやうなこともありますけれども」〈幻談・幸田露伴〉

かぶり さま 古 一気にある動作を行うさま。「冷めた茶碗を〈略〉一口**かぶり**と呑むと」〈日本橋・泉鏡花〉

がぶり ❶音・さま 大口をあけて、一気に食いついたり飲みこんだりする音。また、そのさま。「そこへ大きな魚がひよいと出て来て、兵たいを**がぶり**と一のみにのみこんでしまひました」〈一本足の兵隊・鈴木三重吉〉

❷音・さま 液体が大きくゆれ動く音。また、そのさま。「**がぶり**と風呂の音をさせて立ちながらいった」〈土・長塚節〉

がぶりがぶり ❶音・さま 酒、水などを、大きく口をあけて何度も飲む音。また、そのさま。「**がぶりがぶり**呑む計り能ぢゃアねへ」〈滑稽本―和合人〉

❷音・さま 水などを大きくかきまわす音。また、そのさま。「**ガブリガブリ**と肥溜《こひだめ》攪き廻す権作の鼻歌がのどかに響く」〈良人の自白・木下尚江〉

かぽ ⬇コラム「かぽ・がほ・がぼ・がぽ」

かぽかぽ 音 中空のものがかたいものに当たってたてる軽く高い音。「**カポカポ**木履《ぼくり》を鳴らしてみせた」〈放浪時代・龍胆寺雄〉

がほがほ さま 寸法が大きすぎて合わないさま。ゆるくて締まりのないさま。『兄貴のお下がりのシャツは**がほがほ**だ』

がぼがぼ ❶音・さま 大量の水などを勢いよく飲みこむときの音。はげしく水が流れるさま。「朝がたカルピスを**ガボガボ**飲む」〈古川ロッパ日記・古川緑波〉

❷音 弾力のあるものがゆれ動いてたてる、にぶく、くぐもった音。『**ガボガボ**とゴム長を鳴らして雪道を降りながら」〈月山・森敦〉

❸さま 水が波立っているさま。胃に液体がたまっているさま。がぶがぶ。「お茶のお代わりを三杯して、腹を**ガボガボ**にした」〈ネズミを狩る刑事・太田蘭三〉

❹さま 大きすぎて寸法が合わないさま。ゆるくて締まりのないさま。『**ガボガボ**した制服』

❺さま 金銭などが、次から次へとたくさ

使い分け

【共通の意味】ものを覆いかぶせるようす。

かぽっ すっぽり／ばさっ

❶**かぽっ**は、ふたをしたとき空気を閉じ込めるような小さな音がするようす。うまくふたがはまったとき、またふたをはずす時にも使う。「吸い物を注いだ椀に**かぽっ**とふたをする」「密閉容器のふたを**かぽっ**とはめる」 ❷**すっぽり**は、ものがすっかり中に入るように覆うようす。「寝袋に**すっぽり**入る」「毛糸の帽子を耳まで**すっぽり**かぶる」 ❸**ばさっ**は、厚みのある布や紙で一気に覆う音。「厚手のジャンパーを**ばさっ**と羽織って外に出る」「採れた野菜を新聞紙で**ばさっ**とくるむ」

コラム　オノマトペのもと

かぽ・がほ・がぼ・がぽ

　この類のオノマトペは、子音の清・濁・半濁音の組み合わせの違いによって、表す意味が比較的はっきりと分布している。

　清音始まりの「かぽ」は、「かぽかぽ」「かっぽかっぽ」の形で、馬のひづめが地面に当たる音など、かたく軽い感じの音質を表すが、濁音始まりの「がぼ」は、「がぼがぼ」「がぼっ」などの形で、水を大量に飲むときの音やようす、また、衣服などがゆるくて締まりのないさまなどを表す。

　また、同じ濁音始まりでも、「ぽ」が続く「がぽ」は、「がっぽがっぽ」「がっぽり」の形で、金銭が一度にたくさん手に入るようすを表す。

【かぽの語群】

かぽかぽ・がほがほ・がぼがぼ・がぽがぽ
かぽっ・がほっ・がぼっ・がぽっ
かっぽかっぽ・がっぽがっぽ
がっぽり・かっぽん

	靴が―(と)鳴る	―(と)飲みこむ	―のTシャツ
かぽかぽ	○	―	―
かっぽかっぽ	○	―	―
かぽっ	○	○	―
がぼがぼ	―	○	○
がぼっ	―	○	―
がっぽがっぽ	―	―	○
がっぽり	―	―	―

【表現】

　オノマトペでは、「かた―がた」「ひく―びく―ぴく」のように、語頭音の清濁の対比で意味が強調されたり添加されることが多く、ふつう、「かた―かだ」「ひく―ひぐ」のようにはならない。が、「かぽ―がぼ」類では、語頭音だけでなく語中音における半濁音・濁音の違いも連動して意味の違いを引き起こす性質がある。

　清音「か」＋半濁音「ぽ」の組み合わせからなる「かぽ」を濁音化した形は、濁音「が」＋濁音「ぼ」の組み合わせからなる「がぼ」という形をとるのがふつうで、「がほ」のように語頭音だけ濁音化した形とは対応しにくい。このため、「かぽっ」「がぼっ」がいずれも「〜と飲みこむ」という表現をとれるのに対し、「がほっと飲みこむ」という表現は不自然である。

　「かぽ―がぼ」類は、子音の清・濁・半濁音の違いにより、意味や用法がかなりはっきりと分かれるオノマトペである。「清音＋半濁音」の組成をもつ「かぽ」類が、「かっぽん」「かっぽかっぽ」など軽くかたい感じの音響とかかわりのある表現でよく用いられるのに対し、「濁音＋濁音」の組成をもつ「がぼ」類は、水（液体）にかかわる表現において顕著に用いられる傾向がある。

　「濁音＋半濁音」の組成をもつ「がぽ」類は、促音の入った「がっぽり」「がっぽがっぽ」の形で用いられ、「ガッポリ儲けた」「ガッポリと税金を持っていかれた」のように、金銭などを大量に手にしたり、失ったりするようすを表す。

（那須昭夫）

ん手にはいったり、なくなったりするさま。がばがば。

かぽっ ❶音・さま 水などを一気に気分よく飲みこむときの音。水が瞬間的にゆれ動くさま。『グラスの酒を**かぽっ**と一口であけた』

❷音・さま 大きめのものをかぶせるときの音。また、そのさま。小さなものが急に穴などにはいりこむさま。『Tシャツを**かぽっ**と着ていた』 ⬇使い分け「かぽっ」

がぼっ ❶音・さま 水に勢いよく浮き沈みしたり、勢いよく水などを飲みこんだり、かぶったりするときの音。また、そのさま。『滝壺に**がぼっ**と沈んだ』

❷さま 寸法が大きめのものをかぶせるさま。急に穴などにはいりこむさま。ずぼっ。『**がぼっ**と新雪にはまる』

❸さま 金銭などが、一度にたくさん手にはいったりなくなったりするさま。がっぽり。『**がぼっ**と振り込まれていた』

がぼりがぼり さま 液体などが、続けざまに大量に、勢いよく流れたり、ゆれたりするさま。がぼがぼ。「当のハチローは、これらの応援団の声援裡に、**ガボリガボリ**とビールを飲んで」〈苦笑風呂・古川緑波〉

がぼんがぼん ❶音 液体が、何度もゆすられてたてる重くにぶい音。『排水口から、**がぼんがぼん**と逆流してきた』

❷さま サイズが滑稽なほど、大きすぎるさま。『トレパンが**ガボンガボン**で、ずり落ちそうだ』

がみがみ さま 口やかましく、あらだてて、叱りつけたり文句を言うさま。「ふだん**がみがみ**いわずと、悪いことがあらば、ためて置いていっしょにしかったがよい」〈咄本—聞上手〉 ⬇使い分け「やいやい」

かやかや ❶声・さま 古 多くの人々がたてる騒々しい声。また、そのさま。「御随身どもも、**かやかや**と言ふを、制し給て」〈源氏物語・宿木〉

方言 にぎやかなさま。落ち着きがないさま。「わげぁこだ(若い子たちが)ロビーさ**かやかや**あじまてる(集まっている)」〈秋田県〉

❷さま 古 声高く笑うさま。「ムムちげへねへ、よよと泣たり、**かやかや**と笑ったり、泥《みだ》たる声音《こわね》して」〈滑稽本—八笑人〉

❸声 古 カラスの鳴く声。かーかー。「秋の霜みちぬる雲のおひたたし**かやかや**として鴉なく声」〈俳諧—望一後千句〉

❹さま 方言 明るいさま。「なんだぁ、昼間っぱらから**かやかや**に電気つけて、もってゃあにゃあがや(もったいない)!」〈愛知県〉

がやがや さま 多くの人々がうるさいほど声をたてるさま。「**がやがや**と四五人の車夫の高声が聞える」〈魔風恋風・小杉天外〉 ⬇使い分け「ざわざわ」

使い分け

【共通の意味】声を出して朗らかに笑うようす。

からから／けらけら／ころころ／げたげた

❶**からから**、**けらけら**は、明るく高い声で楽しそうに笑うようす。**からから**は、「敵に打ち勝って、**からから**と笑った」のように何かを達成し、喜んで笑うときなどに使う。**けらけら**は、子どもや若者がふざけあって笑いがとまらないときなどに使う。「子どもたちは、ふざけあっては**けらけら**笑う」 ❷**ころころ**は子どもなどが楽しそうに笑っているようす。「幼い兄弟は、何がおかしいのか**ころころ**笑い遊んでいる」 ❸**げたげた**は大声で品のない笑い方。「テレビのお笑い番組を見ながら、**げたげた**笑う」

から ⬇コラム「から・がら」

からから ❶音 金属製や木製のものなど、かたいものが、ふれ合ってたてる明るくひびく音。「私は**からから**と下駄の音を

から・がら

「から」は、かたいものが何かにぶつかったり、回転したりする音やようすを表す。音としては比較的小さくて軽く、かわいた感じで、擬態語としては乾燥しているようすを表す場合にも使われる。また、空などが広々とひらけているようすも表す。これらから、比喩的に性格などがさっぱりしていて大らかなことを言う用法も生まれている。

濁音の「がら」になると、重量感が出る。また、しわがれてにごった声なども表す。やや品格に欠けるニュアンスがあり、「がらっぱち」（粗野な人）のような名詞もある。擬態語としては、ある場所やものの内部が空《あ》いているようすを表す用法があり、「がらん」「がらがら」で、副詞や形容動詞として働く。このとき「がらん」は、ふつう存在しそうな人やものがなくて、もの寂しさを感じさせるようすを添えるが、「がらがら」にはそうしたマイナスイメージはなく、単に空間が多く「すいている」という表現である。

【からの語群】

からから・がらがら
からっ・がらっ
かっらかっら・かんらかんら
からり・がらり・からりん・がらりん
からん・がらん

	―と晴れる	―と（に）かわく	―とした人	引き戸を―と開ける
からっ	○	○	○	○
からり	○	○	○	○
からん	―	△	―	△
からから	―	○	―	○

	―と崩れる	―と変わる	―と開ける
がらっ	○	○	○
がらり	○	○	○
がらん	―	―	―
がらがら	○	―	○

	正月の道路が	放課後の教室が	平日の映画館が	下りの電車が
がらんとしている	―	○	○	―
がらがらだ	○	―	○	○

【表現】

「がらがら」は、抽象性を獲得して名詞化したり、名詞について「そのような音を出す」何か、を表す名詞を作ることが多い。

「がらがら」は赤ちゃんのおもちゃ、「ガラガラポン（ガラポン）」は福引きの一種。「がらがら声」はしゃがれ声やがさつな声をさし、「ガラガラヘビ」はしっぽを振ってガラガラ（というよりは実際にはジャーッという感じに聞こえる）音をたてる、アメリカ大陸に棲息する毒蛇である。ほかにも「がらがら売り」（竹筒をガラガラと鳴らして商売をした）、「がらがら煎餅」（中に小さい玩具が入っており、振るとガラガラ音がする）、「がらがら者」（がさつで軽率な人）などがあり、方言ではさらに多くの複合語がありそうである。「がら札《だふ》」（くじの一種）「がら紡」（水車を利用した紡績法）など、「がら」を要素にもつ語もあり、造語性が高い。

急に状態が変化することを表す「がらっ（と）」「がらり（と）」は、近世の滑稽本や洒落本などに見られる東国の田舎言葉の「がら」「がらい」（すっかり、まったく、うっかり、などの意の副詞）と関係があるかもしれない。

（宮武利江）

たてて訪ねていったのだったが」〈草魚・長谷川時雨〉
❷声・さま 高く笑う声。屈託なく笑うさま。「船の男は**呵々**《からから》と笑った」〈夢十夜・夏目漱石〉
➡使い分け「からから」
❸音・さま 車などが、調子よく回る音。また、そのさま。「車の輪の音が、**カラカラ**ときこえてきた」〈久助君の話・新美南吉〉
❹さま ものが、かわききっているさま。「赤くなった**カラカラ**の葉が四五枚着附《くっつ》いて居る」〈青春・小栗風葉〉 ➡使い分け「ぱさぱさ」
❺さま 中に何もないさま。すっからかん。「あの日は朝から食べそこねて、胃の中が**からから**だったんだ」〈蘭を焼く・瀬戸内晴美〉

がらがら

❶音 ものがくずれ落ちたり、かたいものがぶつかり合うときなどの、重くひびく音。『雷が**ガラガラ**と鳴りひびく』「棚にある牡丹餅を足で取って口へ喰ふとするとその棚が**がらがら**とおっこちると」〈西洋道中膝栗毛・仮名垣魯文〉
❷さま 露骨に、大声でものを言ったり、笑ったりするさま。性質があけっぴろげで、品のないさま。「私はこんな**がらがら**した性分ですけれど」〈黴・徳田秋声〉「驚いている野田をぱっと突き放してから岩佐は**がらがら**と笑い出した」〈お菜のない弁当・本庄陸男〉
❸音 引き戸の開閉や、車輪などの回転の大きくひびく音。「**檻々**《がらがら》と玄関へ横付にした車がある」〈多情多恨・尾崎紅葉〉 ➡使い分け「がらがら」
❹音 体の中から内容物が出たり、はき出したりするときの音。うがいをするときの音。「暫時苦痛を忍びしが、**がらがら**と血を吐きたり」〈化銀杏・泉鏡花〉
❺さま ものがかわききっているさま。かわいた音をたてるほど、水けがなくなっているさま。「**がらがら**に枯て転がる落葉かな〈虚子〉」〈春夏秋冬〉
❻さま 声などがしわがれて、にごっているさま。「それを**ガラガラ**な大声でどなり立ててしまった」〈蟹工船・小林多喜二〉
❼さま 内部に何もないさま。非常にすいているさま。「眼ぼしい物は売り尽して、どこもかしこも、**ガラガラ**な感じだ」〈狐・永井龍男〉
❽さま 体のやせ細っているさま。がりがり。「馬は全身真白になって、年寄った百姓のやうな、**ガラガラ**に痩せた尻を跳ねあげるやうにして、足を動かしてゐた」〈防雪林・小林多喜二〉
❾名 柄をもって振ると、①のような音のする乳児用の玩具。「懐より小判参両取出し、小刀にて穴を明け、紙縷を通して、持遊の**がらがら**にして件の子供にあたへ、案内を乞ふ」〈随筆―翁草〉
❿さま 方言 性質が快活なさま。朗らかなさま。「あの人、いづも**がらがらず**」〈岩手県〉「体こなば　ちっちぇでも　気持ちこなば　**がらがら**でくて　えー人だ」〈身体

使い分け

［共通の意味］
ものが回転するようす。

がらがら
ごろごろ／ぐるぐる／きりきり

❶**がらがら**、**ごろごろ**は大きい車輪や丸いものが、音をたてて回るようす。またその音。**がらがら**のほうが音がやかましく、**ごろごろ**は音が重いようす。「雨戸を**がらがら**と開けると、朝日が部屋に差し込んできた」「石臼を**ごろごろ**回す」 ❷**ぐるぐる**は、ものを回したり、そのものが回ったりするようす。「肩がこったので、首を**ぐるぐる**回す」「ジェットコースターに乗ったら目が**ぐるぐる**回った」 ❸**きりきり**は、きつく巻いたり回したりするようす。「おもちゃの犬のぜんまいを**きりきり**巻いて歩かせる」

は小さいが気持ちはさっぱりして良い人だ」〈秋田県〉

がらがらぺっ 音・さま うがいをし、その水をはき出す音。また、そのさま。『帰ったらガラガラペッをしなさい』
✵幼児に歯みがきなどを教えるときにも用いられる表現。

からころ 音 かたいもののひびく軽い音。多く下駄の音についていう。「**からころ**云はせて通る人の下駄の歯音に」〈断橋・岩野泡鳴〉

からころり 音・さま かたいもの、特に下駄の音などの軽快にひびくさま。「ぬり下駄の音**カラコロリ**」〈闇桜・樋口一葉〉

からこん 音・さま かたいものが調子よくひびく音。また、そのさま。多く下駄の音についていう。「**カラコン**カラコンと珍らしく駒下駄の音をさせて生垣の外を通るものがあるから」〈怪談牡丹燈籠・三遊亭円朝〉

からっ ❶ 音 軽くてかたいものが、一瞬打ち当たってたてる音。「氷嚢の氷が溶けかかると〈略〉おたがいの氷結から、**から**っと音を立てて離れるのだ」〈おとうと・幸田文〉
❷ さま 空がさえぎるものなく、明るくさわやかに晴れているさま。「雨雲に閉ぢられてゐた空も見違へるやうに**から**っと晴れ渡って」〈或る女・有島武郎〉
❸ さま 湿りけがなく、気持ちよくかわいているさま。「運ばれたトンカツは〈略〉衣の色が、昔のやうに、**カラッ**と揚がってゐない感じで、艶が無い。一寸見は、ガラスの、ショウケースに飾られた、ロウ細工の見本品の如し」〈ロッパ食談・古川緑波〉
❹ さま 人の性質や心情などが、こだわりがないさま。「君とだって、**からっ**とした気持で話が出来やしない」〈雪国・川端康成〉
❺ さま ようすが完全に変わるさま。がらっ。ころっ。「それからといふものは様子が**からっ**と変って終《しま》うた」〈野菊の墓・伊藤左千夫〉

がらっ ❶ 音・さま かたいものや重量のあるものなどが転がったり、くずれ落ちるときの大きくひびく音。また、そのさま。「**がらっ**と箸を措くと泥だらけなびしょぬれな着物のままで」〈カインの末裔・有島武郎〉
❷ 音 引き戸の開閉や、車輪などが一度回転するときの、耳にひびく音。「障子を**がらっ**とあけ、稔の横手をすり抜けるやうにして」〈祇王村・田口竹男〉
❸ さま ようすが大きくはげしく変わるさま。「母親も、心づもりとは**ガラッ**と違って来てゐるのだけれども」〈父親・里見弴〉

からっから さま 湿りけが過度に不足しているさま。『のどが**からっから**だ』

がらぽん 名 六角形または八角形の回転式の抽籤機。がらがら抽籤機。『商店街のがらぽん大会』

からり ❶ 音 かたいものが、ふれ合って出す、高く軽快な音。「もちたるさかづき**からり**とすて」〈浄瑠璃―他力本願記〉
❷ 音・さま 戸、障子などを軽い力で思いきりよくあけるときの軽快な音。また、そのさま。「格子戸を**からり**明けて駈け上りさまに」〈奈々子・伊藤左千夫〉
❸ さま 明るく広々しているさま。性格や気持ちが明るくいさぎよいさま。「彼様《あんな》竹を割った様な**カラリ**とした方」〈火の柱・木下尚江〉「長持に小挙の仲間そはそはと〈沾圃〉 く**はらり**と空の晴《は》る青雲〈芭蕉〉」〈俳諧―続猿蓑〉
❹ さま 湿りけがなく、気持ちよくかわいているさま。「油揚げを一旦熱湯に浸して直ぐ引出し、細かく切り、砂糖醤油で**カラリ**と炒り煮とし」〈児童のお弁当百種・小林完〉
❺ さま ものごとやようすが一変するさま。すっかり。「池の端の行き違ひより**翻然**《からり》と変りし源太が腹の底」〈五重塔・幸田露伴〉
❻ さま 残ることのないさま。すっかり。「住吉屋で呑んだのは、**からり**と醒めてしまったが」〈滑稽本―八笑人〉

がらり ❶ 音 かたいものが急激にぶつ

かり合ったり、ものがくずれてたてる重い音。「箸を**がらり**とおくやいなや」〈評判記―赤烏帽子〉

❷ [音・さま] 戸、障子などを急に勢いよくあける大きな音。また、そのさま。「豆うちおさめて酒のんでゐる所へ、門の戸**ぐはらりと**おしあける」〈咄本―口拍子〉

❸ [さま] ものごとや状態が、急激に変わるさま。「文三は不思議にも**ガラリ**気が変って」〈浮雲・二葉亭四迷〉 ⬇使い分け「あっけらかん」

❹ [さま] がっかりするほど残るところのないさま。すっかり。「何しろ〈略〉義理も、家の病人の事も何もかも一旦**がらり**と忘れちまふんですから」〈竹沢先生と云ふ人・長与善郎〉

からりからり ❶ [音・さま] かたいものが繰り返しふれ合ったり、ものが回転したりしてひびく高い音。また、そのさま。『風ぐるまが**からりからり**と回っている』「高足駄はきて、殿の方へ**からりからり**としてぞ参りける」〈義経記〉

❷ [さま] [古] かわききったさま。金銭に窮しているさま。「太鼓といふ者は、**からりからり**の身体《しんだい》なれば、かねもちに付て歩まねばならぬ」〈咄本―軽口露がはなし〉

がらりがらり ❶ [音] 重くてかたいものがぶつかったときにたてる騒がしいひびき。「**がらりがらり**がらがらと調子をつけて幾度も箱をふったのち一本のおみくじをひいて」〈銀の匙・中勘助〉「Garigararito（**ガラリガラリト**）」〈訳〉たとえば振鈴や鈴などのような物が鳴るさま」〈日葡辞書〉

❷ [音・さま] 重い引き戸を何度も開閉する音。かたくて重いものが回転する音。また、そのさま。「広い庭に面した雨戸を、**ガラリガラリ**と開けた。進退の便に備えるためである」〈仇討禁止令・菊池寛〉「焼栗に致いて、**ぐはらりぐはらり**とすりくだき」〈狂言―栗焼〉

❸ [さま] 何度も繰り返し急変するさま。「時と場合とで**ガラリガラリ**と態度を変化させ得る彼自身の役者ぶりに〈略〉感心した」〈竹沢先生と云ふ人・長与善郎〉

からりころり ❶ [音] かたいものが間をおきながら、ふれ合ってひびく音。からこん。からんころん。「御手洗《みたらし》木船が漕いで来る。手振り袖振り鈴の音は、**からりころり**からりころり」〈歌謡―七字の花在姿絵〉

❷ [さま] [古] あれこれと態度を決めずにいるさま。「**からりころり**とつめひらき埒があかねば」〈浮世草子―好色万金丹〉

からりころりろ [音] [古] 舟の櫓《ろ》をこぐ規則的で軽快な音。「島陰よりも艫の音が、**からりころりろ**からりころりろと漕ぎ出いて」〈狂言歌謡―宇治の瀑〈鷺小舞〉〉

からりしゃらり [さま] [古] 腰をゆすって歩くさま。「quararixarari（クヮラリシャラリ）トコシヲフリ」〈コリャード西日辞書〉

からりずん [さま] [古] 一刀のもとに力強く斬り下げるさま。ばらりずん。「懐しやと寄《よる》所を片手なぐりに腰のつがひ、**くはらりずん**と切り下げられ」〈浄瑠璃―鑓の権三重帷子・近松門左衛門〉

からりちん ❶ [音・さま] [古] かたいものに軽やかに当たる音。また、そのさま。「**からりちん**と時雨の音やかはら葺〈貞徳〉」〈俳諧―崑山集〉

❷ [さま] [古] 財産などがまったくないさま。すってんてん。ちんからり。「波羅門の三《さぶ》といふた、山三郎大名客、今では**からりちん**の時とは違ふ、横着憎うはごんすまいと」〈浄瑠璃―小栗判官車街道・竹田出雲〉

がらりちん [音] [古] かたいものがぶつかって、砕けたり、割れたりなどする音。『今度はあの台天目を打破れ』〈略〉『夫成らば破らう』『**ぐゎらりちん**』『ハアア、微塵に成た』」〈狂言―附子〉

からりん [音・さま] さわやかなひびきをもつ明るい音。また、そのさま。『**カラリン**と優しい音がする風鈴』

からん ❶ 音 かたいものやかわいたものが他のものにふれて発する余韻のある音。「**からん**と片手金属的で明るく澄んだ音。「**からん**と片手で置いたのは、白い太鼻緒の朴歯《ほほば》の下駄で」〈手袋のかたっぽ・永井龍男〉

❷ さま 何もなく、うつろな感じを与えるさま。「学校は**からん**として、小使も居なかった」〈田舎教師・田山花袋〉

がらん ❶ 音・さま 金属などがたてる大きく騒がしい音。また、そのさま。「金盥を**がらん**、と提《さ》げて」〈婦系図・泉鏡花〉

❷ さま 何もなくて広々としたさま。空虚でさびしく広いさま。「広い庫裏《くり》も本堂も、**がらん**として、人影は丸でない」〈草枕・夏目漱石〉

からんからん 音 かたいものやかわいたものが他のものにふれて何度も繰り返して発する余韻のある音。「棍棒が倒れると**カランカラン**といふ音がして」〈旅日記から・寺田寅彦〉

がらんがらん ❶ 音 金属や木などかたいものが繰り返しぶつかってたてる大きく騒がしい音。「大当りの時は、印半纏《しるしばんてん》の男が〈略〉大鈴を、**がらんがらん**と打振るのだ」〈手袋のかたっぽ・永井龍男〉

❷ さま どこまでいっても何もなく、空虚でさびしく広いさま。『**がらんがらん**の電車』「お父さんはモウ六ヵ月も仕事がなくて〈略〉私が学校から帰えって行くたびに、うちの中が**ガランガラン**とかわって行くのです」〈級長の願い・小林多喜二〉

からんころん 音 かたいものがぶつかり合って微妙に異なる音色でひびき続ける高い音。「駒下駄の音高く**カランコロン**カランコロンとするから」〈怪談牡丹燈籠・三遊亭円朝〉

がらんごろん 音 金属製のものなどが転がったり、ぶつかってひびく低く大きな音。『鉄ゲタを**ガランゴロン**させて走ってきた』

がらんどー さま 家や部屋、器などの中に何もなく、うつろなこと。また、そのさま。「十月の深夜の**がらんどう**なアトリエの　小さな隅の埃《ほこり》を払ってきれいに浄め」〈智恵子抄・高村光太郎〉

かり ⬇コラム「かり・がり」

かりかり ❶ 声 ガン（雁）の鳴く声。⬇鳴き声編

❷ 音・さま かたいものを調子よくかみ砕く軽快な音。かたくて歯切れのよいさま。「昆布をつに結んだもので、**カリカリ**と噛つぶすと中に山椒が這入てあるはナ」〈浮世床・式亭三馬〉

❸ 音・さま かたいものでかたいものをひっかく音。また、そのさま。『頭を**かりかり**かく』「小さい太郎が糸のはしをおさえると、前へ進めなくて、**カリカリ**と縁板をかきました」〈かぶと虫・新美南吉〉

❹ さま いらだたしく思うさま。気がたかぶるさま。「ところが芝山は、——太てエ

使い分け

【共通の意味】
いらだつようす。

かりかり
いらいら／じりじり／むしゃくしゃ

❶**かりかり**は、思うようにならないあせりなどで気分がたかぶり、平静でないようす。「入学試験を目前に控え、受験生たちは皆**かりかり**している」。**いらいら**は思うようにいかず、あせって落ち着いていられないようす。「パソコンの操作がうまくいかなくて、**いらいらする**」❷**じりじり**は、いらだちながら待っているようすで、時間の経過も含まれる。「コンクールの結果を**じりじり**しながら待つ」❸**むしゃくしゃ**は、いやなことがあったり、陰うつな天気だったりして、腹立たしく気分が晴れないようす。「試験の点数がわるくて親に叱られ、**むしゃくしゃ**した」

女《あま》だッ……と頭が**カリカリ**していた」〈犯罪乱流・島田一男〉 ⬇使い分け「かりかり」

❺ さま 水分がなくなったり、強く固まったりして、表面がかたいさま。『朝食は**カリカリ**ベーコン』「**カリカリ**に雪が凍ってゐる道に、五、六人の足音が急にした」〈一九二八・三・一五・小林多喜二〉

がりがり ❶ 音・さま かたいものを粗くかみくだく音。歯音のするほどかたいさま。「清三は沢庵を**ガリガリ**食った」〈田舎教師・田山花袋〉

❷ 音・さま かたいものや、でこぼこのあるものを手荒く削ったり、かきまわしたり、ひっかいたりなどするときの音。また、そのさま。「棚板を爪で掻きむしる音が**がりがり**と聞える」〈吾輩は猫である・夏目漱石〉

❸ さま 骨や血管が浮き出るぐらいひどくやせているさま。「**ガリガリ**に痩せてはりますのや」〈羽なければ・小田実〉 ⬇使い分け「ひょろひょろ」

❹ さま 自分だけの利益や欲求を追い求めるさま。「無智で、低級で、**ガリガリ**で、手のつけられない心臓で」〈自由学校・獅子文六〉

✸ ④は「我利我利」の字を当てることもある。

かりっ ❶ 音・さま かたいものを一度歯切れよくかみ砕く音。また、そのさま。「かむと**カリッ**とする快い音〈略〉溶け出してきたラッキョウの甘みとうまみ」〈食あれば楽あり・小泉武夫〉

❷ さま 食べ物がこのましくかわいて引き締まっているさま。からっ。『**かりっ**と揚げるのがむずかしい』

がりっ ❶ 音・さま かたいものを勢いよく、ひと口かじる音。歯にかたいものが当たる音。また、そのさま。『あさりご飯の中のじゃりが歯に**ガリッ**と当たった』

❷ 音・さま ひどくこすれ合ったり、ひっかいたりしたときの強くひびく音。また、そのさま。「ラヂオなどで〈略〉**ガリッ**と時々不連続的に騒音となって聞えるのは此空電のためである」〈現代術語辞典・一九三一〉

かりり 音・さま かたいものを歯切れよくかみくだいたり、ひっかいたりする音。また、そのさま。「三つ子さへ**かりり**かりりや年の豆」〈八番日記・一茶〉

がりり 音・さま 一度強くひっかいたり、荒っぽくかんだりするときの強くひびく音。また、そのさま。「前足で掻いたら、**がりり**と音がして纔《わづ》かに手応《てごたへ》があった」〈吾輩は猫である・夏目漱石〉「わたしの手からとった一つのレモンを あなたのきれいな歯が**がりり**と嚙んだ」〈智恵子抄・高村光太郎〉

かりん 音・さま かたいものを一度かみ砕く音。かたくて歯切れのよいさま。かりっ。『**カリン**とした軽い食感』

がるる 声 イヌなどが怒ったり、威嚇するときに出すうなり声。「あえて文字にすれば〝**ガルルル**〟と〝グルルル〟の中間。ライオンがのどを鳴らすようなうなり声」〈佐野市運動公園に響け、恐竜の声・朝日新聞・96・3・12〉

がわがわ ❶ 音・さま こわばった布、紙などが動いたり、ふれ合ってたてる、にぶく重々しい音。また、そのさま。「油と垢とで**ガワガワ**になったズボン」〈海に生くる人々・葉山嘉樹〉「**ガワガワ**と天井の和紙を波打たせ」〈月山・森敦〉

❷ 音 古 水が急激に流れこむ音。「見ればとなりの田には水がなみなみと有る。さらばこちへ取う。ゑい、**がはがは**がは。〈略〉さればこそ水が来るは来るは」〈狂言―水掛聟〉

かわら 音 古 かたいものがふれ合う音。からから。「故、鉤を以ちて其の沈みし処を探れば、其の衣の中の甲《よろひ》に繋りて、**かわら**と鳴りき」〈古事記〉

かん ⬇コラム「かん・がん」

かん 音 金属やかたいものを一度強く打ったりたたいたりしたときにたてる高くひびく音。「大きな掛声をかけて鼓を**かん**と一つ打った」〈永日小品・夏目漱石〉

がん ❶ 音・さま 金属やかたくて重いものを

コラム オノマトペのもと

かり・がり

「かりかり」は、平安時代にはガン（雁）の鳴き声を表し、この鳴き声からガンが「かり」と呼ばれるようになったという。古くは主にかたいものをかみ砕く音を表し、「くゎりくゎり」と表記されることもあった。「がりがり」も、古くは「ぐわりぐわり」「ぐはりぐはり」とも表記された。

「かり」は「がり」に比べて、かたくても軽い印象があり、たとえば食感を表す場合には、「かりかり」「かりっ」「かりり」のほうが「がりがり」「がりっ」「がりり」よりも、かみ砕きやすくおいしいイメージがある。「がり」は重く粗い印象があり、たとえば「鍋の焦げ付きをがりがり落とす」など、力を入れてこするような場合に使う。また、「かりかり」「がりがり」は、何度もかんだりひっかいたりするときの音を表し、「かりっ」「がりっ」は、一度でかみ砕く音を表す。

多くは音を表すが、「かりかり」「がりがり」は心情やようすを表す擬態語でもある。

［かりの語群］

かりかり・がりがり
かりっ・がりっ
かりり・がりり

	—（と）かみ砕く	—と一口でかみ砕いた	油で—（と）揚げる
かりかり	○	—	△
がりがり	○	—	—
かりっ	○	○	○
がりっ	○	○	—
かりり	○	△	—
がりり	○	△	—

	締切前で—（と）している	—（と）勉強している	—にやせている
かりかり	○	△	—
がりがり	—	○	○
かりっ	—	—	—
がりっ	—	—	—

［表現］

「かりかり」「がりがり」は、ものをかみ砕く音を表すが、「カリカリ梅」「カリカリ漬け」「かりかりベーコン」「ガリガリ君（アイスの商標名）」「がりがり豚骨」のように、食品に使われることも多い。すし店でショウガのことを「ガリ」と呼ぶのは、「がりがりかじる」ところからきているという。

また「がりがり」は、江戸時代には引き戸を開ける音や数珠《じゅず》を勢いよく鳴らす音など、かたいものを摩擦させるときの大きな音として広く使われている。謄写版のことを「ガリ版」と呼ぶのは、鉄筆で原紙をガリガリと切る音からきているという。

「かりかり」「がりがり」には、擬音語としてだけでなく擬態語の意味もあるが、いらいらするようすを表す「かりかり」、自分の利益や欲求を追求するようすを表す「がりがり」、やせているようすを表す「がりがり」は、近現代になって生まれた意味である。

「我利我利亡者（自分の利益しか考えない人）」のように、「我利私欲」の「我利」を当て字にして使われる例もある。「がりがり勉強すること（人）」を「ガリ勉」のように略していう語も生まれた。どちらもよい意味では使われない語である。

（中里理子）

力を込めて一度当てたり、ぶつけたりする音。また、そのさま。「脳天をがんと撃てば顰面《しかめつら》してむっくと起上り」〈二人むく助・尾崎紅葉〉 ❷ さま 手きびしいさま。効果が強烈なさま。「『一発ガンと言ってやれ』「がんといふめにあはせて呉《くれ》らア」〈浮世風呂・式亭三馬〉

かんかち ❶ 音・さま かたくて小さいものが、ぶつかり合ってたてる音。また、そのさま。『**かんかち**だんご』(＝小さな杵《ねき》で小臼を打ち、かんかちと音を立てて餅をつくまねをしながら、売り歩いただんご。昭和初期まで見られた) ❷ さま ものがかたく固まるさま。あることに、こりかたまっているさま。かんかちこ。「ただの見栄っぱりだ、**かんかち**の見栄っぱりで」〈よじょう・山本周五郎〉

かんかちこ さま これ以上ないほどかたいさま。頭がかたく、融通のきかないさま。「ああ、貴方はなんと八方すきなしの、**かんかちこ**の、やり切れない呰でございますこと」〈猟銃・井上靖〉

かんから ❶ 音 かたいものが何度もぶつかってたてる高い音。『**かんから**太鼓』(＝かんからという音のする小型の枕形の太鼓。歌舞伎の下座音楽や相撲の触れ太鼓に用いられた) ❷ 声・さま 高く笑う声。あけっぴろげに笑うさま。「名人はとつぜん**かんから**と笑いだすと、吐き出すようにいいました」〈右門捕物帖・佐々木味津三〉 ❸ さま ものがかわききっているさま。からから。『**かんから**干し』「正午には午砲底《どんぞこ》と云って、海の底まで**カンカラ**に干上って了ふ」〈東京年中行事・若月紫蘭〉

がんがらがん ❶ 音 ブリキの缶のようなものを、たたいたり、ぶつけたりしたときに出る騒がしい音。『**ガンガラガン**と派手な音をたてて転がった』 ❷ さま 何もなく空虚なさま。「中を覗くと**がんがらがん**のがあんと物静かである」〈吾輩は猫である・夏目漱石〉

かんかららん 音 金属製や木製のものなど、かたいものが、打ち合ったり、回転してひびきわたる明るい音。「鳴る音は狭き路を左右に遮られて、高く空に響く。**かんかららん**、かんかららん、と云ふ」〈京に着ける夕・夏目漱石〉

がんからん 音 中が空洞なものをころがしたり、ぶつけ合ったりしたときに発する騒がしい音。「中にもめ組の横腹の辺《あたり》で唐突《だしぬけ》に**がんからん**、がんからん、がんからん」〈婦系図・泉鏡花〉

かんがり さま 炭火などが、ほどよくおこって、うす赤く見えるさま。「いけてある炭の底に、うつくしい赤いものが、**かんがり**と灰を照らしてゐる」〈或日の大石内蔵助・芥川龍之介〉

使い分け

【共通の意味】ひびくように痛むようす。

がんがん **じんじん／ずきずき／しくしく**

❶**がんがん**は重量のあるものでたたかれるような強い痛みで、頭痛に使う。「二日酔いで頭が**がんがんする**」 ❷**じんじん**、**ずきずき**は、頭や傷口が強く痛むようす。**じんじん**はひびくような、またしびれるような痛み、**ずきずき**は、脈打つような痛みを表す。「化膿した傷が**じんじん痛む**」「しびれて足が**ジンジンする**」「こめかみの辺りが熱っぽく**ずきずきする**」 ❸**しくしく**は胃などが絶え間なくにぶく痛むようす。「ストレスのせいか胃が**しくしく痛む**」

がんがり ❶ さま 古 ものとものの間に、かなりすきまのあるさま。「**がんがり**とした藁葺も、人目洩さぬが一つの取柄」〈浄瑠璃―行平磯馴松〉 ❷ さま 古 窓やすきまから、光がさすさま。

コラム　オノマトペのもと

かん・がん

「かん」「がん」は、かたいもので金属を打ったときなどの音を表す擬音語で、室町時代にはすでに使われている。「がん」は、「かん」に比べると、より低い音を表す。繰り返しがある場合は「かんかん」「がんがん」で表し、共鳴するような長くのびる音の場合は、「かーん」「がーん」となる。

「かんかん」は、たたくと音がするほどかたく凍った状態を表す擬態語としても用いられ、「がんがん」は、かたいもので殴られたような痛みやショックをうけた状態や、ものごとを勢いよく進めるようすを表す擬態語としても用いられる。「がーん」は、ひどくショックをうけた状態も表す。

「かんかん」は、強い日の照りつけるようすや、赤く火が燃えさかるようす、烈火のごとく怒っているようすを表す擬態語としても用いられる。

【かんの語群】

かんかん・がんがん

かん・がん・かーん・がーん

【表現】

かたいもので金属を打ったときの音を表すのには「かん」だけでなく、「きん」「こん」なども使われる。学校のチャイムなどでよく使われているウエストミンスター寺院の鐘の音を「きんこんかんこん」と言い習わすが、音程の変化を、オノマトペを変えて表している。「きんこん」「かんこん」の母音は「i—o」「a—o」とほかの多くのオノマトペにも見られる母音の並びになっており、音程の高い順に「きん」「かん」「こん」が当てられている。『鐘の鳴る丘』の主題歌（菊田一夫作詞）にも「きんこんかん」と歌われており、のど自慢の鐘の音なども、「きんこんかんこん」と「きん」「こん」「かん」の三つのオノマトペを使って音程の違いを表している。

「きん」「きーん」は、高音の金属音を表すことが多く、「かん」は消防車がサイレンとともに鳴らす音や鉄工所などで金属をたたく作業の音で、「きん」よりも音程が低い。たたく間隔が長いと「かんかん」が「かーんかーん」となり、消防車が火災現場に向かっているときは「かんかんかん」だが、火災現場から消防署に帰るときは同じ鐘でも「かーんかーんかーん」となる。さらに「こん」はお寺の鐘が「ゴーン」と鳴るなど、同じ金属音でも低音のものを表す。清音の「こん」単独では金属音に使われるよりも、木など、金属に比べると、ひびきの少ないものをたたいたときの音を表すことが多い。

有島武郎には『かんかん虫』という作品があり、吉川英治にも『かんかん虫は唄う』という作品がある。かんかん虫はドック入りした船の錆落としをする労働者のことで、ハンマーで「かんかん」とたたいて仕事をしたことから「かんかん虫」と呼ばれた。耳元で金属音が続く仕事で、重労働である。

「がんがん」は、頭痛の状態を表し、多く「頭ががんがんする」のように「する動詞」の形で使われる。頭をかたいもので繰り返したたかれ、それが頭の中でひびくような痛みである。一般的な頭痛には、偏頭痛、緊張型頭痛、群発頭痛などがあるが、「がんがんする」のは偏頭痛だと考えられ、脈に合わせて痛みが続くため、「ずきずきする」「ずきんずきんする」などともいう。（守山恵子）

夜が明けるさま。「夜ははやがんがりと明にけり」〈東海道名所記・浅井了意〉 ❸さま古ものが明瞭に見えるさま。「がんがりとはねまでみゆる月夜哉〈二正〉」〈俳諧―毛吹草〉

かんかん ❶音 金属や石などのかたいものがぶつかって出し続ける軽く高い音。「雨の音ばらばらばら鉦《かね》の音**カンカン**」〈英対暖語・為永春水〉 ❷さま 日の光が強く照りつけるさま。『かんかん照り』炭火が盛んにおこるさま。「娵《よめ》の尻へ**かんかん**と日があたるに」〈大千世界楽屋探・式亭三馬〉「側に大きな火鉢がありまして、**かんかん**と火が起ってをります」〈真景累ケ淵・三遊亭円朝〉 ⬇漢語編「かんかん(煥煥)」 ❸さま すぐには許してくれそうもないほどはげしく怒るさま。「院長が**かんかん**に怒ってしまったので、たうとう病院を飛出してしまった」〈大阪の宿・水上滝太郎〉 ⬇使い分け「つんけん」 ❹さま かたく引き締まったさま。「湿っぽいお仕着せはやがて**かんかん**に凍りついてしまい」〈死霊・埴谷雄高〉 ❺⬇漢語編①「かんかん(侃侃)」 ②「かんかん(閑閑)」

がんがん ❶音・さま やかましく、続けざまに打ち続ける音。また、そのさま。「時ならぬ鐘の音が馬籠の万福寺からあの街道へ**がんがん**聞えて来てゐる」〈夜明け前・島崎藤村〉「杉中の態度に腹を立てたのか、刑事は**がんがん**怒鳴りつけた」〈金・宮嶋資夫〉 ⬇使い分け「やいやい」 ❷さま やかましい音や痛みが、頭や耳に強くひびくさま。「頭脳《あたま》が、**ガンガン**鳴って、心臓の鼓動も激しかった」〈新世帯・徳田秋声〉 ⬇使い分け「がんがん」 ❸さま 勢いのよいさま。精力的に事を行うさま。「本社に**ガンガン**、クレームをつけとるんです」〈藁のおとし穴・坂上弘〉 ❹⬇漢語編「がんがん(巌巌)」

かんごり さま古 狭くこもっているさま。すきまなく囲むさま。「秋の末さびしうさむなるほどに、座敷をも**かんごり**と冬がまえをして」〈詩学大成抄〉「あたたかに寝る露の手枕〈安静〉 **かんごり**とたてて待ぬる花の宿〈正章〉」〈俳諧―紅梅千句〉

がんじ ❶さま古 動かないようにかたく締めるさま。「こがねの轡《くつは》車**かむし**とかませ、錦のたづなゑってかけ」〈幸若―大織冠〉 ❷さま古 太刀風鋭く切り払うさま。「べんけい是を見て、もってひらいて、よこて切に**がんじ**ときる」〈浄瑠璃―安宅高館〉

がんじり 音古 かたいものを奥歯でかんだ音。「**がんじり**はかたき物嚙あてたる音歟」〈かた言〉

かんでんでん 音 壬生《みぶ》狂言の鉦《かね》や太鼓などの音。↓しゃでんで。「『**カンデンデン**』のお囃子に合わせたユーモラスな所作」〈「壬生狂言」春の公開・京都新聞・06・4・22〉

かんらかんら 声・さま 豪傑などが愉快そうに高笑いする声。また、そのさま。かんらから。かっらかっら。「各一度に手をたき〈略〉海は源氏の禁物かと**かんらかんら**とぞ笑ひける」〈浄瑠璃―佐々木先陣・近松門左衛門〉

き

きー ❶音・声 かたいものがこすれ合ってたてる、かん高い音。また、そのような声。『ガラスに**キーッ**と爪を立てる』「**キー**と軋る音と共に厚樫の扉は彼等と浮世の光りとを長《とこし》へに隔てる」〈倫敦塔・夏目漱石〉 ❷さま 強く締めたり、ひねったりするさま。「**キイ**と胸がしめられるやうだね」〈東京

の三十年・田山花袋〉

ぎー ❶音 ものがきしんで出る重くにぶい音。「今度は**ギー**と雨戸を下から上へ持ち上げる音がする」〈吾輩は猫である・夏目漱石〉

❷さま古 力を込めてものごとをするさま。ぎゅっ。「男の腕を力任せに**ギイ**と抓《つめ》れば」〈人情本—郭の花笠〉

きーきー ❶音 かたいものがこすれ合って持続的にたてる、かん高い音。「開ける時**キイキイ**厭な音のする安簞笥」〈黴・徳田秋声〉

❷声・さま かん高く鋭い声。また、声などが耳ざわりで騒がしいさま。『**きーきー**声』「シギが実を食ひこぼしつつ頻りに**キイキイ**と鳴く」〈告げびと・伊藤左千夫〉「**キイキイ**した、まるで蓄音機のやうな声で」〈苦の世界・宇野浩二〉

ぎーぎー ❶音声 ものが盛んにきしんで出る大きくにぶい音。また、それに似た音や声。「夜半に眼を醒すと、櫓の音が**軋々**《ぎいぎい》枕頭に聞へる」〈自然と人生・徳冨蘆花〉「椋鳥の群が〈略〉地上に低く騒いでは梢を求めて**ぎいぎい**と鳴きつつ落付かなかった」〈土・長塚節〉

❷さま 追いつめられて弱りはてるさま。「二つ**ぎいぎい**云ふ目に遭はしてお遣んなさいましよ」〈魔風恋風・小杉天外〉

ぎーこぎーこ 音・さま ものが繰り返しきしんでたてる重くにぶい音。また、そのさま。『**ギーコギーコ**とのこぎりで丸太をひく』

きーっ ❶音・声 きしるような音。また、そのような声。きー。『サルが**キーッ**と歯をむき出した』『急ブレーキを**キーッ**とかける』

❷さま 厳しさや張りが頂点に達するさま。きっ。『頭に**きーっ**とくる』「大学出の女の目で**キイッ**と睨みつけて」〈妻隠・古井由吉〉

ぎーっ ❶音 ものがきしんで出る重くにぶい音。「**ぎいっ**といやな音のする米搗機か機織機みたいな拷問機」〈がらくた博物館・大庭みな子〉

❷さま 力を込めてものごとをするさま。『**ギーッ**と歯ぎしりした』

ぎーとんぎーとん 音 規則的にものがきしんだり、落ちたり、ぶつかったりしてたてる音。「お母様の機を織ってお出なさる音が、**ぎいとん**、**ぎいとん**と聞える」〈ヰタ・セクスアリス・森鷗外〉

✽多く、機を織ったり、唐臼をついたりするときの音にいう。

きーやり さま古 一瞬神経にひびくほど驚くさま。ひやり。ぴくり。「すいくゎを二つばっさりの音に**きいやり**」〈浄瑠璃—伽羅先代萩〉

きーり 音古 かたいものがすれ合ってたてる音。「つまどのあくをとの**きいり**となる」〈名語記〉

きーん ❶音・声 金属的で、鋭く、耳にひびくようなかん高い音。また、そのような声。「駅に停ったゴンドラは風に顫動し、**キーン**と鉄索が唸り」〈最後の旅・加賀乙彦〉

❷さま 金属的な音がひびいて締めつけられるように感じるさま。「胸の底が**キーン**とするようなウェスターンでも踊ってから」〈銀座二十四帖・井上友一郎〉

❸さま 冷えすぎと思えるほどによく冷えたようす。「最近は**キーン**と冷たすぎるほどのビールを好むファンが多く」〈くらしノート・東京新聞・94・8・31〉

きか さま古 ものごとが他とひときわ区別されるさま。明白に。はっきり。「さはらばはたさんとおもふ心、**きか**と面にまでみゆるゆへ」〈仮名草子—色物語〉

ぎが さま古 光を受けて強く鮮明に見えるさま。ぎらり。「東の山より日の光射したる、隙間より入りて輝きたるに、兜の星金物**ぎが**として見えたり」〈義経記〉

ぎがぎが さま方言 光り輝くさま。新鮮なさま。東北地方・新潟県。「この**ぎがぎが**でぇ(生き生きしている)鯖を買わねぁが」

〈秋田県〉「(雪が固まって)ぎがぎがになっている」〈新潟県〉

きき ❶音・声 鳥などの小動物が、高く、鋭く鳴く声。また、急激にきしむ高い音。『急ブレーキの音が**キキッ**として、振り返った』「細声を出して**きき**と鳴きけり〈略〉ともして見れば古狸なりけり」〈古今著聞集〉

❷⬇漢語編「きき(嬉嬉)」

ぎぎ ❶音・さま 重いものがきしむにぶい音。強く力を込めるさま。『古いトランクに**ギギッ**と詰めこんだ』

❷⬇漢語編「ぎぎ(巍巍)」

ききらききら さま 方言 気がかりで、心の安んじないさま。びくびく。「**ききらききら**て、ねむらんにゃえ」〈山形県〉

ききらきん さま 古 はでに、美しく飾りたてているさま。きんきらきん。「くさぞうしといふ見せを出して、**ききらきん**とかかあにもつくらせて、見せへだしてをいて」〈洒落本―通人の寐言〉

きく ⬇漢語編「きく(崎嶇)」

ぎく ❶さま ものが一瞬強くゆれるさま。「譬ひ国崩と云仏郎機《びいし》を発ても、**ぎく**ともせず防がうと、建て置き」〈絅斎先生敬斎箴講義〉

❷さま 驚き恐れるさま。ぎくり。びくり。「七百貫目の借銭負て、**ぎく**共せぬは、恐らく藤屋の伊左衛門」〈浄瑠璃―夕霧阿波鳴渡・近松門左衛門〉

✿①②とも、多く「ぎくともせず」という形で用いられる。

きくきく ❶音・さま ものが何度もこすれて出る高くきしんだ音。また、そのさま。「てうちんを**キクキク**いはせながら」〈洒落本―繁千話〉

❷さま 言語、動作、態度などが角張って、ぎこちないさま。ぎくしゃく。「ねづみ舞　おもてをむさと切、かほつきうろうろとして、俄に足はやく、**きくきく**とするをいふ」〈承応神事能評判・加茂〉

❸さま ものの節目などが、角立って折れ曲がっているさま。『折れ葦の**きくきく**とした影が池に映っていた』「**きくきく** 物の節目などの、折れ曲がるさまにいふ語」〈大日本国語辞典〉

ぎくぎく ❶音・さま ものが何度も大きくこすれて出る、重くきしんだ音。また、そのさま。「この差し歯の方は、**ぎくぎく**しないやうに入れて、この河内屋へ持って来さっし」〈歌舞伎―勝相撲浮名花触〉「老人の、高い咽喉仏の**ぎくぎく**動くのを、見るともなしに見てゐました」〈雁の童子・宮沢賢治〉

❷さま 言語、動作、態度などが強く角張って、ぎこちないさま。ぎくしゃく。「**ぎくぎく**して腹を立、さりとは憎き仕方」〈風流曲三味線・江島其磧〉

❸さま 強く脈打ってうずくさま。刺激が続いたり、迫られて苦しむさま。「傷はいつまでも**ぎくぎく**と痛み続ける」〈小鳥の巣・鈴木三重吉〉

❹さま ものの節目などが、大きく角立って折れ曲がっているさま。「桜の枝は**ギクギク**した雑音としか思はれない」〈浮世絵の曲線・寺田寅彦〉

ぎくしゃく ❶さま ものの節目などが、角立って折れ曲がっているさま。「**ぎくしゃく**曲げて庫裏へ取る水」〈雑俳―折句杖〉

❷さま 言語、動作、態度などが、不自然でぎこちないさま。ぎっくりしゃっくり。「ペン書きの宛名の字が、**ギクシャク**と不器用に並んでいる」〈月は東に・安岡章太郎〉「こわれたマリオネットのような**ギクシャク**した歩き方で遠ざかって行った」〈父の詫び状・向田邦子〉

ぎくっ ❶さま 一瞬強く驚きおそれるさま。「不意に暗がりから呼ばれた。**ぎくッ**と、英都子は逃げ腰になった」〈春風駘蕩・源氏鶏太〉

❷さま 急に折れ曲がるさま。また、急に強い衝撃を感じるさま。『腰が**ギクッ**とき

た』

きくり 【さま】不意に思いついたり感じたりするさま。「先刻の松下の言葉が、突然、**キクリ**と蘇ってきた」〈故旧忘れ得べき・高見順〉

ぎくり ❶【さま】不意なことにひどく驚くさま。一瞬、強く胸にこたえて、驚きおそれるさま。「葉子は**ぎくり**と釘を打たれたやうに思った」〈或る女・有島武郎〉
❷【さま】ものが急に折れ曲がるさま。「腰がフラフラする。膝は**ぎくり**と折れさうに体は顚倒《ひつくりかへ》りさうになる」〈みゝずのたはこと・徳冨蘆花〉

ぎぐりぎぐり 【さま】重く、時間をかけてくいこんでゆくさま。「母親が、ポツリ、ポツリ云ふのが、源吉の胸に、文字通り、**ぎぐりぎぐり**刺さりこんで行った」〈防雪林・小林多喜二〉

ぎくん ❶【さま】一瞬驚きおそれるさま。ぎくり。「津田夫人はちょっと**ぎくん**とした」〈死霊・埴谷雄高〉
❷【さま】突然はげしく折れ曲がったり、動いたりするさま。「僕は、**ギクン**と飛び起きた」〈浅草・サトウハチロー〉

きこきこ 【音・さま】かたいものが互いにこすれ合ったり、きしんでたてる軽くかん高い音。また、そのさま。「自転車を借りて島を回ってみる。**キコキコ**と音をたててこぎ進んでも、出会うのはヤギだけ」〈ぬちぐすいな島々・AERA・05・5・2〉

ぎこぎこ ❶【音・さま】かたいものが互いにこすれ合ってたてる重くきしんだ音。また、そのさま。『バイオリンを**ギコギコ**鳴らす』「檻房の前には粗末な**ギコギコ**鳴る腰掛が置いてあった」〈煤煙の臭ひ・宮地嘉六〉
❷【さま】かたいものが、角張って切り立っていたり、でこぼこに盛り上がっていたりするさま。「肋骨の**ぎこぎこ**した胸は看るから弱さうであった」〈黴・徳田秋声〉

きさきさ 【さま】【方言】無遠慮なさま。ずけずけ。「顔色も見んと、**きさきさ**したことをいう」〈富山県〉

きざきざ ❶【さま】不規則に、こまかく切りきざまれるさま。きだきだ。「悲しみの腸《はらわた》**きざきざ**に断《た》つとは」〈浄瑠璃―傾城酒呑童子・近松門左衛門〉
❷【さま】のこぎりの歯のような、とがったきざみ目のついているさま。また、荒れてとがっているさま。「そしてそれが私の**きざきざ**な地平線をなして居るのだった」〈美しい村・堀辰雄〉「感情が妙に**きざきざ**して、『へん』とか『へっ』とか云ふやうな眼づかひや心づかひを絶えず為てゐるやうな」〈女作者・田村俊子〉

ぎざぎざ 【さま】のこぎりの歯のように連続する鋭くとがったきざみ目。また、そのさま。「銀時計の裏に**ギザギザ**がついて、薄黒く垢で燻ったのを」〈真理の春・細田民樹〉「恐ろしく**ぎざぎざ**した縮れた線で描かれて居る」〈浮世絵の曲線・寺田寅彦〉

きし ⬇コラム「きし・ぎし」

きしきし ❶【音】ものが互いにこすれ合ってたてる、軽くかわいた音。きしんで鳴る音。「墨の中に石の**きしきし**ときしみ鳴りたる」〈枕草子〉「椅子を前後に揺すって**キシキシ**言わせては、その音をたのしんで」〈司令の休暇・阿部昭〉
❷【さま】きしんでくいこんでしまうような感触を受けるさま。『背中が**キシキシ**と痛む』
❸【さま】すきまなく押しこむさま。きちきち。「悪と善との界へ、**涯々**《キシキシ》一杯に線を引たでござる」〈百一新論・西周〉

ぎしぎし ❶【音】ものが互いにこすれ合ってたてる、重くにごった音。「二階のはしご、**ぎしぎし**となり、誰やら二階へ上り」〈咄本―軽口片頰笑〉
❷【さま】きびしく、容赦なくものを言うさま。つけつけ。ずけずけ。びしびし。「あんまり**ぎしぎし**言はしゃるな」〈浄瑠璃―雪女五枚羽子板・近松門左衛門〉
❸【さま】こすれ合ったような摩擦や痛みな

どを感じるさま。『油がきれたように膝が**ギシギシ**する』「この噛み合せがかなり**ぎしぎし**と軋《きし》るので」〈糸車・寺田寅彦〉
❹さますきまのないほどつまっているさま。窮屈なさま。「老若男女が**ぎしぎし**と詰め掛けてゐた」〈独身・森鷗外〉
❺さま方言事が行われようとするまぎわであるさま。ぎりぎり。すれすれ。「発車**ぎしぎし**に来る」〈徳島県〉

きしっ ❶音かたいものがこすれ合って一瞬たてる軽くかわいた音。『時おり天井の梁が**きしっ**と鳴る』
❷さま整然とものがつまっているさま。几帳面にものごとをまとめ上げていくさま。「日本には江戸中期から**きしっ**と磨き上げられた行政者の倫理がある」〈記者の目・毎日新聞・96・2・22〉

ぎしっ ❶音かたいものがこすれ合って一瞬たてる重くにごった音。「大きな水車が**ギシッ**、**ギシッ**と音を立てて回っていた」〈恵みたたえ、回れ水車・朝日新聞・05・4・2・大阪版〉
❷さま重々しく整然と、ものがつまっているさま。『全集が**ぎしっ**と並べてある書架』

きしり ❶音かたいものが一度こすれ合ってたてる、軽くかわいた音。
❷さま古すきがなく、切れのあるさま。「をのれなりにきはたたすして、鬂さきのみ、**きしり**ととりまはしたるを最上とす」〈評判記—色道大鏡〉

きしりきしり 音ものが何度もこすれ合ってたてる、軽くかわいた音。「暁方に板敷の**きしりきしり**と鳴りければ、預りの兵奇《あやし》みて」〈源平盛衰記〉

ぎしりぎしり 音・さまかたいものが何度もこすれ合ってたてる重くにごった音。少しずつ重みを加えてゆくさま。「すずみ台**ぎしりぎしり**と人がふゑ」〈雑俳—誹風柳多留〉

きしりこきり 声イカル（鳥）の鳴く声。
⬇鳴き声編

ぎすぎす ❶さま性格に愛嬌がなく、角があって、親しみにくいさま。「妙に**ギスギス**した意地の悪さうな人物」〈当世少年気質・巖谷小波〉
❷さまものごとがやせ細り、角張っているさま。ふくらみがなく、かた苦しい感じ。『**ギスギス**した体つきの気弱な子』「簡潔に簡潔にと許りやったんぢゃ、固っ苦しい**ギスギス**したものになっちまひますからね」〈竹沢先生と云ふ人・長与善郎〉 ⬇使い分け「ひょろひょろ」

ぎすつか さま古言語、動作がぎこちなく、なめらかでないさま。ぎくしゃく。ぎくぎく。「おかへあがったかっぱを見るよふに**ぎすつか**アするやろうだ」〈洒落本—通俗雲談〉

きそきそ さま古心のいさみ立つさま。動作が敏速に行われるさま。いそいそ。はきはき。「何時じゃと思召す、ちと**きそきそ**となされませ、日が暮るるがと申にぞ漸に起きさせ給ひ」〈浄瑠璃—弱法師・近松門左衛門〉

きたきた 音・さま古ものを舌でなめたり、転がしたりするときにたてる音。また、そのさま。くちゃくちゃ。ぴちゃぴちゃ。「舌にて、**きたきた**とねぶる」〈名語記〉

きだきだ さま無残にこまかく切りきざむさま。きざきざ。ずたずた。「鳥居のふたばしら、地をひびかしてどうどたをれ、**段々**《きだきだ》にうちをれて」〈かなめいし・浅井了意〉

ぎたぎた ❶さま脂ぎって、ひどくねばりつくさま。「頸筋や顔は脂が浮いて、触る手が**ギタギタ**する」〈男五人・真山青果〉
❷さま古落ち着かないで、騒ぎたてるさま。「朴《はう》の木棒など、二三歩きめ込、**ぎたぎた**なさるるそれらの御方は、分ても気を付」〈踊之著慕駒連〉

きち ⬇コラム「きち・ぎち」

ぎちかわ さま古ものごとが円滑にいかないで行きづまるさま。「わづか五十か百の金で**ぎちかは**するのが気の毒さに、貸してやった金を忘れたか」〈歌舞伎—傾城金秤目〉

コラム オノマトペのもと

きし・ぎし

「きし」は、「軋《きし》む」の「きし」で、かたいものがこすれ合うときの高くかわいた音を表すが、「きし」よりも「ぎし」のほうが強くこすれ合うイメージがあり、「きしきし」「きしり」に比べて「ぎしぎし」「ぎしり」のほうが重く大きい音を表す。

「きしきし」「ぎしぎし」は、連続して鳴る音を表し、「きしっ」「きしり」「ぎしっ」「ぎしり」は一回鳴る音を表す。「きっしきっし」「ぎっしぎっし」は、こすれ合う音のテンポがゆるやかなのに対し、「きしきし」「ぎしぎし」は、よりこきざみに鳴る音を表す。

この「きし」「ぎし」を含むオノマトペの多くは擬音語だが、「ぎし」には、擬態語の語群が多く生まれている。「ぎしぎし」「ぎっしり」「ぎしり」などは、ものがこすれ合うほどたくさんあるようすを表す擬態語である。

【きしの語群】

きしきし・ぎしぎし
きしっ・ぎしっ
きっしきっし・ぎっしぎっし
きしり・ぎしり
きっしり・ぎっしり

	木の床が鳴る —(と)	食料を—(と)詰めこむ	体の骨が—(と)痛む
きしきし	○	—	○
ぎしぎし	○	○	○
きしっ	○	—	—
きしり	○	—	△
ぎしり	○	○	△
ぎしっ	○	△	△
きっしり	—	△	—
ぎっしり	—	○	—

【表現】

タデ科の植物に「ギシギシ」という草があるが、鎌倉時代の辞書『名語記』に「ふたつを、すりあはすれば、ぎしぎしとなる故に、ぎしぎしとは、なづけたる也」とあり、茎をこすり合わせると「ぎしぎし」鳴ることから名が付いたとされる。

ギシギシ（羊蹄）

また、「ぎしぎし」が大きい摩擦音を表すためか、古くは「きびしくものを言うようす」という意味でも使われた。

また、「ぎしぎし詰める」ということから、「無蓋の馬車にぎし詰めに詰め込まれて」など、「ぎし詰め」という表現もある(『旅日記から』寺田寅彦)。「ぎゅう詰め」「ぎゅうぎゅう詰め」「すし詰め」の意である。

「きっしり」は、ものごとがしっくりと適合するようすをさし、江戸時代には、「心がしっくり通じ合った仲の人(情人)」の意味も生まれ、「きっしりさん」「きっしり仲」という語も使われた。

「きしきし」「ぎしぎし」は、現代では物音だけでなく、「骨がきしきし／ぎしぎし痛む」のように、感覚を表す表現にも用いる。

「きし」と「ぎし」は、擬音語では、かたいもの同士がこすれ合う摩擦音として意味が対応しているが、擬態語の点では、音の近い別の擬態語と意味の類似が見られる。「ぎしぎし」は「ぎちぎち」と、「きっしり」「きしっ(と)」は「きっちり」「きちっ(と)」と意味が近く、いずれも「し」の音が「ち」の音に替わった擬態語と対応している。

(中里理子)

※「かわ」は、そのような状態であることを示す接尾語。

きちきち ❶音 かたいものがきしんだり、こすれたりぶつかったりして出る、軽く高い音。「**きちきち**と材《き》の軋《きし》る音の物凄さ」〈五重塔・幸田露伴〉「時計の**きちきち**いふ音も遠くなった」〈俳諧師・高浜虚子〉❷声 鳥やバッタなど虫の鳴く声。「もずといふ鳥の**きちきち**となく、心ありや」〈名語記〉❸さま古 のどにものがつまってむせたりするさま。「一口くひける程に、久しく物もくはぬ老者なりければ、むせて**きちきち**とす」〈沙石集〉❹さま 規則正しいさま。几帳面なさま。きちんきちん。「これからは金も些《ちっ》とは**きちきち**送らなけア」〈黴・徳田秋声〉❺さま ものの分量、寸法や時間、また経済状況などに余裕がないさま。ぎりぎり。「月給も相当に取るが、七人の子供の教育やら何やらで、何時も、**キチキチ**の生活をして居た」〈微温・水野葉舟〉「**キチキチ**した、黒っぽく光る上衣に、腰の方だけ沢山ひだを重ねて広がった服をきてゐる」〈旧聞日本橋・長谷川時雨〉「丁度都合よく、**きちきち**いっぱいに間に合った第七競馬に」〈大道無門・里見弴〉

ぎちぎち ❶音・声 ものがふれ合ったり、きしんだりして出る重くねばった音。また、そのような声。「**ぎちぎち**と鳴る 汚ない掌を おれはこれからもつことになる」〈春と修羅・宮沢賢治〉「紫色の袴の下で曲木《まげき》の小さな椅子が絶えず**ギチギチ**鼠鳴きをして居る」〈若い人・石坂洋次郎〉❷さま古 のどにものがつまってねばるさま。ぎっちぎっち。「搗き立ての餅を喰はせければ、〈略〉喉に詰まり、**ぎちぎち**するを」〈歌舞伎―丹波与作手綱帯〉❸さま ものごとが円滑にいかないさま。生活に金銭的なゆとりのないさま。「若ひ手合さへ差支ねへのに、こっちが**ぎちぎち**して怪知《けち》な事をして居られるものかな」〈洒落本―南門鼠帰〉❹さま ものが限界いっぱいにつまっているさま。『倉庫はもう、**ぎちぎち**だ』

⬇使い分け「ぎゅーぎゅー」

きちっ ❶さま 整っていて、乱れのみられないさま。「青年は**きちっ**と口を結んで」〈銀河鉄道の夜・宮沢賢治〉「これは外套も**きちっ**と身についた紳士であった」〈帰郷・大仏次郎〉❷几帳面に整っているさま。正確なさま。『約束を**きちっ**と守る』「あの方はお金に関しては**キチッ**とした方でしたね」〈壺中庵異聞・富岡多恵子〉

ぎちっ さま 限界いっぱいに、押しこんだり締めつけたりするさま。『**ぎちっ**と結んでいてほどけない』

ぎちゃぎちゃ 音・さま かんだり、にぎったりするときに出る、ねばりつくような音。また、そのさま。「しゃぶったり、舐めたり、**ぎちゃぎちゃ**嚙んだりし出した」〈百鬼園随筆・内田百閒〉

きちり さま ものごとがよく整って、乱れていないさま。正確なさま。きっちり。ぴったり。「いつも両人ながら膝前を**きちり**と合せて稽古の座敷の片隅に並んで坐ってゐた」〈木乃伊の口紅・田村俊子〉「書斎なども実に**整然**《きちり》と片付いてゐた」〈こゝろ・夏目漱石〉

ぎちり ❶音 木などが一度こすれたり、きしんだりしてたてる重くにごった音。❷さま 窮屈なほどつめこむさま。「重箱の中へ羊羹を**ギチリ**と詰めるやうな、形式好き融通利かずの偏屈者では無かった」〈蒲生氏郷・幸田露伴〉

きちん ❶さま 整った形にできあがっているさま。『髪を七三に**きちん**と分けていた』「**端然**《きちん》と坐って、煙草は嫌ひ、茶は喫まずで」〈多情多恨・尾崎紅葉〉❷さま 時間、勘定などが正確で間違いの

きち・ぎち

「きち」も「ぎち」も、ものがこすれ合う音（擬音語）と、ものがこすれ合うほどたくさん詰まっているようす（擬態語）を表す。

擬音語になる場合、「きち」は、鳥や虫の鳴き声、時計の音など比較的小さい音を表し、「ぎち」は「イスが軋《きし》んでぎちぎち鳴る」のように摩擦が大きいときの音を表す。また、舟の櫓《ろ》をこぐようすを「ぎっちら」「ぎっちらこ」ということがある。

擬態語の場合、「きち」は「きっちり」「きちん」のように、「几帳面な」というプラスの意味を表すことが多い。これに対して「ぎち」は、「狭いところにぎちぎちに詰めこむ」「予定がぎっちりで休めない」のように、「余裕がない」ことに対して不快感を伴うマイナスの状態を表すことが多い。

「きちきち」「きっちきっち」もすきまがなく余裕のないようすを表すが、「ぎちぎち」「ぎっちぎっち」になると、限界を感じさせるほどの不快感が伴う。

［きちの語群］

きちきち・ぎちぎち
きちっ・ぎちっ
きっちきっち・ぎっちぎっち
きちり・ぎちり
きっちり・ぎっちり・ぎっちら
きちん・きちんきちん

	板がきしんで—（と）鳴る	—（と）支払う	—（と）詰め込む	ちょうど—（と）合う
きちきち	○	○	○	—
ぎちぎち	○	—	○	—
きちっ	—	○	○	○
きちり	—	○	△	○
きっちり	—	○	○	○
きちん	—	○	○	—
ぎちっ	○	—	○	—
ぎちり	○	—	△	—
ぎっちり	—	—	○	—

［表現］

「ショウリョウバッタ」は、飛ぶときに「きちきち」と音を立てるので、「キチキチバッタ」または「キチキチ」とも呼ばれる。音を出さない種類は「ショウリョウバッタモドキ」と呼ぶ。また、モズの鳴き声が「キチキチ」と聞こえることから、モズを「きちきちどり」「きちきちもうず」と呼ぶ地域がある。

ショウリョウバッタ

ものごとがきちんとしていないと気がすまない人を「きちん屋」ということもあった。ほかに、無愛想な人を「むっつり屋」、抜け目ない人を「がっちり屋」、口うるさく文句を言う人を「がみがみ屋」などと言い、人の性格・ようすを表す擬態語に「屋」をつけていうことがあるが、多くはあまりよくない意味で使われる。擬態語に限らず、「新しがり屋」「気どり屋」「照れ屋」「気むずかし屋」など、「屋」をつけて造語をする例は多い。

最近では、「きちきちの洋服」「スケジュールがきちきちだ」を、「きつきつの洋服」「スケジュールがきつきつだ」というように、「きつきつ」を使って言う場合がある。「きつい」という語からの連想であろう。

（中里理子）

ないさま。規則正しいさま。「夕方の四時にはきちんと帰って来るといふやうな」〈都会の憂鬱・佐藤春夫〉

きちんきちん さま ものごとを規則正しく繰り返すさま。几帳面に続けるさま。「毎月の仕送をキチンキチンと絶やさなかったが」〈社会百面相・内田魯庵〉

きっ ❶音声 ものがきしんだときにたてる、かん高い音。小さい鳥や獣などの鳴き声。『急ブレーキでタイヤがキッと鳴る』
❷さま古 瞬間的に集中して行われるさま。さっ。「きっと来て啼て去りけり蟬のこゑ〈胡故〉」〈俳諧—続猿蓑〉
❸さま きびしいさま。緊張したり、警戒しているさま。『きっとにらみつけた』「帯をきっと固く締直してやれば」〈姉と弟・嵯峨之屋御室〉
❹さま 意志や決意のかたいさま。確信をもつさま。『きっと守ります』『きっとそうだろう』

ぎっ ❶音・さま ものが一瞬きしんだときにたてる重い音。また、そのさま。『扉がぎっと開く』「火の消えた煙管をぎっと噛みしめては」〈土・長塚節〉
❷さま 強く力を込めてものごとを行うさま。ぐっ。ぎゅっ。「与三は膝下にギッと俊三を押へつけた」〈良人の自白・木下尚江〉
❸さま いかめしいさま。きびしいさま。「突然這入って来た菓子をぎっと見守ってゐた」〈或る女・有島武郎〉
❹さま ものごとに行きづまるさま。ものごとがさしせまっているさま。ぐっ。「詠じ給ひし御歌に、ぎっと詰まって、楽天は爰より本土に帰るとかや」〈浄瑠璃—国性爺合戦・近松門左衛門〉

きっか さま古 明確に認識するさま。「次郎太郎とはきっかと見えたれ共」〈報恩録〉
✸「きか」を強めた語。

きっかし さま 時間や数量が正確にあっているさま。『九時きっかしに現れた』
✸口頭でくだけて用いる。

きっかり ❶さま 輪郭や形がきわだっているさま。くっきり。「大きく沈んで行く陽は〈略〉港を囲んだすべての建物をきっかりとくまどった影にして」〈コサビネ艦隊の抜錨・龍胆寺雄〉
❷さま 時間や数量などが正確に合っていて、端数がないさま。ちょうど。かっきり。「元旦の午前零時きっかりに観音堂の扉が開いて」〈寝顔・川端康成〉 ⬇使い分け「きっかり」

きっきっ ❶声 サルが歯をむき出して鳴く声。ものがのどにつまってむせたりするときの声。「酒宴半ばの猿の興、さす杯も度重なれば、皆おん顔は真赤になって、きっきっと並ばせ給ふ」〈謡曲—嵐山〉「餅を喉に詰らし、目を見詰め、手を握り、ただきっきっと言ふ」〈浮世物語・浅井了意〉

使い分け

【共通の意味】
数量や形がちょうど合うようす。

きっかり
ぴったり／きっちり／かっちり／ちょっきり

❶**きっかり**は、時間や数字などが正確で少しのずれもないようす。「会議は九時きっかりに始まった」 ❷**ぴったり**は、基準となるものとちょうど合う、また、ほかのものと調和がとれているようす。「合計金額がぴったり合った」「部屋の雰囲気にぴったりのカーテン」 ❸**きっちり**は、正確に合って、ずれやゆるみがないようす。「ビンのふたをきっちり閉める」「着物の襟元をきっちり合わせる」 ❹**かっちり**は正確に合わさったときの音やようす。「アタッシュケースのふたをかっちり閉める」「機械に部品をかっちりはめ込む」 ❺**ちょっきり**は、多くも少なくもなくちょうどであるようす。「割り勘で、一人ちょっきり千円だ」

❷さま古動作に迷いや滞りがないさま。きびきび。「生姜酢を以きっきっとあへ」〈狂言―鱸庖丁〉

きつきつ ❶さまものごとをこまかく規則正しく繰り返すさま。「地球がどんなに規則正しく、決してスピードなんかかけやしないけど、きつきつとして廻っているか」〈兵士と女優・渡辺温〉

❷さま古痛みなどが脈打つように続くさま。「持病の痞《つかへ》のきつきつと、痛むものから」〈人情本―縁結娯色の糸〉

❸➡漢語編①「きつきつ（吃吃）」②「きつきつ（屹屹）」③「きつきつ（拮拮）」

ぎつぎつ ❶さまにごって、滞りがちなさま。ごつごつ。「老婆のギツギツした方言をないまぜた罵りは〈略〉歯のぬけた口で、なおもわめきつづけられていたが」〈絵本・田宮虎彦〉

❷声ガチョウの鳴く声。➡鳴き声編

ぎっくぎっく さまのどにものが引っかかって苦しむさま。「せきこんでほうばり、のどへもちをひっかけて、ぎっくぎっくとする」〈滑稽本―旧観帖〉

きっくり さま古軽く反応を返すさま。「客何百人にあふてもきっくりともせぬ情《いせ》のつよい遊女を」〈傾城禁短気・江島其磧〉

ぎっくり ❶音角立ったものがこすれたり、関節を動かしたときにたてる音。ごきっ。『ぎっくり腰』「音ぐきりぎっくりといふたと白い膝を出し」〈雑俳―銀土器〉

❷さま一瞬動揺し、びくつくさま。驚きおそれるさま。きっくり。「須河はぎっくりと徹《たこ》へる所があると見えて」〈当世書生気質・坪内逍遙〉 ➡使い分け「ぎっくり」

❸さま鋭く迫ってにらみつけるさま。「傘を持て、ギックリとにらんだらの」〈浮世風呂・式亭三馬〉

❹名歌舞伎などで、はったとにらむ見得。「小便するにも我れをわすれて、わる見へのぎっくりなどをするくせあり」〈船頭深話・式亭三馬〉

ぎっくりしゃっくり さま滞ったりつかえたりしながら動き続けるさま。『車がぎっくりしゃっくり走る』

ぎっくりばったり ❶名歌舞伎の演技の一つ。首を振り、目をむいてにらむ動作に合わせて、舞台の板を拍子木で打って見得を切ること。

❷名舞台で演じた経験を軽く卑下していうもの。「人生は歩いてゐる影たるに過ぎん、只一時舞台の上で、ぎっくりばったりをやって、やがて最早《もう》噂もされなくなる惨《みじめ》な俳優だ」〈マクベス・坪内逍遙訳〉

ぎっくん ❶さまものが一瞬ぎこちなく、ひきつったような動きをするさま。『大事なときに、ぎっくんとしゃっくりをした』

❷さま一瞬不意をつかれて動揺するさま。『ぎっくん。ばれてしまったか』

ぎっこんぎっこん 音ものが動くときに、きしんで出るにぶい音。「木馬に乗って、ギッコンギッコンと凄まじい速さで、上ったり下ったりしてゐます」〈オリンポスの果実・田中英光〉

ぎっこんばったん →ぎったんばっこん。

きっさり さま古迷うことなく行動するさま。きっぱり。確かに。「いくらお友達だって、さうさう人を引立てるお金なんかきっさり、出せるものなんかありやしないよ」〈女体開顕・岡本かの子〉

きっしり ❶さまものがよく適合するさま。きっちり。しっくり。ぴったり。「輿はきっしりと旨く馬車の中に納った」〈思ひ出す事など・夏目漱石〉

❷さま心に強くひびくさま。「おもはくらしう、頤《おとがい》を襟の中へさしこみし粧ひ、三ぶが魂へきっしりと徹《たこ》へ」〈傾城禁短気・江島其磧〉

❸さますきまなく整然としているさま。ぎっしり。「その外はきっしり人で詰まってゐる」〈灰燼・森鷗外〉

❹名古心と心とが深く通じ合った仲。

き

また、その人。きっしりさん。「おまへもよいきっしりをこしらへて、何やかやして貰ふたがよい」〈滑稽本―大平楽国字解〉

❋④は江戸時代の安永から天保にかけての流行語。

ぎっしり ❶さま 強く押しこんだようにすきまなく、いっぱいにつまっているさま。「和洋の書籍を**ぎっしり**詰込んだ大形の西洋書架の上に」〈くれの廿八日・内田魯庵〉「おでん、寿司の屋台店が**ぎっしり**とならんで」〈銀の匙・中勘助〉 ⬇使い分け「ぎゅーぎゅー」

❷さま 強く力を込めるさま。しっかり。「手も足も**ぎっしり**床へ縛りつけられた様に重苦しくってならない」〈地に頬つけて・谷崎精二〉「彼女の手を**ぎっしり**と握ってゐるその温みが」〈流星・富ノ沢麟太郎〉

ぎっすり さま 重々しいさま。相手を威圧するさま。「『騒々しい、こら、巫山戯《ふざけ》るない』と**ぎっすり**言ふ」〈玄武朱雀・泉鏡花〉

きっそり さま 引き締まった印象を与えるさま。「ちょっと下脹れの瓜実顔で、上背もあり、**きっそり**した好い芸者だった」〈縮図・徳田秋声〉

ぎったんばっこん 名 長い板の中央を小さい台で支え、その両端に人が乗って交互に上下する遊び。シーソー。がたんこ。ぎっこんばったん。「一日、**ぎったんばっこん**して遊ぶ」

ぎっちかわ さま 古 滞って先へ進まないさま。「僅か二百両ばかりの跡金を、団子の咽に詰った様に、**ぎっちかは**と吠え頬かくとは違ふ」〈浄瑠璃―関取千両幟・近松半二〉

❋「かわ」はようすを表す接尾語。

きっちきち さま 物理的にすきまがないさま。ゆるみがないさま。「『指輪が**きっちきち**になってはずれない』」

ぎっちぎち さま ものがいっぱいにつまっているさま。「ふたりのスケジュールは、夏休みに入るまで、**ぎっちぎち**」〈恋しいシャープで待ってれば・矢島さら〉

ぎっちぎっち さま 限界になるまでつまるさま。きちきち。「『**ぎっちぎっち**のズボン』」「二合半の盛り切おだい、咽に詰って**ぎっちぎっち**」〈浄瑠璃―心中宵庚申・近松門左衛門〉「まだ此上に何なりと、御存じなくばお尋と、云ひまくられて、**ぎっちぎっち**、返答詰り武智殿」〈浄瑠璃―仮名写安土問答〉

ぎっちらぎっちら 音・さま 小舟の櫓《ろ》をあやつる音。また、そのさま。「元気一ぱい櫓がしなる　ソレ　**ギッチラ　ギッチラ　ギッチラ**コ」〈童謡―船頭さん・武内俊子〉

ぎっちらこ 音・さま 小舟の櫓をこぐ音。また、そのさま。

使い分け

【共通の意味】不意のことに驚くようす。

ぎっくり
びっくり／どっきり

❶**ぎっくり**は、不意に起こった出来事に思い当たることがあって、恐れるようす。「テストの後、いきなり先生に呼び止められ、カンニングがばれたかと**ぎっくり**した」。**びっくり**は、予想しなかったことに接して驚くようす。「初めて新幹線に乗って、あまりに速いので**びっくり**した」。**どっきり**は不意な出来事に襲われて、鼓動が強く打つようす。「突然、非常ベルが鳴りひびき、火事かと**どっきり**した」 ❷**ぎくり**、**びくり**、**どきり**などの表現もあるが、「っ」のはいったほうが強いひびきがある。❸「**ぎっくり腰**」「**びっくり箱**」などの複合語もある。

❋昔話や、おとぎ話の中などで用いる。

きっちり ❶さま ものがよく整っているさま。きちり。「そない**きっちり**と真面目くさってばっかりもゐられへん」〈卍・谷崎潤一郎〉 ⬇使い分け「しっかり」

❷さま すきまなく接しているさま。ぴっ

たり。『左右を**きっちり**合わせてくださ い』」「その襖は、いくら**きっちり**閉めようとしても上部が一センチほどあいてしまう」〈さい果て・津村節子〉 ⬇使い分け「きっかり」
❸さま 時間や量が正確に合っていて、端数がないさま。ちょうど。きちり。きっかり。「**キッチリ**四時半に風呂を沸かした」〈蓼喰ふ虫・谷崎潤一郎〉

ぎっちり ❶さま すきまなく、限界になるまでつまっているさま。ぎっしり。「百人乗りバスも朝から晩の終車まで**ぎっちり**満員」〈ノリソダ騒動記・杉浦明平〉「細かい字が**ぎっちり**書いてあるの」〈雪国・川端康成〉
❷さま かたく行きづまって、動きのとれないさま。ぎちり。『**ぎっちり**食いこんで動かない』」「引張っても**ぎっちり**支《かっ》へて明ぬも道理」〈七偏人・梅亭金鵞〉

ぎっとり さま 脂ぎっているさま。『脂が**ぎっとり**の豚骨ラーメン』

ぎっとんぎっとん さま 脂ぎっているさま。ぎとぎと。『油の汚れで**ぎっとんぎっとん**の換気扇を掃除する』

きっぱ ❶さま古 明確できわだっているさま。「眄は黒眼と白眼とが**きっぱ**と有を云ぞ」〈毛詩抄〉
❷さま古 いい加減なことを許さない、きびしさのあるさま。「物を私せいで公界にしてすみかどをたてて**きっぱ**としたぞ」〈玉塵抄〉

きっぱり ❶さま 言動が明確で意志がかたく、ゆるがないさま。「村一番の温泉宿は、その割当ての寄付を、**きっぱり**ことわったのだ」〈温泉宿・川端康成〉 ⬇使い分け「きっぱり」
❷さま ようすや態度が明白に見てとれるさま。「**きっぱり**と忍び人しれる雪の朝」〈雑俳―後の栞〉「その二匹の馬が私をすぐ身近に放置して**きっぱり**と問題外にしてゐる無礼に対し」〈玩具・太宰治〉
❸名 歌舞伎で、俳優のしぐさ、せりふをきわだたせて効果をあげるために、合方を一段と高く演奏すること。「『それは何ういふ訳あって』ト合方**きっぱり**となり」〈歌舞伎―天衣紛上野初花(河内山)・河竹默阿彌〉

きと ❶さま古 動作が瞬間的に集中して行われるさま。すばやく。さっ。「舟は**きと**おしもどすが大事に候」〈平家物語〉
❷さま古 意図することなしに、ある状態にはいったり、ある動作を始めるさま。ふと。ちょっと。「きよみづさまの事、**きと**思ひ出られて、又なくよりほかの、御事なし」〈御伽草子―しぐれ〉
❸さま古 動作、状態などが、確固としていてゆるみのないさま。「烏帽子の緒**きと**つよげに結ひ入れて」〈枕草子〉
❹さま古 動作や行動を必ず実現させるさま。きっと。必ず。「申すべき事あり。**きと**立ち寄り給へ」〈平家物語〉

きときと ❶さま古 何よりも優先させるさ

使い分け

[共通の意味]
態度や行為に、強い意志が表れているようす。

きっぱり

がつん／はっきり／毅然／すっぱり

❶**きっぱり**は「転職の誘いを**きっぱり**断った」「反対意見も多い中で、**きっぱり**と自分の考えを述べる」のように、態度に意志を強く表すようす。**はっきり**は言い方や態度が明確であるようす。「都合が悪いときは、**はっきり**だめだと言う」❷**がつん**は相手に衝撃を与えるような強い言い方や態度を表す。「甘くするとつけあがるから、一度**ガツン**と言ってやろう」❸**毅然**は、意志が強く動揺しないようす。「大臣の問題発言に、首相は**毅然**とした態度で対処した」❹**すっぱり**は「長年吸っていたたばこを**すっぱり**やめた」のように、思い切って全部やめるときなどに使う。

ま。「右京の権大夫清長を御使にて『**きときと**』と召しあり」〈とはずがたり〉

❷さま古言動や態度が明確なさま。「やがて御尻《しり》きり奉りて『**きときと**よく申したるぞ』と仰せ言候へば」〈宇治拾遺物語〉

❸さま古必ず。是が非でも。「『只今内裏へきとまゐらせ給へ。猶々**きときと**』といひけり」〈古今著聞集〉

❹さま方言目が輝いているさま。新鮮なさま。「**きときと**の白米や」〈富山県〉「大学出の**きときと**や」〈富山県〉「捕れたばっかしの**きときと**の魚やぞ」〈石川県〉「目が**きときと**しちょるばい」〈宮崎県〉

❺さま方言心配しているさま。「そなん**きときと**しとってもしょうがない」〈香川県〉

ぎとぎと さま 気持ちわるく脂ぎっているさま。『**ぎとぎと**の脂汗』

ぎどぎど さま 脂ぎっているさま。「これらの餃子屋は、皆、安直で、**ギドギド**なのを食はせるので」〈ロッパ食談・古川緑波〉

ぎとっ さま 油が気持ちわるくねばったりしめったりして、くっつくさま。『**ぎとっ**としたバスの手すり』

きなきな ❶さま古あれこれと絶えず思いなやむさま。くよくよ。「其方《そなた》はわたしの妹にして、これから世話をしてあげやう。**キナキナ**思ふに及ばぬ程に」〈当世書生気質・坪内逍遥〉方言思い悩むさま。富山県・近畿地方。「何を**きなきな**しとるがや、思い切ってやれ」〈富山県〉

❷さま方言物惜しみするさま。けちけち。「**きなきな**した暮らしは、はあ嫌だくなったよ」〈静岡県〉

ぎなぎな さま方言怠けるさま。ぐずぐず。「たったひとり**ぎなぎな**しょーるのよ」〈愛媛県〉

きぱっ さま 明確にわかるさま。きっぱり。はっきり。「こちらも負けずにいやに**きぱっ**とした切口上になったりした」〈父―その死・幸田文〉

きぱりきぱり さま ものの言い方、態度がいちいち鋭く明確なさま。「唇に微笑を浮べながら対手の急所を衝くやうな**キパリキパリ**した物の云ひ方をする」〈神経病時代・広津和郎〉

きびきび ❶さま 態度、動作などが引き締まっていて気持ちがよいさま。「東京の芝居や音曲にはさすが江戸人の**きびきび**としたスマートな気風が出てゐるのに」〈蓼喰ふ虫・谷崎潤一郎〉 ⬇使い分け「きびきび」

❷さま方言物惜しみするさま。けちけち。静岡県・四国地方。「きぼきぼ」ともいう。「こればかのこんで（こればかりのことで）**きびきび**すんなと言われてやっきりした（嫌になった）」〈静岡県〉「それぐらい、**きぼきぼ**せずに、よーけ使え」〈愛知県〉

ぎみがま さま古やかましくどなりたてる

使い分け

【共通の意味】
動作や態度がすばやく、小気味よいようす。

きびきび
てきぱき／しゃきしゃき／はきはき／ぱきぱき

❶**きびきび**、**てきぱき**、**しゃきしゃき**は、おもに動作や態度に使う。**きびきび**は、動作や態度がいきいきとして、感じがいいようす。「社員が**きびきび**と働いて、気持ちのいい職場だ」。**てきぱき**は動作が機敏で手際よく、要領よく処理するようす。「**てきぱき**と指示をだす」。**しゃきしゃき**は手早くものごとを処理するようす。「旅館の仲居さんたちが**しゃきしゃき**働いている」

❷**はきはき**、**ぱきぱき**はおもに話し方に使う。**はきはき**は、ことばや態度にためらいがなく、明瞭な話し方をするようす。「質問されたら、大きい声で**はきはき**答えなさい」。**ぱきぱき**は話し方がはっきりして簡潔だが、少しかたい感じのあるようす。

さま。がみがみ。「おぬし達もそんなにぎみがま言ふ事はない」〈歌舞伎―千代始音頭瀬渡〉

きゃー ❶声 サルや鳥など動物の鳴く声。「猿、**キャア**といふ。何じゃ、**きゃあ**。なう、そなたは猿のまねをするか」〈狂言―猿座頭〉

❷声・さま けたたましく笑ぅさまや歓声。驚きおそれてかん高い悲鳴をあげるさま。「雷には驚く、**きゃア**と云って田の畔へ転げると」〈真景累ケ淵・三遊亭円朝〉

ぎゃー 声 ひどい苦しみ、驚き、恐れのために、思わず出すはげしい声。獣の気味のわるい声。「見張りに立った奴が**ぎゃあ**といふや否や、一度にばらばらと石を投げつけたりする」〈山彦・鈴木三重吉〉「猫のいがみ合ふ声、**ギャア**(引)ギャア(引)ニャア」〈春色梅美婦禰・為永春水〉

きゃーきゃー ❶声 サルや鳥など動物の鳴き続ける声。「鸚鵡は〈略〉機嫌のわるいときは冠毛を立てて**きゃあきゃあ**鳴くばかりでなんにもいはない」〈銀の匙・中勘助〉

❷声・さま 驚き、恐れ、喜びのために、にぎやかにかん高く叫ぶ声。また、そのさま。「座敷へ上って**キャアキャア**騒がれては大変と思ひましたが」〈真景累ケ淵・三遊亭円朝〉「丘の上では、彼等が、**きゃあきゃあ**笑ったり叫んだりした」〈渦巻ける鳥の群・黒島伝治〉

❋主として女性や子どもについていぅ。

ぎゃーぎゃー ❶声 赤ん坊などがやかましく泣き叫ぶ声。鳥などがやかましく鳴く声。「家鴨《あひる》が五六羽**ギャアギャア**鳴いて」〈田舎教師・田山花袋〉

❷声・さま 不平や要求などをやかましく騒ぎたてる声。また、そのさま。「今に持って行くから、**ギャアギャア**騒がねえで」〈真景累ケ淵・三遊亭円朝〉

ぎゃーつくぎゃーつく さま 方言 うるさく文句を言ぅさま。ぎゃーぎゃー。がみがみ。「まあまあ、そんなに**ぎゃあつくぎゃあつく**言やーすな」〈愛知県〉「書類をちょっと間違えてきゃーたら(書いたら)、課長に**ぎゃーつくぎゃーつく**言われちゃってよお」〈愛知県〉

きゃきゃ ❶声 サルなどの短く鳴く声。「猿ならなかぅぞゑ。はあこりゃなかざなるまい。**きゃきゃ**」〈狂言記―柿山伏〉

❷声・さま 楽しげにはしゃぐ声。また、そのさま。『夜中まで、**きゃきゃ**と騒ぐ声がした』

きやきや ❶さま 心配して肝を冷やすさま。心が静まらないさま。はらはら。ひやひや。「むねは**きやきや**ひえの山かげ　たび人や波のなんぎに近江舟〈貞義〉」〈俳諧―鷹筑波〉

方言 気が気でないさま。「落ちはせんかと思って**きやきや**した」〈京都府〉

❷さま 体の一部がさしこんで引きつるように痛むさま。冷気でかじかむさま。「持病である疝気でどうかすると腰が**きやきや**と痛むこともあったが」〈土・長塚節〉

❸さま 方言 胸焼けがするさま。胃が痛むさま。むかむか。静岡県・四国地方。「夜中に胃が**きやきや**して寝られんかった」〈静岡県〉「さつまいも食べすぎて、今日は胸が**きやきや**するわ、気分がわるぅていかん」〈香川県〉

きゃっ 声・さま 驚きおそれて思わず出す、短くかん高い声。また、そのさま。「お侍の五人や七人は、慮外ながら、**きゃっ**と云はせて、のめらせ様も知ったれ共」〈浄瑠璃―大経師昔暦・近松門左衛門〉

ぎゃっ ❶声 サルや鳥など動物の鳴く声。

❷声 赤ん坊の産声。おぎゃーおぎゃー。「**ギャッ**と産れてから是までにするにゃア仇や疎かな事ぢゃア有りません」〈浮雲・二葉亭四迷〉

❸声・さま 苦しみや驚きのあまり思わず出す声。また、そのさま。「ドン底までネタをタタキ上げて、あの山羊髯を**ギャッ**と云わせてくれよう」〈山羊髯編輯長・夢野久作〉

きゃっきゃっ ❶〔声〕サルなどが騒がしく鳴く声。「道の先に**キャッキャッ**と何物か大騒ぎを成し居る様子〈略〉数知れぬ猿共が」〈紀文大尽・村井弦斎〉 ❷〔声・さま〕女性、子どもなどがたわむれ騒ぐ声。また、そのさま。「子供たちは〈略〉なにやら**きゃっきゃっ**言いながら座席を移動している」〈見知らぬ山・高橋たか子〉

ぎゃっぎゃっ 〔声〕鳥や獣が不気味に鳴き騒ぐ声。『森の奥から**ギャッギャッ**という声が響く』

ぎゃはは 〔さま〕大声で無遠慮に笑ぅさま。「なにしろ笑い盛りの女の子たち。**ギャハハ**と身をそらして大笑い」〈わかもの観察学入門・毎日新聞・93・2・14〉

ぎゃはんきゅー 〔さま〕〔古〕押しつぶされて、手も足も出ないさま。「**ぎゃはんきう**といふ目に遇た」〈浮世床・式亭三馬〉

きゃぴきゃぴ 〔さま〕若い女性が周囲にそぐわず騒がしいほど健康的で快活なさま。「**キャピキャピ**女子大生になりました」〈女のことわざ辞典・林真理子〉

ぎゃふん 〔さま〕言いこめられて一言も返せないさま。圧倒されて抵抗できないでいるさま。ぎょふん。「たまには**ギャフン**と云はしたったらよろしいのよ」〈北東の風・久板栄二郎〉

きゃらきゃら 〔さま〕かん高く明るく笑ぅさま。からから。「仲胤僧都**きゃらきゃら**と笑ひて」〈宇治拾遺物語〉「何がをかしいのか、**きゃらきゃら**笑ひながら」〈大阪の宿・水上滝太郎〉

きやり ❶〔さま〕一瞬驚くさま。心を動かすさま。びくり。「おさよの目には急に**きやり**とした色が見えた」〈微温・水野葉舟〉 ❷〔さま〕胸などが一瞬さしこんで痛むさま。きやきや。「胴突の胸へ**きやり**と痞へもち」〈雑俳—鶯宿梅〉

きゃんきゃん ❶〔声〕イヌがかん高く鳴く声。「黒犬をふみければおどろき、**キャンキャン**とほゆる」〈咄本—軽口若夷〉 ❷〔声・さま〕騒がしく文句を言ぅ声。かん高く叫び続ける声。また、そのさま。「那《あれ》が**猖々**《きゃんきゃん》言ふのが聞えるやぅだけれど」〈恋慕ながし・小栗風葉〉

ぎゃんぎゃん 〔音・声・さま〕騒がしくたて続ける音。うるさく騒ぎたてたり、泣きわめいたりする声。また、そのさま。「町の子が**ぎゃんぎゃんぎゃんぎゃん**ひっきりなしに鉦を叩くので」〈銀の匙・中勘助〉「そんなに**ぎゃんぎゃん**朝っぱらから怒鳴らなくっても」〈金・宮嶋資夫〉

きゅー ❶〔音・さま〕強い摩擦によって生じるかん高くきしる音。また、そのさま。「鉛筆を取り上げて、尖った先を見た。丸い護謨《ゴム》の尻を見た。〈略〉ややあって護謨の尻を**きゅう**っと洋卓の上へ引っ張りながら」〈虞美人草・夏目漱石〉 ❷〔さま〕力を込めて動作をするさま。「彼に胸が**キューッ**と締めつけられるやぅな兇暴な愛情を感じさせた」〈故旧忘れ得べき・高見順〉「殺してくれエといひ兼ねねえ、**キウ**と遣ったな」〈真景累ケ淵・三遊亭円朝〉 ❸〔さま〕酒などをひと息に飲むさま。「自身も一杯注いで、半分ばかり**きゅう**と飲んで」〈二人女房・尾崎紅葉〉

ぎゅー ❶〔音・さま〕強く押しつぶされたり、締めつけられてたてるにぶい音。また、そのさま。『おなかが**ギュー**と鳴る』 ❷〔さま〕力をいれて、ひと息に動作するさま。ぐっ。ぎゅっ。「骨が折れて了ふくらゐに、**ぎゅう**と、抱いて頂戴」〈帰郷・大仏次郎〉 ❸〔さま〕ひどくやりこめられたり、打ちのめされるさま。「お前、**ギュウ**といふ目にあって、何もかも洗ひざらひ、それこそいはなくってもいいことまで」〈ゆく年・久保田万太郎〉

きゅーきゅー ❶〔音〕ものがきしんだり、こすれたり、押しつけられたりして鳴り続ける高い音。「四円以上の博多の帯

が、**キウキウ**と鳴くを喜べども」〈当世書生気質・坪内逍遥〉

❷さま 押しつけられたような声で笑うさま。「駒子は、おかしくなって、**キュウキュウ**と、身を揉んで、笑った」〈自由学校・獅子文六〉

❸さま 強く締め続けたり、押しつけ続けたりするさま。『満員電車で、**きゅうきゅう**だ』「**きゅうきゅう**しめあげておくと、伝六のきょうの働きというものはおどろくくらいです」〈右門捕物帖・佐々木味津三〉

❹さま 貧乏で、暮らしに余裕がないさま。「金のために一生**きゅうきゅう**と扱《こ》き使はれて来た私が」〈今年竹・里見弴〉

✵④は、窮乏の意味を込めて「窮窮」と表記することがある。

❺⬇漢語編「きゅうきゅう（汲汲）」

ぎゅーぎゅー ❶音 ものがきしんだり、こすれたり、押しつけられたりして鳴る、重く濁った音。「大きい水車が、朝から晩まで**ギウギウ**と鈍い音を立てて廻ってゐて」〈二筋の血・石川啄木〉

❷さま 持続的にかたく締めたり、押しこんだりするさま。『**ぎゅうぎゅう**詰め』「石や棒ちぎれを**ぎうぎう**井戸の中へ挿し込んで、水が出なくなったのを見届けて」〈坊っちゃん・夏目漱石〉 ⬇使い分け「ぎゅーぎゅー」

❸さま あとがないほどに追いつめたりするさま。「首根っ子を摑まって**ぎゅうぎゅう**に云はされてゐるんだとしたら」〈他所の恋・正宗白鳥〉

きゅーん ❶音・さま 飛行機や機械が高速で動いて発する軽快な音。また、そのさま。『飛行機が**キューン**と旋回した』

❷さま 感動して胸が締めつけられるような感じになるさま。『胸が**キューン**となる名場面』

ぎゅーん 音・さま 機械が高速で動いて発する大きく迫力のある音。また、そのさま。『**ギューン**と上り調子の株価』

きゅっ ❶音 ものを鋭く、摩擦させるときに出る軽快な音。『靴を**キュッ**と鳴らす』

❷声・さま 思わずのどの奥からこみあげてくる声。また、そのさま。くっ。「玄斎は**きゅっ**と笑った。もう、唇も爪も鉛色にかわっているのに、ごろごろとのどのおくで笑ったのである」〈江戸忍法帖・山田風太郎〉

❸さま 力を込めて一気にしぼりあげるさま。『唇を**キュッ**と結ぶ』『**キュッ**とくびれたウエスト』「胸が**きゅっ**とこみ上げて来るように感じた」〈俊寛・菊池寛〉

❹さま 酒などを、ひと息に軽やかに飲むさま。「焼酎をコップで一ぱい**きゅっ**とやって」〈三とせの春は過ぎやすし・杉浦明平〉

ぎゅっ ❶さま かなり強く力を入れてしぼりあげるさま。「その眼を**ぎゅっ**と固くつぶり、つぶったままで言ひました」〈駈込み訴

使い分け

【共通の意味】詰め込むようす。

ぎゅーぎゅー

ぎっしり／びっしり／ぎちぎち

❶**ぎゅーぎゅー**は、これ以上はいらない状態のところへ無理に押し込むようす。「朝の通勤電車の車内は**ギューギュー**に込んでいる」「**ぎゅーぎゅー**詰めのかばん」

❷**ぎっしり**はすきまなく、いっぱいに詰まっているようす。「本棚に本が**ぎっしり**並んでいる」「中身が**ぎっしり**詰まっているまんじゅう」。**びっしり**は、いっぱいに並んだり覆われたりしているようす。「岩に苔《こけ》が**びっしり**と生えている」「手帳に予定が**びっしり**書き込まれている」

❸**ぎちぎち**は、まったくすきまがなくて窮屈なようす。「この箱は**ぎちぎち**でもう何もはいらない」「旅行のスケジュールは**ぎちぎち**でゆっくり休む暇がない」

へ・太宰治〉
❷さま かなり強い力で圧迫するさま。『ご飯をギュッとつめこむ』
❸さま 平べったくなるぐらいに押しつぶされるさま。『ぎゅっという目にあわせる』

きゅっきゅっ ❶音 ものが何度もきしんだり、こすれたりしてたてるかん高い音。「ゴム底靴がリノリュームの床にこすれるキュッキュッという軋音」〈エオンタ・金井美恵子〉
❷声・さま おさえようとしても思わずのどの奥から笑いがこみあげてくる声。また、そのさま。くっくっ。「ハンケチを口にあててきゅっきゅっと噴き出してしまった」〈或る女・有島武郎〉
❸さま 規則的に軽く力を加えるさま。『キュッキュッと靴をみがく』「親仁は桶のなかに琥珀色にをどんでゐる飴をきゅっきゅっとひっぱりあげて」〈銀の匙・中勘助〉

ぎゅっぎゅっ ❶音 ものが強くきしんだり、すれたりするときの重くにぶい音。「お地蔵看守はギュッギュッと靴を鳴らして行ったが」〈良人の自白・木下尚江〉
❷さま 何度も強く力を込めるさま。『押し入れにぎゅっぎゅっと押しこんだ』

きゅるきゅる 音・声 ものがこすれながら回るときの、かん高く神経にさわるような音。胃や腹のあたりで空腹のときなどに鳴る高い音。鳥などの鳴く声。「窓の外で、キュル、キュルキュルキュルと、糸車を繰るやうな濁ったしかし鋭い声が聞こえ出す」〈病院の夜明けの物音・寺田寅彦〉

きゅん さま 感動して胸が締めつけられるような気持ちになるさま。「その感覚は胸をキュンと締めつけるほど不気味なものだった」〈山のかなたに・石坂洋次郎〉

ぎゅん さま 非常に強い力で、急に引かれたり縮んだりするさま。「一刺しされる度に〈略〉自分の身体が句読点位にギュンと瞬間縮まる、と思った」〈一九二八・三・一五・小林多喜二〉「ぎゅんと、身内をつきあげるものがあって胴ぶるいすると」〈鉄路に近く・島尾敏雄〉

ぎゅんぎゅん ❶音 機械が高速で動くときにたてる、迫力のある重い音。「窓を開け放していると、ギュンギュン、ガーガーという工事の音が、読書や会話の邪魔になったのには」〈窓・読売新聞・06・7・20〉
❷さま 非常に強い力で、何度も引かれるさま。「ギュンギュンとアタリが来て鈴なりに釣れてくる」〈釣り・読売新聞・06・4・3〉
❸さま かわいたり凍ったりしてきつく固まるさま。「寒気《しばれ》てゐた。広場はギュンギュンなって——皆は絶えず足ぶみをしてゐた」〈不在地主・小林多喜二〉

きょい さま古 目立って突き出ているさま。他からとび抜けて高いさま。「お背はきょいと高けれど、からだに似合ぬおつむりがちいさい」〈浄瑠璃—平仮名盛衰記〉

きょいきょい さま古 あちこちで目立って突き出ているさま。「きょいきょいと尖った山や鹿のこゑ」〈雑俳—西国船〉

きょうきょう ⬇漢語編①「きょうきょう（恟恟）」②「きょうきょう（兢兢）」

ぎょえー 声・さま 鳥などの鳴き騒ぐ声。ひどく驚きあきれたさま。「擬音も独特。『ギョエー』とか『ギョッ』とか」〈ALL ABOUT・楳図かずお・読売新聞・06・12・6〉

ぎょぎょ 声・さま 突然のことに、目をむくほど驚くときの声。また、そのさま。ぎょっ。「もちろん学校では、ギョギョなどという表現を正しいと許す筈がない」〈第3ブラリひょうたん・高田保〉

きょっ さま古 驚き、あきれるさま。「余《あま》りの事にきょっとして、更に言句《ごんく》も出でざりけり」〈人情本—操形黄楊小櫛〉

ぎょっ さま 突然、強く胸に迫るほど、驚きおそれるさま。「安心して忘れかけた目的を、ぎょっと思ひ出させられて」〈坑夫・夏目漱石〉

きょっきょ さま古 不安や恐れのために落

ち着かないさま。「胸に響きて、母は**きょっきょ**と耳そばたて」〈浄瑠璃―傾城島原蛙合戦・近松門左衛門〉

ぎょっぎょっ ❶音 飲食物をはきもどすときに発する音。「逆《ぎゃく》 **ぎょっぎょっ**と、つきあぐることと云義もあるぞ」〈病論俗解集〉

❷さま 次から次へと強く胸にこたえて、驚きおそれるさま。「何事聞ても、**ぎょっぎょっ**としたり、騒いだりするやうに成るぞ」〈絅斎先生敬斎箴講義〉

きょときょと ❶さま 不安や恐れ、もの珍しさなどのために、落ち着かないようすであたりを見回すさま。「私の不安な眼つきや、**きょときょと**した様子については、何事も口へ出しませんでした」〈こゝろ・夏目漱石〉

❷さま古 大げさに騒ぎたてるさま。「何を**きょときょと**いはっしゃる。犬でも入りましたか」〈浄瑠璃―奥州安達原〉

きょとっ さま その場の状況が把握できずに、ただ目を見開いているさま。『とぼけたふりで、**きょとっ**としていた』

きょとり さま その場の状況が把握できずに、焦点が合わずに目を見開くだけのさま。「**きょとり**としてまじまじ木村のむっつりとした顔を見やる様子は大きな子供とより思へなかった」〈或る女・有島武郎〉

きょとん さま その場の状況がつかめず、まぬけたようすでいるさま。そのようなときの、とぼけたような無邪気な目つき。きょとり。「私はなんのことかわからずに**きょとん**として先生の顔を見てゐた」〈銀の匙・中勘助〉 ➡使い分け「ぽかん」

きょひょん 音古 はやしことば。「よのほひかりとたすけたのみきよむ、ほとけのみてら、たつふね、**きょひょん**」〈狂言―鉢叩〉

✿瓢《ひょう》簞《たん》をたたく音から出た語という。

ぎょふん さま古 完全に参ってしまうさま。ぎゃふん。「隠居きゃく留てくんなに**ぎょふん**とし」〈雑俳―露丸評万句合〉

きょろきょろ さま 落ち着かないようすで、あたりをせわしなく見回すさま。「自分の隠れこむ場所はないかと探すかのやうに、**きょろきょろ**あたりを見まはした」〈医師高間房一氏・田畑修一郎〉

ぎょろぎょろ ❶さま 大きい目玉を、鋭くおそろしげに光らせるさま。大きい目玉で何度もにらみ回すさま。「顔色を変へて眼を**ぎょろぎょろ**さして」〈竹の木戸・国木田独歩〉

❷さま 嘔吐するさま。げろげろ。「初め、をうと云て、後に**ぎょろぎょろ**と出を嘔吐と云なり」〈病論俗解集〉

きょろっ さま 愛らしく目を丸く見開くさま。「目の**キョロッ**とした、鼻の高い苦み走った宜《い》い男で」〈落語―自称情夫・四代目橘家円蔵〉

ぎょろっ さま 大きい目玉を鋭く光らせるさま。大きい目玉で、鋭くひとにらみするさま。「目は**ぎょろっ**としてゐて、白目の裡《うち》に赤い処や黄いろい処がある」〈ヰタ・セクスアリス・森鷗外〉

きょろっか さま古 あちこちを落ち着きなく見回すさま。きょろきょろ。「さかい町人の**きょろっか**する所」〈雑俳―露丸評万句合〉

きょろり ❶さま 周囲をすばやく見回すさま。「彼女は**キョロリ**ともう一度あたりを見て」〈青い月曜日・開高健〉

❷さま 状況判断ができず、ただ目を見開くばかりで何もできないさま。「金槌の音が聞えて来て、とたんに私は**きょろり**となり、眼前の風景がまるでもう一変してしまって」〈トカトントン・太宰治〉

❸さま 気にせず平気な顔をしているさま。けろり。「十万の読者に千度読まれたうござる、と答へて**きょろり**としていらっしゃる」〈渡り鳥・太宰治〉

ぎょろり ❶さま 大きい目玉が一瞬鋭く光るさま。大きい目玉を動かして、鋭くひ

とにらみするさま。「すると、平さんが、**ぎょろり**と眼を剝いた」〈自由学校・獅子文六〉

❷さま 古 何をしていいか、まったくわからないでいるさま。茫然自失。「両方よりさまざまいひこめば、**ぎょろり**として、人心地なければ」〈傾城色三味線・江島其磧〉

ぎょろりかん さま ひとりで、ぼんやりしているさま。きょろりんかん。「智のちゃり詞（＝冗談）も**きょろりくわん**」〈浮世草子—世間化物気質〉

きょろん さま 茫然として目を丸く見開いているさま。あっけにとられているさま。「子供の時とちっとも変りのない、**きょろん**とした大きな落ちつきのない眼」〈医師高間房一氏・田畑修一郎〉

ぎょろん さま 目玉が大きく鋭く光るさま。目玉を大きく動かして鋭くひとにらみするさま。『**ギョロン**と飛び出しそうな竜の目玉』

きょん さま 他から飛び抜けて高く目立つさま。きょい。「町中の鳥居は赤く**きょん**として〈嵐蘭〉吹もしこらず野分しづまる〈岱水〉」〈俳諧—深川〉

✹「きょんとした」の形で用いる。

きょんきょろり さま 他からの声などにもそしらぬ顔をしているさま。「石三石にまきちらかした風の音耳にはふるれども、**きょんきょろり**と馬を鹿の角に蜂斥けて」〈浮世草子—珍術罌粟散国〉

きょんきょん ❶さま 方言 機嫌がわるくとげとげしいさま。「俺が何かしたっじゃろうか。かか（妻）は**きょんきょん**しとるばい」〈宮崎県〉

❷さま 方言 落ち着きのないさま。「そんなに**きょんきょん**するものぢゃない。ちっとじっとしちょれ」〈高知県〉

ぎょんぎょん 音・さま 吐きけをもよおして、つきあげてくる音。また、そのさま。「からゑづきして、**ぎょんぎょん**と　つきあぐるかたなり」〈病論俗解集〉

きらきら ❶さま 明るくまぶしく光り輝くさま。『波が**きらきら**と光る』「見あげ給へれば、人もなく、月の顔のみ**きらきら**として」〈源氏物語・明石〉 ⬇使い分け「ぴかぴか」

❷さま きわだって立派なさま。「節会の内弁**きらきら**とつとめて」〈愚管抄〉

❸さま 古 耳立つほど笑うさま。けらけら。きゃーきゃー。「衣の裾を引き留むるに、倒れぬる音するに、**きらきら**と、殊更び笑ひ入りつつ」〈狭衣物語〉

ぎらぎら ❶さま どぎついほど強く光り輝くさま。「雲の塊が日光にあふれて**ぎらぎら**する空を動いてゆくのを」〈銀の匙・中勘助〉

❷さま 脂や汗、垢《かぁ》などで、強く照り光るさま。「額には油汗が**ぎらぎら**浮いて、それはまことに金剛あるひは阿修羅といふやうな」〈親友交歓・太宰治〉

❸さま 眼光が鋭く光るさま。強い欲望を発しながら見つめるさま。「入構してきた電車の中に向けた**ぎらぎら**した目」〈死の棘・島尾敏雄〉

きらっ さま 一瞬明るく鋭く光るさま。「慈念の眼が百目蠟燭の炎のゆれる中で**キラッ**と光ったのは」〈雁の寺・水上勉〉

ぎらっ さま 一瞬、すごみを帯びて強く光り輝くさま。「少し下流の方で、見えない天の川の水が**ぎらっ**と光って」〈銀河鉄道の夜・宮沢賢治〉

きらら ❶さま 明るくまぶしく輝き続けているさま。「ゆふひあさひのうつろひに、**きらら**とみゆるきららざか」〈浄瑠璃—文武五人男・近松門左衛門〉

❷名 雲母《うんも》のこと。きら。「紙にぬる**きらら**如何、答、雲母とも雲砂ともかけり。きらめきたれば、きららといふ也」〈名語記〉

きらり ❶さま 瞬間美しく、または鋭く光り輝くさま。ぴかり。「水月に雨が**きらり**と枯れ蓮《はちす》」〈雪峡・飯田蛇笏〉

❷さま 古 ものごとが明らかになるさま。

きり・ぎり

「きり」「ぎり」は、かたいものを引きしぼるときの音や、歯ぎしりの音などを表す。「きり」は緊迫感のある高い音、「ぎり」は力のこもる重い音の印象となる。

「きりきり」「ぎりぎり」は、連続して鳴る音を表すが、「きりっ」「きりり」「ぎりっ」「ぎりり」は、一回鳴る音を表す。

擬態語になる場合、「きりり」は「きりりとした目」「きりっとした態度」「きりきりと働く」のような鋭く引き締まったようすや「きりきりと回る」のようなすばやい回転を表す。また、「胃がきりきり痛む」のような感覚を表す場合は、錐《きり》をさしこむように鋭いという連想からきたものであろう。

「ぎり」は、「ぎりぎりと締めつける」のように、強い力が加わることを表す。

なお、「ぎりぎりで間に合う」のような意味の場合は、「ぎりぎりと」とはアクセントが異なり、別の語と考えられる。「かぎり」の「ぎり」からの連想が働いたものであろう。

［きりの語群］
きりきり・ぎりぎり
きりっ・ぎりっ
きりり・ぎりり

	―（と）引き絞る	―（と）歯ぎしりする	―（と）働く
きりきり	○	○	○
ぎりぎり	○	○	―
きりっ	○	―	―
きりり	○	―	―
ぎりっ	○	○	―
ぎりり	○	○	―

	―とした姿	―（と）痛む	―で間に合う
きりきり	―	○	―
ぎりぎり	―	―	○
きりっ	○	―	―
きりり	○	―	―
ぎりっ	―	―	―
ぎりり	―	―	―

［表現］

「きりきり」は、古くは虫の鳴き声を表し、そこから「きりぎりす」の名がつけられたという説がある。

「きりきり舞い」は、片足をあげて体を勢いよく回すようすや、そのように忙しく立ち働いたりあわてたりするようすを表す。地域によっては「ぎりぎり舞い」ともいう。似た意味に「てんてこ舞い」があるが、「てんてこ」は太鼓の音を表すともいわれ、オノマトペに「舞い」をつけた同様の語と考えられる。地域によっては、「ちんちろ舞い」「じりじり舞い」などの語もある。

江戸時代には、「きりきり」が、しっかりしているという意味の「しゃん」と結びつき、「きりきりしゃん」「きりりしゃん」という語も生まれた。身なりがきちんとして、かいがいしいようすを表し、「きりきり」したようすをよい意味で強調した語である。

限度、限界を表す「ぎりぎり」には、「ぎりぎりいっぱい」「ぎりぎり決着」「ぎりぎりセーフ」など、さまざまな複合語がある。また、「ぎりぎり」の語を後につけて、「時間ぎりぎり」「遅刻ぎりぎり」「及第点ぎりぎり」などと使う場合もある。

（中里理子）

はっきり。「善悪**きらり**と見へた事しらぬふりするお手前は」〈浄瑠璃—信田森女占〉

ぎらり さま 一瞬すごみを帯びて強く光り輝くさま。「隠居の目は鮑貝《あはびかひ》を日向で一寸《ちょっと》動かしたやうに**ぎらり**と光って」〈三人女房・尾崎紅葉〉

きり ⬇コラム「きり・ぎり」

きりきり ❶ 音・声・さま ものがかん高くきしんだり、こすれ合う音。歯をくいしばる音やさま。鳥などのかん高く鳴く声。「やつは**キリキリ**と歯をかみ鳴らし」〈水中都市・安部公房〉

❷ 音・さま かん高くきしる音がするほど、強く力を入れて巻きつけたり、引きしぼったりするさま。「**きりきり**と引しぼりひゃうどはなつ矢さけびに」〈浄瑠璃—平家女護島・近松門左衛門〉

❸ さま 引きしぼったように何重にも渦を巻いているさま。「ひっそりとしずまりかえった水面に無気味な渦の**きりきり**と旋回しているところ」〈小説平家・花田清輝〉「橋の下に、まだらなる蛇《くちなは》の、**きりきり**としてゐたれば」〈宇治拾遺物語〉 ⬇使い分け「がらがら」

❹ さま すばやく手際のよいさま。さっさっ。「さあ、**きりきり**と白状しねえか」「姉上が、何のわずらいもなげに兄上たちの身辺を、こまめに**キリキリ**立働くのを見て」〈婉という女・大原富枝〉

❺ さま 体や心がきびしく引き締まるさま。心に深くしみこむさま。「その真実に撃たれて、**キリキリ**と気持が引きしまるやうな感じだった」〈今年竹・里見弴〉

❻ さま 心がいらだったり、神経質になったりするさま。「どうして女の子はああ**キリキリ**して痩《や》せたがるんだろう」〈にんげん動物園・中島梓〉

❼ さま 体に痛みや寒さが鋭くさしこむさま。「どうかしますと、私は…斯《か》う胸が**きりきり**傷んで来まして」〈家・島崎藤村〉「足の裏から**きりきり**伝はる寒さで、腿が硬くなる度に」〈温泉宿・川端康成〉 ⬇使い分け「ちくちく」

ぎりぎり ❶ 音・さま ものがきしんでたてる重くにぶい音。歯をくいしばる音。また、そのさま。「**ぎりぎり**音のする撥ね釣瓶などがひどく気にいって」〈銀の匙・中勘助〉

❷ さま 連続して強く、力が加わるさま。きつく巻くさま。こわばり固まるさま。「桶へ塩を振っては青菜を足で**ぎりぎり**と踏みつけて又塩を振っては踏みつける」〈土・長塚節〉「借金が百姓を**ギリギリ**にしばりつけてゐた」〈不在地主・小林多喜二〉

❸ さま がまんできないほど気がいらだつさま。じりじり。「もう**ぎりぎり**して来た葉子は剣を持った声で」〈或る女・有島武郎〉

❹ さま 限界に達しているさま。それ以上先がないさま。極限。極点。「**ぎりぎり**まで追ひ詰められて見ることが、今の自分には必要な気もした」〈そばやまで・永井龍男〉 ⬇使い分け「かすかす」

きりきりしゃん さま 身なりなどが整っていて、立ち居振る舞いに一分のむだもないさま。きりりしゃん。「おこのみの一汁三さい、我らが手ぎはで、**きりきりしゃん**と切立たき立」〈浄瑠璃—心中宵庚申・近松門左衛門〉

きりっ ❶ 音・声 高く澄んだ音。張りのある声。『**きりっ**とした美声』「**きりっ**と歯切れのいい音を立てて弾筒が少し回転した」〈或る女・有島武郎〉

❷ さま かたく締めるさま。ゆるみのないさま。「**きりっ**と搾り上げたやうな寒さ」〈或る女・有島武郎〉

❸ さま 鋭く引き締まっていて、むだやたるみのないさま。端正なさま。機敏なさま。『**きりっ**としてさわやかな風味』「眉も**きりっ**とした、うつくしい、はり切ったやうな清《すず》しい目の」〈玄武朱雀・泉鏡花〉

ぎりっ 音・さま かなりの力を込めて、きつくしぼったり巻いたりするときのきしむ

音。また、そのさま。「おつたは**ぎりっ**と絞った手拭を開いてばたばたと叩いた」〈土・長塚節〉

きりはたり ❶ 音 機《はた》を織る音。きりはたりちょう。「**きりはたり**はたりちゃうちゃう血の色の棺衣《かけぎ》織るとか悲しき機《はた》よ」〈桐の花・北原白秋〉

❷ 声 ハタオリムシ(キリギリスの古名)の鳴く声。きりはたりちょう。⇩鳴き声編「キリギリス」

きりり ❶ 音 戸が開閉したり、櫓《ろ》をこぐときなどにきしんでたてる音。「妻戸を**きりり**とおし開く」〈謡曲―千手〉

❷ 音・さま 強く回したり、引きしぼったりする音。また、そのさま。「はば広に裂いては**きりり**と二すじ三すじ紙縒《かんよ》りに縒りあげた」〈畜生塚・秦恒平〉「その葉が夜はひらりとのびて昼は**きりり**とまいたぞ」〈玉塵抄〉

❸ さま 容姿や心持ちが引き締まっていて、すきがないさま。「グータラベエな生活も、**きりり**としまる日が近づいた」〈古川ロッパ日記・古川緑波〉「色は浅黒いが、眼鼻立の**きりりっ**とした、気の利いた児で」〈思出の記・徳冨蘆花〉

ぎりり ❶ 音・さま きつくしぼったり、巻いたり、回したりするときの重くにぶくきしむ音。また、そのさま。「何うした拍子か、前歯を逆に**ぎりり**と噛んでから、それが急に痛み出した」〈門・夏目漱石〉

❷ さま 重くきしむさま。無理に力むさま。「しばらく考へてゐたが、その大きなおでこを**ぎりり**と周三の方へ向け」〈天国の記録・下村千秋〉

きりりしゃん さま 身なりなどが整っていて、立ち居振る舞いに一分のむだもないさま。きりきりしゃん。「まづまづ蝶々が申すことを御用ゐあって、**きりりしゃん**として太夫様にも御会ひなされませ」〈椀久物語・幸田露伴〉

きろきろ さま 目などの光るさま。落ち着きのない目つきをするさま。きょろきょろ。「思ひ知ったか思ひ知れとあたりを**きろきろ**睨め廻し」〈浄瑠璃―女殺油地獄・近松門左衛門〉

ぎろぎろ ❶ さま 目玉などが気味わるいほど鋭く動き光るさま。「此赤い魚の目が、**ぎろぎろ**として気味がわるい」〈狂言―惣八〉

❷ さま やせて骨が目立って見えるさま。「おちくぼんだ頬にまばらに棚が生え、胸部は貧弱で肋骨が**ぎろぎろ**浮きでていた」〈夜と霧の隅で・北杜夫〉

きろっ さま 目玉などが一瞬、すばやく動くさま。「これも眠り人形と同じように、下瞼が**キロッ**と上へ上る」〈父の詫び状・向田邦子〉

ぎろっ さま 目玉などが一瞬、鋭く動き、強い力を放つさま。「おはまは眼を**ぎろっ**として満蔵を見た」〈隣の嫁・伊藤左千夫〉

きろり さま 目などが、一瞬すばやく動いて光るさま。「迷離、目の**きろり**としたを云ぞ」〈四河入海〉

ぎろり さま 目玉などが強い力を発しながら鋭く動き光るさま。「**ぎろり**と眼を光らせて一座を得意気に見廻した」〈不安・幸田露伴〉

きん ⇩コラム「きん・ぎん」

きん ❶ 音 金属などのかたいものが当ったときの高い音。『飾りの鐘なので、**キン**ともカンとも鳴らない』「其女郎粋なれば、中々手をきらせぬしかけ、**きん**ともかんともいはれぬ、石車にのらるる事もあり」〈浮世草子―好色貝合〉

❷ さま かたく張りつめたさま。そのような感覚を生じるさま。『**キン**と冷えた朝の空気』

❸ さま 古 身なりを立派に飾り、得意げにふるまうさま。「大てんぐ、**きん**とした男にへんじ」〈黄表紙―鼻峯高慢男〉

✹ ③は「きんとした」の形で用いる。

ぎんがり さま ものが強い光を放つさま。

きらきら。「ゆびさす月のかげは**ぎんがり**はげあたま修多羅の教を身にしめて」〈日如〉」〈俳諧―鷹筑波〉

きんきら さま 軽々しいほど明るく光り輝くさま。「**きんきら**の巾着《きんちゃく》を横へ下げて」〈おみつさん・鈴木三重吉〉

きんきらきん さま 軽々しく思えるぐらい、きらびやかで、はでなさま。「**キンキラキン**の厚化粧となってしまうのである」〈男の遠吠え・藤本義一〉

ぎんぎらぎん さま どぎつく、はでに光り輝くさま。異常に目の色をかえるさま。『亜紀・命』『八代観音』などと書かれた**ギンギラギン**のトラック」〈生放送だよ人生は・生方恵一〉

きんきん ❶ 音・声 金属的で、鋭く、耳にひびくようなかん高い音や声。『**きんきん**声』「金の棒みたいなものを**きんきん**鳴らしては」〈銀の匙・中勘助〉「声は、**キンキン**して、一向、凄味はないが、こういう目に生れて始めて遇った駒子は」〈自由学校・獅子文六〉 ❷ さま かたく張りつめたさま。そのような感覚を生じるさま。『**キンキン**に冷えたビール』「呼吸がはげしくなると冷たい空気で、鼻穴が**キンキン**してきた」〈防雪林・小林多喜二〉「金壺《かなつぼ》まなこを**キンキン**瞠《みは》ってのお喋りである」〈銀座川・井上友一郎〉 ❸ さま 鋭く張りつめたように光るさま。「そらいっぱいに**きんきん**光って漂《ただよ》ふ琥珀《こはく》の分子のやうなものを見ました」〈マグノリアの木・宮沢賢治〉 ❹ ➡漢語編①「きんきん（欣欣）」②「きんきん（金金）」

ぎんぎん ❶ 声・さま 虫やイヌなどがうるさく鳴く声。また、そのさま。「松の樹にはいつでも蟬が**ギンギン**鳴いてゐた」〈子をつれて・葛西善蔵〉 ➡漢語編「ぎんぎん（狺狺）」 ❷ さま 頭が、絶えずひどく痛むさま。「昨夜の悪酒がいくらかまだ残ってゐて、頭が**ぎんぎん**痛む」〈一兵卒の銃殺・田山花袋〉 ❸ さま 過剰なほどよく冷えたさま。「部屋は**ギンギン**に冷えていて風邪をひいた」〈暮らし WORLD・東京新聞・05・6・8〉 ❹ さま 品のないほど、はでにきらびやかなさま。「鞘《さや》の金《かね》が**ぎんぎん**光るサーベル」〈けぶりか浪か・内田百閒〉 ❺ さま 強い光りを放ちながら、目を大きく見開き続けるさま。『目が**ギンギン**にさえてしまった』 ❻ さま 気分が非常に高揚した状態になるさま。「ロックを聴くとき、あなたの脳はどんな反応をしているのか。**ギンギン**に活性しているのか」〈ロック脳の真実・AERA・05・8・5〉

きんきんきらきら さま 金色に光り輝くさま。はでできらびやかなさま。『**きんきんきらきら**の衣装で現れた』

ぎんぎんぎらぎら さま 強くはでに光り輝くさま。「**ぎんぎんぎらぎら**夕日が沈む ぎんぎんぎらぎら日が沈む」〈童謡―夕日・葛原しげる〉

きんこん 音・名 ドアチャイムの高く澄んだ音。また、ドアチャイム。『**キンコン**を押すと、モニターに来客が映ります』『**キンコン**ダッシュ』（＝学校の終業チャイムが鳴ると、すぐに帰ること）

きんこんかん 音 軽やかで高い鐘の音。「『NHKのど自慢』から譲り受けたという初代『合格の鐘』をたたく。〈略〉住民の心にも響いてきた『キンコンカン』の調べだ」〈西の市のかけ声とのど自慢は好敵手・朝日新聞・97・11・29〉

きんぴか さま 金色に光り輝くさま。豪華で、はでなさま。真新しく光り輝くさま。『**金ぴか**模様』「尊婦《あなた》は**金ピカ**の着物で、福ちゃん（新駒）も宜しくと云ふ訳でヌーッと為《し》て居ると」〈落語―王子の幇間・三代目三遊亭円遊〉

きんぴかぴか さま 金色に、はなやかに光り輝くさま。手入れよく磨かれているさま。「**金ピカピカ**の本が大きな西洋書棚に一杯あるさうで」〈社会百面相・内田魯庵〉

コラム オノマトペのもと

きん・ぎん

「きん」は、金属のようにかたいものを、かたいものでたたいたときに出る高く澄んだ音を表す擬音語である。「きんきん」は、室町時代の『看聞御記』に「其打合声きんきんと鳴」とあり、古くから使われていた。

現代では、「きんきん」は不快な高音が続くときの音やようす、また、極度に冷えたものの冷たさを表し、「ぎんぎん」は、虫などがうるさく鳴く声やようす、また、非常に冷たいようすを表す。

「きーん」とのばすと、金属的な高音が続く擬音語としても、頭が痛くなるほどの冷たさや凍りそうなほどの寒さを表す擬態語としても用いられる。「ぎんぎん」は、目がくらみそうなほどの光や、勢いよく進むようす、脈打つようなひどい頭痛なども表す。

【きんの語群】

きんきん・ぎんぎん

きん・きーん

【表現】

江戸時代には、きらびやかで豪華なものや、流行に合っていて、しゃれているものなどを表す「キンキン(金々)〜」という語がたくさん生まれた。たとえば、「金々男《きんきんおとこ》」(身なりを当世風に飾り、得意げな男)、「金々合羽《きんきんがっぱ》」(しゃれた仕立ての合羽)、「金々作《きんきんさく》」(豪華作品。傑作。最高作)などがある。

「きんきらきん」「ぎんぎらぎん」は、はでなきらびやかなようすを強調した表現で、濁音の「ぎんぎらぎん」には、どぎつさも感じられる。

童謡の歌詞にある「ぎんぎんぎらぎら夕日が沈む」(葛原しげる作詞)は、「のぼる朝日」に対する「沈む夕日」を「きんきんきらきら」に対する「ぎんぎんぎらぎら」ととらえ、光り輝くさまを表現している。

伊達歩の作詞でヒットした「ギンギラギンにさりげなく」は、勢いのある「ギンギラギン」という言葉と「さりげなく」という反対の意味の言葉を合体させた面白さがある。大音量で演奏するようなロックなどの音楽に、勢いがあって乗りがいいようすなども「ぎんぎん」と表現される。

耳鳴りを「きーん」で表すことがある。耳鳴りと一口にいっても、高い音の耳鳴りもあれば、低い音の耳鳴り、また脈打つような耳鳴りもある。実際に音がするわけではない場合がほとんどだが、一定の音が休みなく聞こえる。音叉《おんさ》が共鳴したような高い音がすると感じられる耳鳴りを「キーン」で表すことが多い。このような耳鳴りは音が連続していることが多いので、「きんきん」ではなく「きーん」と表現される。

高い声で休みなく話す人の声がうるさくうっとうしく感じるときには、「きんきん」が使われる。これは耳鳴りとは違い、一定の音が続くのではなく、人の話し声が続いている状態なので、繰り返しの「きんきん」が使われる。

頭が「きーん」とする頭痛は、一般的な頭痛の偏頭痛、緊張型頭痛、群発頭痛のうち、緊張型頭痛だと考えられる。緊張型頭痛の特徴的な痛みは、頭を締めつけられるような痛みで、「ぎゅーっ」などとも表現される。日常生活に支障をきたすほどではないが、長い間続く場合もある。「ぎんぎん」と脈打つような頭痛は偏頭痛の特徴である。

(守山惠子)

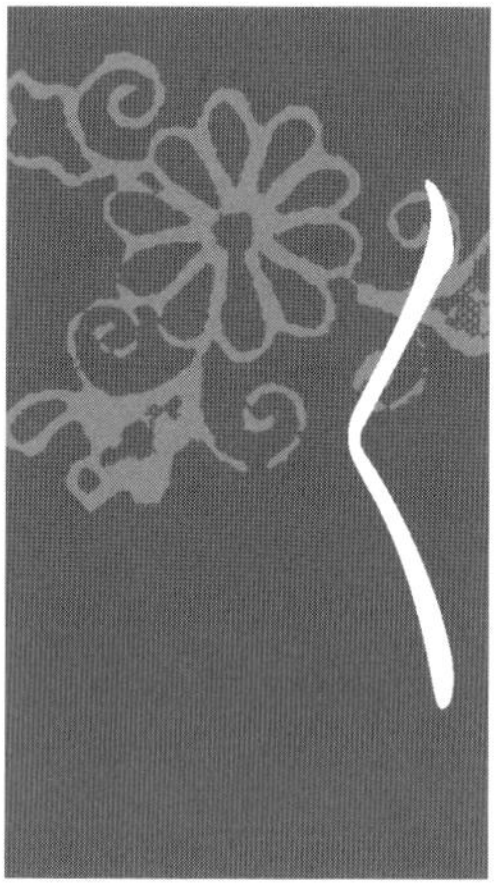

くい ❶さま ものをわずかに軽く引いたり押したり、曲げたりするさま。『メガネをくいと押し上げた』 ❷さま 酒などを軽くひと息に飲むさま。「イキな飲んべえは、酒屋の店先で**クイッ**とキメる粋《いき》」〈都市の風景・毎日新聞・91・5・27〉

ぐい ❶さま 力を込めて押したり引いたりするさま。ものごとを勢いよく行うさま。「そいつの顔を**ぐい**とこちらにねじむけたい衝動が彼を襲う」〈時間・黒井千次〉 ❷さま 酒などをあおるようにひと息に飲むさま。「大きな湯呑み茶碗を摑んで**ぐい**と飲み干して」〈助左衛門四代記・有吉佐和子〉

くいくい ❶さま 軽く何度か引いたり押したり、曲げたりするさま。「父もいくらか得意気に、小さな亀の子を**くいくい**動かした」〈兄の立場・川崎長太郎〉 ❷さま 酒などを軽い調子で続けて飲むさま。『強い酒を、平気で**くいくい**飲んだ』 ❸さま古 怒りが少しずつこみあげてくるさま。「乱《みだ》れ心の**くいくい**と腹立る顔つき」〈浮世草子―新色五巻書〉「我れ一夜悄々と愁て、**くいくい**と小腹が立て悲しきぞ」〈四河入海〉 ❹さま古 ものごとをあきらめきれず、いつまでも嘆き悔やむさま。愚痴などをならべたてるさま。くよくよ。くどくど。「女心の**くゐくゐ**と、くひし恋慕のかずかずを密にめのとに語らるる」〈浄瑠璃―京わらんべ〉「口おしい此治部右衛門浪人の身でなくばと、**くいくい**いふて恨ごと」〈浄瑠璃―山崎与次兵衛寿の門松・近松門左衛門〉 ❺声古 カエルやガン（雁）などの鳴く声。「かへるの物にへされてなく音の**クイクイ**ときこゆる」〈名語記〉「雁が田やさわにをりて物をはうで**くいくい**とないたことぞ」〈玉塵抄〉

ぐいぐい ❶さま 腕力や気力を込めてものごとを行うさま。『**ぐいぐい**引っぱる』「白い柔い豆腐の、舌に焦きつきさうな奴を、**ぐいぐい**と咽へ落し込んでゐた」〈今年竹・里見弴〉 ⇩使い分け「すらすら」 ❷さま 酒などを勢いよく続けて飲むさま。「二三杯**ぐいぐい**飲んでホッと嘆息をしたが」〈節操・国木田独歩〉 ⇩使い分け「ぐいぐい」

使い分け

【共通の意味】 水や飲み物などを大量に飲むようす。

ぐいぐい **ぐびぐび／がぶがぶ／がばがば**

❶**ぐいぐい**は、酒などを勢いよく飲むようす。「ウイスキーをストレートで**ぐいぐい**飲む」 ❷**ぐびぐび**は、のどを鳴らしておいしそうに飲むようす。「大きなジョッキで**ぐびぐび**とビールを飲む」 ❸**がぶがぶ**は、水などを一度に大量に飲むようす。「テニスの試合の後で、一リットルもの水を**がぶがぶ**と飲んだ」。**がばがば**は俗な表現で、飲むだけでなく食べる場合にも使う。「夏はつい清涼飲料水を**がばがば**飲んでしまう」

❸音・さま古 空腹などで腹の鳴る音。また、そのさま。酒などが飲みたくてのどが動くさま。「腹な虫めが**グイグイ**ぬかすはい」〈浮世風呂・式亭三馬〉「酒のにほひをかいでは、どうもこたへられぬ。アアのどが**ぐいぐい**する」〈黄表紙―仙術独稽古〉

くいっ →くい。

ぐいっ →ぐい。

くー ❶音・声 のどや腹の奥などが鳴るくぐ

もった高い音。ハトやカラスの鳴く声。「此の烏はかあとは鳴かぬ。きやけえ、くうと曲折して鳴く」〈京に着ける夕・夏目漱石〉

❷さま 水などをひと息に飲むさま。『くーと飲み干した』

ぐー ❶音 空腹のときに腹が鳴る重い音。「五百助は、腹の虫が、**グウ**と鳴った」〈自由学校・獅子文六〉

❷声・さま 呼吸がつまったり、ものがのどにつかえたりして、苦しいときに発する声。苦しい状況に追いこまれたさま。『**ぐう**の音《ね》も出ない』(＝辛らつに言われて、一言も反論できないこと。また、声も出なくなるほど、たたきのめされること)「勘太郎は四つ目垣を半分崩して、自分の領分へ真逆様に落ちて、**ぐう**と云った」〈坊っちゃん・夏目漱石〉

❸さま 水などを勢いよくひと息に飲むさま。「硝子鉢を口へあてて中の水を**ぐう**と飲んでしまった」〈吾輩は猫である・夏目漱石〉

くーくー ❶声 動物の鳴く声。人間の笑い声。「骨張った顔の相を崩しながら横に半身を起して、**くうくう**笑った」〈黴・徳田秋声〉

❷音・さま 安らかに軽い寝息をたてるさま。鼻が鳴る音。また、そのさま。「それは無理に我慢しても、鼻だけは絶えず**くうくう**鳴つた」〈トロッコ・芥川龍之介〉

ぐーぐー ❶音・声 腹のすいたとき、ものを飲むときなどに、のどや腹が鳴る重い音。動物がうなったり鳴く声。「のどへつかへて**グウグウ**うめき」〈西洋道中膝栗毛・仮名垣魯文〉「腹が**ぐうぐう**鳴る許《ばか》りで」〈吾輩は猫である・夏目漱石〉「犬は**グウグウ**と腹の方でうなっていたが」〈人を殺す犬・小林多喜二〉

❷音・さま 大きないびきの音。熟睡するさま。「銅色の顔を日の方に向けたまま**グウグウ**と鼾息《いびき》をかいていた」〈鹿狩・国木田独歩〉 ⬇使い分け「ぐーぐー」

❸さま 古 勢いや調子がいいさま。ぐいぐい。「誉むる事を先にして、善事を引きあげてやると、人柄が**ぐうぐう**とあがる」〈松翁道話〉

ぐーすか 音・さま 熟睡しているときの大きないびきと呼吸の音。また、そのさま。「三年寝太郎式に**グースカ**やるというわけにはいかない」〈頭をよくする本・石川弘義・坂田稔〉「**グースカ**眠ってる。〔語源〕グーは、いびきの声、スカは呼吸の音」〈上方語源辞典・前田勇〉

ぐーたら さま 怠けてばかりで気力のないさま。また、そういう人。なまけもの。ぐず。「張も意気地もない**愚《ぐ》うたら**の奴《やつ》」〈十三夜・樋口一葉〉

くーっ ❶声・さま 笑いや悔しさをおさえようとして思わずもれる声。また、そのさま。くっ。『**くーっ**と悔しがっていた』

❷さま 一気にもよおすさま。ひと息に行うさま。『眠気が**くーっ**とおそってきた』「人の声や音楽、色彩や匂いが、高価な香水のように、**くうっ**とゆき子の心を掠めた」〈浮雲・林芙美子〉

ぐーっ ❶音 空腹のときに大きく腹の鳴る音。ぐー。「各種スパイスの香りであふれ、思わずおなかが**グーッ**と鳴りそうになる」〈本場のおいしいカレーの秘密は?・東京新聞・98・7・18〉

❷声・さま 呼吸がつまったり、ものがのどにつかえたりして苦しいときに発する声。苦しい状況に追いこまれたさま。「誰だッて余り胸気な事を言はれると**ぐウッ**と癪《しゃく》に触って」〈くれの廿八日・内田魯庵〉

❸さま 水などを勢いよくひと息に飲むさま。『**ぐーっ**と飲み干す』

❹さま 力を込めて行うさま。強い勢いでものごとが行われるさま。ぐっ。「船全体を軋ませ、**ぐうっ**と右にロールした」〈伸子・宮本百合子〉

ぐーるぐーる ❶音声・さま ウマの静かな鼻息。ネコや鳥などがのどの奥で鳴く声。また、そのさま。「二ひきのうまが、まど

のところで、ぐうるぐうると、ひるねをしていました」〈あし・新美南吉〉

❷さま 同じところを何度も大きく回るさま。「花壇のまわりをぐーるぐーるかけ回る」

ぐーん ❶さま 一気に力を入れてものごとを行うさま。ぐい。ぐっ。「ロープをぐーんと張りめぐらした」

❷さま 今までの状態と大きくへだたりのあるさま。急に程度のかわるさま。きわだって。一段と。「ウナギがぐーんと安くなった」

くーんくーん ❶声・さま イヌが甘えるときなどに出す鼻を鳴らすような声。においをかいだり、甘えたりするさま。「中型の犬が動けないままクーンクーンと悲鳴を上げていた」〈ここ掘れワンワン・毎日新聞・96・10・3〉

❷音 蚊の羽音。「蚊が一疋《きび》くうんくうんとうなってやって来ました」〈気のいい火山弾・宮沢賢治〉

くえっくえっ 声 アヒルやカラスなどが断続的に吐き出すように鳴く声。

くが 声 古 乳幼児の泣き声。呱呱《ここ》。「馬に乗ったる男の、くかと泣きたる子や棄てつると問へば」〈義経記〉

ぐきぐき さま 動きなどが強くはげしいさま。痛みなどが食い入るように感じられるさま。「まだぐきぐき穿るやうに薬が浸み附いて痛くて堪らない」〈小鳥の巣・鈴木三重吉〉

ぐきっ 音・さま かたいものが折れる音。骨折や機械の故障などの際の異常な音。また、そのさま。がきっ。「登は足をとばして男の向う脛に蹴りを入れた。ぐきっという音がした」〈風雪の檻・藤沢周平〉

ぐきり ❶音 足をくじいたり、棒状のものが折れるときの音。「足首がぐきりとなった」

❷さま 意外なことに出会って驚くさま。ぎくり。「そこまで深く立ち入った伍六の心の分らなさに繁雄はぐきりと立ちどまった」〈一家・寺崎浩〉

くくー ❶声 ニワトリや小鳥などの鳴く声。「鶏は闇い中で凝然として居ながらくくうと細長い妙な声を出した」〈土・長塚節〉

❷さま 水などをひと息に飲むさま。「くくーとおいしそうに飲む」

くくっ ❶声・さま ハトなどの鳴く声。おさえたように笑う声。また、そのさま。「空蝉刑部は、くくっと笑った。〈略〉悠太郎のしわざであった、と思わせるように、彼のたくらみなのだ」〈江戸忍法帖・山田風太郎〉

❷さま 引っかかったり、軽く二、三度引っ張ったりするさま。「くくっと魚信（＝釣りのあたり）があった」

使い分け

【共通の意味】
深く眠るようす。

ぐーぐー
ぐっすり／すやすや／すーすー

❶**ぐーぐー**、**ぐっすり**は、深く眠っているようす。**ぐーぐー**は、いびきをかいて寝ているようす。「試合で疲れた選手たちが、ぐーぐー寝ている」。**ぐっすり**は、眠りが非常に深いようす。「ゆうべは夢も見ないで、ぐっすり眠った」 ❷**すやすや**は、子どもや病人が安らかに眠っているようす。「熱が下がって今はすやすや眠っている」。**すーすー**は、鼻から息を吸ったり吐いたりする寝息の音。「すーすー寝息をたてて寝ている」

ぐぐっ ❶さま 力を入れたり、ひと息に事を行うさま。ものごとが一気に進行するさま。「力まかせに縄をひっぱると、牛の前肢と後肢は〈略〉ぐぐっと一つに寄って束ねられ」〈肉体の門・田村泰次郎〉

❷さま のどにものや息をつまらせるさま。「閑子は思はず胸を折ると、ぐぐっとこみ上げる涙を懸命に抑へた」〈一家・寺崎浩〉

くさくさ ❶さま 腹をたてたり憂鬱《ゆううつ》だ

ったりして、心が晴れないさま。くしゃくしゃ。むしゃくしゃ。「わたしくさくさするから今日パーマ屋に行って来たのよ」〈忘却の河・福永武彦〉

❷さま 見るからにだらしのない感じのするさま。「**くさくさ**として、なにをきたるもみぐるしく候」〈めのとのさうし〉「難題で困ったらうとでも云ふみたいに、胡麻塩《ごましお》の蓬髪《ほうはつ》を**くさくさ**掻き立てたのだ」〈荷・金史良〉

ぐさぐさ ❶さま しばったり、組んだりしてあるものが、ゆるんでくずれたさま。服装などがゆるんで乱れたさま。「足つきが、象も駱駝も**ぐさぐさ**の古わらぢをはいてゐる感じだ」〈春景色・川端康成〉

方言 締まりなく緩むさま。近畿地方。「この荷物**ぐさぐさ**やで、くくり直しや」〈滋賀県〉「病み上がりで痩せて、ズボンが**ぐさぐさ**になった」〈大阪府〉

❷さま 束《たば》になっているものなどをゆすったりしてゆるめるさま。がさがさ。「それで私は彼女の髪の毛を持って**ぐさぐさ**揺ると」〈時間・横光利一〉

❸さま 乱雑にほころびが生じるさま。

❹さま やわらかいものを強く何度も刃物などで刺すさま。そのように、厳しく攻撃するさま。ぶすぶす。「『**グサグサ**と箱に穴をあけて虫かごにする』「韓国の学生たちから**グサグサ**と『日帝時代』の悪行を並べたてられ、沈黙しがちだった神谷さんは」〈近い昔の旅・朝日新聞・94・6・10〉

❺さま 何度も厳しいことを言われて、心理的な打撃をうけるさま。『失恋して**グサグサ**の状態』

ぐざぐざ 音・さま 雪などを踏みしだく音。また、そのさま。「暫《しばら》くすると、**グザグザ**と雪を踏みながら、門前をドヤドヤと歓呼して通る人も過ぎ去って」〈銃後・桜井忠温〉

ぐさっ ❶さま 勢い鋭くひと息に突き通すさま。ぐさり。「胸のあたり眼がけて、**グサッ**と短刀を突込んだ」〈冥土行進曲・夢野久作〉

❷さま 一瞬心理的に傷つけられるさま。「物静かな、穏やかな語調であったけれども、相手の胸の何処かを**ぐさっ**と刺したらしかった」〈死霊・埴谷雄高〉

ぐさり ❶さま 強い力で突きさしたり踏みこんだりするさま。「片方の足が、柔らかい土塊を**ぐさり**と踏んだ」〈百鬼園随筆・内田百閒〉 ⇩使い分け「ぶすり」

❷さま 心理的に傷つけられるさま。「それは**ぐさり**と彼女の心に突き刺さった」〈忘却の河・福永武彦〉

くしくし ❶さま古 物思いにくれるさま。思いなやむさま。くよくよ。「女は気の狭きもの、役にも立たず**くしくし**と気にして」〈うもれ木・樋口一葉〉

❷さま古 哀れげに泣くさま。しくしく。「村肝の喧嘩は時のはやりにて〈百里〉黒いわっぱの**くしくし**と泣〈仙化〉」〈俳諧―花摘〉

ぐしぐし ❶さま古 小声で何か聞きとりにくいことを言うさま。「たまたまものを言ひつけても、**ぐしぐし**ばかりぬかして」〈咄本―鹿の巻筆〉

❷さま古 声をおさえて泣くさま。また、思いなやむさま。くよくよ。「**ぐしぐし**（＝「虞氏」と掛け詞）となくので項羽はなれかね」〈雑俳―誹風柳多留〉「酒は憂ひの玉箒《たまはばき》、**ぐしぐし**思ふ事はない。一つ過《す》ぐして返事しや」〈軒並娘八丈・為永春水〉

❸さま古 紙がもまれて丸められ、しわになっているさま。気力が衰えるさま。ぐしゃぐしゃ。「でっくともせぬ丁稚めが手がらしさふにみへけれ共、**ぐしぐし**となりけるは、誠に愚人夏の虫」〈浄瑠璃―出世景清・近松門左衛門〉

ぐじぐじ ❶声・さま 物言いが聞きとりにくい声。また、そのさま。ぶつぶつ。ぐしぐし。「其跡を、**ぐぢぐぢ**と仰られてお帰りなされた」〈狂言―伊文字〉

❷【さま】態度などが、どっちつかずのさま。不平や言い訳などを言うさま。ぐちぐち。「**ぐぢぐぢ**したいひわけをしなさいますな、トあたりへきかせる小言のかずかず」〈春色梅児誉美・為永春水〉

くしゃ ⇩コラム「くしゃ・ぐしゃ・ぐじゃ」

くしゃくしゃ ❶【音・さま】紙、布などを、丸めたりもんだりする音。また、そのさま。「空の袋を**くしゃくしゃ**に丸めて」〈都会の憂鬱・佐藤春夫〉 ❷【さま】ものごとが整っていないさま。雑然としたさま。「煙草盆には埃及煙草《エジプト》の吸ひ殻が**くしゃくしゃ**に突込である」〈疲労・国木田独歩〉「黒アリの這ったような小さな字が**くしゃくしゃ**と縦書きにしてあるだけで」〈月は東に・安岡章太郎〉 ❸【さま】ひどく泣いたり、目がわずらわしくて涙が出たりなどして、まぶたをしきりに開け閉めするさま。「涙で**くしゃくしゃ**になった眼で」〈花物語・寺田寅彦〉 ❹【さま】気分の晴れないさま。心のいらだつさま。くさくさ。「一人で毎日**くしゃくしゃ**考へてばかりゐますの」〈金・宮嶋資夫〉 ❺【音・さま】音をたてて、ものをかむさま。まずそうにかんだり下品に食べるさま。くちゃくちゃ。「翁飴を口に入れて、不味《まづ》さうに**咀嚼**《くしゃくしゃ》始める」〈多情多恨・尾崎紅葉〉 ❻【さま】聞きとれないような声で、ささやいたり不平を言うさま。「マスノの耳に**くしゃくしゃ**とささやいた」〈二十四の瞳・壺井栄〉

ぐしゃぐしゃ ❶【さま】水けを含んで、乱雑になっているさま。「車や馬の通った処は**グシャグシャ**して居るが」〈田舎教師・田山花袋〉 ❷【さま】ひどく形がくずれたり、混乱したりするさま。「頭から骨まですっかり**ぐしゃぐしゃ**につぶれてたんですって」〈雪国・川端康成〉 ❸【さま】不平や言い訳、ひとり言などを言うさま。ぐずぐず。ぶつぶつ。「なにか**ぐしゃぐしゃ**拝んだり」〈流れる・幸田文〉

ぐじゃぐじゃ ❶【さま】水けを含んでひどくやわらかくなったり、形がくずれてきたなくなっているさま。「足袋は一向乾かうともせず足の裏が**グジャグジャ**して不快この上もない」〈法廷・富沢有為男〉 ❷【さま】もとの形をとどめないほど形がくずれたり、混乱したりしているさま。「彼は相手の顔を**ぐじゃぐじゃ**にしてしまおうとするかのように」〈真空地帯・野間宏〉 ❸【さま】複数のものが雑然としているさま。「紙屑のやうなものが**ぐぢゃぐぢゃ**とある」〈山彦・鈴木三重吉〉 ❹【さま】何やかやと文句を言うさま。『**ぐじゃぐじゃ**言うな』

くしゃっ ❶【音・さま】紙、布など、平面のものを、丸めたりもんだりする際の軽くかわいた音。また、そのさま。『包装紙を**クシャッ**とまるめて捨てた』 ❷【音・さま】やわらかいものが、たたかれたり、おされたりしてつぶれる音。また、そのさま。ぺしゃっ。『ケーキが**クシャッ**とつぶれる』 ❸【さま】気持ちの高ぶりなどがしぼむさま。「そんなこと云えばあたいが**くしゃっ**とまいってさ」〈青べか物語・山本周五郎〉

ぐしゃっ ❶【音・さま】強い力によってつぶれる音。また、そのさま。「脚が一本折れていていまにも**ぐしゃっ**と潰れそうなので」〈司令の休暇・阿部昭〉 ❷【さま】だらしなく、形をたもてないさま。「突然、**ぐしゃっ**と涙が鼻にからまって来て、それから声を放って泣いた」〈虚構の春・太宰治〉

くしゃらむしゃら 【さま】【古】ためらい決めかねるさま。心が乱れ思い迷うさま。「おれはつつと入ろか。頼ませうといはうかと、**くしゃらむしゃら**も閾高き舅の内を着覗き」〈浄瑠璃―双蝶蝶曲輪日記〉

くしゃり ❶【音・さま】やわらかいものが、つ

コラム　オノマトペのもと

くしゃ・ぐしゃ・ぐじゃ

「くしゃ」はかわいたもの、薄いものが丸められたり形をくずされたりするようすを表す。「ぐしゃ」は、「くしゃ」より形のくずれ方が大きい場合に用いる。また、「ぐしゃ」と「ぐじゃ」は、水けのあるものにも関連しており、「ぐしゃぐしゃにぬれる」「トマトをぐじゃぐじゃにつぶす」のように使う。

「くしゃくしゃ」「ぐしゃぐしゃ」「ぐじゃぐじゃ」は、何度か力が加わった場合に、「くしゃっ」「ぐしゃっ」「ぐじゃっ」は、一度の力でくずれたり、つぶれたりした場合に使う。

「くしゃっ」「ぐしゃっ」「ぐじゃっ」は力が加わってつぶれた時のようすを表し、「くしゃり」「ぐしゃり」「ぐじゃり」はつぶれた後のようすを表す。「くっしゃり」「ぐっしゃり」「ぐっじゃり」は、強調した表現となる。

[くしゃの語群]

くしゃくしゃ・ぐしゃぐしゃ・ぐじゃぐじゃ
くしゃっ・ぐしゃっ・ぐじゃっ
くしゃり・ぐしゃり・ぐじゃり
くっしゃり・ぐっしゃり・ぐっじゃり
くしゃん・ぐしゃん
くっしゃくっしゃ・ぐっしゃぐっしゃ・
**　ぐっじゃぐっじゃ**
くっしゃん・ぐっしゃん

	紙を—(と)丸める	卵が—(と)つぶれる	髪が—だ
くしゃくしゃ	○	—	○
くしゃっ	○	—	—
くしゃり	△	—	—
ぐしゃぐしゃ	△	—	○
ぐしゃっ	△	○	—
ぐしゃり	△	○	—
ぐじゃぐじゃ	—	—	○
ぐじゃっ	—	○	—
ぐじゃり	—	○	—
くしゃん	△	—	—
ぐしゃん	△	△	—

[表現]

「くしゃん」「くっしゃん」は、くしゃみの音としても使われるが、くしゃみは古く「くさめ」といわれた。中世ごろまでくしゃみをすると鼻から魂が抜けて早死にするという俗信があり、それを防ぐための呪文が「くさめ」で、そこから「くさめ」と言われるようになったという。「くさめ」の語源は、「糞食《くそく》らえ」という意味の「糞食《は》め」が変化したものという説、「休息命《くそくみょう》」「休息万病《くそくまんびょう》」を早口でいったものという説、くしゃみの擬声語という説がある。

「ちんくしゃ」という語は、一説に、「狆《ちん》がくしゃみをしたときのような顔」からきているという。また、狂言の終わり方(留め)の一つに、「くしゃみ留め(くさめ留め)」と呼ばれるものがあるが、これは、最後に中心人物が舞台に残されてくしゃみを一つする、という終わり方である。

「もみくしゃ」「しわくしゃ」などの「くしゃ」はしわができているようすを表すが、「むしゃくしゃ」の「くしゃ」は、不愉快で気分がわるいようすを表す。江戸時代の浄瑠璃に「くしゃらむしゃら」という語が見られるが、心が乱れて思い悩むようすに使われている。

(中里理子)

ぶれてこわれる小さくかわいた音。また、そのさま。「**くしゃり**と麦藁帽を踏み潰して仕舞った」〈門・夏目漱石〉

❷さま 軽くしわが寄るさま。「手拭の運動につれて、圭さんの太い眉が**くしゃり**と寄って来る」〈二百十日・夏目漱石〉

ぐしゃり ❶音・さま 強い力で一瞬のうちにつぶれる音。また、そのさま。「羊羹を一と切とって口へ入、**ぐしゃり**と噛むと」〈七偏人・梅亭金鵞〉

❷さま 水けの多いものなどが、平らにつぶれるさま。また、そういう姿になるさま。「腹這になって〈略〉**ぐしゃり**と濡れ薄の上へ腹をつけて」〈二百十日・夏目漱石〉

❸さま 力なく、しおれたさま。「そこに**ぐしゃり**となって坐ってゐる周三の前に、立て膝で坐りながら」〈天国の記録・下村千秋〉

❹さま 古 気持ちや気分がめいって、力のこもらないさま。ぐずぐず。「気だて、**ぐしゃり**として、さえきらず」〈評判記―満散利久佐〉

くしゃん ❶音 くしゃみの音。「母は**クシャンクシャン**嚔をし乍ら」〈竹沢先生と云ふ人・長与善郎〉

❷さま ものがあっけなくこわれるさま。「持ったのを引払はれて、飴の鳥は**くしゃん**と潰れる」〈日本橋・泉鏡花〉

❸さま 元気なくしおれているさま。「始めからオドオドして、側から見てゐられない程**くしゃん**としてゐた」〈一九二八・三・一五・小林多喜二〉

ぐしゃん ❶音・さま やわらかいものが強い力で急激に押しつぶされる音。また、そのさま。ぐしゃり。『アルミ缶を**ぐしゃん**と踏みつぶした』

❷さま 元気なくしおれているさま。「彼が心底から**ぐしゃん**と参ってゐることを聞かされて知ってゐた」〈一九二八・三・一五・小林多喜二〉

ぐしゅぐしゅ 音・さま かぜを引いたり、泣いたりして、洟《はな》をすするときの音。また、そのさま。ぐずぐず。「東京都八王子市の『高尾山さる園』でも、鼻を**グシュグシュ**させるニホンザルたちが現れた」〈花粉の季節、去るを待つのみ・産経新聞・95・3・5〉

ぐじゅぐじゅ ❶音・さま 口をすすぐ音。鼻のつまったときの音。また、そのさま。『花粉症で鼻が**ぐじゅぐじゅ**、目がくしゃくしゃ』

❷さま 水分を多く含み、やわらかいさま。「子役のとき、母との共演で、母の顔に**ぐじゅぐじゅ**に熟したトマトか柿をぶつけるシーンがあったんです」〈話の肖像画・産経新聞・01・1・10〉

❸さま 不平や文句などを不明瞭につぶやくさま。ぐずぐず。『**ぐじゅぐじゅ**言いながらも、いつも世話役を引き受けてくれる』

くしゅん ❶音 かわいく小さなくしゃみの音。「CMの舞台は、夕日の差し込む会議室。**クシュン**とくしゃみをした若いOLが」〈CM界・読売新聞・00・11・13〉

❷さま 気持ちがくじけてしまうさま。「いたずらっ子らしい男の子は、**クシュン**となってしまった」〈子供とネコのいる風景・朝日新聞・90・5・1〉

ぐしょぐしょ ❶さま 水分を含んで、形のひどくくずれているさま。「解けかかって**グショグショ**した雪路は」〈イボタの虫・中戸川吉二〉 ⇒使い分け「びしょびしょ」

❷さま 涙をたくさん流して泣くさま。「我慢も何もなく**グショグショ**泣き出して」〈若い人・石坂洋次郎〉

❸さま 小さい声で不明瞭に言うさま。「白っぽくって四角い顔のお婆さんが、鉄の悪口を**グショグショ**と祖母に語ってゐた」〈旧聞日本橋・長谷川時雨〉

ぐじょぐじょ ❶さま 水けを含んで形のくずれたさま。「雨にぬれてゐる草が歩く度に股引に当った。そして股引が、すぐ気持悪く**ぐぢょぐぢょ**になって」〈防雪林・小林多

喜二〉

❷ さま 小さい声で不明瞭に言ふさま。「口の中で呟くやうに**ぐじょぐじょ**くやみを述べながら」〈若き日・広津和郎〉

ぐじらぐじら さま 古 明確な意志や態度を見せずに時間を過ごすさま。ぐじぐじ。「御咎《おとがめ》を受るが恐しさに、**グジラグジラ**と無益の事に手間をとり」〈野叟独語〉

くす ⬇コラム「くす・ぐす・ぐず」

ぐす ❶ さま 古 具合よくはまりこむさま。円滑に抜けたり離れたりするさま。すっぽり。するり。「どこぞの蚊帳へ**ぐす**とはいり、両面子《りょうめんし》（＝一つの胴に顔が二つある怪物）を見る様にひっ付いて居さっしゃろ」〈浄瑠璃―夏祭浪花鑑〉「菖蒲革染《しょうぶかわぞめ》（＝袴）を**ぐす**とぬぎかへ、ぬっと二階へあがり」〈咄本―鹿の子餅〉

❷→ぐすっ。

ぐずかわ さま 古 思い切りのわるいさま。煮えきらない態度で繰り返し言うさま。「叶はぬ事を**ぐづかは**と、トコ吠《ぼ》えたり饒舌《しゃべ》ったり」〈新内―道中膝栗毛〉

✹「かわ」はそのような状態であることを強調する接尾語。

くすくす ❶ 声・さま ひそやかに笑ふ声。また、そのさま。「妻は**くすくす**笑ひながら首を縮めた」〈流行感冒・志賀直哉〉 ⬇使い分け「くすくす」

❷ さま 古 ひそやかに事をするさま。陰にかくれてものを行ふさま。こそこそ。「夜の八ツ時分には虚空の楽屋へ我一に**くすくす**と這入って仕舞ふ」〈松翁道話〉「根性が**くすくす**して居るのだもの憎くらしからうでは無いか」〈たけくらべ・樋口一葉〉

❸ さま ものの言い方や動作などが積極的でないさま。のろのろ。ぐずぐず。「昨夜から少し虫歯が痛いと言って**くすくす**してゐます」〈桑の実・鈴木三重吉〉

ぐすぐす ❶ 音 かぜを引いたり、また、泣いたりして、洟《はな》をすするときの音。「私は**ぐすぐす**べそをかきだした」〈銀の匙・中勘助〉

❷ 音・さま 古 食物などをじゅうぶんに焼いたり煮たりする音。また、そのさま。ぐつぐつ。「珍らしき蛤なれば、自も喰んとて、〈略〉**ぐすぐす**と焼けるに」〈談義本―化物判取牒〉

❸ 音・さま 古 布、紙などのようなものがふれ合って、あたりにひびく音。また、そのさま。ごそごそ。「きる物もかしこへうち捨て、はだかで**ぐすぐす**とはいりさまに」〈好色一代男・井原西鶴〉「美しい娘が、我らが懐へ**ぐすぐす**と這入らるる」〈浄瑠璃―持統天皇歌軍法〉

❹ さま はれものなどの痛みがなかなかひかないさま。「やっぱり**ぐすぐす**痛い。昨日と較べると大分非度くなったやうである」〈小鳥の巣・鈴木三重吉〉

❺ さま 古 説明、言い訳、不平などを、あれこれとつぶやくように言うさま。「**グスグス**話を為《し》ながら漸々《だんだん》船は上手へ往くんでげす」〈落語―隅田の馴染め・三遊亭円遊〉

使い分け

【共通の意味】
小声で笑うようす。

くすくす
くっくっ／へらへら

❶**くすくす**、**くっくっ**は、声を出さないようにこらえながら笑っているようす。**くすくす**は「いたずらに気づかない先生を見て、生徒たちは**くすくす**笑った」のように他人に聞こえないように笑うときに使う。**くっくっ**は、おさえようとしても、出てしまう笑い声。「電車の中で**くっくっ**と笑いをこらえながら、漫画を読む」 ❷**へらへら**は、不真面目な態度で、理由もなく笑うようす。「あの生徒は、教師に叱られても**へらへら**笑うばかりで、少しもこたえていない」

「何だい、然《そ》んな事ぐすぐす言ったって仕方が無いや」〈落語―狂歌家主・橘家円喬〉

❻さま 方言 せきこむさま。ぜーぜー。「ひみち(喘息)ぐすぐす」〈沖縄県〉

ぐずぐず ❶さま 態度や行動、動作などがためらいがちなさま。進み方がとどこおるさま。「おまえが**ぐずぐず**しているから母親がこんな目に遭うんだよ」〈砂漠の駅・森村誠一〉「友人へ又借しをしたといふて**愚図愚図**《ぐづぐづ》して返さんワイ」〈当世書生気質・坪内逍遙〉 ⇩使い分け「のっそり」

✿「愚図愚図」は当て字。

❷さま 不平などを、不明瞭にあれこれとつぶやくさま。『赤ん坊が夜になると**ぐずぐず**とむずかる』「だからすまないっていってるぢゃアないか。―**ぐずぐず**いふなよ」〈大寺学校・久保田万太郎〉

❸音・さま 食物などが盛んに煮える音。また、そのさま。ぐつぐつ。「粟粥の**ぐずぐず**煮える匂いが縁先にも流れていた」〈婉という女・大原富枝〉

❹さま 締まりのないさま。今にも崩れそうなさま。『**ぐずぐず**した天気』「帯が**ぐづぐづ**になってしまったんですもの、一寸しめなほすわ」〈浅草・サトウハチロー〉「**グヅグヅ**に酔って〈略〉狭い田舎道を傍若無人に歩いたりする」〈枯菊の影・寺田寅彦〉

❺さま 明確な区切りやけじめのないさま。「其夜代助は平岡と遂に**ぐずぐず**で分れた」〈それから・夏目漱石〉

❻さま 方言 水などを勢いよく飲むさま。ごくごく。「**ぐずぐず**てぃーぬむ(飲む)」〈沖縄県宮古〉

くすっ 声・さま 少し笑う際に、ほんの少しもれる声。また、そのさま。「極まり悪げに俯向いて**くすっ**と笑ふと」〈旅愁・横光利一〉

ぐすっ ❶音・さま 涙ぐんだり、洟《はな》をすすりあげて鳴らす音。また、そのさま。「客席から見えないよう**グスッ**と鼻をすする。『お客さんはあたしの花粉症のことを知っているから。〈略〉』」〈社会学・花粉症・読売新聞・05・2・1・東京夕刊〉

❷→ぐす。

ぐずらぐずら ❶さま 動作が非常ににぶいさま。「それから**ぐずらぐずら**床を敷く、蚊帳を釣る、寝衣に着更へる」〈隣の女・尾崎紅葉〉

❷さま 不平などをよく聞こえるように言うさま。ぐずぐず。「最前から、落よ落よといふに聞入ず、**ぐずらぐずら**と。お身も武士の妻でないか」〈浄瑠璃―源平布引滝〉

ぐずらもずら さま 方言 態度が煮えきらないさま。東北地方。ぐずぐず。「いつまで**ぐずらもずら**しているんだ」〈岩手県〉「寄合たんびに**ぐずらもずら**いう」〈山形県〉

くすり 声・さま 笑う際に鼻から少しもれる声。また、そのさま。「此時**クスリ**と一声、笑を圧殺すやうな気勢《けはひ》がしたが」〈郊外・国木田独歩〉

ぐすり ❶音・さま 涙ぐんだり、感動で洟《はな》を強くすすりあげて鳴らす音。また、そのさま。『**グスリ**と洟《はな》をすすりあげた』

❷声・さま 強い調子で短く笑う声。また、そのさま。「間崎は帽子の汗臭い日蔭の中で思はず**グスリ**と吹き出してしまった」〈若い人・石坂洋次郎〉

❸さま 古 滞りなく、入ったり抜けたりするさま。するり。「蟬のもぬけて隠れ去たる如くならんと思ひ、〈略〉頭より手足まで残らず**ぐすり**ともぬけて」〈浮世物語・浅井了意〉

ぐずり さま 体に力を込めずに体重がかかるさま。「大阪屋はガバリと立ち上ると、おきみの襟がみを引っ摑んだ。そして**ぐずり**と引き立てた」〈天国の記録・下村千秋〉「**ぐづり**と坐り沈静《おとなし》く居るかと思へば」〈五重塔・幸田露伴〉

くすりくすり 声・さま 続けざまにしのび笑いやしのび泣きをする声。また、そのさま。「深山は女の事に就いて、余り口を利かなかった。T―は傍で、**くすりくすり**笑ってゐた」〈黴・徳田秋声〉「睡り覚めたる

くす・ぐす・ぐず

「くす」は、小さく鼻を鳴らすときの音やそのようすを表し、特に笑いの表現として使われる。音としては小さくて軽く、やや抑えた笑い方になる。濁音の「ぐす」になると、鼻水が出ている感じになり、泣く際の鼻を鳴らす音やようすに限られて、笑いの描写には用いられない。

「ぐずぐず」は、鼻を鳴らす音のほか、不平を言ったり動作（およびその取りかかり）が遅かったりするようすを表すが、ものがゆるんだり、溶けたりして原形をとどめなくなりそうなようすをいう擬態語でもある。「ぐずぐずの計画」のように、きっちりしていないことを比喩的に表すこともある。

【くすの語群】

くすくす・ぐすぐす・ぐずぐず
くすっ・ぐすっ・ぐずっ
くすり・ぐすり・ぐずり・ぐっすり
くすん・ぐすん・くっすん・ぐっすん

	—（と）笑う	—（と）泣く	—（と）文句を言う
くすっ	○	—	—
くすくす	○	—	—
くすり	○	—	—
くすん	△	○	—
ぐすっ	—	○	—
ぐすぐす	—	○	—
ぐすん	—	○	—
ぐずぐず	—	△	○

【表現】

「ぐす（と）」は、現代語では用いられないが、古くは何かにすっぽりと入ったり抜けたりするようすを表す用法があり、中世から近世に例が見られる。

「ぐっすり」も、現代語ではよく寝入るようすを表す意味で使われるが、一七世紀の俳諧などには、「すっかり」「そっくりそのまま」の意の用法が見える。前述の「ぐす（と）」にも共通するイメージがある。その後、歌舞伎などには、やわらかいものに何かが突き刺さる音やようすと解せる例の「ぐっすり（＝ぶっすり）やる」、すっかり濡れるさまの例「ぐっすり（＝ぐっしょり）濡れた」、さらにはじゅうぶんであるさまの例の「ぐっすり（＝たっぷり）呑める」などがあり、かなりさまざまな場面で用いられたオノマトペだったようだ。

「ぐず濡れ」（＝ずぶぬれ）という語も認められるが、これも「ぐず」は濡れたようすそのものを表すオノマトペ（「びしょ濡れ」の「びしょ」のようなもの）ではなく、「すっかり」の意を加えているものと考えられる。

ところで「ぐず」は、「愚図」と表記されることもあるが、これは当て字。「ぐずぐず」に由来する名詞で、動作が遅いこと、また決断力に欠けるさまや、そのような人をさす。「ぐず（ら）ぐず（ら）」の方言には、「ぐずらもぐら」「ぐずらひずら」「ぐ（ん）ずらが（ん）ずら」「ぐんずりぐんずり」「ぐずらしゃら」などバリエーションが多く見られる。

「ぐずつく」も動作がにぶいことを言う派生語だが、一般的には「ぐずついた天気」のように、雨がちではっきりしない天候をいうのに使われることが多い。これは、「ぐずぐず」が形容動詞として、事物がしっかりしていないさま、態度がはっきりしないさまを表す意をもっていることから、比喩的に生まれた用法である。

（宮武利江）

懐中の町が**くすりくすり**と嘩泣《むづか》るを、おお好い子好い子と、ゆさぶって」〈われから・樋口一葉〉

ぐすりぐすり ❶ 音・さま 泣きながら洟《はな》を大きくすすり上げる音。また、そのさま。「眼をこすりこすり図なしに**ぐすりぐすり**泣いてゐる癖で」〈銀の匙・中勘助〉 ❷ さま 古 大金をもうけたりつかったりするさま。ごっそり。「今時は、**ぐすりぐすり**と大層な、金を遣ふ人もありますさうだが」〈春色淀の曙・松亭金水〉

ぐずりぐずり さま ものの言い方や動作などが不明瞭でいつまでもやまないさま。「困った関係が、根を断たれないで、いつまでも、**ぐづりぐづり**尾を引いて残った」〈善心悪心・里見弴〉

くすん 音・さま 鼻を軽く鳴らす音。涙ぐんだり、軽く笑ったりするさま。意気地なく悲しむさま。「『小関さん、この頃あんた、篠原に会って?』秋子は前を向いた儘〈略〉鼻を**クスン**と鳴らした」〈故旧忘れ得べき・高見順〉 「『蝙蝠傘の骨を修繕したはった人の息子さんや』君枝は**くすん**と笑った」〈わが町・織田作之助〉

ぐすん 音・さま あたりに聞こえるぐらいに鼻を鳴らす音。また、意気地なく悲しむさま。「開会式で、**グスン**とも泣けなかった長野オリンピックはどうだい」〈松崎菊也流・かんちがってま専科?・毎日新聞・00・9・21・東京版〉

くぞくぞ さま 方言 やつれたさま。「**くぞくぞ**した顔」〈鹿児島県〉

くた ⬇コラム「くた・くだ・ぐた・ぐだ」

くたくた ❶ さま 古くなって張りがなくなるさま。「彼は**くたくた**に成った紙を袂から探り出して」〈土・長塚節〉 「何やら**クタクタ**の袴を借りて来てくれた」〈新世帯・徳田秋声〉 ❷ さま 力なげにくずおれるさま。ひどく疲れるさま。「一刻も早く**くたくた**と母の懐の中に崩れ込みたく思った」〈格子の眼・島尾敏雄〉 「**くたくた**に疲れて、自分がいま誰の懐の中にゐるのやら〈略〉見当も附かなくなりました」〈貨幣・太宰治〉 ⬇使い分け「へとへと」 ❸ さま 古 こまかくなるさま。ずたずた。こなごな。くだくだ。「つゑの**くたくた**とをるるほどうちたれば」〈弁内侍日記〉 ❹ 音・さま 弱火でもとの形がなくなるほど長く煮こむ際の音。また、そのさま。くつくつ。「みそ汁を**クタクタ**と一時間余も煮ているのも婆さんの役目でした」〈ものいわぬ農民・大牟羅良〉

くだくだ ❶ さま 繁雑でわずらわしいさま。しつこいさま。「つい**クダクダ**と説明の筆がのびて了った」〈故旧忘れ得べき・高見順〉 ⬇使い分け「くだくだ」 ❷ さま 古 こまかくなるさま。ずたずた。

使い分け

【共通の意味】話し方がくどく、長たらしいようす。

くだくだ

くどくど／べらべら／だらだら／便便

❶**くだくだ**、**くどくど**は話が長くてくどいようす。**くだくだ**は「年をとって、同じ話を**くだくだ**するようになった」のように同じ話を長々と何度も繰り返すようす。**くどくど**は、「上司に接客時の服装やことば遣いについて、**くどくど**言われた」のように、注意や説明などを何度も繰り返すときなどに使う。❷**べらべら**は、話し出したら止まらないような感じでよくしゃべるようす。「あることないことを、**べらべら**しゃべる」のように、好ましくない意味で使う。❸**だらだら**は、話や文章が切れ目なく続き、締まりがないようす。「校長先生の話が**だらだら**と長いので、生徒たちはあきている」❹**便便**は**だらだら**の文章語。「手紙には、近況が**便々**とつづられていた」

コラム　オノマトペのもと

くた・くだ・ぐた・ぐだ

「くた」は、力なく萎《な》えたようすを表し、朽ちる、腐ると同根だと考えられる。「くだ」は、こまかく砕かれたり、小さく分かれたりしているさまを表し、「砕」と同根だと考えられる。両者ともマイナスのイメージの語だが、お互いに意味のうえの関係はなく、「くた」と「ぐた」、「くだ」と「ぐだ」のそれぞれが、清濁のペアになっており、語頭の「く」が濁音になることによって意味が強まる。

「くたくた」「ぐたぐた」は、肉体的、あるいは精神的に疲れたようすを表し、「くたっ」「くたり」「ぐたっ」「ぐたり」「ぐったり」はそれ以上動いたり起き上がったりすることができないほど、力が失われているようすを表す。また、「くたくた」は野菜などが煮えすぎて形がなくなったようすや布などが使い古されて張りがなくなったようすも表す。

「くだくだ」は、室町時代にはこまごましているものや、そのため無用であるものを表した。「くだくだ」も「ぐだぐだ」も、いつまでも何の役にも立たない不平や言い訳、あるいは小言や説明などをこまごまと言い続けるさまを表す擬態語として用いられる。「ぐたぐた」がこの意で用いられることもある。「くだ」は、促音、撥音《はつおん》、「り」を伴った形で使われることがない。

【くたの語群】

くたくた・ぐたぐた・くだくだ・ぐだぐだ
くたっ・ぐたっ
くたり・ぐたり・ぐだり
くったり・ぐったり

	―に疲れる	―（と）不平を言う	―の帽子
くたくた	○	―	○
ぐたぐた	○	○	―
くだくだ	―	○	―
ぐだぐだ	△	○	―

【表現】

「くた」は、「しわくた」「もみくた」などにも共通に使われている。これらは、「しわ＋あくた（塵芥）」のように、「あくた」と結びついてできた語だが、「あくた」も「朽」から生じた語であるところから、これらの「くた」も「くたくた」などと根を同じくする。

「くたびれる」の語源については諸説あるが、「くた」が「朽」を根としていると考えると、これも「くたくた」と同根である。「くたびれる」は「疲れる」と同義である。人間以外のものに使う場合には、「この靴はもうくたびれている」などのように比喩的に用いられ、繰り返し使用したためにこれ以上の使用には適さないことを意味する。

「くたくた」は、もともとは必ずしも疲労を表したわけではなく、ものに力のない、締まりのないようすを表す擬態語として使われていたため、江戸時代の漢方医学書では、「多産ノ婦人ハ腹ヲ按スルニ其皮クタクタトシテ手ニツカメハ皮コトコトク掌中ニ入モノナリ」（『師説筆記《しせつひっき》』後藤艮山《こんざん》）などと、腹の皮のようすを表すのにも用いられてもいる。

俳句の夏（初夏）の季語に、「卯《う》の花腐《くた》し」がある。夏の到来を告げる白い卯の花、つまりウツギを腐らせてしまいそうな長雨を意味する。

（守山惠子）

こなごな。「十づかの剣をぬいて大蛇を**くだくだ**にきり給ふ」〈平家物語〉「身は**くだくだ**に刻まるるとても古郷へは帰らぬ也」〈浄瑠璃―世継曾我・近松門左衛門〉

❸さま 古 見るまに力の抜けるさま。くたくた。「せぼねをうちきりて**くだくだ**となしつ」〈宇治拾遺物語〉「蒟蒻のやうな形《なり》で**くだくだ**致し細く長い尻尾の」〈七偏人・梅亭金鵞〉

ぐたぐた ❶さま 力が抜けて体の重みがかかるさま。重く疲れきるさま。ぐったり。「激しく労働して、**グタグタ**になって眠るといふ生活が」〈銀二郎の片腕・里見弴〉「実際赤ん坊は**ぐたぐた**してゐた」〈道草・夏目漱石〉

❷さま 泥酔しているさま。ぐでんぐでん。「無礼講の酒宴に、**グタグタ**に酔ってしまった若武士達は」〈忠直卿行状記・菊池寛〉

❸さま 不快に感じるほど不平不満を並べ立てるさま。ぐずぐず。「酔っぱらって議場にあらわれて、**ぐたぐた**としゃべるのがつねであった」〈解体の日暮れ・杉浦明平〉

❹音・さま 強火で形がなくなるほど、よく煮こむ音。また、そのさま。ぐつぐつ。「何か**ぐたぐた**と煮えて、湯気が白く颺《あが》った」〈東京の三十年・田山花袋〉

ぐだぐだ ❶さま 力が抜けて役に立たなくなるさま。心底疲れきるさま。くたくた。「夏は日中は余り暑いので、人間ばかりで無く、弓そのものが**ぐだぐだ**になって居るのであるから」〈孤蝶随筆・馬場孤蝶〉

❷さま 態度や行動、動作などがためらいがちなさま。進み方が遅いさま。『休みに実家で**ぐだぐだ**する』

❸さま 意味のないことやくだらないことをとりとめなく言うさま。うだうだ。「職人気質というのは、**グダグダ**いうのが大嫌いだろうから、ここは私が代弁(?)しよう」〈憂楽帳・毎日新聞・01・2・7・東京夕刊〉

くたっ さま 力の抜けたさま。疲れきったさま。しおれるさま。「レタスもキャベツもゆでると見た目は**クタッ**としますが」〈野菜おいしさ再発見・産経新聞・00・6・2〉

ぐたっ さま 弱り切って力の抜けたさま。ぐたり。ぐったり。「向こうにおる者は差入れを待っとる人間ばかりだから、**ぐたっ**として役にはたたんでしょう」〈階級・井上光晴〉

くたり さま 体に力がまったく入っていないさま。「いつも元気の好い子が、永く煩ってでも居たやうに、**くたり**となって寝てゐる」〈金毘羅・森鷗外〉

ぐたり さま 力がまったく抜けて体の重みをあずけるさま。「少しでも腕をゆるめると、女は**ぐたり**とした」〈雪国・川端康成〉

ぐだり さま ものの重みを感じさせるように力が抜けるさま。「青葉の間に鯉幟がばさばさと飜っては**ぐだり**と成って」〈土・長塚節〉

ぐちぐち ❶声・さま もの言いが、歯切れが悪くて聞きとりにくい声。また、そのさま。「何か**ぐちぐち**言おうものなら直き撃ち殺されてしまいますよ」〈がらくた博物館・大庭みな子〉

❷さま 態度や意志を明確にせず、積極的な態度をとらないさま。ぐずぐず。「世間にはかへぬ命なるべき事になま心にて独**ぐちぐち**と胸にかためてとかず」〈男色大鑑・井原西鶴〉

くちゃくちゃ ❶音・さま ねばりけのあるものや、やわらかいものが何度もつぶされてたてる音。口の中でやわらかいものをかむ音。また、そのさま。「**クチャクチャ**と飯を噛んでゐる様などは」〈故旧忘れ得べき・高見順〉「畦も畔もかまはず**クチャクチャ**と踏み荒らして」〈良人の自白・木下尚江〉

❷さま 原形をとどめないほどつぶれるさま。「柔道三段で、そのおかげで〈略〉耳たぶが**クチャクチャ**につぶれていて」〈冷え物・小田実〉「**苦茶苦茶**《くちゃくちゃ》になったものを丹念に引き伸ばしつつ」〈それから・夏目漱石〉

❸さま とりとめなく乱雑なさま。めちゃ

くちゃ。「好《え》え帯ぢゃのに**くちゃくちゃ**に結んでおいでるの」〈おみつさん・鈴木三重吉〉「鉛筆で**くちゃくちゃ**に書いた手紙をまた正平は取上げた」〈花冷え・久保田万太郎〉「暗闇のなかでなにか臓腑のやうに**くちゃくちゃ**と揉みあってゐる」〈銀の匙・中勘助〉

❹さま 気分が乱れて憂うつになるさま。くしゃくしゃ。「ラヂオの無気味な声が耳の中で衝突し合ひ、又私の神経は**クチャクチャ**した」〈兄の立場・川崎長太郎〉

ぐちゃぐちゃ ❶音・さま 水けを含んでやわらかくなったものやねばりけのあるものなどを何度もつぶしたり、かきまぜたりするときにたてる音。また、そのさま。「蕎麦と鳥の身と葱とお汁と灰とを、**ぐちゃぐちゃ**にこねかへすのであった」〈苦の世界・宇野浩二〉「うすいすべっこい紙を**ぐちゃぐちゃ**嚙んですごした」〈記念碑・堀田善衛〉

❷さま 水けを多く含んでやわらかくなっているさま。つぶれたり濡れたりしわだらけになったりして、きたなくなっているさま。ぐちょぐちょ。「**ぐちゃぐちゃ**になってゐる書物や帳面を日に乾かさねばならぬと思ったり」〈入江のほとり・正宗白鳥〉

❸さま 原形をとどめないほど乱れたりつぶれているさま。くしゃくしゃ。「健次は無言で、蟇口から**ぐちゃぐちゃ**の札を手渡して机に向った」〈何処へ・正宗白鳥〉「角ばった顔を**ぐちゃぐちゃ**と崩し〈略〉『すみませんねえ、これじゃ多すぎますよ』」〈烈婦！ます女自叙伝・井上ひさし〉

❹さま わずらわしいぐらいに、とりとめもなくしゃべったり文句を言ったりするさま。「心配さうな顔をして**グチャグチャ**述立てると」〈福翁自伝・福沢諭吉〉

くちゃっ 音・さま たたかれたり、おされたりしてあっけなくつぶれる際のほんの小さな音。また、そのさま。『豆腐のように**くちゃっ**とつぶれた』「しっとりおにぎりこそが、おにぎりの正道である。ノリが**クチャッ**とごはんにへばりついている感じが、実に奥ゆかしい」〈CM天気図・天野祐吉・朝日新聞・96・9・8〉

ぐちゃっ 音・さま 完全に形がくずれるほどつぶれる際の重くにごった音。また、そのさま。「**ぐちゃっ**としたものを嚙んだりすると、暫く何も食べられない」〈死霊・埴谷雄高〉

くちゃり 音・さま 瞬間的に、たやすくつぶれたり折れたりする音。また、そのさま。『風でとばされた帽子が、車にひかれて、**くちゃり**となった』「一摑みのムキミを初五郎の顔へ**クチャリ**と投げつけた」〈江戸から東京へ・矢田挿雲〉

ぐちゃり 音・さま 水けを含んだものが、きたならしくつぶれる音。また、そのさま。ぐしゃり。「玉子が**ぐちゃり**と割れて鼻の先から黄味がだらだら流れだした」〈坊っちゃん・夏目漱石〉

くちゅくちゅ 音・さま 少量の水分を含んで、すばやく動かす際の軽く高い音。また、そのさま。「子どもたちが紙コップを口元に運んだ。小さな口を一心に**くちゅくちゅ**と動かしながら」〈モノわかりのいい話・朝日新聞・99・5・5〉

ぐちゅぐちゅ ❶音・さま 少量の水分を含んで、強くかきまわしたり混ぜ合わせたりするときの重くにぶい音。また、そのさま。「子供はふざけて、口の中でジュースやお茶を**ぐちゅぐちゅ**音をさせるものです」〈ひろば・読売新聞・92・5・7・大阪版〉

❷さま 水分を多く含み、やわらかいさま。「おかあさんが、赤ちゃんを連れてきます。おへそが**ぐちゅぐちゅ**している、顔にぶつぶつができた」〈ぞうさん先生の子育てトーク・毎日新聞・98・10・29〉

ぐちょぐちょ さま 重く水けを含んできたなくなっているさま。「佑子の写真と便箋とが**ぐちょぐちょ**になってしまいました」〈蟻の自由・古山高麗雄〉

ぐちょっ さま ものが瞬間的にきたならし

くつぶれるさま。『熟した柿が木から落ちてぐちょっとなった』

くっ ❶声・さま こみあげるように笑う声。力んだり、笑いをこらえようとして思わずもらす声。また、そのさま。「くっと笑ひが込み上げて来て、我慢するのに骨が折れた」〈帰郷・大仏次郎〉 ❷さま ひと息に飲みくだすさま。「さんさんにかみこなひて、くっとのみこふでござある」〈狂言―柑子〉「一名これを唐茶《とうちゃ》といふ。くっと飲てはくっとゆき、ずっと酔てはずっと寝る」〈洒落本―売花新駅〉 ❸さま 軽く力を込めるさま。すばやくひと息に行うさま。「含み笑ひしながら、くっと身をすくめると」〈雪国・川端康成〉「足で抑へた縄の端へ藁を継ぎ足し継ぎ足しして〈略〉右の手を臂へ廻してくっと縄を扱《こ》く」〈土・長塚節〉 ❹さま 古 抵抗なく抜けるさま。すっ。つっ。「くっとぬけてあまる矢が、うらにひかへたるてる井が馬のふとはらに」〈幸若―高たち〉 ❺さま 古 全体にゆきわたるさま。残らずそうなるさま。すっかり。「くっとようねた時は、無夢ぞ。安眠して、雨声をきけば新なるぞ」〈四河入海〉「やれさて、くっとぬらしおった」〈狂言記―井礑〉

ぐっ ❶声・さま 苦しいときや不満のあるときなどにもらす、小さな声。息がつまったり、返答のことばに窮するさま。ぐー。『ぐっともすっとも言えない』「犬同然と云はれたる時には、ぐっと急《せき》込《こ》みしが」〈貞操婦女八賢誌・為永春水〉 ❷さま 押しこめられるように心に強い衝撃を受けるさま。「さげすまれたやうな寂しい心もちがぐっと胸もとにこみ上げた」〈露芝・久保田万太郎〉「お園はグットせしが態《わざ》と笑ひに紛らして」〈春色梅美婦禰・為永春水〉 ❸音・さま 飲み物をひと息に飲みくだす音。また、そのさま。「思ひ切って言ひませうと、置《おき》注《つ》ぎの盃をぐっと飲みほした」〈世相・織田作之助〉「生温い香茶をぐっと飲んで、決然と言ひ放った」〈かのやうに・森鷗外〉 ❹さま 力を込めてひと息に事を行うさま。力を込めるさま。「ぐっと首根ッ子を圧へられて」〈婦系図・泉鏡花〉「両手を差延べて、俊一の細っこい身体をぐっと引寄せようとしたが」〈生まざりしならば・正宗白鳥〉 ❺さま ほかのものごとや状態と比べて、大きくへだたりのあるさま。以前と比べて違いがあるさま。「西洋の楽器なぞに比べると、三絃の方がグット洒落てる」〈内地雑居未来之夢・坪内逍遥〉「ぐっと上半身をのりだしていた」〈棒・安部公房〉 ❻さま 熟睡するさま。ぐっすり。「ああ、一杯やっつけて、ぐっと一寝入したいものだ」〈河内屋・広津柳浪〉「百姓はぐっと寐るのが正月じゃ」〈雑俳―折句袋〉 ❼さま ものごとのすみずみにまで及ぶさま。すっかり。「所詮一通りでは身代もまわるまじと、ぐっと智恵をめぐらし」〈黄表紙―莫切自根金生木〉「サアサア爰の長ぜりふは、おらアぐっと承知だからいいとして」〈滑稽本―八笑人〉

くっきり さま きわだってあざやかなさま。輪郭がよく目立つさま。「伊豆半島がくっきり見通せて、かがやく青空に積乱雲がそそり立つやうな夏の日は」〈天人五衰・三島由紀夫〉「この女は根は人のいい女であるということが顔にくっきり出て来て」〈羽なければ・小田実〉「三十六七位と見える、くっきりとしたる男二人連にて」〈談義本―地獄楽日記〉 ⬇使い分け「くっきり」

くっく ❶声・さま おかしい気持ちをおさえきれないで、軽くもらす笑い声。また、そのさま。「悪戯ものらしく、クックと忍び笑ひをした」〈桐畑・里見弴〉 ❷さま 力を入れてこすったり、拭いたりするさま。「糸瓜《へちま》でクックと背なかをながして貰ひながら」〈大道無門・里見弴〉

ぐっく さま 古 勢いよく事が進行したり事

をするさま。ぐんぐん。「大声を立てさせまいと思ひ、口を押へてグックと押すから」〈真景累ケ淵・三遊亭円朝〉「穀直段くっくとさがるあつさかな」〈一茶真蹟〉

くっくっ ❶声 ハトやニワトリなどの鳴く声。『クックッと数羽のハトが寄ってきます』

❷声・さま おさえきれないでのどからもらす、笑い声。軽くのどを鳴らして短い間に飲むさま。「保子は顔を伏せて、**くっくっ**笑った」〈山の音・川端康成〉⬇使い分け「くすくす」

❸さま 力を入れてこすったり、拭いたりするさま。「先輩はもの馴れた手つきで、**くっくっ**と粗いブラッシュをかけた」〈We・細田源吉〉

くつくつ ❶声・さま 笑いや嗚咽《おえつ》をのどの奥でおしころすときの声。また、そのさま。「細君が怺《こら》へ切れなかったと見えて**クツクツ**笑ふ声が聞える」〈吾輩は猫である・夏目漱石〉「周三のふところへ顔をぐいぐい押しつけ、**くつくつ**と声をしのばせて咽《むせ》び泣いた」〈天国の記録・下村千秋〉

❷音古 痰《たん》、せき、鼻汁などが、鼻やのどにつかえて鳴る音。うがいなどをして口の中でたてる水の音。「台盤に額をあてて、のどを、**くつくつ**と、くつめくやうに鳴らせば」〈宇治拾遺物語〉

❸音さま 弱火で長く煮込むときの音。また、そのさま。「火鉢の小鍋が**くつくつ**煮える」〈山彦・鈴木三重吉〉「米を水に浸して置いて摺鉢ですって、それを**くつくつ**と煮て砂糖を入て嘗めさせた」〈土・長塚節〉

❹音・声・さま 寝言などのくぐもった声や箱の中のものが動くようなこもった音。また、そのさま。「**くつくつ**物を器などにいれつむるにゆるくして固からざる声《をと》也」〈俚言集覧〉「時々お清がことのみ**くつくつ**と寝言にいひ」〈浮世草子—諸国此比好色覚帳〉

❺さま古 笑わせようとくすぐるさま。こちょこちょ。「さらばちっと笑はしましょ。やあ、**くつくつくつ**、はあ機嫌が直った」〈狂言記—子盗人〉

❻さま古 ものの上を強くこするさま。くっく。「筅を本処に置、巾を取、左にて湯をすて、**くつくつ**とふき、巾はそのままつるべの上に也」〈宗湛日記〉

ぐっぐっ ❶音・さま 飲み物を息もつかずに勢いよく飲む音。また、そのさま。「ちゃわんについで、いきなしに**ぐっぐっ**とやらかし」〈東海道中膝栗毛・十返舎一九〉

❷さま 力を入れて、続けて行うさま。「ほそ腕《うで》後に用捨もなく**ぐっぐっ**と、締むるも弱き若楓の下枝にしっかと縛付」〈浄瑠璃—井筒業平河内通・近松門左衛門〉

使い分け

[共通の意味] 鮮明に目に見えるようす。

くっきり

はっきり／ありあり／まざまざ

❶**くっきり**は輪郭が周りから浮かび上がって明確に識別できるようす。「大文字焼きの大の字が、暗闇に**くっきり**と見えた」。**はっきり**は、ものの形や輪郭、考えていることなどが明確に認識できるようす。「簡潔な文章で、主旨が**はっきり**とわかった」「めがねをかけると、**ハッキリ**と見える」

❷**ありあり**は表情などにその人の気持ちなどが明確に表れるようす。「悔しさが顔に**ありあり**と見える」。**まざまざ**は、違いや差が明らかであるようす。「力の差を**まざまざ**と見せつけられた」

❸**ありあり、まざまざ**は、夢や思い出など現実ではないものごとや遠くの出来事が、目に見えるように心に浮かぶようすにも使う。「戦場の光景が**ありあり**と目に浮かぶ」「手紙から、被災地の惨状が**まざまざ**と伝わる」

ぐつぐつ ❶音・さま 強い火力で煮込むときの音。また、そのさま。「やがて夕食の

テーブルの上でぐつぐつ煮えているスキ焼の鍋を」〈月は東に・安岡章太郎〉 ⬇使い分け「ちんちん」

❷声・さま 古 おかしくてたまらずに笑ったり、むずかる声。また、そのさま。「亭主、巨燵《こたつ》から顔を出し、ぐつぐつ笑う」〈咄本―近目貫〉「昨夜家へ連れて来たが、心細くでもなったのかぐつぐつ泣いて困りました」〈歌舞伎―梅雨小袖昔八丈〈髪結新三〉〉

❸音・さま 大きく動きながらのどが鳴る音。口をすすいだり、口の中で音をたててものをかむさま。ぐちゅぐちゅ。「グッグッと咽喉のみなって下へおりぬを、思ひきってグット飲と」〈七偏人・梅亭金鵞〉「I先生は海ほほづきをグッグッ嚙みながらぼんやり病人の方を眺めて居た」〈若い人・石坂洋次郎〉「さあ其から盥嗽《うがい》をするのぐつぐつと、さあ宜しい」〈姉と弟・嵯峨之屋御室〉

方言 つばを飲みこむさま。「ぐつぐつつずのんくん(つばを飲みこむ)」〈鹿児島県〉

❹さま 不平不満の感情が強くこみあげるさま。「惣次郎がお隅を連れて来てゐる事を聞くと、ぐつぐつと癪に障り」〈真景累ケ淵・三遊亭円朝〉「彼《あ》の演説が気に喰ぬのヤレ沢庵石がききすぎるのとぐつぐつ言出すやら」〈団団珍聞〉

❺さま 勢いよくものごとをするさま。「今迄かなり、皆んなの気持が一緒にかたまってグッグッと進んできたとき」〈防雪林・小林多喜二〉

ぐっさ ❶さま 古 よく寝こんでいるさま。ぐっすり。「くっさとひと寝入りして起よぞ」〈百丈清規抄〉 ✱「くっさ」ともいう。

❷さま 古 勢いよく体を動かすさま。動作を力強くひと息にするさま。ぐっ。「鏑より上、十五束有りけるを取てつがひ、ぐっさと引いて放されたれば」〈保元物語〉

くっさり 音・さま 古 槍《やり》や矢などが抵抗なくつきささる音。また、そのさま。「杭なら物を言はぬ筈ぢゃが〈略〉まづ此槍で突かう、くっさりくっさり」〈狂言記―杭か人か〉

ぐっさり 音・さま 槍《やり》や矢などが深くつきささる音。ものを力を込めてつきさす音。また、そのさま。「彼槍をばとりなをしもせず、口にて『ぐっさり』といふた」〈咄本―昨日は今日の物語〉

くっしゃり さま 古 ものをたやすく射通すさま。ものがささるさま。「あなたの吹矢を持て、くっしゃりと射なさるのじゃ」〈浄瑠璃―妹背山婦女庭訓〉

ぐっしゃり ❶さま やわらかいものなどが勢いよく押しつぶされたり、何かがささったりするさま。「畳に落てゐる餅をぐっしゃり踏付て」〈七偏人・梅亭金鵞〉

❷さま 回復できないほど気力や体力が失われるさま。「朝から晩まで、心のぐっしゃりとなるか、うっとりとなりねむけのくるやうな時」〈敬説筆記〉「一日走り廻って帰って来るとぐっしゃりと草臥てしまふ」〈俳諧師・高浜虚子〉

❸さま 水けを多量に含むさま。ぐっしょり。「刈られてぐっしゃりと湿って居る稲が土手の芝の上一杯に干されてあった」〈土・長塚節〉

ぐっしょり さま 衣類などが全体的に不快なまでに水けを多量に含むさま。「眠が覚めると、ぐっしょり寝汗をかいて居る」〈田舎教師・田山花袋〉

ぐっしり さま 重く水けを含んでいるさま。ぐっしょり。「庭へ敷いてある庭蓋の藁も只ぐっしりと湿って居る」〈土・長塚節〉

ぐっす さま 古 いいぐあいにはいりこむさま。するり。「これまでなりとて方丈《ほうぢゃう》は、方丈は、眠蔵《めんざう》(=寝室)にぐっすと這入りけり」〈狂言―比丘貞〉

ぐっすら さま 古 完全にぬれ通るさま。ぐっしょり。「頭から是みなびっしょり水をあびて、単物もなにもぐっすらづぶぬれヨ」〈滑稽本―八笑人〉

ぐっすり ❶さま 深く眠るさま。睡眠時間がじゅうぶんなさま。「今度は夢も何も

見ないで**ぐっすり**寐た」〈坊っちゃん・夏目漱石〉
↓使い分け「ぐーぐー」

❷ 音・さま やわらかいものの中に深くはいりこんだり、つきささったりする音。また、そのさま。ずぶり。すっぽり。ぐっす。「路地の中へ進み入ると、忽ち雨だれか何かの泥濘《ぬかるみ》へ**ぐっすり**片足を踏み込み」〈つゆのあとさき・永井荷風〉「頭痛がするとやらいふて、師走せっぱくに火燵《こたつ》へ**ぐっすり**」〈浮世草子―世間姑気質〉

❸ さま ものごとをじゅうぶんに行うさま。全体を残らずするさま。「彼は『**グッスリ**』ためこんでいるのに妻、子、妾の誰にも卵を食べさせてやらない」〈青い月曜日・開高健〉「雪を掻いて祝儀を貰ひ、晩には**ぐっすり**暖《あった》まらう」〈歌舞伎―霜夜鐘十字辻筮〉「其身六十にあまる比は、人も知る金持となりしを、**ぐっすり**息子に譲り」〈黄表紙―即席耳学問〉

方言 じゅうぶんでたくさんなさま。「籠に**ぐっすり**一杯の草」〈兵庫県〉「今日は昼飯を**ぐっすり**食べた」〈兵庫県〉

❹ さま 古 完全にぬれ通るさま。ぐっしょり。ぐっすら。「『嘸《さぞ》雨で困ったらうの』『二三町で**ぐっすり**濡れた』」〈歌舞伎―夢結蝶鳥追〈雪駄直〉〉「其徳利に罅《ひび》があって、下の鋌が**ぐっすり**だ」〈歌舞伎―好色芝紀島物語〉

ぐっすん 音・さま 涙声で洟《はな》をすすりあげて鳴らす音。また、そのさま。鼻を鳴らすさま。『**ぐっすん**と涙ながらに話しはじめた』

くった さま 古 弱りきったり疲労して力の抜けたさま。ぐったり。「暁になって**くった**とくたびれて寝入った」〈三体詩絶句鈔〉

くったくた さま これ以上ないほど疲れきったさま。「きょうはもう、**くったくた**。朝からずっと忙しかったの」〈三百歳探偵団の結婚作戦・田中雅美〉
✽「くったくった」ともいう。

くったり さま 完全に力が抜けるさま。「今夜はまだ九つ（＝現在の午前零時ごろ）、**くったり**と一休み」〈浄瑠璃―仮名手本忠臣蔵〉

ぐったり さま 弱りきって、体の重みをかけて倒れ伏しているさま。これ以上ないほど疲労して力の抜けたさま。『庭木が猛暑で**ぐったり**している』「やや**ぐったり**した恰好で外へ出たとき」〈春泥・久保田万太郎〉「団扇を顔に当てながら**ぐったり**死んだやうになってゐた」〈爛・徳田秋声〉↓使い分け「へとへと」

ぐっちゃり さま 水けを含んだやわらかいものがつぶれたり、ねばついてきたないさま。『排水口に**ぐっちゃり**とへばりついている』

ぐっちょり さま ひどくぬれているさま。ぐっしょり。「目が覚めると、寝汗で**ぐっちょり**」〈朱日記・泉鏡花〉

くっつり さま 古 じゅうぶんなさま。「旦《あした》の晩はかならずと、いふて別て**くっつり**と扨寝ておきて髪結て」〈浮世草子―当世乙女織〉「おぎんが**くっつり**と尻であたためてくれた」〈洒落本―当世嘘之川〉「寒い時分ぢゃ、このたんぽで燗をして、この鉢肴で**くっつり**上がれ」〈歌舞伎―傾城浜真砂〉

ぐっつり さま 古 完全にぬれ通ったさま。ぐっしょり。「銚子をひっくりかへして、野風が着物へ**ぐっつり**さけをかけたのさ」〈洒落本―古契三娼〉

くつりくつり 声・さま おさえきれないで、少しずつ笑いをもらす声。また、そのさま。「**クツリクツリ**笑ひながら団吾は手を採ひきおこせば」〈七偏人・梅亭金鵞〉

ぐでぐで さま ひどく酒に酔って正体のなくなるさま。ぐでんぐでん。「ある晩方年始の礼に来た山内は、**ぐでぐで**に酔ってゐた」〈黴・徳田秋声〉

ぐでん さま 酒に酔って正体のなくなるさま。ぐでんぐでん。「**ぐでん**と酔払って『天子呼来不上船』などと管を巻いたところ」〈ブラリひょうたん・高田保〉「ハテ**ぐでん**に

なっても、朝のさけはさめらアナ」〈洒落本―猫謝羅子〉

ぐでんぐでん さま 酒に酔って自分の言動がもはや意識できないさま。ぐでぐで。たらんくらん。「なに、やつも**グデングデン**さ、分るもんか」〈制服・安部公房〉「此間来た時に、**ぐでんぐでん**に酔った癖に」〈歌舞伎―青砥稿花紅彩画（白浪五人男）〉 ⬇使い分け「ぐでんぐでん」

✹江戸時代、深酒することを「ぐでんになる」と言った。「ぐでん」の語源は不明。

くどくど ❶ さま しつこく繰り返して言うさま。うるさく長々としゃべるさま。「そんな事を**諄々**《くどくど》と説き聴かす真面目臭い青年に」〈暗夜行路・志賀直哉〉「妹の一家は、〈略〉侮辱と虐待をするのだと、お房さんは袖口を眼頭に時々あてて、**くどくど**と訴へた」〈古鏡・若杉鳥子〉 ⬇使い分け「くだくだ」

❷ さま 思いきりのわるいさま。後悔するさま。ぐずぐず。くよくよ。「文とりかわせし男の事ばかり**くどくど**思へど」〈談義本―遊婦多数寄〉

ぐとぐと さま こもったような声で意味のわからないことを言っているさま。「**ぐとぐと**埒明ずといへば、底のかしこき人と云。むさくさ者といへば、だうけて面白きと云」〈仮名草子―悔草〉「其の時は。篤胤が**ぐとぐと**言ぐらゐのことでは无く」〈古道大意〉

ぐどぐど ❶ さま まごついたりためらったりするさま。ぐずぐず。「**ぐどぐど**として打たれてはなるまい、それがしはただ退くぞ退くぞ」〈謡曲―鞍馬天狗・間狂言〉

❷ さま 長々としつこくしゃべるさま。繰り返し文句を言うさま。くどくど。「台所には、何か**ぐどぐど**小婢《をんな》を叱りながら」〈黒潮・徳冨蘆花〉

ぐとらぐとら さま 古 明瞭な態度をとらないさま。「侍の娘でゐて**ぐとらぐとら**おいやんな」〈浄瑠璃―男作五雁金・竹田出雲〉

くなくな ❶ さま ものがたわみしなったり、萎《な》えてしまうさま。くねくね。「小関は、白い手頸を**クナクナ**させて振り」〈故旧忘れ得べき・高見順〉

❷ さま 動作に力がこもらず弱々しいさま。女性などが媚態《いびた》を示すさま。なよなよ。「塵取も受けずいとしや**くなくな**と」〈雑俳―秀吟三百番〉

ぐなぐな さま 手ごたえのあるものが自在に曲がりくねるさま。「身体《からだ》は**ぐなぐな**、眼ばかり据ゑて」〈二人女房・尾崎紅葉〉「**ぐなぐな**と一両はあるかつつみ銀」〈雑俳―日和笠〉

使い分け

ぐでんぐでん

べろべろ／へべれけ／ほろり

【共通の意味】

酒に酔うようす。

❶**ぐでんぐでん**、**べろべろ**、**へべれけ**は、ひどく酔っているようす。**ぐでんぐでん**は、正体がなくなるほど酔っているようす。「**ぐでんぐでん**に酔って、歩けない」。**べろべろ**は、ろれつが回らないほど酔っているようす。「**べろべろ**に酔って、何を言っているかわからない」。**へべれけ**もひどく酔った場合に使うが、**ぐでんぐでん**、**べろべろ**ほどではない。「二人で一升びんの酒を空け、**へべれけ**になった」 ❷**ほろり**は、軽く酔うようす。「アルコールに弱く、さかずき一杯の酒で**ほろり**となる」

くなり さま 古 張っているべきものが萎《な》えて、くねるように曲がってしまうさま。力が抜けて元気のないさま。ぐんなり。「綽約《しゃくやく》（＝たおやかの意）とうつくしい芙蓉などのやうな人に逢ては心が**くなり**となる」〈荘子抄〉「此の黄葵は、枝も**くなり**として、夏日の永に困じてあるが」〈四河入海〉

ぐなり さま 力が抜け、勢いや張りの衰え

たさま。ぐんなり。「主人は其の理の強みと勢の強みとに圧されたのか、**ぐなりとし**て仕舞って」〈付焼刃・幸田露伴〉「着流しの**ぐなりとし**た、角帯のずれた結目を」〈日本橋・泉鏡花〉

くにくに ❶ さま 曲がりくねるさま。『**くにくに**と気味わるく首を振った』

❷ さま 弾力を保ちながら、やわらかであるさま。「小麦粉と米粉で作っただんごの**クニクニ**とした歯ざわりがアクセントになる」〈行って味たいな・南日本新聞・99・12・9〉

くにゃ さま かんたんに折れ曲がるさま。頼りないさま。『この細さでは、すぐに**くにゃ**となる』

ぐにゃ さま 張りつめていたものが瞬時に押しつぶされるさま。やわらかく張りのないさま。『ぬかるみに**ぐにゃ**と足を入れた』「すは合戦に赴かんとすれば、忽ち五体**ぐにゃ**と痿《な》え、コレ此通り**ぐにゃ**と痿え」〈浄瑠璃—奥州安達原〉「堅い親父も蕩溺《ぐにゃ》となる、花の花街《くるわ》の色の仲」〈人情本—恩愛二葉草〉

くにゃくにゃ さま やわらかく軽く力の抜けたさま。曲がりくねっているさま。「身体を**クニャクニャ**と動かして酒場の前を行きつ戻りつしてゐた」〈故旧忘れ得べき・高見順〉

ぐにゃぐにゃ ❶ さま 弾力を保ちながらも、やわらかかったり、曲がりくねるさま。「ほとんど骨がないみたいに**ぐにゃぐにゃ**してゐる大尉を、うしろから抱き上げるやうにして」〈貨幣・太宰治〉「ゆがんだ多角形の心臓と、〈略〉**ぐにゃぐにゃ**した臓物と、そこらいちめん、地べたはぴかぴか光ってゐる」〈月に吠える・萩原朔太郎〉

❷ さま 動作、態度などに一貫性がなく、たやすく変わるさま。「てめいみたいな、**ぐにゃぐにゃ**した、男らしくもねいやつは、つらも見たくねい」〈ツェねずみ・宮沢賢治〉

❸ さま 言うことが明瞭でなく、よくわからないさま。むにゃむにゃ。「少し面目なく、**ぐにゃぐにゃ**と言ふている」〈洒落本—北川蜆殻〉

ぐにゃこ さま 古 張りつめていたものが押しつぶされるさま。「惚れたら忽ち**グニャ乎**《こ》となって有為の志を失ふだらう」〈当世書生気質・坪内逍遙〉

✸「こ(乎)」は、漢文のオノマトペで「洋々乎」などというときの接尾辞の表記。

ぐにゃらぐにゃら さま 芯がなく、抵抗力がないさま。力が抜けて頼りにならないさま。「客はとめられよふとおもったあてがちがって、床のりくつもなく**ぐにゃらぐにゃら**とかへる」〈洒落本—玉之帳〉

くにゃり さま 中に支えるものがなく、軽く容易に折れ曲がるさま。『粘土のように**くにゃり**と変形した』「近ごろ背中まで悪くなったやうですわ。〈略〉彼女はかういひながら座ったまま、**クニャリ**クニャリと落ちつきなく体をくねらせるのだった」〈龍源寺・渋川驍〉

ぐにゃり さま 完全に力が抜けて頼りないさま。やわらかで、手ごたえのないさま。「振り上げた首は軟かいから**ぐにゃり**横へ曲る」〈吾輩は猫である・夏目漱石〉「手管が上手で男を**愚弱**《ぐにゃり》と為せるのと」〈春雨文庫・和田定節〉

くにゅくにゅ さま やわらかく、張りのあるさま。「ナタ・デ・ココは、ココナツジュースやココナツミルクに酸を加えて発酵させたもので、シコシコ、**クニュクニュ**とした歯ざわりが特徴」〈きょうのスイート・産経新聞・93・8・21〉

ぐにょっ ❶ さま あっけなく大きく曲がったりへこむさま。『事故で車のバンパーが**ぐにょっ**とへこんだ』

❷ さま やわらかくとらえどころのないさま。「たらこは**ぐにょっ**としてぶつぶつで、見方によっては気持ち悪い」〈知りたい・毎日新聞・06・9・22・夕刊〉

くねくね さま みぎひだりにゆれるよう

に曲がるさま。「**くねくね**曲った山路を馬車にゆられて、約二十分」〈火の鳥・太宰治〉「**くねくね**とからだ全体を動かすようにしてハンカチで涙をぬぐってから」〈冷え物・小田実〉 ⬇使い分け「くねくね」

ぐねりぐねり さま 強い調子で、みぎひだりに曲がりくねるさま。「浅草広小路の甘栗太郎―焼臼の中に栗まじりの黒い砂が、**ぐねりぐねり**と波を回してゐる」〈浅草紅団・川端康成〉

くびくび ❶ 音・さま 空腹で食べ物を求めてのどの鳴る音。また、そのさま。ごくりごくり。「私共の世界が早《ひでり》の時、痩せてしまった夜鷹やほととぎすなどが〈略〉咽喉を**くびくび**させてゐるのを」〈双子の星・宮沢賢治〉 ❷ 音・さま 酒などをうまそうに、息もつがずに飲むさま。酒のくるのを待って、のどを鳴らしているさま。ぐびぐび。「救ひ取らんとの御誓願は、**くびくび**と浴びるほど、のんだりそわか」〈歌舞伎―独道中五十三駅・鶴屋南北〉

ぐびぐび ❶ 音・さま 酒などをうまそうに、息もつがずに飲む音。また、そのさま。酒のくるのを待って、のどを鳴らしているさま。ぐびりぐびり。くびくび。「ときどき、**ぐびぐび**と音をたてて牛乳を呷《おあ》る」〈青葉繁れる・井上ひさし〉「酒の香の芬々《ふんぷん》たるを嗅するごとく、喉を**ぐびぐび**致させ」〈艶魔伝・幸田露伴〉 ⬇使い分け「ぐいぐい」 ❷ 音・さま のどが上下しながら鳴る音。また、そのさま。「エラ骨から喉仏まで**ぐびぐび**とうごかしながら、最初の一ぷくをひどく忙しげに吸ひこむのだ」〈海辺の光景・安岡章太郎〉 ❸ さま 方言 固定せず不用意に動いてしまうさま。ぐらぐら。「赤ちゃんの首が**ぐびぐび**して、抱《だう》きにくい」〈高知県〉「釘が**ぐびぐび**して、ひとつもきまらん」〈高知県〉 ❹ さま 方言 水けを含んでやわらかく、締まりのないさま。四国地方。「西瓜が**ぐびぐび**してる」〈愛媛県〉

ぐびっ 音・さま 酒などを一気に飲む際に、のどが鳴る音。また、そのさま。「のどを全開にして**グビッ**とひと飲みすると、これが何と甘茶のようなウスラ甘い水」〈東欧見聞録・毎日新聞・90・9・28・東京夕刊〉

ぐびり 音・さま 酒などを一口飲む際に、のどが鳴る音。また、そのさま。「人前をも憚らず喇叭《らっぱ》飲みに**グビリ**と飲ゃって苦い面《ほか》をした」〈其面影・二葉亭四迷〉「あはれなるつらで**ぐびり**と迎ひ酒」〈雑俳―芽出柳〉

ぐびりぐびり 音・さま 酒などを大量に飲む際に、のどが大きく鳴る音。また、そのさま。時間をかけて多量に飲むさま。「船中の男女を見廻しながら、**ぐびりぐびり**と大杯を傾けて」〈幇間・谷崎潤一郎〉「手酌で**グビリグビリ**飲ゃりながら黙って聴いてゐたが」〈其面影・二葉亭四迷〉

ぐびりちびり さま 時間をかけて酒などを飲むさま。「五分ねぎと香のものばかりかへて**ぐびりちびり**とのみながらの一人り言」〈安愚楽鍋・仮名垣魯文〉

使い分け

【共通の意味】
長いものが折れ曲がっているようす。

くねくね

うねうね／**ジグザグ**

❶**くねくね**は、道や川など長さのあるものが、何度も折れ曲がっているようす。「このあたりは道が**くねくね**して、見通しが悪い」「蛇が**くねくね**と茂みに消えていった」。**うねうね**は、波打つようにゆるやかな起伏があったり、ゆるやかに曲がったりするようす。土地、道、川、波などに使う。「**うねうね**と蛇行して流れる川」「小高い丘が**うねうね**と続く」 ❷**ジグザグ**は、ぎざぎざと鋭い角度で折れ曲がるようす。「けわしい山道を**ジグザグ**に登る」「**ジグザグ**にミシンをかける」

✸多く飲む「ぐびり」と少なく飲む「ちびり」を組み合わせたもの。

くふん 音・さま 軽く鼻を鳴らす音。また、そのさま。「末の女の子は、**クフンクフン**と鼻を鳴しながら、満《まっ》らなさうに母親の肩に取ついたが」〈出産・徳田秋声〉「篠原は鼻を**クフン**と鳴らすと、〈略〉部屋を出て行かうとしたが」〈故旧忘れ得べき・高見順〉

くやくや ❶ さま 古 思いわずらって心が晴れないさま。くゆくゆ。くよくよ。「女ごころに**くやくや**といふても叶ぬ罪をつくりし」〈好色一代女・井原西鶴〉

✸『後撰集』にみえる恋の歌「くやくやと待つ夕暮と今はとて帰る朝といづれまされり」〈元良親王〉では、「来や来や」(今来るか今来るか)の意が込められている。

❷ さま 古 多く集まってうごめいているさま。「木のふし穴などから朝日の影入れば、其日の影でみれば、色々の塵どもが、**くやくや**とする」〈荘子抄〉

ぐやすや さま 方言 病気がちで、体調がすぐれないさま。むずかるさま。「**ぐやすや**言うて赤ん坊が困らせる」〈鳥取県〉「(病気で)**ぐやすやぐやすや**言っとります」〈鳥取県〉

くゆくゆ さま 古 いつまでも気にするさま。どうしようもないことを繰り返し言うさま。くやくや。「心中に**くゆくゆ**と物おもふは思をけたぬ心歟」〈名語記〉

✸「悔《く》ゆ悔ゆ」から。

くよくよ さま すんだことをいつまでも気にするさま。些細なことを思い悩むさま。くゆくゆ。くやくや。「過ぎ去ったことを**くよくよ**と申されたり、愚痴めいたことは口にされない御性質で」〈しん女語りぐさ・唐木順三〉「あんまりつまらぬ事を**くよくよ**思って、ほんとうの病気が出るとわりいから」〈人情本―仮名文章娘節用〉

くら ⇓コラム「くら・ぐら」

くらくら ❶ さま 不安定にゆれるさま。軽いめまいがするさま。「陽《ひ》の色を見てさへ**クラクラ**として、目があいてゐられないほどの衰弱も」〈多情仏心・里見弴〉

❷ さま 気持ちが思わずゆらぐさま。誘惑に目がくらむさま。ふらふら。「固定資産税評価額も昨年は一昨年の倍。何十億と積まれたら**クラクラッ**とくるもの」〈東京ある記・朝日新聞・88・8・31〉

❸ さま 湯などが軽快にわきたぎるさま。ぐらぐら。「タンクの水が**くらくら**と煮立ち、やがしゅっと噴き出した霧の前に坐ると」〈眼帯記・北条民雄〉

❹ さま 怒りや嫉妬などで、心の燃えたつようなさま。「彼女の**くらくら**と嫉妬に燃えた眼の前に」〈風雨強かるべし・広津和郎〉

ぐらぐら ❶ さま 固定せず不安定なさま。ものがゆれ動いて、一定の状態になく、大きくゆれ動くさま。「前歯を逆にぎりりと噛んでから、それが急に痛み出した。指で揺かすと、根が**ぐらぐら**する」〈門・夏目漱石〉「背中からおろされるとなんだか地べたが**ぐらぐら**するやうな気がして」〈銀の匙・中勘助〉 ⇓使い分け「ふらふら」

❷ さま 気持ちがひどくゆれるさま。「いつぞやの御決心は〈略〉すぐ**ぐらぐら**になっちまふやうなものなんですか」〈今年竹・里見弴〉

❸ さま ひどくめまいのするさま。「昨夜殆ど眠られなかった疲労が出て、頭脳《あたま》が**ぐらぐら**した」〈田舎教師・田山花袋〉

❹ 音・さま 湯などのはげしくわきかえる音。また、そのさま。「**グラグラ**の熱湯を注いで所属不明の欠茶碗でガブガブ飲む」〈若い人・石坂洋次郎〉 ⇓使い分け「ちんちん」

❺ さま 怒りや嫉妬《しっと》などで、心が燃えたぎるさま。「**ぐらぐら**むねがわきかへり、物いふまいと思へ共」〈浄瑠璃―傾城八花形〉

方言 煮えくりかえるように腹が立つさま。中国地方西部・九州地方北部。「あいつぁいくら短気でも、**ぐらぐら**こくとの早すぎる」〈福岡県〉「人前であげん言わるなら**ぐらぐら**する」〈福岡県〉「**ぐらぐら**くんのぉ」

〈大分県〉「ぐらぐらこいた」〈佐賀県〉

❻さま 方言 怠けているさま。「あいつはいつもぐらぐらしている」〈神奈川県〉

くらっ ❶さま 急に大きくゆれ動くさま。「土橋を曲るところで、くらっと俥がゆれて」〈判任官の子・十和田操〉

❷さま 急にめまいのするさま。異性に心が引かれるさま。「貧血や更年期障害などでもクラッと来ることがあるが」〈めまい、軽度でも油断禁物・毎日新聞・93・2・22〉

ぐらっ ❶さま 急激に大きく一瞬ゆれ動いたり、倒れかかったりするさま。「ずんと下から突きあげるような地震がきた。と思ったとたん、ぐらっと大きな横揺れがした」〈抱擁・瀬戸内晴美〉

❷さま 状態やなりゆきが急変するさま。「先生の病状がぐらっとわるくなり出して」〈竹沢先生と云ふ人・長与善郎〉「その一語でぐらっとひっくりかへり」〈白い壁・本庄陸男〉

くらり ❶さま めまいのするさま。異性に心が引かれるさま。「滑らかで気品のある色気に、ついクラリと心が揺れるのか」〈らっ後記・毎日新聞・02・2・9〉

❷さま ものが急にゆれ動いたり、変化したりするさま。「一心に矢を射ても、いざといふところで的がくらりと斜かひになり、徒らに流れ矢となって」〈心の河・宮本百合子〉「二人して問へども更にいらへもせで、はてはくらりとうせにけり」〈五代帝王物語〉

ぐらり ❶さま ものが急に大きくゆれ動いたり、倒れかかったりするさま。「髪の毛の延びた頭がグラリと前に垂れた」〈赤痢・石川啄木〉「とつぜんぐらりと足元から腰のあたりに、揺れを感じる」〈私的生活・後藤明生〉

❷さま ものごとの状態や気持ちなどが急に変わるさま。「矢代は今までとは打って変って、急にぐらりと悲しくなった」〈旅愁・横光利一〉

くらりくらり ❶さま 繰り返し大きくゆれ動くさま。「くらりくらりと睡て只夢魂の裏に見るぞ」〈四河入海〉

❷さま 状態や態度などが急に変わるさま。「一瞬間に老人の顔から、悪党面《づら》へとクラリクラリ変化させる位カンの強い人間だから」〈山羊髯編輯長・夢野久作〉

❸さま 古 湯などの煮えたつさま。「ユガcuraricurarito（クラリクラリト）タギル」〈日葡辞書〉

ぐらりぐらり さま ものが大きく繰り返しゆれ動くさま。ものごとが大きく動いて安定しないさま。「霜柱が庭から先の桑畑にぐらりぐらりと倒れつつある」〈土・長塚節〉

くり ⇩コラム「くり・ぐり」

くりくり ❶さま ものが軽やかに回転するさま。身軽に動きまわるさま。くるくる。「木の葉蛙は、うちのなかまではいって来て〈略〉金色の眼くり玉をくりくりさせる」〈今年竹・里見弴〉「大名にへつらうて、くりくりとして、栄名を取るをば、よいとは不言ぞ」〈史記抄〉

❷さま 丸みを帯びて、愛らしいさま。目が丸く愛敬のあるさま。剃った頭に、きわめて短い髪が生えているさま。「少年電信兵達のくりくりした顔が」〈春の城・阿川弘之〉「患者の、そられてくりくりの頭部の皮膚に注射針を突きたてた」〈夜と霧の隅で・北杜夫〉「雪とけてクリクリしたる月夜哉」〈七番日記・一茶〉「眼のクリクリしたところなぞは、三吉の幼少《ちひさ》い時に彷彿《そっくり》だぞや」〈家・島崎藤村〉

❸さま 太って肉づきのよいさま。肉塊などが、弾力をもったかたさのあるさま。「肩先のやうな骨ある処までくりくりと見事に肥って居るが」〈腕くらべ・永井荷風〉「頸筋の中程にはまだくりくりした固まりが一つ残ってゐる」〈小鳥の巣・鈴木三重吉〉

ぐりぐり ❶さま 押さえつけながら、強く回したり、丸めるさま。「忽ちずたずたに手紙を引っ裂いてグリグリと丸めて」〈良人の自白・木下尚江〉「眼の球をぐりぐり擦《こす》る」〈虞美人草・夏目漱石〉

コラム　オノマトペのもと

くら・ぐら

「くら」「ぐら」は、ゆれるようすを表す擬態語で、「ぐらむ」は同根である。「くるくる」の変化したものとも言われる。

「くらくら」は、自分の体が安定を欠いて、ゆれるような状態を表す。めまいなどで体がゆれるように感じる場合には、自分自身が感じるだけで、周囲の人からはわからない場合もある。

「ぐらぐら」とゆれる場合は、ゆれ方がはげしさを増し、自分の体についてだけでなく、さまざまなものや建物などが安定せずにゆれ動くさまを表す。この場合、ゆれを体感する場合もあれば、そうではなく、目で見たようすを表すこともある。

「くらっ」「ぐらっ」の場合は、大きく一瞬ゆれる。「くらっ」より「ぐらっ」のほうがゆれが大きい。「くらり」「ぐらり」は一回まわるように大きくゆれて戻るようすを表す。それが続くと「くらりくらり」「ぐらりぐらり」となる。

湯が煮えたぎるようすや、ひどく腹を立てて腸《はらわた》が煮えくり返るようすを表すのに「くらくら」が使われることもあるが、むしろ濁音化した「ぐらぐら」ではげしさを増して使われることが多い。「ぐらぐら」は、湯が煮えたぎっているときの音も表している。

【くらの語群】

くらくら・ぐらぐら
くらっ・ぐらっ
くらり・ぐらり
くらりくらり・ぐらりぐらり

【表現】

立ちくらみは「くらっ」「くらくらっ」と表現されることが多いが、促音が加わって、一瞬、あるいはほんのわずかの持続でゆれが収まるような状態を表している。めまいを表すのには「くらくら」が使われることがあるが、めまいにはそれだけではなく、いくつもの違った種類がある。ゆれるような「くらくら」「ぐらぐら」、回るような「ぐるぐる」、不安定にゆれるような「ふらふら」、浮遊するような「ふわふわ」などで、どのようなめまいかによって、考えられる病気も違う。そのため、これらのめまいを表現するオノマトペは診断の重要な材料となる。

「ぐらぐらゲーム」という玩具がある。塔のようなものにバランスをくずさないように人形を載せていくゲームで、載せるたびに塔がゆれる。バランスをとるのに失敗すると「ぐらぐら」と大きくゆれ、人形が落ちる。

釣り橋を渡っていくと「ぐらぐら」とゆれる。地震も「ぐらぐら」ゆれる。地震を体験する起震車も「ぐらぐら」ゆれる。自分以外のものがゆれる場合には、自分がその中やその上にいて、一緒にゆれている場合でも、「くらくら」ではなく、「ぐらぐら」と表現されることがほとんどである。

魅力的な人やものにひかれて「くらくらっ」としたり、決心がゆらいで「ぐらぐら」するなど、気持ちのゆれを表すこともある。

「くらり」は、室町時代には、ものごとが突然に変化するようすや不安定になるようすにも使われていた。「くらり」はさらに、「のらりくらり」などのようにほかの語の後について使われる場合がある。この場合の「くらり」には、定まらずふらふらしているという意がある。ほかに「ぬらりくらり」「じゃらりくらり」などの語がある。

（守山恵子）

❷さま 丸みを帯びて、大きいさま。目を大きく見開いて動かすさま。「そんな猛烈な顔がよく出来るね。〈略〉さう眼を**ぐりぐり**させなくっても、背中は洗へさうなものだがね」〈二百十日・夏目漱石〉「**グリグリ**に青く頭を刈りつめ、ずんぐりと脊は低くかった」〈二の酉・武田麟太郎〉

❸さま かたくて丸みをもったものが、内部でゆれ動くさま。また、そのしこり。「馬の頸筋《くびすじ》も**ぐりぐり**肉を躍らせながら、べっとり汗をかいている」〈春の城・阿川弘之〉「少年の白い細っそりと長い咽喉の中央に**グリグリ**が出来て、思春期というのが始まるんだわ」〈自然の子供・金井美恵子〉

❹さま 何重にも巻いてあるさま。ぐるぐる。「長いからだは**ぐりぐり**に捲きついてはゐるものの」〈女ひと・室生犀星〉

❺さま 古 小さい舟などがゆれ動くさま。「小舟の**ぐりぐり**とするやうなるに乗りたる心地、いとむくつけし」〈小島のくちずさみ〉

くりっ さま 丸くてかわいらしいさま。かわいい目が利発そうに動くさま。「その大きな**クリッ**とした眼を実に活溌に絶え間なく動かす」〈故旧忘れ得べき・高見順〉

ぐりっ さま 丸くて迫力があるさま。大きく迫力のある目が動くさま。「**ぐりっ**とした眼はしているが、ひとのよい彦佐三年兵は言った」〈真空地帯・野間宏〉

くりら さま 古 目がつぶらで輝きがあるさま。くりくり。「目のきらめきたるをば、**くりら**とあるといへる」〈名語記〉

くりん さま 丸くて、かわいらしいさま。小さく軽快に回すさま。「丸顔に**クリン**とした小さな目を川面にのぞかせていた人気者は一体、どこへ行ってしまったのか?」〈タマちゃんに沸いた夏・読売新聞・02・9・11〉

くる ⬇コラム「くる・ぐる」

くるくる ❶さま ものが軽やかに続いて回るさま。ものを何回も回すさま。「私の先祖は独楽のように**くるくる**回る軽業師だった」〈シベリヤ物語・長谷川四郎〉

❷さま ものが円を描いて移動するさま。「牛が粉ひき臼をまはして、**くるくる**、真中の柱の周囲を回ってゐた」〈二銭銅貨・黒島伝治〉

❸さま 長いひも状のものや布などが、何重にも巻かれるさま。「鉋《かんな》の凹みから**くるくる**と巻きあがっては地に落ちる鉋屑に見とれてゐると」〈銀の匙・中勘助〉「粉っぽい額に、**くるくる**と二つ三つ巻毛をのぞかせたこの女」〈真理の春・細田民樹〉「鳥捕りは風呂敷を重ねて、また**くるくる**と包んで紐でくくりました」〈銀河鉄道の夜・宮沢賢治〉

❹さま ものごとが、めまぐるしく行われるさま。あちこちと動きまわったり定まらないさま。「始終忙しさうに、**くるくる**働いてゐる川西は」〈あらくれ・徳田秋声〉「銀杏の落葉も、その中で**くるくる**舞ひながら」〈あの頃の自分の事・芥川龍之介〉「彼は酔ってゐる頭の中で〈略〉僅かの分秒時に、**くるくる**っといろんな考へが閃いた」〈血・岡田三郎〉

❺さま 丸くて愛らしい感じのするさま。くりくり。「母親に肖《に》た鈴張《すずはり》の目（＝鈴のように大きな瞳）を**クルクル**させて居たが」〈青春・小栗風葉〉「何うも坊ちゃん、**クルクル**と肥ってお色の白いこと」〈落語─高野違ひ・橘家円喬〉

❻さま めまいが続くさま。くらくら。「それにひどく深くて急でしたからのぞいて見ると全く**くるくる**するのでした」〈谷・宮沢賢治〉

ぐるぐる ❶音さま 腹が大きく鳴る音。また、そのさま。「おなかが**ぐるぐる**鳴る」

❷さま 重みを感じさせながら続けて回るさま。続けて回すさま。「自分の体も**グルグル**廻りながら、ベッドや部屋が横ゆれしているような感じがして」〈自然の子供・金井美恵子〉「水道のメーターが〈略〉**ぐるぐる**回りっぱなしでよ」〈いつか汽笛を鳴らして・畑山博〉

⬇使い分け「がらがら」

コラム オノマトペのもと

くり・ぐり

「くり」は、ものが軽やかに回るさま、丸みを持っているものが回転するように動くさま、あるいは回転しそうなほど丸いものなどを表し、「くる」と同義である。

「ぐり」は「くり」ほど回転のようすが軽やかではない。

室町時代には「くりくり」は、回転が続くようすや回転が続きそうなほどに丸いもの、めまいがするようす、さらには機敏に立ち働くさまにも使われている。

「ぐりぐり」は回転を表したり、体などの中のかたくて丸いできものが、手でふれたときに動くようすやそのできものそのものを表す。また、丸いものを押しつけて回すようすも表す。

「くりっ」「ぐりっ」は、丸いものが一回、あるいは一瞬回るように動くさまを表す。「くりっ」は、はっきりした愛らしい目が回転するように動くようすやそのような目を表したり、「ぐりっ」は、見開いた大きな目が回るように動くようすやそのような目を表すこともある。「くりくりした目」というと、明るい表情や好意的な視線のようすを表すが、「ぐりぐりした目」というと、血走った目や怒った表情などを感じさせる。

【くりの語群】

くりくり・ぐりぐり
くりっ・ぐりっ
くりん・ぐりん

	―(と)した大きな目	―(と)したしこり	―(と)肩をもむ
くりくり	○	―	―
ぐりぐり	○	○	○
くりっ	○	―	―
ぐりっ	○	―	△

【表現】

体にできたしこりやリンパ節など、触ると丸く感じられるかたいものを「ぐりぐり」という。「首筋のあたりがぐりぐりする」などというが、「ぐりぐりがある」「ぐりぐりができている」「ぐりぐりが大きくなった」など、名詞として使うことが多い。触って動かすと、抵抗があってスムーズではないが、丸く動くようすを表す。江戸時代の医学書などにもたびたび使われ、たとえば、『方彙《ほうい》口訣《くけつ》』では、積聚（腹中にある塊で腫れや痛みを伴うもの）を「悉クグリグリトシタル塊物」と説明したり、「結核ト云ハ俗ニ云フグリグリノコト」などと使っている。

肩や首が凝っているときに、ピンポイントで強くもむときにも、「ぐりぐりする」という。狭い範囲に何かを回しながら強く押しこむようにするときにも「ぐりぐり」を使う。「くりくり」では強さが感じられないので、「ぐりぐり」が適当なのだろう。

「くりくり」は、音のもつ軽やかさから、かわいらしさが連想され、「くりくり坊主」「くりくり頭」などと、特に子どもの剃《そ》った頭を「くりくり」と表現することが多い。

大人の場合は、「つるつる」などと表面の滑るようななめらかさで頭のようすを表現することが多い。

「くりくり巻き」や「ぐりぐり巻き」といった髪形は、「くりくり」「ぐりぐり」で、髪の根元から毛先までカールがしっかりかかったようすを表す。「ぐりぐり」のほうがより強くカールがかかっている。

（守山惠子）

❸さまものが何回も続いて円を描くように移動するさま。そのように、次々に移動するさま。「庭の築山をぐるぐるまはり歩いたあげく」〈銀の匙・中勘助〉「一年に一回や半年に一遍工場へやって来て、ぐるぐるっと参観しただけで」〈女工哀史・細井和喜蔵〉

❹さま何重にも巻かれたさま。何重にも巻いてあるものを解くさま。くるくる。「真白なターバンをぐるぐる頭へ巻き付けて」〈彼岸過迄・夏目漱石〉

❺さま方言動きが速いさま。「ぐるぐるあっかんば(歩かないと)ゆーくらすっと(日が暮れるよ)」〈鹿児島県奄美〉

くるっ ❶さま瞬時に回ったり回したりするさま。「くるっと向き直って、窓に腰をおろすと」〈雪国・川端康成〉「高座へ出ると行きなりお尻をくるっとまくって据わるのですもの」〈雁・森鷗外〉

❷さま円状にひと回りするさま。ひと巡りするさま。『公園をくるっと回ってきた』

❸さままわりを軽やかに囲むさま。ひと回り巻いたり包んだりするさま。「心の上からクルッと濡紙《ぬれがみ》を貼りつけられたやうに」〈善心悪心・里見弴〉

❹さまようすや態度が急に変わるさま。ころっ。「また、他の本を読むと、たちまち、クルッとかはって、すましてゐる」〈女生徒・太宰治〉

❺さま目などが丸くて、愛らしいさま。「くるっとした眼にも愛くるしさがあった」〈三月変・岡田三郎〉「くるっと円くなって寝てゐる由をゆり起した」〈防雪林・小林多喜二〉

ぐるっ ❶さま大きく時間をかけて回るさま。『ぐるっと見回して、喫茶店を見つけた』「ぐるっと眼をむき出したままの油戸村五郎のところへ、その元新選組の男はそろそろと近づいて来て」〈警視庁草紙・山田風太郎〉

❷さま円状にひと回りするさま。ひと巡りするさま。「ぐるっと食卓を廻って自分の席まで行くと」〈或る女・有島武郎〉

❸さままわりをとり囲むさま。ひと回り巻いたり包んだりするさま。「二隊に分れて雪合戦をして居た友達は、ぐるっと四辺《あたり》を取巻いた」〈少年行・中村星湖〉

くるり ❶さま人やものがすばやく一回転したり、反対向きになったりするさま。「私は、くるりと振り向いてその男に答へる」〈如是我聞・太宰治〉「市兵衛は煙管を一つ指の先でくるりとまはして見せながら」〈戯作三昧・芥川龍之介〉

❷さま人やものなどが円を描いて動くさま。ある地域のまわりなどを巡って移動するさま。「軍刀が、頭の真上へ来て、くるりと大きな輪を描いた」〈首が落ちた話・芥川龍之介〉「東からくるりと北辺をめぐりて九原まで至て」〈史記抄〉

❸さま丸いものの表面が容易にむけたり、はがれたりするさま。「うで玉子くるりとむいて児に持たせる」〈大空・尾崎放哉〉

❹さま手際よくものを包んだり丸めたりするさま。「電燈を吊ってあまった部分で、器用にくるりと電球《たま》を包むと」〈大道無門・里見弴〉「くるりと髪を包む頭巾をかぶって、糸車を廻してゐる」〈猿・宮本百合子〉

❺さま丸く、かわいらしいさま。くりくり。「ミケも驚ろいて、ニャーンと鳴いてくるりと小さく座って、爪をみんな隠してしまひましたとさ」〈トロちゃんと爪切鋏・小熊秀雄〉「眼のくるりとしたるは親に似て親よりも愛嬌《あいきやう》あり」〈門三味線・斎藤緑雨〉

ぐるり ❶さま人やものなどが大きく時間をかけて一回転したり反対向きになるさま。「河の真中でぐるりと船首《へさき》を回転させた後、再び橋下《はしした》の彼方に進んで」〈冷笑・永井荷風〉「あァがりめ、さァがりめ、ぐるりとまはってねへこのめ」〈小野𥶡譃字尽・式亭三馬〉

❷さま人やものなどが大きく時間をかけて円を描いて移動するさま。ある地域のまわりをめぐるさま。「河の上流を見渡す

コラム オノマトペのもと

くる・ぐる

「くる」のほうが「ぐる」よりもより軽やかで速い動き、小さな回転を表し、「ぐる」は比較的重い動き、大きな回転を表す。

たとえば「くるりと回る」は、その場で軽快に一回転するようす、「ぐるりと回る」は、それに比較すると、重い動きで、あるいは広い面積の場所を回るようすを表す。

「くるくると巻く」は、すばやく軽く巻きつけるようすを表し、「ぐるぐると巻く」は、厳重に巻きつけるようすを表す。また、「くるくると働く」は軽快に立ち働くようすを表す。

「くるくる」「ぐるぐる」は、回転や巻き方を何度も繰り返すようすを表し、「くるっ」「くるり」「くるん」「ぐるっ」「ぐるり」「ぐるん」は一度の回転、巻き方を表す。

「くるっ」は、一回転までいかない半回転の状態も含み、また、回転や巻き方のすばやい動きを表す。「くるり」は一回転が終了したようすを表し、「くるん」は、回転した後の勢いが残っている印象を表す。

「くるーり」「ぐるーり」と長音がはいると、広い面積の場所を回るようすや、回転の速度が遅くなる印象がある。

「ぐるぐる」は、空腹でおなかが鳴る音などを表す擬音語でもある。

【くるの語群】

くるくる・ぐるぐる
くるっ・ぐるっ
くるり・ぐるり
くるん・ぐるん・くるりん・ぐるりん

	包帯を―(と)巻く	周りを―と囲む	―と振り向く
くるくる	○	―	―
くるっ	―	―	○
くるり	―	―	○
ぐるぐる	○	△	―
ぐるっ	―	○	△
ぐるり	―	○	△

【表現】

「ぐるぐる巻き」「ぐるぐる縛り」は、無造作に何度も巻きつけるようすを表し、手荒なイメージもある。

ぐるぐるわげ(『日本結髪全史』)

江戸時代の女性の髪形に「ぐるぐる髷《まげ》」(別名「ぐるぐるわげ」「ぐるまげ」「ぐるりわげ」「ぐるぐるまるわげ」など)というものがあった。これは頭の上で髪を無造作に巻きつけて結った髷をさし、簡単で手間がかからないため市中に流行したという。

「ぐるぐる坊主」という語があるが、「くりくり坊主」と同じく、髪を剃った、またはごく短く刈った頭をさす。「ぐるぐる髷」の「ぐるぐる」とは、語の由来が異なっている。

悪だくみをする仲間を「グル」と言うが、語源は定かではなく、ぐるりと取り囲む意味からきているという説、同じ輪になるの意のグルグルの略という説などがある。江戸時代から見られる語であるため、「グループ」の略という説は誤りであろう。

体をぐるりと巻く意味から、帯のことを「ぐる」「ぐる回し」「ぐる巻き」と呼んだ。江戸時代、人形浄瑠璃の世界で使われた隠語が広まったものという。

(中里理子)

と、河が**ぐるり**と緩《ゆる》く折れ曲ってゐる」〈満韓ところどころ・夏目漱石〉「あの暗い天井の隅々を、一遍**ぐるり**ッと見廻した」〈別れた妻に送る手紙・近松秋江〉

❸ さま 大きな動作でものを包んだり、とり囲んだりするさま。「敷地を**ぐるり**と囲っているのは、不揃いな棒杭とチクチクした有刺鉄線で」〈山名の場合・梅崎春生〉「頭を手拭で**ぐるり**っと巻いてしまい」〈落語―裏の裡愛妾の肚・翁家さん馬〉

❹ さま 状況や態度が急に大きく変わるさま。がらり。「前方とは御風俗から、お口のお利きなさり様から、**ぐるり**と変って丸ッきり、他のお方の様で御座いました」〈貞操園の朝顔・松亭金水〉

くるりくるり さま 軽やかに何度も回るさま。また、何回も変化するさま。「娘は背の高い若い西洋人と踊ってゐた。〈略〉**クルリ、クルリ**軽くよく廻った」〈大津順吉・志賀直哉〉

ぐるりぐるり さま 大きく何度も回ったり、変化するさま。「細長い天秤棒のやうなものを**ぐるりぐるり**と廻し始めた」〈行人・夏目漱石〉「曲げた腕を伸ばしたり、縮ましたりすると、力瘤が**ぐるりぐるり**と皮のなかで回転する」〈坊っちゃん・夏目漱石〉

くるりん さま 軽やかにはずみをつけて回ったり回すさま。『ひも状にした粘土を**くるりん**とひねる』

くるん さま はずみをつけて回るさま。軽やかに巻かれているさま。『**くるん**とターンした』「理想は、年齢を問わず、バービー人形のような『**くるん**とカールしたまつげ』とする人が多く」〈日本の女性「まつげの実態」調査・毎日新聞・02・8・29〉

ぐるん さま 大きな動作ではずみをつけて回るさま。きつく巻かれているさま。『バットを**ぐるん**と振りまわす』「例のお面の大きな目が**ぐるん**と動いたような気がしたからだ」〈怪星ガン・海野十三〉

くれくれ ❶ さま 古 めまいがするさま。くるくる。くらくら。「どうやら**くれくれ**めまひがくる」〈浄瑠璃―十二段・近松門左衛門〉

❷ さま まめまめしく、気軽に働くさま。「母は〈略〉手拭を姉様冠りにして襷掛けで能く**クレクレ**働く人だった」〈平凡・二葉亭四迷〉「骨身を惜まず、一生懸命に**くれくれ**と働き」〈塩原多助一代記・三遊亭円朝〉

ぐれぐれ さま 古 ものごとの不安定なさま。気持ちがどっちつかずのさま。ぐらぐら。「**ぐれぐれ**と居はりのわるいすり鉢じゃ」〈雑俳―湯だらひ〉「ぬかすまい不孝者、**ぐれぐれ**とした言訳聞きたくない」〈浄瑠璃―百合稚高麗軍記〉

ぐれり ❶ さま 古 ものごとが急に変わるさま。がらり。「しぐれは空さだめなく、はるると見れば、**ぐれり**と曇り、ふるとおもへば、ささらげもあらぬ気色」〈俳諧―山の井〉「分別が**ぐれり**と替る屠蘇ごころ」〈雑俳―冬至梅〉

❷ さま 古 不安定に揺れ動くさま。ぐらり。「あちらへ**ぐれり**こちらへ**ぐれり**手たらいに人形いれてあたまする」〈雑俳―蓬莱山〉

ぐれりぐれり さま 古 ものごとが次々に変わってゆくさま。ものごとが変わり動いて不安定なさま。「荒行をするかとすればふるひつき**ぐれりぐれり**と曇る嶺々」〈俳諧―正章千句〉「蜑小舟**ぐれりぐれり**とかはり行く、男心は頼みなや」〈浄瑠璃―松風村雨束帯鑑・近松門左衛門〉

ぐれりぐれん さま 古 その場その場に応じてうまく言いぬけるさま。「善の綱から一筋に結ぶえにしを又しては、**ぐれりぐれん**と言ひぬけて」〈歌謡―伊勢音頭二見真砂〉

くれんくれん さま 方言 手のひらをかえすようによく変わるさま。ころころ。「彼の態度は**くれんくれん**変わる」〈三重県〉

くわっくわっ 声 アヒルやカエルの断続的に吐き出すような声。

くん 音・さま 鼻を鳴らす音。鼻でにおいをかいだり、煙にむせんだりするさま。くん

くん。「次平さんは、突然**くん**と一つ鼻を鳴らして、『寿代はああたに恋着しとる』と云ふた」〈黒い眼と茶色の目・徳冨蘆花〉

ぐん ❶さま 力を込めてものごとを行うさま。ひと息に。ぐい。ぐっ。「バスが**ぐん**と迂回すると、富士山の山肌も**ぐん**と回転して」〈見知らぬ山・高橋たか子〉
❷さま 今までの状態と大きくへだたりのあるさま。急に程度の変わるさま。「何時もよりか**グン**といい授業が出来たやうに思ふけど」〈若い人・石坂洋次郎〉「電車は**ぐん**と速力をおとし〈略〉K駅のプラットフォームにはいる」〈鉄路に近く・島尾敏雄〉

ぐんぐっ さま 古 力を込めてものごとをするさま。「そこもかがみもすっぽりとぬけたるを、枳殻《きこく》垣《がき》に**ぐんぐっ**と」〈浄瑠璃―鑓の権三重帷子・近松門左衛門〉

くんくん ❶音・さま 水の泡がはじける音。びんから液体を注ぐ音。また、そのさま。「平野《ひらの》水《すゐ》(＝炭酸水の一種)が**くんくん**と音を立てる様な勢で、食道から胃へ落ちて行く」〈思ひ出す事など・夏目漱石〉
❷音・さま 動物が興味や親愛、警戒心などからにおいをかいで鼻を鳴らす音。また、そのさま。「**くんくん**鼻を鳴らしながら、なつかしい主の膝や胸へ取りついて来る」〈爛・徳田秋声〉
❸さま においが漂うさま。「薄荷草が**くんくん**匂って里近くなって来た往還で」〈母子叙情・岡本かの子〉

ぐんぐん さま ものごとが勢いよく進行するさま。ためらったり滞ったりしないさま。ずんずん。「金井は落着いた少年で、これから**ぐんぐん**伸びる人だと思ふが」〈中タ・セクスアリス・森鷗外〉「お島は静かな其の山のなかへ、**ぐんぐん**入っていった」〈あらくれ・徳田秋声〉 ⬇使い分け「すらすら」

ぐんなり さま 力が抜け、勢いの衰えたさま。ぐなり。「**ぐんなり**して鼾をかいている他吉の寝顔を見ると、起す気にはなれなんだ」〈わが町・織田作之助〉

ぐんにゃり さま たわいなく曲がってしまうさま。力や気力が抜けてしまったさま。やわらかくて手ごたえのないさま。「植物的な顔の小さな造作がすべて、融けてゆく飴みたいに**ぐんにゃり**と弛緩している」〈万延元年のフットボール・大江健三郎〉「いきいきなされた牛若さまも、**ぐんにゃり**とならんした」〈浄瑠璃―孕常盤・近松門左衛門〉

け

けいけい ❶声 古 イヌやシカなどの鳴く声。けんけん。「犬いられて**けいけい**となきてはしるを」〈古今著聞集〉
❷⬇漢語編①「けいけい(炯炯)」 ②「けいけい(煢煢)」 ③「けいけい(熒熒)」
✿①の「い」は、「ケーケー」という長音ではなく、撥音を「い」で表記したもの、すなわち「ケンケン」である可能性が高い。

げー ❶音・声・さま 飲食物をはきもどす音。何かを強く拒絶する気持ちを表す声。また、そのさま。「そして、**げえっ**と吐気を催したが、口からは何も出ず、目の線が湿って、頬が鳥肌立った」〈雪国・川端康成〉「宵に浴びた酒の気がまだ醒《さ》めぬのか**ゲー**と臭いのをキリアムの顔に吹きかける」〈幻影の盾・夏目漱石〉
❷声・さま 驚いたときに発する声。また、そのさま。「**ゲヱー**(驚愕体)ソリャ何時《つい》ですへ」〈落語―裏の裡愛妾の肚・翁家さん馬〉

げーげー ❶〔音・声〕飲食物をはげしくもどす音。またそのときに思わず発する声。「部屋の隅の洗面器へ飛んで行ったと思うと、**ゲーゲー**やり出した」〈いやな感じ・高見順〉「ある生酔《ゑ》ひ(＝よっぱらい)、しんみちのへいにもたれて、**ゲイゲイ**といっていると」〈咄本―唯よしよし〉 ❷〔音〕げっぷの音。「次の食事を、**ゲーゲー**おくびを出しながら待つのである」〈海に生くる人々・葉山嘉樹〉「背《せなか》を拭けば、老者《としより》は『**げいげい**』と二つ三つ、いかにも胸開《す》いたらしさうに、凄じい噯気《おくび》を放つ」〈三人女房・尾崎紅葉〉

げーっ →げー。

けけ 〔声・さま〕何か企みをもって笑う声。小さないたずらなどに成功したり、他人の失敗をみて笑うさま。「先を促す声や、まぜっかえして**ケケッ**と笑う声がはさまったが」〈妻隠・古井由吉〉

げこげこ 〔声〕カエルの鳴く声。

けざけざ 〔さま〕〔古〕明確にきわだっているさま。くっきり。あざやか。きわやか。「日のはなやかにさし出でたるほど、**けさけさ**と物きよげなるさましてゐ給へり」〈源氏物語・野分〉「にぶ色のうちぎに**けさけさ**と見えたる、絵にかきたるやうにめでたければ」〈浜松中納言物語〉「世の中の目のまへにかはりぬる事を、かく**けざけざ**とみ侍ることこそ」〈愚管抄〉

✹「けさけさ」ともいう。

けしけし 〔音・さま〕かたいもので表面を何度もひっかいたり、こする音。また、そのさま。「芋の皮を、ていねいに包丁で**ケシケシ**とこするようにしてむいている」〈土を喰う日々・水上勉〉

げじげじ 〔さま〕毛のようなものが濃く密集しているさま。『**ゲジゲジ**した眉をつりあげた』

✹「げじげじ」は、十五対の足をもつムカデに似た小さな虫。

けそけそ ❶〔さま〕恥じたり反省したりするようすもなく平然としたさま。けろり。「さうして翌朝は**けそけそ**と癒って馳け出したのであった」〈土・長塚節〉 ❷〔さま〕〔方言〕落ち着きのないさま。そわそわ。「なんごと**けそけそ**しよるとや」〈福岡県〉「そげん**けそけそ**したらいかんばい」〈福岡県〉

げそげそ 〔さま〕ものが急激に減少するさま。人が急にやせ衰えるさま。げそっ。げっそり。「ひところは恐ろしく肥満して居たが、戦後**ゲソゲソッ**と痩せて」〈いろは交友録・徳川夢声〉

げそっ 〔さま〕ものが急に減少したり、人が急にやせ衰えたりするさま。げっそり。「眼のまはり・こめかみ・頬・口辺、**げそっ**と隈どり削げて、その眼」〈父―その死・幸田文〉

けそり ❶〔さま〕落ち着いて静かなさま。「高っ調子のお国が居なくなると、宅《ちう》は水の退《ひ》いた様に**ケソリ**として来た」〈新世帯・徳田秋声〉「痩百合の**けそり**と咲も有山路」〈俳諧―春鴻句集〉 ❷〔さま〕ものが急に減るさま。あとかたもなく消えてしまうさま。すっかり。けろり。「桃畑に一日の愉快を竭《くっ》すやうになれば病気も**けそり**と忘れるのが例であった」〈土・長塚節〉

げそり 〔さま〕ものが急に減ったり、人が短い間にやせ衰えたりするさま。げっそり。「それから**げそり**と衰へて床に就いた」〈俳諧師・高浜虚子〉

けたけた ❶〔声・さま〕愉快そうに笑う際のかん高くひびく声。また、そのさま。「赤い頬に笑靨《えくぼ》をこしらへて**ケタケタ**笑った」〈倫敦消息・夏目漱石〉 ❷〔さま〕つぎつぎと起こるさま。「角兵衛獅子の鳴り物に流行り唄にて幕明く。『向ひ小山のしっちく竹は、縁が切ればうかりほと、**けたけた**ひっくり返って突っ立ち、そこらで手ばいて、寄せ波寄せ波』」

〈歌舞伎―染替蝶桔梗〉

げたげた ❶ 声・さま 下品な高笑いをしたり、ばか笑いをする際の大きなにごった声。また、そのさま。「おシンの**ゲタゲタ**した笑い声を背中にきいて」〈土曜夫人・織田作之助〉 ➡使い分け「からから」

❷ さま せわしなく歩くさま。「ぼくりぼくりと静なるは雪降の朝にして、**下駄下駄**といそがしきは村雨の夕べなるべし」〈俳諧―鶉衣〉

✵②の用例は、ぼくり＝木履、げた＝下駄を洒落ていったもの。

げたっ さま 下品に表情をゆるめて笑うさま。「おまけに湯浅が、いやに、**げたッ**とした感じに、笑ってみせた」〈巷談本牧亭・安藤鶴夫〉

けちけち ❶ 音 古 石や鉄など、かたいものが軽くぶつかり合う音。かちかち。「**けちけち**と火をうつ音や麻の花〈正勝〉」〈俳諧―一幅半〉

❷ さま こまかいことを口やかましく言うさま。「男は外をあるくのが商売だ、そんなに**けちけち**いふなへ」〈歌舞伎―与話情浮名横櫛（切られ与三）〉

❸ さま 鼻白んだ気分になるほどわずかな出費や労力などを惜しむさま。「教師をしてゐた間**けちけち**と蓄めてゐた貯金もすっかり心細くなってしまひ」〈競馬・織田作之助〉「何だか人前などではタバコを**けちけち**節約してゐる男のやうな気がし出して」〈続女ひと・室生犀星〉

けちょん さま まったく気力を失って、元気を失っているさま。しょぼっ。「豪快にいばっているときも**ケチョン**としているときも、味わい深い存在なんですけどね」〈編集長インタビュー・朝日新聞・98・1・24〉

けちょんけちょん さま 徹底的にやり込めたりいためつけたりするさま。こてんぱん。めちゃくちゃ。「石川博士なる人物、工学博士で役人のくせに、才気カンパツ、ニセ徳川なんぞ**ケチョンケチョン**にやられちゃった」〈いろは交友録・徳川夢声〉

けっ 声・さま 怒りや侮蔑、ののしりの気持ちから出す声。侮蔑の気持ちをあからさまに表すさま。「そんな女性達のことを『**ケッ**』と馬鹿にします」〈モノ欲しい女・酒井順子〉

げっ 声・さま はき気をもよおしたり嘔吐する際にのどをしぼって出す声。また、そのさま。強く拒絶したり、よくない事態に気づいたときに発する声。『**げっ**遅刻だ』「何しろサッパリしないのには、**ゲッ**となりさうだ」〈女生徒・太宰治〉

けっきょ 声 ウグイスの鳴く声。「竹笛を鳴き交せて鶯の真似をして歩いた。〈略〉いつの間にか上手になって、『ケキョ、ケキョ、ホー**ケッキョ**』」〈比叡・横光利一〉

げっくり ❶ さま 古 ものごとの変化や程度などがはなはだしいさま。げっそり。「けふはモウほうぼう歩いて、**げっくり**くたびれやした」〈洒落本―当世穴知鳥〉「**げっくり**と四条川原の冬がれぬ」〈七番日記・一茶〉

❷ さま 古 のどにものがつまったさま。「**げっくり**〔百俚談〕**詰屈**《けっくり》咽に物のつまる也。噎《せむ》たる心歟」〈俚言集覧〉

けっけっ 声・さま 相手をからかったり、してやったりと愉快そうに笑う声。また、そのさま。「その時教室の中で**ケッケッ**と笑っていた。そんな元気はいまは無かった」〈青春の逆説・織田作之助〉

げっげっ 音・声 断続的に飲食物をはくときや胃の中のガスがこみ上げてくるときなどに発する声。げーげー。「濁酒《マッカリ》の一杯でも飲ませられると、汚水でも飲んだやうに、**ゲッゲッ**と咳をしながら」〈権といふ男・張赫宙〉「思ひきってグッと飲と、いよいよ変に生臭ければ、**ゲッゲッ**と突戻すを眼を白黒して亦のめど」〈七偏人・梅亭金鵞〉

げっそり ❶ さま 急激に減少するさま。顔、体などが急激にやせ衰えるさま。「**げっそり**と落ちた両頬の肉が更にぴっちりと

歯齦《はぐき》に吸ついて畢ふので」〈土・長塚節〉
❷さま 白けた気分でいやになるさま。疲労や興奮のあとなどで、急激に気力の衰えるさま。「外交員達はきょとんとした顔を見合せて、**げっそり**と腰を下した」〈金・宮嶋資夫〉「しんから不機嫌に、私におこごとを言ふので、私は、**げっそり**致しました」〈きりぎりす・太宰治〉

げっぷ 音・名 胃の中のガスが口から出るときの音。また、その行為。げっぷー。「**げっぷげっぷ**と噫《おくび》して少しは痞《つかえ》も下りし様子」〈黄表紙―色競手管巻〉「人が**げっぷ**と曖気《おくび》をして黄なる苦き水を吐くことの有るは」〈志都の岩屋講本〉

けとけと さま 声高く笑うさま。けたけた。「涙を流しながら、**けとけと**笑いつづけた」〈入江のどんど・大原富枝〉

けばけば ❶さま・名 こまかく逆立っているやわらかい毛状のもの。また、そのさま。「美濃紙の表紙を開くと、黴臭い**ケバケバ**の立って居る紙の面に」〈少年・谷崎潤一郎〉
❷さま 色、格好、形などが特にあざやかに目立つさま。どぎつく、はでで品のないさま。「口紅や頬紅を濃くつけていたというわけでもないのに、一種の**けばけば**した感じが、うわっと私を襲って来たのだ」〈われ深きふちより・島尾敏雄〉

けへんけへん 声・さま 軽くのどにひっかかるようにせきこむ声。また、そのさま。「**けへんけへん**と咳き上て」〈浄瑠璃―日本振袖始・近松門左衛門〉

けほけほ 声・さま 軽くむせる声。また、そのさま。『**けほけほ**とタバコにむせた』

げほげほ 声・さま 強くせきこむ声。また、そのさま。「ほこりだらけの現場で、**ゲホゲホ**せき込んだりするっていうのも、いい経験だよ」〈大リーガー時給1000円でアルバイト!・読売新聞・94・10・26〉

けもけも さま 方言 毛羽立つさま。「化繊のシャツが**けもけも**になった」〈福井県〉

けらけら 声・さま 愉快そうにかん高く笑う声。また、そのさま。「やたらに**ケラケラ**けたたましい笑い声をあげながら」〈三とせの春は過ぎやすし・杉浦明平〉 ⬇使い分け「からから」

げらげら ❶声・さま 大声で笑う声。遠慮なしにばかにした笑い声。また、そのさま。「つまらぬ話にも、くるりくるりと眼玉をまわして、**げらげら**笑っていた」〈青春の逆説・織田作之助〉
❷声 カエルの鳴く声。げろげろ。けろけろ。「疾から鳴かなく成って居た蛙が〈略〉稲の穂に捉りながら**げらげら**と鳴いた」〈土・長塚節〉

けりけり 音・さま かたいものをかみ砕く高くひびく音。また、そのさま。かりかり。がりがり。「包丁の刃をたてて、**ケリケリ**と手前にかきよせてしぶ皮だけけずるのだ」〈土を喰う日々・水上勉〉「庄屋殿、さざいふたを、**けりけり**とかぶり給へば、皆一度に、けりけりかぶる」〈咄本―露休置土産〉

けろ ⬇コラム「けろ・げろ」

けろかん →けろりかん。

けろけろ ❶声 カエルの鳴く声。
❷声・さま こだわりのない明るい笑い声。また、そのさま。「小娘が奥で**けろけろ**何度もわらい声を立てている」〈三とせの春は過ぎやすし・杉浦明平〉「お雪は彼女等の全てから、娼婦のやうに愛されて、**けろけろ**明るい顔なのだ」〈温泉宿・川端康成〉
❸さま 何事でもないかのように平然としているさま。図々しいくらい平気なさま。けろり。「それほどの感じを与へた当面の相手であるお糸は、けれども存外**ケロケロ**としたものだった」〈今年竹・里見弴〉
❹さま 状態が前と大きく変わるさま。けろり。「蒲団かぶって半日も居れば**けろけろ**とする病だから」〈十三夜・樋口一葉〉「午後には**ケロケロ**と癒って其晩寄席へ行くッていふ元気だから」〈社会百面相・内田魯庵〉
❺さま 落ち着きなくあちこち視線を動か

コラム オノマトペのもと

けろ・げろ

「けろ」「げろ」が擬音語になる場合は、主にカエルの鳴き声を表す。

「けろ」は明るく高い鳴き声、「げろ」はこもったような低い鳴き声を表す。「けろけろ」「げろげろ」は鳴き声が続いている場合に用い、「けろっ」「げろっ」は一回鳴いた場合に用いる。長く続く場合には「けろけろけろけろ」のように、つなげて用いることがある。

「けろ」が擬態語となる場合は、こだわりがなく明るいようすを表す。そこから、何事もなかったかのように平然としたようすや、状態が前とすっかり変わったりするようすを表す。「約束をけろりと忘れていた」「愛犬の病気がけろりと治った」のように、ふつう、生物の状態について用い、「町並みがけろりと変わる」「事故現場がけろりと復旧する」など、無生物には使われない。ただし、「空がけろりと晴れる」のように、曇り空が明るく晴れるようすには用いられる。「げろ」にはこれに対応する意味はない。

「けろけろ」は、音の類似からか、落ち着かなく視線を動かす「きょろきょろ」と同じ意味でも用いられ、江戸時代の洒落本や俳諧に例があるる。夏目漱石の文章にも見えるが、近年はほとんど使われていない。

【けろの語群】

けろけろ・げろげろ
けろっ・げろっ
けろり・げろり
けろん・けろりかん・けろかん

	カエルが―(と)鳴く	―と忘れる	―(と)吐く
けろけろ	○	△	―
げろげろ	○	―	○
けろっ	○	○	―
げろっ	○	―	○
けろり	―	○	―

【表現】

嘔吐することを「げろする」というが、若者語では「げろる」ともいう。警察関係の隠語では、「げろする」は白状すること、自白することをさす。

若者語では一九九〇年ごろに「とても」の意味で「げろ」が使われた。「げろうま（とてもおいしい）」「げろかわいい」「げろまぶ（すごくきれい、すごくカッコイイ、すごくかわいい）」などのように用いられた。

「けろっ（と）」は、何事もなかったかのように平気なようすを表すが、地域によっては「ぼうぜんとするようす（岐阜）」「無愛想なようす（青森）」を表す。

江戸時代には、無関心なようすを表す「けろりかん」「けろかん」という語があった。接尾語の「かん」は強調の意味を表しており、「あっけらかん」に通じる語である。

「けろけろ」は、笑い声を表す場合もある。類似した表現に「けらけら」「げらげら」「けたけた」「げたげた」があり、どれも遠慮なく大笑いするようすを表す。「けらけら」「げらげら」が楽しそうな笑い方であるのに対し、「けたけた」「げたげた」は、やや下品で無神経な印象を与える笑い方である。「けろけろ」は、こだわりのない明るい笑い方を表す。

（中里理子）

して見るさま。きょろきょろ。「けろけろとあたりを見廻した時には、家人は既に奥座敷へ這入って仕舞って居った」〈吾輩は猫である・夏目漱石〉

げろげろ ❶声 カエルの鳴く声。
❷さま 飲食したものをはげしくはきもどすさま。『駅のすみで**ゲロゲロ**やっていた』「ゲイと云て吐逆《もどし》たが。彼背低《せいっびく》の馬陰が頸《あたま》から。**ゲロゲロゲロ**と両方の肩頭《かたさき》へかけたから」〈浮世床・式亭三馬〉

けろっ ❶声 カエルの鳴く声。
❷さま 何事もなかったように平然としているさま。図々しいくらい平気なさま。けろり。「**ケロッ**と敗戦後はじめての授業でこういい」〈アメリカひじき・野坂昭如〉
❸さま 状態が前と大きく変わるさま。けろり。ころり。「明日になりゃ、**けろっ**としてますよ」〈島・川口一郎〉
❹さま 瞬間的に視線を動かして見るさま。きょろっ。「白い鶏はお品の足もとへちょろちょろと駈けて来て何か欲し相に**けろっ**と見上げた」〈土・長塚節〉

げろっ ❶声 カエルの鳴く声。
❷音さま ひと思いにねばりけのあるものを吐く音。また、そのさま。「鵜が頭から水に潜ってアユをつかまえたところを、首をつかんで**ゲロッ**と吐かせました」〈こどもジャーナル・第141号・04・8・1〉

けろり ❶さま 何事もなかったように平然とした態度をとるさま。図々しいくらい平気なさま。けろけろ。「別な女と結婚して**けろり**として居る」〈妻・田山花袋〉 ⬇使い分け「あっけらかん」
❷さま 状態が前と大きく変わるさま。けろけろ。「若い時分に経験した若いものしか知らない煩悶不安をば**けろり**と忘れてしまって」〈すみだ川・永井荷風〉「その熱病が彼自身で知らないうちに**けろり**と癒えてしまったのぢゃなからうか」〈都会の憂鬱・佐藤春夫〉
❸さま こだわりのないさま。曇っていた空が明るく晴れわたるさま。けろけろ。「天《そら》は**ケロリ**と晴れて、暢気さうな朝日の影がキラキラ縁の下まで射込んで」〈青春・小栗風葉〉

けろりかん さま 何も感じていないようなさま。まったく無関心なさま。「何の先生の前でも**ケロリクヮン**として居て」〈林中書・石川啄木〉「**けろりくゎん**として鳫と柳哉〈一茶〉」〈我春集・一茶〉

けろん さま 平然としているさま。図々しいくらい平気なさま。けろり。「嵐なぞまるでありはしなかったといふ**ケロン**とした顔付を秋子はしてゐた」〈故旧忘れ得べき・高見順〉

けん さま 古 無愛想なさま。とりつくすべもないさま。「気だて、あまり。**けん**としすぎて。あしし、少もむくやぎなし」〈評判記―満散利久佐〉「娘も成人したけれど何の此方に逢はさうぞ、言出しても下さるな

使い分け

【共通の意味】同じことが続いて、いやになるようす。

げんなり
うんざり／あきあき／こりごり

❶**げんなり**は、同じことが繰り返されたり、程度がひどかったりして気力がおとろえるようす。「脂っこい料理ばかりだされて、**げんなりする**」「連日の暑さに**げんなり**している」 ❷**うんざり**は、同じことが続いたり、量が多かったりしていやになるようす。「飲みに行くたびに部長から昔の手柄話を聞かされ、**うんざり**している」。**あきあき**は、「この映画のビデオは**あきあき**するほど見た」のようにじゅうぶんすぎるほど繰り返され、飽きてしまったようす。❸**こりごり**は、ひどい目にあってもう二度とやるまいと深く思うようす。「あいつの車に乗るのは、もう**こりごり**だ」

と、けんと言はれて女之助、むっとはすれど」〈浄瑠璃—苅萱桑門筑紫轢〉

けんけん ❶声 キジやイヌなどの鳴く鋭い声。「**けんけん**けんと犬の寄合のやうになる」〈松翁道話〉「雨がふります。雨がふる。**けんけん**小雉子が今啼いた」〈童謡—雨・北原白秋〉

❷さま 愛想のないさま。とげとげしい態度をするさま。「その声に角をつけて、**けんけん**云ふのです」〈誓言・田村俊子〉

❸⬇漢語編 ①「けんけん（涓涓）」②「けんけん（眷眷・睠睠）」③「けんけん（喧喧）」

けんけんほろろ →ほろろ。

けんざり さま古 ものの姿かたち、また印象などが明らかなさま。あざやか。けざやか。「物の、けざやかなることを、**けんざり**といふこと如何。然らば、ざりは付字成べし。但、けんは露顕の顕か。」〈かた言〉

げんなり ❶さま 疲れなどで弱ってしまったさま。「旭川の八月の暑さに**げんなり**していた矢さき」〈笹まくら・丸谷才一〉

❷さま じゅうぶんすぎていやになるさま。うんざり。「世界各国の名物を、料理を、**ゲンナリ**する程食って歩きたい、といふ」〈ロッパ食談・古川緑波〉⬇使い分け「げんなり」

❸さま 落胆して、気力をそがれるさま。がっかり。「外の女に聞たとき、内へ帰りましたといわれた時は、**げんなり**して、あいさつも出来なんだからおかしいハ……」〈大山道中膝栗毛・滝亭鯉丈〉

ごいごい さま方言 勢いがよいさま。どんどん。「**ごいごい**のうなる（無くなる）」〈福岡県〉「近ごら天気の順調だけん、稲ん**ごいーごい**伸びよる」〈熊本県〉「日照り続きだけん、川ん水の**ごいごい**減っていく」〈熊本県〉

こーこー ❶声 キツネやニワトリなどの鳴く声。「**こうこう**牝鶏が鳴く」〈隣の嫁・伊藤左千夫〉

❷音 遠くからひびきわたってくるかすかな音。「松は皆いつか起り出した風に**こうこう**と梢を鳴らしてゐた」〈蜃気楼・芥川龍之介〉「浅草寺の明六《あけ》つの鐘が、**かうかう**と鳴り渡って居る頃であった」〈蘭学事始・菊池寛〉

❸さま 雪の降るさま。こんこん。「雪**こうこう**と、庭に出っつそぼれあそべりしに」〈かた言〉

❹さま古 厚く量の多いさま。こってり。「西子は薄化粧したるも見ごと也、もとより**こうこう**と黛を掃い、粉をつけたも見ごとぞ」〈中華若木詩抄〉

❺⬇漢語編 ①「こうこう（杲杲）」②「こうこう（耿耿）」③「こうこう（皓皓・皎皎）」④「こうこう（煌煌・晃晃）」⑤「こうこう（鏗鏗・鎬鎬）」

ごーごー ❶音 重く鳴りひびく低い音。「西風が**ごうごう**と杉森にあたって物凄い音を立て始めた」〈或る女・有島武郎〉「寺々の鐘つく奴めは憎やな〈略〉まだ夜もふかきに**がうがう**、がうがう、とつくにまた寝られぬ」〈狂言—花子〉

❷音 大きないびきの音。ぐーぐー。「海は昼眠る　夜も眠る　**ごうごう**　鼾《いびき》をかいて眠る」〈童謡—海と太陽・小川未明〉

❸⬇漢語編 ①「ごうごう（嗷嗷・囂囂）」②「ごうごう（轟轟・輷輷）」

こうそう 音 ⬇漢語編「こうそう（鏗鏘）」

ごーっ 音 一瞬大きくはげしく鳴りひびく、重く低い音。「折り折り風が**ゴーッ**と吹いて来て林の梢から雪がばたばたと墜ちる」〈牛肉と馬鈴薯・国木田独歩〉

こーろこーろ 音・さま 古 海水、塩水などを、かきまわして次第に凝りかためてゆく音。また、そのさま。「塩**こをろこをろ**に画《か》き鳴《な》して引き上げたまふ時」〈古事記〉

こーん 音 かたいもの同士がぶつかって生じるかわいた音。『板を木槌で**こーん**とたたいた』「拳骨を固め急所を除《よ》けて**コーン**と打《ぶ》ちました」〈業平文治漂流奇談・三遊亭円朝〉

ごーん 音 長くのびる重く低い音。『爆撃機が民家の屋根近くを**ゴーン**と飛んでいく』「突然**ごーん**と打出す鐘の音に驚かされた」〈夢の女・永井荷風〉

こかーこかー 声 古 カラスの鳴く声。こかこか。⬇鳴き声編

こかいこかい 声 古 赤ん坊の泣く声。「赤子のなくこゑの**こかひこかひ**ときこゆる如何、これはくかなくかなとなくと申せり、苦哉の義也」〈名語記〉

こかこか 声 古 カラスの鳴く声。赤ん坊の泣く声。「さて鳥の**こかこか**となくをばころくと鳴と云也」〈袖中抄〉「あかごのなく声の**こかこか**ときこゆる」〈名語記〉

こきこき ❶ 音・さま 軽くてかたいものを折り曲げたり、体の関節がたてる歯切れよく明るい音。かたいもの同士がぶつかるときの音。また、そのさま。『肩を**コキコキ**と鳴らす』「**コキコキ**。コキコキコキッ。ブリキを火箸でたたくような音が〈略〉おもちゃのピエローがブリキの太鼓を叩いている」〈病院風景・寺田寅彦〉

❷ さま 古 脈が速く打つさま。「二日も三日も物をくわいで、朝とく胸が**こきこき**として悲い様に」〈毛詩抄〉

ごきごき 音・さま かたいものが互いにすれ合ったり、体の関節がたてるにぶい音。また、そのさま。「足の骨が**ゴキゴキ**言ふほど走った」〈蝮のすゑ・武田泰淳〉

こきっ 音・さま 細いものや、軽くてかたいものが、折れたり、こすれ合ったりして一瞬たてる軽く明るい音。また、そのさま。「『口を開閉させると、**コキッ**とかジョリジョリという音がする』。あごの関節の異常を訴える人が」〈医療ルネサンス・読売新聞・95・3・10〉

ごきっ 音・さま かたいものが、折れたり、こすれ合ったりして一瞬たてるにぶい音。また、そのように急激に動くさま。「トンボは大きな目玉を**ゴキッ**と動かし」〈おでこにぽっ・工藤直子・西日本新聞・98・8・28〉

ごきとん 声 コノハズクの鳴く声。

✸コノハズクの別名「ごきとん鳥」は、ゴキトンという鳴き声からついたともいわれるが、「ご祈禱鳥」の意からという説もある。

こきり ❶ 音 かたいものがふれ合ったり、折れたりするときに一度たてる軽い音。『**コキリ**と首の骨を回しながら』

❷ さま 古 小さくて愛らしいさま。こっきり。「おれが殿御は日本おろかよ唐物町にもまれな男の、ちょきり**こきり**小女房」〈浄瑠璃―今宮心中・近松門左衛門〉

こきんがん 音・さま 古 頭と頭がぶつかったときの音。また、そのさま。ごっつんこ。「額と額が**コキンぐゎァん**といふ間に」〈七偏人・梅亭金鵞〉

こく ⬇コラム「こく・ごく」

こくこく ❶ 音・さま 飲み物を気分よく一気に飲むときに軽くのどが鳴る音。液体を容器から注ぐときの音。また、そのさま。「新しい茶飲茶碗に、其赤葡萄酒を**こくこく**と注ぎ」〈コブシ・小杉天外〉「彼は、ビールの最初のコップに口をつけ**こくこく**と飲み干した」〈食魔・岡本かの子〉

❷ 音・さま ものが軽くふれ合うときの、こもったような音。また、そのさま。「面桶《めんつう》(＝弁当箱)に、白い飯を堅く詰め込んだのを、**コクコク**と箸でおこして」〈太政官・上司小剣〉「茶碗にひとったらしおとしてから一口ふくんで**コクコク**と嚙んだ」〈青い月曜日・開高健〉

❸ さま 居眠りをして、上体を前後に繰り

コラム オノマトペのもと

こく・ごく

「こく」は、いくつかの異なる状態や音を表す。たとえば、擬音語としては、ものが軽く当たる音、のどが鳴る音、口の細いびんなどから液体が注がれる音などを描写し、擬態語としては、首や上体が動くようすを表す。

「こくこく」は、古く鎌倉時代の辞書『名語記』において、足駄《あしだ》の音の描写に使われている。居眠りして上体がゆれるようすや、飲み物を飲んでのどが鳴るようすについては、江戸時代には使われていた言い方である。

「こっくりした味」「こっくりした色」のように、味や色合いに落ち着いた深みのあるようすをいう「こっくり」は、濃厚な味わいをいう「コク」からきたと考えられ、別系列の語である。

「ごく」のように濁点がつくと、擬音語としての使われ方が主となる。たとえば、飲んだり食べたりするときなどに鳴るのどの音、液体がびんの口から注がれるときの音などを表す。このように擬音語として使われる場合、「ごく」のほうが「こく」よりも音が大きいし、流れる液体の量も多い印象になる。

【こくの語群】

こくこく・ごくごく
こくっ・ごくっ
こくり・ごくり・こっくり・ごっくり
こくん・ごくん・こっくん・ごっくん
こくりこくり・ごくりごくり
こくんこくん・ごくんごくん

	―(と)一口飲む	―(と)お辞儀する	―(と)注ぐ
こくこく	―	○	○
こくっ	○	○	―
こくん	○	○	―
こっくり	○	○	―
ごくごく	―	―	○
ごくっ	○	―	―
ごくん	○	―	―
ごっくり	○	―	―
ごっくん	○	―	―

【表現】

「その上のものを酔った手つきでつかみ散らして、ごくごく水を飲んだ」(『雪国』川端康成)のように、ごくごくは勢いよく飲むときのようすの描写によく使われる。

豪快に勢いよく飲む表現には、ほかに「がぶがぶ」がある。これは口の開閉に伴って、口蓋(口腔の上部)に液体が当たる音を表す。一方「ごくごく」は、のどで液体が鳴る音を表す。「がぶがぶ」も「ごくごく」も勢いよく飲むようすだが、どこで音が鳴っているか、どんな音がしているかによって使い分けられている。

また、「ぐびぐび」も豪快に飲むときにのどが鳴るようすを表したことばだが、多く酒類に限定される。確かに「ぐびぐびと酒を飲む」とはいっても、「ぐびぐびと牛乳を飲む」とはあまりいわない。

その点、「ごくごく」は、水、ビール、ジュース、牛乳、麦茶など、さまざまな飲料に使われるのが特徴である。

（早川文代）

返しゆり動かすさま。こくりこくり。「爺さんは相変らず**こくこく**居睡を続けて居るので」〈青春・小栗風葉〉
❹さま古 謡曲などで、うたい方が荒削りなさま。「うたひの**こくこく**としてふるびたるは、おもしろからず」〈禅鳳伝書―反古裏の書〉

ごくごく ❶音・さま 飲み物を、のどを鳴らして勢いよく飲む音。また、そのさま。液体を容器から勢いよく注ぐときの音。「蒸しパンをカルキ臭い水道の水といっしょに**ごくごく**と呑みくだし」〈青い月曜日・開高健〉「安西が帽子に入れたコーヒー瓶を片手にかかえこんで、一方の手で**ごくごく**と瓶をかたむけているではないか」〈真空地帯・野間宏〉
❷さま ものを言ったり、食べたりするときに、のどが大きく動くさま。「優しい顔には不似合に突き出た咽喉仏を、**ゴクゴク**動かして、咎めるやうに言った声は」〈太政官・上司小剣〉「お玉が〈略〉何か食べかけてゐたらしく、咽を**ゴクゴク**動かしながら出て来た」〈今年竹・里見弴〉

こくっ ❶さま 首を縦に振ってうなずくさま。『**こくっ**と頭を下げて礼を言った』
❷音・さま 液体や小さなものを一口飲みこむ小さな音。また、そのさま。「ところが大博士は、うまさうに**こくっ**と一つ息をして」〈グスコー・ブドリの伝記・宮沢賢治〉
❸さま 急に方向を変えるさま。かくっ。「急に**コクッ**と左に曲ったので」〈東京年中行事・若月紫蘭〉

ごくっ 音・さま 大きくのどを鳴らして、ものを一口飲みこむ音。また、そのさま。ごくり。『錠剤を三つ、一度に**ごくっ**とのみくだした』「源吉は、ふと思ひ出したやうに、**ゴクッ**とのどをならして、水をのむと、外へ出て行った」〈防雪林・小林多喜二〉

こくらこくら さま古 居眠りして、上体を前後にゆり動かすさま。こくりこくり。「九時《ここのつ》を聞くと**こくらこくら**坐睡り始め、八時《やつ》を聞くと白川夜船」〈歌舞伎―与話情浮名横櫛〈切られ与三〉〉

こくり ❶音・さま ものを一口飲みこむ音。また、そのさま。「あゝ、人生の味といふものは　なんて舌の上に絶えずたまるものだらう　私は幾度**コクリ**と嚥みこんだかしれない」〈流民詩集・小熊秀雄〉
❷さま 小さく一度首を縦に振るさま。「心持好さゝうに居睡をしてゐる。〈略〉其中に首が**コクリ**と下った」〈いたづら小僧日記・佐々木邦訳〉
❸さま 急に動いたり、起き上がったりするさま。「**こくり**起上って手を膝について」〈真景累ケ淵・三遊亭円朝〉

ごくり 音・さま のどを勢いよく鳴らして、液体を一口飲みこむ音。また、そのさま。「老人は冷たくなったお茶を**ごくり**と飲み」〈間木老人・北条民雄〉

こくりこくり ❶音・さま 液体を一口ずつ続けて飲みこむ音。味わうように飲みこむさま。『**こくりこくり**と湧き水でのどを潤した』
❷さま 居眠りして、上体を前後にゆり動かすさま。こっくりこっくり。「君枝はいつもの口調で言い、そして**こくりこくり**居眠りをした」〈わが町・織田作之助〉
❸さま 何度も小さく首を縦に振るさま。「私の言葉が終らない先き終らない先きに、何度となく**こくりこくり**うなづいて見せるだけだった」〈伊豆の踊子・川端康成〉

ごくりごくり ❶音・さま 続けざまに、大きくのどを鳴らして液体を飲みこむ音。また、そのさま。「水甕から、手しゃくで、**ゴクリゴクリ**のどをならしながら、水を飲んだ」〈不在地主・小林多喜二〉
❷さま 居眠りして、上体を大きくゆすぶっているさま。「俥の上で**ごくりごくり**と眠ってゐる小野田の坊主頸《えり》をした大きい頭脳が」〈あらくれ・徳田秋声〉

こくん ❶音・さま ものを一口軽く飲みこむ音。また、そのさま。『ほら、あーん、

こくんしなさい』
❷さま はずむように首を小さく一度縦に振るさま。「バカ亀は、首を**コクン**とさせて、また向ふをむいて」〈虎ちゃんの日記・千葉省三〉「島村は**こくん**とおじぎをするとそのまま立ち止まった」〈雪国・川端康成〉

ごくん ❶音・さま 液体を飲みくだしたりして、のどが大きく一度鳴る音。また、そのさま。『**ごくん**と無理やりのみこんだ』
❷さま 大きく一度首を縦に振るさま。「女は**ごくん**と頷いた」〈白痴・坂口安吾〉
❸音・さま かたいものがぶつかり合って、衝撃を伴って生じる大きな音。また、そのさま。がくん。「汽車が**ごくん**と停ると、男は静かに降りて行った」〈猟人・津村信夫〉

こくんこくん ❶音・さま 液体を容器から注ぐときの音。また、そのさま。「猪口の縁と、徳利の口がカチカチとぶつかり合ふ。**コクンコクン**酒が猪口に流れ出す！」〈日は輝けり・宮本百合子〉
❷さま 繰り返し飲みこんだり、うなずくさま。『**こくんこくん**とお乳を飲んだ』

ごくんごくん 音・さま のどを鳴らしながら勢いよく飲みこむ音。また、そのさま。「牛乳は二本取ってゐる。母親と私が**ごくんごくん**飲むのだ」〈生活・林芙美子〉

こけこけ 声 ニワトリの鳴く声。⬇鳴き声編

こけこっこー 声 ニワトリの鳴く声。⬇鳴き声編

ここ ❶声 古 サルの鳴く声。「河内の里あり。本は古々の邑《むら》と名づく（俗《くにひと》の説《ことば》に、猿の声を謂ひて**ここ**と為す）」〈常陸風土記〉
❷⬇漢語編「ここ（呱呱）」

こご 音・さま 古 手荒くもみ洗いする音。また、そのさま。ごしごし。「机の嶋の小螺《しただみ》を〈略〉早川に　洗ひ濯き　辛塩に　**こご**と揉み〈作者未詳〉」〈万葉集〉

こざこざ さま・名 ものごとがこまかく入りまじったさま。また、そのようなもの。ござござ。「心配といっても〈略〉**こざこざ**した準備や、その日の手順などのことについてではなかった」〈次郎物語・下村湖人〉「いせ屋が三両壱分、まきやが三分、米屋が弐両弐分、此外に**こざこざ**が惣〆《そうじめ》で三両いくらとあるだらう」〈一盃綺言・式亭三馬〉

ござござ さま・名 ものごとがこまかく入り乱れたさま。また、そのようなもの。ごじゃごじゃ。『**ござござ**話』（＝気ままに筋もなくしゃべりあう世間話）『**ござござ**船』（＝乗り合い船）「毛布、長靴、その他の**ござござ**も皆、最近に買ったらしい新品である事と」〈暗黒公使・夢野久作〉

こざっぱり さま 清潔で感じのよいさま。こぎれいなさま。「猿楽町の家は狭かった。けれども小**ざっぱり**した家であった」〈続俳諧師・高浜虚子〉「じじむさくもなく、小**ざっぱり**と洗濯ものが着られるのだはな」〈浮世風呂・式亭三馬〉
❀「こ」は接頭語。

こしこし ❶音・さま あまり力を入れず繰り返しこする音。また、そのさま。「土つきのダイコンは、小ぶりながら、ずっしり重い。さっそく**コシコシ**と洗うと、まっしろな肌が光るように現れた」〈おでこにぽっ・工藤直子・西日本新聞・98・10・14〉
❷音・さま 弾力のあるものなどを噛む際の小さくこすれる音。軽く歯ごたえのあるさま。「波や潮の流れでもまれて成長し、**コシコシ**とした歯ごたえのおいしいワカメになる」〈土と水に生きる・鳴門ワカメ・愛媛新聞・99・4・17〉

ごしごし ❶音・さま 強く力を入れて、ものを何度もこする際の音。また、そのさま。「鉛筆を倒《さか》にして、ゴムで**ゴシゴシ**消した」〈田舎教師・田山花袋〉「洗面所の辺りで、しきりに**ごしごし**日本剃刀を研いで」〈明治大正見聞史・生方敏郎〉
❷さま ためらわずに力強くものごとを行うさま。「酒は老酒でした。この方は僕も

遠慮なく**ゴシゴシ**飲んだ」〈ボロ家の春秋・梅崎春生〉

ごしゃごしゃ ❶音・さま ものを乱雑にかきまぜたり、丸めたりする音。また、そのさま。「私は二三枚の新聞紙を**ゴシャゴシャ**に丸めて、ベンチの下へ投げ込むと」〈縊死体・夢野久作〉 ❷さま ものがひどく入り乱れているさま。「チラシの裏に鉛筆書きで**ゴシャゴシャ**書いてあるのが」〈冷え物・小田実〉 ❸さま 不平や言い訳などをあれこれ言うさま。ごちゃごちゃ。『壁のむこうから、苦情の声が**ごしゃごしゃ**と聞こえてきた』

ごじゃごじゃ ❶さま ものがはげしく入り乱れ、混雑しているさま。「それは聞いてゐる方の頭が、かへって**ごちゃごちゃ**になってしまふやうな、順序の狂った日本語だった」〈蟹工船・小林多喜二〉 ❷さま 苦情やこごとなどを言うさま。ぐずぐず。『**ごじゃごじゃ**言わずに勉強しなさい』

こじゃん さま 古 気のきいているさま。よい程度にまとまって見えるさま。そろっているさま。「皐月闇でも能《よ》《い》やさ此《こ》《の》さ**小**《こ》**じゃん**としたる手拍子に」〈洒落本—禁現大福帳〉「夏菊の**小しゃん**としたる月よ哉」〈文化句帖・一茶〉

✱「こ」は接頭語。「こしゃん」ともいう。

こじんまり →こぢんまり。

ごすごす さま ものを強くこするさま。ごしごし。「源吉は何度もそれを繰りかへして、由の頭を**ゴスゴス**なでた」〈防雪林・小林多喜二〉

こせこせ ❶さま 場所が狭くてゆとりのないさま。『**こせこせ**とした会場だった』 ❷さま 気持ちや態度にゆとりがないさま。落ち着きのないさま。眉をひそめたくなるほど些末なことにこだわるさま。「些細な末梢の問題に**こせこせ**神経を使いすぎるのではないか」〈ドン・キホーテ・中村光夫〉「婦人の衣服の人工的色彩は、なんとなく**こせこせ**した不調和な継ぎ合せもののやうに見えた」〈写生紀行・寺田寅彦〉

こそ さま 静かに、人目をさけて行うさま。こそっ。「例の妻戸のかげにて**こそ**と出あひ」〈咄本—鯛の味噌津〉

ごそ ❶音・さま かわいたものが一度こすれ合ってたてる騒がしい音。また、そのさま。ごそっ。「周囲の植木は**ごそ**とも為ず」〈青春・小栗風葉〉 ❷さま 一度にたくさん取ったり与えたりするさま。ごそっ。「あたふたと精出しても跡をやる子はなし、いっそ**ごそ**とやらうかいの嗅《かか》」〈浄瑠璃—伊豆院宣源氏鏡〉

こそこそ ❶音・さま かわいたもの同士がこすれ合ってたてる、かすかな音。また、そのさま。「蓮の葉は、図太いので **こそこそ**としか音をたてない」〈山羊の歌・中原中也〉 ❷声・さま 周りに聞こえないほどの小さな声。また、そのような小声でささやくさま。『**こそこそ**三里』(＝内緒話のつもりでも遠くまで伝わること。秘密はもれやすいことをいう)「八穂がピシピシ応対してゐると、父が出て来てその子と**コソコソ**囁きごとをする」〈津軽の野づら・深田久彌〉 ⬇

使い分け「こそこそ」

❸さま 人目につかないように静かに事を行うさま。表立ってしないさま。こそっ。「頼む頼まれたの約束を約束とも思はず裏に廻はって**こそこそ**と小狡《こず》《る》く事を運んで」〈鶯・伊藤永之介〉 ❹さま 古 こきざみにすばやく移り変わるさま。「やくし寺へちの御かうやくもちてまいる。めてたし。これにて**こそこそ**とよくならせおはしますへし」〈御湯殿上日記〉 ❺さま 古 子どもをあやして軽くくすぐるさま。こちょこちょ。「ちとこそぐりませう。**こそこそこそこそ**」〈狂言—子盗人〉

ごそごそ ❶音・さま かわいたもの、こわばったものなどが、荒くふれ合う音。また、そのような音をたてるさま。落ち着き

なく動くさま。「七時の作業時間になりやうやく**ごそごそ**起きだした」〈脱出・福田清人〉「山葵卸しで大根かなにかを**ごそごそ**擦ってゐるに違ない」〈変な音・夏目漱石〉❷さま 方言 急ぐさま。さっさ。「**ごそごそ**しなれにゃ、汽車い遅れるばい」〈福岡県〉❸さま 方言 大きすぎるさま。「兄貴のお下がりの服、僕には**ごそごそだ**」〈三重県〉❹さま 方言 すきま風が入ってきてうすら寒いさま。「もう一枚布団かけてんか、なんや**ごそごそ**するわ」〈大阪府〉

こそっ ❶音・さま 一度ものがふれ合うなどして、かすかにたてる音。また、そのさま。こそり。「馬も**こそっ**とも音をさせずに黙ってゐた」〈カインの末裔・有島武郎〉❷さま ものごとをかくれて行うさま。『秘訣を**こそっ**と教えます』

ごそっ ❶音・さま かわいたものがこすれ合って生じる騒がしい音。一瞬そのような音をたてて、ものが動くさま。「キャラメルの包みが**ゴソッ**と音を立てて滑り出て来て」〈役者たち・小川国夫〉❷さま 一度にたくさんのものが瞬間的にまとまって動くさま。ごっそり。「アラふしぎやな、注文通りの山吹色の千両箱が卅個、**ごそっ**と出たという話」〈第4ブラリひょうたん・高田保〉

こそり ❶音・さま ものがふれ合って、かすかにたてる音。また、そのさま。「舷《ふなばた》を撫でる低い曲波《うねり》は**こそり**とも音をたてず」〈零・長田幹彦〉❷さま 目立たないさま。かくれてするさま。こっそり。『**こそり**と裏口から入ってきた』

ごそり ❶音・さま かわいたものがこすれ合って生じる騒がしい音。また、そのような音をたててものが動くさま。「手紙を**ごそり**と封じ込んで、上書きを学校宛に記した」〈若い人・石坂洋次郎〉❷さま 一度にたくさんのものがまとまって動くさま。ごっそり。「旅芝居花のさかりにとてもなら　前髪**ごそり**少年の春」〈由平〉」〈俳諧―大坂独吟集〉

こそりこそり ❶音・さま かわいたものがふれ合って続けざまにたてるかすかな音。また、そのさま。「ちくとした風呂敷さげて戸をたたき〈支考〉　**こそりこそり**とそよぐ黍の葉〈惟然〉」〈俳諧―となみ山〉❷さま 人に知られないように少しずつものごとをするさま。「かしらにつれて揃ふむしの音〈游刀〉　茸狩りは**こそりこそり**と道かへて〈丈草〉」〈俳諧―枯尾花〉

ごそりごそり ❶音・さま ものがこすれ合ってたて続ける騒がしい音。また、そのような音をたてて動き続けるさま。「真夜中過ぎに燈も持たず**ごそりごそり**と歩む彦右衛門」〈いさなとり・幸田露伴〉❷さま 続けざまに多量に動かすさま。「世の塵を**ごそりごそり**と剃払ひさとって見れば何《なん》にもなかった」〈狂歌餅月夜〉

こそろ さま 古 静かに動くさま。こっそり。のっそり。「蛇は、**こそろ**と渡りて、むかひの谷に渡りぬ」〈宇治拾遺物語〉方言「**こそろ**にためた」「**こそろ**に様子をさ

使い分け

【共通の意味】

話し声が小さいようす。

こそこそ

ひそひそ／ぶつぶつ

❶**こそこそ**は、「会議では何も言わないくせに、陰で**こそこそ**不満を言い合っている」のように、他人に隠れて小声で話すようす。**ひそひそ**は、他人に聞かれないように小声でささやくようす。「子どもが寝るのを待って、親たちは家計の苦しさを**ひそひそ**話し合っている」❷**ぶつぶつ**は、ひとりごとを言ったり、不満を言ったりするようす。「一人で何やら**ブツブツ**つぶやいている」「**ぶつぶつ**文句ばかり言う」

ぐる」のように、岩手県気仙郡でも聞かれる方言。

ごたくさ 名 種々のものごとが入りまじって雑然としていること。また、入りまじってわずらわしいことが起こること。「次第に由《よ》ったら**混雑**《ごたくさ》に乗じて事を挙げやうとした」〈社会百面相・内田魯庵〉

こたこた さま 古 こまかくやぶり、砕くさま。徹底的に痛めつけるさま。くだくだ。こだこだ。「拙者共はあの両人さへ、**こたこた**に致せばようござる」〈歌舞伎—桑名屋徳蔵入船物語・並木正三〉

こだこだ さま 古 乱雑にまじり合うさま。こまかく砕くさま。「但《ただし》は又軍《いくさ》に負け足も手も**こだこだ**になってではあるまいかと」〈浄瑠璃—源頼家源実朝鎌倉三代記〉

ごたごた ❶ さま ものごとが秩序なく集まっているさま。ごちゃごちゃ。「言文一致体で一気呵成に書き流した、何となく**ごたごた**した文章である」〈吾輩は猫である・夏目漱石〉「**ごたごた**と飾りつけは多いが粗雑なカットとセッティングだということの一目でわかる代物だった」〈がらくた博物館・大庭みな子〉

❷ さま・名 ものごとが混乱し、もつれているさま。もめごとの起こっているさま。また、そのようなできごと。「それで今夜は**ごたごた**して居るから明日お目にかかる積《つもり》で居ましたの」〈恋を恋する人・国木田独歩〉「昨日の夜おそうまで、**ごたごた**がありましてね」〈偽証の時・大江健三郎〉 ⬇使い分け「ごたごた」

❸ さま 騒々しく不平を言ったり、騒ぎ回ったりするさま。ごちゃごちゃ。「チップのことを**ゴタゴタ**云い出し、おまけに池袋のマアケットの家賃が高いなぞと云い始める」〈野狐・田中英光〉

ごたすた さま とりとめなく混乱したり、もめごとの起こっているさま。「此処の家で**ごたすた**いった処が此家へ迷惑かけて」〈真景累ケ淵・三遊亭円朝〉

こちこち ❶ 音 かたいものをたたく音。また、かたいもの同士が軽くふれ合う音。「算盤を**こちこち**弾く音がする」〈不思議な鏡・森鷗外〉「故国へ帰ったポケットに時計ばかりが**コチコチ**と動いて居るも情なや」〈軍歌—戦友・真下飛泉〉

✸ 時計などの規則的で小さな音などにいうことが多い。

❷ さま 水分や油けなどが抜けたり、凍ったり、かじかんだりして、かたくなったさま。「**こちこち**になった飯粒が喰付いてゐた」〈不良児・葛西善蔵〉「手足の指等は〈略〉冷え凍えて**こちこち**して居る」〈春六題・寺田寅彦〉

❸ さま 緊張して、体や気持ちがかたくなるさま。『**こちこち**になって舞台に立つ』「非常時非常時ばかりなので、眼も耳も**こちこち**になってしまった折柄に」〈舗道雑記帖・高田保〉

使い分け

【共通の意味】
トラブルが起きるようす。

ごたごた
いざこざ／どさくさ／ごちゃごちゃ

❶**ごたごた**は「新学期が始まったばかりで、学内は**ごたごた**している」のように、落ち着かない雑然としたようす。また、**ごたごた**、**いざこざ**は、個人や家庭内で起こる小さい争いごと。「グループ内の**ごたごた**がやっと解決した」。**いざこざ**は、ことばや行為の行き違いなどから争うこと。「兄弟の仲が悪く**いざこざ**がたえない」
❷**どさくさ**は混雑していて騒々しい状態。「**どさくさ**に紛れて逃げる」「戦後の**どさくさ**で、家族が離れ離れになった」 ❸**ごちゃごちゃ**は、秩序がなく雑然としているようす。「いろいろな人が口をはさむから、話が**ごちゃごちゃ**になる」

❹さま 頑固で融通のきかないさま。「彼らの水泳家としての教養は**コチコチ**の日本主義者ではあるが」〈安吾巷談・坂口安吾〉「子供は、みんな親達と同じ**コチコチ**のガリガリで手がつけられねえ」〈姫岩・田村秋子〉

❺さま 古 茶などの濃いさま。濃厚なさま。仲のよいさま。こてこて。「さて、只茶を**こちこち**とたててくれらるるほどに、飲レ之、積鬱の昏々たるを一洗するぞ」〈四河入海〉

✽⑤は「こちごち」ともいう。

ごちごち ❶音 かたいもの同士が当たってたてる荒く大きい音。ごつごつ。「**ごちごち**と潜戸《くぐり》を開け立出づる」〈夜の雪・幸田露伴〉

❷さま きわだってかたいさま。また、そう感じるさま。「さあよく見ておけ、ここから先きがイタリアだと連中が**ゴチゴチ**の岩山を指しました」〈国境見物・小出楢重〉

❸さま かたまりきって動きようのないさま。「政友会で**ゴチゴチ**の地盤の中で唯一人尾崎咢堂に傾倒してゐることは」〈稲熱病・岩倉政治〉

こちっ 音さま かたいものが軽くふれて一瞬たてる音。また、かたさを感じさせるようにできあがっているさま。『**コチッ**とクリックしてください』『石膏が**こちっ**と固まったらできあがりです』

ごちっ 音・さま かたいものが一度ぶつかってたてる重い音。また、そのさま。『柱に**ごちっ**と頭をぶつけた』

ごちゃ ❶さま 入りまじるさま。混同するさま。区別がつかないさま。ごっちゃ。「真金ふく烟は雲と**ごちゃ**に成る」〈雑俳・蓬莱山〉

❷さま 乱雑で秩序なく集まっているさま。「じかに地面に建物が**ゴチャッ**と乗っかっている感じがある」〈特集・戦後50年・毎日新聞・95・4・9〉

ごちゃくちゃ さま 何の秩序もなく入り乱れるさま。ごちゃごちゃ。「近所の子供も幾許《いくら》もある、あるけれども其者等と**ゴチャクチャ**になることは出来ぬ」〈福翁自伝・福沢諭吉〉

こちゃこちゃ ❶さま こまかいものが入り乱れて雑然としたさま。「**こちゃこちゃ**した安普請のカフェやサロンがぎっちり軒を並べ」〈仮装人物・徳田秋声〉

❷さま こまごまととりとめもなく動くさま。小声で話をしたりするさま。「茶の室へ出てみると、母親は台所で**こちゃこちゃ**働いてゐた」〈黴・徳田秋声〉

ごちゃごちゃ ❶さま 多様なものが雑然と集まっているさま。「金ぷら屋や寿司屋など食物屋が**ごちゃごちゃ**とある中に」〈アド・バルーン・織田作之助〉

❷さま 入りまじるさま。混乱したさま。区別がつかないさま。「冷い風が喉から胸に吹き込んで、**紛糾**《ごちゃごちゃ》した頭脳の熱さまでスウと消える様な心地がする」〈病院の窓・石川啄木〉 ⬇**使い分け**「ごたごた」「ごちゃごちゃ」

❸さま 乱雑で、うるさくて気にさわるさま。「何だか**ごちゃごちゃ**咄し声がするやうだから覗いて見ると」〈怪談牡丹燈籠・三遊亭円朝〉「古代紫に**ごちゃごちゃ**と四君子の縫模様を為た半襟」〈青春・小栗風葉〉

こちょこちょ ❶さま 繰り返し、軽くくすぐるさま。「**コチョコチョコチョ**とクスグルと首が段々太く成って頭が戻って参りました」〈落語・三十石宝の入船・橘家円喬〉

❷さま こまごまと動いたり、小声で話をしたりするさま。こちゃこちゃ。「乳母がお嬢様の側へすり寄りまして、何か**コチョコチョ**話をして居ります」〈落語・美人の乳・春風亭小柳枝〉「人の目を盗んで、**こちょこちょ**と書きました」〈蟻の自由・古山高麗雄〉

ごちょごちょ さま こまごましていて、わずらわしいさま。「心のうちで弁解して何か解らないものを、**ごちょごちょ**と書くやうに手を動かした」〈日は輝けり・宮本百合子〉

こちり 音 かたいものが軽くふれて一瞬

たてる軽くかわいた音。「取りあげて見てゐたブルームは、厚い硝子の上に、コチリと音をたてるほど慥に置き戻されて」〈今年竹・里見弴〉

こちん ❶音 かたくて小さいものが軽くぶつかってたてる軽くかわいた音。『あたまに**コチン**と当たった』
❷さま 小さくまとまってかたまったさま。「底の方に暗い悲哀が**こちん**と澱んでゐるばかりだった」〈或る女・有島武郎〉「置き据ゑられたやうな小舟の上の、**コチン**ときまった老人の構へ」〈今年竹・里見弴〉
❸さま 癇にさわるさま。心にひっかかるさま。「このあいだの子供のようなコックリうなずきとはちがって、いばったうなずきかたで、わたしの心に**コチン**と来るものがあった」〈冷え物・小田実〉
✹多く「こちんとくる」の形で用いられる。

ごちん 音 かたくて重いものが、かたいものにぶつかってたてる音。『**ゴチン**と壁にぶつかった』

こちんこちん ❶音 かたいものを続けてたたく際に出る軽く高い音。『**コチンコチン**とハンマーで岩をたたく』
❷さま 水分や油けなどが抜けたり、凍ったり、かじかんで、これ以上ないほど、かたくなったさま。「自分の右足が〈略〉**コチンコチン**に凝固させられたまま、確かに、標本室の一隅に蔵《しま》い込まれているに相違無い事を」〈一足お先に・夢野久作〉
❸さま 頑固で融通のきかないさま。「西洋窓のついた日本座敷見たいに、**こちんこちん**した不愛憎な男だ」〈星座・有島武郎〉
❹さま 緊張して、動作や話し方がかたくなるさま。かちんかちん。『あまりの歓声に**こちんこちん**になって転んでしまった』

こぢんまり さま 小さくまとまっているさま。小さいなりに落ち着いているさま。「**小ぢんまり**と几帳面に暮らして行く彼等は」〈彼岸過迄・夏目漱石〉「天才の悲劇は『**小ぢんまり**した、居心《ゐごころ》の好い名声』を与へられることである」〈侏儒の言葉・芥川龍之介〉
✹「こ」は接頭語。→ちんまり。

ごつ 音 強い力でぶつかった際に出る、はげしい音。「又**ごっ**と吹きつける疾風に妨げられた」〈土・長塚節〉「篠田は額の骨が**ごっ**と鳴って烈しい痛みをそこに感じた」〈脱出・福田清人〉

ごっかり さま 古 ひどく疲労したさま。がっくり。「**ごっかり**とやせての、内へもどりし其時は、手水のゆと諸共に、ぐらぐらむねがわきかへり、物いふまいと思へ共」〈浄瑠璃―傾城八花形〉

こっきり ❶音 かたいものが突き当たったり、折れたりする際の軽くかわいた音。「青や赤の縞になったのを**こっきり**嚙み折って」〈銀の匙・中勘助〉「羽目へ**コッキリ**天窓《あたま》を打付《ぶっつけ》た所なんざア」〈七偏人・梅亭金鵞〉
❷さま ちょうどそれだけであるさま。「僟

使い分け

【共通の意味】
ものごとが明確でないようす。

ごちゃごちゃ
あやふや／あいまい／うやむや

❶**ごちゃごちゃ**は、ものの状態や話の筋などの秩序が乱れているようす。「部屋が**ごちゃごちゃ**でどこに何があるかわからない」「みんなの意見が**ごちゃごちゃ**でまとまらない」 ❷**あやふや**、**あいまい**は、意味や定義などがはっきりしないようす。**あやふや**は、**あいまい**の話しことば。「このことばの意味が**あやふや**だ」「言いたいことが**あいまい**でよくわからない」。また、態度がはっきりしない場合にも使う。「**あやふや**な態度をとる」「**あいまい**な返事をする」
❸**うやむや**は、意図的に、ものごとの実体をぼやかすときに使う。「犯人を特定できずに事件は**うやむや**のまま終わった」「責任の所在を**うやむや**にする」

悔と云ふ事も結局一遍**こっきり**ものだからね」〈暗夜行路・志賀直哉〉

✵②は、数量を表す名詞に付く。

❸さま あるできごとを境に、すべてある状態に移るさま。「ころころがさと一声木の間に物の落つる音して、あとは**こっきり**静かになりぬ」〈自然と人生・徳冨蘆花〉「彼奴かてからくりの種**こっきり**僕に握られてしもてて」〈卍・谷崎潤一郎〉

❹さま 古 濃厚なさま。こってり。「洗ひ粉のひかり**こっきり**と琢出し、ゆびがねこそいれね、手いたい事させねば、つまはづれも産のまま」〈浮世草子―猿源氏色芝居〉

❺さま 古 小さくて、愛らしいさま。「しかもよいこの、なさけざかりにちょっきり**こっきり**小にょぼの、腰もしなへてやつくるり」〈浄瑠璃―心中宵庚申・近松門左衛門〉

ごっきり 音 ものとものがはげしくぶつかってたてるにぶい音。「蹲踞《つくばひ》たる天窓《あたま》へ天窓が**ゴッキリ**と当るに飛八仰天し」〈七偏人・梅亭金鵞〉

ごっくごっく 音・さま 水や酒などの液体を、ほんのわずかの間をおきながら、たて続けに勢いよく飲む音。また、そのさま。「理学士は箸もつけないで、**ごっくごっく**」〈婦系図・泉鏡花〉

こっくり ❶さま・名 居眠りをしたり、大きくうなずく際に、頭を急に前後に動かすさま。『電車で**こっくり**を始める』「田川博士は夫人の言葉を聞くと尤もと云風に、二三度**こっくり**とうなづいた」〈或る女・有島武郎〉「少年は答へないで一つ**こっくり**をするのであった」〈望郷歌・北条民雄〉

❷さま・名 突然に死ぬさま。また、突然に死ぬこと。ぽっくり。「私や、斯《かう》してお前と歩るいて居ながら、**コックリ**と死にたいようだ」〈火の柱・木下尚江〉

❸さま 色合いや味などが、濃かったり深みがあったりするさま。「葡萄色の**こっくり**した鶉縮緬の羽織の衣紋を直すと」〈青春・小栗風葉〉「この日の治部煮の味は、**こっくり**としていて落ち着きのあるものであった」〈舌つづみ各駅停車・渡辺文雄〉

ごっくり ❶音・さま 大きくのどを鳴らして液体をひと息に飲みこむ音。また、そのさま。「卯平はこそっぱい或物が喉へ支《つか》へたやうに**ごっくり**と唾を嚥んだ」〈土・長塚節〉

❷さま・名 突然に死ぬさま。また、突然に死ぬこと。こっくり。ぽっくり。「**ごっくり**を願ひまするると姑いひ」〈雑俳―柳筥〉

こっくりこっくり さま 居眠りなどをして、体や頭が前後に何度も動くさま。「やがては唐紙に黒々と移った影が**こっくりこっくり**と船を漕ぎ出して」〈春潮・田山花袋〉「男が腕組をして**コックリコックリ**と廊下を歩いて居る」〈旅日記から・寺田寅彦〉 ⬇使い分け「こっくりこっくり」

こっくん 音・さま 頭などを勢いよく前後に一度動かすさま。飲食物を飲み下す音。また、そのさま。こくん。「しばらくは言葉もなく相手を見てゐた助役は、やがて**こっくん**とうなづき」〈稲熱病・岩倉政治〉

ごっくん ❶音・さま 飲食物を飲み下したりして、一回のどの鳴る音。また、そのさま。『離乳食で、かみかみ**ゴックン**の練習』

❷さま うらやましがって、ものほしそうなさま。「名曲が、オリジナル演奏で収録されている。ジャズ好きなら、生つば**ゴックン**の絶品ぞろいだ」〈フロッピー・読売新聞・95・8・1〉

✵つばをのみこみながら、じっと見つめるさまから。

こつこつ ❶音 かたいものがふれ合ってたてるかわいた高い音。「『失礼します』警官は車のガラス窓を指先で**コツコツ**とたたいた」〈おバカさん・遠藤周作〉

❷さま 地道に努力を積み重ねるさま。「真面目に独り**こつこつ**と働くので一般の受けはよかったが」〈赤西蠣太・志賀直哉〉 ⬇漢語

編「こつこつ(兀兀・矻矻)」 ⬇使い分け「せっせ」

❸さま 人の容姿、性質などが角張っているさま。「七十若干《つぃく》とかでも頗る強壮な**こつこつ**した体格であった」〈河霧・国木田独歩〉

❹さま古 喜ぶさま。ほくほく。「何様《などん》にか悦んで〈略〉**こつこつ**して嬉しがりましたアね」〈縁結娯色の糸・松亭金水〉

❺さま古 あわて急ぐさま。「追付け吉左右《きっさう》お知らせと、**こつこつ**してこそ急ぎ行く」〈浄瑠璃―菅原伝授手習鑑〉

ごつごつ ❶音 かたいものがぶつかり合ったり、こすれ合ってたてる重くにぶい音。「羽目板に身体をすりつける音や、前足で**ゴツゴツ**と板をかく音がした」〈防雪林・小林多喜二〉

❷さま 角張ってかたいさま。しなやかでないさま。「ただいたずらに**ごつごつ**と骨張っている醜い容貌と見えた」〈死霊・埴谷雄高〉 ⬇使い分け「ごつごつ」

❸さま 人柄、動作などが不器用で、こまかな心づかいがなく、荒っぽいさま。「僕のやうに**ごつごつ**してゐるよりは、医者として適してゐるかも知れない」〈魔睡・森鷗外〉「いまごろ、そんな**ごつごつ**したことといふなよ…きこえてみい、すぐ野戦へやられてしまうぞ」〈真空地帯・野間宏〉

❹さま古 液体を勢いよく飲むさま。ごくごく。ごくりごくり。「腰をななめにうつむきて、ひったりとかの筧に顔をあて、口をおしつけて**ごつごつごつ**とたてつづけにのみたるが」〈龍潭譚・泉鏡花〉

こっそり さま 人に知られないように、ひそかにものごとをするさま。「自分の仲間の者三人に話して**こっそり**イノシシ撃ちに出かける支度をした」〈静物・庄野潤三〉

ごっそり さま 多くのものが残らず別のところへ移るさま。根こそぎ。全部。「嘘のやうな金が、そして**ゴッソリ**重役の懐に入ってくる」〈蟹工船・小林多喜二〉「浮世を直誠《まこと》に厭ひ玉ひなば、御頭《おつむり》を**ごっそり**と剃り丸め玉ひ」〈対髑髏・幸田露伴〉 ⬇使い分け「ごっそり」

ごった さま 秩序なく入りまじるさま。ごっちゃ。『**ごった**煮』「C子は何時でも不幸と不孝の意味を**ごった**にしてゐる」〈世間知らず・武者小路実篤〉

ごっちゃ さま いろいろのものが秩序なく入りまじって存在するさま。ごった。「ジイドもプルーストもコクトオも**ごっちゃ**にして大量輸入された一九二〇年代の終りのわが文壇に」〈私の詩と真実・河上徹太郎〉

こっちり ❶音・さま かたいもの同士が軽くぶつかり合う音。また、そのさま。こっつん。「駕の棒ばなにて頭を**こっちり**」〈滑稽本―和合人〉

❷さま 体をこわばらせるさま。「顎をひいて、身体を**コッチリ**させてゐる」〈不在地主・

使い分け

こっくりこっくり

【共通の意味】眠りかけたり、居眠りをするようす。

うとうと／うつらうつら／とろとろ／うとっ

❶**こっくりこっくり**は、座ったまま眠って首が前後にゆれるようす。「電車の中で**こっくりこっくり**居眠りをする」❷**うとうと**は、ときどき目覚めながら浅く眠るようす。**うつらうつら**は、眠気や病気のために意識がはっきりしない状態。両方とも、居眠りにも、横たわって寝る場合にも使う。「会議中つい**うとうと**してしまった」「高熱で**うつらうつら**している」❸**とろとろ**は「赤ん坊は**とろとろ**と眠りについた」のように、気持ちよさそうに眠りかけているようす。**うとっ**は、不意に眠気に襲われるようす。「運転中に**うとっ**として、危うく前の車に追突するところだった」

小林多喜二〉

❸〔さま〕〔古〕濃厚なさま。こってり。「いかな宇治の極上も、嗅が茶には及ぬと女夫《めをと》の中の**こっちり**の、出花を上がって下さんせ」〈浄瑠璃―孕常盤・近松門左衛門〉

ごっちり〔さま〕体をこわばらせるさま。「額のところまで来ると、**ゴッチリ**文へて梃でも動きさうもありません」〈孤蝶随筆・馬場孤蝶〉

こつっ〔音〕小さくかたいものが一回ぶつかってたてる、かすかな音。『石が**コツッ**と跳ね返ってきた』

ごつっ ❶〔音〕かたく、重いものがぶつかってたてる音。『**ゴツッ**と頭を打ちつけた』
❷〔さま〕角張っているさま。『足首の**ごつっ**と出っぱっている骨』

こっつり ❶〔音・さま〕かたいもの同士が軽くぶつかる音。また、そのさま。こっちり。「相川はいそいそと独で喜び、**こっつり**と柱に頭を打付《ぶっつ》け」〈怪談牡丹燈籠・三遊亭円朝〉
❷〔さま〕〔古〕ちょうど具合のよいさま。「古庵様から下された二十両。〈略〉欲《ほ》しかやらふが今はない。**こっつり**当《あ》たら(＝ばくちで当たりをとったら)すっぱり返す」〈浄瑠璃―いろは蔵三組盃〉
❸〔さま〕〔古〕量や程度の少ないさま。少しばかり。いささか。ぽっちり。「三千両に火打石をかづき、**こっつり**とも酒ののまれぬ仕合」〈浮世草子―自笑楽日記〉

こっつん〔音・さま〕かたいもの同士が軽くぶつかってたてる音。また、そのさま。「むっつりした料理番は、苦笑ひもせず、又**コッツン**と煙管を払《はた》く」〈眉かくしの霊・泉鏡花〉

こっつんこ〔音・さま〕かたいもの同士が両方から軽くぶつかる音。また、そのさま。「あんまり急いで　**こっつんこ**　ありさんと　ありさんと　こっつんこ」〈童謡―おつかい蟻さん・関根栄一〉

こってこって ❶〔さま〕〔古〕数の多いさま。たくさん。「宝の山へ入りながら持つ事ならぬは金持に、なられぬといふ印かと涙ながらに**こってこって**、取りへぐ箱のうらめしく」〈浄瑠璃―伽羅先代萩〉
❷〔さま〕〔古〕不器用にたどたどしく事をするさま。ちょぼちょぼ。「義理有る中も子を思ふ恵みは厚き古合羽の、煙草入から**こってこって**銭取出して」〈浄瑠璃―新版歌祭文(お染久松)・近松半二〉

こってり ❶〔さま〕しつこいぐらい濃厚なさま。「小芋を、東京風に煮ると、**コッテリ**と、甘味《あまあじ》にして」〈食味歳時記・獅子文六〉「**こってり**した七宝の花瓶」〈白描・石川淳〉
❷〔さま〕じゅうぶんすぎるさま。いやというほど。ひどく。『**こってり**と油をしぼられる』「行きの物資だけで**コッテリ**儲かるよってに帰りはどうなってもええというとる」〈青い月曜日・開高健〉「バターとマーマレードを**こってり**ぬったトーストパンを」〈あじさいの歌・石坂洋次郎〉 ⬇使い分け「みっちり」

ごってり〔さま〕いやになるほど多すぎたり、しつこいさま。『**ごってり**飾りつけられた部屋』「**ゴッテリ**した風態をして人相が悪く、目のにごった男たちです」〈続泣虫記者・入江徳郎〉

こっとり ❶〔音〕かたいものがぶつかってたてる瞬間的な小さな音。こつん。かちん。『**こっとり**五百目《ごひゃくめ》』(＝昔、船舶が座礁するなどして、その修繕費に銀五百匁を要したといば、こっとりと音がすれう意から、何かすれば必ずいくらかの損害があるというたとえ)「汝等がさびくさりたる打物を**こっとり**と鞘に納て、梅翁先生の俳門に来れとはよくも囀りたり」〈俳諧―誹諧猿黐〉
❷〔さま〕味や色などが濃厚なさま。こってり。「よくしまった肉をもっさりとむしって汁にひたしてくへば**こっとり**した味がでる」〈銀の匙・中勘助〉
❸〔さま〕ある時点を境に、音もなく静まりかえるさま。「**こっとり**と風のやむ夜は藪

の梅〈其角〉」〈俳諧―発句手爾葉草〉

ごっとり ❶ 音・さま 大きい重いものが、ゆるやかに落ちたり、動いたりするときなどの音。また、そのさま。「イヤモウ胸の疑団《もやもや》が**ごっとり**さがって、文明世界に往生したは」〈文明田舎問答・松田敏足〉 ❷ さま 音もなく深く静まりかえって安定したさま。「雨の音は全く絶えて、**ごっとり**と風も凪いで、保の鼾が可愛《かはゆ》らしくすやすやと聞える」〈多情多恨・尾崎紅葉〉 ❸ さま 古 突然であるさま。こっくり。ぽっくり。「Gottori (ゴットリ) シヌ」〈和英語林集成―再版〉

こっとんこっとん 音 かたいものが規則的にぶつかったり、落ちたりしてたてる、軽やかな音。「無数の杵が**こっとんこっとん**と鈍な音をたてて一本足の踊るやうに米をつく」〈銀の匙・中勘助〉

ごっとんごっとん 音 かたくて重いものが規則的にぶつかったり、落ちたりしてたてる、重くにぶい音。「時々都内電車だけが仕方がねえやというように**ゴットンゴットン**走っているだけだ」〈安吾新日本地理・坂口安吾〉

ごっぱり さま 方言 じゅうぶんなさま。はなはだしいさま。「**ごっぱり**もらって来た」〈岩手県〉「今度の事については、家でも**ごっぱり**腹を立てている」〈岩手県〉

こっぽり ❶ 音 古 中が空洞のかたいものがぶつかってたてる音。「祇園の石壇の下あたりを、**こっぽり**こっぽりと下駄の足音して」〈談義本―身体山吹色〉 ❷ さま 全部がおおわれるさま。すっぽり。「坊主はおれが懐にと、**こっぽり**かぶる蒲団より早とろとろの草臥《くたびれ》寝入り」〈浄瑠璃―妹背山婦女庭訓〉 ❸ さま 山のように盛り上がっているさま。こんもり。「顔の方は、(白木綿で覆はれてはゐたが)**コッポリ**とした布団のふくらみの向ふで少しも見えなかった」〈母と子・里見弴〉 ❹ さま 方言 ささやかで平穏なさま。「**こっぽり**して、安気に(気楽に)やっとる」〈香川県〉「**こっぽり**した家たい」〈福岡県〉 ❺ 名 舞妓や女児用の底をくりぬいてある厚底の下駄。ぽっくり。「ノリ子のはいている**コッポリ**のコポコポと鳴る音がきこえてきた」〈弱い結婚・小島信夫〉「雪の素足に黒塗の**こっぽり**、何処へ出しても浜村屋の太夫と見ゆる優姿」〈洒落本―福神粋語録〉
✵歩くときにたてる音からいう。

ごっぽり さま 一度に多くのものを取ったり与えたりするさま。ごっそり。「最も深い褥瘡《じょくそう》の写真を見せてもらった。左右の腰からおしりに四つ。体が**ゴッポリ**とえぐられている」〈くらしのあした・朝日新聞・99・6・13〉 方言 残らず全部。また、抜け目なく上手なさま。「こっぽり」「こっぽい」ともいう。富山県・四国地方・九州地方北部。「**ごっぽり**もうけたぜよ」〈愛媛県〉「そんなもな、**こっぽり**やっしもうた(やってしまった)」〈高知県〉「**こっぽい**、しといやっ(うまいこと、していやがる)」〈佐賀県〉

こつり 音・さま かたいものがぶつかってたてる軽くかわいた音。とがったものなどで

使い分け

【共通の意味】
骨格や体格がかたく締まっているようす。

ごつごつ
がっしり／**がっちり**

❶「ごつごつ」は「病気してやせたので体が**ごつごつ**してきた」のように、骨が出て体つきがかたいようす。 ❷「大工だった祖父の体は、今でも**がっしり**している」のように、**がっしり**は、頑強で体格が安定したようす。**がっちり**は筋肉や骨組みに、ゆるみがなく、しっかりしたようす。「野球のキャッチャーは腰や肩が**がっちり**している」

軽くたたいたり押したりするさま。「無我夢中で足を藻掻《もが》いた。と、**こつり**下駄が足先に触れた」〈いのちの初夜・北条民雄〉

ごつり 音・さま かたいもの同士がぶつかってたてる重く大きい音。強くたたいたり押したりするさま。「『サア御覧じろ、〈略〉』と直太郎さんは大得意で、厚紙の裏を**ゴツリ**と一つ打ちました」〈山の力・国木田独歩〉「シルクハットも自分の体を**ごつり**とこづかれたやうな心持がして」〈ル・パルナス・アンビュラン・森鷗外〉

こつん 音・さま かたいものを一度打ち当てたとき、ぶつかってたてる軽く高い音。かたいものにぶつかるさま。「何かしら**こつん**としたものに鼻をぶつけることも忘れることが出来ない」〈格子の眼・島尾敏雄〉「ちいさなウイスキー・グラスを**こつん**と置いた」〈続絶壁・井上友一郎〉

ごつん 音・さま かたいものを打ち当てた際の重く、にぶい音。かたく重いもので強くたたいたりするさま。「**ごつん**と喰《くら》はして遣りたいやうな気もした」〈明暗・夏目漱石〉「彼は相手の顔を〈略〉いつまでも滅多打ちに**ごつん**、**ごつん**と打った」〈真空地帯・野間宏〉

ごてくさ さま さまざまなものが入りまじり、明確でないさま。「**ごてくさ**ごてくさ

させて二週間ほど引き延して了ったら遂に母親は死んで了った」〈女工哀史・細井和喜蔵〉

こてこて ❶ さま 数や量がむやみに多いさま。過度に濃厚でくどいさま。「古い装飾品の**こてこて**飾られた部屋」〈黴・徳田秋声〉「飯粒にて**コテコテ**と封じたる手紙の上封を」〈花間鶯・末広鉄腸〉 方言 あり余るほど。とことん。東京都・新潟県・京都府。「この油絵、絵の具を**こてこて**に塗ったるわ」〈京都府〉「そこまで**こてこて**にやることないやろ」〈京都府〉

❷ さま ある性質などを深くもっていて、いかにもそれらしいさま。「東京の下町の人間である私は、**コテコテ**の大阪人が大好きだ」〈下町のオキテ・畠山健二〉 方言「**こてこて**の大阪弁で、しゃべらはる」〈京都府〉

❸ さま 古 たどたどしく不器用にものごとを行うさま。「法名記せし書付を**こてこて**と取り出し、是知って居やしゃますか」〈浄瑠璃―持丸長者金笄剣〉

ごてごて ❶ さま 数と種類がくどいぐらいに多すぎるさま。「世の中に人間は**ごてごて**ゐるが、自分程坑夫に適したものは決してないに違ない」〈坑夫・夏目漱石〉「中味空っぽのもんを、御大層に**ごてごて**飾って威張ったって」〈鉈・真船豊〉

❷ さま・名 ものごとが入り組んで、もめるさま。また、そのようなことがら。「旦那が見世へ帰って来て、何だか**ごてごて**して居るから」〈歌舞伎―処女評判善悪鏡（白浪五人女）・河竹黙阿弥〉「鬼頭は〈略〉しょっちゅう子母沢との間に**ゴテゴテ**を繰返へした人物であります」〈法廷・富沢有為男〉

❸ さま わけのわからないことを物わかりがよくなく、あれこれ言うさま。「もう、勘忍してあげいな。あれをいほうばかりに、いろいろの事を、**ごてごて**いふたのじゃ」〈洒落本―箱まくら〉

こてっ ❶ さま 量の多いさま。味わいやありさまが濃厚なさま。こてこて。こってり。「料理の味には大きく分けて京味と浜味がある。私はね、ぴかっと光って**こてっ**とした漁師の浜味を出したい」〈FUKUOKA解体新書・西日本新聞・99・11・2〉

❷ さま 急に力が抜けたように倒れるさま。「回るのをあきらめて、**こてっ**と横に倒れてしまう。手作りコマは、まるでふがいない自分自身を見ているようで」〈新世紀いつかどこかで・北海道新聞・00・4・9〉

ごてっ さま 飾りなどの量が多すぎるほどあるさま。濃厚なさま。一か所にかたまってあるさま。『**ごてっ**とクリームののっ

たパフェ』

ごてひち [さま][古] 相手に対して注文をつけるさま。苦情を言うさま。ごたごた。ごてごて。「貴様やおれ共より余程上手な船乗や、学問した人が、相違ないといふてしっかり極て置た事を、貴様はゐらう**ごてひち**いふ」〈颶風新話（航海夜話）〉

こてんこてん [さま] もう立ち直れないぐらい徹底的に痛めつけられるさま。こてんぱん。「**コテンコテン**になぐられたことはありますよ」〈息子の縁談・林房雄〉

こてんぱん [さま] 反撃できないぐらいにやりこめられるさま。こてんこてん。「大いに闘志を燃やして、**コテンパン**にやっつけた」〈笹まくら・丸谷才一〉

こと ⬇コラム「こと・ごと」

ことこと ❶[音・さま] かたくかわいたものを軽くたたき続けたり、箱の中などでかたいものが軽くふれ合ってたてる高い音。また、そのさま。「戸棚の中で**ことこと**と音がしだす。小皿の縁を足で抑へて、中をあらして居るらしい」〈吾輩は猫である・夏目漱石〉「部屋の襖が**ことこと**と鳴った。風だらうと思ってゐたのだが、しばらくして、また**ことこと**と鳴った」〈陰火・太宰治〉 ❷[音・さま] 鍋の中のものが、静かに煮える音。また、そのさま。『**ことこと**煮込む』「鍋の中では鮒の味噌煮が**ことこと**音を立ててい」〈青べか物語・山本周五郎〉 ⬇使い分け「ちんちん」 ❸[声・さま] 快活な気分で笑う声。また、そのさま。「若桐のやうに足のよく伸びた白い裸身を眺めて、私は心に清水を感じ、ほうっと深い息を吐いてから、**ことこと**笑った」〈伊豆の踊子・川端康成〉 ❹[声] チャタテムシの鳴く声。とととと。「私が動き出すと、ぱったり鳴きやみ、私が静かにしてゐると、また**ことこと**と鳴き出す」〈人と鳥虫・薄田泣菫〉 ❋チャタテムシの名は、障子などに止まってたてる微音が茶の湯をたてる音に似ていることから名づけられた。 ❺[さま][方言] 温かいさま。「このコタツ**ことこと**じゃ」〈富山県〉「**ことこと**の足しとる」〈富山県〉「ぬくそうな服着て**ことこと**んなっとるにん」〈石川県〉 ❋気候には使わない。

ごとごと ❶[音・さま] かたくて重いものが、連続してぶつかったり、振動してたてる重い音。力を込めて何かを打つ音。また、そのさま。「隣家の馬の**ゴトゴト**と羽目板を蹴る音のみが聞えた」〈鳥影・石川啄木〉 ❷[音・さま] もののよく煮える音。また、そのさま。『お鍋が**ごとごと**煮えている』

使い分け

ごっそり

【共通の意味】大量のものが取り去られるようす。

がっさり／がっぽり／そっくり／すっかり

❶**ごっそり**、**がっさり**は、大量にあるものを全部持っていく場合に使う。**ごっそり**のほうが一般的。「泥棒に店の商品を**ごっそり**持っていかれた」 ❷**がっぽり**は大金などを持っていく場合に使う。「稼いでも税金を**がっぽり**取られてあまり残らない」 ❸**そっくり**、**すっかり**は、あるものを残らず持っていく場合に使う。**そっくり**は「初めてもらった給料袋を**そっくり**親に渡す」のように、そのままというようす。**すっかり**は、「部屋の家具を**すっかり**運び出した」のように、全部残らずというようす。

❸[さま][方言] 急がずにするさま。ゆっくり。「今から**ごとごと**行たち、間に合う」〈高知県〉「無理せんように**ごとごと**やりより」〈高知県〉

ことっ [音・さま] かたいものが一瞬打ち当たったり、動いたりしてたてる軽く小さい音。また、そのさま。『玄関でなにか**コト**

コラム　オノマトペのもと

こと・ごと

「こと」は、小さい音、軽やかな音を表し、「ごと」は、大きい音や重量感のある音を表す。たとえば「弱火でことこと煮る」のに対して、「ごとごと」は、沸騰して煮立っているようすを表す。汽車の音などは、「ごとんごとん」「がたんごとん」と表すことが多い。

「ことこと」「ごとごと」は、連続して鳴る音を表し、「ことっ」「ことり」「ことん」「ごとっ」「ごとり」「ごとん」は一度鳴る音を表す。また、「ことっ」が瞬間的に鳴る音を表すのに対し、「ことり」「ことん」は、はっきりと音のひびきが残る場合にいう。

「ことり」は、音が鳴って動きが終わる印象を与え、「ことん」は、音が鳴った後の動きに弾みがついている印象を与える。

「こっとん」「ごっとん」は、ものがぶつかったりゆれたりしてたてる大きな音や、水車などが回るときの音のように、ゆったりした動きの音などを表す。

【ことの語群】

ことこと・ごとごと
ことっ・ごとっ
ことり・ごとり
こっとり・ごっとり
ことん・ごとん
ことんことん・ごとんごとん
こっとん・ごっとん

	汽車が—(と)ゆれる	鉛筆が—と落ちた	—(と)煮こむ
ことこと	—	—	○
ことっ	—	○	—
ことり	—	○	—
ことん	—	○	—
こっとん	—	—	—
ごとごと	○	—	○
ごとっ	○	—	—
ごとり	○	—	—
ごとん	○	—	—
ごっとん	○	—	—

【表現】

「ことり」は、小さな物音を表し、静寂のようすを「音がことりともしない」などということがある。

「こっとり五百目《ごひゃくめ》」というのは船人の諺《ことわざ》で、船舶が座礁したり、その他のものにふれて「こっとり」と音がすれば、その修繕費に銀五百匁《もんめ》が必要となるという意味。何かすれば必ずいくらかの損害があるというたとえに用いられたという。

似た表現に「がったり三両」があるが、「がったり」は、家をちょっと修理するさまとも、ものがこわれるさまともいう。ものごとを少しでも行うと、すぐ金銭に関係してくることをいった。

「ことこと」を笑い声に使う表現もある。小説『伊豆の踊子』(川端康成)の中に、「私は心に清水を感じ、ほうっと深い息を吐いてから、ことこと笑った」というくだりがある。また、「胸の動悸がことこと激しく鳴ってゐる」(『泣虫小僧』林芙美子)や「心臓がコトコトと音を立てて」(『パンドラの匣』太宰治)のように、心臓の激しい鼓動を表した例もある。

(中里理子)

ッと音がした』「その人が受話器をことっと置いてふところから名刺入を出して」〈グスコー・ブドリの伝記・宮沢賢治〉

ごとっ 音・さま かたいものが一瞬打ち当たったり、動いたりしてたてる重く大きな音。また、そのさま。『トロッコが**ゴトッ**と動き始めた』

ことり 音・さま 小さくかたいものがふれてたてる、きわだってひびき伝わる音。また、そのさま。「お今は**ことり**とも音のしない、台所でそれを聞いてゐた」〈爛・徳田秋声〉

ごとり 音・さま 大きいものがぶつかったり、動き出す際に一度たてる重々しげな音。また、そのさま。「不意にすかし戸が**ごとり**といってやっと開ぁいた」〈めぐりあひ・二葉亭四迷訳〉

ことりことり 音・さま かたく小さなものが連続的にかたいものに当たってたてる軽くかわいた音。また、そのさま。ことこと。ことんことん。「石像の如く立って居た番兵は銃を肩にして**コトリコトリ**と敷石の上を歩いて居る」〈倫敦塔・夏目漱石〉

ごとりごとり 音・さま 大きいものが、重そうに、時間をかけて動く音。また、そのさま。ごとごと。ごとんごとん。「途端に『ああア』と大欠伸して権作が**ゴトリゴトリ**と出て来たのである」〈良人の自白・木下尚江〉「大きい石の**ごとりごとり**と流れる音が、彼女等の枕もとに響いた」〈温泉宿・川端康成〉

ことん 音 かたく小さいものがぶつかってたてる軽くはずんだような音。「小田貫は杖《ステッキ》を**コトン**と叩いて」〈社会百面相・内田魯庵〉「土地が凹《くぼ》んだところへ行くと、橇《そり》は**コトン**と落ちこんだ」〈橇・黒島伝治〉

ごとん 音 重く大きいものが、ぶつかったり、はずみをつけて動く際にたてる、重くにぶい音。「少女が汽車に乗ったとたんに、**ごとん**と発車だ」〈津軽・太宰治〉

ことんことん 音・さま かたく小さなものが連続的にぶつかってたてる規則的な軽い音。また、そのさま。ことこと。ことりことり。「水車の**ことんことん**と廻る音がかすかに聞えるやうでもある」〈星座・有島武郎〉

ごとんごとん 音・さま 重く大きいものが、連続的にぶつかったり、時間をかけて動くときの規則的なにぶい音。また、そのさま。ごとごと。ごとりごとり。「汽笛が川に響き渡って、船は**ごとんごとん**さあっさあと水を切って動き出す」〈野の花・田山花袋〉

ごにょごにょ さま ことばが、口ごもって明瞭に聞きとれないさま。ちょっとした行為をするさま。「どうや、上へあがっていっしょに**ゴニョゴニョ**やって来はれへんか」〈冷え物・小田実〉 ⬇使い分け「ぼそぼそ」

こびこび さま 方言 もの惜しみするさま。けちけち。「まあそんに**こびこび**せんとうんと買うとけ」〈京都府〉

ごぶごぶ ❶ 音・さま 水が泡立ったり、液体がわき出る際の、にごった音。また、そのさま。ごぼごぼ。「大きい子なら洗口剤やうがい薬で『**ゴブゴブ**』するのも効果があります」〈わくわく子育て・朝日新聞・96・11・28〉「涙が**ごぶごぶ**と湧いて来たので」〈記念碑・堀田善衛〉

❷ 音・さま 飲みものを勢いよくのどに流しこんだ際の音。また、そのさま。ごくごく。「中世が色濃く残る町並みに囲まれながら**ゴブゴブ**とノドに流し込んだ毎日。いったい何リットル飲んだろうか」〈キャンパる・毎日新聞・06・10・6〉「おいの坂の茶やで、**ごぶごぶ**と仕りました」〈狂言―木六駄〉

❸ 音・さま 液体を容器に入れてはげしく振ったときの音。また、そのさま。「とくりとってふって見、何じゃやら、**ごぶごぶ**いふといへば」〈咄本―軽口腹太鼓〉

こぶりこぶり 音・さま 古 飲みものを、飲み下す際に鳴るのどの音。また、そのさま。「のどがかはくと、**こぶりこぶり**とにゐば

なの、茶びんあたまをふり立て」〈浄瑠璃—長町女腹切・近松門左衛門〉

こほ ➡コラム「こほ・こぽ・ごほ・ごぼ・ごぽ」

こほこほ 音 軽いせきをする音。けほけほ。こんこん。『タバコにむせて、**コホコホ**と咳が出た』

こぼこぼ 音 液体が容器の中でゆれ動いてたてる低い音。液体を注ぐ音。「帰りの手桶が軽くなった時は勘次の好きな酒が**こぼこぼ**と罎の中で鳴って居た」〈土・長塚節〉「空気を肺に送りこむ音が水槽の中で**コボ、コボ**ときこえてくる」〈海と毒薬・遠藤周作〉

こぽこぽ ❶音 中が空洞のかたいものがぶつかってたてる音。「ノリ子のはいているコッポリの**コポコポ**と鳴る音がきこえてきた」〈弱い結婚・小島信夫〉「**コポコポ**と軽く木履《ぼくり》を踏む音を立てて」〈ラグーザお玉・木村毅〉

❷音 液体が泡立つ音。「**コポコポ**と勢いよく透明な油があふれてくる。ケーブルに詰まっている絶縁油だ」〈電力考・読売新聞・99・7・8〉

ごほごほ ❶音 強くせきこむ際に、のどの奥から出る音。「喘息《ぜんそく》らしい咳嗽《せき》を**ゴホゴホ**して居る癖に、始終煙管《きせる》を離さない」〈南小泉村・真山青果〉

❷音 液体を注ぐ音。煮えたぎる湯の音。「**ごほごほ**と云ふ音を立てて、湯は流れおちていった」〈あらくれ・徳田秋声〉

ごぼごぼ 音 液体などがゆれ動いたり、流れたりするときに空気と入りまじってたてる、重くにぶい音。「ウイスキーのびんを取り出し、**ごぼごぼ**と森口のグラスに注いだ」〈こがね虫たちの夜・五木寛之〉「石炭の燃える**ゴボゴボ**といふ果しない単調な音が人の心を原始の虚無感に誘った」〈若い人・石坂洋次郎〉「すこぶる小通をこらへてゐたら、下ッ腹が**ゴボゴボ**鳴って心持が悪くなったはへ」〈西洋道中膝栗毛・仮名垣魯文〉

ごぽごぽ 音 液体などがゆれ動いたり、流れるときに空気と入りまじってたてる、軽く明るい音。「嚳の煤けた土瓶へ**ごぽごぽ**と注いで自在鍵へ掛けた」〈土・長塚節〉

ごぼっ ❶音 水中から泡が出るときなどにたてる、重くこもった音。「私はそのまま銃を水に投げた。**ごぼっ**と音がして、銃は忽ち見えなくなった」〈野火・大岡昇平〉

❷さま ものが急にへこんだり落ちこんだりするさま。『道に**ごぼっ**と大きな穴があいていた』

ごほり 音 のどにつかえ、こもったせきを一回する音。ごほん。「心当りがあるか、**ごほり**と咳きつつ」〈婦系図・泉鏡花〉

ごぼりごぼり ❶音・さま 水などがゆれ動いて空気と入りまじって規則的にたてる、重くこもった音。また、そのさま。「鷺のやうに足を蹻《あ》げては踏み込んで、**ごぼりごぼり**と遣って行く」〈雁・森鷗外〉

❷音 のどにつかえた重いせきを何度もする音。「どこか壊れた、濆水は〈略〉落葉のかげに埋まって**ゴボリ、ゴボリ**と咳をする」〈童謡—秋のお庭・川路柳虹〉

こほろ 音古 かたいものがぶつかってたてる音。かたん。「大きなる鞍櫃《つひ》の様なる物の有けるが、人も不寄ぬに、**こほろ**と鳴て蓋《ふた》の開ければ」〈今昔物語集〉

ごほん 音 のどにつかえた重いせきを一回する音。「痩せた両肩を聳やかして、又**ごほん**と云ふうつろな咳を一つした」〈野分・夏目漱石〉

こほんこほん 音・さま 軽いせきを続けてする音。また、そのさま。「襖一重の隣室には**コホンコホン**咳をして、それから呟く声がする」〈何処へ・正宗白鳥〉

ごほんごほん 音・さま 強くせきをする音。病気や、むせるなどして、何度もせきこむさま。『「どうぞ穏便に頼む、頼む、**ごほんごほん**』とむしゃうに咳をせく」〈歌舞伎—黒手組曲輪達引・河竹黙阿彌〉「私は東北生れの癖に、寒さに弱く、**ごほん、ごほん**

変な咳さへ出て来て」〈九月十月十一月・太宰治〉

ごぼんごぼん 音・さま 水などが下から大きくわき上がったり、かたいものがやわらかいものに当たって、へこませる際に出る、重くこもってひびきのある音。また、そのさま。『一斗缶をごぼんごぼんとけり飛ばした』「白い泡の交った波がごぼんごぼんと鳴っていた」〈海底都市・海野十三〉

ごみごみ さま 混雑しているさま。まとまりがなく、雑然としているさま。「浅草のゴミゴミした街の古道具屋の店先」〈善心悪心・里見弴〉

ごもごも さま ことばが口の中でこもって聞きとれないさま。「ごもごもと自分では何を言っているのかわからない返事をした」〈夜と霧の隅で・北杜夫〉

ごやごや 音・さま さまざまな物音がまじり合うさま。がやがや。「目覚めた町の物音が、ごやごやと聞えてゐた」〈あらくれ・徳田秋声〉

こり ⇩コラム「こり・ごり」

こりこり ❶ 音・さま 歯ごたえや弾力のあるものを、歯切れよくかむ音。また、そのさま。「ときどき肉ともおもえぬ小さなコリコリした粒が歯に当るものがよい」〈贋食物誌・吉行淳之介〉

❷ さま 肉づきがかたく締まって、弾力のあるさま。体が凝ったりして、中のほうで肉塊がかたくなっているようなさま。「コリコリと締まった胴の筋肉を俺の腕の中で蛇の様にうねらして」〈機関車に巣喰ふ・龍胆寺雄〉「机へおしりをむけ背中を紫檀の机のわくの彫ものの隆起へこりこりと当てながら」〈一平氏に・岡本かの子〉

❸ さま 古 厚手で、手ざわりがかたく、こわばっているさま。「羽おりは上田の三筋立のこりこりするやつをたたんで」〈洒落本—嘉和美多里〉

❹ 名 古 たくあん漬けをいう女房詞《ことば》。「二位殿よりこりこりまいる」〈御湯殿上日記〉

✿食べるときの音から出た語。

ごりごり ❶ 音・さま 強く力を込めてこすったり、踏みつけたり、かんだりする音。また、そのさま。「甘味噌と辛味噌を適当にまぜて、すり鉢でゴリゴリすって、味噌こしで漉して」〈私の浅草・沢村貞子〉「唾をボトリと吐き、吐くとあわてて靴裏でそいつを床にごりごりとこすった」〈故旧忘れ得べき・高見順〉「早速、安全剃刀を出して、ごりごり撫でたら、難なく取れてしまった」〈百鬼園随筆・内田百閒〉

❷ さま 厚い織物などの、かたくこわばったさま。「上等なパナマ帽子で、服も、薄色のゴリゴリした麻だった」〈自由学校・獅子文六〉「昔の織物は何でも此の通りごりごりしてゐる」〈蓼喰ふ虫・谷崎潤一郎〉

❸ さま かたくなで頑迷なさま。「浅薄でない人間と云へば頭のゴリゴリな学者が多かった」〈竹沢先生と云ふ人・長与善郎〉

こりっ ❶ 音・さま たくあん漬け、ぬか漬け、あめ、氷などのようなかたいものを、一瞬歯切れよくかむ音。また、そのさま。『ついコリッと飴をかむのがくせだ』「《一見あたりまえ、食ってびっくり大野イモ》といわれるだけあって、肉質がコリッとしまっていて一度口にしたら忘れられなくなるという貴種であり」〈吉里吉里人・井上ひさし〉

❷ さま 好もしい弾力や歯ごたえがあるさま。「太刀魚の身を口中にすれば、コリッとした素晴らしい歯ざわりである」〈舌つづみ各駅停車・渡辺文雄〉

ごりっ 音・さま かたいものを強くかんだり、ひっかいたり、押しつけたりする音。また、強引なさま。『後ろからごりっと肘で押してきた』

ころ ⇩コラム「ころ・ごろ」

ころころ ❶ 音・さま 丸いものや小さいものの、円筒形や車輪状のものなどが転がっていくときの軽く高い音。また、そのさま。「赤ちゃけた畳の上に茹卵《ゆでたまご》が二つころころと転げ出したが」〈鶯・伊藤永之介〉

コラム オノマトペのもと

こほ・こぽ・ごほ・ごぼ・ごぽ

現代語では「こほ」「ごほ」系はせきの音、「ごぼ」「こぽ」系は液体の音と分けられる。これらは多く、近代以降に使われだした表現なのだが、「こほこほ」と表記される語は平安時代の用例がいくつかある。この古い時代の「こほこほ」について考察してみたい。

実は、当時は濁点が使用されていなかったため、仮名表記からは語の清濁が判別できない。日本語のハ行子音は、古代にはPであったのが、一〇世紀ごろまでに両唇摩擦音のΦに変化したと考えられているが、オノマトペにおいてはP音が継続して使い続けられてきたという解釈もあり、「こほ」の表記が「コファ・コポ・コボ・ゴファ・ゴポ・ゴボ」のどの発音かは特定できない。

【こほの語群】
こほこほ・こぽこぽ・ごほごほ・ごぼごぼ・ごぽごぽ
こほっ・こぽっ・ごほっ・ごぼっ・ごぽっ
こほり・ごほり・ごぼり・ごぽり
こほん・こぽん・ごほん・ごぼん・ごぽん

実例を見ると『蜻蛉日記』には、大晦日の厄災払いで「こほこほはたはたとする」(どたばた騒ぐ)や、鵜飼見物で居眠りしていて「ふなばたをこほこほとうちたたく音」で目が覚める、という描写がある。「(冷えで腹をこわし)腹こほこほと鳴れば」(『落窪物語』)、「(沓を高く踏みならす音が)こほこほとこほめき」(『枕草子』)ともある。『源氏物語』には三例あるが、「こほこほと鳴る神(雷鳴)」「(錆びた門を)こほこほと引き」「屏風のもとに寄りて、こほこほと畳み寄せて」と三様だ。こうした異質の物音が同じ「こほこほ」で表現されているのは、ある場合は「ゴボ」、別の例は「コポ」と、発音が違っていたからと考えれば少し整理できるだろうか。が、この点について、本居宣長の門下生・藤井高尚が面白いことを述べている。

高尚はその著作『三《みつ》のしるべ』の中で、平安仮名文学にオノマトペが少ないことにふれ、源氏・落窪・蜻蛉の「こほこほ」と書かれる音が同じようでないのは、それぞれの音を「まさしくはかかざりし」点で和歌と同じく、「みやびたる詞をえらびつる」からだとし、「ものの声をばきくままにかきとらんとするはわろし」とまとめる。つまり、「いやしい」ものの音は、具体的に描写せずに、朧化《ろうか》した既成の形式にとりあえず放りこんでしまうのが古代のやり方だった、というのである。これですべてが説明できるわけではないが、彼の説にも一理ある。確かに平安時代の仮名物語ではオノマトペの使用場面が非常に限定的で、卑俗的だったり滑稽だったり、つまり「非貴族的」であるという特徴がある。とすると、「貴族社会の人々には耳慣れない、変な音がしている」ことを表す記号として「こほこほ」と書けばじゅうぶんだったとも考えられる。

もう一つ重要なのは、オノマトペは現実の音をそのまま写したものではないという点だ。日本語では玄関のベルをピンポン、学校のチャイムをキンコンなどと表すが、英語ではどちらも dindon と表す。現実の「音」をどのように聞き分け、区別するか、どのような語形で表現するかは、使用者の「共通理解」に依《よ》っており、言語や時代によっても異なるものなのである。(宮武利江)

「芋の方が一本**ころころ**と往来の中へ落ちた」〈坑夫・夏目漱石〉

❷音・声・さま 鈴の鳴るような高くすんだ音。高い声で、明るく笑いころげるさま。また、そのように快活なさま。「すると勝気なわたくしは可笑しそうに、**ころころ**と笑わずにはいられなかった」〈婉という女・大原富枝〉 ⇩使い分け「からから」

❸声 カエルやコオロギの鳴く声。「何処からともなく蛙の**コロコロ**と咽喉を鳴らす声が聞えて来ると」〈崖の下・嘉村礒多〉

❹音 水が軽やかにわき出したり、流れる音。「石の間から奇麗な水が、**ころころころころ**湧き出して」〈双子の星・宮沢賢治〉「遣り水の音**ころころ**と流るるに付けても」〈仮名草子－可笑記〉

❺さま 丸いさま。ほほえましく思えるほど、丸々と太っているさま。「**ころころ**と太ったおかみさんが」〈赤い自転車・阿川弘之〉

❻さま あちこちに点在するさま。『シカのフンが**ころころ**していた』「軍陣が**ころころ**なれば破りよいが、固てちともころころにないほどに、やぶらうやうがない」〈毛詩抄〉

❼さま あっけなく状況や態度が変化するさま。『考えが**ころころ**変わる』「河豚くふたとて其様に、**ころころ**と死ぬものではないとした所が」〈寄合ばなし・榊原伊祐〉「階段の処で躓《つまづ》いて、将棋倒しに**ころころ**と折重って倒れた」〈田舎教師・田山花袋〉

❽さま 方言 心中大いに喜ぶさま。「娘に愛想よくされて、おふくろは**ころころ**だ」〈東京都〉

❾さま 方言 疲れたさま。「孫二人の相手しとったら**ころころ**の目におーたちゃ」〈富山県〉「十里も歩いたら**ころころ**になった」〈富山県〉

ごろごろ ❶音・名 雷のとどろきひびく音。雷をさす幼児語。「すると遠くで**ゴロゴロ**と云ふ雷鳴で」〈真景累ケ淵・三遊亭円朝〉

❷声 ネコなどがよろこんでのどを鳴らす声。「彼の大猫も〈略〉大威張りに、**ゴロゴロ**咽喉を鳴らして居り升《まし》た」〈小公子・若松賤子訳〉

❸音・さま 丸いもの、大きいもの、重いものなどが転がってゆく音。また、そのさま。「丸いものは**ごろごろ**どこへでも苦なしに行けるが」〈吾輩は猫である・夏目漱石〉⇩使い分け「がらがら」

❹さま あちこちに、ものが雑然と、または無造作に転がっているさま。どこにでも見つかるほどありきたりなさま。「その死骸は皆、〈略〉**ごろごろ**床の上にころがってゐた」〈羅生門・芥川龍之介〉「似たような金言や格言が昔から**ごろごろ**しているんですよ」〈明日への楽園・丸山健二〉

❺さま 仕事をしないで、むだに暮らしているさま。「勉強もしない、落第もする、**ごろごろ**して居る」〈虞美人草・夏目漱石〉

❻さま 角張っていたり、小さいものが間に入って違和感のあるさま。「その手は女のやうに小さかったが、黄色い袖口からのぞいてゐる手首がひどく**ごろごろ**骨張ってゐた」〈鶯・伊藤永之介〉「コレサ目のうちが**ごろごろ**するは」〈人情本－明烏後正夢〉⇩使い分け「ざらざら」

ごろちゃら さま ものが雑然と放置されてあるさま。また、いい加減に過ごすさま。「私の盗だ嗽茶碗が〈略〉久しく私の家に**ゴロチャラ**していた」〈福翁自伝・福沢諭吉〉

ころっ ❶音・さま 丸いものなどが、一瞬転がる音。また、そのさま。「お前の首を此中へ入れるのだ、**ころっ**と落して直に落ちるから、早く落しておアひなさい」〈金色夜叉・尾崎紅葉〉

❷さま 寝ころがるさま。横たわるさま。「どこも体わるないのに話をしてもすぐ**ころッ**とよこになってしまう」〈青い月曜日・開高健〉

❸さま 小さくて丸い感じを与えるさま。「つまみ上げると、皮膚の脂肪《あぶら》っぽい**コ**

コラム　オノマトペのもと

こり・ごり

「こり」は、あられ菓子や氷などのかたいものをかむときの音や、かたいものをこすったり、つぶしたりするときの音やようすを表す。「ごり」のように濁音になると、「こり」に比べて対象物のかたさが増し、当たったときの衝撃も大きい。また、無理に力をかけているという印象が伴う。

「こりこり」は、繰り返しの音を表すほかに、擬態語として、弾力があるようすを表すときにも使われる。「鍛えた筋肉がこりこりと締まっている」「コリコリとした歯ざわりのフグの刺身」などと表現する。

「ごりごり」も、ものを削ったり、すりつぶしたりする連続音のほかに、擬態語として、織物の手ざわりがかたいようすや、考え方が凝り固まっているようすを表す。

【こりの語群】

こりこり・ごりごり

こりっ・ごりっ

	―(と)かむ	布が―(と)する	―(と)すりつぶす
こりこり	○	△	―
ごりごり	○	○	○
こりっ	○	△	―
ごりっ	○	△	△

【表現】

「こりこり」は、食感表現によく使われる。二〇〇四年に首都圏で一般の人に調査したところ、「こりこり」を食感表現に使うと答えた人の割合は、男女とも、いずれの年齢でも八〇パーセントを超えていた。また、調理の専門家に調査したところ、「こりこり」は、サザエ、アワビ、クラゲ、キクラゲなどによく使われることがわかった。これらは毎日食べるものではないが、時折楽しみたくなる心地よい食感の食べ物である。奥歯にひびくこりこりした食感はとても快い。「こりこり」はそんな快い食感の表現である。

その特徴的な快い食感は、食べ物自体の名前にも影響したようだ。たとえば、こりこりはトコロテンの語源であるという説がある。トコロテンは「心太」と書くが、これは、「こりこり」が「こころ」に転じ、心の字が当てられたという説だ。また、そのこりこりした食感から名づけられたのであろうが、室町時代の女房詞で、「こりこり」といえばたくあん漬けのことをさした。

「ごりごり」は、「こりこり」とはかなり印象が異なる。「こりこり」よりもかたいものを食べるときの表現だが、無理に力をかけている印象があるせいか、どちらかといえば不快な食感の表現だ。

先述の二〇〇四年に首都圏で行った調査では、「ごりごり」を食感表現に使うと答えた人の割合には年齢差があった。若年層ではあまり使われず、年齢が高くなるにつれて割合が高くなっていた。確かに、「ごりごり」の根菜類や雷おこしのようなかたい菓子は、若者はあまり経験していないのであろう。食経験の差がことばの差になっている可能性がある。食べ物の変化とともに、食表現としての「ごりごり」はすたれつつあるのかもしれない。

（早川文代）

ロッとした身体の感触がゾッときた」〈蟹工船・小林多喜二〉

❹ さま あっけなく死んでしまうさま。「脳溢血でコロッといてまいよったがな」〈林檎の下の顔・真継伸彦〉

❺ さま 事が容易に行われるさま。事を容易に行うさま。『コロッとだまされる』「この直輸入農法さコロッと乗さっちまったのす」〈吉里吉里人・井上ひさし〉

❻ さま 急に、まったく変わってしまうさま。すっかり。「現像の方かてころっと忘れてしもたという訳じゃないですよ。いまだに仲間の撮したのを時々現像してやってるけど」〈わが町・織田作之助〉

ごろっ ❶ 音・さま 重いもの、大きいものなどが転がる音。また、そのさま。ごろり。「蓋を持ちあげるたび、**ごろっ**ごろっと石が少しずつ動いている様子です」〈狐物語・林芙美子〉

❷ さま 無造作に置いたり、横たわるさま。「私は**ゴロッ**と仰向きに寝転んで、猫を顔の上へあげて来る」〈愛撫・梶井基次郎〉

❸ さま 許容や予想をこえた大きさのものが含まれるさま。『目に**ごろっ**としたゴミが入った』『具が**ごろっ**とたっぷりのカレー』

ごろにゃん 声 ネコなどが甘えてのどを鳴らす声。ごろにゃーご。「師直は前生が猫にて、**ごろにゃん**ごろにゃんと啼きける故」〈忠臣蔵前世幕無・山東京伝〉 ⇩鳴き声編

ころり ❶ さま 小さいものが転がり落ちるさま。「大きく見開いた茶色の眼が、いまにも**ころり**と飛び出しそうな光りかたで」〈茶色の眼・林芙美子〉

❷ さま ものや人が軽く転んだり、横になったりするさま。「**ころり**と横になって胸のあたりをはたはたと打あふぐ」〈にごりえ・樋口一葉〉「そこへ兎が飛んで出て、**ころり**、ころげた、木のねっこ」〈童謡―待ちぼうけ・北原白秋〉

❸ さま かわいらしく感じられるぐらい丸みをおびているさま。「まあどう云ったらいいだらうな、一寸**ころり**とした可愛いのがゐた」〈残夢・井上友一郎〉

❹ さま あっけなく死ぬさま。たやすく寝入るさま。「来月の月見にゃあお前**ころり**と死になさるがいい」〈歌舞伎―勧善懲悪覗機関（村井長庵）・河竹黙阿彌〉「**ころり**と寝て、足をばたん」〈二人女房・尾崎紅葉〉

❺ さま 事がたやすく行われるさま。「秀才や美青年を、ケトバシてきた彼女が、五百助のような男に、**コロリ**と参ってしまったのは」〈自由学校・獅子文六〉

❻ さま 前の状態から何の抵抗もなく変わってしまうさま。すっかり。まったく。「此学問で斗りしった事は**コロリ**と忘れてしまふて」〈颶風新話（航海夜話）〉「いかなる頑なる財人も重財をほろぼし、皆**ころり**と堅気を止《めや》上粋の悟りを開き」〈談義本―当世花街談義〉 ⇩使い分け「あっけらかん」

❼ 名 古 病名。コレラのこと。「**コロリ**がはやったので、一コロリ二コロリと二遍もあった」〈銀の匙・中勘助〉

✸オランダ語のコレラ（cholera）に「ころりと死ぬ」の「ころり」の連想が加わってできた語。

ごろり ❶ さま 重たげにものが転がるさま。「長い辮髪をぶらさげた首が、**ごろり**と床の上へころげ落ちた」〈首が落ちた話・芥川龍之介〉

❷ さま 人が体重をかけて転がるさま。横たわるさま。「旅の労《つか》れもある事だから、仰せに従って、**ごろり**と横になると」〈吾輩は猫である・夏目漱石〉

❸ さま 厚みや重みのあるさま。『**ごろり**とした肉の塊』

ころりからり 音 かたく小さいもの、かたくかわいたものなどが、転がりぶつかってたてる音。「又湊へ舟が入るやらうかろのをとが**ころりからり**と」〈歌謡―閑吟集〉

ころりころり ❶ さま 転がってはとまり、

ころ・ごろ

「ころ」「ごろ」は「転ぶ」「転がる」と同根で、転がる音やようすを表す。

「ころころ」は、小さな丸いものが、ある程度のスピードを保って転がり続けるようすや音を表したり、女性が軽やかに笑うようす、数あるものがまとまらずに点在しているようすなどを表し、室町時代にはすでに使われていた。また、次々といとも簡単にものごとが行われるようすも表す。

「ごろごろ」は、「ころころ」よりも大きく重いものが転がるようすや音を表したり、雷の音、ネコがのどを鳴らす声なども表す。また、ものがあちこちに散らばって、そこここにあるようすや、人が何もせずに無為に過ごしているようすなどを表す。

「ごろごろ」が目の中の異物をさすこともある。異物そのものは決して大きくもなければ、重くもないが、うっとうしく邪魔で、気になって仕方がなかったり、痛みを伴ったりというマイナスのイメージがある。

促音がついた「ころっ」「ごろっ」や、「り」がついた「ころり」「ごろり」、撥音《はつおん》がついた「ころん」「ごろん」は、いずれも一回転がるようすを表すが、「ころっ」「ごろっ」は、他の二種よりスピード感があり、「ころり」「ごろり」は転がったところで留まり、「ころん」「ごろん」には弾むように転がるようすを表すといった違いがある。

清音に比べると濁音はどれも転がるものに重量感が感じられる。


【ころの語群】

ころころ・ごろごろ
ころっ・ごろっ
ころり・ごろり
ころん・ごろん
ころりん・ごろりん

【表現】

野球で使われる「ゴロ」は、英語のグラウンダー（grounder）からきたことばだという。日本語に取り入れられた外来語は、当初は五拍や六拍の長い語であっても、プロ、パソコン、コンビニ、などのように二拍や四拍に短くなって定着することが多い。グラウンダーはオノマトペの「ごろ」と音も似ており、意味も矛盾がなく、打者が打った球が転がることが「ゴロ」で定着したものと考えられる。

休みの日に「ごろごろ」するのは、生産的とはいえなくても、リラックスした休みらしい休みの過ごし方といえるかもしれない。

「ごろり」とちょっと横になって休む「ごろ寝」のための「ごろ寝布団」「ごろ寝枕」「ごろ寝マット」なども売られている。

干し柿はつるし柿、ころ柿などと地方によって呼び名が違うが、甲州などでころ柿（枯露柿・転柿）と呼ばれるのは、皮をむいた柿にひもをつけ、それを棒にかけて干すとき、じゅうぶん乾燥するように「ころころ」と次々に動かすからという説や、その後、平らにひろげて転がすように「ころころ」と表裏を返しながらさらに乾燥させるところからという説、また、形が丸く「ころころ」しているからという説などがある。

コレラが江戸時代に「ころり」「三日ころり」「とんころり」と呼ばれていたことがある。オランダ語のコレラ（cholera）が訛《なま》り、また、あっけなくころりと死んでしまう病であったためである。

（守山惠子）

転がってはとまるさま。「**ころりころり**ところぶほどに、はるかの谷にころびつく」〈狂言―文蔵〉

❷さま 続けて倒れたり、回転するさま。「乱れた隊列の中から、そのたびに一人また一人、草ッ原や、畦《ぜあ》の上に**ころりころり**倒れた」〈パルチザン・ウォルコフ・黒島伝治〉

❸さま あちらこちらに横たわっているさま。「下女共は〈略〉おのがまにまに**ころりころり**と前後もしらず高いびき」〈黄表紙―色競手管巻〉

❹さま 異性の魅力によって、何人もの人がたやすく、そのとりこになるさま。「かの可愛らしい目もとを感心しては〈略〉いか成腹藁九回の傑客、謀略遁甲の良士といへども**ころりころり**といふ物になる事」〈随筆―独寝〉

ごろりごろり ❶音・さま 重いもの、大きいものが、時間をかけて転がったり回ったりするさま。「**ごろり、ごろり**、――トロッコはさう云ふ音と共に、三人の手に押されながら、そろそろ線路を登って行った」〈トロッコ・芥川龍之介〉

❷さま 重いもの、大きいものが、いくつか転がっているさま。何人かが横たわるさま。『土中に瓦礫が**ごろりごろり**埋まっていた』

❸さま 人が横たわるさま。何もしないで過ごすさま。『休日は家で**ごろりごろり**しているだけだ』

ころりばったり さま 簡単に転んで倒れるさま。簡単に死んでしまうさま。「乳が無けりゃア癇《かん》の虫で、今の間に**ころりばったり**」〈歌舞伎―勝相撲浮名花触〉

ころりん ❶音・名 琴の音。また、琴の弾き方をいう。「**ころりん**と掻き鳴らし、又**ころりん**と掻き乱す」〈虞美人草・夏目漱石〉

✻「ころりん」は、琴の旋律を表した語。→ころりんしゃん。

❷さま 丸いもの、小さいものがかわいらしく、また、軽やかに、はずむように転がり落ちるさま。『すってん**ころりん**』「親豚**コロリン**と落ちました」〈童謡―ズイズイズッコロ橋・西条八十〉

ごろりん さま 重いもの、大きいものなどが、はずみをつけて転がり落ちるさま。人が横たわるさま。『**ごろりん**と横になり、そのままふて寝した』

ころりんしゃん 音・名 琴の音。また、琴の弾き方をいう。「どこかの内で琴を弾じる音が**コロリンシャン**と至極のどかに聞えてゐるばかりだ」〈心理試験・江戸川乱歩〉「びしゃもんさまの御そなひをねずみがおとしてことはしらにあたってしぐれの松かぜ**ころりんしゃん**」〈端唄―大つゑ畢〉

✻琴で最も多く使われる弾き方で、三本の糸を手前から向こうへ（高い音から低い音へ）順番に鳴らす旋律を「ころりん」といい、「しゃん」はその次の低い糸を、それとオクターブまたは同音をなす糸と合わせて弾くことをさす語。

ころん ❶音 琴やピアノの、高くひびく軽やかで明るい音色。「ピアノの蓋のあく音がしました。そして、やがて、**コロン…コロン…**と〈略〉楽曲の譜は窓からもれ出でました」〈花物語・吉屋信子〉「屈曲する断面にあたる氷の音が、『**ころん、ころん、**』と軽やかなわびしい音をたてつづけ」〈旅愁・横光利一〉

❷さま 軽くはずみをつけて転がるさま。人が横たわるさま。『**ころん**と床に寝転がった』

❸さま 軽く無造作に置かれているさま。『机の上に**ころん**と置いてあった』

❹さま 丸みをおびたさま。『**ころん**とした形のかばん』

ごろん ❶さま 大きくはずみをつけて転がるさま。人が横たわるさま。「コモで包んだまっくろな炭みたいなのを、**ゴロン**ところがしておく」〈とむらい師たち・野坂昭如〉

❷さま 重みのあるものが無造作に置かれ

ているさま。『空き地に**ゴロン**と転がしていた』

❸さま 全体的なバランスを欠くほどに厚みや重みのあるさま。『**ごろん**とした辞典』

ころんころん ❶音 琴やピアノ、鈴などの軽やかで明るい音色。「何時《つい》だっけ、参観に行ったら、琴だか何だか**コロンコロン**鳴ってて」〈不如帰・徳冨蘆花〉

❷さま 丸いものなどが時間をかけて連続的に転がるさま。ころりころり。『パンダが**ころんころん**と寝返りをうつ』

❸さま 丸みをおびたものが、凍ったり干からびて、かたくなっているさま。「皮のままの芋の肌が、湯気のために曇ったり光ったりして、**コロンコロン**に乾き」〈今年竹・里見弴〉

ごろんごろん ❶さま 体やものが繰り返し転がるさま。「足が立たないので、体を**ごろんごろん**転がして」〈雪国・川端康成〉

❷さま することもなく怠けて寝ころがっているさま。「いつも、谷間で、**ゴロンゴロン**しているが、紙屑の新聞や雑誌も、読み飽きてしまう時がある」〈自由学校・獅子文六〉

ごわごわ 音・さま こわばった紙や布などがすれ合ってたてる音。紙、革、布などが、かたくこわばっているさま。「康子も**ごわごわ**に糊のついた浴衣の上にどてらをひっかけて」〈記念碑・堀田善衛〉「ソ連の落し紙ときたら、**ごわごわ**の答案用紙みたいなやつでね」〈新西洋事情・深田祐介〉

こん ❶音 軽くせきをする音。『合図に**コン**と軽いせきをした』

❷声 キツネの鳴く声。「夕べさみしい村はずれ**こん**ときつねがなきゃせぬか」〈童謡―叱られて・清水かつら〉

❸音・さま かたいものが打ち当たってたてる軽く高い音。また、そのさま。「七輪の慈姑《くわゐ》が転げて、**コン**と向うへ飛んだ」〈古狢・泉鏡花〉「おぼへたかと、**こん**とくらはすあたまの鉢、あたりもひびく斗《ばかり》也」〈浄瑠璃―傾城酒呑童子・近松門左衛門〉

ごん 音 かたいもの同士がぶつかってたてる重い音。『頭を**ゴン**とぶつけた』「もはや時刻と待うちに**ごん**とついたる鐘の音に」〈歌謡―歌沢節〉

こんがり さま ほどよく焼くさま。ちょうどよい焼き色がついて、こうばしく焼けるさま。よく日焼けしたさま。「炭火で**こんがり**焼いて、トップリ黒蜜にひたしたその可愛いおだんごは」〈私の浅草・沢村貞子〉「健康そのもののように**こんがり**と陽やけした佐藤の顔を見あげ」〈人間の病気・後藤明生〉

こんこん ❶音 かたいものが打ち当たってたてる軽く明るい音。「**コンコン**煙草盆を敲きながら」〈雪中梅・末広鉄腸〉

❷音・さま 軽くせきをするときの音。また、そのさま。「**コンコンコン**。お春や、一寸来て呉れ」〈雪中梅・末広鉄腸〉「空咳《からせき》**こんこん**として涙を襦袢の袖にかくしぬ」〈十三夜・樋口一葉〉

❸声・名 キツネの鳴く声。その鳴き声からキツネのこと。「女はばけがあらはれてか

使い分け

【共通の意味】まるく盛り上がっているようす。

こんもり／**もっこり**／**ぽっこり**

❶**こんもり**は草木が生い茂り、遠くから見るとまるみを帯びて見えるようす。「遠くに**こんもり**した森が見える」。また、料理などをまるく盛り付けるときにも使う。「皿の真ん中にポテトサラダを**こんもり**盛る」 ❷**もっこり**、**ぽっこり**は、地面や体の一部などが盛り上がっているようす。「モグラがいるらしく、庭のあちこちが**もっこり**盛り上がっている」「遠くに小さな丘が**もっこり**見える」「中年になっておなかが**ぽっこり**と出てきた」

ら、**こんこん**といふてにげいる」〈狂言―吹取〉「なんだか**狐**《コン》にでも欺されたやうでわかりアしねへ」〈西洋道中膝栗毛・総生寛〉⬇鳴き声編

❹さま 雨や雪などがゆっくり重々しく降るさま。「**こんこん**と大降りになり出した往来の雪をぼんやり瞬きもせずに眺めながら」〈星座・有島武郎〉

❺⬇漢語編 ①「こんこん(昏昏・惛惛)」 ②「こんこん(滾滾)」 ③「こんこん(懇懇)」

ごんごん ❶音・さま かたいものが強く打ち当たってたてる音。強くはげしく打ちつけるさま。「彼は地野上等兵の頭を床に**ごんごん**ぶっつけて行った」〈真空地帯・野間宏〉「忽《たちまち》聞く天徳寺晩鐘の声**ゴンゴン**」〈雪中梅・末広鉄腸〉

❷音・さま 風や雨などがはげしく吹きつける音。勢いのよいさま。精力的に事を行うさま。「雨が地面をたたきつけ、はねかへり、**ゴンゴン**音をして流れてゐた」〈防雪林・小林多喜二〉「大山荒れが始まったが、**ごんごん**ごうごう暗闇のおくで鳴りだしたさうでござります」〈河口湖・伊藤左千夫〉

❸さま 方言 勢いよく歩くさま。「**ごんごん**あっちゅん(どんどん歩く)」〈沖縄県〉

❹名 歌舞伎の下座音楽の一つ。双盤《そうばん》という楽器を早めて打つもので、早双盤にあたる。追っかけ、立ち回り、寺院の場の幕切れなどに用いる。「『ウヌ、鉄平め、敵の手がかり』ト**ごんごん**になり、鉄平を追って入る。直に浪の音。時の鐘にて幕明く」〈歌舞伎―霊験曾我籬・鶴屋南北〉

こんこんちき 音 ばか囃子《しばや》、里神楽《さとかぐら》などの音。「頼めば田町の袖擒りも、さしづめ今宵の待女郎、**こんこんちき**や、こんちきや」〈端唄―紀伊国は〉

こんみり さま 古 濃厚なさま。落ち着いたさま。こってり。しっとり。しんみり。「むすぶ盃ほどくる心、ざざんざうたふ酒よりも、せんじ茶に寄夫婦の縁、御中《おんなか》こちごち**こんみり**とこそ成にけれ」〈浄瑠璃―善光寺御堂供養〉

方言 心底から感じるさま。ねんごろに話し合うさま。「こみっ(と)」ともいう。「あの人の話きで(聞いて)**こんみり**した」〈秋田県〉「一晩**こみっ**と話をしようではないか」〈岩手県〉「このグループだけで**こみっ**とやらねぁが」〈秋田県〉

こんもり ❶さま 木などが深く生い茂っているさま。「呉竹の**こんもり**とした所に南向きの、茶がった一室のまへに出る」〈ありのすさび・後藤宙外〉「檜が**蓊然**《こんもり》と五六本併んで居る」〈吾輩は猫である・夏目漱石〉

❷さま ものが丸みをおびて、ひとかたまりに盛り上がっているさま。「額の狭い、鼻の**こんもり**と高い、眼のきっと吊しあがった、唇の薄い、一握の痩せた花嫁」〈痩せた花嫁・今東光〉「トマトや、玉ねぎ、シャンピニオンが**こんもり**と飾りつけられ」〈兎・金井美恵子〉⬇使い分け「こんもり」

さーさー [音・さま] 静かに水が流れたり、こまかい雨が降ったりする音。風で木の葉などがこすれ合ってたてる軽やかな音。また、そのさま。「如露《じょろ》を持って風呂場へ行って、水道の水を汲んで、籠の上から**さあさあ**とかけてやった」〈文鳥・夏目漱石〉「不図《ふと》**颯々**《さあさあ》と云ふ音が聞へる。松風か。眼を開くと川一月にさざめく川瀬の音だ」〈思出の記・徳冨蘆花〉

ざーざー ❶[音・さま] 雨がはげしく降る音。水が勢いよく流れる音。また、そのさま。「**ざあざあ**と降る雨の糸も時々光って見えた」〈杏の落ちる音・高浜虚子〉「寒《かん》の中も、井戸端へ持出して**ざあざあ**水を使ふんだから」〈婦系図・泉鏡花〉 ⬇使い分け「ざーざー」

❷[音] テレビやラジオなどの音声が、うまく出力できていないときの雑音。「開始20分後、ICプレーヤーから突然**ザーザー**と雑音が流れたため、試験を中断した」〈センター試験　リスニング再テスト・読売新聞・07・1・21〉

❸[名][古] 小便をいう幼児語。しーしー。「サア**小便**《ざあざあ》しな。シイ」〈浮世風呂・式亭三馬〉

さーっ ❶[音・さま] 風や雨、波などが瞬間的に軽く吹きつける音。また、そのさま。「往来へ出て、**サーッ**と、冷たい風に吹かれると、五百助は、初めて、人心地がついた」〈自由学校・獅子文六〉

❷[さま] 動作がほんのわずかの間に行われるさま。『**さーっ**と血の気がひいた』「傍らの友は、こんな非国民の新聞なんて、怪しからん、といって、**さあっ**と破ってしまった」〈二つの町・荒正人〉

ざーっ ❶[音・さま] 雨、水、風などが、瞬間的にはげしく打ちつける音。砂や粒状のものが勢いよくこぼれたり、動く際の大きく耳にたつ音。また、そのさま。「雨は羅生門をつつんで遠くから**ざあっ**と云ふ音をあつめて来る」〈羅生門・芥川龍之介〉「すきとほった風が**ざあっ**と吹くと、栗の木はばらばらと実をおとしました」〈どんぐりと山猫・宮沢賢治〉

❷[音] テレビやラジオなどの音声が、出力されていないときの雑音。『放送時間が終わって、テレビが**ザーッ**という画面になっていた』

❸[さま] 大ざっぱにひととおり行うさま。ざっ。「どんな風に働いてゐられるか、**ざあっ**と其状況を目撃さして頂けば沢山ですから」〈満韓ところどころ・夏目漱石〉

さいさい ❶[音・さま][古] ものがゆれ動いたときなどに鳴る音。また、そのさま。さわさわ。「玉衣《たまぎぬ》の**さゐさゐ**沈み家の妹にもの

使い分け

【共通の意味】
雨が強くはげしく降るようす。

ざーざー／**じゃんじゃん**／**ざんざん**／**どしゃどしゃ**

❶**ざーざー**は、雨が勢いよく降るようすや音を表す。「外は**ザーザー**降っているから、出かけるのはやめよう」❷**じゃんじゃん**、**ざんざん**は、雨の勢いがはげしく大量に降るようす。「朝起きたら**ジャンジャン**降っていたので、ハイキングの予定は中止した」。**ざんざん**は、「**ざんざん**降り」ともいう。❸**どしゃどしゃ**は、大量の雨がたたきつけるようにはげしく降るようす。「**どしゃ**降り」「雨が**ドシャドシャ**降って、庭が水浸しだ」

言はず来にて思ひかねつも〈柿本人麻呂〉」〈万葉集〉「岩室は大地より冷え室人《むろびと》の更けて寝ぬ声さゐさゐきこゆ」〈一路・木下利玄〉
❷⬇漢語編「せいせい(済済)」

さいりさいり 音 古 ものを食べるときの軽快に歯でかみ切る音。さくさく。「芥藍なんどを食ば牙頰の間に**さいりさいり**と響ぞ」〈四河入海〉

さがさが さま 方言 落ち着かないさま。北陸地方・岐阜県。「遠い旅へ出るもんだすけ(出るものだから)、**さがさが**して、前の晩はよく眠られなかった」〈新潟県〉「子どもら大勢で**さがさが**でなー」〈新潟県〉

ざかざか さま 方言 性格が率直で明るいさま。「彼は**ざかざか**した人だすけ(人だから)、皆に好感を持たれる」〈新潟県〉

さく ⬇コラム「さく・ざく」

さくさく ❶ 音・さま ものを切ったりきざんだり、かんだりするときなどの、連続する軽快でさわやかな感じのする音。また、そのさま。「くるみの潰したのがふりかけてあって、ぱりぱり**さくさく**としてて、清、爽、滑、甘、香というようなものだった」〈小説家のメニュー・開高健〉
❷ 音・さま やわらかい土や砂、雪、霜柱などの上を踏む音。粉や砂状のものを混ぜ合わせる音。また。そのさま。「宿で借りた粗末な下駄が**さくさく**砂に喰ひ込む音が耳に付いた」〈行人・夏目漱石〉
❸ さま ものごとが滞りなく進むさま。「往年の名作ゲームは、今や超低ビットの″原始的″な代物。iモードの環境下でも**サクサク**と動く」〈特集・ケータイ大異変!・週刊東洋経済・01・3・31〉
❹ さま 古 ものごとを、ためらわずに明確に言うさま。はきはき。「**Sacusacuto**(**サクサクト**)モノヲユウヒトヂャ〈訳〉ものをはっきりとためらわずに言う人である」〈日葡辞書〉
❺ さま 古 水などが滞りなく軽快に流れるさま。さらさら。「白く新らしき桶に水を入れて、此の釜どもに**さくさく**と入る」〈宇治拾遺物語〉
❻⬇漢語編①「さくさく(索索)」②「さくさく(嘖嘖)」

ざくざく ❶ 音・さま 粗くきざんだり、踏みつけたりする際の力強い音。粗い粉状のものが多く集まってふれ合う音。また、そのさま。「細君は**ザクザク**と葱を切りながら」〈千曲川のスケッチ・島崎藤村〉「素足に**ザクザク**砂地を踏みながら」〈青春・小栗風葉〉「見るも惨たらしい重傷兵で〈略〉頭や手足を**ザクザク**にやられて、糸よりも細い命を繋いでゐるものが」〈銃後・桜井忠温〉⬇使い分け「ばっさり」
❷ 音・さま 大量のものが互いにふれ合ってたてる騒がしい音。また、そのさま。「財布のなかには、いつも自分の指頭《ゆびさき》から産出した金が**ざくざく**してゐた」〈あらくれ・徳田秋声〉「おほばん、こばんが**ザクザクザクザク**」〈唱歌―はなさかぢぢい・石原和三郎〉⬇使い分け「どっさり」
❸ さま 方言 病気や傷のある部分が脈を打つように痛むさま。ずきずき。「さくさく」ともいう。「けがしたところが、**ざくざく**して、痛うていかん」〈香川県〉「リュウマチで足が**ざくざく**する」〈香川県〉「歯が**さくさく**痛む」〈徳島県〉

さくっ ❶ 音・さま 砂状のものを、混ぜたり、踏んだりする音。軽快に切り目を入れたり、歯でかみ切ったりする音。また、そのさま。「本来のカキフライは、衣がそう厚くなく、ポッテリとしていて、噛むと**サクッ**とし」〈不味い!・小泉武夫〉
❷ さま 手際よく、手軽なさま。さっ。「『個人の朝時間を有効に使うのに、本当は立ち呑み屋で**サクッ**と、が理想』と寿さん」〈朝活用で仕事力つける・AERA・05・7・4〉

ざくっ 音・さま 勢いよく切ったり割ったりする音。また、そのさま。「確かめて鋏《はさみ》をいれれば、肩山を**ザクッ**と切って、

コラム オノマトペのもと

さく・ざく

「さく」は、粘らないさま、滞らないさまを意味し、「さくさく切る」「さくさくかむ」「さくさく言う」(はっきりと言う)などと使われる。「さく」には歯切れがよく、軽快で小気味よい印象がある。古くは水が流れるさまも、「さくさく」を用いて表した例がある。

「ざく」は、「さく」の軽快さが、粗く、重くなった感じを表す。やや大きい粒やかけらがたくさんあって、互いにぶつかるときの音、何かを粗く切るときの音などを表す。たとえば、凍りかけた雪を踏むようす、金(小判)が多くあるようす、野菜などを粗く切るようす、布などの手ざわりが粗いようすなどをいう。「ざっくり説明する」など、ものごとを大づかみにするようすも表す。

「さく」にも、「ざく」にも、共通しているのは、粘りがないことである。

【さくの語群】

さくさく・ざくざく
さくっ・ざくっ
さくり・ざくり・ざぐり
さっく・ざっく・さっくら
ざっくざっく・ざっくざく
さっくり・ざっくり

	包丁で―(と)切る	―(と)した生地	―(と)軽い味
さくさく	○	―	○
ざくざく	○	○	―
さくっ	○	―	○
ざくっ	○	○	―
さっくり	○	―	○
ざっくり	○	○	―

	雪道を―歩く	金が―ある	―(と)仕事する
さくさく	○	―	○
ざくざく	○	○	―
ざっくざっく	○	○	―

【表現】

食感を表現する場合、「さくさく」は歯切れがよく、軽い感じを表す。おいしさの描写に使われることが多い。「さくさくしていてまずい」などと言うことはほとんどない。クッキーやスナック菓子を食べたときのさくさく感は、おいしさに大きく貢献している。食べ物は、味だけがおいしさの決め手ではないのである。

クッキーやスナック菓子のほかには、パイ、コロッケ、リンゴなどの食感描写に使われる。私たちにとって、とても馴染み深いことばで、二〇〇四年に行った首都圏の一般の人への調査結果では、男女・年齢を問わず、ほとんどの人が食の表現として認知し、また、実際に使っていることばであることがわかった。

この「さくさく」は、新しいことばではない。鎌倉時代の辞書『名語記』には「ねばりなき物をば、さくさくといへる」とあり、『日葡辞書』(一六〇三〜〇四)には「梨または柿のような、かたくて熟した物が歯でこわれるさま」とある。『大言海』(一九三二〜三五)にも「物を容易く噛み、又は、切る音などに云ふ語」とあり、鎌倉時代から現在まで、ほとんど用法が変わっていない。

時代が変わっても、この食感と音をことばに表すときの直感的な感性は変わらないのであろう。これも食文化の一つの形ではないだろうか。

(早川文代)

青くなるようなことは決してない」〈私の浅草・沢村貞子〉

さくり ❶音・さま軽く快い手ごたえを感じながら切ったり割ったりする音。また、そのさま。さっくり。「茎の根元に鎌をあて、〈略〉すると気持よく**さくり**と切れる」〈生活の探求・島木健作〉「レンコンの**さくり**とした歯ざわりを楽しむ」〈ごはん通・嵐山光三郎〉
❷音・さまやわらかい土や砂、霜柱などが踏まれてつぶれるときの軽い音。また、そのさま。『**さくり**と枯れ葉が靴の下で音をたてた』
❸さま古動きのすばやいさま。頭の働きがはやいさま。「鉄棒ひっさげてうど打、**さくり**とはづし、棒のはしをおっ取、ゑいやゑいやとねぢあいし」〈浄瑠璃―子四天王北国大合戦〉

ざくり ❶音・さまじゅうぶんな手ごたえを感じながら、ものを力を込めて粗く切ったり割ったりする音。また、そのさま。「真っ黒な髪を肩の辺りで**ザクリ**と切って」〈痴人の愛・谷崎潤一郎〉「勿体らしく筮竹を取って推戴き、筮竹を半分に**ザクリ**と分ゎって」〈落語―八卦・橘家円喬〉
❷音・さまかたいもの同士がふれ合ってたてる重々しい音。また、そのさま。「三両の小判を手にすると〈略〉若後家に**ざくり**と手渡して」〈右門捕物帖・佐々木味津三〉
❸さま布地などの織り目や手ざわりの粗いさま。ざっくり。「手触りの**ざくり**とした、濃い潮色の一重物を」〈仮装人物・徳田秋声〉
❹さま衣服などを無造作に着るさま。「髪けづりなど、身も**ざくり**に身をなして、機《はた》おる事をもうち捨」〈俳諧―山の井〉

ざぐり ❶さまものを勢いよく割ったり、刃物などを荒々しく刺しこんだりするさま。ざくり。ざっくり。「汽車の笛がヒューと鳴るとき、おれの乗って居た舟は磯の砂へ**ざぐり**と、舳をつき込んで動かなくなった」〈坊っちゃん・夏目漱石〉
❷さま布地などの手ざわりの粗いさま。ざっくり。ざんぐり。「開襟シャツに**ざぐり**とした麻織の上衣をつけ」〈縮図・徳田秋声〉

さくりさくり 音・さまやわらかい土や砂などが踏まれてくずれるときの軽い音。また、そのさま。「夜、戸外を**さくりさくり**音をさせながら人が通る」〈プラトニック・ラヴ・志賀直哉〉

ささ ❶音古風が吹く音。さっさっ。「風の**ささ**とふく如何。颯々をいふにや。音の**ささ**ときこゆる也」〈名語記〉
❷さま古水などが勢いよく流れたり、かかったりするさま。「御牛を追ひたりければ、あがきの水、前板まで**ささ**とかかりけるを」〈徒然草〉

さざ 声・さま古人々が声をたてたり笑ったりして騒がしいさま。がやがや。ざわざわ。「いかにいかにと覚し渡る程に御気色あり。**さざ**とののしり騒ぐ程に、哀に頼しき方なし」〈栄花物語〉

ささっ さまほんのわずかの間に行うさま。「読者は旬のものを、**ささっ**と読み上げたいと思っている」〈年末年始はナニ読もう・AERA・99・12・27〉

ざざっ 音・さま雨、風、波などがはげしく瞬間的に打ちつける音。粒状のものが勢いよく移動したり、ものが崩れる音。また、そのさま。ざーっ。「風が大粒の雨を乗せて**ざざっ**と斜めに吹きつける」〈忘却の河・福永武彦〉

ざざんざ ❶音古松に風が荒く吹きつける音。はやしことばのように用いる。「ざざんざはま松のをとは**ざざんざ**かぜでこのはのちるもおもしろい」〈狂言―抜殻〉
❷さま古酒を飲み騒ぐさま。「奥で酒盛**ざざんざ**やってでござんす」〈浄瑠璃―仮名手本忠臣蔵〉
✸「さざんざ」ともいう。②は、江戸時代初めに流行った歌謡「ざざんざ節」が酒宴の席でよく歌われたところから。

ざしざし さま方言砂や塵、土ぼこりなど

で表面がざらつくさま。「ざすざす」ともいう。「なんだえ、縁側**ざしざし**すっこた（ざらざらすることだ）、一寸拭いてくなえ」〈宮城県〉「手ぁ荒れで、**ざすざす**どなった」〈岩手県〉

さっ ❶ さま 風や雨などが瞬間的に急に吹いたり降ったりするさま。にわかに。『さっと一陣の風が吹く』「蠟燭の火は風によわいものでサッと風が吹けば直消るやつだが」〈明治浮世風呂・浮世粋史〉「疾風**颯然**《さっ》と吹起りて、雷おどろおどろしくなりはためき」〈当世書生気質・坪内逍遙〉

❷ さま 動作が軽くすばやいさま。状態が急に変化するさま。『**さっ**と窓を開ける』「すると彼の眼の前の濃紫の麻の葉模様がさっと横に動いて、沢子の敏捷な体は彼の足の上をこえた」〈青年の環・野間宏〉「**さっ**と咲さっと散けり山ざくら」〈俳諧―水の音〉

ざっ ❶ 音・さま 風や雨などが突然に勢いよく吹いたり降ったりする音。また、そのさま。「時々**ザッ**と降って行く気勢《ひけは》も聞取られる」〈田舎教師・田山花袋〉

❷ さま 動作がまとまって勢いよく急なさま。動作が荒々しいさま。「米は未だ水の澄まざる位**ざっ**と洗ひ」〈竈の賑ひ〉「扇こへず三ツにさけ空へ上り風に一揉みもまれて海へ**ざっ**とぞ散りたりける」〈平家物語〉

❸ さま おおまかな見当で、行ったり予想したりするさま。『**ざっ**と一時間かかる』「上京前にアドレス帳や名刺ホルダーなどは**ざっ**と調べたと言っていたが」〈砂漠の駅・森村誠一〉

ざっきざっき 音 古 雪や霜などが踏みつけられてつぶれる音。ざっくざっく。「しわすのはての雪の中、**ざっきざっき**とふみわけて」〈歌舞伎―いとなみ六方〉

さっく さま 古 勢いのよいさま。手際のよいさま。「馬屋の出し口**さっく**とかけて、はしとどめ、しとと留めては**さっく**とかけ」〈説経節―をぐりの判官〉「手勢すぐって三百余騎、水に**さっく**と飛び入れば」〈歌舞伎―日月星昼夜織分〉

ざっく ❶ 音・さま かたい粒状や小さな板状のもの同士がこすれ合ってたてる大きくかわいた音。また、そのさま。「草摺り軽げに、**ざっく**と投げ掛け、上には薄衣《うすぎぬ》引き被き」〈謡曲―夜討曾我〉

❷ 音・さま 勢いよく切ったり割ったり、かんだりする音。また、そのさま。「振りかぶった刀の下に、お梅は肩先から乳の下にかけて**ザック**と一太刀、虚空《こくう》を摑んで仰《の》けぞると」〈大菩薩峠・中里介山〉「偉大の怪物があぎとを開きて〈略〉**ザック**と嚙つくかと思ふばかりに」〈内地雑居未来之夢・坪内逍遙〉

❸ 音・さま 古 鎧《よろい》を身につけるとき、金属の板同士がふれ合う音。また、その音をたてながら鎧を手早く身につけるさま。「Zaccuto（ザックト）〈訳〉鎧をきちんと着る着方を表わす」〈日葡辞書〉「『くるくるとまひて、かういたせばどうまるで御ざる』『〈略〉**ざっく**ときておどすと仰せられたが、それはないか』」〈狂言―鎧〉

❹ さま 遠慮やわけへだてのないさま。気楽なさま。たやすいさま。ざっくばらん。「明日っからは、旦那様同様、**ざっく**に、安く扱ふことにしますぜ」〈桐畑・里見弴〉

ざっくざっく ❶ 音・さま ものをきざんだり、踏みつけたりする力強い音。粗い粉状のものが多く集まってふれ合う音。また、そのさま。「枕に押しつけた耳に響く律動的な**ザックザック**と物をきざむやうな脈管の血液の音が」〈病院の夜明けの物音・寺田寅彦〉「歩調の揃った靴の音ばかりが、**ザックザック**と暗い空へ吸い込まれて行った」〈武装せる市街・黒島伝治〉

❷ さま 金銭などが次から次へとたくさん出てくるさま。『大判小判が**ざっくざっく**』

❸ さま 方言 歯や傷口が痛むさま。「歯―ぬいたあとが、**ざっくざっく**する」〈岡山県〉

ざっくばらん さま 飾らずに本心を述べる

さま。遠慮がないさま。つくろわないさま。あけすけ。「彼と私との会話は、お互いに敬語など全廃で、ザックバランなこと夥《おびた》だしい」〈いろは交友録・徳川夢声〉 ⬇使い分け「つーつー」

さっくり ❶音・さま 軽い動作でたやすく折れたり、切れたり、割れたりする音。また、そのさま。「**サックリ**と割って、口に入れるとクスッと崩れ、たちまちにしてバターの薫り、砂糖の甘さ」〈音の晩餐・林望〉「光沢《つや》のある、長い安寿の髪が、鋭い鎌の一掻に**さっくり**切れた」〈山椒大夫・森鷗外〉「**さっくり**とおれてたもれよ花の番〈知政〉」〈俳諧—詞林金玉集〉

❷さま 淡泊なさま。率直なさま。「**さっくり**能く解った人だよ」〈真景累ケ淵・三遊亭円朝〉「**さっくり**としたお糸の気性に、だんだん惹かれ出したのだ」〈人情馬鹿物語・川口松太郎〉

❸さま 料理用語で、へらなどで、練らないように切りほぐすようにして、混ぜ合わせるさま。「ふるった小麦粉を**さっくり**と混ぜ」〈食卓が呼んでいる・中国新聞・96・11・27〉

ざっくり ❶音・さま 豪快にものを切ったり、割ったり突き刺したりする音。また、そのさま。『白菜は**ざっくり**と大きく切る』「パーセラは**ざっくり**と首筋のあたりで切りそろえた濃い栗色の髪を」〈幽霊達の復活祭・大庭みな子〉 ⬇使い分け「ばっさり」

❷音・さま こまかく、かたいものを無造作につかんだり、踏んだりしたときに、それらのふれ合う音。また、そのさま。重みがあって手ごたえを感じるさま。「そこに投げ出されてあった財布に眼がとまる。〈略〉銭の重味は**ザックリ**として手答えがある」〈大菩薩峠・中里介山〉「東京の牡丹雪の**ザックリ**と景気の良いのを見慣れた目にはなあんだ此の灰みたいなのが雪かい」〈夢声半代記・徳川夢声〉

❸さま 切り口や割れ目などが見た目にも無惨にえぐられたり、割れたりしているさま。「どこか一箇所でも**ざっくり**ひどい傷口があった方が」〈月暈・島尾敏雄〉「膝の皿のすぐ下のあたりが、なにか鈍器を深く打ちこんだように横に**ざっくり**と切れていて」〈結婚・三浦哲郎〉

❹さま 衣服などを無造作に着ているさま。「お納戸の絹セルに、**ざっくり**、山繭縮緬の縞の羽織を引掛けて」〈婦系図・泉鏡花〉

❺さま 布地などの手ざわりや織り方、編み方が粗くて厚みの感じられるさま。「寝台掛布(ベッドカバー)は淡黄の**ざっくり**編んだやうな織物である」〈或殺人・森茉莉〉

ささっ ❶さま 迷いや気づかいをせずに、すばやく行うさま。急ぐさま。さっさっ。「おい、遊ぶんじゃないよ。顔を**さっさ**と洗うんだよ」〈静物・庄野潤三〉「凋落となると**さっさ**と別れて行く悪質な女性」〈故旧忘れ得べき・高見順〉

❷音・古 水のそそぎかかる音。紙を破り裂く音。さっさっ。「ずっぽりと水にひたり、おつむりから**さっさ**と、音羽の滝にうたるる様になさるれど」〈浄瑠璃—平家女護島・近松門左衛門〉

さっさっ ❶さま すばやく手際のよい動作で行うさま。さっさ。「見かへりもせず**サッサッ**と皿小鉢を洗ふ」〈春酒屋漫筆・坪内逍遙〉「其代り是を突切れば後は誠に楽になるから、**サッサッ**と行きなさい」〈怪談牡丹燈籠・三遊亭円朝〉

❷さま・古 雪が次から次へと降るさま。「降《ふる》かぐらゐの叓《こっ》ちゃアありません。綿帽子の様なのが**さっさっ**と降てゐますよ」〈英対暖語・為永春水〉

❸音・古 次々に生じる波や水、風の音。紙を破り裂く音。さっさ。⬇漢語編「さっさつ(颯颯)」

さっさつ ⬇漢語編「さっさつ(颯颯)」

ざっざっ ❶音 水や蒸気などが勢いよく、規則的に流出する音。「汽車は**ざっざっ**と云ふ音を立てて、静かに高原地を登っていった」〈あらくれ・徳田秋声〉「直ぐにき

いきいと轆轤《ろくろ》の軋る音、ざっざっと水を翻《こぼ》す音がする」〈カズイスチカ・森鷗外〉 ❷ 音・さま 砂やほこりを掃き集める音。規則的にたてる複数の足音。また、そのさま。『ざっざっといふ軍靴の音が近づいてきた』

さっぱ さま 古 さわやかなさま。すがすがしいさま。あとに何も残らないさま。「詩人の心は**さっは**と別ならうぞ」〈史記抄〉「Sappato（サッパト）ナッタ〈訳〉垢をすっかり洗いおとしてきれいになる。また、火事などで持ち物をすっかり失ってしまう」〈日葡辞書〉

さっぱさっぱ さま 古 連続的で手際のよいさま。「着《きる》物の洗濯《せんだく》も、**さっぱさっぱ**として着せましたに」〈歌舞伎—傾城壬生大念仏・近松門左衛門〉

さっぱさぱ さま 古 さばけたさま。清潔で乱れのないさま。「**さっぱさぱ**誰ぞぬひ人のある寡《やもめ》」〈雑俳—若とくさ〉

さっぱり ❶ さま 気持ちや気分が晴れて、さわやかになるさま。身なり・衣服、人やものの性質・態度、味などがくどくなく、清潔なさま。「小倉服も外《ほか》のは汚れてゐるに、此男のは**さっぱり**してゐて」〈雁・森鷗外〉「一杯あびて、**さっぱり**に成って御膳あがれ」〈にごりえ・樋口一葉〉 ➡使い分け「さっぱり」 ❷ さま あとに何も残らないさま。こだわりや後くされなどがないさま。すっかり。きれいさっぱり。「政府の組織が**サッパリ**と変って仕舞ひ」〈花間鶯・末広鉄腸〉「ア真《ほん》に然《さ》うでしたっけ、**薩張**《サッパリ》忘却《わすれ》てゐました」〈浮雲・二葉亭四迷〉 ❸ さま まったく振るわないさま。すべてにあてはまるさま。まるで。少しも。『成績の方はどうも**さっぱり**だ』「敵といふものは**さっぱり**ないはづ」〈無頼通説法・恋川春町〉「何だか**さっぱり**わからなひ」〈英対暖語・為永春水〉

✹ ③は多く下に否定的な意味の語を伴う。

ざっぷ ❶ 音 古 勢いよく水中に飛びこむ音。ものが勢いよく水中に投げこまれる音。ざんぶ。「弓手のくつを蹴放って。川へ**ざっぷ**とおとしつつ」〈浄瑠璃—十二段・近松門左衛門〉 ❷ 音・さま 古 刀などで、ものを勢いよく断ち切る音。また、そのさま。ざっぷり。「腰のつがひを横がけに、**ざっぷ**とかけてぞ落としける」〈浄瑠璃—百日曾我・近松門左衛門〉

ざっぷり ❶ 音・さま 水がかかったり、水にものが投げこまれたりして、しぶきが勢いよく飛び散る音。また、そのさま。「スットコ被りの尻揚げが大きな魚籃《びく》を腰にぶら下げてツイ鼻のさきで**ざっぷり**投げた網の音の高いのも」〈老車夫・内田魯庵〉「せなかをながして小桶の湯を**ざっぷり**」〈浮世風呂・式亭三馬〉

使い分け

［共通の意味］食べ物の味、人の性格などに、しつこいところがなくさわやかなようす。

さっぱり

あっさり／すっきり

❶**さっぱり**、**あっさり**、**すっきり**は食べ物や飲み物の味や、また食べたり飲んだりしたときの口あたりに使う。**さっぱり**は、「**さっぱり**した酢の物」のように、味がくどくなくさわやかであること。**あっさり**は、「こってりした料理が続いたので、**あっさり**したものが食べたい」のように、油や調味料を控えた味をいう。**すっきり**は、「**すっきり**した飲み口のビール」のように、食べたり飲んだりしたあと、口の中にしつこさが残らないこと。❷**あっさり**、**さっぱり**は人の性格にも使う。「**あっさり**した性格」は相手がもの足りなく感じるほど淡泊であるようす。「**さっぱり**とした性格」はものごとにしつこくこだわらないようす。

さ

❷ 音・さま 古 刀などで、ものを勢いよく断ち切る音。また、そのさま。ざっくり。ざっぷ。「拙者を**さっふり**と切ってお仕舞ひなされて。殿へは何と。言訳はなさるるぞ」〈浄瑠璃―伊賀越道中双六・近松半二ら〉

さばさば ❶ さま 油けやしめりけがなく、かわいていて気持ちのよいさま。「手まめに洗濯でも致て夜なべに継でおけば、**さばさば**とした布子《おひえ》も著られますのに」〈浮世風呂・式亭三馬〉「汗を流して**さばさば**した体のやうには、さっぱりした気持になれないで」〈今年竹・里見弴〉

❷ さま 動作や性格などにこだわりのないさま。『**さばさば**した人柄』「丹次郎があんまり**さばさば**としたあいさつゆゑ、どういふこころでああいふか」〈春色辰巳園・為永春水〉

❸ さま 苦しいこと、いやなことなどがすんで、爽快な気分になるさま。気持ちのうえで、こだわらないさま。『試験が終わって**さばさば**した』「手前の様な土百姓に用はないのだ。漸《やっ》と**サバサバ**した」〈真景累ケ淵・三遊亭円朝〉「こんな商売、早うやめてしもた方が、なんぼええかわからへん、**さばさば**して」〈京都三条通り・田口竹男〉

⬇使い分け「すかっ」

ざばっ 音・さま 水から勢いよく上がったり、水をかきわける音。多量の水などを一度にかける音。また、そのさま。『アザラシが**ざばっ**と水から上がってきた』『**ざばっ**と一風呂あびる』

さぶさぶ ❶ 音・さま 川を渡ったり、風呂の湯を使ったり、洗濯したりするときなどの、水を大きく動かす音。また、そのさま。しゃぶしゃぶ。「其儘又俯《うつむ》いて盥の中の物を**さぶさぶ**洗ひ出す」〈青春・小栗風葉〉「尻っ端折をして**さぶさぶ**と水の中に這入って行きなすったが」〈杏の落ちる音・高浜虚子〉

❷ 音・さま 汁物を音を立てて食べるさま。「**さぶさぶ**と喰ふた気味は咽ならではしりがたし」〈俳諧―三千風笈さがし〉

ざぶざぶ ❶ 音・さま 川を渡ったり、風呂の湯を使ったり、洗濯したりするときなどの、水を大きく動かす音。また、そのさま。さぶさぶ。じゃぶじゃぶ。『**ざぶざぶ**水をかける』「われをわすれてだんだんにふかいりをして、水のあるところに**ザブザブ**ふみ込み」〈西洋道中膝栗毛・仮名垣魯文〉「突いて貰った海鼠《なまこ》を**ざぶざぶ**洗って、万吉は手摑に食って居る」〈思出の記・徳冨蘆花〉

❷ 音・さま 汁物を大きな音をたてて食べるさま。さぶさぶ。「即《やが》て**ざぶざぶ**といふ音がし始めた。茶漬を掻き込む音らしかった」〈三畳と四畳半・高浜虚子〉

ざぶっ 音・さま 水中に勢いよく飛びこんだり、ものを投げこんだりする瞬間の音。勢いよく水をあびるときの音。また、そのさま。「石鹸の泡が盛大に飛散する――と思ってゐると、**ざぶっ**とつかって忽ち湯船を出た」〈踊る地平線・谷譲次〉

さぶり 音・さま 古 水の中になめらかに入る際の音。また、そのさま。「西にむかひて、川に**さぶり**と入る程に」〈宇治拾遺物語〉

ざぶり 音・さま 水に勢いよく飛びこんだり、ものを投げこんだり、水をかけたりするときの音。波がはげしく打ち寄せたりするときなどの水の音。また、そのさま。さぶり。ざぶん。『風呂に**ざぶり**とはいる』「よしよし早く水を掛けやア、と**ザブリ**水を打掛《ぶっか》けて」〈真景累ケ淵・三遊亭円朝〉「やがて湯に入れと云ふから、**ざぶり**と飛び込んで、すぐ上がった」〈坊っちゃん・夏目漱石〉

さぶりさぶり 音・さま 古 水を少しずつ時間をかけて、かきわける音。また、そのさま。「九月の下つ暗の比なれば、つつ暗なるに、季武、河を**さふりさふり**と渡るなり」〈今昔物語集〉

ざぶりざぶり 音・さま 続けざまに、または何度もおこる大きな水の音。また、そのさま。さぶりさぶり。「半襦袢、半股引の服装で、**ざぶりざぶり**と水の中へ飛び込

んだ」〈吾輩は猫である・夏目漱石〉

ざぶん 音・さま 水に瞬間的に勢いよく飛びこんだり、ものを勢いよく水に投げこんだときの大きくひびく音。波がはげしく打ち寄せたりするときの水の音。また、そのさま。ざぶり。「**ざぶん**と大きな水音がして、土手の向うにしぶきが上る」〈彦市ばなし・木下順二〉

ざぶんざぶん 音・さま 波が打ち寄せたり、水をかきわけたりするなど、多量の水が続けて勢いよく動く音。また、そのさま。「夕潮が猪牙船《ちょき》の横っぱらを**ザブンザブン**とゆすってゐた」〈旧聞日本橋・長谷川時雨〉

さめざめ ❶ さま しきりに涙を流して静かに身にしみるように泣くさま。「葉子は嵐の中に我れと我が身をさいなみながら**さめざめ**と泣き続けた」〈或る女・有島武郎〉「これ見ればあはれに悲しきぞとて、**さめざめ**となき給ふを見れば、ふしまろび泣き歎きたる影写れり」〈更級日記〉 ⬇使い分け「しくしく」

❷ さま 古 深く心にしみいるさま。しみじみ。「ひたぶるに世を思ひすごし心のほど、かきつくし、うち泣き、**さめざめ**との給て」〈浜松中納言物語〉「深き父子の縁にしあればこそ、かかる時におりあへ、必、心労なりなどと思ひてくれなよと、**さめざめ**とおほすに」〈父の終焉日記・一茶〉

❸ さま 古 意識が明瞭で、冷静なさま。「松吹嵐、渓川の声、浮世の夢の**さめさめ**と、人を問ふ度ごとに袖なる月もぬるるかほなれば」〈御伽草子―秋の夜の長物語〉

さめほろ さま 古 涙を流して泣くさま。さめざめ。ほろほろ。「**さめほろ**と泣々する事毎年におこたらず」〈沙石集〉

さやさや 音・さま ものがすれ合って鳴る音。また、こすれ合うようにゆらぐさま。「**さやさや**と衣ずれの音がした」「爽やかな白さをさらしている榛の木の林が**さやさや**と葉を鳴らし」〈がらくた博物館・大庭みな子〉 ⬇使い分け「さやさや」

さやはら 音 古 ものがすれ合って鳴る音。「束帯**さやはら**と鳴らして立ちければ」〈愚管抄〉

さやらさやら 音 ものが軽くすれ合ってたてる音。さやさや。「朝なれば**さやらさやら**に君が帯むすぶひびきのかなしかりけり」〈川のほとり・古泉千樫〉

さやりさやり 音 古 ものが軽くすれ合ってたてる音。「はれの装束の**さやりさやり**となる如何、答、さはやかれりの反か。をとにあらはるる也」〈名語記〉

さら ⬇コラム「さら・ざら」

さらさら ❶ 音・さま ものが軽くふれ合ってたてる、こまやかな音。また、そのさま。「父親の茶漬を掻込む音が**さらさら**と聞えた」〈田舎教師・田山花袋〉「ささの葉**さらさら**のきばにゆれる」〈唱歌―たなばたさま・権藤はなよ・林柳波〉「御念珠**さらさら**と押揉せ御坐ければ」〈源平盛衰記〉 ⬇使い分け「さやさや」

❷ さま ものごとがすみやかに進むさま。ものごとがよどみなく行われるさま。すら

使い分け

【共通の意味】風の音や、ものがこすれ合って、かすかに音をたてるようす。

さやさや

さわさわ／そよそよ／さらさら

❶**さやさや**、**さわさわ**は、さわやかな風が草や木の葉などをそよがせて、気持ちのいい音をたてるようす。「レースのカーテンが**さやさや**とゆれる」「風が吹くと、新緑の木々が**さわさわ**と一斉に音をたてる」

❷**そよそよ**は風が静かに吹くようす。「**そよそよ**と吹く風がほおに心地よい」❸**さらさら**は、細かい砂や小川の水が軽い音をたてるようす。「**さらさら**と水の流れるせせらぎ」「白い砂が**さらさら**とこぼれる」

すら。『**さらさら**とペンを走らせる』「岩の上を**さらさら**と走り上て」〈太平記〉 ❸さま 湿りけやねばりけがないさま。好もしく感じられる程度に乾燥しているさま。「癖の無い**さらさら**した洗髪を白リボンで束ねて」〈青春・小栗風葉〉「**サラサラ**と全《まる》で水気のない粉雪が盛んに降って居る」〈雪の日・志賀直哉〉 ⬇使い分け「すべすべ」 ❹さま 何のわだかまりもないさま。いやみのないさま。「牧師は**さらさら**と隔て無い調子で色々の事を尋ね」〈思出の記・徳冨蘆花〉「心いき**さらさら**としておもしろき所多し」〈洒落本―吉原源氏六十帖評判〉

ざらざら ❶音・さま 粗いものがこすれ合ってたてる音。粒状のものが多量に続けて落ちたり動くときの音。また、そのさま。「砂埃が**ざらざら**音を立てながら障子にあたった」〈都会の憂鬱・佐藤春夫〉「夜になると薬売りは鞄の中から十銭や五銭の穴あきのアルミ貨をとりだして、それを**ざらざら**と数えた」〈足摺岬・田宮虎彦〉 ❷さま 手ざわりや見た目全体に、粗さや強いひっかかりのあるさま。「木の根のように不恰好に大きい**ざらざら**した手だった」〈蟹工船・小林多喜二〉「**ざらざら**と舌のさけやねこの恋」〈俳諧―水の音〉 ⬇使い分け「ざらざら」 ❸さま ものごとがささくれて荒々しいさま。気味わるく鳥肌《とりはだ》だつようなさま。「一度砂を潜った様に**ザラザラ**した声を少し顫して」〈鳥影・石川啄木〉「割《さ》かれた肉とガーゼとが擦れ合って**ざらざら**するやうな心持がした」〈明暗・夏目漱石〉「コンクリートの床を踏んで踊ってゐるヘレン・水町の素足が変に気になり、自分が**ざらざら**した寒さを覚えて」〈帰郷・大仏次郎〉 ❹さま古 周囲に配慮せず、ものごとを勝手にすみやかに進めるさま。さっさ。「今の世の人心せはしく、我云事斗《ばかり》いふて**ざらざら**と立行ば、何を云て聞す間もなし」〈日本永代蔵・井原西鶴〉 ❺さま古 多くのものが並びつながるさま。ぞろぞろ。「**ざらざら**と何れも通る夜明方」〈雑俳―うき世笠〉

さらっ ❶音・さま ものが軽くふれ合ってたてる短い音。また、そのさま。「何か襖を**さらッ**と鳴らして通りすぎるものがあった」〈菩提樹・丹羽文雄〉 ❷さま ものに、湿りけやねばりけがなくて、かわいた手ざわりがするさま。「豆絞りの手ぬぐいを**さらっ**と双の頬に垂らして差上げますと」〈蝶の皿・秦恒平〉 ❸さま 人の態度・性格ややり方に気負いやくどさがないさま。『**さらっ**と聞き流した』「この頃ではめったにもう聞かれなくなった東京のひとの、**さらっ**とした会話の味がある」〈巷談本牧亭・安藤鶴夫〉 ❹さま ものごとを迷いやためらいなく一気にするさま。ひっかかりのないさま。『**さらっ**と読める小説』

ざらっ さま 手ざわりや見た目に、粗さや強いひっかかりを感じるさま。ざらり。

使い分け

［共通の意味］
表面があらく手触りのわるいようす。

ざらざら
がさがさ／でこぼこ／ごろごろ

❶**ざらざら**は、表面に何かついていて、なめらかでないようす。「質のわるい**ざらざら**した紙」「砂ぼこりで、床が**ザラザラ**している」。**がさがさ**は、肌などにうるおいがなくなって、なめらかでないようす。「冬になると、かかとが**ガサガサ**になる」

❷**でこぼこ**は、表面に出っ張っている部分やくぼんでいる部分があって平らでないようす。「**でこぼこ**した道で歩きにくい」。**ごろごろ**は、石や、まるい固まりがたくさんあるようす。「がけ崩れの後の道路は、石が**ごろごろ**して車が通れない」

コラム オノマトペのもと

さら・ざら

「さら」は、ものが軽く当たったり、水が軽快に流れたりするようすを表す。「さらさら」「さらり」など、粘りや湿りけのないようす、性質がさっぱりしたようすの表現にも使われる。心地よい感じを連想し、よいイメージがある。

「ざら」は、「さら」に比べて、粗さや重さを表す。「ざらざら」「ざらり」など、感触が粗くなめらかでないことから、「ザラザラした声」(『鳥影』石川啄木)、「ざらざらするような心持」(『明暗』夏目漱石)のように、引っかかりのある感じや、どこかしらぞっとする感じを表すこともある。

[さらの語群]

さらさら・ざらざら
さらっ・ざらっ
さらら・ざらら
さらり・ざらり
さらりん・ざらりん

	―(と)水が流れる	―(と)砂が流れる	―(と)書く
さらさら	○	○	○
ざらざら	―	○	―
さらっ	○	△	○
ざらっ	―	○	―
さらり	○	△	○
ざらり	―	○	―

[表現]

「さらさら」は、古くから風や水の流れを表現した。『蜻蛉日記』では「海のおもていと騒がしう、さらさらと騒ぎたり」とあるし、『宇治拾遺物語』では「さらさらと芋粥を煮る」という記述がある。水面のゆれるようすが、やがて、ものごとが滞りなく進むようす、さらに、粘りや湿りけのないようすを表すようになった。

「さらさら」といえば、お茶漬けである。たとえば田山花袋の『田舎教師』には「父親の茶漬を搔込む音がさらさらと聞えた」とある。調理の専門家に調査したところ、食表現としての「さらさら」は、お茶漬け、雑炊類、スープ類によく使われる語であった。やはり、粘りのなさが関係している。

二〇〇四年に首都圏の一般の人に調査をしたところ、「さらさら」を食の表現だと思う割合は、若年層よりも中高年のほうが高かった。

そういえば、一九九七年から数年間放送されていた永谷園のお茶漬け海苔のコマーシャルでは、若い男性がお茶漬けを豪快にガツガツと食べていた。賛否両論あったというこのコマーシャルは、特に、若い世代で小気味よい食べっぷりだと支持されたそうだ。小津安二郎監督の映画「お茶漬の味」で、中年夫婦がさらさらと食べていたお茶漬けとは対照的だ。もはや若い世代では、お茶漬けはさらさらではなくガツガツなのかもしれない。

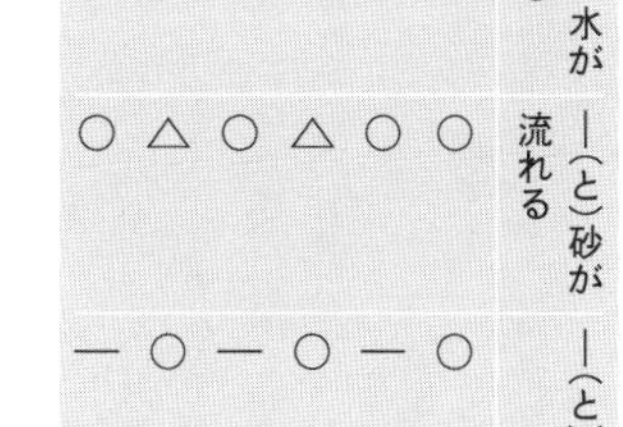
小津安二郎監督「お茶漬の味」松竹・1952

二〇〇二年一月に行われた文化庁の調査では、「けんもほろろ」などの表現は若い世代に使われなくなっていた。決まり文句は変わっていく。「お茶漬けさらさら」も同じ運命のようだ。

(早川文代)

「触るとざらっとする机の上に凭れると」〈あきらめ・田村俊子〉

さらら ❶ 音 薄く軽いもの同士が軽くふれ合ってたてる音。「榎の高木**さらら**に風の吹きあてて秋に先だつ落葉こそ散れ」〈ふゆくさ・土屋文明〉 ❷ さま ゆとりがあるさま。ゆっくり。ゆったり。「神ならばゆらら**さらら**と降りたまへ、いかなる神か物恥はする」〈梁塵秘抄〉

さらり ❶ 音・さま ものがこすれ合って立てる軽い音。また、そのさま。「落葉**さらり**と障子を撫でて」〈琵琶伝・泉鏡花〉「隔ての襖を**さらり**と引き明けて出て来ましたは」〈怪談牡丹燈籠・三遊亭円朝〉 ❷ さま ものに、湿りけやねばりけがなくて、手ざわりがなめらかで、さわやかなさま。「髪毛を**さらり**背後へ振ると、冱々しい声で独り笑ひ出した」〈青春・小栗風葉〉 ❸ さま 人の態度・性格ややり方に気負いやくどさがなく、なめらかさと軽快さを感じるさま。「もっとねっとりと語るところを、**さらり**と軽く流すからお客様が満足しない」〈人情馬鹿物語・川口松太郎〉「気だて、しゃんしゃんと、**さらり**として、よし」〈評判記―満散利久佐〉 ❹ さま 迷いやためらいもなしに、ものごとを一気にするさま。「それはけっこうなこと。彼女は心にもなく**さらり**と言ってのける」〈往還の記・竹西寛子〉 ❺ さま 残るところのないさま。きれいさっぱり。残らず。「今まで背負ってゐた重荷が**さらり**と一時におりた」〈銀の匙・中勘助〉「浮世の帳面**さらり**と消して、閻魔《えんま》の筆に付けかゆるに」〈日本永代蔵・井原西鶴〉

ざらり ❶ 音・さま 重みのあるものがこすれ合ったりこぼれたりして、たてる音。また、そのさま。「先ずハンカチの獲物を**ざらり**と砂地へあけてしまった」〈蟹・河野多恵子〉「あなたへ**ざらり**、こなたへ**ざらり**、ざらざらざっと、風の上げたる、古簾」〈謡曲―蘆刈〉 ❷ さま 手ざわりや見た目が粗いさま。また、そのような気分が生じるさま。『**ざらり**とした布』「体調や気分によっては微妙な誤差が生じて、**ざらり**と音符が耳に引っかかってくることもある」〈百年の預言・高樹のぶ子〉 ❸ さま 多くのものがまとまりなく並び連なるさま。「焼けたかと思ふ程赤く成って居る葉先に**ざらり**と蕾が附いてこっそりと咲いて畢《しま》った」〈土・長塚節〉「ちゃぶ台には煮豆、数子、蜜柑、酢章魚《すだこ》といふ風なものが**雑然**《ざらり》と並べてある」〈巡査・国木田独歩〉 ❹ さま 古 ものごとを一気にするさま。「腰の刀に手をかけて、朱三**ざらり**とひん抜て」〈狂言―双六〉 ❺ さま 古 残るところのないさま。すっかり。ことごとく。残らず。「万事を底たたいて語ける。**ざらり**と聞て合点して」〈好色一代女・井原西鶴〉

さらりさらり ❶ 音・さま 軽いものが、何度もこすれ合ったりこぼれそうにしてたてるかすかな音。また、そのさま。「やなぎのえだが　**さらりさらり**と　なびくとき」〈秋の瞳・八木重吉〉「読みかけた手紙を庭の方へなびかしたから、仕舞ぎはには四尺あまりの半切れが**さらりさらり**と鳴って」〈坊っちゃん・夏目漱石〉 ❷ さま 液体がよどみなく流れるさま。さらさら。「ちにまじはりて此酒が、むないたをくだりに**さらりさらり**とながれけり」〈幸若―高たち〉 ❸ さま とどこおりのないさま。すらすら。「田楽串を二度とつかはず、一度にて**さらりさらり**とすてける」〈浮世草子―子孫大黒柱〉「**さらりさらり**と　上見てとんだ」〈童謡―縄とび・野口雨情〉

ざらりざらり ❶ 音・さま 粗いもの同士がこすれ合ってたてる大きな音。また、そのさま。『**ざらりざらり**とあずきをボウルに

こぼした」

❷さま 何度も粗く感じるさま。「舌にざらりざらりといたす酴醾六《どぶろく》をまゐらせて」〈新浦島・幸田露伴〉

❸さま古 力強く迫力をもって、ものごとが進むさま。「筆をとって文章を**ざらりざらり**と流る如たは筆も神があってたすけてはしらするかと思ぞ」〈玉塵抄〉

ざらりん 音 弦《げん》を一度かき鳴らす音。じゃらん。「**Zararinto**（**ザラリント**）。〈訳〉副詞。絃に指を走らせてでたらめに弾ずるとき、絃楽器の鳴るさま」〈日葡辞書〉

さりさり 音 ものをすり合わせて出る音。軽いものをかむようなかすかな音。しゃりしゃり。「耳のわきで、指先を擦合せると、いい方では**さりさり**とよく聞えるが、悪い方ではそれが少しも聞えなかった」〈暗夜行路・志賀直哉〉

ざりざり 音 かたいもの、角張ったものなどをかんだり、それらがこすれ合ったりしてたてる音。「舟の舳は**ザリザリ**と音をさせて砂地へ着いた」〈焚火・志賀直哉〉「雪のそつそつと降るは、蚕の桑の葉を**ざりざり**と咬むやうなぞ」〈江湖集抄〉

さわさわ ❶音・さま 風が草木をそよがせたり、湯がわいたりする際にかすかにたつ軽くこまやかな音。また、そのさま。「教室中には、急に小蜂のうなるような囁《ささやき》や、せわしい身じろぎの音が、一しきり**サワサワ**、サワサワサワと鳴り渡った」〈面積の厚み・宮本百合子〉「草の葉風に似た音が、**さわさわ**鳴ってをりました」〈童謡―えのころぐさ・真田亀久代〉「松茸古酒にて**さわさわ**といり、さかげのなき時白水をさし、だしたまりくはへふかせ候て」〈料理物語〉「松陰なるゆへ松葉をかきよせ、**さはさは**と湯をわかし」〈南方録〉 ⬇使い分け「さやさや」

❷さま古 気分の晴れわたるさま。とどこおるところのないさま。さわやかに。明瞭に。すっきり。さっぱり。「御心ち、**さはさは**となりて、いささか心ぐるしきこともなくて」〈古本説話集〉「初心の時は、只打向ひて、一首**さはさは**と理の聞ゆるやうに詠むべき也」〈正徹物語〉

❸さま古 手順よく、とどこおりなく事の運ぶさま。すらっ。すらすら。「なに他愛ない祝い事も、まあ成ろうならしゃんと生まれ変ってはくれぬものかという一族の空頼みのまま**さわさわ**と過ぎ」〈蝶の皿・秦恒平〉

❹音・さま古 騒々しい音のするさま。ものなどがぶつかり合って音をたてるさま。ばしゃばしゃ。「釣為《つりせ》し海人《あま》の、口大《くちおほ》の尾翼《をはた》鱸《すずき》、**さわさわ**に控《ひ》き依《よ》せ騰げて」〈古事記〉

使い分け

［共通の意味］大勢が集まって騒がしいようす。

ざわざわ **がやがや／わいわい／わーわー**

❶**ざわざわ**が、「ざわざわした都会から逃げ出す」「開演五分前の会場は**ざわざわ**している」のように騒がしく落ち着かない雰囲気を表すのに対して、**がやがや**は、口々に言い合う声や物音などを表す。「部員たちが、**ガヤガヤ**と部室にもどってきた」「子どもたちが集まって、**ガヤガヤ**うるさい」

❷**わいわい**は、**がやがや**ほど人数は多くないが、その場の人々が口々にしゃべり合うようす。「酒を飲んで**ワイワイ**騒ぐ」

❸**わーわー**は、大勢の人が一斉に上げる声や歓声を表す。「競技場は**ワーワー**というファンの応援の声であふれている」

❺さま古 落ち着かないさま。軽率なさま。そわそわ。「按摩とる跡しづかなる富士颪〈益友〉気が**さはさは**とめぐる夕だち〈均朋〉」〈俳諧―大坂檀林桜千句〉

ざわざわ ❶音・声・さま 声や音が騒がしく聞こえるさま。大勢が騒ぎ動くさま。「**ざわざわ**している教室」「**ざわざわ**と囁く

蘆の葉擦れの音が絶えない」〈煤煙・森田草平〉「此の小さい狭苦《せばくる》しい議場に、之ほどの多人数が押し詰って居ながら、我邦の議会の様に**ざわざわ**した所は一点もない」〈大英游記・杉村楚人冠〉 ⬇使い分け「ざわざわ」

❷ さま 不安や、いやな予感などで心が波立つさま。「不安で**ざわざわ**してゐるなかに、一点の燈火の如くに先生の家を見た」〈こゝろ・夏目漱石〉

❸ さま 病気の熱などで寒けがするさまや、気味がわるく鳥肌がたつようなさま。ぞくぞく。「幸子は身体のずウと底の方から**ザワザワ**と寒気がしてきた」〈一九二八・三・一五・小林多喜二〉

さわっ 音・さま 薄く軽いものに何かがふれてたてる軽く小さな音。また、そのさま。『夕風が吹き、カーテンが**さわっ**と揺れた』「骨やら鰓蓋《えらぶた》が砕ける歯触り。腸《はらわた》の苦さと身の旨《うま》さ。小骨が**サワッ**と舌に触る」〈味わい探し・読売新聞・00・4・5〉

ざわっ 音・声・さま 静けさのなかで声や音が全体的に短くおきるさま。寒けなどが一瞬おこるさま。『会場が一瞬**ざわっ**とした』「落ち葉道は歩くと、**ザワッ**、ザワッと音がする。走ったり歩いたりして、その音を確かめる子どもたち」〈コーヒーブレイク・産経新聞・92・12・17〉

さわり さま 軽やかで清潔なさま。「長い髪が**さわり**とほどけて、肩から豊に」〈銀の匙・中勘助〉「日新は心のよごれきたないこと身のあかの如なぞそれを洗いすてて心を新う**さわり**ときれいにせよの心ぞ」〈玉塵抄〉

ざわり 音・声・さま 静けさのなかで声や音が全体として短くおきるさま。寒けなどを一瞬感じるさま。「風《かぜ》が吹《ふ》き起《お》こり、道《みち》ばたの草《くさ》むらが**ザワリ**とゆれた」〈読んであげて・毎日新聞・06・10・3・大阪版〉

ざんぐり ❶ さま おおらかであかぬけしているさま。「共にアラベスク風な柔かく且つ**ざんぐり**した音の織物であり」〈私の詩と真実・河上徹太郎〉「此近所に茶人があって、この頃二畳台目の席が建ちました。〈略〉宗匠の好みで、至極**ざんぐり**と出来あがった」〈続鳩翁道話〉

❷ さま おおまかで茶味のあるさま。茶器を鑑賞するときに用いる表現。「高台のまわりも、**ざんぐり**とした土の感じを出すため、槌打ちの技法が採られている」〈祈りの美　醍醐寺展から・毎日新聞・98・7・29〉

❸ さま 煮物やあえ物などを、やわらかく重ねて盛るさま。「雑煮の名のごとく、あまり姿形にかまい過ぎず、タイなども**ざんぐり**切って盛った方がよろしいと思います」〈憧れの店　憧れの味・産経新聞・02・11・10〉

ざんざ ❶ 音・さま 古 枝や葉を風がはげしく鳴らす音。また、そのさま。「三面の水をたたへ暑さ、流して**さんさ**、吹くやな松の風」〈浄瑠璃－双生隅田川・近松門左衛門〉

❷ 音・さま 雨や流れや波などがはげしく打つ音。また、そのさま。ざーざー。『**ざんざ**雨』「泊っちゃひましたよ、ここへ。雨は**ざんざ**降ってゐるし」〈ヴィヨンの妻・太宰治〉

❸ さま 古 とどこおりなく勢いよく移動するさま。どんどん。「伊水の水は、なんの、さわりもなく、**ざんざ**と東の方へ流れ行くぞ」〈三体詩素隠抄〉

ざんざざんざ 音・さま 水音がしきりにはげしくひびくさま。水をはげしくかきわけるさま。「逆巻く流れをことともせず、**ざんざざんざ**と水を分けて」〈きりしとほろ上人伝・芥川龍之介〉

ざんざら 音・さま 雨や風などが吹きつける騒がしい音。また、そのさま。「思い出すさえ　**ざんざら**真菰　鳴るなうつろなこの胸に」〈おんな船頭唄・藤間哲郎〉

さんさん ⬇漢語編 ①「さんさん（珊珊）」②「さんさん（毿毿）」③「さんさん（潸潸・潸潸）」④「さんさん（燦燦・粲粲・璨璨）」

ざんざん さま 雨が勢いはげしく降るさま。「ざんざん降りしきる雨の中を、その

組合旗を先頭に」〈真理の春・細田民樹〉 ⬇使い分け「ざーざー」

ざんばら さま 結っていた髪などがくずれて、ふり乱れているさま。「濡れ髪は解けて、**ざんばら**になっている」〈宮本武蔵・吉川英治〉「髪を**さんばら**にした妖婆」〈われ深きふちより－島尾敏雄〉
✿「さんばら」ともいう。

ざんぶ 音・さま 勢いよく水に飛びこんだり、大きいものが水中に投げこまれたりしたときの音。大きな波が押し寄せるときの音。また、そのさま。「メロスは、**ざんぶ**と流れに飛び込み、百匹の大蛇のやうにのた打ち荒れ狂ふ浪を相手に」〈走れメロス・太宰治〉「御免といひ捨一文字に池へ**ざんぶ**と飛入たり」〈浄瑠璃－双生隅田川・近松門左衛門〉

ざんぶこんぶ ❶ 音・さま 方言 水が大きくかき回される音。浮いたり沈んだりするさま。ざぶざぶ。「まりが**ざんぶごんぶ**流れてった」〈福島県〉
❷ さま 方言 湯水のように浪費するさま。「おぢんつぁん、ためさったしんしょ〈お爺さんがためられた財産を〉、孫が**ざんぶこんぶ**遣うつうことありすけな」〈宮城県〉「ドラ息子で、銭**ざんぶこんぶ**使ってる」〈福島県〉

ざんぶり 音・さま 水に勢いよく飛びこんだり、ものが深く広く落ちこんだりするときの余韻の残る水音。波が大きく寄せては返す音。また、そのさま。「海へ私の身体を、**ざんぶり**捨てて下さいって」〈女坂・円地文子〉「亭主こらへかねてはだかに成り、井戸端へとんでいで、水を**ざんぶり**と浴びて」〈咄本－聞上手〉「波に**ざんぶり**、ゆり起されて、ねむいお船が目をさます」〈童謡－お船・河井酔茗〉

ざんぶりこ 音・さま 水や波が大きく打ちつけるときの音。また、そのさま。「渚に**ざんぶりこ**　波がざんぶりこ　千鳥が逃げた　千鳥が逃げた　波がざんぶりこ」〈童謡－波がざんぶりこ・野口雨情〉
✿「こ」が付くことによって可愛らしい雰囲気を出している。

さんらん ⬇漢語編「さんらん〈燦爛〉」

しーおり さま 古 しおれるさま。しょんぼり。「イヤ、お伽には、花飾れぢゃ。ト苦笑ひする。皐月も**しいをり**となる」〈歌舞伎－絵本合法衢・鶴屋南北〉

じーこんじーこん 音 ダイヤル式電話機の丸い数字盤を回すときの音。じーこじーこ。「『サザエさん』にはさまざまな生活音があふれていた。〈略〉テレビをつけるときはパチン、切ったときはプツン、電話は**ジーコンジーコン**だ」〈書評・朝日新聞・06・11・12〉

しーしー ❶ 音・さま 楊枝で歯の食べかすをせせる音。また、そのさま。しーはーしーはー。「『同じ席に着きたくない。つまようじで**シーシー**するな！』〈略〉など、手厳しい意見が並ぶ」〈見られてますよ！・週刊ダイヤモンド・04・3・13〉
❷ 音・名 放尿する音。小便をいう幼児語。しゃーしゃー。「ひとりで**シーシー**してきなさい」

じーじー ❶ 音・声 アブラゼミなどの鳴く声。振動や共鳴の感じられる音。「木立のところどころで、**じいじい**といふ声がする。蟬が声を試みるのである」〈杯・森鷗外〉
❷ 音 水分が熱にふれて蒸発する音。油が焼けこげる音。「ランプは始終**ヂイヂイ**と音をさせて、油を吸ひ上げた」〈不在地主・小林多喜二〉
❸ 音 ベルやブザーなどの鳴る音。電気

器具などが稼働している音。「門のベルがジイジイ鳴って」〈卍・谷崎潤一郎〉
❹音 ものがすれ合ってたてるにぶい音。ざーざー。「女竹を二本、**じいじい**と後へ引き摺って」〈おみつさん・鈴木三重吉〉

じーっ ❶音・声 虫の鳴く声。水滴や脂などが一瞬にやけてはじける音。目覚まし時計、ブザーなどの警報音や機械のノイズなどにもいう。「ふかふかした灯心、それに**ぢいっ**と油のしみる具合」〈銀の匙・中勘助〉
❷さま 体を動かさないで静かにしているさま。深く静かに考えこむさま。じっ。「それにもまして李三尚と尹在鶴とは、顔に激憤の色をのぼらして**じいっ**と耐えていた」〈富士のみえる村で・金達寿〉「**昵**《ぢい》**ッ**と考込んだが、軈《やが》てトンと煙管を叩いて銀の顔を見た」〈くれの廿八日・内田魯庵〉
❸さま 視線をそらさないでものをよく見つめるさま。じっ。「木材は職工の押す手に従って、截断《せつだん》されて行くのであった。杉中は**じいっ**とそれに見惚《みと》れてゐた」〈金・宮嶋資夫〉

しーはーしーはー 音・さま 楊枝で歯の食べかすをせせる音。食後で満腹になったさま。しーしー。「人前で爪楊枝を**シーハーシーハー**するしおまけに耳掃除までしてしまうオヤジもいる」〈これがオヤジの生きる道・AERA・99・5・3〉

しーわり さま 古 たわみ曲がるさま。ひーわり。「とびらは弓をはるごとく、**しいはりしいはり**とたはむ所を、エエイうんと押しければ」〈浄瑠璃―悦賀楽平太〉
✦動詞「しわる(撓)」の連用形「しわり」の変化した語。

じーわり さま 少しずつ、しみ通ったり、圧迫するさま。→じんわり①。「お父さんをまず**じいわり**と動かすことですな」〈平和についての架空座談会・桑原武夫〉

しーん さま 物音一つ聞こえず、静まりかえっているさま。『彼の発言に場内が**しーん**としてしまった』「彼女の心は**しいん**としたなりで少しも働かうとはしなかった」〈星座・有島武郎〉「村は**しいん**と底に沈んでゐるやうだった」〈雪国・川端康成〉⇩使い分け「ひっそり」

じーん ❶音 絶えまなくこまかく強く振動する低い音。『**ジーン**と耳鳴りがした』「半鐘の音が、**じいん**と耳の底で鳴り尽して仕舞ふ迄横になって待ってゐた」〈それから・夏目漱石〉
❷さま 体がしびれるさま。痛さや冷たさで感覚がまひするさま。目が涙でしみるさま。「**ジーン**と音でもして居さうな疲れ切った膝から下を立膝にし、抱へて居た」〈暗夜行路・志賀直哉〉「不必要にまで敏感である小関は、おもはず顳顬《こめかみ》が**ジーン**となる想ひで」〈故旧忘れ得べき・高見順〉
❸さま 感動が体の奥から静かに湧き上がり、にじみ出てくるさま。「**ぢいん**とした淋しさが何所からともなくみのるの耳の傍に集まって来る中に」〈木乃伊の口紅・田村俊子〉「ただ、この上もなく、**じいん**と碧い空と、碧い海、暖かい碧一色の空間にぼくは溶け込んだ気がしたが」〈オリンポスの果実・田中英光〉

しぇらしぇら →せらせら。

しおしお ❶さま 気落ちして力が抜けたさま。元気なくしおれたさま。「その人はなんにも云はないで、おとなしく**悄々**《しほしほ》と出て行きました」〈半七捕物帳・岡本綺堂〉⇩使い分け「なよなよ」
❷さま 雨・露・涙などにぬれるさま。しぼしぼ。しぽしぽ。「赤く泣いた眼が**しをしを**として潤《うる》んでゐる」〈霜凍る宵・近松秋江〉「観世宗雪は〈略〉**しほしほ**と泣きければ、満座の上下、あらあはれや、ああしたりやああしたりやと」〈舞正語磨〉
❸さま 古 態度やようすが、ものやわらかで風情のあるさま。「しばのあみ戸にたちそいて、**しおしお**としたるありさま、いに

しへのおもかげにも、なおまさりてぞおぼゆる」〈御伽草子―横笛の草紙〉❹〔さま〕〔古〕布などの張りがなく、やわらかなさま。しなしな。「紅梅の色ことなるに、氷の如なる練貫の小袖の、**しほしほ**とあるを掻い取て」〈太平記〉

しおたら〔さま〕〔古〕世帯じみているさま。貧乏生活で苦労するさま。「もはや夫婦となりて十二年、ならぬ世帯に**しほたら**と明かし暮らすも」〈浮世草子―好色敗毒散〉
✹「しぼたら」ともいう。

しおり〔さま〕〔古〕湿りけを含んで張りを失ったさま。しんなり。「雲が海気と一つになりたほどに、座敷え入て、ことや物の本が**しをり**としめりたぞ」〈詩学大成抄〉

しかしか ❶〔さま〕何度も小さく刺してくるさま。痛みを感じるさま。しくしく。「吐気をおぼえるよりさきに眼が**シカシカ**してきて涙がにじむのである」〈夏の闇・開高健〉「**しかしか**は同しく虫のさしていたむ心歟。又熱湯にてかゆがりをたづるやうのこと歟」〈かた言〉〔方言〕痛いのかかゆいのかわからない感じのするさま。ちくちく。「なんか枯れ草でもついてるのやろか、**しかしか**するわ」〈京都府〉❷〔さま〕〔方言〕光り輝くさま。ぴかぴか。「お日様**しかしか**と出はった(出られた)」〈富山県〉「車を**しかしか**に磨いて、デートかい?」〈富山県〉

じかじか ❶〔さま〕〔方言〕胸や腹が痛むさま。「妙に腹が**じかじか**しだいたが、えーかしらんて」〈高知県〉❷〔さま・名〕〔方言〕皮膚が刺激されて痛むさま。ちくちく。また、あせもをいう幼児語。岐阜県・熊本県。「じがじが」「しかしか」ともいう。「切ったとこ**じかじか**していてぁーわ。じかつくがな」〈岐阜県〉「何へぁったしゃん(何が入ったのか)背中ん**しかしかしる**」〈岐阜県〉「背中ん**じがじがする**」〈熊本県〉「わりゃ**じかじか**んでけてかいかっど(お前はあせもが出来てかゆいだろう)」〈熊本県〉

じがじが〔声〕ジガバチの鳴く声。

しかほか〔さま〕〔古〕毒虫などに刺されて、熱っぽくはれあがるさま。「**しかほか**は同じく毒虫などのさして跡のほとほる心歟」〈かた言〉

しく ⬇コラム「しく・じく」

しく ❶〔声・さま〕悲しげに泣く声。また、そのさま。しくしく。「**しく**となくこそあはれなりけれ」〈宗朋〉おやかたの十三年のめぐり来て〈同〉」〈俳諧―鷹筑波〉❷〔さま〕虫などが鋭く刺すさま。刺されて痛むさま。ちくり。しくり。「かくうつくしき色鳥のさほなれぬこそ、さしよければと、ゑんまのかほをぞ、**しく**とさす」〈狂言―触差〉

ジグザグ〔さま〕直線が交互に右、左と折れ曲がっているさま。Z字形。のこぎり形。雁《がん》木《ぎ》形。「『**ジグザグ**道路』」「重く成った水粒が**ヂクザク**の線を描いて流れる」〈故旧忘れ得べき・高見順〉「灌木の枝をつかまえ、幹をつかまえては弾みをつけて横へ、横へと**じぐざぐ**に登って行くのである」〈後裔の街・金達寿〉⬇使い分け「くねくね」
✹英語の zigzag より。

しくしく ❶〔声・さま〕勢いなくあわれげに泣く声。また、そのさま。「甘ったれっ子ね、それで**しくしく**泣いたのね」〈学校の花・川端康成〉「たえがたくかなしくて、**しくしく**となくよりほかの事ぞなき」〈建礼門院右京大夫集〉⬇使い分け「しくしく」❷〔さま〕絶えずさしこむように、にぶく痛むさま。「胃が**しくしく**痛んで〈略〉一寸も足掻《あが》きが取《と》れなかったのである」〈満韓ところどころ・夏目漱石〉「頭の心が**しくしく**と痛むやうでいつになく重かった」〈土・長塚節〉「凍えた夜気にあたったため義手の付根が**しくしく**と疼《うず》いた」〈夜と霧の隅で・北杜夫〉⬇使い分け「がんがん」❸〔さま〕決断できないで、態度、気持ちな

どを明確にしないさま。ぐずぐず。じくじく。「『御互も、かうやって三十年近くも、**しくしくして…**』『何時迄も浮世の鍋の中で、煮え切れずに居るのさ』」〈虞美人草・夏目漱石〉

❹〔さま〕〔古〕じゅうぶんに行き届くさま。よくよく。とっくり。「遊びにいて酒など呑を推じゃ心得違へたる人有、**しくしく**気を付てわきまへたまへ」〈洒落本―間似合早粋〉

❺〔さま〕〔古〕うれしさにこらえきれないで、しきりに心のふるえるさま。「腰元は**しくしく**をどり、観了に取付」〈御前義経記・西沢一風〉

じくじく ❶〔音・さま〕水分が熱せられて煮えたつ音。また、そのさま。「やがて**じくじく**音がたちはじめるころには、貝へ昆布の味と香りがしみ」〈男のだいどこ・荻昌弘〉

❷〔さま〕水分を多く含んでいるさま。湿っているさま。絶えず水がにじみ出るさま。『**じくじく**した傷』「流元《ながしもと》なんざ湿地で、いつでも**じくじく**して、心持が悪いっちゃあない」〈化銀杏・泉鏡花〉「よく叱られるたび**ジクジク**泣いて、しめぢが生えるよと先生に言はれた」〈津軽の野づら・深田久彌〉

⇩使い分け「じとじと」

❸〔さま〕少しずつものごとが進んでゆくさま。じわじわ。「残暑で**ジクジク**やられますのが一番苦しい様に思はれます」〈落語―ちきり伊勢屋・禽語楼小さん〉「暗い空が**じくじく**私に滲透してきた」〈人形愛・高橋たか子〉

❹〔さま〕〔古〕興奮して体などを動かすさま。うごめいているさま。「見物の男女、僧俗、**じくじく**おどりあがりておもしろがるは尤至極」〈仮名草子―都風俗鑑〉

しくほく ❶〔さま〕〔古〕病気などで痛むさま。弱って元気のないさま。しくしく。「虫気で、ひさしう**しくほく**いたしてをりましたが」〈浮世床・式亭三馬〉

❷〔さま〕〔古〕元気なくあわれげに泣くさま。しくしく。「**しくほく**と啼《かな》しめて悲しましめうすらう」〈四河入海〉「しくしくと泣といふを、**しくほく**」〈かた言〉

❸〔さま〕〔古〕雨が静かに降るさま。しとしと。「**しくほく**〈略〉愚按、今雨のふるを**しくほく**といふ」〈俚言集覧〉

しくり ❶〔さま〕〔古〕虫などが、一度針で刺すさま。針で刺されたような痛みを感じるさま。ちくり。「たとへば、腫れた処などに針を**しくり**と立るやうに、悪事のあるに詞のはりを**しくり**と立てて、悪く候。なをし候へと云心ぞ」〈毛詩抄〉

❷〔さま〕〔古〕ものごとが、ほどよく組み合っているさま。「Shikuri（**シクリ**）ト、ハマッタ」〈和英語林集成―再版〉

使い分け

[共通の意味]
大声をあげずに静かに泣くようす。

しくしく
さめざめ／めそめそ／ほろり

❶**しくしく**は、声を出さずに静かに泣くようす。「いじめられた子どもが、校庭のすみで**しくしく**泣いている」❷**さめざめ**は、涙を流しながら、静かに泣き続けるようす。「子どもの事故死の知らせを受けた母親は、**さめざめ**と泣いた」❸**めそめそ**は、気が弱くて声を出さずに泣いているようす。また、「**めそめそする**」などの形で、気が弱く泣き言を言ったり助けを求めたりすることにも使う。「ちょっと叱られたくらいで、**めそめそ**するな」❹**ほろり**は涙が一滴流れるようす。悲しい話を聞いて同情したときなどに使う。「帰国者の現地での苦労話を聞いて、思わず**ほろり**とした」

しくりしくり ❶〔さま〕虫などが何度も針で刺すさま。針で刺されたような痛みを何度も感じるさま。「一ッ蚊のだまって**しくりしくり**かな」〈おらが春・一茶〉

❷〔さま〕あわれげに泣き続けるさま。しくしく。「うしろ姿を見送ると、**しくりしくり**

コラム　オノマトペのもと

しく・じく

「しく」は、針などで皮膚を刺すさまや弱々しく泣くさまなどを表す。「じく」は水けが多い状態を表す。

胃腸や背中などが、がまんできないほどではないが絶えず痛むときや、弱々しく泣くようすを表すのに「しくしく」を使う。「じくじく」は、水けが多く、少しずつしみ出てくるさまを表す。

「しっくり」は、古くは鋭い痛みや強い刺激を表した例があるが、現代ではものごとがよく適合しているという意で使われることがほとんどである。

「じっくり」は、「しっくり」と同じく、ものごとがよく調和しているようすを表すこともあるが、むしろ、時間をかけて丁寧にものごとに取り組んだり、考えたりするさまを表すことが多い。

【しくの語群】

しくしく・じくじく
じっくじっく・じっくじく
しくり・しっくり・じっくり
しくりしくり・じくりじくり

【表現】

「しくしく」「しとしと」「しおしお」「しなしな」「しんしん」など、「し」で始まる四拍の畳語のオノマトペは、静かさや弱々しさなどを表すことが多い。「しくしく」と泣く場合も、「しくしく」と痛む場合も、その泣き方も痛みも持続するが、はげしくはない。

「しくしく」も「ちくちく」も針などで刺すような痛みだが、「しくしく」痛むのは体の表面ではなく、胃腸や背中、首、あるいは歯の根元などで、痛みの箇所をはっきりと特定できない場合もある。冷えによるおなかの痛みも「しくしく」である。

「じくじく」は、傷口から液がしみ出してくる状態や、化膿して膿《うみ》が出ている状態を表すことがある。「じくじく」はプラスのイメージの語ではなく、これまでは一般に傷口が「じくじく」しているのはよくないことで、早く乾燥させるのがいいことだと考えられていた。しかし、最近では「じくじく」することこそ傷が治るのに必要なステップだといわれることもある。

江戸時代後期の漢方医学書の『方彙《ほうい》口訣《くけつ》』では、たとえばさまざまな腰痛の一つを表すのに「しくしく」が使われている。引きつるような痛み、屈伸ができないような痛み、歩行ができないほどの痛みなどと並んで、「シクシクトスル」痛みといわれている。「しくしく」以外の語での説明がないことから、当時から頻繁に使われていた表現だと思われる。また、熱の出方にかわいている熱と「ジクジクスル熱」があるといい、滋潤の漢字を「じくじく」に当てている。

「しっくり」は、よく合っているという意味で、「ぴったり」と似た意味をもつが、「ぴったり」が客観性をもつのに対し、「しっくり」は主観的で、何がどう合っているのかの説明が難しいことも多い。「しっくりくる(こない)」「しっくりする(しない)」「しっくりいく(いかない)」などと使われることが多い。

「じっくり」は、「じっくり考えてから決める」などのように、じゅうぶんに時間をかけて丁寧にものごとに取り組むさまを表し、「じっくり」煮こむなどといった場合も、よく煮えるまで、時間をかけることが必要である。

（守山惠子）

り泣いて家の中に駈け込みます」〈業苦・嘉村礒多〉「愛子は丸髷を、すこしばかり左右に振った。**シクリシクリ**と歔《しゃく》り上げ初めた」〈近眼芸妓と迷宮事件・夢野久作〉

じくりじくり さま 話し方などがいやらしくしつこいさま。ねちねち。「しかし蒔が**ぢくりぢくり**それに触れて来ると、幾は又腹が立った」〈鳥羽家の子供・田畑修一郎〉

しげしげ ❶ さま 注意深くよく見るさま。念入りに観察するさま。つくづく。よくよく。じっ。「長さ五分ほどの可愛いらしい草鞋《わらぢ》を**しげしげ**みつめてゐた杉村は」〈脱出・福田清人〉「昌子はさしさわりのない返事をし、夫の顔を**しげしげ**と視つめた」〈新能・立原正秋〉 ⇨使い分け「じろじろ」

❷ さま 興味や用事によって、進んで同じ相手を訪ねるさま。しきりに。ひんぱんに。たびたび。『**しげしげ**と通う』「世間では王様が鶴子に惚れているように思い、また王様もそれを利用して**しげしげ**日本へやって来る口実《エクスキュウズ》にしていたんだが」〈魔都・久生十蘭〉

❸ さま 古 草や木が茂って、枝や葉がすきまなく重なり合うさま。「なにの花やら、江にうつくしう、花のりんも多う、**しげしげ**とさいたぞ」〈詩学大成抄〉

❹ さま 古 低い声で泣くさま。しくしく。「難義は私に乳が少うて、めっきりと顔も細り**しげしげ**泣は、可哀事じゃ」〈浄瑠璃ー伊豆院宣源氏鏡〉

✹「繁《しげ》し」「繁《しげ》る」の語幹を重ねた語。「しけしけ」「しけじけ」ともいう。

しこしこ ❶ さま 弾力があって、かむと歯ごたえのあるさま。「ヒラメのような味がする。**しこしこ**と、歯あたりがいい」〈小説家のメニュー・開高健〉「竹棒のまま、横啣えにしてみると、**シコシコ**した触りのうちに、なんともいえぬ、香ばしい味があった」〈てんやわんや・獅子文六〉 ⇨使い分け「ぷよぷよ」

❷ さま 持続的に、じみな活動をするさま。「いまは、冬にそなえて、仕事するときのためのひざかけをつくってるが、大体大きければ大きいほど喜んで毎日**シコシコ**と編んでいる」〈にんげん動物園・中島梓〉 ⇨使い分け「せっせ」

❸ さま 古 むやみにするさま。ためらわずやたらに行うさま。「橘左近帰し合せ、大敵を**しこしこ**うち候し」〈太閤記〉

❹ さま 古 ぬかるんでいるさま。「Xicoxico（**シコシコ**）〈訳〉副詞。場所がぬかるみであるさま、足がぬかるみにはまっているさま」〈日葡辞書〉

しこっ さま 食べ物に心地よい歯ごたえのの感じられるさま。「水の代わりに豆腐を使ってもち粉をこねると、**しこっ**とした中にもふんわりした歯触りが」〈おいしさ愛情便・朝日新聞・99・8・10〉

じさじさ さま 時間をかけてあたりのようすをうかがいながら、こきざみに後ずさるさま。「街路樹の間から車を**じさじさ**とバックさせ始めた運転手の肩をつかんだ」〈弔花・豊田三郎〉

しし ❶ さま 古 しゃくりあげて泣くさま。しくしく。「物のおぼえはつることなて、ふさすまるなりとて、**しし**となて」〈蜻蛉日記〉

❷ ⇨漢語編「しし（孜孜）」

じじ ❶ 声 ネズミや虫などの鳴く声。「**じじ**といへば聞耳たつる猫殿の眼《まなこ》のうちの光恐ろし」〈御伽草子ー猫の草紙〉

❷ 音 ものが焼け焦げるかすかな音。「桃色の蓋《かさ》かけしランプは**蜘々**《じじ》と燃えつつ」〈不如帰・徳冨蘆花〉「枕辺の洋燈は昨晩の儘に点いてはゐるけれど、光が鈍く**蜘々**《じじ》と幽かな音を立ててゐる」〈天鵞絨・石川啄木〉

じじくじゃ さま 古 動きがにぶくなるさま。乱雑で統一のないさま。あれこれとうるさく言うさま。「しっかりと動かぬ様になりにけり **じじくしゃ**といふ娵に子二人」〈雑俳ー三国志〉「聞はったはやり哥、附

て見ても節合ず、尻声のじじくじゃするのが気の毒さに」〈洒落本―遊客年々考〉

じじむじ さま 古 あれこれとためらうさま。ぐずぐず。うじうじ。もじもじ。「其間は待てやる。夫が済だら、めつきしやつき。ぢぢむじせずと、訳立い」〈浄瑠璃―小野道風青柳硯〉

ししらしん さま 古 知らん顔をして平然とすましこんでいるさま。つん。「どうぢゃどうぢゃお首尾はと、問へど俄に顔そむけ、娘に問へどししらしん」〈浄瑠璃―鶊山姫捨松〉「コレ主《ぬし》はぬしとも思ふが、此方《こなん》がししらしんとして居る所ではないわいの」〈歌舞伎―三十石艠始・並木正三〉「ししらしん月を見て居る恋しらず」〈雑俳―水加減〉

したした ❶ 音 古 忍びやかな足音や静かに降る雨の音。ひたひた。しとしと。『したした雨』「便をまちて酢徳利をやる〈洒堂〉 降出しも忘るる雨のしたしたと〈丈草〉」〈俳諧―市の庵〉「村雨のふる如き足音したしたとするにおどろき」〈浮世草子―新色五巻書〉 ❷ さま 古 棒などがしなうさま。「竹の根をゆく水のさらさら〈惟然〉 したしたと京への枇杷を荷つれ〈木節〉」〈俳諧―鳥のみち〉 ❸ さま 水などが静かに流れるさま。「いかなるはずみにか血汐さとほとばしりぬ〈略〉したしたとながれにしむをあなやと両の拳もてしかとおさへたれど」〈龍潭譚・泉鏡花〉

じたじた ❶ さま 古 心に強い感動や衝撃をうけて、ふるえるさま。たじたじ。「衣の色香を一目見ると、じたじたと成って胴震ひに立竦《たちすく》む」〈日本橋・泉鏡花〉「思いの中に激すればや、じたじたと慄《ふる》い出《だい》す膝の頭を」〈五重塔・幸田露伴〉「脂きったる有様を見て、随分物がたき男じたじたとふるひ出し」〈好色一代女・井原西鶴〉 ❷ さま ねばりつくような湿りけのあるさま。ひどくぬれるさま。じとじと。「外は大雨。靴ドロでジタジタに汚れた駅ホームや電車内の床を、動くモップよろしく掃除してくれる彼らに」〈こけどっくり・毎日新聞・96・7・11〉「Gitagitato（ヂタヂタト）〈訳〉副詞。濡れている地面などを踏みつけた時に出る音のさま」〈日葡辞書〉

じたばた ❶ さま 手足、体をむやみに動かすさま。「じたばた藻掻き苦しむ子のすがたを見てゐられなくて」〈夜明け前・島崎藤村〉 ❷ さま あわてもがくさま。あせってむだな努力をするさま。「じたばたせずに現状に甘んじるべきなのではあるまいか」〈他人の顔・安部公房〉「此の正本さへ引揚げてあれば、間貫一いくら地動波動《ぢたばた》したって、河童の皿に水の乾いた同然」〈金色夜叉・尾崎紅葉〉 ❸ さま 事が急にはこぶさま。ばたばた。「忠綱が来るとぢたばた埒があき」〈雑俳―東月評万句合〉

じだもだ さま 古 あれこれ何だかんだと言うさま。「じだもだいはずとほふり出しゃ、但しはおれが引づり出そか」〈浄瑠璃―物ぐさ太郎〉

じたんばたん さま はげしく身もだえるさま。「牡丹餅さア三十べしもうちくったげで、食傷のウして、じたんばたん、せつながりやる」〈東海道中膝栗毛・十返舎一九〉

しっ さま 古 動作をすばやく強く行うさま。さっ。「面をだすほどにすくわうとすれば、首をしっとしじめてひっこむぞ」〈玉塵抄〉

じっ ❶ さま 体を動かさないで静かにしているさま。「地面にかがみこんでじっとしているところを、看守に足で注意されて」〈真空地帯・野間宏〉 ❷ さま 視線をそらさないで、ものをよく見つめるさま。つくづく。『じっと見つめる』「其眼はジッと女の下げてゐる頭《かしら》を射透《いすか》すやうに見守ってゐる」〈雪たゝき・幸田露伴〉 ❸ さま がまんしながら静かにしているさま。深く堪え忍んでいるさま。「いや全身を掩う肌が粟粒立つのをじっと我慢する

ために腕を組んだ」〈助左衛門四代記・有吉佐和子〉 ❹ さま 力を込めて、押したり引いたり締めつけたりなどするさま。ぎゅっ。「出らるる処で、陳平が高祖の足を**じっと**、ふんだぞ」〈蒙求抄〉

しっか ❶ さま 動作や態度などがかたく確実なさま。しっかり。「うめ女は障子を**しっか**と摑んで、立ち上る」〈厭がらせの年齢・丹羽文雄〉 ❷ さま ものごとの状態などが立派で明瞭なさま。「即ち画布の上に**しっか**と描き留め置く好時機であるまいか」〈思出の記・徳冨蘆花〉

しっかり ❶ さま ものの構造やつくりが堅固であったり、安定しているさま。かたく強いさま。『**しっかり**した土台』「この家は何となく木組みが**しっかり**してゐるやうに見受けられた」〈引越やつれ・井伏鱒二〉「硬い表皮と厚い果肉に**しっかり**包みこまれた小さな種子」〈飼育・大江健三郎〉「脚と両手を厚い皮帯《かわおび》で**しっかり**と縛られて」〈海と毒薬・遠藤周作〉 ⬇使い分け「がっちり」「しっかり」 ❷ さま 気持ちや意識が強く確かであるさま。「おまはんに不自由はさせやアしませんから、気を**しっかり**と持て、早く能なってお呉なさいヨ」〈春色梅児誉美・為永春水〉 ❸ さま 堅実で信用がおけるさま。『**しっかり**した仕事』「おい、大将、**しっかり**して呉れんと困るぢゃないか?」〈断橋・岩野泡鳴〉「いや、そんなことは御座いません。出所が**しっかり**して居ますから、折紙つきですから」〈田舎教師・田山花袋〉「衛生に留意することと、**しっかり**した日程を立ててそれを厳守することを条件に」〈曠野・庄野潤三〉「名倉さんの母親《かおっ》さんには感心した。**シッカリ**したものだ」〈家・島崎藤村〉 ✸倹約家や一徹者を軽くばかにしていう際にも用いる。⬇使い分け「がっちり」「しっかり」 ❹ さま ものが豊富であったり、程度がはなはだしかったりするさま。じゅうぶんであるさま。『毎日の食事を**しっかり**とる』「途中でそれまでの電車の乗り換え、順路などを**しっかり**教えた」〈真贋の森・松本清張〉「七福神の船遊び、**しっかり**入た兵糧を、かつぐ布袋の福祿寿身をかためたる、毘沙門小手《びしゃもんこて》」〈浄瑠璃―神霊矢口渡・福内鬼外(平賀源内)〉

じっくじっく さま 古 大勢がにぎやかに踊るさま。じっくじく。「のこりのぢしうはよろこびて、**じっくじっく**とおどりつれて」〈狂言―若市〉

しっくり ❶ さま ものごとがほどよく組み合って、よく調和がとれているさま。「少し変った仕立てが**しっくり**似合ってゐた」〈山の音・川端康成〉「社会へ出ても生活の条件に密着《しっくり》嵌って、早く成功する」〈其面影・二葉亭四迷〉 ❷ さま 人の心などがよく合って、穏やか

使い分け

しっかり／がっちり／がっぽり／ちゃっかり

【共通の意味】
損をしないように、利にさといようす。

❶**しっかり**は、損をしないように金銭管理を怠らないようす。「**しっかり**家計を管理する」「**しっかり**と財布のひもをしめる」 ❷**きっちり**は金銭的な計算や管理に隙がないようす。「毎日**きっちり**家計簿をつける」 ❸**がっちり**は、損のないように抜け目なく金をためるようす。「ボーナスはすべて**ガッチリ**ためこんでいる」 ❹**がっぽり**は、大金をもうけるようすの俗な表現。「株で**ガッポリ**もうけた」 ❺**ちゃっかり**は、調子よく自分の得になることをするようす。「年賀の客に挨拶に出ては、**ちゃっかり**お年玉をせしめる」

におさまっているさま。「彼女は夫が自分としっくり呼吸を合はせて、それを受け取って呉れれば好いがと」〈明暗・夏目漱石〉
❸さま古強くくい入るようにするさま。ぎゅっ。とがったものや、鋭いもので強く刺激するさま。ちくり。「手をゆるめず腚《しっくり》と拳《にぎり》て」〈洒落本―禁現大福帳〉
❹さま方言量が多いさま。どっさり。「あいつしっくりため込んでんなぁ」〈大阪府〉「しっくり着てるなあ」〈大阪府〉

じっくり ❶さま落ち着いて時間をかけ、じゅうぶんに成熟しているさま。じゅうぶんにものごとをするさま。とっくり。『じっくり考えてからで結構です』「仕事は何だってじっくり落着いてやらなくちゃいかんよ」〈北京の幽霊・飯沢匡〉 ⬇使い分け「みっちり」
❷さまものごとがよく合っているさま。よく密着しているさま。「三味線と声がじっくり一つになった」〈地唄・有吉佐和子〉

しっこり さまほどよいねばりけとかたさがあるさま。「伝統の品は、薯蕷《じょうよ》まんじゅう。『〈略〉熟練した職人が練るのでふわっと軟らかく、シッコリとした歯応え』」〈味な老舗・東京新聞・03・12・3〉

しっしっ さま手際よく、すばやいさま。「雑巾がけしっしっと始めれば」〈われから・樋口一葉〉「石のやうに固く丸めた手拭を握ってしっしっと洗ってゐたが」〈俳諧師・高浜虚子〉

じっしり さま古重々しいさま。重いさま。「山内の法聞日に鐘聞たやうに叉手《しゃしゅ》してじっしりと落つき」〈洒落本―里靏風語〉

しったり ❶さま古しなやかに垂れ下がるさま。「飼にかふたる月毛の駒〈略〉尾は青柳のしったりしたり、したしたした」〈浄瑠璃―鑓の権三重帷子・近松門左衛門〉
❷さま古雨などに完全にぬれてしまうさま。しっとり。「塩から出る味しったり脇の下が濡れ」〈雑俳―あし分道〉

しったん 音古鼓の音。しってい。「軒のつららも解け渡り、谷の水音しったんしったん、ぽんぽんぽんと鳴る鼓」〈浄瑠璃―大経師昔暦・近松門左衛門〉

しっちゃかめっちゃか さまものごとが回復できないぐらい混乱したさま。めちゃくちゃ。「チャンと段どりを考えてやらないと、台所中、シッチャカメッチャカになってしまうからね」〈わたしの献立日記・沢村貞子〉

しっちゃこっちゃ さま古あれやこれやとあわただしいさま。「九年以前私が此在所へ参り、〈略〉アノ女房共が、跡追ふてくると直に躮《せがれ》ができるやらしっちゃこっちゃと、宿ばいりかかの物入り」〈浄瑠璃―本田善光日本鑑〉

じっちり さま落ち着いて動かないさま。「何だか那れが気は毎もフワフワ為とって、凝《じっ》ちりした所が一向私にや見えませんで」〈青春・小栗風葉〉

しってい 音古砧《きぬた》を打ったり機《はた》を織ったり、また、ウマに鞭をあてたりするときなどの音。「槌おっ取っては、しっていしってい」〈浄瑠璃―出世景清・近松門左衛門〉「しっていしってい鞭あてて、馬も汗かく額《ひたい》白」〈浄瑠璃―蒲冠者藤戸合戦〉

しっと ❶さま古すき間のないさま。強く固着したさま。ぴったり。ぴしっ。「あをう草のしげった径《みち》に楊花のこまかな白い花がまじってしっととさいたぞ」〈玉塵抄〉「骨にみがきをあて、かなめもとしっととして、ざれ絵ざっとしたを求て来い」〈狂言―末広がり〉
❷さま古むつまじいさま。情のこまやかなさま。しっぽり。しんみり。「かうだにすれば相持て、両方互に知り合て、心得てしっととなるぞ」〈史記抄〉

じっと →じっ。

しっとり ❶さま湿気が軽く全体にいきわたっているさま。ぬれ湿っているさま。「浴衣はしっとり濡れて居る」〈魔風恋風・小杉

天外〉「床の間にしっとりと露を被《つか》いだ矢車の花は」〈婦系図・泉鏡花〉

❷さま 静かに落ち着いたさま。深く静まりかえっているさま。よく整って安定しているさま。「タキシイで通る海岸の町は閑寂《ひっそり》したもので、日暮れの風もしっとりと侘しかった」〈仮装人物・徳田秋声〉

❸さま 女性の、静かな中にもうるおいやほのかな色っぽさが漂っているさま。「お政には無遠慮といふうちにも、何処かしっとりとした所が有って」〈浮雲・二葉亭四迷〉「何だか世帯馴れた、二十六七のしっとりした女が想像される」〈小鳥の巣・鈴木三重吉〉

⬇使い分け「どっしり」

じっとり ❶さま 過度に湿気を帯びているさま。気持ちわるく汗ばむさま。じとり。「まあ、お額にじっとり汗をおかきになって」〈桑の実・鈴木三重吉〉「窓を開けても、むっとするやうな熱気のある風が一層じっとりした暑さを感じさせる」〈麦と兵隊・火野葦平〉

❷さま古 明確になっているさま。「先日の彼事はどうなったと謂やうに、有無にじっとりと定らぬ事のない様に」〈絅斎先生敬斎箴講義〉

❸さま古 落ち着いているさま。「あまりはすはでない、じっとりとした女子が有たら世話してくだんせ」〈浮世風呂・式亭三馬〉

しっぱ ❶さま古 しなうさま。じゅうぶんにたわむさま。しっぱり。「なびけやなびけ、しっはとなびけ、たよたよとしだり柳の」〈浄瑠璃－念仏往生記〉

❷さま古 ぬれ湿るさま。じっとり。「両方あせをしっはとかいてひじゅつをつくす」〈浄瑠璃－公平末春いくさろん〉

しっぱり ❶音・さま古 木の枝などがたわむ音。また、そのさま。しっぱ。「木の枝などのたはむ音をしっぱりと云」〈かた言〉「しっはりと師走の梅の咲て居る〈若芝〉」〈俳諧－けふの昔〉

❷さま古 強く身にこたえるさま。深く身にしみるさま。「わしらはおぶった斗で酔ました。チトしっぱりと異見なさい」〈咄本－くだ巻〉

❸さま古 じゅうぶんに落ち度のないように行うさま。じゅうぶんにもののあるさま。よく。しっかり。「蔵人得たりかしこしと、たたみかけて切つくるを、しっぱりと受け止め」〈浄瑠璃－滝口横笛〉「事の始終をしっぱりと取捌きて」〈政談・荻生徂徠〉

しっぽ ❶さま古 湿気をじゅうぶんに含んでいるさま。ぬれ通っているさま。しっとり。しっぽり。「かく汗やしっほとぬるる日照雨〈高故〉」〈俳諧－桜川〉「さっさ濡れてしっぽと濡れたが瀟湘の、夜の雨にもまさるべし」〈歌謡－松の葉〉

❷さま古 情を含んで静かな落ち着きのあるさま。しっぽり。「若君をともなひて、姫君のおねまをさしてぞ行にける。それにてしっほとかたり給へと、我身はおくにぞ入にける」〈説経節－笠寺観音之本地〉「こよひはしっほと酒汲で互に憂さをはらすべし」〈浮世草子－沖津白波〉

しっぽり ❶さま じゅうぶんにぬれるさま。雨などが静かに降るさま。しっとり。しっぽ。「しっぽりと水をふくんだ海綿でも胸に抱いてゐるやうに、見開いた眼をきらきらさせて」〈くれなゐ・佐多稲子〉「夜具の黍殻《きびがら》シッポリぬれて」〈軍歌－雪の進軍・永井建子〉

❷さま 静かに落ち着いたさま。しっとり。しんみり。「十二時を報ずるステーションの工場の汽笛が、シッポリ濡れた様な唸りをあげる」〈葬列・石川啄木〉「しっぽりと雨の降るやうに御祈遊せ」〈談義本－地獄楽日記〉「雨の日ぞしっほりとなけ時鳥〈重政〉」〈俳諧－毛吹草〉

❸さま 男女間の情愛の親密でこまやかなさま。むつまじいさま。「帯さへ解ぬ中々も、未来へ往たらしっぽりと、蓮の台にいつ迄も」〈歌舞伎－お染久松色読販・鶴屋南北〉

「嘸《さ》ぞ今頃は**しっぽり**と、濡れて仲好くお楽しみと」〈人情本―恩愛二葉草〉

❹ さま 方言 熱心なさま。主に近畿地方で、夕方遅くまで働いている人に対する挨拶のことば。「**しっぽり**どす」〈京都府〉「えらい**しっぽり**しよってやね」〈兵庫県〉

してい 音 古 鼓《つづみ》を打つ拍子の音。しってい。「一鼓打て後に相次て之を打つ。一鼓、**シテイ**、シテイ、シテイ、テイ、次三鼓受取」〈体源鈔〉

✹「してってい」は鼓や鼓師の異称。「してってん頭《あたま》」は鼓のような形の頭をいう。

しと ⇒コラム「しと・じと」

しとしと ❶ さま 雨などがこまやかで静かに降るさま。『**しとしと**雨』「物を思ふでもなく、思はぬでもなく、五月雨の**しとしと**と降る頃を、何か分らぬ時を過した」〈連環記・幸田露伴〉 ⇒使い分け「しょぼしょぼ」

❷ さま まったくぬれて湿るさま。「露に**しとしと**に濡れて」〈野菊の墓・伊藤左千夫〉

❸ さま 静かに少しずつものごとを行うさま。静かに。しずしず。「いつも生活の喪に浸ってるやうな、**しとしと**とした彼女が、何となくお高く見えて来る」〈あの道この道・十一谷義三郎〉

❹ さま 古 間をおいて続けて強く打つさま。「又**しとしと**と連打《うちつづけ》に打けるにぞ、伴左衛門が窒弗ときれ、鬢髪乱れて見るにしのびぬ形勢《ありさま》なり」〈昔話稲妻表紙・山東京伝〉

じとじと さま ひどく湿気を帯びて不快なさま。じめじめ。じっとり。「何でも**ジトジト**雨の降ってた厭な晩で御座いましたわね」〈良人の自白・木下尚江〉「**じとじと**に濡れた袴を脱いで」〈桑の実・鈴木三重吉〉 ⇒使い分け「じとじと」

しとっ さま 湿気やうるおいが軽く全体にいきわたっているさま。『**しとっ**と柔らかいぬれせんべい』

じとっ ❶ さま 湿気や水分が過度に感じられるさま。『梅雨どきで、**じとっ**としている』

❷ さま 恨めしげ、またうらやましげに、目をすえてにらむさま。『**じとっ**と物言いたげにこちらを見ている』

しとと ❶ さま 古 動作などが勢いよく急であるさま。打ったり、ぶつかったり、きりつけたりするさま。「教の如く、両眼を強くふさぎて鞭を**しとと**当てられける時、馬は虚空へ上りける」〈御伽草子―梵天国〉「政清が郎等太刀をぬき、立てまかり出、**しととう**つ」〈保元物語〉

❷ さま 古 やさしく穏やかに打つさま。そっ。「ふたりの恋路一対のすずやかはらやかはるなと、**しとと**背中をたたいてのばすやくはんやに」〈浄瑠璃―用明天皇職人鑑・近松門左衛門〉「明日の夜にても我等が内へそっと忍んで下されなば、うち解け思ひはらそうと、**しとと**うってぞたらしける」〈浄瑠璃―堀川波鼓・近松門左衛門〉

❸ さま 古 動作が急で、歯切れのよいさま。ぱっ。ひらり。さっ。「馬屋の出し口さっくとかけては**しとと**め、**しとと**留めてはさっくとかけ」〈説経節―をぐりの判官〉

❹ さま 古 ものが密着しているさま。動作が同時であるさま。ぴったり。「なんでも今宵はしっぽりとつもるつらさを語らん

使い分け

【共通の意味】不快に感じるほど湿りけがあるようす。

じとじと
じめじめ／じくじく

❶**じとじと**、**じめじめ**は、ともに空気や衣服などが湿気を含んでいるようすだが、**じとじと**のほうが体に粘りつく感じがある。「汗で下着が**じとじと**している」「長雨で、空気が**じめじめ**している」 ❷**じくじく**は、内部の水分が表にしみ出ているようす。「傷口が膿《う》んで**じくじく**している」

と、しとと寄ればゐゐ、ゐようらしい」〈浄瑠璃―出世景清・近松門左衛門〉

❺↓しとど。

しとど さま 雨・露・涙・汗などで、ひどくぬれるさま。「豆腐屋の喇叭の音も雨に湿って、御用聞の酒屋の笠からは雨滴が**しとどに**落ちた」〈生・田山花袋〉「**しとどに**濡れ尽した庭のうへには」〈露芝・久保田万太郎〉「わが袖は**しとどに**濡れぬ空蝉のうき世の中のことを思ふに」〈良寛歌〉

しどもど さま どういう応対をしていいかわからないでまごつくさま。へどもど。「ぶっきら棒なお辞儀を**しどもど**と返へすと」〈竹沢先生と云ふ人・長与善郎〉

しとら さま 古 しめっぽいさま。うるおいのあるさま。「**しとら**とある、しとめく、などいへるは、すこしぬれ心地也」〈名語記〉

しとり さま うるおいのあるさま。しめやかなさま。「どの詩やら、なにたるなりやら、酔うたらば**しとり**とはあるまいぞ」〈玉塵抄〉

じとり ❶ さま 湿気や水分が不快なほどに感じられるさま。じっとり。『握手した手が、**じとり**と汗ばんでいた』

❷ さま 恨めしげ、またうらやましげに、見すえるさま。『**じとり**と見遣っていた』

しとりしとり 音・さま 古 少しずつ静かに歩む足音。落ち着いたさま。「あゆむ足おとの、**しとりしとり**、如何。しつれりの心歟。しづかの義歟」〈名語記〉「大勢つれだって飛まわるやうにもない**しとりしとり**といるぞ」〈毛詩抄〉

しどろもどろ さま 言動が首尾一貫せず、ひどく乱れているさま。足もとの定まらないさま。「段々泣声になって、**しどろもどろ**な事を言ふ」〈煤煙・森田草平〉「中納言**しどろもどろ**にゑひて、にしの御かたに御送りして」〈宇津保物語〉

しなくな さま 古 たわみしなうさま。手ごたえのないさま。しなしな。くなくな。「**しなくな**した前垂がけの鶴さんや」〈あらくれ・徳田秋声〉「**しなくな**と雪やり過す雪の竹」〈俳諧―眉斧日録〉

しなしな ❶ さま しないたわむさま。姿態や動きが弱々しげなさま。くなくな。しなくな。「数疋の金魚がガラスの鉢に**しなしな**泳いでゐる」〈哀しき父・葛西善蔵〉「先の上さんのやうな、**しなしな**した女は懲々だ。何でも丈夫で働く女がいい」〈あらくれ・徳田秋声〉「心に力を持たずして、**しなしな**と身をあつかふべし」〈花鏡〉 ⬇使い分け「なよなよ」

❷ さま 張りのないさま。元気のないさま。「温かいご飯を直接ノリでくるむために、ノリが湯気で**シナシナ**になってしまう」〈味な放浪記・毎日新聞・96・1・30〉「お金や其様に**しなしな**して居ちゃァならねへヨ」〈人情本―氷縁奇遇都の花〉

じなじな さま 少しずつ次第に力などが加えられるさま。じわじわ。「俺は此の手足も、胴も、**じなじな**と巻緊められると」〈日本橋・泉鏡花〉

じなしゃな さま 古 ふざけ合ったり、しなをつくったりして男女がたわむれるさま。「おれに任かせて貴様はコリャ**じなしゃなじなしゃな**。親玉へ知ると毛氈をかぶる出入りだ」〈浄瑠璃―神霊矢口渡・福内鬼外〈平賀源内〉〉

しなっ さま やわらかくたわむさま。「レタスは〈略〉塩少々をパッ。**シナッ**となったら、スープ大さじ三を加え、いため煮に」〈ニイハオ中国家郷菜・毎日新聞・95・2・19〉「湯気を盛んにあげて、少し湿って、**しなっ**となっているところが、いかにもおいしそうに見える」〈タクアンの丸かじり・東海林さだお〉

しならぐなら さま 態度や行動に確固としたところがなく、つかまえどころのないさま。のらりくらり。「世上を知ったでもなく、又しらぬでもなく、**しならぐなら**と、しゃぼん玉のゆうれいにひとしく、日を送るへんてこ」〈洒落本―愚人贅漢居続借金〉

しと・じと

「しと」は、適度な水分で全体がまとまって、落ち着いている感じを表す。心地よい湿りけが感じられ、プラスのイメージがあることばだ。「しっとり」「しとしと」「しとやか」など、もの静かでゆっくりしたようすも含まれる。

「じと」は、「しと」が重くなった感じを表す。「しとしと」よりも「じとじと」、「しっとり」よりも「じっとり」のほうが湿気の多い感じを表し、不快感が伴う。「じっとり」は、汗ばんでいるようすも表し、冷や汗にしろ脂汗にしろ、まつわりつくような気持ちわるさがある。「じとじと」はカビ臭い感じも連想させ、マイナスのイメージが強い。

【しとの語群】
しとしと・じとじと
しとっ・じとっ
しとり・じとり
しっとり・じっとり

	—(と)雨が降る	—(と)汗ばむ	—(と)した肌
しとしと	○	—	—
しとっ	—	—	△
しっとり	○	—	○
じとじと	△	○	—
じとっ	—	○	—
じっとり	△	○	—

	—(と)した天気	—(と)したカステラ	—(と)した風情
しっとり	○	○	○
じっとり	○	—	—

【表現】

室町時代の『中華若木詩抄』に「小雨がざっとふりたらば、紅塵は、たちはせいで、しっとりとして、よかるべき也」(小雨がざっと降ると、赤土ぼこりがしっとりとしてよい)という表現がある。心地よい湿りけを表している。明治時代には泉鏡花が『婦系図《おんなけいず》』で「しっとりと露を被《つか》いだ矢車の花は」などと使っている。

食べ物の表現として使われる場合も、「しっとり」は心地よい食感を表している。調理の専門家への調査では、「しっとり」は、パウンドケーキ、カステラ、パン、ケーキなどによく使われることがわかった。これらの「しっとり」には、水分だけでなくバターなどの油脂も関係している。からっと乾いた感じではなく、液体を含んでいることを思わせる食感だ。

青木玉は、ホットケーキのおいしさを、「何ともいえないしっとりとした、あたたかみのあるおいしさが舌に滲みた」(『手もちの時間』)と表現している。また、阿川弘之は、おいしいサンドイッチの条件を、「まづ、パンがしっとりした柔かい白パンで、耳は切り落してあること」(『食味風々録』)と断言している。確かに、パンやホットケーキがパサパサしたり、ボソボソしていたりするとがっかりする。

二〇〇四年に首都圏で一般の人に調査したところ、「しっとり」はどちらかといえば、男性よりも女性によく使われることばであることがわかった。ケーキやパンなどのしっとりした食感に対しては、女性のほうがこだわりが強いのかもしれない。

(早川文代)

しなりぐなり [さま][古]手ごたえのないさま。あちらこちらと、とりとめのないさま。のらりくらり。「たんぼの人玉ア見るよふに**しなりぐなり**ぬかしてもおれも男のいきぢだア」〈洒落本―青楼真廓誌〉

しなりしなり [さま]身をしなやかに動かして気どって歩くさま。しゃなりしゃなり。「北沢が**シナリシナリ**と入って来た」〈良人の自白・木下尚江〉

しねくね [さま]体をやわらかくよじらせるさま。態度を明確にしないさま。「姉娘が、手巾を口に、**しねくね**と上体をよじらせながら」〈今年竹・里見弴〉

しねしね [さま]弾力があってやわらかなさま。しなしな。「**しねしね**くにゃくにゃと麻痺した子供の執拗な握力で兵がしがみついてきた」〈輝ける闇・開高健〉「**しねしね**とお説教をする先生たちよりは小気味よかった」〈語る・「虫」 教師のストレス・産経新聞・96・10・29〉

しは [さま][古]幅の細いものを、ものに強く打ち当てるさま。ぱしり。「もし又、組までかなはずは、うちがらみに、**しは**と掛けて、髻をおちと掻かせ」〈曾我物語〉

しばしば [さま]何度もまばたきするさま。しぱしぱ。「真赤な眼を**シバシバ**させて」〈今年竹・里見弴〉「ゆづか、みつかんのつゆを客の眼へしぼりこむと、客は眼を**しばしば**する」〈洒落本―傾情知恵鑑〉

しぱしぱ ❶[さま]目を何度も閉じたり開いたりするさま。「乾切った大道の明るい日射に**シパシパ**瞬ばかり為て居たが」〈青春・小栗風葉〉❷[さま][方言]水けがないさま。「めんぱ(弁当箱)の蓋を閉めておかざったら、飯が**しぱしぱ**なってしもうた」〈宮崎県〉

しびしび [さま][方言]小雨の降るさま。しとしと。「雨が**しびしび**降ってきた」〈京都府〉

じぶじぶ ❶[音][古]肉など脂けのあるものを、焼いたり煮たりするときに出る音。じゅーじゅー。「じぶとは鴨のかわをいり、だしたまりかげんして入、**じぶじぶ**といはせ、後身を入申事也」〈料理物語〉❷[さま]ひどく水けを含んでいるさま。不快、不潔な感じがするほど、湿っぽいさま。ずぶずぶ。「こちらでは非常な大降りであったらしい。その名残りで道も**じぶじぶ**してゐるし」〈断橋・岩野泡鳴〉

しぶりこぶり [さま]気の進まないさま。しぶらこぶら。「野ぶし山伏びんぼうな武士柿団扇**しぶりこぶり**となく涙〈卜養〉」〈誹諧独吟集〉

しぼしぼ ❶[さま]雨・露・涙などにぬれるさま。しおしお。「**しぼしぼ**村に雨が降って来る。皆の者は饒舌りすぎて、時間を見るのも忘れてゐたので」〈旅愁・横光利一〉❷[さま]涙で目がうるんで、まばたきするさま。しょぼしょぼ。「『お前が来たなら、さぞ驚くことだらうと思って―』と眼を**しぼしぼ**させた」〈三十三の死・素木しづ子〉

しぽしぽ [さま]雨・露・涙などにぬれうるおうさま。「秋の雨の**しぽしぽ**するにもかまはず」〈談義本―檠下雑談〉

しぼたら →しおたら。

じみじみ ❶[さま]湿気のあるさま。じめじめ。「**じみじみ**と肌に染み込むやうな霧が眉に雫と落ちて顔に流れるのも拭はうとも思はず」〈あん火・佐藤紅緑〉❷[さま]ものごとが次第次第に消失していくさま。じわじわ。「立った腹が**じみじみ**と消えて、大笑ひに成ってしまうた」〈松翁道話〉

しめじめ ❶[さま]湿り、うるおうさま。雨が静かに絶え間なく降るさま。「雨は**しめじめ**と四日つづく」〈山彦・鈴木三重吉〉「折ふし荻の葉に、露**しめじめ**とうち置きて」〈御伽草子―木幡狐〉❷[さま]人の心が静かにうち沈んでいるさま。しんみり。「忽ち有し気色は失せて、いとど**湿々**《しめじめ》とならせ給ひぬ」〈不言不語・尾崎紅葉〉「**しめしめ**と、人目すくなき宮の

内のありさまも」〈源氏物語・若菜上〉

❸さま 深く心をうちこんでいるさま。つくづく。「此侍従を年比**しめしめ**と懸想しけれども、つれなかりけり」〈十訓抄〉

じめじめ ❶さま ひどく湿気を帯びて不快、不潔、陰気な感じのするさま。「**ジメジメ**と蒸暑い午後、一番後廻しにした実の留守宅に暇乞に寄る積りで、お種は宿を出た」〈家・島崎藤村〉 ⬇使い分け「じとじと」

❷さま 性格ややり方などが、陰気でみすぼらしいさま。「百円で**ジメジメ**世帯をやって行くより、百円をみんなお小遣ひにできる今の方がずっといいわ」〈故旧忘れ得べき・高見順〉

じめっ ❶さま 過度に湿気を帯びているさま。「そんなに暑くはなかったけれど、いやなお天気でしたね。**じめっ**として」〈美しさと悲しみと・川端康成〉

❷さま 陰気で沈みこむ気分になるさま。『**じめっ**と暗い気持ちになった』

しゃー 音・さま 水などが軽やかに勢いよく流れ落ちる音。また、そのさま。「細君は水道の水を**しゃあ**と云はせながら」〈田楽豆腐・森鷗外〉

じゃー 音・さま 水などがはげしく勢いよく流れる音。また、そのさま。ざー。「瓶の水を**ジャー**と金盥の中へあけて其中へ手を入れたが」〈倫敦消息・夏目漱石〉「栓を抜くと〈略〉五右衛門風呂の湯が**じゃア**と噴き出した」〈石川五右衛門の生立・上司小剣〉

しゃーしゃー ❶音・さま 長い間、水などが軽やかに勢いよく流れる音。また、そのさま。しゃー。「旋推機に押される、**しゃあしゃあ**と云ふ水音も聴えた」〈暗夜行路・志賀直哉〉

❷音・さま 放尿する音。また、そのさま。「次郎は、毎日庭に出ては〈略〉花壇の草花に**しゃあしゃあ**と小便をひっかけた」〈次郎物語・下村湖人〉

❸声 クマゼミの鳴く声。「最近はクマゼミまでもが早朝から**シャーシャー**と鳴き立てるのさえ、『いと腹立たし』の心境である」〈ひととき・朝日新聞・95・8・31〉 ⬇鳴き声編

❹さま あつかましくて、恥を恥とも思わないさま。何でもないようにすましたさま。「叱っても**シャアシャア**として蛙かな」〈文政句帖・一茶〉「おまはんの様にまた幾許《いくら》否でも**しゃアしゃア**として居る人はありません」〈閑情末摘花・松亭金水〉 ⬇漢語編「しゃしゃ(洒洒)」 ⬇使い分け「しゃーしゃー」

じゃーじゃー ❶音・さま 長い間、水などが多量に勢いよく流れ落ちる音。また、そのさま。「もう水が**ジャージャー**流れっぱなしになってしまったんです」〈エオンタ・金井美恵子〉

❷音・名 放尿する音。また、小便をいう。幼児語。「三村は、棚の上にすわったままで**ジャアジャア**やり出したから、サア大

使い分け

【共通の意味】
考え方や行動がものごとや形式にとらわれないようす。

しゃーしゃー/のーのー/悠悠/飄飄

❶**しゃーしゃー**は、無神経で恥を恥とも思わないようす。「カンニングが見つかっても、みんなやっているよと、**しゃあしゃあ**としている」 ❷**のーのー**は束縛を感じないで、苦労がなくゆったりしているようす。「親のすねをかじって、**のうのう**と生活している」 ❸**悠悠**はじゅうぶんに余裕があって落ち着いているようす。「退職後は、田舎で**悠々**と生活したい」 ❹**飄飄**は、自由で世間のしきたりや形式にとらわれず、はたから見ると、とらえどころのないようす。「足の向くまま気の向くままと、**飄々**と旅に出かけていった」

変」〈彼の歩んだ道・末川博〉

しゃーしゃーまじまじ さま 恥じるようすもなく、相手を見すえるさま。けろり。「因果と彼奴は不死身ゆゑ、先きにばかり疵が附いて兄めは**しゃあしゃあまぢまぢ**」〈歌舞伎―僂雑石尊贐・鶴屋南北〉

じゃーん ❶ 音 鐘や銅鑼など、大きな金属をたたいたときに長くひびきわたる音。「結構なしゅ楼かな〈略〉さらば撞て見う、ジャアン、モンモンモン」〈狂言―鐘音〉 ❷ さま ものごとが目立って行われるさま。威勢のよいさま。『主人公が**じゃーん**と登場した』

しゃかしゃか ❶ 音 マラカスやタンバリンを振ったときに出る、小さいものが、ふれ合ったときに発する軽く硬質な音。また、そのようなリズムの音。『**シャカシャカ**とカクテルをつくる音』『イヤホンから**シャカシャカ**と音が漏れる』 ❷ さま 小さいものや薄いもの、軽いものなどを、こきざみにかき回すさま。また、小回りをきかせて動き回るさま。『頭を**シャカシャカ**とかきむしった』 ❸ 名 ナイロン製の防寒着。「**しゃかしゃか**／しゃかぱん　ナイロンのスポーツ用パンツ」〈現代用語の基礎知識2001年版〉 ✸動くとシャカシャカというところから。

しゃがしゃが さま 方言 畏縮して元気のないさま。「親の後を**しゃがしゃが**ついて行く」〈群馬県〉

じゃかじゃか ❶ 音・さま 楽器、音楽などを盛大に鳴らす音。ものごとが調子づいて盛んに行われるさま。「電気花火とか何とか花火とか称するものはどうであらう。〈略〉線香花火がベートーヴェンのソナタであれば、此れは**じゃかじゃか**のジャズ音楽である」〈備忘録・寺田寅彦〉 ❷ 音・さま 小さくてかたいもの同士がこきざみに当たってたてる音。また、そのさま。「アルマイトの鍋に醤油を少し入れといて、シャアと豆をぶっこみ、蓋をおさえて**ジャカジャカ**と上下にゆする」〈夢声戦争日記・徳川夢声〉

じゃかすか さま 勢いよくものごとをするさま。「大いに馬力かけて、**ジャカスカ**打ってくれよ」〈東京の孤独・井上友一郎〉

しゃき ⬇コラム「しゃき・じゃき」

しゃきしゃき ❶ 音・さま 歯切れよく、ものをかむ音。こまかく切りきざむ音。規則正しく動く機械の小さな音。また、そのさま。『**しゃきしゃき**とした歯ざわりの漬け物』「**シャキシャキ**とはや凍ぃてついた蓮池の泥をふみ」〈エロ事師たち・野坂昭如〉「闇中に**シャキシャキ**軋みながら眼まぐるしく展開して行く映画の光線」〈秘密・谷崎潤一郎〉 ❷ さま ものごとを、すばやく、手ぎわよく処理するさま。てきぱき。『**しゃきしゃき**した人』「長椅子の客は**しゃきしゃき**していて、もう立上り、ベッドの方へ歩いている」〈入江のどんど・大原富枝〉 ⬇使い分け「きびきび」

じゃきじゃき ❶ 音 はさみなどの刃物でものを切るときの重い音。じょきじょき。「**チャキチャキ**と煙草の葉を刻んでゐる職人の手許を」〈旧聞日本橋・長谷川時雨〉 ❷ 音 迫力があって切れのいい音。『**ジャキジャキ**したドライなサウンド』

しゃきっ ❶ 音・さま かたくて歯切れのよい感じの音。また、そのさま。「柔らかいのに**シャキッ**としていて歯ざわりがいい」〈砂漠の狩人・大藪春彦〉「ゆですぎだと、**しゃきっ**としなくて、旬を喰ったことにはならない」〈精進百撰・水上勉〉 ❷ さま 人の体や気持ちが、まっすぐに張りのあるさま。しゃっきり。「モッコをかつぐかつぎ方が大変だ。腰が**シャキッ**ときまっていないとかつげない」〈笹まくら・丸谷才一〉

しゃきり ❶ 音・さま かたくて歯切れのよい感じの音。また、そのさま。「歯茎に滲み

コラム オノマトペのもと

しゃき・じゃき

「しゃき」は、何かを切ったり、歯切れよくものをかんだりするときの軽快な音や、金属などがこすれ合う音を表す。

一方、「じゃき」には、切ったりかんだりする対象物に厚みや粗さが感じられる。「しゃき」のような軽快さがなく、異物を含むような、やや不快な印象も伴う。しかも、「しゃき」に比べると、実際の使用例がとぼしい表現である。

「しゃき」は、張りのあるようすを表す擬態語でもある。「しゃきっ」「しゃっき」は、姿勢や気持ちをまっすぐにさせるようすを意味する。古語に、硬直する、こわばるという意味で「しゃきばる」という動詞があるが(「癪気張る」の約かという)、擬態語の「しゃき」と関連するかもしれない。または、同じく古語の「しゃきら」(ものごとの区切りや秩序の意)も、関連語であろうか。

「しゃきしゃき」「しゃっきり」の語には、姿勢が正しいようすに加えて、機敏さや、はきはきとした前向きの明るさが感じられるが、これは、似た音をもつ「ちゃきちゃき」「ちゃっきり」の語からの連想かもしれない。

【しゃきの語群】

しゃきしゃき・じゃきじゃき
しゃきっ・しゃっき・じゃきっ
しゃきり・しゃっきり・しゃきん

	―(と)噛む	―(と)切る	気持ちが―(と)する
しゃきしゃき	○	○	○
じゃきじゃき	△	○	―
しゃきっ	○	―	○
じゃきっ	―	△	―
しゃっきり	△	―	○
しゃきん	―	△	○

【表現】

私たちの周りにはさまざまな食べ物があるが、その中には、味や香りよりも、食感を楽しむ食べ物も多くある。「しゃきしゃき」は、まさに、そんな心地よい食感を表現したことばである。繊維と水分をたっぷり含んでいる新鮮な野菜、たとえば、生のキャベツ、セロリ、モヤシ、レタスなどによく使われる。

料理人の小山裕久は、フキのおひたしを「生野菜のように鮮やかな緑色とシャキシャキッとした食感」(『小山裕久の日本料理で晩ごはん』)と描写している。シャキシャキッとした食感のフキとは、いかにもおいしそうな表現である。

シャキシャキとした食感には、みずみずしさ、新鮮さ、適度な張りが必要である。これは、野菜に限ったことではなく、人や気分の描写の場合も同様である。「シャキシャキした人」、「気分がシャキッとする」なども、新しさや適度な張りがイメージされる。これらの新鮮さや張りが「しゃきしゃき」の根底にある。

気分の表現にしろ、食感の表現にしろ、「しゃきしゃき」は、小気味よい軽快さ、歯切れのよさを表している。

二〇〇四年に首都圏で一般の人に調査したところ、「しゃきしゃき」は、年齢、性別に関係なく、広く使われる食表現であった。歯切れのよさは、皆に共通して受け入れられる快い感覚なのであろう。

(早川文代)

る冷たさのなかにセロリの**シャキリ**と湯葉のモチリが混沌としている」〈勝谷誠彦の食う！呑む！叫ぶ！・週刊ダイヤモンド・03・5・24〉

❷【さま】姿勢や気持ちが、まっすぐに張るさま。「取材の時は普段より**しゃきり**とした表情を見せるそうで」〈県内の100歳以上688人・毎日新聞・04・9・17・静岡版〉

しゃきん 【さま】姿勢や気持ちが、まっすぐに引き締まるさま。しゃっきり。「彼の疲れた顔？ そんなの見たくないわ。仕事でたとえヨレヨレになっても、私の前では**しゃきん**としていてほしい」〈俵万智と読む恋の歌百首・54・朝日新聞・96・4・21〉

しゃくしゃく ❶【音】金属片などがふれ合ってたてる音。「火燵にもたれて高鼾、錫杖の**しゃくしゃく**と、鳥のかあかあに驚きて目を覚し」〈滑稽本―古朽木〉

❷【音・さま】歯切れのいい食感でものをかむ音。また、そのさま。「レンコンは、形を変えて様々な楽しみ方ができる野菜です。この歯ごたえは〈略〉**シャクシャク**と歯に吸い付くようなねっちり感で」〈日曜やさい塾・朝日新聞・04・11・21〉

❸→漢語編①「しゃくしゃく(灼灼・灼爍・爍爍)」 ②「しゃくしゃく(綽綽)」

じゃくじゃく ❶【音・さま】こまかくかたいものが、ふれ合ってたてる騒がしい音。また、そのさま。ざくざく。「玉砂利の敷かれた伊勢神宮の内宮参道に、**ジャクジャク**と足音が響く」〈旅・読売新聞・99・1・21〉

❷→漢語編「じゃくじゃく(寂寂)」

じゃくや 【さま】【古】あれこれと混乱したさま。ごたごた。ごちゃごちゃ。「様々にたぶらかし、跡は**ぢやくや**と金子にする業を、こかしと云」〈浮世草子―傾城仕送大臣〉

じゃくり 【音・さま】米、砂など粒状のものをすくったり、器にあけたりするときの音。また、そのさま。ざくり。「蜜柑の皮と共に石炭を掬くって、**ぢゃくり**と一つ烄《くべ》たものである」〈魔風恋風・小杉天外〉

しゃごしゃご ❶【さま】【方言】元気なさま。「この土地のお年寄りはみんな**しゃごしゃご**してるねー」〈静岡県〉

❷【さま】【方言】乱れて不ぞろいなさま。「**しゃごしゃご**の髪やな」〈兵庫県〉

しゃしゃ →漢語編「しゃしゃ(洒洒)」

じゃじゃ 【音】液体などの多量に流れ出る音。じゃーじゃー。「小便を四方に**ジャジャ**やりながら、分らない独言を云って帰って行った」〈蟹工船・小林多喜二〉

じやじや ❶【音】【古】痰《たん》などがのどにつまった音。「**じやじや** 痰などの咽につまりたる音歟」〈かた言〉

❷【音・声】【古】ぜんまいを巻く音やベルなどの機械的な音。セミなどの昆虫がやかましく鳴く声。「ムシガ **jiyajiyato**（ジヤジヤト）ナク」〈ロドリゲス日本大文典〉

❸【音・声・さま】【古】人が大勢集まったときに生じる、騒がしい話し声や物音。また、そのさま。ざわざわ。「あまたのほうし、あとへ**じやじや**と引しりぞく」〈浄瑠璃―酒典童子若壮〉

❹【音・さま】【古】ものをいためたり湯などが沸いたり、吹きこぼれたりする音。また、そのさま。『**じやじや**煮』(＝野菜や肉などを入れて、時間をかけていためるように煮込んだもの)「煮染が残っ居《て》たからの、其の中へ鶏卵をおとして**ジヤジヤ**とやらかしたら、塩が辛くてへんぽうらいだ」〈四十八癖・式亭三馬〉

❺【音・さま】【古】聞きとりにくいほど小さな物音が雑然としているさま。「勝手に何やら**ぢやぢや**と物おと聞《きこ》へ、耳をすまし聞《きく》に、あるじ旦那の声として」〈滑稽本―和荘兵衛後篇〉

じゃじゃーん 【さま】ものごとが目立って行われるさま。はでに登場したり、衝撃を与えたりするさま。「早く茹で上がれカニさんよ。そして、**ジャジャーン**！ 真っ赤に染まったカニが五ハイ」〈不味い！・小泉武夫〉

じゃじゃじゃーん さま 劇的にものごとが変化するさま。「すでに退陣の決意を固めてサバサバしたのか、ジャジャジャジャーンとばかりのド迫力映像と音楽が、支持率ひとケタの憂うつを吹き飛ばしてくれたのか」〈特集ワイド1・毎日新聞・01・3・14〉
✹ベートーベンの交響曲第五番ハ短調「運命」を下敷きにしている。

じゃじゃちんちん 音 ぜんまい仕かけの時計が時をうって鳴る音。「追々夜が更けて参いりますと、地主の家の時計がジヤジヤ・チンチンと鳴るのは、最早十二時で御座います」〈英国孝子之伝・三遊亭円朝〉

しゃしゃらくらく ⇓漢語編「しゃしゃらくらく（洒洒落落）」

しゃっ ❶ さま 勢いよく、すばやく事が行われるさま。さっ。「身をねぢって高い処から其処を狙ってシャッと水を掛ける」〈幻談・幸田露伴〉
❷ さま 古 ものごとの状態が正しく、整っているさま。きちん。「おもへどおもはぬふりをして、**しゃっ**としておりやるこそ底はふかけれ」〈歌謡―閑吟集〉

じゃっ ❶ 音 短く水をかけたり、油で調理するときの音。『エビフライを油にジャッと入れる』
❷ さま 言動やようすが明確なさま。きっぱり。「是を人事でみれば、遠而不レ遠とて、悪念の起る処を**ぢゃっ**とやめて、復した処がよいぞ」〈周易抄〉

しゃっき さま 力強く、まっすぐ張っているさま。しゃっきり。「長々と**しゃっき**としたる髭をなとちんちりりんとひねる松虫」〈狂歌―雄長老狂歌集〉「毛が**しゃっき**とたつぞ」〈玉塵抄〉

しゃっきり ❶ 音・さま かたくて歯切れのよい感じの音。また、そのさま。「西瓜でも茄子でも漬けて却って**しゃっきり**するのが奈良漬けといふものであるらしくて」〈私の食物誌・吉田健一〉「**しゃっきり**と小豆俵のさしの音」〈雑俳―銭ごま〉
❷ さま 直立するさま。つっぱって、硬直するさま。「男は背を**しゃっきり**のばしてゆったり坐り直している」〈ふたりとひとり・瀬戸内晴美〉「蜻蛉《とんぼう》が羽根をひろげたやうに**しゃっきり**して幅の狭い帯でございませう」〈浮世風呂・式亭三馬〉
❸ さま 気持ちが張りきっていて、力がこもっているさま。『年はとっても、まだ**しゃっきり**している』「生姜の一片《ひとへぎ》入る手間で、小町を一切れ喰したら、**しゃっきり**と気が成て」〈浄瑠璃―七小町・竹田出雲〉

しゃっしゃっ ❶ 音・さま すばやくこすったり、削ったりするときに発する軽くかわいた音。また、そのさま。『**しゃっしゃっ**と玄関先を掃いた』『イヌが後足でシャッシャッと砂をかける』
❷ さま 要領よく、すばやく動作をするさま。さっさっ。ちゃっちゃっ。「あたし、早くよくなって、シャッシャッと井戸で洗濯がしたくってならないの」〈春は馬車に乗って・横光利一〉

じゃっじゃっ ❶ 音・さま 水などを、勢いよくそそぎかける音。ひっかいたり、こすれたり、かき回したりしたときに発する濁った音。また、そのさま。『玉砂利の上をジャッジャッと駆け抜けた』
❷ 音・さま 強火で炒めて、すばやくかき回す音。また、そのさま。『タマネギをジャッジャッといためる』

しゃっぱり さま 古 さわやかなさま。さっぱり。「**しゃっはり**と春の霞の衣をもけさきた山の腰つきぞよき」〈狂歌―後撰夷曲集〉

しゃっぷり ❶ 音・さま 古 水などをそそぎかける音。また、そのさま。ざっぷり。「こせうからしの水鉄炮、とうがらしの石火矢、ゆんでへ廻って又**しゃっぷり**、め手へ廻って又**しゃっぷり**」〈浄瑠璃―曾我会稽山・近松門左衛門〉
❷ 音・さま 刀で簡単に首を斬り落とす音。また、そのさま。すっぱり。しゃぶり。

「只一刀にしゃっふりと引導渡して埒明けんと」〈浄瑠璃―猿丸太夫鹿巻毫〉

しゃでんで 音 壬生《みぶ》狂言の囃子《はやし》の音。鰐口《わにぐち》、締太鼓などの音。↓かんでんでん。「此おけを手に持て、小づまを取、しゃでんでしゃでんでとはやすと、ちょこちょこあゆむ迄じゃ」〈歌舞伎―傾城壬生大念仏・近松門左衛門〉

✹「しゃてん、しゃてん」「しゃてんてん」「しゃでんでん」とも表す。

しゃなしゃな ❶さま 身をやわらかに動かして気どっているさま。「舞台の上でしゃなしゃなしているのが見るに忍びないんだ」〈忘却の河・福永武彦〉

❷さま 細く弱々しいさま。「造り物、本舞台一面に嶮岨なる岩山。〈略〉岩壺よりしゃなしゃな水を吹き上げ」〈歌舞伎―鳴神〉

しゃならしゃなら さま やわらかな動きをして気どったさま。「あのデレデレした、シャナラシャナラしたイヤ味だけは、我が愛する宝塚のために是非矯正して貰ひたい」〈私の見た大阪及び大阪人・谷崎潤一郎〉「初音の局が披露してしゃならしゃならと入にけり」〈浄瑠璃―源氏長久移徙悦〉

しゃなり さま やわらかな身のこなしをして気どったさま。「萩の植込の間にしゃなりとした婀娜姿《あだすがた》が立って」〈少年行・中村星湖〉「花魁の錦襴眩ゆき襠裲《しかけ》をシャナリと着けた若者が鳥羽絵の様な角面《かくづら》を斜に構へながら」〈東京年中行事・若月紫蘭〉

しゃなりくなり さま やわらかな身のこなしをして気どったさま。「菊の中を、しゃなりくなりとさまよっている様子は、まさしく当のご後室でした」〈右門捕物帖・佐々木味津三〉

しゃなりしゃなり さま やわらかな身のこなしをして気どって歩くさま。しゃならしゃなら。しゃなしゃな。「貴婦人のやうにしゃなりしゃなり間崎の傍に近づいて来る」〈若い人・石坂洋次郎〉「蛍狩云うたら、ああ云ふ風に友禅のべべを着て、しゃなりしゃなりして行かなんだら気分が出えへんねん」〈細雪・谷崎潤一郎〉 ⬇使い分け「とぼとぼ」

じゃばじゃば 音・さま 水を大きくはねあげる音。また、そのさま。「田の畦でそれを見てゐたお滝は、突然じゃばじゃばと水田に躍り込むと」〈温泉宿・川端康成〉

しゃぶ ⬇コラム「しゃぶ・じゃぶ」

しゃぶしゃぶ ❶音・さま 水が軽く波立つ音。また、そのさま。ねばりけがないさま。「川が見え出しましたの、岸の低いねえ、一寸手を伸してもしゃぶしゃぶと水なぶりが出来さうな川」〈戸の外まで・与謝野晶子〉「出来上がったばかりの茶がゆをフーフー言ってすすり込む。〈略〉さらさら、しゃぶしゃぶした食感が命」〈食！味な関西・読売新聞・04・1・8・大阪版〉

❷名 薄切りにした肉を、熱湯にすばやくくぐらせて、軽く煮て、たれ汁につけて食べる料理。

じゃぶじゃぶ ❶音・さま 勢いよく水をかき回したり、すすいだり、また、水中を力を入れて歩いたりするときの音。また、そのさま。『風呂場で子どもがジャブジャブやっている』「お俊は釣瓶の水を分けて貰って復たジャブジャブ洗った」〈家・島崎藤村〉

❷さま たくさんのものを勢いよく流しかけるさま。『金をジャブジャブ使う』「ソースをジャブジャブかけながら」〈父の詫び状・向田邦子〉

❸さま 口の中で唱えものなどをするさま。むにゃむにゃ。「お経の文句が間違ても、じゃぶじゃぶですましておけど」〈大千世界楽屋探・式亭三馬〉

しゃぶり 音・さま 刀で切り下げる音。また、そのさま。しゃっぷり。「出たが最期しゃぶりとから竹割ぢゃ」〈歌舞伎―三十石艠始・並木正三〉

じゃぶり さま ものが勢いよく水に落ちこ

コラム オノマトペのもと

しゃぶ・じゃぶ

「しゃぶ」は、水などの粘性のない液体が軽く波立つようすを表す。「じゃぶ」も液体が波立つようすを表すが、そのさまは「しゃぶ」よりも勢いがよい。水をかき回すとき、すすぐとき、流すときの音やようすを表す場合に用いられる。たとえば洗濯をするときや風呂場で水をかけるようすには、「しゃぶしゃぶ」よりも「じゃぶじゃぶ」のほうがふさわしい。

また「じゃぶ」は、「お金をじゃぶじゃぶ使う」のように液体とは直接かかわりのない事柄を表すこともあるが、「湯水のごとく」といった表現で言い換えられることから、たくさんのお金を惜しげもなく使うことを、水の様態の表象とかかわりのある「じゃぶ」を用いて比喩的に表した用法といえる。

なお、半濁音の「しゃぷ」を含む語として、「しゃっぷり」という表現が古語にあるが、現代語ではほとんど使われない。

【しゃぶの語群】

しゃぶしゃぶ・じゃぶじゃぶ
しゃぶり・じゃぶり
じゃぶっ・じゃぶん

	―(と)かき回す	―(と)飛びこむ	お金を―(と)使う
しゃぶしゃぶ	○	―	―
じゃぶじゃぶ	○	―	○
じゃぶり	△	○	―
じゃぶん	△	○	―

【表現】

「しゃぶしゃぶ」という表現は、現在ではオノマトペというよりもむしろ料理の名称としてよく知られている。『衣食住語源辞典』(吉田金彦編)によれば、料理名の由来を示す文献はまだ発見されていないが、おそらく薄切りの肉を湯に入れて動かしすすぐさまをいう擬音語からという。確かに「しゃぶしゃぶ」は清音始まりである点で、濁音始まりの「じゃぶじゃぶ」よりも軽快であり、料理の名称としても親しみやすい。

ただし、オノマトペにおいて、濁音形「じゃぶ」の対語として清音形「しゃぶ」を位置づけることにはいささか疑問がある。それというのも、通常オノマトペの語幹に濁音が起こるときには次のルールがあるからだ。

①濁音は語頭に現れても語中には現れにくい。
②語中に現れる場合にはバ行音が多い。
③語中にバ行音(濁音)がある場合には語頭にも濁音がある。

つまり、「じゃぶ」はよいとしても「しゃぶ」は③のルールにそぐわないのである。

「じゃぶ」の清音形の対語としてはむしろ「ちゃぷ」が考えられる。清音拍「チャ」に対応する濁音拍は「ジャ(ヂャ)」であり、「ちゃぷ～じゃぶ(ぢゃぶ)」の間に清濁の対を想定することは、前記①～③のルールに照らしても不自然ではない。「ちゃぷ」の語中音であるパ行音(半濁音)は、オノマトペに多い特徴でもある。「ちゃぷ」も「じゃぶ」と同様、水遊びなどの場面で水が跳ねたり波立ったりするようすを表すことから、意味的にも両者は関連が深い。

(那須昭夫)

むさま。ものにはげしく水がかかるさま。ざぶり。「泉水へ樹鋏じゃぶり昼の蚊帳」〈雑俳―玉みがき〉

じゃぶりじゃぶり 音・さま 水をかき回したり、すすいだり、水中を力を入れて歩いたりするときの音。また、そのさま。「チャブリチャブリ手拭で体をしめしながら」〈大道無門・里見弴〉

じゃぶん 音・さま 水中に勢いよく飛びこんだり、ものを投げこんだりしたときの水音。また、そのさま。ざぶん。「寝巻き下着などの汚れものひっかかえてき、ジャブンとたらいにつけると」〈エロ事師たち・野坂昭如〉「その威勢で、チャブンとひとつお風呂にでもおはいりンなって」〈今年竹・里見弴〉

じゃぼじゃぼ 音・さま 勢いよく水をかきまわしたり、水の中で何かを洗ったりするときの音。また、そのさま。じゃぶじゃぶ。「ぢゃぼぢゃぼといふ奇怪な音が隣室から聞えた。茶筅でお茶を掻き廻してゐるやうな音でもあるが」〈不審庵・太宰治〉

じゃぼん 音・さま 水中に勢いよく飛びこんだり、ものを投げいれたときの水音。また、そのさま。じゃぶん。「海軍は、水葬礼やろ。軍艦旗で棺をまいて、ジャボン海へほかしてしまう」〈とむらい師たち・野坂昭如〉「軽石野郎に突倒され、シャボンと川へ落ち損ひ、腰を痛めて釜が損じた」〈歌舞伎―忠臣蔵年中行事・河竹新七〉

しゃら ⇒コラム「しゃら・ちゃら・じゃら」

じゃらくら ❶さま だらしなくふざけるさま。じゃらじゃら。じゃらりくらり。『じゃらくら話』(＝ふざけてしゃべる、たわいのない話)「お勢も日を経るままに草臥《くたび》れたか、余りじゃらくらもしなくなって」〈浮雲・二葉亭四迷〉
❷さま たわむれかかるさま。でれでれ。「内の旦那の七蔵さんへ、此間からぢゃらくらして、どうか授けた様子故」〈歌舞伎―綴合於伝仮名書〈高橋お伝〉〉

しゃらしゃら ❶音 鈴や細い鉄鎖などのふれ合って鳴る、軽く高い音。「万寿が、シャラシャラと時計の鎖を鳴らしてゐる」〈今年竹・里見弴〉
❷音・さま 布などの、しなやかでうすく軽いもののすれ合う音。また、そのさま。「おとよは女中には目もくれず、甲斐絹裏のしゃらしゃらする羽織をとって、省作に着せる」〈春の潮・伊藤左千夫〉
❸音・さま 雪踏《せった》などをはいて歩く足音。また、気どって歩くさま。「やり羽子に返すや箔のすり衣雪踏しゃらしゃら春ぞ来にける」〈俳諧―信徳十百韻〉

じゃらじゃら ❶音 小石、硬貨などのような小さくかたいものがたくさんふれ合ってたてる音。『じゃらじゃら声』(＝しわがれ声。がらがら声)「銅貨銀貨打交りの釣銭をぢゃらぢゃらさせながら」〈春潮・田山花袋〉
❷さま ふざけて、戯れかかるさま。無駄口をきいたり、みだらなことを言うさま。じゃらくら。「戯言口《じゃうだんぐち》きいてぢゃらぢゃらと笑ってばかり居ること」〈いさなとり・幸田露伴〉「その男が外の女《をなご》はんにぢゃらぢゃらしやはるのを」〈大阪の宿・水上滝太郎〉
方言 いい加減でふざけたさま。「じゃらじゃらと何言うんなら」〈徳島県〉「なんかじゃらじゃらして好かん」〈香川県〉「じゃらじゃらもの言うな」〈愛媛県〉
❸さま はでに着飾るさま。「お前、猶《まだ》ジャラジャラとお洒落《しゃらく》為《し》足りねェだナ」〈湯女・内田魯庵〉
❹名 小銭のこと。『ジャラジャラで払った』

しゃらり ❶音・さま かたいものが一度ふれ合ってたてる軽い音。軽い物音をたてながら歩くさま。「両手に持つ『ジンナークー(銭鳴)』を拍子木のようにカチリと合わせると、シャラリという金属的な音がした」〈OLD NEW・産経新聞・00・2・29・大阪版〉

コラム　オノマトペのもと

しゃら・ちゃら・じゃら

「しゃら」は、布などの薄くて軽いものが、やわらかくこすれ合ってたてる音やそのようすを表すが、ごく軽い金属などがふれ合うときの音にも用いられる。

「じゃら」は、小銭や小石などの重くてかたい小さなものが、比較的多数ぶつかり合って生じる音やようすを表す。

「ちゃら」は、両者の中間的な感じで、「しゃら」のように布類の摩擦を表すことはないが、「じゃら」よりは軽くて量も少ない金属などが、ふれ合う音やそのようすの表現に使われる。

【しゃら・ちゃらの語群】

しゃらしゃら・ちゃらちゃら・じゃらじゃら
しゃらっ・ちゃらっ・じゃらっ
しゃらり・ちゃらり・じゃらり
しゃらん・ちゃらん・じゃらん

	細い鎖が―(と)鳴る	太い鎖が―(と)鳴る	―(と)したはでな格好
しゃらり	○	―	―
しゃらしゃら	○	―	―
じゃらり	―	△	△
じゃらじゃら	―	○	△
ちゃらり	○	△	―
ちゃらちゃら	○	△	○

近世には、「しゃれ」と同義の形容動詞「しゃら」があり、「しゃらしゃら」が雪駄などを履いて歩く音を表す（中世末ごろから用例あり）とともに、気どって歩くようすの擬態語としても用いられていたらしいのは、この「しゃら」の影響もあるかと考えられる。

もともと「しゃれ」は「戯《ざ》れ」から派生したものと解されているが、「じゃらじゃら」のもっとも古い例（一八世紀初）は、ふざけたりみだらなことを言ったりするようすに用いられており、「じゃれる」と「じゃら」の共通性が感じられる。

現代語では「いちゃいちゃ」「べたべた」などが用いられることが多くなったが、近代以降も、男女がいやらしい感じでふざけ合っているようすを批判的に表現する場合に「じゃらじゃら」が使われた。

近代になって、はでに着飾るようすを表す用法も生まれたが、この場合もいやらしさや下品さの含意があるようだ。

何かがこすれ合ったりぶつかり合ったりする音を表す擬音語の「じゃらじゃら」の例は、二〇世紀になってから現れている。

「ちゃらちゃら」は、近世以降に雪駄の音を表す例が見られるが、古くから軽薄にぺらぺらしゃべるさまを表す用法もあり、「ちゃらつく」で「いいかげんなことを言う」意になる。同様に、嘘やでたらめを意味する「ちゃら」という名詞も使われている。現代でも方言に「ちゃら」の表現は多く存在する。

「ちゃらんぽらん」は、この「ちゃら」と「ほら」（嘘）の複合語「ちゃらほら」から変化してできた語である。

「ちゃらちゃら」には、もともと「女性がはでな服装でしなをつくって歩くさま」を表す用法はあったが、はでで軽薄なようすを表すようになったのはこの数十年のことらしい。最近では「チャラ男」（見かけや言動がはでで軽く、調子のいい男。軽薄で信用できない感じ）のような語も生まれている。

（宮武利江）

❷さま なめらかなさま。さらり。すらり。「誰が待つやら　しゃらりと解けし　二重帯見る度々や」〈歌謡―哥撰集〉

❸さま 着飾って、気どったさま。「誰もうき世は仮のやど、さのみ人を、包むまじ、よや君しゃらり」〈歌謡―大幣〉

じゃらり 音 小石、銭などのような小さくかたいものが、一度に落ちたり、ふれ合ったりしてたてる音。「**じゃらり**と其の銭を財布の底に落した」〈土・長塚節〉

じゃらりくらり さま 色っぽくふざけたり、くだらないことをしゃべったりして、いやらしいさま。じゃらくら。「女中捕へて**じゃらりくらり**、ちとお嗜なされませ」〈浄瑠璃―新うすゆき物語〉

しゃらりしゃらり ❶音・さま かたいものが何度もふれ合ってたてる軽い音。軽い物音をたてて歩くさま。「xararixararito（**シャラリシャラリト**）〈訳〉〈略〉履いた雪踏またはその他の履物が道を歩いている時にたてる音のさま」〈日葡辞書〉

❷さま しなやかで洗練され、いくらか色っぽい感じのあるさま。「そりゃ湯から上臈があがられて、**しゃらりしゃらり**と歩まるる」〈浄瑠璃―一心五戒魂〉

じゃらん 音 金属などが強くふれ合って一瞬たてる重く騒がしい音。『**ジャラン**と鈴を鳴らした』

じゃらんじゃらん 音 重みのある金属が連続してぶつかり合う音。鐘などが鳴り続ける大きな音。「落ち付いた耳の底へ**ぢゃらんぢゃらん**と云ふ馬の鈴が聴え出した」〈草枕・夏目漱石〉

じゃらんぽん 名 法会《ほうえ》や葬儀などで用いる鐃鈸《にょうはち》の俗称。その音からいう。また、それを鳴らすことから、葬式。「**ぢゃらんぽん**よせと孟子の母はいひ」〈雑俳―誹風柳多留拾遺〉

✲「じゃらんぼろん」「じゃんぼう」「じゃんぼん」とも。

しゃり ⬇コラム「しゃり・じゃり」

しゃりしゃり ❶音・さま 張りのあるかたさで、薄っぺらなものや、軽いものなどが、こすれ合うときにたてるかすかな音。また、そのさま。「**シャリシャリ**と鳴るマラカスや、素っ気なくこすり合わされる石ころ。これらのノイズが近代管弦楽の華々しく機能的なイメージをぶち壊し」〈公演・N響ミュージック・トゥモロウ93・産経新聞・93・5・10〉「綿と麻の混紡製も**シャリシャリ**した肌触りが人気。紺など濃い色がよく出るという」〈甚平着て花火見物へ・読売新聞・05・8・6〉

❷音・さま 雪や砂などを踏んで歩く音。シャーベットやリンゴのように、軽い歯ざわりを感じるさま。「屋台で売りに来た**しゃりしゃり**したシャーベットに似たアイスクリームを」〈抱擁・瀬戸内晴美〉

❸さま 気どって歩くさま。「よくよく人気稼業が忘れられんと見えて、**しゃりしゃり**『オリンピア』へ現れて来るって代物だ」〈青春の逆説・織田作之助〉

じゃりじゃり ❶音 小石、砂などがふれ合ってきしる音や砂などをかんだりしたときの音。「靴底の金具を**ジャリジャリ**させて、ゆるい歩調でやってきた」〈不在地主・小林多喜二〉

❷さま 手ざわりや見た目が、粗くひっかかりのあるさま。ざらざら。「下髯の**じゃりじゃり**と延びた頬の皮は、言ひ尽し難い」〈小鳥の巣・鈴木三重吉〉「埃で足が**じゃりじゃり**する会場には」〈ノリソダ騒動記・杉浦明平〉

しゃりっ ❶音・さま 薄っぺらなものや、軽いものなどがつぶれるなどしてたてるかすかな音。適度な張りがあって、手ざわり、歯ざわりが心地よいさま。「中味がミゾレのような、**シャリッ**とした状態になったときが、シャーベットのできあがりですから」〈デザート365・服部広治〉「揚げたては衣が**シャリッ**として、囓ると前歯に音がする」〈音の晩餐・林望〉

しゃり・じゃり

「しゃり」は、薄くてかたいものや、小さくてかたいものがこすれ合う音を表す。また、ややかたいものを刃物などできざんだりするときの音を表すこともある。清涼感や爽快感を伴う表現である。

「じゃり」は、「しゃり」に比べて音が大きく、小石や砂などの小さくかたいものがこすれる音を表す。不快な印象を伴う場合もある。

【しゃりの語群】

しゃりしゃり・じゃりじゃり

しゃりっ・じゃりっ

しゃりり・じゃりり

	―に(と)凍る	小石が―(と)いう	―(と)した布
しゃりしゃり	○	―	○
じゃりじゃり	○	○	―
しゃりっ	―	―	○
じゃりっ	―	○	―

【表現】

「しゃりしゃり」は古くからあることばで、『日葡辞書』（一六〇三～〇四）には「足で氷を踏んだ時、または鍋で湯が沸いている時のようにものが音をたてる様」という説明がある。

現代では「しゃりしゃり」は、食感表現によく使われ、調理の専門家に調査したところ、かき氷やシャーベット、ナシ、レンコンなどによく使われていた。氷の粒や張りのある植物の繊維がスプーンや歯に当たってこすれて砕かれるときの感じを表す。とても心地よい食感だ。多くの人に使われることばで、二〇〇四年に首都圏の一般の人を対象とした調査では、七割以上の人が食感表現として認識していた。

「しゃりしゃり」には軽快感や清涼感が伴う。べたつくような不快感はまったくない。たとえば、薄い紗《しゃ》の織物も、しゃりしゃりとした手ざわりで、肌にさらりと軽く当たり、夏に心地よい。また最近は、布がさらっとして張りのある風合いを表すときに、「シャリ感」という語がふつうに使われている。

「しゃりしゃり」の類似の語には、「さくさく」や「しゃきしゃき」などがある。いずれも、何かをかんだときの軽快で小気味よい食感と音を表している。こうして考えてみると、sa や sha の音は、繰り返すと、歯切れがよく、軽快な感じがする。粘りや弾力などとは無関係なことばだ。

「じゃりじゃり」も、古く、室町時代の『玉塵抄』に記述が見える。「しゃりしゃり」よりも音が大きく、粗くかたい感じを表す。布や紙の手ざわり、砂利や小石を踏む音、かたいかけらが歯に当たったときの感じなどの表現に使われる。たとえば、内田百閒は『続百鬼園随筆』で、砂ぼこりが舞う不快な場面で、「口がねばって、唇はじゃりじゃりして来た」と使っている。

ところで、白飯を「シャリ」ということがある。これは仏教用語で仏陀の遺骨を「舎利《しゃり》」といい、米粒が舎利に形が似ていることに由来するという。また、江戸時代の劇場では、「砂利《じゃり》」が隠語で米を意味したという。かたや「骨」、かたや「小石」と、連想のもととなった物質は異なるものの、シャリも、ジャリも、米をさすというから面白い。

（早川文代）

❷ さま 張りのあるさま。「お福は、結城絣《ゆうきがすり》をしゃりっと着こなし」〈ぼんち・山崎豊子〉

じゃりっ 音 小石などのような小さくかたくていくらか重いものが、ふれ合いながら落ちてたてる音。小石や砂のまじったものなどを、急にかみくだいたりしたときの音。「彼は疾駆しようとして、〈略〉一歩を踏み出した時、**じゃりっ**と其爪先を打って財布が落ちた」〈土・長塚節〉

しゃりりしゃりり 音 続いておこる軽くて鋭い、かわいた感じの音。「連枷《ふるち》がどさりどさりと庭の土を打つと硬ばった大豆の幹《から》は**しゃりりしゃりり**と乾燥した軽い響を交へて」〈土・長塚節〉

しゃりんしゃりん 音・さま 小さな鈴や細い鎖などがふれ合ったり、布などの、しなやかで薄く軽いものがすれ合う音。また、そのさま。「風が来たので鈴蘭《すずらん》は、葉や花を互《たが》ひにぶっつけて、**しゃりんしゃりん**と鳴りました」〈貝の火・宮沢賢治〉

しゃわしゃわ 音・さま 水がこまかく泡だったり、薄いものや軽いものなどがふれ合ってたてる音。また、そのさま。「源泉のままの炭酸成分が皮膚に触れて**シャワシャワ**と弾けた」〈旅&レジャー・産経新聞・01・5・31〉

じゃわじゃわ 音・さま ひどく雑音がしたりして、騒がしいさま。忙しくせきたてるようなさま。ざわざわ。「口々やかましくいふ。『エエ、人の気のもめてあるのにその様に**じゃわじゃわ**いうて下さるな』」〈歌舞伎―桑名屋徳蔵入船物語・並木正三〉

しゃん ❶ 音 鈴や三味線を鳴らす音。手を打つ音。「因果やな、ほんとに、三味線は弾けぬかい。ペンとも**シャン**とも」〈歌行燈・泉鏡花〉

❷ さま ものごとの状態が正しく、整っているさま。「康代は立って上着をきた。すると、**しゃん**とした女事務員の姿になった」〈悪の愉しさ・石川達三〉「**しゃん**と結びし小柳《こやなぎ》の帯も目に立つ当世風」〈春色梅児誉美・為永春水〉

❸ さま 体を起こして姿勢正しいさま。姿勢に直線的な張りがあるさま。「彼女は背筋を**しゃん**とのばし、誇りたかく坐っている」〈鳥獣虫魚・吉行淳之介〉

❹ さま 言語、行動、考えなどに一本筋が通って明瞭なさま。確かに。はっきり。「いえ、彼娘《あのこ》はあれでなかなか**毅然**《しゃん》とした気象の女ですからね」〈破戒・島崎藤村〉「一晩や二晩、飲み明したって、**しゃん**としてますからね」〈島・川口一郎〉

❺ さま 古 味などに一本筋が通ったような張りが感じられるさま。「ちゃうじは、**しゃん**とすれども、人によりて、きらふものなり」〈評判記―秘伝書〉

❻ さま 方言 あいにくなさま。残念ながら。運悪く。「**しゃん**と見つけられた」〈徳島県〉「**しゃん**と留守をあけちょってすまざった（すまなかった）」〈高知県〉「**しゃん**とまた今度も試験に落ちました」〈高知県〉

じゃん ❶ 音 金属をはげしくたたいたときの大きくひびく音。

❷ 名 競輪で、残り一周半になったときに鳴らされる鐘のこと。打ち鐘。「**ジャン**が鳴ったとき、みんなが『よしっ』とか、『ああ、もうダメだあ』とか言ってるんです」〈私のいる風景・読売新聞・96・7・6〉

❸ さま 目立つように登場するさま。威勢のよいさま。『そこへ**ジャン**と現れた』

✸期待や計画がだめになることを「おじゃんになる」というのは、火事が鎮火すると半鐘を二つジャンジャンと鳴らしたことからともいう。→じゃんじゃん。

しゃんぐしゃんぐ 音 古 鈴などの鳴る音。ちゃっちゃっ。「勝つ程に勝つ程に一息に七百。こりゃ門出が面白いと腰に引っ付、**しゃんぐしゃんぐ**と鈴鹿で皆突いてゐる」〈浄瑠璃―丹波与作待夜の小室節・近松門左衛門〉

しゃんこしゃんこ ❶ 音 ウマの鈴の音。しゃんしゃん。「馬の鈴**しゃんこしゃんこ**

と振鳴らす」〈雑俳―たからの市〉
❷さま古 ものごとが絶えまなく続くさま。「初瀬川汲もてんつるてんつると〈貞因〉しゃんこしゃんこやふれる五月雨〈旨恕〉」〈俳諧―難波風〉

じゃんじゃか 音・声・さま 大声をあげ、楽器などを鳴らしてうるさく騒ぐ音。また、そのさま。調子づいて盛んに行われるさま。じゃかじゃか。「**ジャンジャカ**騒ぐんだろうし」〈陽のあたる坂道・石坂洋次郎〉「あねさんかぶりをした女が**ぢゃんぢゃか**ぢゃんぢゃか三味線をひいてくる」〈銀の匙・中勘助〉「鈴虫の鉄棒　ちりんちりんちりんと鳴る鉄棒也。今も京坂は必用ㇾ之。官家は必用ㇾ之。江戸火番人は専ら近年錫杖を用ひ、**じゃんじゃか**じゃんじゃかと鳴る」〈守貞漫稿〉

じゃんじゃかじゃん さま うるさく騒いで、その場の話題を混乱させたり、話をそらすさま。「其芸者から他《ひと》の話を『**ぢゃん、ぢゃか、ぢゃん**』に為てしまふと云って怒られてゐた」〈行人・夏目漱石〉

じゃんじゃら さま こんがらがったり、乱雑になったりしていて、むさくるしいさま。「烏瓜や藪からしが**ぢゃんぢゃら**になったぼさのなかには古井戸があって」〈銀の匙・中勘助〉

しゃんしゃん ❶音 鈴などが、軽やかに鳴り続ける音。「春の野のやたらに広き白河原〈巴丈〉から身で馬は**しゃんしゃん**と行〈露川〉」〈俳諧―ゆずり物〉
❷声 セミなどが盛んに鳴く声。「藪や山では**しゃんしゃん**蟬が勇ましく鳴き出した」〈帰去来・国木田独歩〉
❸音・さま 大勢で手を打つ音。事の決着がついたとき、手をうって喜ぶさま。『**しゃんしゃん**総会』「此宮へ人々詣《もふ》でて、神前にて拍手を**しゃんしゃん**とうてば」〈咄本―寿々葉羅井〉
❹音・さま古 湯がさかんに沸き立つ音。また、そのさま。しゅんしゅん。「茶がまを**しゃんしゃん**煮たてて」〈咄本―聞上手〉
❺さま 元気に立ち働くさま。てきぱき。「あんなに細かいことまで**しゃんしゃん**とよく気の利く人はありませんよ」〈別れた妻に送る手紙・近松秋江〉「あれ程御医者が手重く云ったものが、今迄**しゃんしゃん**してゐるんだからね」〈こゝろ・夏目漱石〉 ⬇使い分け「ぴちぴち」
方言 活発で手早いさま。「八十いくつになっとれどまだ**しゃんしゃん**や」〈富山県〉「**しゃんしゃん**せえや」〈広島県〉「**しゃんしゃん**もどって来てもらーんと困る」〈高知県〉

じゃんじゃん ❶音 金属を何度も強く打ちつけて発する大きくひびく音。「それこそ今のおかたには想像にも及ばぬことで、**じゃんじゃん**と就業の鐘が鳴る、それが田や林や、畑を越えて響く」〈あの時分・国木田独歩〉「折しもあれ本郷の方に当て**ジャンジャン**と打鳴す早半鐘」〈紀文大尽・村井弦斎〉
❷声 アブラゼミなどのはげしく鳴きさわぐ声。「誰かが蟬をとって有合せの鳥籠に入れてくれた。〈略〉そばへよるとあばれて**ぢゃんぢゃん**いふのが怖かった」〈銀の匙・中勘助〉
❸さま 積極的に、はでにものごとを進めるさま。「今日の席であんたに**ジャンジャン**反対でもされたらことやと思うて」〈北東の風・久板栄二郎〉「**ジャンジャン**金が使いたい、坊ちゃん臭ささえ、感じられた」〈自由学校・獅子文六〉 ⬇使い分け「どんどん」
❹さま 怒りなどで興奮するさま。「これだけの世話でも毎日となりゃウンザリだらう、御もっともである―が、御もっともだけに余計呑天君は**ヂャンヂャン**して」〈アヒル競騒曲・徳川夢声〉
❺さま 程度がはなはだしいさま。「花は盛りにはえ揃って、また**ジャンジャン**と美しい」〈漫談集・大辻司郎・徳川夢声〉 ⬇使い分け「ざーざー」

❻ 音・名 半鐘の音。半鐘そのもの。「四っ明の拍子木は、店者の足を早め、八幡の**ぢゃんぢゃん**は子息株の胸にこたへ」〈洒落本―美地の蛎殻〉
❼ 名 ものごとがあまりよくないかたちで終わりになること。おじゃん。「**ぢゃんぢゃん**凡そ事よからぬかたにてそれぎりに畢るを最早チャンチャンと云」〈俚言集覧〉
✵江戸の町々の火の見梯子の半鐘が、鎮火のときには二つ打ったところから。
❽ 名 歌舞伎囃子の一つ。寺院の場などで、鐘を打ち鳴らすもの。寺鐘《てらがね》。「結構に釣鐘を描かせ、是れに撞鐘再興願主藤原秀衡と書付け、〈略〉**ぢゃんぢゃん**にて幕開く」〈歌舞伎―御摂勧進帳・桜田治助〉

じゃんぶりこ 音・さま ものが勢いよく水にはいりこんだ音。ものにはげしく水がかかった音。また、そのさま。「そば切へまっ黒な手を**じゃんぶりこ**」〈雑俳―三国志〉

しゅ ⇩コラム「しゅ・じゅ」

しゅー ❶ 音・さま 小さい穴やすきまから、空気などが抜け出る音。ふくらんだものが、見るまにしぼんでゆくさま。「脊中と胸の厚さが**しゅう**と減って」〈坑夫・夏目漱石〉
❷ 音・さま 絹ものなどがすれ合ってたてる音。ものがすべったりこすれたりしたときの音。また、そのさま。「桃色綸子の裏を**シュー**と云はせながら、両手を通す」〈青春・小栗風葉〉
❸ 音・さま 蒸気や煙などが勢いよくふき出す音。また、そのさま。「土瓶にとり、あつい湯をそそぐと、弾いて**しゅう**っと鳴る」〈台所のおと・幸田文〉「ピカッと光ったものがあり、マグネシュームを燃すやうな**シューッ**といふ軽い音とともに一瞬さっと足もとが回転し」〈夏の花・原民喜〉
❹ 声 古 スズメの鳴く声。「すずめのなくこゑの**しう**、如何。これはすずめの緩々とをどるといへる音かともうたがはる」〈名語記〉
✵この『名語記』の「しう」の表記は古い日本語のサ行の発音にすると「チュウ」を表すという説もある。

じゅー ❶ 音 高温に熱したものを、冷たい液体の中に入れたときに出る音。水気のあるものが熱気に当たって、瞬間的に蒸発する音。「蒸気は、ここで露になって、**ジュー**と火が消える」〈婦系図・泉鏡花〉
❷ 音・さま 液体が吸いこまれる際の大きくひびく音。また、そのさま。「ちょっとした雨ぢゃア、**ぢゅうッ**と吸込《すいこむ》のよ」〈大千世界楽屋探・式亭三馬〉

しゅーしゅー ❶ 音 絹もののすれ合う音。もののこすれ合う音。「五十格好の声にて立迎ふる様子衣服の**シウシウ**と鳴る音にても一廉の大身と知られたり」〈春酒屋漫筆・坪内逍遙〉
❷ 音 小さい穴やすきまから、水、湯気、空気などが続けてふき出てくる音。『現場ではガスが**シューシュー**もれていた』「**シウシウ**八方に噴上げる水は銀の音色を咲かしながら」〈青春・小栗風葉〉
❸ ⇩漢語編 ①「しゅうしゅう（啾啾）」 ②「しゅうしゅう（颼颼）」

じゅーじゅー 音・さま 水分が高熱のものに接して、盛んに蒸発するときなどに出る音。また、そのさま。「棟や梁が**じゅうじゅう**湯気を立てて傾きかかった」〈雪国・川端康成〉「肉は焼けて**ジュウジュウ**音がした」〈家・島崎藤村〉

しゅーっ ↓しゅー。

じゅーっ ↓じゅー。

じゅーわり さま 古 ぐあいよく適合しながら、時間をかけて進行するさま。少しずつ進むさま。「もし大屋さんへ、**じうわり**とこんにゃ旦那の婚礼に呼ばれやんす」〈咄本―さとすゞめ〉

しゅくしゅく ⇩漢語編「しゅくしゅく（粛粛）」

じゅくじゅく ❶ 声 スズメの鳴く声。⇩鳴き声編
❷ さま 湿気を含んでいるさま。湿気が中

しゅ・じゅ

「しゅ」からできる擬音語は、水蒸気の上がる音を描写する。「しゅーしゅー」は、水蒸気が力強く噴き出す感じ、「しゅんしゅん」は沸騰して湯気が上がる音を表す。「しゅん」は水が水蒸気に変わるときの音が一度だけ上がる表現で、多くは、火に水がかけられたときの音を描写する。「しゅんとする」など、急に勢いがなくなるようすもいう。

かつては「しゅっと消える」という慣用句があり、それまでの勢いや元気が急になくなること、面目まるつぶれのことを言った。江戸中期の浄瑠璃『東海道七里艇梁《しちりのわたし》』に「若し違ふては此入兵衛、しゅっと消《きえ》ねばならぬぞや」というセリフがある。

「じゅ」は、油が焼ける音や、水が高音の金属などにあたって急に蒸発するときの音などを表現する。

【しゅの語群】

しゅっ・じゅっ
しゅーっ・じゅーっ
しゅーしゅー・じゅーじゅー
しゅん・じゅん
しゅんしゅん・じゅんじゅん

	―(と)火が消える	―(と)湯が沸く	―としおれる	―(と)焼く
しゅっ	△	―	△	△
じゅっ	○	―	―	○
しゅーしゅー	△	○	―	―
じゅーじゅー	△	―	―	○
しゅん	△	―	○	―
しゅんしゅん	―	○	―	―

【表現】

「しゅんしゅん」は、やかんなどの湯が沸き立つ音を表す。湯が沸き立つ音には、「ふつふつ」や「ぐらぐら」などがあるが、これらは沸騰がはげしくて泡が大きいが、しゅんしゅんは湯玉が小さく、おだやかな沸騰を示している。「しゅんしゅん」には、どこか温かさと懐かしさが感じられる。林真理子のエッセーに、学生時代に行ったすし店の話がある。そのすし店は、立ち食いの古い小さな店で、安くておいしいすしを出していた。筆者は、その店の七輪の上でしゅんしゅん音をたてているやかんからいれたお茶を、たいそうおいしかったと回想する(『食べるたびに、哀しくって…』)。

「じゅーじゅー」は、印象がまったく異なる。油脂が焼けたり、水が熱で急に蒸発したりするときの音を表し、「しゅんしゅん」のようなおだやかさは感じられない。香ばしいにおいが漂ってきそうな、食欲をそそる表現だ。脂がのった魚を焼くときや、フライパンで何かを炒めたりするときのおいしそうな音である。

ものが焼ける音の表現には、「パチパチ」や「チリチリ」などもある。しかし、聞いただけでおいしそうだと感じることばといえば、「じゅーじゅー」や「じゅーっ」に勝るものはないだろう。森須滋郎はエッセー『うまいものには目がなくて』で、鰯の塩焼きのおいしさを「目の前で焼いて、ジュージュー音のするのをパクッと食べられる」と表現している。とてもおいしそうでリアルな描写である。ちなみに英語では「sizzle」という擬音語が相当する。あの快い音をzでことばに写すのは、日本語も英語も共通のようである。

(早川文代)

からしみだしてくるさま。じくじく。『じゅくじゅくした傷口』「間もなく、自分達は竹藪の中のじゅくじゅくした細い坂道を下りて」〈十一月三日午後の事・志賀直哉〉「破れた靴に冷たい雨水がジュクジュクとにじみこんでいた」〈絵本・田宮虎彦〉

しゅっ ❶音・さま すばやく、勢いよくこすれる音。気体が勢いよく出る音。また、そのさま。「何の気もなくしゅっと擦り附けて、半分燃やしてふっと消す」〈おみつさん・鈴木三重吉〉「宗助は一銭五厘出して、其風船を一つ買って、しゅっと縮ましてもらって」〈門・夏目漱石〉

❷さま 勢いよく動くさま。「次はぽんと音がして、黒い団子が、しゅっと秋の空を射抜く様に揚がると」〈坊っちゃん・夏目漱石〉「若し違ふては此入兵衛、しゅっと消《きえ》ねばならぬぞや」〈浄瑠璃―東海道七里艇梁〉

じゅっ ❶音・さま 高温に熱したものを、急に水の中に入れたときに出る音。水分がいきなり熱にふれて蒸発する音。また、そのさま。「焼小手で脳味噌をじゅっと焚《や》かれた様な心持だと」〈琴のそら音・夏目漱石〉

❷さま 液体が強い勢いでしみ出たり、しみこむさま。「職人が槽の上で白下糖を押して砕き、〈略〉そのたびにジュッと液体が滲み出る。これが糖蜜」〈イブニングマガジン・産経新聞・98・10・6〉

しゅっくり さま古 他のことに心をうばわれて、落ち着かないさま。そぞろ。「差出す刀引ったくり、腰に差す間も気はしゅっくり、刀の違ひに目も注っかず」〈浄瑠璃―伊勢音頭恋寝刃〉

しゅっしゅっ ❶音・さま 穴やすきまから、蒸気や液体などが、勢いよく断続的にふき出る音。また、そのさま。『霧吹きをシュッシュッとかける』「発電機の発電子からもしゅっしゅっと青い火花が出てゐる」〈地に頬つけて・谷崎精二〉

❷音・さま 布など、やわらかいものがこすれる音。また、そのさま。『毎朝シュッシュッと靴をみがく』

❸さま 風をきって走ったり、勢いよく動作をするさま。「ソノシュッ、シュット、伸ビタ腕ヲ引ッ込メル早サト云ッタラナイノ」〈瘋癲老人日記・谷崎潤一郎〉

じゅっじゅっ ❶声 鳥やネズミなどの低い濁ったような鳴き声。⬇鳴き声編「ウグイス」

❷音・さま 水分が高熱に接して、蒸発する音。水分が強い勢いでしみ出たりしみこむさま。『ジュッジュッと野菜を炒める』

しゅっぽしゅっぽ 音・さま 蒸気機関車の走る音。また、そのさま。「汽車汽車ポッポポッポシュッポシュッポシュッポッポ僕等をのせてシュッポシュッポシュッポッポ」〈童謡―汽車ポッポ・富原薫〉

しゅふー 音古 息を吹く音。「公時にこそさされけれ、待かねたりと頂戴し、続けて三杯ついと干し、しゅふうといひて頭をなで」〈浄瑠璃―酒呑童子枕言葉・近松門左衛門〉

しゅぽっ 音・さま ものが、勢いよく一気に、抜けたり、落ちこんだり、かぶさったりする音。また、そのさま。「ビールの栓を勢いよくシュポッ――」〈加賀野菜、素朴さ人気・産経新聞・05・6・5〉

しゅらくら ❶音・さま古 湯などが煮えたぎる音。また、そのさま。「お駒はしゅらくら沸る茶を茶台に乗て指出す」〈浄瑠璃―難波丸金鶏〉

❷さま古 怒りや嫉妬のため心が胸中がわきかえるさま。「待ち兼ねた祝言の盃、早う飲んで献してたもと、お梅を金の心当、知らぬお夏は物越に、聞いてしゅらくら襖を細目」〈浄瑠璃―寿連理の松〉

しゅるしゅる ❶音・さま 物体が高速で進んでいくときなどに、周囲との摩擦によって出る音。また、そのさま。「電車が、しゅるしゅるとレールと車輪との擦れる音をたてて」〈人形愛・高橋たか子〉

❷音・さま 線状のものがのびたり移動した

りする音。また、そのさま。「火の中から、**しゅるしゅる**と水の流れるやうな音が、聞えて来た。風はなく、煙は真直に突立って、私の眼の高さの中空から、扇形に開いた」〈野火・大岡昇平〉

じゅるじゅる 音・さま 水分を多く含むさま。また、ねばりけのある水分をすする音。ずるずる。『いつも鼻水を**じゅるじゅる**させていた』

しゅるっ 音・さま ものが一瞬なめらかにこすれ合ったり、巻きつく音。また、そのさま。「荒砥の時は、ガリッガリッと摩擦音がしていたが、中砥、仕上げ砥と同じ作業を繰り返すうち、**シュルッ**、シュルッという音に変わっていく」〈おじゃまします・「包丁研ぎの店」訪問・北海道新聞・03・8・26〉

じゅるっ ❶音・さま 水気の多い食べ物をすすりながら食べる音。つばをのみこむ音。また、そのさま。『半熟卵を**じゅるっ**と食べた』
❷さま 水分を多く含むさま。『**ジュルッ**とした半透明の物質』

しゅわしゅわ ❶音・さま 炭酸など、液体の泡が続けて発生する音。空気が抜けながらしだいに縮む音。また、そのさま。『**しゅわしゅわ**とソーダの泡が消えていった』
❷音・さま 羽や軽いものが何度も風を切る軽い音。また、そのさま。『スプリンクラーが**しゅわしゅわ**と回った』「**しゅわしゅわ**と馬が尾を振る馬として在る寂しさに耐ふる如くに」〈黙唱・杜沢光一郎〉

じゅわじゅわ ❶音・さま 食べ物が適度に焼けたり、とけたり、泡立つなどする音。また、そのようにして、おいしそうに、においや味の広がるさま。『**じゅわじゅわ**と焼きあがってゆくステーキ』
❷さま 少しずつ時間をかけて、ものごとが進んでゆくさま。『**じゅわじゅわ**と実感してきた』

しゅわっ 音・さま 一気に泡立ったり、溶けてなくなるときの軽やかな音。また、そのさま。「コーラが**シュワッ**と噴き出さないようビンにフタをするのと同様に」〈早い話が・毎日新聞・05・11・10〉「大きな実にねらいを定めて、青々とした枝を折ると、酸味ある香りが**シュワッ**と飛び散った」〈ウイークエンド首都圏・甘夏ミカン狩り・産経新聞・01・2・16〉

じゅわっ ❶音・さま 食べ物が、香りやうまさを感じさせながら、適度に焼けたり、とけたり、泡立つなどするときの力強い音。また、そのさま。『強火で**ジュワッ**と焼くのがコツ』
❷さま 一気に広がってゆくさま。水分などが一気ににじみ出るさま。『外はカリッと、中は**ジュワッ**とした名物ギョーザ』

しゅん さま 元気をなくし、うなだれてしまうさま。「大木戸登は**しゅん**となって、ばつの悪そうな顔で沈黙した」〈男鹿・田村泰次郎〉「議会でのわずかながらの批判的意見も、『だまれ』という軍人の一喝の前に**シュン**となった時代であった」〈憲法講話・宮沢俊義〉

しゅんしゅん ❶音・さま やかんなどの湯が沸きたつ音。また、そのさま。じゅんじゅん。「濃茶が立つと、**しゅんしゅん**と鳴る釜の音の中で、上客に茶碗が廻った」〈紋章・横光利一〉 ↓使い分け「ちんちん」
❷↓漢語編「しゅんしゅん（蠢蠢）」

じゅんじゅん ❶音 湯が沸きたつ音。しゅんしゅん。「サモワールが**じゅんじゅん**たぎっとるばかりだ」〈渦巻ける烏の群・黒島伝治〉
❷↓漢語編①「じゅんじゅん（恂恂）」②「じゅんじゅん（諄諄）」

じゅんわり ❶さま 古 もの静かなさま。落ち着いているさま。おだやかで、ものやわらかなさま。「お祭佐七がこりゃあ貰った。**じゅんはり**と、手を拍《う》ってくんなんし」〈歌舞伎―心謎解色糸〉
❷さま 古 器の中に、ものを静かに入れるさま。「**じゅんはり** 声なり。ハリはワリ

とよむ。器の内に物徐かにおちつけ入る声を云」〈俚言集覧〉

しょうしょう ⬇漢語編①「しょうしょう（晶晶）」②「しょうしょう（蕭蕭）」

しょうじょう ⬇漢語編「しょうじょう（蕭条）」

じょうじょう ⬇漢語編①「じょうじょう（畳畳）」②「じょうじょう（嫋嫋）」③「じょうじょう（擾擾）」

じょき ⬇コラム「ちょき・じょき」

しょきしょき さま 古 ものがまばらに立つさま。「頭のぐるりが禿《げは》まして、枯野の薄のやうな髪がしょきしょきと十筋斗《りはか》有るのを」〈狂言─縄綯〉

しょぎしょぎ ❶ さま 古 うれしくて、心が軽やかなさま。ぞくぞく。うきうき。「命二つを御赦免の伯母の御教書戴きて、心しょぎしょぎいそいそと、急ぎ帰るぞ道理なる」〈浄瑠璃─傾城三度笠・紀海音〉❷ さま 古 気持ちや、ものがまっすぐに立つさま。「折から姿を見る時は、紙屑扣《たた》く摺粉木も、しょぎしょぎすると口おほふ」〈浄瑠璃─持統天皇歌軍法・近松門左衛門〉

じょきじょき 音・さま はさみなどで乱雑にものを切りすすめる際の重く低い音。また、そのさま。「表紙のその部分だけを手早くじょきじょきと切り取った」〈彼と彼の内臓・江口渙〉

じょぎじょぎ ⬇使い分け「ばっさり」 音・さま はさみなどでひどく乱雑にものを切りすすめる際の重く低い音。また、そのさま。「長くなると、自分で鋏でジョギジョギと切るんです」〈赤い国の旅人・火野葦平〉

じょきり 音・さま はさみなどの両刃が一回勢いよくふれ合う音。はさみなどで布地などをひと思いにたち切る音。また、そのさま。「さうして、**チョキリ**！と大きく一度鋏を鳴らして、太い蒼白い腿をピジャマの金色の裾へくるんで」〈アパアトの女たちと僕と・龍胆寺雄〉

しょくしょく ⬇漢語編「しょくしょく（喞喞）」

しょこしょこ さま 古 動作がこきざみで、せわしげなさま。ちょこちょこ。「仁三郎いそがしげにしょこしょこと立出で」〈浄瑠璃─淀鯉出世滝徳・近松門左衛門〉

じょじょ ⬇漢語編「じょじょ（絮絮）」

じょたじょた さま 方言 服装が締まりがなくだらしないさま。着物の裾を引きずるさま。北関東地方・北陸地方・中部地方・四国地方・熊本県。「しょたしょた」「じょなじょな」ともいう。「そんなじょたじょたしたなり（姿）では仕事はできない」〈群馬県〉「着物をじょたじょた着て、みとうむねえ」〈長野県〉「なんじゃいね、そんなしょたしょたの格好で街を歩いてきたがけ」〈富山県〉「あんなじょなじょなしてたんではろくな仕事もできめえ」〈栃木県〉

しょっぽり さま 古 孤立してさびしそうなさま。「さも美《いつく》しき白鷺の、雪に凍えて

使い分け

【共通の意味】雨が静かに、また、まばらに降るようす。

しょぼしょぼ

しとしと／そぼそぼ／ぽつぽつ／ぱらぱら

❶しょぼしょぼ、しとしと、そぼそぼは、小雨が降り続くようす。**しょぼしょぼ**は、「しょぼしょぼと降る雨に気が滅入る」のように陰気で情けないイメージがある。**しとしと**は「春の雨が音もなく**しとしと**降る」のように、静かに細かい雨が降り続くようす。**そぼそぼ**は「そぼ降る」から来ており、さびしいイメージがある。❷**ぽつぽつ**、**ぱらぱら**は、雨が降り始めたときなどの雨粒が落ちてくるようす。**ぽつぽつ**はまばらなようすで、**ぱらぱら**のほうが勢いもあり、軽く音がするようす。「雨が**ポツポツ**降り始めた」「急に**ぱらぱら**降ってきた」

しょっぽりと、ああしょっぽりと、止りし振は、可愛らしやな」〈長唄―白妙〉

じょなじょな →じょたじょた。

しょならしょなら さま 古 身をやわらかく動かして気どって歩くさま。しゃなりしゃなり。しょなりしょなり。「からだに品をつけ、**逶迤**《しょならしょなら》と歩行ながら」〈七偏人・梅亭金鶯〉

しょぼくさ さま 人や草木などが、雨や露に、みすぼらしくぬれているさま。じとじと。「我をたのむ人にかはりて**しょぼくさ**とうき目にあへる地蔵ぼさかな」〈仮名草子―是楽物語〉

しょぼしょぼ ❶ さま 小雨が陰気に降り続くさま。どうしようもないほど雨にぬれるさま。しょぼりしょぼり。「小雨の**しょぼしょぼ**降る渡場に」〈野菊の墓・伊藤左千夫〉「頭から渋紙一枚被ってはいたが、腰から下は**しょぼしょぼ**に濡れていた」〈おあんさま・大原富枝〉 ⇩使い分け「しょぼしょぼ」

❷ さま 元気なく、うなだれたさま。みじめなさま。「父親は勘定が取れぬので、日の暮れる頃、**しょぼしょぼ**としほたれた姿で帰って来る」〈田舎教師・田山花袋〉

❸ さま 目を長く見開いたままでいられず、しきりとまばたきするさま。「目は徹夜の為に**しょぼしょぼ**する」〈爺・島崎藤村〉「無心な喜助の眼が**しょぼしょぼ**と心配げにまたたくのに」〈越前竹人形・水上勉〉

❹ さま 草や髪、ひげなどがまばらで、みすぼらしいさま。ちょぼちょぼ。「その近所に、**ショボショボ**と竹が生へてゐるばかり」〈旧聞日本橋・長谷川時雨〉「四つ五つの比、髪も**しょぼしょぼ**はえて、牛にも午《まう》にもふまれぬやうになったれば」〈狂言―牛盗人〉

❺ 名 古 幼女の結う髷《まげ》の名。「七五三〈略〉七歳の女子は多くは稚児髷《ちごわ》、三歳の女児は**垂髷**《しょぼしょぼ》と云ふが普通で有るが」〈東京年中行事・若月紫蘭〉

しょぼっ ❶ さま 開いているかわからない目をしているさま。「その眉に覆いかぶされたような**しょぼっ**とした眼は、柔和に母上とわたくしに注がれていた」〈婉という女・大原富枝〉

❷ さま 元気なく、うなだれたさま。「復帰以前、小渕青年は度々沖縄に。『遺骨収集で沖縄の心を肌でしみじみと感じて、**しょぼっ**としていた姿が忘れられない』」〈小渕さん・琉球新報・98・7・25〉

しょぼり さま 元気なくうなだれているさま。意気消沈したさま。「ただ**しょぼり**と、かこひなどをかうて、こちらにはさびしくあり」〈仮名草子―都風俗鑑〉

しょぼりしょぼり ❶ さま 降り続く小雨が、陰気な気分にさせるさま。「塗骨の障子の外には悲しい雨が**しょぼりしょぼり**と降って居る」〈山谷菅垣・永井荷風〉

❷ さま 元気の出ないさま。不景気なさま。「劇中のカニエのせりふに従えば、『**しょぼりしょぼり**』としたコミカルな青春群像だ」〈演劇・朝日新聞・98・6・22〉

しょぼん さま 気力を失って、落ちこんでいるさま。ぼんやり。「唐桟の袷の上へ広袖の半纏を着た老人が**しょぼん**と玄関に立ってゐたのだ」〈人情馬鹿物語・川口松太郎〉「そのあとで急になんとも**ショボン**とした顔になって」〈にんげん動物園・中島梓〉

しょりしょり ❶ 音・さま こまかに砕けて口に当たる音。また、そのさま。口あたりがさわやかで、軽い歯ごたえのあるさま。『ナシ特有の**ショリショリ**した歯ざわり』「芸に身も有る口中の**しょりしょり**したる雀鮓《すずめずし》」〈浄瑠璃―今宮心中・近松門左衛門〉

❷ 音・さま 髪、ひげなどを剃る音。短いひげなどが肌に当たるさま。『パパのおひげが**ショリショリ**していたいよ』

じょりじょり ❶ 音・さま 髪、ひげなどを剃る音。表面の粗いものを、かき削るときのざらつく音。また、そのさま。ぞりぞり。「**ぢょりぢょり**ぢょり、さあ剃りました。よふござるは」〈狂言記―呂蓮坊主〉「指

さきを片頬に強く当てて、『**じょりじょり**して、いい気持』」〈笹まくら・丸谷才一〉
❷さま 粒状のものなどが、口中でざらつくさま。「**ぢょりぢょり**とこそっぱい口の泥を」〈土・長塚節〉

じょりっ 音・さま 髪やひげを勢いよく剃る音。粒状のものや小石などが、こすれ合ってたてる音。また、そのさま。「じょり、じょり、**じょりっ**と、じゃりのなかにでももぐり込むような、いやな音をたてて、列車はやっと停止した」〈路傍の石・山本有三〉「いちばん売れているのが『板チョコ　塩ミルク』だ。〈略〉塩の粒が**ジョリッ**と歯に当たる感触もおもしろい」〈しょっぱいバレンタイン・AERA・07・2・20〉

しょりり さま 古 歯ざわりのよさ。いやみなく、さわやかなさま。「酢のきいたあらひすずき見るやうな、**しょりり**とした芸子」〈洒落本―秘事真告〉「麦の穂の**しょりり**と秋を含《ふく》みけり〈白芽〉」〈俳諧新選〉

じょりり 音 髪、ひげなどを刃物で剃りおとす音。「老衲《しわ》が兪々頭を**ジョリリ**剃りこぼった夕《ゆふ》べ」〈良人の自白・木下尚江〉

しょろ ⬇コラム「ちょろ・しょろ・じょろ」

しょろしょろ ❶音・さま 水がゆるやかに、ほんの少しずつ流れ続ける音。また、そのさま。ちょろちょろ。「ゴム管から便器に伝い落ちる尿の**しょろしょろ**かぼそい音《ね》が」〈二世の縁　拾遺・円地文子〉「砌に目には見へはせいで、水のどこやらうに、**しょろしょろ**と鳴こそ自然の琴声よ」〈三体詩絶句鈔〉
❷さま 細々と伸びているさま。ひょろひょろ。「かかりの松は**しょろしょろ**とした女松をあしらひ」〈鳩翁道話〉

じょろじょろ 音・さま 小さな波を立てて、水の流れるさま。とめどなく流れるさま。『雨どいから**じょろじょろ**と水がもれている』「先山の匂水の**じょろじょろ**と谷川などを流なりぞ」〈玉塵抄〉

じょろりじょろり さま だらしなく乱れたり引きずったりするさま。「夏も足袋はくばらをのせきだア。**じょろりじょろり**とじょろはくばかり」〈浮世風呂・式亭三馬〉

しょんぼ さま 古 雨に濡れたりなどしてわびしいさま。元気なくさびしげなさま。しょんぼり。悄然。「山坂こえて、山坂こえて、身しる雨に**しょんぼ**とぬれて」〈歌謡―若みどり〉

しょんぼり さま 元気なくうなだれているさま。意気消沈したさま。わびしくさびしそうなさま。「いひかけてさしうつむき、さすがに**悄然**《しょんぼり》として居る」〈当世書生気質・坪内逍遙〉「門のまへに**しょんぼり**立っていつまでもいつまでも見おくってゐた」〈銀の匙・中勘助〉 ⬇使い分け「がっかり」

しらくら ❶さま 古 嫉妬《しっと》するさま。「嬉し顔見るに心も**しらくら**と」〈浄瑠璃―伊賀越乗掛合羽〉
❷さま 方言 湯などの沸騰するさま。「**しらくら**煮えようる」〈山口県〉

しらっ さま 厚かましく感じられるほどなんでもなさそうなさま。しれっ。「大勝後、国民党の幹部は『そういう事はなかったようですね』と、**シラッ**と語った」〈リポート・アフリカ・AERA・92・3・31〉

じらり さま 古 強くにらむさま。じろり。「あやしく鳴物かなと思て、見かへりて**じらり**とにらみければ」〈古今著聞集〉

じりじり ❶音・声 ぜんまいなどを巻いたり、ベルなどのやかましく鳴りひびく音。セミなど、昆虫のやかましく鳴く声。「目ざましの音が**じりじり**と鳴った」〈桑の実・鈴木三重吉〉「わたしが、見たのは、昼の夢。蟬が**じりじり**、ないてゐる」〈童謡―正午・三木露風〉
❷音・さま ものが少しずつ焼けてゆく音。また、そのさま。「暗黒の中で**ジリジリ**とパイプを吸う音が聞え」〈シベリヤ物語・長谷川四郎〉
❸さま 太陽がやけつくように強く照りつ

けるさま。体の一部が焼き焦がされるようにひどく熱く感じられるさま。「水道端には残暑の熱い夕日が**じりじり**と照ってゐた」〈爛・徳田秋声〉「胃の腑の中に、熱燗の酒が**ヂリヂリ**としみこんで行くことを考へると」〈不在地主・小林多喜二〉

❹さま 時間をかけて少しずつ、確実に進んだり退き続けるさま。じわじわ。「勿論その一方では**ジリジリ**と過去の負債がなおも増えつづけていることを意識しながら」〈月は東に・安岡章太郎〉「自分を見て笑ひながら、**ぢりぢり**とあとしざりをして」〈千鳥・鈴木三重吉〉 ⬇使い分け「じわじわ」

❺さま 心がいらだち続けるさま。「何を言ふとも聞取れぬけれど、折々柳之助の声が能く聞える、其度にお島は**憤悶**《ジリジリ》する」〈多情多恨・尾崎紅葉〉 ⬇使い分け「かりかり」

❻さま 汗や涙が少しずつにじみ出てくるさま。「**ジリジリ**と溢るる涙の顔を犇《ひし》と両手で抑へながら、身悶《みもだえ》して」〈青春・小栗風葉〉

じりっ さま 一瞬ほんのわずか進んだり退いたりするさま。「剣尖がかすかに移動すると、それにつれて、**じりっ**と悠太郎がうしろにさがる」〈江戸忍法帖・山田風太郎〉

じりり ❶音 ベルなどの重く鳴りひびく音。「終業ベルが**ジリリ**と鳴った」

❷さま 太陽が焼けつくように照りつけるさま。「**じりり**と午後の陽はきつく、なかなかにつきあひかねる辛さだった」〈父―その死・幸田文〉

❸さま 着実に進むさま。力を込めて徐々に押しせまるさま。「瞼が颯《さっ》と暗く成るまで、眉の根が**じりり**と寄って」〈婦系図・泉鏡花〉

❹さま 落ち着いて時間をかけじゅうぶんにものごとをするさま。じっくり。「其時の御齢御有様を**じりり**と考へ」〈毒朱唇・幸田露伴〉

じりりじりり さま 間をおきながら少しずつ進んだり退くさま。「真綿で首をしめるやうに、**じりりじりり**といためてくる此めいわくさ」〈傾城禁短気・江島其磧〉「かの石が拇《おゆび》のはらの膏薬に吸れて、**ぢりりぢりり**とよる程に」〈狂言―膏薬煉〉

じりん 音・さま 一瞬ベルなどの重く鳴る音。また、そのさま。「細い鋭い気韻が間崎の胸に**ヂリン**と響いて暫く口がきけなかった」〈若い人・石坂洋次郎〉

しるら さま 古 うるおっていて豊かなさま。「土地の心よいほどに木もたかうのび長じて高うなり草もわかわかとあってしげるぞ。土はやせかたうないぞ。**しるら**とこえたぞ」〈玉塵抄〉

使い分け

【共通の意味】
無遠慮に視線を向けるようす。

じろじろ
しげしげ／まじまじ

❶**じろじろ**は、無遠慮に何度も見たり、観察したりするようす。「転校した初日はみんなに**じろじろ**見られて恥ずかしかった」 ❷**しげしげ**は、驚きや感慨などの気持ちを持って、じっくり見つめるようす。「生まれたばかりのわが子の顔を**しげしげ**と見つめる」 ❸**まじまじ**は、驚いたときや真偽を確かめようとするときなどに、目を大きく開けてじっと見るようす。「月に百万円の給料を出すと言われて、相手の顔を**まじまじ**と見つめた」

しれしれ さま いかにもとぼけたさま。また、おろかに見えるさま。「須藤は**しれしれ**笑って居る」〈黒潮・徳冨蘆花〉「誰か文を誰かとらせしぞと言へば、**しれしれ**と打笑みて」〈枕草子〉

じれじれ さま 心がいらだつさま。じりじり。「しごきなどを貰った、といふことが嫉けて嫉けて、**焦**《じ》**れ焦れ**して」〈別れた妻に送る手紙・近松秋江〉「松原などを通る電車汽

車の鈍《のろ》いのにじれじれしながら」〈爛・徳田秋声〉

しれっ さま 厚かましく感じられるほど何事もなかったようにふるまうさま。「しかし、崔川俊伊は**しれっ**としていた。そして数日すると、またも違う女を連れてきて」〈階級・井上光晴〉

しろしろ さま 無遠慮にしつこく見つめるさま。じろじろ。「上眼づかひに**しろしろ**と俊橘の顔を詠《なが》め」〈此ぬし・尾崎紅葉〉

じろじろ さま 無遠慮に強い視線でしつこく見つめるさま。「そんなに**じろじろ**見ないで下さい。僕の顔の中に、あなたのおっしゃるやうな面白いものはありっこないんだから」〈古い玩具・岸田国士〉「さっき白い眼で**ぢろぢろ**遣られた時なぞは」〈坑夫・夏目漱石〉 ⇒使い分け「じろじろ」

じろっ さま 一瞬鋭い視線を飛ばすさま。「灰色に光った眼ですれ違ひに**ジロッ**と他《ひと》の顔を盗み見る」〈祖母の為に・志賀直哉〉「其の瞬間**ギロッ**と上目に見上た男の眼が」〈夢の女・永井荷風〉

しろり ❶ さま 古 平然としているさま。けろり。「かいるのつらへ水をかけたるごとく、**しろり**として声を出さず」〈けいせい伝受紙子・江島其磧〉
❷ さま 古 目玉を動かして、鋭くにらむように見るさま。じろり。「我身を能保ていて、小人どものあちこちしまはるなりを、**しろり**と見ているぞ」〈山谷抄〉

じろり さま 目玉を動かして、鋭くにらむように見るさま。じろっ。じらり。「その顔を横眼で**ジロリ**と見たばかりで、お勢はすまアし切ッて座舗《ざしき》を立出でて仕舞ッた」〈浮雲・二葉亭四迷〉「今はのおまんも目をひらき、**じろり**と見たる目はなみだ」〈浄瑠璃―薩摩歌・近松門左衛門〉

じろりかん さま 一目鋭く見ただけで、少しもあわてないさま。落ち着きはらっているさま。「帯もそこそこ駆出づれど、嘉兵衛は**じろりくゎん**とした、顔附さへも気味悪く」〈浄瑠璃―心中二つ腹帯・紀海音〉

じろりじろり さま 鋭い目つきや、いやな目つきで、無遠慮に何度もしつこく視線を送るさま。「**じろり、じろり**見ながら、毒ッぽい調子で皆に聞えるやうに、はき出した」〈一九二八・三・一五・小林多喜二〉「並んで歩行《あるい》て居た女連中が、**じろりじろり**自己《おいら》を見るから」〈七偏人・梅亭金鵞〉

しわくしゃ さま しわが寄って縮んでいるさま。「前額部の禿げあがった、**シワくしゃ**の小ぶりな顔立に、柔和そうな眼がまたたいている」〈男鹿・田村泰次郎〉

しわくた ❶ さま しわだらけのさま。「顔はさながらしなびた茄子のやうに皮膚が**皺くた**になってゐる」〈望郷歌・北条民雄〉
❷ さま ひどい目にあったり、あわされたりするさま。「切角美しう出来上った仏様を、鬼めが**皺くた**にして、地獄の釜こげにしをる」〈松翁道話〉

しわくちゃ ❶ さま ひどくしわがよっているさま。しわができて、縮れているさま。しわくた。「板壁によりかかって**皺くちゃ**の千円札を透かして見る」〈階級・井上光晴〉
❷ さま・名 もめごとの起こっているさま。いさかい。「雪枝《せっし》さん、あんたはこねへだの京町の**しわくちゃ**をお聞きなせへやしたかへ」〈洒落本―北廓鶏卵方〉

しわしわ ❶ 音・さま ものがしなったり、へこんだりする音。また、そのさま。しなしな。「ふやけて、踏む度に**シワシワ**と鳴る畳が」〈今年竹・里見弴〉「今井は**しわしわ**身体をくねらせるようにして、何回もお辞儀ばかりしていたが」〈真空地帯・野間宏〉
❷ さま・名 ひどくしわがよるさま。また、そのしわ。「彼はひどく照れ臭そうに顔を**しわしわ**させた」〈さい果て・津村節子〉「路は傾斜の**皺々**に添ってゆるく曲り曲りしてつづく」〈石ころ路・田畑修一郎〉
❸ さま 胸が締めつけられてたえられない感じになるさま。「ぼんやりしていると、

しわしわと胃が疼いた」〈半チョッパリ・李恢成〉「人も聞程に泣出せば、大臣胸元がしわしわとして来て」〈傾城禁短気・江島其磧〉

じわじわ ❶ さま 少しずつ時間をかけてものごとが進んでゆくさま。「一と目見てお誂へ通り恋風がジワジワと身に染込んだ」〈社会百面相・内田魯庵〉「その男の手がじわじわ伸びて、時々不破の上衣のポケットをそっと押へて見るらしい」〈ボロ家の春秋・梅崎春生〉 ⬇使い分け「じわじわ」 ❷ さま だんだん寒さが身にしみてくるさま。「町の空気はじわじわと水風呂にひたるやうに膚寒いのだ」〈苦の世界・宇野浩二〉「イヤ、コレ、娘、わが身は浴衣一つになって居てもよいかや。暑いやうでも、どうやらジワジワします。コレ、風邪引くまいぞや」〈歌舞伎―梅柳若葉加賀染・鶴屋南北〉 ❸ さま 汗、涙などが少しずつにじみ出るさま。「再び寝付かれぬ体に心地の悪い汗がジワジワと滲み出てきて」〈疑惑・近松秋江〉「眼のふちから、ジワジワと涙が出てきて」〈弱い結婚・小島信夫〉 ❹ さま ものがわずかの幅でしなりゆれるさま。「輿を支へる長い棒がじわじわしなって居た」〈旅日記から・寺田寅彦〉 ❺ 音・名 劇場などの客席におこるざわめき。「おれにはとんだわかった物よ、いふほどの事がじわじわ(とは芝居通言しろうとにて当りおちがくるといふ事)で」〈洒落本―御膳手打翁曾我〉

じわっ さま ものごとが確実に少しずつ進むさま。液体がしみこんだり、しみ出したりするさま。「混濁した憤りがじわっと胃のふにはびこり出したのを感じた」〈夢の中での日常・島尾敏雄〉

じわり ❶ 音・さま ものが焼けたり、とけたりする音。また、そのさま。「靴の裏にうってつけてある鋲《びょう》が床にぴったり凍《こお》りついてしまって、無理に放せば氷を踏んだときのようにジワリと音がするのであった」〈鞄らしくない鞄・海野十三〉 ❷ さま ほんの少し、きざしが見えたり、ものごとが進展するさま。「手早くぬいだ振袖の襠《まち》を須賀の肩にじわりと着せかけた」〈女坂・円地文子〉「疲れたからだに、涼しさと優しさがじわりと浸透していく」〈健全なる美食・玉村豊男〉

しわりしわり 音 古 炭火の上に少しずつ水が落ちて鳴る音。「火をけの火の、灰にうづもれりけるが、しはりしはりとなりける。涙のおちさせ給ひけるが、火にかかりてなりけるよとみて」〈愚管抄〉

じわりじわり さま 少しずつ、確実に、進行または圧迫するさま。「例の急がず騒がずゆるめず縦《はな》たずじわりじわり主人が督促する声に」〈思出の記・徳冨蘆花〉

しん ❶ さま 物音一つしないで、静まりかえっているさま。「初年兵たちはしんとして頭をうつむけたまま、油布《あぶらぎれ》をにぎった手をただうごかした」〈真空地帯・野間宏〉

使い分け
【共通の意味】 ものごとが迫ってくるようす。

じわじわ ひたひた/じりじり/ひしひし

❶**じわじわ**は、はっきり見えないが徐々に確実に迫ってくるようす。「地球の温暖化が**じわじわ**と進んでいる」 ❷**ひたひた**は、気づかないうちに、水が寄せてくるように次第に迫ってくるようす。「一時の勝利に浮かれている間に、敵は**ひたひた**と近くまで迫ってきていた」 ❸**じりじり**は、少しずつ確実に進んで迫ってくるようす。「マラソンで二番目を走っていた選手が、ゴール間近で**じりじり**と追い上げてきた」 ❹**ひしひし**は、身に迫るように強く感じられるようす。「寒さが**ひしひし**と感じられる」「この映画では、子を思う親の気持ちが**ひしひし**と伝わってくる」

「蒼ずんだ空には真白な漣雲《さざなみぐも》が流れて、大理石の大伽藍は**しんと**してゐた」〈旅日記から・寺田寅彦〉

❷さま 寒さ、音、声などが身に深くしみとおるさま。「此低い声が耳の底をつき抜けて頭の中へ**しんと**浸み込んだ様な気持がする」〈琴のそら音・夏目漱石〉

じん ❶さま 手足などが重くしびれるさま。「青い電気が**じんと**来る」〈童謡―網揚げ・近藤益雄〉

❷さま あることが強く胸に迫って、涙があふれ出そうになるさま。「『あら、たったそれだけ？』無心の声でしたが、これがまた、**じんと**骨身にこたへるほどに痛かったのです」〈人間失格・太宰治〉

しんかん ⇩漢語編「しんかん(森閑・深閑)」 ⇩使い分け「ひっそり」

じんじ さま 時間をかけて少しずつ移動するさま。じりじり。「返事はどふじゃと星を喰はされ、覚へず足手が一所へ**じんじと**寄って、ほろりと涙をこぼし」〈傾城禁短気・江島其磧〉

しんしん ⇩漢語編①「しんしん(岑岑)」②「しんしん(津津)」③「しんしん(深深・沈沈)」④「しんしん(森森)」⑤「しんしん(駸駸)」

じんじん ❶音・声・さま ものをたたいて振動させて出す重くふるえる音。湯のたぎる音。虫の鳴く声。また、そのさま。「突然眼の前が暗くなって耳が**じんじん**虫のやうに鳴り始めた」〈家族会議・横光利一〉「程無く時計は**ヂンヂン**九時を報ず」〈花間鶯・末広鉄腸〉

❷さま 病気やけがなどで、患部がたえまなくひびくように痛むさま。しびれるさま。「顳顬《こめかみ》が**じんじんと**痛み出して〈略〉胸をついた嘔気さへ催して来た」〈或る女・有島武郎〉 ⇩使い分け「がんがん」

じんたった 音 吹奏楽などの楽隊のはなやかな音。「ジンタッ、ジンタッ、**ジンタッタッ**………ジンタの楽隊がやってきたのだ！」〈ジンタの音・小出正吾〉

✻かつて、サーカス・映画館の客寄せや宣伝などをした小人数の楽隊を「ジンタ」とよんだが、「ジンタッタ」という独特の演奏音からの呼び名とも、仁丹の宣伝をしたからともいわれる。

しんとんとろり さま 古 油などが、やわらかく濃いさま。男女の情交や情愛が濃厚なさま。しんとろとろ。しんとろり。「鎗の権三はだてしゃでござる。油壺から出す様な男、**しんとんとろり**と見とれる男」〈浄瑠璃―鑓の権三重帷子・近松門左衛門〉

✻「しんとろとろ」「しんとろとろり」とも。

使い分け

【共通の意味】もの思いにふけるようす。

しんみり つくづく／つらつら／しみじみ

❶**しんみり**は気持ちがしずんでもの悲しいようす。「遺品を整理しながら、亡くなった母のことを**しんみり**思う」 ❷**つくづく**、**つらつら**は、「思う」「考える」などとともに使うことが多い。**つくづく**は何度も深く思うようす。「健康を気遣ってくれる母の手紙を読みながら、**つくづく**親はありがたいと思う」。**つらつら**は、改めて深く考えたり見直したりするようす。「国の将来について、**つらつら**考える」「**つらつら**思うに…」のような使い方をすることが多い。❸**しみじみ**は、「先輩の忠告を**しみじみ**ありがたいと思う」「**しみじみ**と心を打つ いい歌」のような使い方で、心にしみいるようすを表す。

しんなり さま やわらかく、弾力を保っているさま。『キュウリは塩もみをして、**しんなり**したら、水に放ちます』「生乾いた湯葉の**しんなり**したのを口に噛みしめてみた」〈湯葉・芝木好子〉「背はスラリとして

風に揺めく女郎花の、一時をくねる細腰もしんなりとしてなよやか」〈浮雲・二葉亭四迷〉

しんねり ❶ さま しつこくてねばっこいさま。「誰かと誰かがしんねりと言い争っているのを」〈妻隠・古井由吉〉 ❷ さま 男女が親密にもたれ合っているさま。「Aのヤツ、この間銀座で会ったら、女の子としんねり歩いてやがった」〈鉛筆ぐらし・扇谷正造〉

しんねりむっつり さま・名 性質・態度が陰気だったり、鈍重だったりして、無口なさま。また、そのような人。「畜一は平べったい顔の黄いろ味を帯びた、しんねりむっつりした少年で」〈ヰタ・セクスアリス・森鷗外〉

しんぼり さま 元気なく下を向いているさま。しょんぼり。「『アア気がかりは妹が』と累の顔を見てしんぼりとする」〈歌舞伎―伊達競阿国戯場・桜田治助ら〉

しんみり ❶ さま 心がしずんで、ものさびしくしめやかなさま。「僕はしんみりと墓前に祈念した」〈思出の記・徳冨蘆花〉 ⬇使い分け「しんみり」 ❷ さま 深く心にしみ入るさま。「おかみさんは〈略〉の情のこまやかなさま。やりとりすべてにしんみりした思ひやりがあった」〈桑の実・鈴木三重吉〉 ❸ さま 心静かに落ち着いているさま。「今日はまた斯ういふ粛然《しんみり》とした調子が出る」〈春・島崎藤村〉「これ、手前達は今日刻限も遅いから場所を休んで、新幕の稽古をしんみりとするがいい」〈歌舞伎―吹雪花小町於静（お静礼三）・河竹默阿彌〉

しんめり ❶ さま 古 衣服などが湿気を帯びているさま。しっとり。「高い山はくもりがかかるほどに、世界はてれども、雨のふるやうで、きるものもしんめりとなるぞ」〈詩学大成抄〉 ❷ さま 古 心静かに、落ち着いているさま。ものさびしくしめやかなさま。しんみり。「軍兵共は面々に古郷の妻子思ひやり、しんめりとなる所を猶付込《つけこみ》」〈浄瑠璃―源頼家源実朝鎌倉三代記〉

じんわり ❶ さま ものごとが、時間をかけて少しずつ進んでゆくさま。じわり。「暖かい緑の手から、その手に軟かく握られた康吉の手へ、旧い損得抜きの友情が、じんわりと伝わってきた」〈われら戦友たち・柴田翔〉 ❷ さま 汗や涙などが、徐々にしみ出してくるさま。「葉子の胸から背にかけたあたりは汗がじんわり滲み出たらしく」〈或る女・有島武郎〉

すい ❶ さま ものなどが瞬間的にすばやく動いたり変化したりするさま。すっ。「彼はスイと森川町を右へ折れたが」〈良人の自白・木下尚江〉「用之助腹を立、刀をすいと抜」〈葉隠〉 ❷ さま 周りからとびぬけて目立つさま。すらり。すらっ。「今しも其井に立寄って水を汲んで去らうとする若い女のすいとした姿の熱苦しげにもないのが眼に入った」〈プラクリチ・幸田露伴〉「鶴程に長い頸《くび》の中から、すいと出る二茎《ふたくき》に」〈虞美人草・夏目漱石〉

ずい ❶ さま 勢いを込めて一気に行うさま。滞りなくまっすぐ動くさま。「どうぞ、どうぞ、ずいっと中へ」〈セルロイドの塔・三浦朱門〉「翳《さ》してゐた蝙蝠傘をつぼめてズイと一通り四辺《あたり》を見亘し」〈浮雲・二葉亭四迷〉 ❷ さま とりすまして愛想のないさま。つん。「ずいと済《ます》し込んで高慢の鼻うごか

し」〈当世文学通・内田魯庵〉

❸さま 古 一つも余さず全部にわたるさま。「先者彦三郎改名の口上、角から隅迄**ずいと**左様思召被下升う」〈続歌舞妓年代記〉

ずいこー 音 木をのこぎりでひく重い音。ずいこん。「木挽《こびき》の仙人、杣《そま》の仙人が伐《き》り出せし大木をひき割り〈略〉**ずいかうずいかう**、ずい行は細瑾《さいきん》の顧みず、此位悪い地口《ぢぐち》は人間の方にはなし」〈金々先生造化夢・山東京伝〉

ずいこん 音 木をのこぎりで調子よくひく音。ずいこー。「**ズイコン**、ズイコン木びきののこぎり大きいな」〈童謡—木びき・白鳥省吾〉

ずいざっ さま 古 すばやく簡略に事を運ぶさま。「前篇四句には故事を多く用て、後篇四句には景物情思を、**ずいざっ**とのべたほどにぞ」〈三体詩素隠抄〉

すいすい ❶さま 気持ちよく軽やかに、滞りなく進んでゆくさま。「小さな雑魚が**スイスイ**泳いで居た」〈田舎教師・田山花袋〉「もっと気楽に、**すいすい**と生きておればよかった」〈白く塗りたる墓・高橋和巳〉

❷さま 細い枝などが何本ものびのびと出ているさま。「竹藪から**すいすい**した若竹が、雨にぬれた枝を差交してゐた」〈黴・徳田秋声〉「枯《かれ》蓮《はす》の黄な軸が**すいすい**と、去年の霜を彌生《やよひ》の中に突き出してゐる」〈虞美人草・夏目漱石〉

ずいずい ❶音・声・さま 勢いよくすすったりこすったりするときの、重くにごった音。虫などの鳴く声。また、そのさま。「夜は名の知れぬ虫が頻《しき》りに**ズイズイ**と鳴き」〈田舎教師・田山花袋〉「大ぶり袖を着ながら乳母が乳くはへて**ずいずい**とすはるこそけうとけれ」〈世間娘容気・江島其磧〉

❷さま 目的のものに、ためらいなく進んでゆくさま。「白ふきぬきに、二つ引き両の馬じるしが、**ずいずい**と敵がたのほうに押し進んでおります」〈坂崎出羽守・山本有三〉「もはや一切の矛盾や不合理も気にならん。俳句の形式も気にならん。好き勝手放題、ノンノン**ズイズイ**と生きることだ」〈風狂私語・辻潤〉

❸さま 方言 錐《きり》でもむように痛むさま。また、刃物が鋭利なさま。「ゆーべ歯が**ずいずい**して寝られざった」〈高知県〉「この刺身ぼーちょ(庖丁)は、えらい研いだもんじゃのー。たかで(非常に)**ずいずい**しよるが」〈高知県〉

すいっちょ 声 ウマオイの鳴く声。⬇鳴き声編

すーすー ❶音 息を吸ったりはいたりする音。すーはー。「父親の鼾《いびき》に交って、微《かす》かな呼吸《いき》が**スウスウ**聞える」〈田舎教師・田山花袋〉⬇使い分け「ぐーぐー」

❷音・さま すき間から風が吹き通る音。風が通ってうすら寒く感じるさま。「場内の空気は街頭を流れる**すうすう**した風と変りがなく」〈蓼喰ふ虫・谷崎潤一郎〉

❸さま ものごとが軽く行われるさま。すっすっ。「巣鴨の菊見の帰には、**すうすう**吉原へのめり込んで、『今日はとはうもなく歩きやした』」〈滑稽本—古朽木〉「凄いものが手元から、**すうすう**と逃げて行く様に思はれる」〈夢十夜・夏目漱石〉

❹さま 必要な限度にどうにか達するさま。「ほんにかうしてお互ひに、天秤棒を肩へあてて日から一日稼いでもこれでやっと喰ふのが**すうすう**」〈歌舞伎—船打込橋間白浪〈鋳掛松〉・河竹黙阿彌〉

方言 精いっぱいのさま。「自分はこれだけが**すーすー**や」〈滋賀県〉「これだけやるのが**すーすー**や」〈京都府〉

ずーずー ❶音・さま 音をたてて水気のあるものを吸いこむ音。また、そのさま。「掃除のわるい煙管を**ズウズウ**音させて」〈鱧の皮・上司小剣〉

❷さま ものを言うとき、声が鼻にかかるさま。「両ごく橋へまいばん行て、**づうづう**と寒ごゑをつかへば、橋番ききつけ、

貴様、なにをさっしゃる」〈咄本―さとすゞめ〉❸〔音〕気道に痰《たん》がひっかかったりしたときなどの、呼吸をするたびに出る音。ぜーぜー。「喘鳴が絶えず聞える。**ずうずう**といふやうな音である」〈金毘羅・森鷗外〉❹〔さま〕〔古〕ものごとが支障なく進んでゆくさま。「**ずうずう**と出来ればよいが月の句が」〈蜘蛛〉〈俳諧―当座払〉❺〔さま〕ずぶといさま。あつかましいさま。→いけずーずー。「あねのせきはすこしもさはがず**通通**《づうづう》と丸太にこしをかけながら」〈跖婦人伝・山岡浚明〉「寧《いっ》そ何処《どっか》の女郎屋へ泊らうと思って、**づうづう**素見《ひやかし》て歩いて居たが」〈落語―ちきり伊勢屋・禽語楼小さん〉

すーっ ❶〔音・さま〕息を長く、静かに吸いこむ音。空気などがもれる音。また、そのさま。「顎を突き出し、薄目使ひに眉を吊るしあげて、**すうっ**とひと息、深く吸ひ込むやうな様子をしてみせて」〈今年竹・里見弴〉「押し入れの開きをあけると、寒々とした小かぜが、**すうっ**と壁のあわいから吹きこんできた」〈真実一路・山本有三〉❷〔さま〕細長い一本の筋となってまっすぐにのびるさま。すっ。「剣のある切の長い眼の後眦が上って、**すーっ**と高い鼻は見事に鼻筋が通って居る」〈薄衣・永井荷風〉❸〔さま〕静かに、ものごとが進んだり変化したりするさま。「そのほの暗さのために、まだ西日が雪に照る遠くの山々は、**すうっ**と近づいて来たやうであった」〈雪国・川端康成〉「やがて**スーッ**と襖が開くと、しゃなりしゃなりと現はれ出たのが、年の頃十八九の頗る美人で」〈面白半分・宮武外骨〉❹〔さま〕わだかまった気持ちが晴れるさま。涼しげで、さわやかな味わいを感じるさま。『ミントの**スーッ**とする味』「この前ももんだら、あとが**すーっ**としたといっていただろう」〈弱い結婚・小島信夫〉

ずーっ ❶〔音〕汁などを吸いこむ音。『茶そばを**ズーッ**とひと息ですする』❷〔さま〕ひと思いにものごとをおし進めるさま。まっすぐな状態であるさま。『道が**ずうっ**とのびている』「私はあの人の胸に手をかけるなり**づうっ**と突き倒すやうに押し付けました」〈誓言・田村俊子〉❸〔さま〕性質・距離・時間などについて、大きな隔たりや差があるさま。段違いに。ずっと。「邦枝君も昔から比ぶれば**ずーっ**と腕を上げてゐると思った」〈話の屑籠・菊池寛〉❹〔さま〕ある状態が長い間続くさま。始めから終わりまで。その間じゅう。ずっと。「病人を**ずうっ**と放りっぱなしにしていたみたいで世間体がわるいんですやろな」〈羽なければ・小田実〉❺〔さま〕連続した位置を占めるさま。あちらからこちらまで全部。くまなく。ずっと。「押原横町から〈略〉押原通りへ、**ズウッ**と残らず、玄蕃石《げんばいし》を二様に並べて敷詰めたら」〈塩原多助一代記・三遊亭円朝〉

すーはー 〔音・さま〕深く息を出し入れするさま。深く息を吸って、においをかぐさま。『甲板に出て**すうはあ**と深呼吸をした』

すーわり 〔さま〕〔古〕しなやかなさま。かなさま。細くのびやかなさま。すらり。しとやかなさま。「飛車角のならんだやうに、お妻をかこひ押へには、横へ**すふわり**とした艶女、酒のしゃく取る小美女迄が、居合腰に構へ」〈浮世草子―美景蒔絵の松〉「ほっそり**すうわり**柳腰とさへいふじゃアねへか」〈浮世風呂・式亭三馬〉

すーん 〔さま〕快いにおいがゆきわたるさま。「その青白い花がまばゆく日に照されて、**すうん**とした薫があたりにただよふ」〈銀の匙・中勘助〉

ずーん ❶〔音・さま〕振動や強い衝撃による身うちにひびくような音。重く手ごたえのあるさま。「飛下りると、**ズーン**と地響きがする」〈真景累ケ淵・三遊亭円朝〉「身共のこの傷、何と心得をるかッ。〈略〉わははは。**ず**

うんと肝《きも》にこたへたと見ゆるな」〈旗本退屈男・佐々木味津三〉

❷さま 程度の隔たってはなはだしいさま。ずっと。はるかに。ぬきんでて。『去年の作品よりもずーんとよくなった』

すか ❶さま 古 たやすく、滞りなく事を行うさま。気持ちよくものを切るさまにいうことが多い。すかっ。「女房をとらへて瞼《まぶた》を**すか**と切り、彼《かの》膏薬《かうやく》を付て二三日してみれば」〈咄本—昨日は今日の物語〉

❷さま 古 矢で的を射そこなうさま。「弓矢にて、的をいるに、**すか**とはづれぬなどいへる、すか、如何」〈名語記〉

❸名 はずれくじ。予想や、あてがはずれること。「学生は**スカ**を喰《く》って、前へ突ん踣《のめ》ったかと思ふと」〈解剖室・三島霜川〉

ずか さま 古 一撃に切るさま。大胆に、突然に事を行うさま。「徳兵衛マア悦びや。儀之丞殿が**ずか**とやられた」〈浄瑠璃—夏祭浪花鑑〉「けふも師匠の本《もと》へとばかはと、けいこにゆき、**づか**とはいれば」〈咄本—軽口腹太鼓〉

すかすか ❶さま あちこちにすきまのあるさま。中身が詰まっていないさま。『骨が**すかすか**になる』「インゲンの**スカスカ**した感じは、1センチ大に切って、大豆の水煮カンなどと一緒に煮込むと消える」〈天候不順で野菜高騰・読売新聞・98・11・6〉 ⬇使い分け「ぱさぱさ」

❷さま 気になって何度もにおいをかいだり、呼吸するさま。風や空気の通りぬけるさま。「あっちこっちに鼻先を振り向け、頻りに**スカスカ**息を吸ひ込んでゐたが」〈今年竹・里見弴〉「**すかすか**するやうな、それでゐて馬鹿に甘ったるい乾藁の蒸れる匂ひが」〈田舎医師の子・相馬泰三〉

❸さま 古 滞りなく事をはこぶさま。苦もなく行うさま。「主君法師を見付け申、あまりのことのうれしさに、**すかすか**とはしりより」〈仮名草子—四人比丘尼〉「下地草臥《くたびれ》た上が一倍草臥れて、**すかすか**と寝たればな、夢を見たわいな」〈歌舞伎—幼稚子敵討・並木正三〉

❹さま 思いのままに苦もなく切るさま。「茨など生ひしげりて〈略〉**すかすか**と切って払ひて、うつくしき人を通し参らす」〈龍潭譚・泉鏡花〉「**スカスカ**に割り切ってしまえば、作家でも批評家でもなくなるであろう」〈文学の根本問題・中島健蔵〉

❺さま 古 矢がねらった対象をはずしてしまうさま。「Sucasucato（**スカスカト**）、または、スカト〈訳〉矢が的の上を通る、つまり射そこなうさま」〈日葡辞書〉

❻名 古 急ぐことをいう女房詞。「**すかす**かとは急ぐ事」〈女中詞〉

すがすが ❶さま 気分がのびのびして何の心配もないさま。すっきり。「僕は急に胸が**すがすが**して、桂と共に美味く食事をして」〈非凡なる凡人・国木田独歩〉

❷さま 古 未練やためらいを持たないさま。思いきりのよいさま。「いとうしろめたう思ひ聞え給ひて、**すがすが**とも、え参らせたてまつり給はぬなりけり」〈源氏物語・桐壺〉「日も**すがすが**と夕《くれ》たりき」〈父の終焉日記・一茶〉

❸さま 古 ものごとの進行が滞ることのないさま。すらすら。「ぬまじりといふ所も**すがすが**と過ぎて、いみじくわづらひ出でて、とほたふみにかかる」〈更級日記〉

ずかずか ❶さま 遠慮なく近寄ったり、入りこんでくるさま。「迷亭は人の家も自分の家も同じものと心得て居るのか案内も乞はず、**づかづか**上ってくる」〈吾輩は猫である・夏目漱石〉「怒ったらしい顔付をして**づかづか**とその傍によって行った」〈カインの末裔・有島武郎〉 ⬇使い分け「どやどや」

❷さま 古 遠慮なく事を行ったり、ものを言ったりするさま。ずけずけ。「三太郎、**づかづか**とつげば、客、おっととといふて盃をあぐれば」〈咄本—軽口腹太鼓〉「放駒が内へ来て**ずかずか**物を吐《ぬか》したら、何奴《どいつ》

も此奴《こいつ》も手足を捥《も》ぐぞ」〈浄瑠璃―双蝶蝶曲輪日記〉 ❸ 音・さま 古 のこぎりでものを切る音。また、そのさま。「『このやうな時のためじゃと思ふて、のこぎりをもってきた〈略〉さあらばきらふ』づかづかと二つきるまねする」〈狂言―連歌盗人〉

すかっ ❶ さま 何もさえぎるものがなく快いさま。「憂さばらしに、**すかっ**とゆこうと一応話はまとまったんだが」〈三とせの春は過ぎやすし・杉浦明平〉 ⬇使い分け「すかっ」 ❷ さま あざやかに気持ちよく、ものが切れるさま。すぱっ。「今切ったばかりの枝打ちの切り口を指さして『**スカッ**と切れていなくては』」〈人ひと・朝日新聞・03・12・17・東京地方版〉 ❸ さま 大きな動作などで空を切るさま。「二打席目に読んでいたカーブを**スカッ**と空振りした」〈北信越高校野球・読売新聞・01・10・9・大阪版〉

すかり ❶ さま 古 たやすく、気持ちよく事が行われるさま。一刀のもとに、ものを断ち切るさま。「予期してゐたが、これほど**スカリ**とやられやうとも思ってはゐなかった」〈大道無門・里見弴〉 「鳳仙花の枝が**すかり**と裂て先が地についた」〈土・長塚節〉 ❷ さま 古 矢がねらった対象を射そこなうさま。「Sucarito（スカリト）。またはスッカリト」〈日葡辞書〉

ずかり ❶ さま 鋭い刃物で力強く切りこむさま。思いきりよく足を踏みこむさま。「奥の間へ往って鏡台の引出しより剃刀を出しまして鼻を**ズカリ**、髪をゾクリ」〈落語―鼻無し・橘家円喬〉 ❷ さま 大胆に思いきりよくものごとをするさま。ずけずけ。「『ぢゃあ、君太郎と言ふのを呼んで頂きませう』正雄は少しも悪びれずに、**ずかり**とかう言った」〈大川端・小山内薫〉

すかりすかり さま 古 次々に調子よく切ってゆくさま。「六七分ぐらゐな厚みに**すかりすかり**と切ならべ菓子鉢へのせて」〈七偏人・梅亭金鵞〉

ずかりずかり さま 勢いよくものごとが進んでゆくさま。遠慮や容赦もなく、ものごとをするさま。「何を聞いて見ても、君太郎は決して恥かしがったり、悪びれたりはしない。**ずかりずかり**とはっきりした返事をする」〈大川端・小山内薫〉

すき ⬇コラム「すき・ずき」

すきすき ❶ さま 何もわだかまるものがなく快いさま。気分のよいさま。すっきり。「私ゃ、胸が**スキスキ**したわ」〈良人の自白・木下尚江〉 「是茶を呑めば心が**すきすき**とするぞ」〈山谷抄〉 ❷ さま 古 ものごとが支障もなく円滑に運ぶさま。「御歯固め、今日まで**すきすき**と

使い分け

【共通の意味】 わずらわしいことから離れて行動する、またわずらわしいことが終わったようす。

すかっ さばさば／清清／淡淡

❶**すかっ**は、思い切って何かをしたあとのさわやかな気分を表す話しことば。「今までたまっていた不満を全部ぶちまけたら、**すかっ**とした」 ❷**さばさば**、**清清**は、不要なもの、気にかかるものなどを処理してさわやかな気分であるようす。「うるさい先輩がいなくなって**清々**した」「試験が終わって**せいせい**した」のように、**清清**はわずらわしいことがなくなった後のさわやかな気分を表す。**さばさば**は「長いこと悩んだが、思い切って会社を辞めたら**サバサバ**した」のように、自分でとった行動の結果であることが多い。❸**淡淡**は、周りに関係なく、自分のペースを守って行動するようす。「汚職騒ぎの中で、**淡々**と自分の仕事をこなしている」

まいりてめてたし」〈御湯殿上日記〉

ずきずき ❶ さま 絶えまなく、重くひびくように痛むさま。「自分は飲み過ぎからヅキヅキする頭を冷やさうと」〈クローディアスの日記・志賀直哉〉 ⬇使い分け「がんがん」

❷ さま ものを勢いよく切るさま。「其物をヅキヅキ切って暫く湯の中へ入れて之から揚まして水を掛ける」〈落語―お蕎麦の殿様・禽語楼小さん〉

すきっ さま 気分に張りが出るさま。少しも残るところがないさま。すかっ。さっぱり。すっきり。「勉強で疲れたときなんか、スピード出すと**スキッ**とする」〈記写縦横・朝日新聞・87・4・29〉

ずきっ さま うずくようなはげしい痛みが一瞬走るさま。ずきん。「痛みは**ズキッ**と電撃的、突発的で毎回三〇秒を超えることはない」〈健康いま・毎日新聞・93・2・20〉

ずきり ❶ さま うずくようなはげしい痛みを一度感じるさま。ずきん。「牧夫君が居ると気附いた時、**ヅキリ**と電気に撃たれたやうな心地がして」〈少年行・中村星湖〉

❷ さま ことばが人の心をえぐるように鋭く突き刺さるさま。「慈愛の言葉の裏に**ずきり**と鋭く刺して来る文七の言葉だった」〈家族会議・横光利一〉

❸ さま 動作を急にやめるさま。「渠は唸る様な声を出して、**ズキリ**と立止って」〈病院の窓・石川啄木〉

ずきん ❶ さま うずくようなはげしい痛みが体を走るさま。ずきり。「眼玉の上が**ズキン**となにかで、こ突かれたやうな気がした」〈地図・太宰治〉

❷ さま 急にあるものごとに驚いたり感動したりして、はげしく動悸が打つさま。どきん。ずきり。「社名の下に、理化学器械、看護学教材、とあるのを目にして、心臓が**ずきん**と鳴ったような気がした」〈誕生日・津村節子〉

ずきんずきん さま 傷やはれもの、頭などが、脈打つように、絶えず痛むさま。ずきずき。「頭が石ころを縫いこまれたように**ズキンズキン**痛んだ」〈石中先生行状記・石坂洋次郎〉「あんまり口惜しがって、血が頭へ上ったらしい―芳蘭女史が帰ってから、前額部が、**ズキンズキン**する」〈自由学校・獅子文六〉

すくすく ❶ さま 何もさえぎるものなく元気に育つさま。「沼の真菰は気持よく**すくすく**とその浅緑の葉をのばして行った」〈矢島柳堂・志賀直哉〉

❷ さま 樹木などが、高くまっすぐにのびているさま。「青々とした竹の幹が近くに**すくすく**と群がり茂ってゐるところだ」〈夜明け前・島崎藤村〉

❸ さま 古 ひたむきに進むさま。飾らず率直に行うさま。「六義事〈略〉五に、雅のうたといふは、是は物にもたとへずして、只**すくすく**とよむなり」〈竹園抄〉

❹ さま 弱々しげに泣くさま。「**すくすく**泣いてゐる声がしてゐたといふので」〈野菊の墓・伊藤左千夫〉

ずくずく ❶ さま 雨や水にひどくぬれて気持ちのわるいさま。「**づくづく**に汗かいてはあはあ息してなさる恰好云うたら」〈卍・谷崎潤一郎〉「雪の中をイノシシの足あとを探しながら歩いていると、足は**ずくずく**に濡れる」〈静物・庄野潤三〉

❷ さま 張りを失ってくずれ落ちるさま。「何とも彼とも名づけられぬ心地のして、其儘其所に**づくづく**と〈略〉身を屈め蹲《うづく》まり居れば」〈いさなとり・幸田露伴〉

すくっ さま 勢いよく、まっすぐに立っているさま。すっく。「そのあいだをほそ長くくねった赤松が二、三本ずつ、すく、**すくっ**と立っているのも清爽な感じであった」〈後裔の街・金達寿〉「その光りのなかに玉藻は**すくっ**と起ち上がった」〈玉藻の前・岡本綺堂〉

ずけずけ さま 遠慮なく露骨に、強くものを言うさま。無遠慮

コラム オノマトペのもと

すき・ずき

「すき」は、まったく残りがないようすを表す擬態語で、「すきっ」「すっき」「すっきり」は、余計なものがまったくなく、さわやかなさまを表す。

「ずき」は、ものごとが強行されたり、完全に行われるさまを表す擬態語で、近代には「ずっきり（遠慮なく）言う」などの言い方もあったが、現代ではもっぱら「頭がずきずきする」などの、痛みの表現に使われる。

「ずきずき」「ずきんずきん」の繰り返し形は、痛みが絶えまなく続くようすを表し、「ずきずき」は痛みがうずくように持続し、「ずきんずきん」は強い痛みが脈打つように続くようすを表す。

「ずきっ」「ずきり」「ずきん」は、どれもはげしい一回の痛みを表し、「ずきっ」は突然の瞬時の痛み、「ずきり」は重く深い痛み、「ずきん」は重く強い痛みをいう。

【すきの語群】
ずきずき
すきっ・すっき・ずきっ
ずきり
すっきり・ずっきり
ずきん・ずきんずきん

【表現】

「すっきり」は、「問題が解決してすっきりした」などのように、心の中が整理されて余計なことがなくなった爽快な気分を表したり、「トイレに行ってすっきりした」などのように、肉体的な爽快感を表すこともある。ものや事柄が「すっきり」する場合にも、「やっと部屋がすっきりした」「冷蔵庫の中はすっきりさせたほうが省エネにつながるよ」などのように、余計なものをなくすことが必要である。

商品の広告に「すっきり」が使われることがあるが、たとえば「ストレスをすっきり解消」「ウエストをすっきり」「毛穴すっきり」「おなかすっきり」はどれも、不要なもの、余計なもの（ストレス、ウエストの贅肉、毛穴にたまった汚れ、便秘でたまった便）をなくして爽快にするということになる。

「すっきりとした味」のように、味覚に用いられるときは、洗練されたようすや、あと味がさわやかであることをいう。

痛みを表す「ずきずき」「ずきっ」「ずきり」「ずきん」「ずきんずきん」の「ず」は、「づ」と書き表されたことも多く、古い辞書などでも「づ」で表記されていることがある。「ずき」が痛みを表す場合、「すき」との意味上の関連はなく、「つき」の濁音化だと考えることもできる。

「ずき」は、「傷がずきずきする」「動くと腰がずきっとする」「頭がずきんずきんしている」など、肉体のうずくようなはげしい痛みを表すほか、心の痛みを表すこともある。

一般的な頭痛には、偏頭痛、緊張型頭痛、群発頭痛などがあるが、「ずきずき」「ずきんずきん」が頭痛を表すときは、脈に合わせて痛みが続くため、偏頭痛の可能性が高い。

頭痛は「がんがんする」とも表現される。同じ頭痛であっても、「がんがん」は重いもので繰り返したたかれているような痛みを表すのに対し、「ずきずき」はこめかみや頭の一部分などが脈に合わせてうずくように感じられる痛みをいう。

（守山恵子）

に事を運ぶさま。「こうして**ずけずけ**した言い方のできるのは高等師範学校を出て数学の教師をしていて応召してきた時屋一等兵だった」〈真空地帯・野間宏〉「批評と云ふものをいつの場合にも彼等自身に即して無遠慮に**づけづけ**とやってのける」〈放浪時代・龍胆寺雄〉 ⬇使い分け「ずけずけ」

ずけり さま 突然に言いにくいようなことを口にするさま。「『お一人で来ていらしったの？』**ヅケリ**と、而も事もなげに尋ねた」〈大道無門・里見弴〉

すこすこ ❶ さま 方言 肌寒いさま。すきま風が寒いさま。「風邪気味で**すこすこ**する」〈香川県〉「**すこすこ**風が来て寒い」〈愛媛県〉

❷ さま 方言 服やふたなどの寸法が大きすぎるさま。がぼがぼ。だぶだぶ。「瓶の栓をさがしてみたけど皆**すこすこ**や」〈和歌山県〉「この服うちに（私に）**すこすこ**じゃがな、合えへんがな」〈香川県〉

すごすご ❶ さま 元気なくその場を離れるさま。「私は木から落ちた猿のやうに**すごすご**と糸瓜の絵をもって家へ帰った」〈銀の匙・中勘助〉「追立てられ、**すごすご**と帰りけるが」〈咄本—昨日は今日の物語〉 ⬇使い分け「がっかり」

❷気おちして元気のないさま。ひとりわびしそうにしているさま。「翁は**すごすご**と小石をまた懐へ入れた」〈富士・岡本かの子〉「警官は悔んでいるように**すごすご**と免許証をかえした」〈個人的な体験・大江健三郎〉

すことん さま 完全にそうなっているさま。「頬骨から下が、**すことん**と肉がそげて、口が少し突き出て居る」〈続百鬼園随筆・内田百閒〉

すこん ❶ 音・さま ものがぶつかったときの軽くかわいた音。また、そのさま。『草野球で、**スコン**とホームランを打たれた』

❷ さま すべてが軽い調子である状態になるさま。ものなどが簡単に落ちたり、はまったり、抜けたりするさま。「もうちょい真剣にやったらいけるんちゃうか、と。そやけど、次の年は**スコン**と落選」〈ひと・豊中発・毎日新聞・01・6・20・大阪版〉「二階へ行って、あれ、何をしようとしたのか、自分の行動まで**スコン**と忘れちゃうこともあって」〈男の身だしなみ・産経新聞・00・3・6〉

すこんすこん ❶ 声 古 キツネの鳴く声。「きつねがかかったと云て引こむ時、**すこんすこん**とないて手を合ておがむ」〈狂言—釣狐〉 ⬇鳴き声編

❷ 音・さま 何度もものがぶつかったり、空回りするときにたてる軽く張り合いのない音。また、そのさま。『パソコンが**スコンスコン**と変な音をたてた』

ずしずし 音・さま 体の重いものが、重みを込めて歩く音。周囲が振動するさま。「表面だけ固ってゐる雪が、人の重みでぐづれ、靴が**づしづし**めりこんだ」〈橇・黒島伝治〉

ずしっ 音・さま 重いものなどが落ちたり動いたりする音。重い手ごたえのあるさま。「しっとりとして、ポワポワやわらかくて、それでいて**ズシッ**と、実のつまっ

使い分け

【共通の意味】話し方が無遠慮なようす。

ずけずけ
ずばずば／つけつけ

❶**ずけずけ**は、言いにくいことを無遠慮に言い立てるようす。「社長にでも部長にでも、思ったことは**ずけずけ**言うことにしている」 ❷**ずばずば**は、周囲への気遣いなしに、問題の核心をついた意見などをはっきり言うようす。「若手だが、会議では**ずばずば**意見を言うので一目おかれている」 ❸**つけつけ**は、相手につっかかるような調子でものを言うようす。「古参社員に電話のかけ方について、**つけつけ**と注意された」

た体重がこちらの腕にくるのよ」〈夏の闇・開高健〉 ⇒使い分け「ずっしり」

ずしり 音・さま 重いものなどが、地ひびきをたてて振動したり落ちる音。重いものを手に持ったときの手ごたえのあるさま。ずっしり。「老女は疑いもせずに、福山に荷物を手渡した。**ずしり**と重い手応えがある」〈砂漠の駅・森村誠一〉「一つ**づしり**と揺れて、徐《おもむろ》に汽車は動き出した」〈蜜柑・芥川龍之介〉

ずしりずしり さま 音や振動を立てて、時間をかけて動くさま。「二人して**ずしりずしり**と降りて行った」〈坑夫・夏目漱石〉

ずしん ❶ 音・さま 重いものが落ちたり、重いものを置いたりする音。また、そのさま。「大な扉を入ると、**ズシン**と閉った」〈日本橋・泉鏡花〉

❷ さま 腹の底にこたえるような重みのあるさま。重々しく威厳のあるさま。『**ずしん**とくる言葉』「**ずしん**と水底に落ちこむやうな孤独な気持ち」〈河沙魚・林芙美子〉

ずしんずしん 音・さま 力や重みを込めて続けてたたいたり踏んだりする際の重くひびく音。また、そのさま。「力の強い、大男の命《みこと》ですから、力いっぱい**ずしんずしん**と乱暴にお歩きになると、山も川もめりめりとゆるぎだし」〈古事記物語・鈴木三重吉〉

すすっ ❶ 音 汁などを軽く吸いこむ音。『うどんのつゆを**すすっ**と口に流しこんだ』

❷ さま ものごとがすばやく静かに変化するさま。速やかに進めるさま。「**すすっ**と寄ってきて舌っ足らずの声で」〈天母峰・小栗虫太郎〉

ずずっ ❶ 音 汁などを勢いよく吸いこむ音。『話し出す前に、**ずずっ**と鼻水をすすりあげた』

❷ 音・さま ものがはげしくこすれ合うときの重く濁った音。また、そのさま。「……ああ、なんという大凄観！ とつぜん、眼前一帯の地が**ずずっ**と陥《お》ちはじめたのである」〈有尾人・小栗虫太郎〉

❸ さま ためらわずに前に進むさま。『**ずずっ**と奥にどうぞ』

ずずん 音・さま 地震や爆発などで振動する重くひびく音。重いものが衝突する音。また、そのさま。「**ずずんっ**、ずしいんっ、と武蔵の手にある刃鉄《はがね》が、つよい震動を、自己の心臓へ送るたびに」〈宮本武蔵・吉川英治〉

すたこら さま 急ぎ足で歩くさま。大急ぎで逃げるさま。「帽子も被らない浮島が**すたこら**坂を上って来るのにパッタリ出くはした」〈他所の恋・正宗白鳥〉

すたこらさっさ さま 急いでその場からうしろも見ずに歩み去るさま。「重い荷物を背負って歩く人生なんてバカの骨頂、軽荷主義で**すたこらさっさ**と行く人生の達人ですから」〈現代の肖像・AERA・02・1・21〉

すたすた ❶ さま 足どりも軽く、うしろも見ずに、歩いてゆくさま。「いつになくちょっと興奮したやうな気持で、胸を張り、大跨《おほまた》に**スタスタ**と馬見所へ戻って来た」〈大道無門・里見弴〉「若侍はさっと身を躱《かは》しざま、器用にすり抜けて急ぎ足に**すたすた**と歩を早めた」〈茶話・薄田泣菫〉 ⇒使い分け「てくてく」

❷ さま 古 水滴などが連続して軽やかに落ちるさま。「ツユミヅナド sutasutato（**スタスタト**）ヲツル」〈ロドリゲス日本大文典〉

❸ さま 古 息づかいがせわしいさま。はーはー。「**すたすた**とあえいで、よだれをたらすぞ」〈玉塵抄〉

ずたずた ❶ さま 不ぞろいに切りちぎられるさま。「彼のシャツは、**ずたずた**に引き裂かれ、作業ズボンも泥だらけになっていた」〈神の道化師・椎名麟三〉

❷ さま ひどく心が傷つくさま。「皆の悪意が露骨で、病的になったぼくの神経を**ずたずた**に切り苛《さい》なみます」〈オリンポスの果実・田中英光〉

ずだずだ さま 古 こまかく破りちぎるよう

にするさま。「くだんのむかでをば**ずだずだ**にきりすて」〈御伽草子—俵藤太物語〉「招牌絵《かんばんゑ》の棚卸しを初め〈略〉春朗の面前で**ズダズダ**に引裂いた」〈江戸から東京へ・矢田挿雲〉

✸「ずたずた」の古い形。

すたっ さま 身軽に降り立つさま。「鉄棒にぶらさがり、くるくるくる、と回り、**すたっ**と降りると風のように帰っていった」〈塀のない庭・朝日新聞・98・11・17〉

ずたぼろ さま みっともないほどこわれたり破れたりしているさま。徹底的にやっつけられるさま。心身が疲れきるさま。ずたずた。ぼろぼろ。『**ずたぼろ**の姿で帰ってきた』「たいしたせりふを交わしていないのに、いちいち傷つく。生きるって大変だ。**ズタボロ**になって一日が終わる」〈TVダイアリー・朝日新聞・05・8・28〉

すちゃらかちゃん さま 人の生き方、態度などがいい加減で調子よく軽々しいさま。「太く短く、面白ろ可笑しくさ、**スチャラカチャン**にお遣りよ」〈良人の自白・木下尚江〉

✸「すちゃらか」は、歌舞伎下座音楽の一つ。幕末から流行した阿呆陀羅経《あほだらきょう》を三味線にのせたもので、小木魚を入れる。

すっ ❶ 音・さま ものや息を一瞬吸いこむ音。また、そのさま。「先づ一つ奥歯を**スッ**と吸って」〈婦系図・泉鏡花〉

❷ さま 細長い一本の筋となってまっすぐにのびるさま。『首筋を**すっ**とのばす』「ナイフの刃を紙にあてがってみると、**すっ**と、果肉に喰い込むような抵抗のなさで紙が剪りさかれていた」〈抱擁・瀬戸内晴美〉「しつっこい風邪心地でつまってゐた鼻が、頭のしんまで**すっ**といちどきに通って」〈雪国・川端康成〉

❸ さま すばやく、静かに、ものごとが進行または変化するさま。そのようにものごとを行うさま。「内ポケットに手を入れたと思ふと、名刺を**スッ**と出したが」〈故旧忘れ得べき・高見順〉「**すっ**と人の追風がして、誰やら玄関の開扉《ドア》をピタリとしめてしまった」〈黒い眼と茶色の目・徳冨蘆花〉「今まで光っていた星が**すっ**と消えると、その横で別の星がまばたき始めますが」〈されどわれらが日々・柴田翔〉

❹ さま わだかまったり混乱した気分が晴れるさま。さっぱり。「水垢離をおとりになってはどうですか。**すっ**となさいますよ」〈奔馬・三島由紀夫〉

ずっ ❶ 音・さま 一度ものがずれたり、こすれ合うときの低い音。強くひと息にすする音。また、そのさま。『殻つきの生ガキの汁を**ズッ**とひと息にすすった』

❷ さま ものごとを、いっそう推しすすめて行うさま。その事態が、ある範囲のすべてに及ぶさま。「おつたは更に介意《かいい》ないやうな態度で**ずっ**と戸口へ行って」〈土・長塚節〉

❸ さま 性質・距離・時間・数量などについて、大きな隔たりや差があるさま。「田の数が**ずっ**と殖えたものだから、田の水もうるみが多くなってねえ」〈千曲川のスケッチ・島崎藤村〉「葛西《かさい》、東湾の両汽船とも、**ずっ**と以前に運行をやめ」〈青べか物語・山本周五郎〉

❹ さま ある状態が長い間続くさま。始めから終わりまで。「山中も二、三度店へ来て、**ずっ**と閉店しているので心配していたという」〈砂漠の駅・森村誠一〉「両側に桜並木の**ずっ**とならんだ紅葉坂は急勾配をなして」〈或る女・有島武郎〉

すっか さま 古 大きな動きで空やものを切るさま。「『いかひ大竹でおぢゃろの〈略〉』『あけを**すっか**ときりて、酢筒にしたらばおぢゃろ』」〈狂言記—酢薑〉「事の箭さきと理の矢さきとが中でがっしと当てば落落ちしたぞ。毛頭程もちがわば只中に**すっか**と当らうずぞ」〈人天眼目抄〉

ずっか さま 古 遠慮しないで事を行うさま。「遠慮もなく上座に**ずっか**と直り」〈浄瑠璃—傾城反魂香・近松門左衛門〉

すっからかん [さま]まったく何もないさま。からっぽで、中身がまったくないさま。「まだ季節はずれの、**すっからかん**とした高原で出会ったことを」〈美しい村・堀辰雄〉「随分使っちゃった。知らない間に、**すっからかん**だ」〈島・川口一郎〉

すっかり ❶[さま]残るところなくすべてにわたるさま。ことごとく。「下の座敷の雨戸も**すっかり**と閉めて」〈木乃伊の口紅・田村俊子〉「明方に薄曇《うすぐもり》のしてゐた空が**すっかり**晴れて」〈かのやうに・森鷗外〉「蝶子が隠してゐた貯金帳を**すっかり**おろして」〈夫婦善哉・織田作之助〉 ⬇使い分け「ごっそり」
❷[さま][古]思いきってするさま。滞りのないさま。すがすがしいさま。「**すっかり**として、よいお子でおます」〈洒落本―色深狭睡夢〉「**すっかり**と切ものにしてかきつばた」〈俳諧―暁台句集〉
❸[さま][古]細身で、格好のいいさま。すらり。「本年は三十七ぐらい、色白く背恰好**すっかり**として、いやみなしの男」〈洒落本―北廓鶏卵方〉
❹[さま][古]矢がねらった対象を射そこなうさま。「スカリト。または、succarito（スッカリト）〈訳〉上を通るさま、または矢が的をはずれるさま」〈日葡辞書〉

ずっかり ❶[さま]一刀のもとに切りつけるさま。「はだかったマン丸いお八代の右肩へ、抜討ちに**ズッカリ**と斬り込んだ」〈名君忠之・夢野久作〉
❷[さま][古]率直に言うさま。思いきりよくするさま。きっぱり。「じゃが都合が悪い出かけ直してござんせと、**ずっかり**いはされ飛脚はきょろり」〈浄瑠璃―夏祭浪花鑑〉
❸[さま][古]金銭などが重みを感じさせるくらいたくさんであるさま。どっさり。「酒手も定めし結構なお金**ずっかり**下さりませ」〈浄瑠璃―本朝二十四孝・近松半二ら〉

すっき ❶[さま]勢いよく、まっすぐなさま。すっく。「やがて**すっき**と姿勢を正して」〈虞美人草・夏目漱石〉
❷[さま][古]少しも残るところがないさま。ある状態に完全になるさま。すっかり。まったく。「五臓六腑を**すっき**ととり出して、かくさずして真実の心を云い出すぞ」〈四河入海〉「御出あそばしましたか。**すっき**と御足が御遠く成なんしたの」〈洒落本―遊子方言〉

ずっき [さま][古]少しも残るところがないさま。「昔の聖人は、なにを手本にして天下を治るぞ。なれば、皆六十四卦に**ずっき**と則て、よろづの事を行ぞ」〈周易抄〉

すっきり ❶[さま]言動、気持ち、態度に過不足がなく、快いさま。洗練されていて、見ていて気分のよいさま。「黒の上着に縞ズボンという古風な**すっきり**した身なりで」〈風にそよぐ葦・石川達三〉「しかし、本人は大変**すっきり**した生き方をしている、と思いこんでいた」〈がらくた博物館・大庭みな子〉
❷[さま]気分が晴れるさま。「ああ是で胸も**すっきり**と透いたやうな、痞《つかへ》が下《さが》ったれば」〈椀久物語・幸田露伴〉「風邪ひきだって、あと二、三日は**すっきり**しないものでしょう」〈蟹・河野多恵子〉 ⬇使い分け「さっぱり」
❸[さま][古]ものごとのすべてにわたっていて、少しも残るところのないさま。すっかり。「なふ**すっきり**わしが聞ました。みな嶋八さまのがお道理じゃ」〈浄瑠璃―冥途の飛脚・近松門左衛門〉「地躰から剃り下げたるつむりつき、いつともなしに**すっきり**と禿げて」〈浮世草子―好色万金丹〉
❹[さま][古]その事すべてにわたって否定するさま。まったく。さっぱり。「年季《ねんき》の三太**すっきり**と合点《がってん》せず」〈浄瑠璃―心中重井筒〉
[補]④は下に打ち消しを伴う。

ずっきり [さま]遠慮のないさま。「『〈略〉御覧下さいますか、いかがなもんでせう。御取次。』と、白々しく**ずっきり**云った」〈妖婆・芥川龍之介〉「『其時ぶん撲られなかったのが目っけもんだ』と**づっきり**言って、し

たたかに気を替へる」〈湯島詣・泉鏡花〉

すっきりしゃん さま 残るところなく。すっかり。きれいさっぱり。「峠でのんだ酒気が**すっきりしゃん**とさめ果た」〈浄瑠璃―浦島年代記・近松門左衛門〉

すっく さま 勢いよく、まっすぐ上に伸びあがるさま。すくっ。すっくり。「富士の山と、立派に相対峙《あひたいぢ》し〈略〉けなげに**すっく**と立ってゐたあの月見草は、よかった」〈富嶽百景・太宰治〉

ずっく さま 古 勢いよく、まっすぐ上に伸びあがるさま。「又も打ち込む手な首を、捕へて**ずっく**と立ち上れば、倶に突っ立つ乙女の大胆、取られたる手を振り払ひ」〈貞操婦女八賢誌・為永春水〉

すっくら さま まっすぐに立つさま。すっく。「どうしやうと迷って居ると女は**すっくら**立ち上がった」〈趣味の遺伝・夏目漱石〉

すっくり ❶ さま まっすぐに立つさま。すっく。「両の手で蕾のやうに上向いた乳房を押へ、美しい泉のほとりに**すっくり**と立った、あの誇り高い裸女を」〈猟銃・井上靖〉 ❷ さま ものごとのすべてにわたるさま。すっかり。全部。すべて。「お化粧の仕方変へたよってに、顔の感じが**すっくり**違うて来たわ」〈細雪・谷崎潤一郎〉「夕だちに**すっくり**ぬれたうすばおり」〈端唄―夕ぐれかへ唄〉 ❸ さま 古 すがすがしく、快く感じられるさま。「秋の気はいさぎようあるほどに、きるものまでも**すっくり**とするなり」〈詩学大成抄〉 ❹ さま 古 水を少なくして、かために飯をたくさま。「食《しめ》は赤まじりのひね臭いを**すっくり**とたかせ」〈浄瑠璃―心中宵庚申・近松門左衛門〉

ずっくり さま 水けを含んで、重みの加わったさま。「先をちょいと油にしまして**づっくり**と沈んでゐる」〈銀の匙・中勘助〉「青柳の**づっくり**みゆる夜明かな」〈文化句帖・一茶〉

ずっけり さま 古 遠慮しないでありのままを言うさま。ずけずけ。「その名が**ずっけり**云はれる程なら、何も苦労はござりませぬ」〈歌舞伎―貞操花鳥羽恋塚・鶴屋南北〉

ずっこり さま 背が低く太っているさま。ずんぐり。「背の**ずっこり**低い、甚い猪頸の、脚の短い小男である」〈南小泉村・真山青果〉

ずっし さま 重い手ごたえのあるさま。ずっしり。「くまで・ないがま・かなさいはうをもたする中げんのなきままに、ゐんまわうにゐんまわうに**ずっし**ともたせて」〈狂言―朝比奈〉

ずっしり ❶ さま いかにも重みを感じるさま。「彼は壁にかけた拳銃を手におろした。黒色の**ずっしり**持ち重りのするブローニングである」〈日の果て・梅崎春生〉 ❷ さま 重々しく威厳のあるさま。どっしり。「謎は**ずっしり**と重く我々の心にのしかかるのである」〈イエスの生涯・遠藤周作〉 ↓使い分け「ずっしり」 ❸ 音・さま 重いものを置いたり、落としたりしたときに周囲にひびく音。また、その

使い分け

【共通の意味】

重々しいようす。

ずっしり／**どっかり**／**どっしり**／**ずしっ**

❶**ずっしり**は、重みが感じられるようす。「本をたくさん詰めたカバンが**ずっしり**と重い」「社長になって**ずっしり**と責任の重さを痛感する」。**ずしっ**も同様だが、急に強く重さを感じるようす。「荷物の重みが**ずしっ**と肩にこたえた」 ❷**どっかり**は、重量のある大きなものをゆっくりと置くようす。また、そのようなものが場所を占めているようす。「相撲取りが**ドッカリ**と腰を下ろす」「小さなキッチンに大きな冷蔵庫が**どっかり**と座を占めている」 ❸**どっしり**は重厚で威厳のあるようす。「祖父の代から伝わる机は、**どっしり**と重みがある」

さま。ずしり。ずしん。「**ずっしり**と地響きがして、格別なもんだ。お蔭で居眠の目が寤《さめ》た」〈浮世風呂・式亭三馬〉

ずっず さま ためらわないで、強くものごとをするさま。「通り町**ずっず**と行ときんり様」〈雑俳—誹風柳多留〉

すっすっ ❶ 音・さま ものがなめらかに、静かにこすれ合って出る音。また、そのさま。「腰のひねりに足どりに、**すっすっすっ**、すっすっ砂地にひざをする花かいらぎと散る花と」〈浄瑠璃—薩摩歌・近松門左衛門〉 ❷ 音・さま はげしく呼吸する音。また、そのさま。「姉夫人は、口を、畳んだ手巾《ハンケチ》で圧へたが、**すッすッ**と息が忙《せは》しく」〈婦系図・泉鏡花〉 ❸ さま ものごとが支障なく、なめらかに進み行くさま。「**スッスッ**と白いふくらはぎを見せて、庁舎の方へ遠去かって行った」〈春の城・阿川弘之〉「蛸は八本の足を真直に揃へて、細長い身体を一気に**すっすっ**と区切りつつ、水の中を一直線に」〈彼岸過迄・夏目漱石〉

ずっずっ ❶ 音 何度もものとものがこすれて出る重くにぶい音。『蕎麦を**ずっずっ**とすする』『鞄を**ずっずっ**と引きずる』 ❷ さま ものごとを力強く推し進めるさま。ずんずん。「其やうな事で気後《おく》れがするやうな事ではいかん、**ズッズッ**と突切て行くやうでなければいかん」〈怪談牡丹燈籠・三遊亭円朝〉

すったり ❶ さま 古 少しも残らないさま。ある状態に完全になるさま。すっかり。まるっきり。「うらあたまに毛のない事を**すったり**とわすれた」〈続膝栗毛・十返舎一九〉 ❷ さま 古 突然、人などに会うさま。ばったり。「えい所で**すったり**あうたわい」〈続膝栗毛・十返舎一九〉

すってん さま 急にはずみをつけて転ぶさま。すてん。『雪道で**すってん**と転んだ』

すってんころり さま 勢いよく、転んだり転げ落ちるさま。すってんころりん。「そいつの左の足を掬《すくっ》て、**すってんころり**と上り段からころがした」〈まざあ・ぐうす・北原白秋訳〉

すってんてれつく ❶ 音 古 太鼓をたたく音。「此方《こち》の若殿の**すってんてれつく**。芸者共のちゃんちきちんまで、江戸で珍らしい上方囃子」〈歌舞伎—月武蔵野穐狂言〉 ❷ さま 古 財産が何もなくなってしまうさま。「首尾よく失敗《やりそこ》なって**スッテンテレツク**の血の涙サ」〈滑稽本—小言自慢〉

すってんてん さま 所有していた金やものなどが完全になくなるさま。無一文または無一物になるさま。「そんな若い男にいくら貢いだって無駄でっせ。**すってんてん**になって、放りだされるだけや」〈ある女・中村光夫〉

すってんどー →ずでんどー。

ずっと →ずっ。

すっとん 音 ものが何かに打ち当たって調子よくたてる音。「一食分二百二十グラムのうどんの玉が、ゆでめん室の機械から**スットン**、スットンと出てきた」〈北陸名物めぐり・朝日新聞・98・10・1・大阪版〉

すっとんとん 音・さま ものが何かに当たって調子よくたてる音。ものごとが調子づくさま。「恨みの焔《ほむら》火吹竹、ななや十四五、**すっとんとん**とぶちたいが」〈浄瑠璃—五十年忌歌念仏・近松門左衛門〉

すっぱ さま 古 ものをたやすく、みごとに切るさま。「畳みかけて左の肩口膏肓《かうこう》迄**すっぱ**と切る」〈浄瑠璃—浦島年代記・近松門左衛門〉

ずっぱ ❶ さま 古 勢いよく切りこんだり貫き通すさま。「乳の下を**ずっぱ**と斬れば、胴半分折りかけたる如くなり。エエなまくら物と、からりと捨て」〈浄瑠璃—唐船噺今国性爺・近松門左衛門〉 ❷ さま 古 ものの多いさま。「水を**ずっは**と入てしんぜられひと云」〈狂言—御冷〉

すっぱすっぱ ❶ 音・さま タバコを盛んに吸

うさま。すぱすぱ。「登喜子は黙って、唇を着けた儘、只無闇とすっぱすっぱ吸って居た」〈暗夜行路・志賀直哉〉
✸もと、キセルで吸ったときの音から。
❷さまものごとを次々と手ぎわよく行うさま。すぱすぱ。「此奴等《しゃつら》が飛はねをる所を、みんごとすっぱすっぱ切下るは、ゑゑ手定めたい」〈滑稽本―八笑人〉

すっぱり ❶さま一刀のもとに見事に切り放すさま。ものを真二つに切り分けるさま。「サア殿様すっぱり御願ひ申ます、お手打になさいまし」〈怪談牡丹燈籠・三遊亭円朝〉 ⬇使い分け「ばっさり」
❷さま気分などに滞るところのないさま。思いきりのよいさま。きれいさっぱり。「山全部やるときめたら、すっぱりした」〈紀ノ川・有吉佐和子〉「ああすっぱりといっさいの憂愁をなげだして」〈月に吠える・萩原朔太郎〉 ⬇使い分け「きっぱり」
❸さまある状態に完全になりきるさま。完全に。ことごとく。すっかり。「久しく苦労ばっかりしてゐたので、陽気な私もすっぱり陰気になったんざます」〈江湖機関西洋鑑・岡丈紀〉「尿桶《こいたご》をすっぱりあびて、アアくせへ」〈西洋道中膝栗毛・仮名垣魯文〉

ずっぷり ❶音・さま刀、槍《やり》などをやわらかいものに奥まで突き刺すにぶい音。また、そのさま。「抱き付こうとする胸元を、一歩退《しりぞ》いた与一がズップリと一刺し」〈名君忠之・夢野久作〉
❷さま水・湯などの中に、もの全体が、完全に沈みこむさま。雨などに全身が濡れるさま。ずっぽり。「水をなみなみと陶器製の洗面盤にあけて、ずっぷり浸した手拭をゆるく絞って」〈或る女・有島武郎〉「道は上下に明らかなり〈略〉此身はずっぷり教の中へ漬りて居ながら、見違へるのはこちの不調法ぢゃ」〈松翁道話〉
❸さま完全に日の暮れるさま。とっぷり。「話しに紛れてずっぷりと、日の暮れてあるに気が付かなんだ」〈浄瑠璃―伊賀越道中双六・近松半二ら〉

すっぺらぽん ❶さま古完全にからになってしまうさま。無一物になるさま。残らず全部。すっからかん。すっぺりぽん。「汝が様になまけては、発市《うりだし》たくも製本《しこみ》が出来ず。〈略〉お蔭で書舗《ほんや》はすっぺらぽん也」〈浮世床・式亭三馬〉
❷さま古はずみがついてものごとの行われるさま。「日本国の金がすっぺらぽんと、おれが懐へ這入った夢じゃ」〈浄瑠璃―木下蔭狭間合戦〉

すっぺり ❶さま古残るところのないさま。まったく。すっかり。「竿にかけたる犢鼻褌《ふんどし》迄すっぺりと物の見事に丸焼け」〈浮世草子―好色万金丹〉
❷さま古凹凸がなく、なめらかなさま。さらさら。「剃立の頭顱《つぶり》は鬘冠りたるかと見ゆるばかりに状好く円滑《すっぺり》として」〈心の闇・尾崎紅葉〉

すっぺりぽん さま古何も財産を持たないさま。「針を積でも溜まらぬ騒ぎに、すっぺりぽんの棒一本、女郎に乗せられた替りに、人を乗せる身過とはなりぬ」〈傾城禁短気・江島其磧〉

すっぽすっぽ ❶音小鼓を調子よくたたく音。すぽぽん。「ヱイヱイすぽぽんのぽん、すっぽすっぽすっぽぽんと言うては、舞を舞うて候《そろ》」〈歌謡―歌沢節〉
❷さまものをひと息に、具合よく、抜いたり入れたりするさま。「をどり笠・奴かづら、すっぽすっぽと脱た跡は、殊勝げのなき坊主あたま」〈世間妾形気・和訳太郎(上田秋成)〉

すっぽらぽん さま古具合よくものごとの行われるさま。はずみをつけて事を行うさま。すぽらぽん。「すっぽらぽんとにげるきか」〈富本節―道行念玉蔓(長作)〉

すっぽり ❶さまものが、調子よく、はまったり、はずれたりなどするさま。「かごのそこがすっぽり抜けて、北八どっさり

すて・ずで

「すて」は、ものや人がはずみをつけて倒れたり転んだりするようすを表す。「すてん」「すってん」のように語末に撥音《はつおん》の「ん」を伴う形で使われるのが一般的であるが、複合語の「すってんころり」もよく使われる。

　また、転んだり倒れたりするようすとは別に、「すってんてん」の形で、お金やものが一切なくなってしまうさまを表すこともある。

　「ずで」も、語末に撥音の「ん」を伴った「ずでん」などの形で、ものが倒れたりするようすを表すが、その運動のようすは、「すて」よりも勢いがよい。特に、重い物体がはげしい音をたてて地面に倒れこむようすなどは、「ずでん」のほうがふさわしい。

　また、「ずでんどう」「ずでいどう」「ずんでんどう」のように「どう」を伴う複合形式が古く狂言などに見られ、近代まで尻餅をつくようすなどによく使われていたが、現在ではあまり耳にする機会がないようだ。

【すての語群】

ずでっ
すてん・ずでん
すってん・ずんでんどう

	―と倒れる	滑って―と転ぶ	―と落ちる
すてん	○	○	―
ずでっ	○	○	―
すってん	○	○	―
ずでん	○	△	○

【表現】

「すてん」も「ずでん」も倒れたり転んだりする動作にかかわりのある表現だが、転んだり倒れたりするときのスピード感や重量感の表し方に違いがある。「すてん（すってん）」は、たとえばバナナの皮を踏んで滑って転ぶようすなど、瞬間的に転倒するようすを表すが、「ずでん」にはスピード感よりも重量感が伴う。大柄な力士が勢いよく倒れるようすを表す場合などは「ずでん」がふさわしい。

　こうしたニュアンスの違いは語に含まれる拍の清濁と深い関わりがある。清音が軽いようすやすばやいようすを表すのに対して、濁音は重くにぶいようすの表象と結びついている。「すて」には、転倒するようす以外の意味を表す用法もある。お金やものなどがすっかりなくなるさまを表す「すってんてん」や、太鼓などの音を表現する「すててん」「すってんてれつく」などである。こうした表現にも、軽さを表す清音「す」の音象徴が生きているようである。また、ともに偶数個の拍からなっており、一定のリズムを感じさせる語形である。

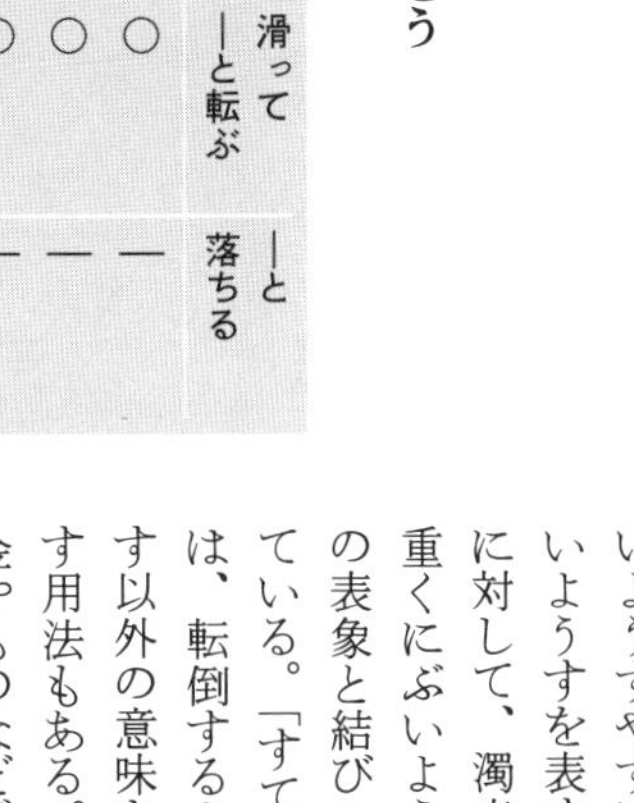

　ちなみに、同様のリズム感をもつ類似の語形としては、無一文になるようすを表す「すっからかん」や、身に何もまとっていないさまを表す「すっぽんぽん」などがあるが、これらにおいてもやはり語頭に「す（っ）」の拍が含まれていることは興味深い。なお、こうした語形の語頭の「す」には「素」の字が当てられることもある。

（那須昭夫）

しりもちをつき」〈東海道中膝栗毛・十返舎一九〉

❷さま全体をまるごと包みこむさま。「教員は僕を**すっぽり**くるんでしまう奇妙な威圧感を体にみなぎらせて」〈人間の羊・大江健三郎〉「夜は紫の頭巾に**すっぽり**面を包んで、わたくしは外歩きをする」〈婉という女・大原富枝〉

❸名人をののしっていう語。まぬけ。あほう。「ヤレうっそりの**すっぽり**め、見わすれたるかうろたへたか、ふぐるま両わの介道早、久しいナア無量の介」〈浄瑠璃―傾城八花形〉

ずっぽり さま水・湯などの中に、もの全体が、重く沈みこむさま。雨などに全身がぬれるさま。ずっぷり。「**ずっぽり**と水にひたり、おつむりからさっさと、音羽の滝にうたるる様になさるれど」〈浄瑠璃―平家女護島・近松門左衛門〉

すっぽんぽん さままるはだかで身に何もつけないこと。また、そのさま。「腰から下**スッポンポン**の、奇特な女性を」〈吉里吉里人・井上ひさし〉

すて ⇩コラム「すて・ずで」

ずでいどー さま古はげしい勢いで倒したり倒れたりするさま。「左の手をとって右へまわし、右をとって左へまわし、こまたをとって**ずでいどう**、〈略〉今一番とらふ」〈狂言―文相撲〉

すてん さま人が急に、たわいなく転んだりすべったりなどするさま。ものがはずみをつけて倒れるさま。「とうとう**ステン**と足をさらわれてしまった」〈石中先生行状記・石坂洋次郎〉「木の根や石につまずいただけで、**ステンステン**と転んでいるのだそうですが」〈蟻の自由・古山高麗雄〉

ずでん 音・さま人やものが勢いよく音を立てて落ちたり倒れたりする音。また、そのさま。「ズルズル**ズデン**と滑って転げると云ふ騒ぎで」〈真景累ケ淵・三遊亭円朝〉

ずでんどー ❶音古太鼓がひびきわたる音。「いつもより今朝打つ太鼓の音《ね》のよさよ〈略〉せぎりせぎり、**ずでんどう**と打ったる太鼓のねのよさ」〈歌舞妓事始〉

❷さまはげしい勢いで、転倒または転落するさま。ずでいどー。ずんでんどー。「**頭俊倒**《づでんだう》と庭前に転墜《まろびお》ちぬ」〈義血侠血・泉鏡花〉

すとん ❶音・さま軽くものが落ちたり、打ち当たったり、倒れたりする音。また、そのさま。『売上げが**すとん**と落ちる』「洋杖《ステツキ》を傘入へ**すとん**と刺した音と同時に」〈あきらめ・田村俊子〉「状袋が郵便函の口を滑って、**すとん**と底へ落ちた時は、受取人の一週間以内に封を披《ひら》く様を想見して」〈彼岸過迄・夏目漱石〉「ちんぷんかんの雲気《うんき》ぜりふ云はんとせしが、**すとん**と忘れ」〈浮世草子―当世芝居気質〉「身を躱《かは》した途端、下駄がぐれて**ストン**と転んだ」〈珍太郎日記・佐々木邦〉

❷さまはずみをつけて、軽く切り落とされたり、あっけなく撃たれるさま。「一念が頭へ上て有所を、**すとん**と切らるるが」〈歌舞伎―けいせい嵐山〉「戦の辛いも甘いも知らぬ補充兵が、隠元豆の畑の中で脱糞《だっぷん》中、**ストン**と撃たれて、血塗れになっ

使い分け

［共通の意味］
砲声や銃声が鳴りひびくようす。

ずどん
ばきゅん／どかん

❶**ずどん**は、銃を発射したときの腹にひびくような強い音。「静かな森に**ズドン**と一発銃声が鳴りひびいた」 ❷**ばきゅん**は、銃声の鋭い金属的な音。「追い詰められた犯人は、**バキュンバキュン**と小銃を乱射した」 ❸**どかん**は大砲を発射したり、爆薬などが破裂したりしたときの、あたりをゆるがすような大きな音。「地中に仕掛けたダイナマイトが**ドカン**と爆発した」

て匍ひ出して来た」〈銃後・桜井忠温〉
❸ さま ほかとくらべてかけはなれているさま。「お飾りはささ竹ばかりが**すとん**と背高く」〈流れる・幸田文〉

ずどん 音・さま 鉄砲や大砲を打ち放つときの、重く鳴りひびく音。重いものが倒れたり落ちたりする音。また、そのさま。「熊の月の輪をめがけて**ズドン**とやるのだった」〈なめとこ山の熊・宮沢賢治〉「縋《すが》る未来に全く吸ひ込まれたる人は、刹那の戸板返しに**ずどん**と過去へ落ちた」〈虞美人草・夏目漱石〉⇩使い分け「ずどん」

すなすな ❶ さま 古 すなおなさま。人に逆らわずに従うさま。「志の大な者は**すなすな**とは無ほどに、薦がたいぞ」〈山谷抄〉
❷ さま 古 身を動かすさま。静かに歩むさま。「長安寺より誓安寺。のぼりゃ**すなすな**くだりゃちょこちょこ、のぼりつをりつ谷町すぢをあゆみならはずゆきならはねば」〈浄瑠璃―曾根崎心中・近松門左衛門〉「庭の飛び石**すなすなすな**。ちょこちょこちょこと奥座敷へ」〈浄瑠璃―嫗山姥・近松門左衛門〉

すならすなら さま 古 しなやかに歩くさま。しゃならしゃなら。すなりすなり。「小づまをかい取て、**すならすなら**とあゆみくる」〈浄瑠璃―日本武尊吾妻鑑・近松門左衛門〉

すなりすなり さま 古 しなやかに歩くさま。「おめず臆せず土俵の中、**すなりすなり**と振り込で」〈浄瑠璃―井筒業平河内通・近松門左衛門〉

すねくね さま 体やことばの調子などが色っぽくくねりしなうさま。しねくね。「すました語気に男を思ひ迷はせ、**すねくね**した語気に男をもどかしがらせ」〈艶魔伝・幸田露伴〉

すぱ ⇩コラム「すぱ・ずば・ずぱ」

すばすば さま 古 ものを、大きな音をたてて飲んだり吸ったりするさま。「水を入れさせ給ひて、たまはせければ、うちうつぶきて、よによげに**すばすば**と皆のみてけり」〈古今著聞集〉

すぱすぱ ❶ さま さかんにタバコを吸うさま。「烟草**すぱすぱ**長烟管に立膝の無作法さ」〈にごりえ・樋口一葉〉
❷ さま 次から次へと軽々とものごとを行うさま。「まだ余ってゐるのを、此間の鉢に水を張って置いて、茎を短かく切って、**すぱすぱ**放り込んだ」〈それから・夏目漱石〉

ずばずば ❶ さま 思ったことを無遠慮に言うさま。ものごとを思いきりよく続けて行うさま。「口には云ひ難いことまで**ずばずば**云ふのであらう」〈家族会議・横光利一〉⇩使い分け「ずけずけ」
❷ さま 刃物などで容赦なく切りこむさま。「剣術の極意は相手を**ずばずば**と斬りさへすればいいのだ」〈正雪の二代目・岡本綺堂〉
❸ さま 次々にねらったとおりに当ててゆくさま。「野村は『次、直球』『今度はカーブ』と、相手投手の配球を**ズバズバ**と当てた」〈何でやねん関西スポーツ学・読売新聞・99・6・15・大阪版〉

すぱっ ❶ 音・さま 切れ味よくあざやかに切る音。また、そのさま。「上着の腕の付け根が、剃刀《かみそり》で切ったように**スパッ**と切れ」〈日本沈没・小松左京〉
❷ さま ためらわないで一気にものごとを行うさま。「**スパッ**と三間柄の櫂を放り込むと、船の向きがグイと変って」〈落語―三十石宝の入船・橘家円喬〉「腰に巻いたサロンの裾をまくって、頭から、**すぱっ**と被て、何かの塊りのやうに蹲ってゐる者もある」〈帰郷・大仏次郎〉

ずばっ ❶ さま すばやくためらわないでものごとを行うさま。「親から過ちを**ずばっ**と指摘してもらって、矯正することができない。父親不在の時代ですからね」〈特集ワールド・毎日新聞・06・8・8〉
❷ さま 矢や槍などがものにきびしく突き刺さるさま。ずぶっ。ずぼっ。「きりきりと引しぼり、かなぐりはなしに、かっきといた〈略〉うしろにひかへたる、川村兵へ

か、馬のふとばらに、**すはっと**立」〈浄瑠璃―四天王高名物語〉❸ さま ねらったところへまちがいなく当てたり、投げこむさま。『**ズバッ**とどまん中を突いたストレート』「三原は躊躇《ちゅうちょ》なくヒットエンドランのサインを出す。〈略〉結果、作戦が**ズバッ**と当たる」〈栄光のためでなく・産経新聞・97・11・7〉❹ さま 古 器などにいっぱいになっているさま。「ミヅガ zzubato（ヅバト）ゴザル」〈日葡辞書〉

ずばらずばら さま 古 はばかることなくものを言うさま。ずばずば。「云はせて置けば、**ずばらずばら**と、初対面から筋無き過言」〈歌舞伎―貢曾我富士着綿〉

すぱり ❶ さま ものを一度に気持ちよく断ち切るさま。「どうか、**スパリ**とこの腕をやった切口をよく御覧なすって下さいまし、斬手がどのぐらいの奴だか」〈大菩薩峠・中里介山〉❷ さま ためらわず、ものごとを行うさま。「藤尾は**すぱり**と句を切った」〈虞美人草・夏目漱石〉❸ さま 煙管などを一口吸うさま。「煙管を口元へ持って行くのにも、腕をうしろから大廻しに廻して持っていって、やがて**すぱり**と一服すふのである」〈ロマネスク・太宰治〉

ずばり ❶ 音・さま ためらわないで勢いよく、一度に断ち切る音。また、そのさま。「生命の真中心へ、遠慮会釈もなく、**ズバリ**と切りさげた侮蔑のひと太刀だったのだからたまらない」〈今年竹・里見弴〉「剣を上段に持構へて居やうとは、**ズバリ**音して犬の首はコロコロと前へ転がる」〈面白半分・宮武外骨〉❷ さま ものごとの急所、核心などを、鋭く、正確につくさま。「**ずばり**と採否を決する返事を少しかん高い声で相手にぶつけた」〈闘牛・井上靖〉「『主権』というそののずばりの表現を使わずに」〈憲法講話・宮沢俊義〉

すぱりすぱり さま タバコなどを余裕を見せながら吸うさま。「『ふむふむ』と〈略〉金口を惜し気もなく**スパリスパリ**と吸ってゐる」〈腕くらべ・永井荷風〉

ずばりずばり ❶ さま 勢い鋭く、何度も、未練なく突いたり切ったりするさま。「渡辺君の剛球は**ズバリズバリ**と打者を料理して」〈熱球三十年・飛田穂洲〉「大地へ**ずばりずばり**と通すに千枚どほしにて駿河半紙《するがばんし》を突より易ければ」〈寄笑新聞・梅亭金鵞〉❷ さま ものごとの急所、核心などを、鋭くたたみかけてつくさま。「おかしな言葉遣いを**ずばりずばり**と指摘して楽しませてくれる」〈よみうり寸評・読売新聞・88・10・4〉

ずぶ ⇩コラム「ずぶ・ずぷ」

ずぶずぶ ❶ 音・さま 水やどろなどに沈みこんでゆく音。また、そのさま。体全体がぬれるさま。「昨日の雨に路の悪くなってゐるところがあった。低い駒下駄は**ズブズブ**入った」〈田舎教師・田山花袋〉「昌倫は李駿の**ずぶずぶ**に濡れた身体を抱えるようにして、嵐を突いてなかへもどった」〈後裔の街・金達寿〉❷ さま やわらかいものを、さし貫いたり切ったりくずしたりするさま。「其葱《ねぎ》を**ずぶずぶ**切らせて、大鍋にいっぱい鼈煮《すっぽんに》を製《こせ》へて食ふ」〈古今百馬鹿・式亭三馬〉❸ さま 酔いつぶれるさま。泥酔したさま。「ほんにほんにぜいこきの彦さん、**づぶづぶ**酔うた足本見とがめられては猶わる口とたぐり」〈浄瑠璃―山崎与次兵衛寿の門松・近松門左衛門〉

ずぶっ ❶ 音・さま 水やどろの中に急に沈みこむ音。また、そのさま。ものの全体を水につけこむさま。頭から水にぬれるさま。「無茶だと気づいた時には、**ずぶっ**と体が沈みかけ、したたかに海水を飲んでいた」〈漁火・高橋治〉❷ 音・さま やわらかいものを、さし貫くさま。水やどろに足をつっこんだときの音。

コラム オノマトペのもと

すぱ・ずば・ずぱ

「すぱ」は、刀などでものを鋭く切り裂くようすを表すとともに、思いきりがよくさっぱりとしたようすや、勢いよくためらいのないさまなどを表す。また「すぱすぱ」の形では、タバコを盛んに吸うさまも表す。

「すぱ」には「すぱすぱ」「すっぱり」「すぱっ」など語形のバリエーションが多く、表す意味もそれぞれ少しずつ異なる。たとえば「やめる、あきらめる」などと共起して、ためらいのないことを表すには「すぱっ」「すっぱり」が用いられるが、反復形の「すぱすぱ」はこの意味では用いられない。

「ずば」は、勢いにのって突然刃物などで切りつけるようすや、核心にふれることを無遠慮に言うさま、ものごとを思いきりよく行うさまなどを表す。派生語形が豊富で、特に「ずばり」は、ものごとの核心をためらいなく言い当てるようすを表すときによく用いられる。

［すぱの語群］
すぱすぱ・ずばずば・ずぱずぱ
すぱっ・ずばっ・ずぱっ
すぱり・ずばり・すっぱり・ずっぱり

	刀で―(と)切る	―(と)言い当てる	―(と)あきらめる
すぱすぱ	○	―	―
すっぱり	○	○	○
すぱっ	○	○	○
ずばずば	△	○	―
ずばり	―	○	―
ずばっ	○	○	―

	無遠慮に―(と)言う	タバコを―(と)吸う	矢が―(と)命中する
すぱすぱ	△	○	○
ずばずば	○	―	○

［表現］

「すぱ」「ずば」では、子音の清濁が意味の違いにことさら深くかかわる。刃物で何かを切りつけるさまを表すとき、清音形の「すぱっ」は、比較的軽く小さな対象を、鋭く浅く切り裂くさまを表すが、濁音形の「ずばっ」は、がっしりした対象を刀などで力強く切りつけるさまを表す。たとえば剣の達人が木片などを試し斬りする場合は「すぱっ」がふさわしいが、斬り合いなどの場面で相手を斬り倒すときには「ずばっ」がふさわしい。

清濁の対による表現効果の違いは、何かを言い当てる意味で「すぱ」「ずば」が用いられる際にも顕著に現れる。清音形の「すぱすぱ」「すぱっ」がクイズの正答を明快に言い当てるような場面で用いられるのに対し、濁音形「ずばずば」「ずばっ」「ずばり」は、相手の短所や欠点を臆《おく》することなく言い当てるときなどに使われる。

通常、清濁の対立は語の先頭の拍において起こるが、「すぱ」「ずば」では語中の拍「パ」「バ」においても生じる点が大きな特徴である。つまり語頭拍のみが濁音である「ずぱずぱ」「ずぱっ」のような形はあまり一般的ではない。しかし、漫画の表現や話しことばなど、新しく作られるオノマトペでは、こうした語形もしばしば現れる。

（那須昭夫）

また、そのさま。「足場を取りちがえ、ずぶっと深みへ落ちこんでしまった」〈水棲人・小栗虫太郎〉

ずぶり ❶さま 水やどろに沈みこむさま。「そして立泳ぎのやうになって足を砂につけて見ようとしたら、また**ずぶり**と頭まで潜ってしまひました」〈溺れかけた兄妹・有島武郎〉 ❷さま 刀、針、槍《やり》などを、一度強くやわらかいものに突き刺すさま。「まごまごすると、**ずぶり**と足の裏を刺しさうな大きな釘がそこに並んでゐる」〈一兵卒の銃殺・田山花袋〉「閃《きら》りッと長いのを引《ひっ》こ抜いて、**ずぶりっ**と草原へ突き立てますと」〈塩原多助一代記・三遊亭円朝〉 ⬇使い分け「ぶすり」

すべすべ さま 手ざわりや見た目がなめらかで快いさま。「絹物やったがな…**すべすべ**としてええ肌ざわりやがな」〈真空地帯・野間宏〉「紫色の文字をタイプした細長い**すべすべ**した紙が」〈風媒花・武田泰淳〉 ⬇使い分け「すべすべ」

ずべずべ さま 古 なめらかで勢いのあるさま。「御はだへをなでて見れば、其やはらかさ、**ずべずべ**として、御ししあいふとからず」〈魂胆色遊懐男・江島其磧〉「喜三郎が膏薬、ひとつけつければ、**づべづべ**と癒る」〈歌謡―落葉集〉

すべらすべら さま 手ざわりがなめらかで、薄く、張りのないさま。薄っぺらで、安っぽいさま。「なじょにもまァ**すべらすべら**した下着だべァ」〈日本人のへそ・井上ひさし〉

ずべらずべら さま 遠慮することもなく、よくしゃべるさま。べらべら。「云はして置けば**づべらづべら**とよくも立派に申したな」〈歌舞伎―松栄千代田神徳〈徳川家康〉〉

すべり さま なめらかなさま。つるり。「**すべり**と兀げた坊主頭へ縞目の立った手拭の向顱巻《むかうはちまき》」〈日本橋・泉鏡花〉

すぽ ⬇コラム「すぽ・ずぼ・ずぽ」

すぽすぽ さま ものが調子よく、ひと息に抜けたり、はまったりするさま。「仕事がうまく進まなかった時期、〈略〉芽が出たばかりの雑草を**すぽすぽ**と抜いたことがあった」〈都会でくらす・AERA・05・10・31〉「小間物や**すぽすぽ**させて壱本うり」〈雑俳―末摘花〉

ずぼずぼ さま 水やどろなどに沈みこんでゆくさま。「**ずぼずぼ**と沈んだ靴の中から紅い櫛が浮き上って、静かに大川を流れて行った」〈金銭の道・川端康成〉

すぼっ さま ものが、勢いよくはまりこんだり、大きくふくらんだものが急激に縮むさま。「ふしぎなものでさうやられると、こちらの気合ひが**スボッ**とちぢこまってしまひ」〈ボロ家の春秋・梅崎春生〉

すぽっ さま ものが、勢いよくひと息に抜けたり、落ちたり、かぶさったりするさま。「市内の私立大学へ無試験の推薦を受け、秋の末には、**すぽっ**と納まってしまったのである」〈清経入水・秦恒平〉「体が雪のなかへ**すぽっ**と沈んでしまって見えなくなるの」〈雪国・川端康成〉「**スポッ**、**スポッ**と石が

使い分け

【共通の意味】
表面がなめらかなようす。

すべすべ
つるつる／さらさら／のっぺり

❶**すべすべ**、**つるつる**は、表面がなめらかで、触るとすべるような感じがあるようす。**すべすべ**は、「肌が**すべすべ**している」のように、肌や髪が触るとなめらかであるようす。**つるつる**は、表面が滑りやすかったり、見た感じが光ったりしているようす。氷、板、金属などかたいものに使う。「凍った道を**つるつる**滑りながら駅へ急ぐ」「**つるつる**の光沢紙」 ❷**さらさら**は、粘ったり湿ったりせず、なめらかなようす。「くせのないまっすぐの髪が、**サラサラ**で美しい」 ❸**のっぺり**は、整っているが締まりがなく平たい感じのするようす。「特徴のない**のっぺり**した顔の役者」

コラム　オノマトペのもと

ずぶ・ずぷ

「ずぶ」は、やわらかいものの中に、尖ったものや細長いものが深く突き刺さったり、潜ったりするようすを表す。「ずぶり」は、古く一〇世紀の『大和物語』にも使われ、「ずぶ」も一三世紀の文献に例が見られる。どちらも全体がすっかり水の中にはいってしまうようすを表現したのが初めのようだ。

「ずぷ」もほぼ同じ意を表すが、現代ではあまり使われない。「ずっぷり」「ずんぶり」は、古くは日がすっかり暮れるさまも表した。

［ずぶの語群］

ずぶずぶ

ずぶっ・ずぶり

ずっぷり・ずんぶり

［表現］

「ずぶり」や「ずぶ」の古例、「水につふりと落入ぬれば」(『今昔物語集』)、「海にづぶと落ち入ぬ」(『発心集』)のような場合、この時期には「づ」の音が現在と異なる[du]であったし、「ぶ」という濁音の前には鼻音的要素が入っていたと思われるため、実際には「どぅんぶ(り)」というような音を表現していたはずである。すると現代語の「どぶ(ん)・ど(ん)ぶり」などに近く、「海に落ちる」ようすを表すのも納得できる。

やわらかいものを突き刺すようすを表した例は、「づぶづぶ」が一三世紀、「つふ」が一五世紀からあるが、「ずぶり」は近世、一九世紀後半にならないと現れない。やわらかいものが突き崩されるように刺されるのは「どぅんぶ」で表現できても、勢いよく一気に刺すようすは、「づ」の音が[zu]に変わってからの「ずぶり」のほうが適していたのだろうか。ちなみに「つふ」とかな表記されている場合、「つぶ」[tubu]という発音だった可能性も考えてみる必要があろう。

近世では、「ず(づ)ぶ」が直接ほかの語(名詞・形容詞・動詞など)を修飾して、「まったく、すっかり」の意で用いられた。「づぶ三文出す事はならぬ」(歌舞伎『七月二八曙』)、「唐本は…づぶ読めんで」(『志都の岩屋講本』)などの例がある。一七世紀初めの『日葡辞書』には「づぶと思い切る」という例文があり、おそらく一気に突き刺すようすから、「きっぱり、はっきり」の意が派生したものと考えられる。「まったく、すっかり」の「ずぶ」は、そこから用法が広がったものだろう。現代でも「ずぶの素人」(まったくの未経験者)という表現に残っている。

「ずぶぬれ」の「ずぶ」は、全身がぬれる意の「ずぶっと」なのか、「すっかり」の意の「ずぶ」なのか一概には定めがたい。『日本国語大辞典第二版』では、接頭語の「ずぶ」を立て、「したたかに、はなはだしくの意を添える」として、「ずぶぬれ」を例に挙げている。「ずぶ酔い」も同様で、同辞典では「ずぶ」を接頭語と見るが、「ずぶずぶに酔う」という表現があるため、泥酔したようすを表す「ずぶ」と「酔い」の複合語の可能性もある。

なお、泥酔したさまや酔っぱらいを表す「ずぶろく」の語は、「ずぶ」と、「宿六」「甚六」などと用いられる、人(男)を表す「ろく」とが複合してできたものと考えられるが、「どぶろく」と掛けているとの見方もあるようだ。明治の「新しい」小説、『当世書生気質』には、「ずぶろく」の上を行く酔っぱらいを「図部七《づぶしち》図部八」と呼んでいるくだりがある。

(宮武利江)

水へ投げ込まれた」〈城の崎にて・志賀直哉〉

ずぼっ 音・さま 勢いよくひと息に、突きぬけたり、はまりこむにぶい音。また、そのさま。「モグラ塚を見つけたら、上下方向に三メートル間隔で、てんぷらばしで地面をつく。**ズボッ**と棒が入る所が、モグラ道」〈モグラ見つけ方教えます・読売新聞・03・9・23〉

ずぽっ 音・さま 勢いよくはまりこんだり抜けたりするときの音。また、そのさま。「**ずぽッ**と脚を抜いた途端に片一方の靴が脱げた」〈細雪・谷崎潤一郎〉

すぽぽん 音 小鼓をたたく音。すっぽすっぽ。「ヱイヱイ**すぽぽん**のぽん、すっぽすっぽすっぽぽんと言うては、舞を舞うて候《そろ》」〈歌謡―歌沢節〉

すぽらぽん さま 調子よくものごとを行うさま。「庄屋にも口あかさぬ此おれを、大かぜにあふた綿畠へ見まふたやうに、**すぽらぽん**といひまはして、ハアといはそふでな」〈浄瑠璃―小野道風青柳硯〉

すぽり ❶ さま ものが、たやすく、ひと息に、抜けたり、はまったり、はずれたりなどするさま。「あれて狸のかへる穐風〈初雪〉　朝月や**すほり**とぬける桶の底〈桃首〉」〈俳諧―ゆずり物〉
❷ さま ものを頭から全身にかぶるさま。「外套の頭巾を**すぽり**と被って」〈吾輩は猫である・夏目漱石〉

ずぼり さま 勢いよくはまりこむさま。「私達は泳ぎをやめると一しょに、三人なが**らずぼり**と水の中に潜ってしまひました」〈溺れかけた兄妹・有島武郎〉

すぽん ❶ 音・さま ものがうまい具合に、ひと息に、抜けたり、はまったりする軽快な音。また、そのさま。すっぽり。『ビールの栓を**スポン**と抜く』「窓と簞笥のあいだにちょうどひざを立てたなりに**すぽん**とはまりこむほどの余地があった」〈銀の匙・中勘助〉
❷ さま 簡単にだまされたり、逃げられるさま。「きまってしんみちへい気にかこっておいたら**すぽん**とにげられた」〈端唄―大津ゑかへうた〉

ずぼん さま ものが重々しく抜けたり、落ちこんだり、はずれたりするさま。「丸く**ずぼん**と穴の明《あい》た古犢鼻褌《ふんどし》を屑屋にはらって」〈七偏人・梅亭金鵞〉

すほんすほん 声 古 洟《はな》をすすりながら泣く声。くすんくすん。「打ぞつぶてに恨み答へよ〈芭蕉〉　泪のみ**すほんすほん**と鳴《なき》をれば〈才丸〉」〈俳諧次韻・芭蕉編〉

すぽんすぽん ❶ 音・さま ものがうまい具合に、調子よく、次々と抜けたり、はまったり、当たったりする音。また、そのさま。「象牙の煙管筒を閑さうに抜差する音が**スポンスポン**と鳴る」〈多情多恨・尾崎紅葉〉
❷ さま 次々と調子よく、うまく的中するさま。「おかげさまで一発で本番OK。気に入った仕事はセリフもおのずと**スポンスポン**と入るものなんですね」〈主役・産経新聞・97・11・4〉

すやすや ❶ 音・さま 静かに気持ちよく寝入っている寝息の音。また、そのさま。「同じ部屋に蒲団を並べて寝ている同胞たちの寝息が**すやすや**と」〈忘却の河・福永武彦〉「星子は何を夢《ゆめみ》るのか、**スヤスヤ**と可愛《かぁゆ》き呼吸《いき》をしながらに」〈良人の自白・木下尚江〉 ⬇使い分け「ぐーぐー」
❷ さま 肌ざわりの快く冷たいさま。静かですきとおっているようなさま。「窓からは、**すやすや**した夜風が流れ込んで」〈黴・徳田秋声〉「夕気づいた冷《ひやっ》こい風が、窓から**すやすや**と流れてゐた」〈彼女と少年・徳田秋声〉

すやり さま 体つきなどが細く、端正なさま。「先づ其容貌をいはんに為山氏は丈高く面長く全体に**すやり**としたるに」〈墨汁一滴・正岡子規〉

すらすら さま 滞りなく、なめらかに、動作やものごとが進行するさま。「名代の健筆で〈略〉あれだけのものを書きますのに、

コラム オノマトペのもと

すぽ・ずぼ・ずぽ

「すぽ」は、何かが穴などにはまったり、抜けたりするときの音やようすを表す。

「すぽすぽ」は、はまったり抜けたりを繰り返す表現になる。「ずぼ」「ずぽ」も同様だが、「すぽ」はどちらかといえば軽いものが、穴とのサイズがぴったりで空間的余裕がなかった状態から一気に動いたり、すきまなく収まったりする感じなのに対し、「ずぼ」は比較的大きくて重いものが、わずかにすきまのあるところを、やや摩擦を生じさせながら(ほんの少しだけ「すぽ」より遅く)動いていくようすになり、「ずぽ」はその中間的な感じである。また、「すぽ」はかわいたもの、「ずぼ」「ずぽ」は湿ったもの(液体や泥状のもの)という印象がある。

「す(っ)ぽり」は、何かに完全にはまってしまった結果(状態)を示すことから、何かを頭から完全にかぶるようすも表す。

なお、「ずぽ」は新しい語形のようだが、「ずっぽり」の語が江戸時代に、「ずっぷり」(水中などに完全に沈みこんだり全身がぬれたりすること)と同義で使われた例がある。

【すぽの語群】

すぽすぽ・ずぼずぼ・ずぽずぽ
すぽっ・ずぼっ・ずぽっ
すぽり・ずぼり・ずぽり・すっぽり・ずっぽり
すぽん・ずぼん・ずぽん・すっぽん・ずっぽん

	ふたが―(と)はまる	帽子を―(と)かぶる	ぬかるみに―(と)はまる
すぽっ	○	○	―
すっぽり	○	○	―
ずぼっ	―	△	○
ずぼずぼ	―	―	○
ずぽっ	―	△	○
ずぽずぽ	―	―	○

【表現】

「すっぽり」には、江戸時代、人をまぬけ・あほうなどの意味でののしっていう使い方があった(「ヤレうっそりのすっぽりめ」などの例が浄瑠璃に見られる)。これは「すっぽりと(考えが)抜けている」の意から比喩的に派生したものと考えられる。

「すっぽ抜ける」は、はまっていたものが急に外れたり、力が完全に抜けること、記憶からすっかり抜け落ちる(=まったく忘れる)ことなどをさす語で、「すぽっと」抜ける、の意でできた複合語と見てよいだろう。「すっぽ抜け」はこの語の名詞形、ほかに「すぽん抜き」(一気に引き抜くこと、他人を出し抜くこと)という語もあるようだ。

『日本国語大辞典第二版』には「すっぽ抜かす」という見出し語もある。この語には「他人が期待していること、約束などを果たさずにほうっておく」と説明があって、最後に「すっぽかす」と言い換えている。二〇世紀前半の用例が示されているが、「すぽっと抜かす」のような意味での用法はないらしい。実は、同義である「すっぽかす」(または「すっぽらかす」)は「すっぽ+かす」ではなく、「ほかす」(放り捨てる意。現代でも関西方言で使われる。室町時代、「放下」の文字が当てられていることも多い)に接頭語「すっ」がついてできた動詞で、オノマトペの「すぽ」とは無関係なのだが、「すっぽ抜かす」は「すっぽ抜ける」と「すっぽかす」が混交して生まれてしまった語と見ることができるだろう。

(宮武利江)

すらすら筆が走りつづけて」〈戯作三昧・芥川龍之介〉「自然に**すらすら**と浄曲の世界へいざなはれて、あの重苦しい三絃の音までがいつとはなしに心のうちへ食ひ入って」〈蓼喰ふ虫・谷崎潤一郎〉「思ひの外に**すらすら**と治ることもあるからの」〈浮世風呂・式亭三馬〉

⬇使い分け「すらすら」「ぺらぺら」

ずらずら ❶さま 次から次へと並んでいるさま。ぞろぞろ。「そこに**ずらずら**と飾りつけてあったのは、最新流行の―もちろんお子様用―のビキニのかずかず」〈にんげん動物園・中島梓〉「なんだ、金魚の糞みたいに**ズラズラズラズラ**とつながって。もう少し緊張したらどうか」〈異形の者・武田泰淳〉

❷さま 続けて勢いよくものごとが行われるさま。「芸者が六人ばかり**ずらずら**と舞台にはしりだして」〈苦の世界・宇野浩二〉

❸さま 方言 一連のもののすべてに及ぶさま。一面に。ひととおり。「町見るたってバスで**ずらずらっ**と通っただけだ」〈北海道〉

すらっ ❶さま 姿が、細く形よく、のびのびとして高いさま。すらり。「**すらっ**として、吹く風も心せよと言ひたい柳腰に」〈続珍太郎日記・佐々木邦〉

❷さま 軽やかに、たくみなさま。滞りないさま。すらり。「いちど、滝壺ふかく沈められて、それから、**すらっ**と上半身が水面から躍りあがった」〈魚服記・太宰治〉「否定の答は、わりに**すらっ**と出たのだが」〈大道無門・里見弴〉

ずらっ ❶さま 人やものが迫力をもって並び連なるさま。ずらり。「他の重役、部長、課長というようなのが**ずらっ**と出迎えて」〈酒宴・吉田健一〉

❷さま 方言 同じ状態が続くさま。常に。いつも。「わだっきゃ（わたしは）、このごろ**ずらっ**と山ばかり見てた」〈北海道〉

すらり ❶さま 立ち姿が、やせて格好よく見えるさま。背丈の高くのびやかなさま。ほっそり。「若い女が、紺地に藍の竪縞の着物の胸を蘆手模様《あしでもやう》の帯に抑へて、品よく**すらり**と佇んでゐた」〈路上・芥川龍之介〉「中肉の背恰好**すらりっ**として洗ひ髪の大嶋田に新わらのさわやかさ」〈にごりえ・樋口一葉〉⬇使い分け「ひょろひょろ」

❷さま 刀などを軽やかにひと息に抜くさま。「反討《かへりうち》だと、編笠をとって捨、金貝《かながひ》ばりを**スラリ**とぬく」〈滑稽本―八笑人〉

❸さま さしさわりなく事が運ぶさま。つかえずに進むさま。「何か議論を始めて、ひどく相手の者が躍起となって来れば、此方は**スラリ**と流して仕舞ふ」〈福翁自伝・福沢諭吉〉「『何ぞ御用』と幾干《いくら》か透いて居た障子を**すらり**と開ける」〈婦系図・泉鏡花〉

使い分け

【共通の意味】順調に押しひろがったり、進んだりするようす。

すらすら／ぐんぐん／ぐいぐい／ずんずん

❶**すらすら**は、障害などがなく、順調にものごとが進んでいくようす。「相手国との交渉は、問題なく**すらすら**と運んだ」❷**ぐんぐん**、**ぐいぐい**は、勢いよく進むようす。**ぐんぐん**は、「生産額が**ぐんぐん**伸びる」のように、自分の意思と関係なく進むようすを表すのに対して、**ぐいぐい**は、「チームを**ぐいぐい**引っ張っていく」のように、力で推し進めるようす。❸**ずんずん**は、進み方が目に見えて力強く、はやいようす。「大またで**ずんずん**歩く」

❹さま 古 ある動きが一連のもののすべてにわたってすばやく及ぶさま。軽快に動くさま。「此台へ上れば十万世界が一目に**すらり**と見ゆる程に」〈四河入海〉

ずらり ❶さま 人、ものなどが迫力をもって多く並び連なるさま。「各流の宗家家元が**ずらり**と顔を揃え」〈地唄・有吉佐和子〉「宿泊者や、食事だけの外来客が、両側にず

らりと並んで、手盛りで食事をするのであった」〈ある日本宿・正宗白鳥〉

❷さま 滞りなく事が運ぶさま。「只かうず**らり**と読で、何の不審もなう、道に近しと云て、読者の心にすみてあるぞ」〈大学垂加先生講義・山崎闇斎〉

❸さま ある動きが一連のもののすべてに及ぶさま。「『解るか』と妙に他を馬鹿にしたやうに謂って、**ずらり**学生の顔を見廻したものだ」〈解剖室・三島霜川〉「東西東西高ふは御坐りますれ共・是より**ずらりっ**と申上ます」〈洒落本―一目土堤〉

すらりすらり さま 滞りなく、軽々とものごとが行われるさま。「いつとなく揃ってしめし合はせでもしたやうに熱烈なお幾の雄弁を、**すらりすらり**と除けながら」〈加護・宮本百合子〉「サラサラと明いたかと思ふと、**スラリスラリ**と忍び足で歩いて参り」〈怪談牡丹燈籠・三遊亭円朝〉

ずらりずらり さま 前進するさま。うまくすばやくするさま。「**Zzurarizzurarito**〈ヅラリヅラリト〉〈訳〉作品など、ものが前を行くさま。また、なにかを上手にすばやくするさま」〈日葡辞書〉

ずる ⬇コラム「つる・ずる」

するする ❶音・さま ものがすべってこすれ合うときの軽やかな音。また、そのさま。「正面の舞台の幕が**するする**とあがったのであった」〈苦の世界・宇野浩二〉「おうどんの湯気に顔をつっ込み、**するする**とおうどんを啜って」〈斜陽・太宰治〉「長手紙を急いで**スルスル**と巻納めにかかる」〈其面影・二葉亭四迷〉

❷さま 人や動物などが、速やかに滞りなく移り動くさま。「学習院の制服制帽した十四五の男児が**するする**と幹をすべり下りた」〈黒潮・徳冨蘆花〉「**するする**と床前《とこまへ》の座に戻って来る」〈大道無門・里見弴〉

❸さま 棒状、帯状のものが勢いよく伸びるさま。「白い煙が**するする**と木立をのして、黒木の葉の茂みに紛れ入る下で」〈少年行・中村星湖〉「大蛸の足は、**するするっ**とのびて、海女の乳房をゆする」〈北斎漫画・矢代静一〉

❹さま ものごとが滞りなく行われるさま。なめらかに進行するさま。「代って尺幅の絹本著色の美人図が**するする**と床壁にはまった」〈閨秀・秦恒平〉「書記は起ち上って、極めて早口に宣誓書を**スルスル**と朗読した」〈良人の自白・木下尚江〉「不思議や次第に円盤が**するするするする**廻転し始めて、再び生き生きとした小しづの美音が」〈異端者の悲しみ・谷崎潤一郎〉

❺名古 女房詞で、特に、出産が無事にすむこと。「さんかうの人かへりて御神事とくる。**するする**のよし申さるる」〈御湯殿上日記〉

ずるずる ❶音・さま 締まりなく引きずったり、徐々にすべり動く音。また、そのさま。「カニのかかったサシ網を〈略〉**ずるずる**と舟から陸揚げして」〈いやな感じ・高見順〉

❷音・さま ものを品なく吸ったりすすったりする音。また、そのように食べるさま。「こんどは鼻をやられたらしく、しきりにくしゃみ出、洟を**ずるずる**いわせる仕儀となった」〈海野十三降伏日記〉「御肴に今出すこのわた、料理人お風味をするとて、**ずるずる**とのむところ」〈咄本―鹿の子餅〉

❸さま とどまるところを知らずに、ずれ落ちたり、むけたりするさま。「馬は熱暑のために鞍傷を起し、背の皮は**ずるずる**にはぐれ」〈顔の中の赤い月・野間宏〉「額を撫でると膏《あぶら》汗《あせ》と雨で**ずるずる**する」〈琴のそら音・夏目漱石〉

❹さま 態度、ようす、気持ちなどが締まりのないさま。けじめのつかない状態が続くさま。「平凡でパッとしない給料取りの生活が、**ずるずる**と続いた」〈金色の鼻・古山高麗雄〉「お花見の計画も、懐中の乏しさに**ずるずる**に延びて居るうちに」〈大阪の宿・水上滝太郎〉

❺ さま 方言 火が盛んに燃えるさま。「まっと(もっと)火を**ずるずる**燃してくりょー」〈静岡県〉

ずるずるべったり ❶ さま ある状態を惰性やなりゆきにまかせて続けるさま。「このような根本的な動機は、一たん心の中に定着してしまうと、**ずるずるべったり**になるおそれがある」〈文学の根本問題・中島健蔵〉 ❷ さま 人間関係をなれあいで続けるさま。相手に甘えて頼ったり、からみついて離れなくなったりするさま。「それから、**ずるずるべったり**に今日まで附いて離れずに居るんだって…」〈妻・田山花袋〉 ❸ さま 連れだって締まりなく動作を行うさま。「三人が話しながら、**ずるずるべったり**に歩き出したものだから、際立った挨拶をする機会がない」〈三四郎・夏目漱石〉

するっ さま 軽い力で瞬間的にすばやくなめらかに動くさま。ひっかかりなくすべるように動くさま。「五十銭銀貨が二十枚くらゐはひってゐたので、重すぎて、それで懐から**するっ**と脱け落ちたのだらう」〈富嶽百景・太宰治〉

ずるっ ❶ 音・さま 液体や汁けの多い食べ物や鼻水などをひと息にすする音。また、そのさま。「末吉は口まで垂れかけた太いネギ洟《なば》を**ズルッ**と啜り上げて」〈石中先生行状記・石坂洋次郎〉 ❷ さま 力強く一気にすべり動くさま。すべるようにむけたりはがれたりするさま。「彼は急に双脚の力を失った。地面が**ズルッ**と足の下で滑った」〈美しき月夜・宮本百合子〉「懐へ手を入れてぐっと肱を張ると、**づるっ**と浴衣の右肩が外れて、滑かな柔かな雪の様な玉の肌が現れた」〈小夜千鳥・永井荷風〉

するり ❶ さま 動作がたやすく速やかなさま。「女はちっとも不自然ではなく、もとの話題へ**するり**と戻っていった」〈壁紙を貼る女・大原富枝〉 ❷ さま 動き方がすべるようになめらかなさま。「**するり**と夜具の中を脱出た」〈はやり唄・小杉天外〉

ずるり ❶ さま 動作がわずかに引っかかりを持ちながらもすべるように行われるさま。「こんど、生活が楽になりかけたら、幸福が**ズルリ**と逃げないうちにすぐ死んでしまひませう」〈放浪記・林芙美子〉 ❷ さま 重いものを引きずるさま。重いものがすべるさま。「雨で粘土《ねばつち》が滑るから、**ズルリ**と滑って落ちると」〈真景累ケ淵・三遊亭円朝〉

するりするり さま 動作が速やかで滞らないさま。そうした動作が反復するさま。「塞《せみ》の戸ぐはらぐはら鳴ってやかましいと、油をたくさんに引たれば**するりするり**と」〈咄本―富来話有智〉

ずるりずるり ❶ さま 重いものを少しずつ引きずるさま。重いものが少しずつすべるさま。だらしなく引きずるさま。「**ズルリズルリ**下駄を引きずりながら」〈父親・里見弴〉 ❷ さま 動作が滞らないで速やかに行われるさま。「Zururizururito(ズルリズルリト)〈訳〉なんの苦労も障害もなく物事をなすさま」〈日葡辞書〉

すれすれ ❶ さま ふれ合いそうなほど近いさま。「舟入川は今日も溢るるばかりに岸の草をひたして流れ、稲穂を積んだ舟が舷を水**すれすれ**に行き交うている」〈婉という女・大原富枝〉 ❷ さま もう少しで、ある規準や限界に達しそうなさま。きわどいさま。「何もかも打ち明けて了ひさうになってゐる烈しい感情が**すれすれ**のところまで昂まって来てゐた」〈帰郷・大仏次郎〉 ⬇使い分け「かすかす」 ❸ さま 摩擦の多いこと。互いにいがみ合い、仲の悪いさま。「二人の間柄が**擦《す》れ擦《す》れ**になると、細君の心は段々生家《とさ》の方へ傾いて行った」〈道草・夏目漱石〉
✸「すれずれ」とも。

すわ さま 刀をすばやく抜くさま。「太刀の柄《かつ》に手を掛け、**すは**と抜いで」〈義経記〉

ずわ さま 瞬間的に力強くものごとが行われるさま。「矢はあなたへつっと通《とほ》って大地に**づは**とたつ」〈保元物語〉「夫婦の玉しゐ離れぬ印合点と、脇指**ずは**と抜き放し元結際より我黒髪ふっつと切て」〈浄瑠璃―心中天の網島・近松門左衛門〉

すわすわ ❶ 音 古 水などを気持ちよさそうに飲むときの音。「御盥にみづから水を入させ給て、たまはせければ、うちうつぶきて、よによげに**すはすは**とみなのみてけり」〈古今著聞集〉「上戸の茶碗酒引請て、**すはすは**と呑過たるは気味よきものなり」〈随筆―三省録〉

❷ さま 古 滞りなく軽やかにものを切るさま。「すっぱり、すっぱり、**すはすは**すはと作て生姜酢きずきずとあへ」〈狂言―鱸庖丁〉

❸ さま 古 ものが軽く何かに当たるさま。「丸綿の**すはすは**うごく色直し」〈俳諧―野の錦〉

ずわずわ さま 古 思ったことを無遠慮に言うさま。「ヤイヤイ女め、おのれは何所のやつじゃ、所もおほひに此様な所で**ずはずは**と」〈歌舞伎―霧太郎天狗酒宴・並木正三〉

ずわらずわら さま 古 はばかることなくものを言うさま。「『やあ言はして置けば、**ずはらずはら**と』『上を恐れぬ雑言過言』『あまりといへば失敬至極』」〈歌舞伎―音響千成瓢・河竹黙阿彌〉

すわりすわり さま 古 ものを軽く、静かになでさすったり、また、切ったりするさま。「一尺三寸の鞘巻を抜き、手の内に耀《かがや》く様なるを、鬢《びん》の髪に**すはりすはり**と搔き撫でて」〈源平盛衰記〉

ずわりずわり さま 古 遠慮なく言ったり、行動したりするさま。ずばずば。「**づわりづわり**と番頭の、要らざる事を言やんないの」〈歌舞伎―お染久松色読販・鶴屋南北〉

すん ❶ さま 古 冷たい態度をとるさま。すげないさま。そっけないさま。つん。「さうした事はなりませぬと、**素《すん》**とした顔つきに」〈浮世草子―好色万金丹〉

❷ さま 古 内心では関心がありながら表面的に関心のないふりをするさま。つん。「嬉しさの身に余ほど今義、観了が手前をはばかり、**すん**とした目遣のはしに雲かかるよそほひ」〈御前義経記・西沢一風〉

❸ さま 古 しなやかで、張りのあるさま。身のこなしが整っていて、いかにも芸者風であるさま。「梅のずあい（＝小枝）の**すん**として、態《わざと》ならぬ色香あるは、東の人の気象に叶へば」〈根無草・天竺浪人（平賀源内）〉

ずん ❶ 音・さま 重々しくひびく音。太鼓の音や重いものが落ちたときの音。また、そのさま。『母親の説教が、腹に**ずん**とこたえた』

❷ さま 動作が勢いよく行われるさま。たやすく行われるさま。「匍匐《はらんばひ》に成て居る背中の上へ、あの大きな尻を**ヅン**と乗《のせ》られたもんだから」〈七偏人・梅亭金鵞〉

❸ さま 程度の隔たってはなはだしいさま。ずっと。はるかに。ぬきんでて。「父と、ここの住職とは、同じ出身でも、福々しさが**ずん**とちがってゐた」〈金閣寺・三島由紀夫〉「夫れよりも、夫れよりも**ずん**と好いは、お前の隣に据ってお出なさるのなれど」〈たけくらべ・樋口一葉〉

すんがり ❶ さま 細く背の高いさま。すらり。「年の頃は二十歳ばかりの殿御が、**すんがり**と立って、わたしが幕の内を覗いて居さしゃんしたわいなア」〈歌舞伎―鳴神〉「**俏《すんがり》**とした風の好女《よいおなご》」〈譬喩尽〉

方言 背たけがよくのびて姿のよいさま。「あの人は**すんがり**としておる」〈長崎県〉

❷ さま すがすがしいさま。気分が晴れやかなさま。「此**スンガリ**致しましたお題と云ふものは極々読み憎いもので」〈落語―三保の松原・橘家円喬〉

❸ さま 方言 気持ちよく晴れ上がったさま。「**すんがり**したお天気」〈大阪府〉

ずんぐり ❶ さま 肉づきがよく太りすぎなさま。ものが太くて短いさま。「**ずんぐ**

りとした体付の対馬金之助は柔道が講道館二級だけあって、がっちりとしてゐるし」〈自殺未遂・荒木魏〉「空冷式の胴が**ずんぐり**ふくらんでいるので〝熊ン蜂〟という渾名のついた戦闘機」〈青い月曜日・開高健〉

❷さま 声が低く野太いさま。「背後から、錆びた**づんぐり**した声で、『源ぢゃあねえか、おい、源坊』」〈湯島詣・泉鏡花〉

ずんぐりむっくり さま 肥え太ってふくれているさま。「横巾の広い筋骨の逞しい、**ズングリ**、**ムックリ**とした生理学上の美人で」〈浮雲・二葉亭四迷〉

すんごり ❶さま古 木などが静かに暗く茂っているさま。「煮おもしろき銀の風呂釜〈宵烏〉 **すんごり**と檜の茂る川むかひ〈呉花〉」〈俳諧―市の庵〉

❷さま古 精気なく立っているさま。「幽霊の姿に成こくらがりに**すんごり**と、立ゐたる体をみて」〈浄瑠璃―猫魔達〉

すんころり さま たやすく軽々と転がったり、転がすさま。「うっかりとして居る者を、**すんころり**となぜ投げたのぢゃ」〈歌舞伎―隅田川続俤（法界坊）〉

ずんず さま 滞りなく力強く進むさま。ずんずん。「磯の千鳥をぼっかけて、石づきつかんで**ずんず**とのばしゃる」〈浄瑠璃―鑓の権三重帷子・近松門左衛門〉「ウス壁に**づんづ**と寒が入にけり」〈七番日記・一茶〉

すんずり さま 涼しく気分のすがすがしいさま。「殿達のお楽みといふ物は**涼《すん》ずり**とした川狩」〈浄瑠璃―道中亀山噺・近松半二〉

すんすん ❶さま 動作が滞りなくすみやかに行われるさま。ずんずん。どんどん。「雲雀ひねもすうつらうつらと啼けりうららかに声は桜にむすびつき桜**すんすん**伸びゆけり」〈抒情小曲集・室生犀星〉

方言 間をおかずに、次々に行われるさま。「開票の結果を**すんすん**に報告して来る」〈高知県〉「としょ（年を）とると、**すんすん**に小便に行きと―なる」〈高知県〉

❷さま古 冷たくすげないさま。つれなくあたるさま。つんつん。「賢女立して**すんすん**とすげなき御身が心を表し、梅花を味方に参らする」〈浄瑠璃―国性爺合戦・近松門左衛門〉

方言 不機嫌なさま。無愛想なさま。「何が気にいらんかしらんが、妙に**すんすん**しよる」〈高知県〉「妙に**すんすん**した嫁ぢゃ」〈高知県〉

ずんずん ❶音 心地よくひびく重く低い音。「進駐軍に招かれたクリスマスパーティーで、初めてジャズの生演奏を聞いた。**ズンズンズン**と響く音に、思わず体が弾んだ」〈惜別・朝日新聞・02・7・15〉

❷さま 傷などが脈打つように痛むさま。ずきずき。「血管の脈を打つと共に、**ズンズン**と響くやうな痛みと」〈地獄の花・永井荷風〉「頭が**ずんずん**して堪らねえから」〈人情本―藪の鶯〉

❸さま わき目もふらず、遠慮なく、力強く進んで行くさま。「向うでも側見《わきみ》もせず、**ずんずん**早足に歩いて行くので」〈煤煙・森田草平〉「母は矢張無言で**ずんずん**落葉に埋む小途を山へ山へと上って行くから」〈思出の記・徳冨蘆花〉 ⬇使い分け「すらすら」

❹さま ものごとが遅滞なく、次から次へと進むさま。「霧は一刻毎に**ずんずん**深くなるばかりなのです」〈河童・芥川龍之介〉「もっともっと自由に伸《のん》びりと、仕《し》たい事を**ずんずん**やって行けるやうにならねば駄目だ」〈暗夜行路・志賀直哉〉

ずんちゃっちゃ 名 三拍子のワルツ。ぶんちゃっちゃ。ずんたった。「音楽を聞かせながら生地を発酵させると味がまろやかになるそうだ。〈略〉ワルツの**ズンチャッチャ**というリズムが一番、効果がある」〈食！味な関西・読売新聞・05・11・10・大阪版〉

ずんでんどー さま 勢いよく大きく転ぶさま。ずでんどー。「鞍壺にたまらず**ずんでん堂**とこける」〈自転車日記・夏目漱石〉

すんなり ❶さま 長細くしなやかなさま。しとやかなさま。『**すんなり**とした手足』「背筋の両側には細々とした撫で肩が、地へ曳く衣と諸共に**すんなり**と波打ってゐる」〈母を恋ふる記・谷崎潤一郎〉 ❷さま おだやかなさま。抵抗感がなく、すなおなさま。さしさわりなく、事がはこぶさま。「一度お目にかかっただけで話は**すんなり**まとまった」〈手鎖心中・井上ひさし〉

⬇使い分け「ほいほい」

ずんば ❶さま 古 器などにいっぱいになっているさま。ずば。「胡椒袋に胡椒を**ずんば**と掻いいれたつんて見やれや胡椒はからいものしゃ」〈歌謡―田植草紙〉 ❷さま 古 突然に、または、ためらわないでものごとを行うさま。勢いにのって切るさま。ずわ。「うんのきわめのかなしさは、馬のひらくびに、**ずんば**とたつ」〈浄瑠璃―木曾物語〉

ずんぶら さま 水やぬかるみに足をとられてすべりこむさま。「足もとが本当ぢゃねえから**ずんぶら**のめっちゃったもんでさ」〈土・長塚節〉

ずんぶり ❶さま 水中などに、ものの全体が沈みこむさま。水・雨などに、からだ全体がぬれるさま。ずっぷり。『**ずんぶり**染め』(＝藍《あい》のはいったかめにひたして染めた布地)「遙か江ノ島の燈火は、づんぶりと海面に沈んで低く見えた」〈真理の春・細田民樹〉「是は是は**ずんぶり**とぬれたは」〈狂言記―飛越新発意〉 ❷さま 夕日が山の端に沈んで、完全に日が暮れるさま。とっぷり。「はや日は**ずむぶり**とくれた」〈狂言―狐塚〉「火ともせは**ずんぶり**暮るる紅葉哉」〈寒山落木・正岡子規〉 ❸名 風呂、浴場、また、湯にはいることの隠語。「テンカリヤ(散髪屋)へ行く前にひとまず俺は**ズンブリ**(銭湯)へ行く必要があった」〈いやな感じ・高見順〉 ✵湯にずんぶりとはいる意から。

ずんべらぼー さま・名 凹凸《おうとつ》や出っ張りの部分がなく、締まりのないさま。また、そのような人。「**ずんべらぼう**に肥った軀幹を片手で撫で」〈へぼ胡瓜・岡本一平〉

ずんべり さま なめらかにすべるさま。どこといって、つかまえどころのないさま。「**ずんべり**と竹に油を塗るやうに、だます男が候」〈浄瑠璃―信田小太郎〉 ✵「すんべり」ともいう。

ずんやり さま 方言 長い間続くさま。じっくり。「ここんとこ**ずんやり**雨が続いてのう。もう困っとんじゃ」〈香川県〉「**ずんやり**時間をかけて仕上げよう」〈香川県〉

せ

せいせい ⬇漢語編①「せいせい(正正)」②「せいせい(済済)」③「せいせい(清清・晴晴)」 ⬇使い分け「すかっ」

せーせー 音・さま のどにひっかかるような息づかいのせわしい音。あえぐさま。「誠しやかに**せえせえ**息を切っていひますから」〈真景累ケ淵・三遊亭円朝〉

ぜーぜー 音・さま はげしい息づかいの音。また、そのさま。「旧式の機関車がその道路の真中に立ちはだかって〈略〉**ゼーゼー**と白い息を吐いている」〈いやな感じ・高見順〉「手をとめて**ゼイゼイ**と息をついている」〈雪の下の蟹・古井由吉〉

せかせか ❶さま あわただしく、動作などの落ち着かないさま。せきたてられるようで気持ちの落ち着かないさま。「小坊主の頭を一つ撫でると、小股歩きに**せかせか**と岸本家を退去していった」〈雁の寺・水上勉〉「十吉が横着でいつまでも礼廻りに出

かけないやうに思って、毎日**せかせか**言って」〈小鳥の巣・鈴木三重吉〉 ⬇使い分け「そそくさ」

❷さま せせこましいさま。こまごまとしているさま。「**せかせか**とこわけにわけたを、うちあわせて、大なる一県として、一県ことに、一令を置ぞ」〈史記抄〉

せきせき ❶さま古 落ち着かない動作を繰り返すさま。「**せきせき**に向うへ帰ってゆく一人に振り返られて」〈山彦・鈴木三重吉〉

❷⬇漢語編①「せきせき(寂寂)」 ②「せきせき(戚戚)」

せぎり 音古 太鼓をたたく音。「いつもより今朝打つ太鼓の音《ね》のよさよ、上《みか》の御寺《おてら》か安国寺かの〈略〉**せぎり**せぎり、ずでんどうと打ったる太鼓のねのよさ」〈歌舞伎事始〉

せきれき ⬇漢語編「せきれき(淅瀝)」

せこせこ ❶さま こまかく動いて落ち着かないさま。「うしろから**セコセコ**追っかけてくるカメの旦那に」〈にんげん動物園・中島梓〉

❷さま こまかく小さなことを繰り返すさま。『**せこせこ**小銭をためる』

せせくさ さま古 手でにぎりつぶしてしわにすること。「のむこぐすりにむせて腹だつ〈季吟〉 **せせくさ**にあたら土佐紙したしたり〈正立〉」〈俳諧―大長刀〉

せせくしゃ さま古 こまかく乱雑になるさま。しわくちゃ。もみくしゃ。せせくさ。「**せせくしゃ**に小町ものちはみだれ髪」〈雑俳―住吉おどり〉

せせほしゃ さま古 小声で話すさま。ぼしゃぼしゃ。「此うつくしいお顔で何やら**せせほしゃ**ささやいてひったりだきつかしゃんすやいなや」〈浄瑠璃―浦嶋年代記・近松門左衛門〉

せたせた さま古 あわてて落ち着かないさま。せかせか。「私所のあてなしが、此中はけしからず、内をせはって**せたせた**と、俄にいぢると思ひしが」〈浄瑠璃―傾城八花形〉

せっせ さま 休まず一所懸命に行うさま。「霞ケ浦に降り立ったB記者が、船中、**せっせ**書いた原稿をよみあげようと、電話にかじりついたら」〈鉛筆ぐらし・扇谷正造〉 ⬇使い分け「せっせ」

せっせくちゃ さま やたらにつつきまわすさま。もみくしゃ。「爰は御出家の御役とあひを頼めば、其又あひ**せっせくちゃ**と酒になり、すまし汁にざっと精進料理も風情有て」〈浮世草子―商人職人懐日記〉

せつせつ ⬇漢語編「せつせつ(切切)」

せらせら さま のどがかわいて痰《たん》などがからむようなさま。のどがいがらっぽい感じになるさま。「顔は忽ち燻《すく》んで、喉が**セラセラ**する程胸が苛立つ」〈病院の窓・石川啄木〉「馬があんまり泣くものですから、ついつりこまれて一寸鼻が**せらせら**しました」〈貝の火・宮沢賢治〉

方言 のどに痰や唾が詰まって不快なさま。

使い分け

【共通の意味】 努力をたゆまず続けるようす。

せっせ こつこつ／しこしこ／あくせく／営営

❶**せっせ**、**こつこつ**、**しこしこ**は仕事や勉強、または作業を休まずに続けるようす。**せっせ**が一生懸命励んでいるようすであるのに対して、**こつこつ**、**しこしこ**は目立たない地味な作業を、粘り強く続けるようす。また、**しこしこ**には自嘲めいた感じもある。「商品開発のため、**せっせ**と情報をあつめている」「十年間**こつこつ**と続けた研究が認められた」「たいした趣味じゃありませんが、**シコシコ**やっています」 ❷**あくせく**、**営営**は心にゆとりがなく、働き続けるようす。「**あくせく**働いて、やっと家を手に入れた」「**営々**と自分の小さな店を続けてきた」

「しぇらしぇら」「せろせろ」ともいう。「のどの**せらせら**じあいっこ　よぐなんなくて（のどのいがらっぽいのが一向によくならなくて）」〈岩手県〉「のどさ痰がからまって、**せろせろ**じー」〈岩手県〉「のどぁ**しぇらしぇら**どなった」〈秋田県〉

ぜらぜら　さま 古 動作ののろいさま。ぐずぐず。のろのろ。「**ぜらぜら**と襷のはしを縄になふ」〈雑俳―千枚分銅〉

せりせり　❶ さま 古 動作などの落ち着かないさま。ものごとをせきたてるさま。せかせか。「気のとっさかな姑に、**せりせり**いぢりたでられて、命もなしやありの実の」〈浄瑠璃―心中宵庚申・近松門左衛門〉

❷ さま 古 せせこましいさま。こせこせ。「**せりせり**いふがにくさに、見てもみぬふりするがおかし」〈新色五巻書・西沢一風〉

❸ さま 古 言動などのこうるさいさま。「**せりせり**となく子を籠《ごふ》につきすへて〈卓袋〉大工屋根やの帰る暮とき〈芭蕉〉」〈俳諧―みかんの色〉「日がな一日、**せりせり**とやかましう云うて」〈歌舞伎―敵討安栄録〉

ぜりぜり　音・さま 痰《たん》などがのどにからまって、音をたてて息をするさま。ぜーぜー。「**ぜりぜり**した声を御惜しみなく精限《せいぎ》りに」〈毒朱唇・幸田露伴〉

せろせろ　→せらせら。

ぜろぜろ　音・さま 上気道に痰《たん》などがひっかかって気管が狭くなったときにおこる呼吸音。そのような音をたてて息をするさま。喘鳴《ぜんめい》。「ふだんから風邪を悪化させては、**ゼロゼロ**と息が苦しくなる癖はあった」〈女性記者発・読売新聞・94・12・14〉

せんえん　⇩漢語編「せんかん（潺湲）」

せんかん　⇩漢語編「せんかん（潺湲）」

せんせん　⇩漢語編①「せんせん（閃閃）」②「せんせん（戦戦）」③「せんせん（潺潺）」

そいそい　音 古 休みなく歯切れよく静かにものをかむ音。「蚕の桑葉を**そいそい**と食て、あげくに食尽様にするぞ」〈漢書列伝竺桃抄〉

そーそー　❶ さま 方言 水や涙の流れるさま。ざーざー。じゃーじゃー。「ならぬ**そーそー**うてぃーん（涙がぽろぽろこぼれる）」〈沖縄県〉「みじ**そーそー**かきゅん（水をざーざーかける）」〈沖縄県〉

❷ ⇩漢語編①「そうそう（淙淙）」②「そうそう（蒼蒼）」③「そうそう（層層）」④「そうそう（錚錚）」⑤「そうそう（簇簇）」⑥「そうそう（鏘鏘）」

ぞーぞー　さま 古 寒さや恐ろしさなどのため、全身が鳥肌だって身ぶるいするさま。ぞくぞく。「春代は、身柱《ちりけ》もとから**ぞうぞう**と寒気だってゐた」〈今年竹・里見弴〉

そうそうろうろう　⇩漢語編「そうそうろうろう（蹌蹌踉踉）」

そーっ　❶ さま 相手に気づかれないように行動するさま。「**そーっ**と忍び足で近寄ると」〈吾輩は猫である・夏目漱石〉

❷ さま 注意深く動いたり扱ったりするさま。「弁天の池の端を通るとき、**そうっ**と薄く眼を開いて見ると蓮の花や葉がありありと見えた」〈少年時代・幸田露伴〉

ぞーっ　さま 寒さや恐ろしさで体がふるえあがるような感じのするさま。「寝ているところを上から懐中電燈で照らされたのには驚いた。**ぞうっ**とした」〈わが母の記・井上靖〉「其時は実に僕は**悚然**《ぞうっ》としたよ。今憶出しても、ああ寒くなる」〈多情多恨・尾崎紅葉〉

そうろう　⇩漢語編「そうろう（蹌踉）」

そがそが　❶ さま 古 すきまなどがあってさ

むざむとしたさま。肌寒いさま。「ゆふべそがそが降ったる雨は虎が涙か風強し」〈山家鳥虫歌〉
❷さま古貧乏じみたさま。貧弱なさま。「憂き節の身の寄辺定まるよすがもなく、**曾我曾我**《そがそが》したる野辺送り」〈浮世草子―好色万金丹〉
✸②は、曾我兄弟が貧に苦しんだところから「曾我」をかける。

ぞきり ❶音ものを一刀にきざみ切る音。じょきり。「揉み上げを米噛みのあたりから**ぞきり**と切り落す」〈琴のそら音・夏目漱石〉
❷音急激に動悸《どうき》などがはげしく打つ音。どくり。「揉み上の所では**ぞきり**と動脈が鳴った」〈草枕・夏目漱石〉

ぞく ⇩コラム「ぞく・ぞく」

そくそく ❶音古ものをきざんだり、土や砂などを踏む際の、軽快でさわやかな感じの音。さくさく。「夫れを座敷一杯に拡げて端から**ソクソク**切ったのだから御察し遊ばせ」〈落語―お蕎麦の殿様・禽語楼小さん〉
❷さま古静かで、進みのゆるやかなさま。「坂を上がる時、身を軽く持ちて、ひっ締めて、**そくそく**と上がれば良し。又くだる時は、力を入れ《れい》、とくとくと足をふみさだめてくだり候へばよし」〈禅鳳雑談〉
方言 時間をかけて少しずつ行うさま。ゆっくり。そろそろ。千葉県・東京都・北陸地方・岐阜県。「こわれものだ、気付けて**そくそく**運べ」〈千葉県〉「あぶねえさけえに(危ないから)、**そくそく**いけよ」〈新潟県〉「嫁にきて三年にもなりゃ**そくそく**とじゅうぶん(わがまま)も言うちゃ」〈富山県〉「なこどにん(仲人)が**そくそく**と行きようるて」〈岐阜県〉
❸⇩漢語編「そくそく(惻惻)」

ぞくぞく ❶さま寒さで身のふるえるさま。病気などで悪寒の走るさま。「**ぞくぞく**する寒さを感じながら」〈苦の世界・宇野浩二〉⇩使い分け「ひんやり」
❷さま感情のたかぶりや緊張、期待・恐怖などで、身のふるえをおぼえるさま。「芝居の好きなものは小屋のまへを通っただけでも**ぞくぞく**したものですが」〈春泥・久保田万太郎〉「手前はあの絵を憶出すと今以て**ゾクゾク**します」〈社会百面相・内田魯庵〉「その勇しいこと、考へても身体が**ぞくぞく**するやうだ」〈正雪の二代目・岡本綺堂〉⇩使い分け「わくわく」
❸音・さま古ものを力を込めてきざみ切る音。また、そのさま。ざくざく。「着物の上から**ゾクゾク**肋へかけて切り込みましたから、お園は七転八倒の苦しみ」〈真景累ケ淵・三遊亭円朝〉
❹⇩漢語編①「ぞくぞく(続続)」②「ぞくぞく(簇簇)」

ぞくっ ❶さま寒さや恐ろしさで一瞬身のふるえるさま。ぶるっ。「外へ出ると、生寝《なまね》の身体に**ゾクッ**と寒さが来た」〈不在地主・小林多喜二〉
❷さまうれしさや感動で一瞬身のふるえるさま。「櫛を持った種はそれを聞きながら何やら**ぞくっ**とする程嬉しくて」〈神楽坂・矢田津世子〉

ぞくり ❶さま急に、はげしく、寒気や怖気を感じるさま。「海上《うながみ》が来たのだなと、**ぞくり**として総毛だちまするが、返事をしない訳にはいかないので」〈根岸お行の松因果塚の由来・三遊亭円朝〉
❷さまものを一度、力を込めて切ったり割ったりするさま。ざくり。「奥の間へ往って鏡台の引出しより剃刀を出しまして鼻をズカリ、髪を**ゾクリ**」〈落語―鼻無し・橘家円喬〉

そげそげ ❶さま古まとまりがなく、調和のとれていないさま。いい加減で誠実みのないさま。「いか様共よゐよふにして遣はされと、**そげそげ**成る挨拶では、最早夫も初めいいし事にて」〈平洲先生諸民江教諭書取〉
❷さまやせ衰えたさま。やつれているさま。「**そけそけ**と痩し皃なる朝の鹿」〈俳諧―

コラム オノマトペのもと

そく・ぞく

長塚節の『土』に、「草刈鎌でそくそくと土をつつくやうにして掘った」という表現があり、「そくそく」は、土を耕したり、砂をくずしたり、ものをきざんだりするときの軽快でさわやかな感じのする音をいう。また、静かでゆっくりしたようすを表す擬態語として、方言などにいくつかの例を見ることができる。

「ぞくぞく」は、悪寒がはしったり、寒さや恐怖などで体のふるえたりするさまを表す。「ぞくぞく」が持続する感覚であるのに対して、「ぞくっ」は瞬間的であり、「ぞくり」は急ではげしいふるえをさす。

「そっくり」は、「ありのままの状態」や「すべて何もかも」を表す語で、そこから、異なる二つのものがよく似ていることも「そっくり」という。

「そくそく」「ぞくぞく」には漢語表現からくる同音異義語も多い。たとえば、「惻惻」は身にしみて感じるようす、「続続」は、次から次へと現れたり続いたりするようす、「簇簇《ぞくぞく》」は群がり集まるようすを表す。

【そくの語群】
そくそく・ぞくぞく
ぞくっ・ぞくり
そっくり・ぞっくり

【表現】

風邪のひき始めなどに寒けや悪寒を感じるとき、「ぞくぞくする」という。これは気温が低くなって感じる寒さではなく、風邪によって体温が変化する過程で体内に寒さを感じることによる。寒けや悪寒で体がふるえるように感じることもあるが、ふるえが大きかったり、ふるえに焦点を当てると「がたがた」や「ぶるぶる」を使う。

恐怖で「ぞくぞく」するときも、本当に体がふるえるというよりも、体がふるえるような緊張感をいう。恐怖で体が縮こまり、ふるえるように感じるのである。「ぞくぞく」しているかどうかは、ほかの人からははっきりわからないことも多い。

「ぞくぞく」はまた期待や喜びで興奮して、体がふるえるような状態を表す。「あこがれの野球選手に会えるかと思うとぞくぞくする」などと用いる。恐怖とは正反対の心持ちだが、どちらも心の状態を表す。「ぞくぞく」はマイナスのイメージをもつだけでなく、プラスのイメージにも使われる。

「そっくり」は、「そっくりそのまま」という強調の表現があるように、その状態のまま全部という意で使われる。「泥棒にそっくり盗まれた」などは、残らず根こそぎの意味がある。「借りた金をそっくり返した」という場合は、遣わないまま同一の貨幣を返したのか、同額ではあるが別の札を返したのかは不明である。

とてもよく似ている、瓜二つという意味で「そっくり」が使われるときには、形容動詞や名詞として使われることが多い。「この子はお父さんにそっくりだ」「世界には自分にそっくりな人が三人いるといわれている」「そっくりの花びんを買って弁償した」のように言う。

有名人の「そっくりさん」が登場し、そのそっくり具合を競ったり、ものまねでどれだけそっくりかを競ったりする「そっくりショー」などの趣向は、いつの時代にも人気を集めやすいものである。

（守山恵子）

青蘿発句集〉

方言やつれて見えるさま。「どこが悪りがそげそげとすている」〈宮城県〉

❸さま方言冷ややかに排斥するさま。「そんなにそげそげするな」〈徳島県〉

そごそご ❶さま古気落ちして元気のないさま。すごすご。「蕭は**そごそご**として衰えたなりぞ」〈玉塵抄〉

❷さま古かわいたものやこわばったものなどが、ふれるさま。「身に木綿物を当れば、**そごそご**して風を引出し」〈風流曲三味線・江島其磧〉

ぞごぞご さま寒さや恐怖、不快などのため、体のふるえるさま。「躰中の血がさっと上って、**ゾゴゾゴ**と震へたよ」〈良人の自白・木下尚江〉

そそ ❶音古静かに風の吹く音。そよ。「荻の葉に風の**そそ**吹く夏しもぞ秋ならなくにあはれなりける」〈曾丹集〉

❷さま古静かなさま。軽やかなさま。「盃に銚子の口を二度**そそ**とあて、三度目に入る也」〈宗五大草紙〉「此詩は楽天が詩を**そそ**と直《なお》いて」〈山谷抄〉

❸⬇漢語編「そそ(楚楚)」

そそくさ さま態度、行動が落ち着かないさま。あわただしいさま。あれよあれよという間に。「そこでまた新しい見本市の話をし**そそくさ**と荷物をまとめると」〈ハッピネス・小島信夫〉「大衆浴場〈略〉へ行き、**そそくさ**と汗を流す。他人の入った風呂場は苦手也」〈夢声戦争日記・徳川夢声〉⬇使い分け「そそくさ」

そそっ さま動作が軽やかなさま。そそ。「虚空をじっと見据え、静かに舞い始めた。**そそっ**と白足袋の足が動き」〈スローライフ・産経新聞・04・3・16・大阪版〉

ぞぞっ さま不快な寒気を感じるさま。「**ゾゾッ**と寒気がした。あの白い影はF君だったのだ」〈黄昏綺談・毎日新聞・94・12・11〉

そっ ❶さま音をたてないように、静かにものごとを行うさま。注意深く扱うさま。「**そっ**と雨戸を開け放った。窓際を枕に寐てゐたので、空は蚊帳《かや》越《ごし》にも見えた」〈行人・夏目漱石〉「爪紅の走る可愛き指、其が大事さうに、**そっ**と花を摘みました」〈流転・嵯峨之屋御室〉

❷さま他人に気づかれないように、ひそかにものごとを行うさま。内々《ないない》に。隠れて。『**そっ**と打ち明け話をする』「母親の留守中に**そっ**とその証書を取り出し、裏書《うらがき》をして、実印を捺した彼は」〈善心悪心・里見弴〉

❸さま何も刺激するようなことをせずに、放っておくさま。「ここへ来ることがいけ

使い分け

【共通の意味】
急ぐことなどがあって、落ち着かないようす。

そそくさ
あたふた／そわそわ／せかせか／わさわさ

❶**そそくさ**は何か理由があるために、態度や行動が落ち着かなくて急いでいるようす。「急用ができたらしく、**そそくさ**と会議室から出て行った」❷**あたふた**は、非常にあわてていて、落ち着かず大急ぎであるようす。「社長が呼んでいると言われて、**あたふた**と社長室へ向かった」❸**そわそわ**、**せかせか**、**わさわさ**は、態度などが気ぜわしくて、落ち着かないようす。**そわそわ**は、何か心の中に期待することがあり、それを落ち着かない気持ちで待っているようす。「はじめてのデートで朝から**そわそわ**している」。**せかせか**は、気ぜわしく動き回って落ち着きがないようす。「**せかせか**と用件だけ話して、すぐに出て行った」。**わさわさ**は、その場の雰囲気や人々の気分が落ち着かないようす。「学期初めの教室の中は**わさわさ**している」

ないことになると、とても困るんです。そっとしといて下さいまし」〈壁紙を貼る女・大原富枝〉

❹さま ほんのわずかなさま。『ちっとやそっとじゃ許されない』「そっとしたる事にも大きい事にも礼ばかりを用て、和を不レ用、事が不レ成也」〈論語抄〉

ぞっ ❶さま 恐ろしさや寒さで一瞬、体がふるえあがるさま。「刑事さんが通り合わせてくださらなかったらとおもうと、**ぞっ**とします」〈砂漠の駅・森村誠一〉「梢を荒す木《こ》の葉落し、**ぞっ**とする程風が寒く、何んだか後ろが見らるるやうだ」〈歌舞伎—因幡小僧雨夜噺・河竹黙阿彌〉

❷さま 強い感動が身内を走り抜けるさま。「年はたしかに十六七、**ぞっ**とするほど美しき姿もはでな替り嶋」〈春色梅児誉美・為永春水〉

❸さま 特に驚いたり感心したりするほどではないさま。いい気持ちがしないさま。「然もそれを濡らした水は、幾日前に汲んだ、溜め置きかと考へると、余り**ぞっ**としない」〈草枕・夏目漱石〉

✹③は「ぞっとしない」の形で用いる。

ぞっきり 音・さま 刀やはさみに手応えを感じながら切りそろえる音。そうやって切りそろえたさま。ぞきり。「鬢《げま》の横前へ、分けないで片っぽだけにして毛のきりめを**ゾッキリ**と揃へて曲げておく」〈旧聞日本橋・長谷川時雨〉

そっくり ❶さま きわめてよく似ているさま。「昔のチャチな空想科学映画に出て来た火星人**そっくり**のヒトデ」〈自然の子供・金井美恵子〉「なりふりも親**そっくり**の子猫哉」〈文政句帖・一茶〉

❷さま 全体をそのままの状態にしておくさま。あますところのないさま。そのまま。「この辺は火だけは無事であった。家も**そっくり**してゐて、山田の一家は五人の娘等と共に、幸ひ何の怪我もなかった」〈東京灰燼記・大曲駒村〉「その日受けとった許りの印税を**そっくり**持って行って」〈竹沢先生と云ふ人・長与善郎〉 ⬇使い分け「ごっそり」

ぞっくり ❶さま あますところのないさま。残らず。そっくり。「村の一人は自分の畑が**ぞっくり**と荒されて居るのを発見して驚いた」〈土・長塚節〉「白むくを**ぞっくり**ぬいで蚊やへ入」〈雑俳—誹風柳多留〉

❷さま 不快であるさま。いい気持ちがしないさま。「年取ったおやぢはまた指を海水浴あがりの様にしはくちゃにして握ってゐるのだから、これまた**ぞっくり**せざるを得ない」〈すし通・永瀬牙之輔〉

❸さま 方言 小さな植物などが群がって生え出るさま。同じものがたくさんそろって並んでいるさま。東北・関東地方。「ここに土筆が**ぞっくり**生えてます」〈宮城県〉「穂が**ぞっくり**出そろった」〈山形県〉「あの山にはきのこが**ぞっくり**出ている」〈千葉県〉

ぞっこん さま 心の底から思っているさま。ほれて、まったく心をうばわれるさま。「むかしから**ぞっこん**しっているの」〈洒落本—売花新駅〉「**ぞっこん**首丈惚れ込んだ此《この》岩治お伊勢御《ごいせ》を誓ひに立て」〈常磐津—神路山色琫（油屋）〉「ああ、お説の通り、わいは**ぞっこん**参ってまんねん。何がわるい？」〈青春の逆説・織田作之助〉

そつそつ ❶さま 古 風が静かに吹くさま。雨がわずかに降るさま。「早朝の間、**そつそつ**と雨がふる也」〈中華若木詩抄〉

❷さま 古 静かなさま。ひそかなさま。「細馬は**そつそつ**とあよむ馬で有ぞ。〈略〉こあしにあよむ馬を云ぞ」〈四河入海〉

ぞっぷい さま 方言 ひどく水にぬれるさま。九州地方南部。「**ぞっぷい**ぬるい（びっしょりぬれる）」〈鹿児島県〉

ぞっぺり さま 古 まとめてひとかたまりになったさま。そっくり。ずっぽり。「顔を剃る段に成て、鼻を**ぞっぺり**とそがれ」〈咄本—気のくすり〉

そとそと さま 古 静かに、おだやかに行う

さま。「夜中ばかりに、ほそぼそとある手にて、この男が顔を**そとそと**なでけり」〈宇治拾遺物語〉

ぞぶ 音 古 水の中などに落ちる音。ざんぶ。「手綱を引切り、への方のささ原に、**そふ**と落て候つる」〈沙石集〉

そぶそぶ ❶ 音 古 水の動く音。ざぶざぶ。「水をわたるに**そふそふ**となるそふ、如何」〈名語記〉

❷ さま 古 口やかましいさま。何のかのと、うるさく不平を言ったり、噂をしたりするさま。「お内儀、琴浦殿や礒殿が見へぬが、どこへぞ行かれたか、さればいなどふやら**そぶそぶ**言ふによって」〈浄瑠璃―夏祭浪花鑑〉

❸ さま 古 よそよそしくて、打ちとけないさま。「年寄り男を嫌ふといひ、新枕から**そぶそぶ**と、睦まじからぬ夫婦合」〈浄瑠璃―愛護若塒箱・紀海音〉

ぞべぞべ ❶ さま 長い着物などを着て、動作が不活発なさま。はでな着物で着飾っているさま。「旦那も毎日やらこい着物を着て**ぞべぞべ**と出歩いて許りゐやはりまんがな」〈大内旅宿・高浜虚子〉「**ぞべぞべ**単衣《ひとえ》を羽織を着て、草履を履いて来る阿呆があるかいな」〈ぼんち・山崎豊子〉

❷ さま 行動にめりはりがなく、だらしのないさま。「何さしても**ぞべぞべ**とかいしょのないくせに」〈浄瑠璃―祇園祭礼信仰記〉

ぞべらぞべら ❶ さま 身の丈に合わず、だらしない感じがするさま。「**ぞべらぞべら**した日本服や、ぎごちない丸髷姿では」〈あらくれ・徳田秋声〉「当世様の長羽織、**ぞべらぞべら**としらるるは、酒興か但し血迷ふたか」〈浄瑠璃―仮名手本忠臣蔵〉

❷ さま 身を持ちくずしてだらしないさま。「**ぞべらぞべら**した女を連れて戻って」〈歌舞伎―藤川船艕話・鶴屋南北ら〉

ぞべりぞべり さま 古 着物の長いすそをひきずるように着るさま。「ちらほら裾は、紅裏《もみうら》小袖**ぞべりぞべり**と、伊達《だて》らしや」〈長唄―門出京人形〉

そぼそぼ ❶ さま 雨のそぼ降るさま。体全体がぬれるさま。しょぼしょぼ。「わたしが学校から帰る頃から寒い雨が**そぼそぼ**と降り出して」〈半七捕物帳・岡本綺堂〉 ⬇使い分け「しょぼしょぼ」

❷ さま みすぼらしいさま。陰気で活気のないさま。寂しくしめやかであるさま。「はれがましい処へ、阿難の**そぼそぼ**として面目なうてきられたを」〈百丈清規抄〉

そよ 音・さま 静かに風の流れる音。ものがふれ合ってたてるかすかな音。また、そのさま。「**そよ**とも動かない空気は、蒸れ返ったやうな樫の新芽の匂ひで、ねばねばしさうに濃くおどんでゐる」〈今年竹・里見弴〉「花薄**そよ**ともすれば秋風の吹くかとぞ聞く独寝る夜は〈在原棟梁〉」〈後撰和歌集〉

そよそよ ❶ 音・さま 風が静かに吹き続けるさま。やさしい風が草木などをそよがす音。また、そのさま。さやさや。「**そよそよ**した風が、襟足のあたりに小嬉しいやうであった」〈桑の実・鈴木三重吉〉「菜の花見、青と黄色が入り乱れて、ダンダラ友禅模様、春風**そよそよ**と、時たまオワイの香もゆかしいものだ」〈漫談集・大辻司郎〉 ⬇使い分け「さやさや」

❷ 音・さま 古 静かに水の流れる音。また、そのさま。「あはれ、この生あたたかい春の夜に、**そよそよ**と潮みづながれ」〈月に吠える・萩原朔太郎〉「向ケ岡の清水の流れる音が**そよそよ**と聞へ」〈怪談牡丹燈籠・三遊亭円朝〉

❸ 音・さま 古 薄く軽いものが静かにふれ合ってたてる、かすかな音。また、そのさま。「人々おびえさわぎて、**そよそよ**と身じろきさまよふけはひども、きぬの音なひ、耳かしがましき心地す」〈源氏物語・若菜上〉

ぞよぞよ ❶ さま 小さな虫などが多く群がり集まったり、集まってくるさま。小虫などが肌をはうような不快な感触。「塗渡

る蟻、散る蜘蛛の子とうようよ**ぞよぞよ**沸出で来るのは」〈浮雲・二葉亭四迷〉❷ 音・さま ものがふれ合ってたてる騒がしい音。また、そのさま。ざわざわ。「葦の葉末が微風にも靡けられる様に此一語の為に皆**ぞよぞよ**と復騒いだ」〈土・長塚節〉「**ぞよぞよ**と、薄《すすき》の浪に游《およ》ぐ鹿」〈雑俳—百衛〉

そより 音・さま ものが軽くふれ合って一瞬たてる、かすかな音。風が静かに吹きすぎるさま。「一叢の修竹が、**そより**と夕風を受けて、余の肩から頭を撫でたので」〈草枕・夏目漱石〉「**そより**ともせいで秋たつことかいの」〈俳諧—鬼貫句選〉

そよりそより さま ものが何度も軽くふれ合ってたてるかすかな音。風が軽く続けて吹くさま。「**そよりそより**と吹きくる風は、さまが便りか、なつかしやなつかしや」〈歌謡—松の落葉〉

そよろ 音 ものが軽くふれ合ってたてるかすかな音。「馬追虫《うまおひ》の髭の**そよろ**に来る秋はまなこを閉ぢて想ひ見るべし」〈長塚節歌集〉「物はいはで、御簾《みす》をもたげて**そよろ**とさし入るる、呉竹なりけり」〈枕草子〉

ぞらぞら さま 古 締まりがなく、だらしのないさま。「手を引合うて、**ぞらぞら**と〈略〉、女と戯ぶれ遊ぶ程面白い物はない」〈浄瑠璃—愛護若塒箱・紀海音〉

ぞりぞり ❶ 音 ひげなどを剃る騒がしい音。表面をこそげる音。「**ゾリゾリ**という音がするのは、カリカリに乾いた表面を、バターナイフの先がじかにこすったときの音です」〈鯛ヤキの丸かじり・東海林さだお〉「やがて、**ゾリゾリ**と、安全カミソリを使い始めた」〈自由学校・獅子文六〉❷ 名 幼児語で、髪の毛。散髪すること。「大分**ぞりぞり**が生《は》へました」〈浮世風呂・式亭三馬〉

ぞりっ 音・さま 勢いよくひげなどを剃る音。また、そのさま。『手がすべって、大事な口ひげを**ゾリッ**とそり落とした』

そろそろ ❶ さま 動作が静かにゆるやかに行われるさま。『**そろそろ**行けば田も濁る』(＝むやみに時間をかけていると、具合の悪いことも起こってくるので、物事はすばやくてしまうほうがよい)「ロープ一本で体を縛り、断崖絶壁を**そろそろ**とおりてゆくのや」〈青い月曜日・開高健〉「死はやをら物憂げな腰を上げて、**そろそろ**とその人に近寄って来る」〈生れ出づる悩み・有島武郎〉「師走の晦日に、その日雨**そろそろ**降るに」〈仮名草子—仁勢物語〉❷ さま ある状態に向かって少しずつ時間をかけて進むさま。次第次第に。少しずつ。だんだん。おいおい。「僕は、街であばれたので十五日食《く》って、三日目なのだ。警察のシャリ《しめ》も**そろそろ**腹になじまうといふ頃だ」〈浅草・サトウハチロー〉「蕎麦の花も**そろそろ**咲出し候田の出来は申分なく秋蚕も珍しき当りに候」〈仰臥漫録・正岡子規〉「急に土手の松風を聞く辺から、徐々《そろそろ》足許が覚束なくなって」〈婦系図・泉鏡花〉❸ さま 定まった時刻や時期になりつつあるさま。おっつけ。まもなく。ぼつぼつ。「**そろそろ**蚊屋を吊らなくちゃあ」〈雁・森鷗外〉「お父さんは既に功成り名遂げたんですから、もう**ソロソロ**後進に賢《けん》路《ろ》を拓《ひら》くといふ寸法には行きませんかね」〈珍太郎日記・佐々木邦〉

↓使い分け「ゆっくり」

ぞろぞろ ❶ さま 小さな虫などがはい回って不快なさま。ぞよぞよ。「何処といふ事なく竈虫の**ぞろぞろ**這ひ廻ってゐる料理場である」〈つゆのあとさき・永井荷風〉「今におなかを這ふやうな、アア**ぞろぞろ**とこそばい」〈浄瑠璃—十二段・近松門左衛門〉❷ さま 多くのものが連れだって次々と現れたり移動したりするさま。「大小四五十尾の鮒が銀光を放って、**ぞろぞろ**と出て来る」〈泣き笑ひ・国木田独歩〉「明暦三年の大火で焼け出された日輪寺も東光院、天嶽院等と共に**ゾロゾロ**茲《ここ》へ移転し」〈江戸から

東京へ・矢田挿雲〉 ⬇使い分け「ぞろぞろ」

❸さま 衣服などを、だらしなくひきずるように着ているさま。はでな着物で着飾るさま。「絹物《やはらかもの》を着て、**ぞろぞろ**して、白粉をつけて路を歩いて居ることもある」〈妻・田山花袋〉

そろっ ❶さま わずかの動作が、時間をかけて注意深く行われるさま。そろり。「吾輩も**ソロッ**と親方の死骸を下して額の汗を拭いていた」〈超人鬚野博士・夢野久作〉 ❷さま 瞬間的になめらかにすべるさま。容易に抜けるさまなど。するっ。「黙って、音もたてずに、トコロテンが**そろっ**と押し出される時のやうな柔軟性でもって」〈女生徒・太宰治〉

ぞろっ ❶さま 多くのものが一つながりになっているさま。ぞろり。「あたまの毛が団体で、**ぞろっ**と抜けた」〈ブンとフン・井上ひさし〉「板の間には一同**ぞろっ**と胡坐を掻いて丸い坐が形づくられた」〈土・長塚節〉 ❷さま 衣服などを、だらしなくひきずるように着ているさま。はでな着物で着飾るさま。「頭を綺麗に分けて**ぞろっ**とした服装《なり》をしてゐるのでちょっと分らなかった」〈波・山本有三〉

そろり ❶さま 動作が、時間をかけて注意深く行われるさま。そろっ。「下駄箱の透《す》いて見える格子を**そろり**と明けた」〈虞美人草・夏目漱石〉「夕かほの宿に**そろり**と忍びより　ぬすみてもぢく瓜二つ三つ」〈俳諧一望一千句〉 ❷さま なめらかにすべるさま。容易に抜けるさま。するり。「水の高所より平地に下るがごとく、美しく、吟の**そろり**と下るやうに節を付る」〈五音三曲集〉

ぞろり ❶さま 多くのものが一つながりに並んでいるさま。ぞろっ。『壇上に来賓が**ぞろり**と揃った』「戸を開いて首を入れてみると蜘蛛の巣が**ゾロリ**と顔に掛かった」〈幽霊塔・黒岩涙香訳〉「目出度さは**ぞろり**と竝ぶ雲の峰」〈文政句帖・一茶〉 ❷さま 衣服をひきずるように、だらしない感じに着流しているさま。はでな衣服で通《つう》ぶって、くずれた感じに着飾っているさま。ぞろっ。「荒い縞の着物を**ぞろり**と着流して」〈明暗・夏目漱石〉「**ぞろり**とした色男気取りで待合へ出かけました」〈幇間・谷崎潤一郎〉

そろりそろり さま 動作が注意深く少しずつ行われるさま。「やがて警戒的な態度で、**そろりそろり**と家へ上って、あたりを見廻はす」〈東は東・岩田豊雄〉「**そろりそろり**と真綿で首しめるやうに、遠間《とをあい》から〈略〉罠拵へて言ひまはせば」〈傾城禁短気・江島其磧〉「然る間諸侯をば知行を**そろりそろり**と削て、天子のかたへとりて」〈中華若木詩抄〉

ぞろりぞろり さま 大勢が一つながりになって、時間をかけて続いていくさま。「女子供までが今日を晴れと着飾つて、**ぞろりぞろり**と思ひ思ひの処へ飛出すので」〈東京年中行事・若月紫蘭〉「月見の花見のとあって、あなたへは**ぞろりぞろり**、こなたへは

使い分け

【共通の意味】生き物がたくさん集まっているようす。

ぞろぞろ うようよ／うじゃうじゃ

❶**ぞろぞろ**は、次々と続いて移動するようす。「観光バスを降りた人々は、ガイドについて**ぞろぞろ**と寺に入って行った」

❷**うようよ**、**うじゃうじゃ**は、本来バイ菌や虫などがたくさん集まってうごめいているようすを表すため、人については好ましくない状態を表し、不快感を伴う。**うようよ**は、おもに動きに注目した言い方。「VIPが来るらしく警備員が**うようよ**している」。**うじゃうじゃ**は、おもに量に注目した言い方。「ツバキの枝を見たら、毛虫が**うじゃうじゃ**いてゾッとした」

ぞろりぞろりと仕て」〈狂言―茫々頭〉

そわそわ さま 気持ちや動作の落ち着かないさま。気がかりなことや期待などで浮き足立つさま。「午後になってから独りで**そはそは**と身支度をし」〈細雪・谷崎潤一郎〉「宮本武蔵が五条の橋へこなかった時のやうな、**そはそは**片づかない気もちがした」〈続もめん随筆・森田たま〉 ➡使い分け「そそくさ」

ぞわぞわ さま 騒がしく音をたてるさま。ざわざわ。「多勢の人の**ぞわぞわ**と往来してゐる小川町辺」〈俳諧師・高浜虚子〉「風も嫌ひになってゐた。涼しいより、**ぞわぞわ**するのがいやだと云ふ」〈父―その死・幸田文〉

ぞわり さま 一瞬、寒気や怖気を感じるさま。「何もかもが、とりとめがない。けれど暖かい。そしてまた**ぞわり**と冷たい」〈書評・朝日新聞・02・10・13〉

ぞんぐり さま 方言 恐ろしい目にあって肝を冷やすさま。「ぞんぐら」ともいう。「突然人が飛び出て来て**ぞんぐり**したよ」〈静岡県〉「ああこわい、**ぞんぐら**した」〈静岡県〉

ぞんぞ さま 古 寒気を感じたり、恐ろしさでふるえあがったりするさま。ぞくぞく。ぞっ。「そなたのやうな事いふとおれは身の毛が**ぞんぞ**とする」〈談義本―身体山吹色〉「ときはの里にばけもののさた　後から**ぞんぞ**としたる松の風〈幾音〉」〈俳諧―大坂独吟集〉

方言 悪寒や寒気がするさま。西日本。「ぞんぞん」ともいう。「**ぞんぞ**と寒いが、風邪をひくのでないかしらん」〈岐阜県〉「もうちょっとで事故―しょ―った。思いだしゃあ**ぞんぞ**がたつ」〈岡山県〉「風邪をひいて、熱があるにかーらん（あるのかしら）、**ぞんぞん**する」〈高知県〉

ぞんぞん さま 方言 際限なく流れるさま。九州地方。「酒が**ぞんぞん**こぼれた」〈長崎県〉 →ぞんぞ。

ぞんぶり 音・さま 古 音をたてて、水中に飛びこんだり、水をこいだりする音。また、そのさま。ざんぶり。「『**ぞんぶり**、ぞんぶり、ぞんぶり』『ヲヲ、深いは深いはせいが立《たた》ぬは立ぬは』」〈歌舞伎―鳴神〉

ぞんべり ❶ さま 古 つややかなさま。ぞべぞべ。「**ぞんべり**、ぞべぞべは、物のつややかなるこころ歟」〈かた言〉

❷ さま 古 長い着物をだらしなくひきずって着るさま。だらしないさま。ぞべぞべ。「のんやほはうの**ぞんべり**風、御好物の傾城狂ひ」〈浄瑠璃―甲賀三郎窟物語・竹田出雲ら〉

そんぼり さま 古 目立たず地味にしているさま。みすぼらしいさま。気分が沈んでいるさま。しょんぼり。「瀟疎は瀟洒として**そんぼり**としてばさめかぬことぞ」〈玉塵抄〉「此人は、なりかかりは、ちと**そんぼり**として、打見は下賤不肖の人の様なぞ」〈山谷詩集鈔〉

たー ❶声・さま 武道などで気合いをかける声。また、そのさま。とー。

❷さま 軽快に一気に走り抜けるさま。一目散に目標にむかうさま。「飼い犬が**たー**っと寄ってきた」

だー ❶声・さま 芝居で斬られたり射られたりした者が倒れるときに出す叫び声。また、そのさま。「殺された人は**ダア**アといふて血綿を肩へかけて倒るる」〈随筆―紙屑籠〉「定九郎松の木へ上る。鉄砲ヅドン。定九郎**ダア**。勘平が出てその金を取ていただく」〈滑稽本―八笑人〉

❷さま 力強く一目散に目標にむかうさま。また、一気にくずれ落ちるさま。「濁流が**だー**っと流れ込んできた」

❸さま 勢いが抜けるさま。驚きあきれて力が抜けるさま。「何と諸君、僕は**ダア**ッとなって、そこへ立ちすくんだのである」〈浅草・サトウハチロー〉

たーん ❶音 ピストルなどを発射した際の軽い爆発音。

❷音・さま ものを軽く打った際の高い音。また、そのさま。「ドラムを**ターン**とひびかせた」

だーん ❶音 銃などを撃ち放つ際のはげしく爆発する音。「**ダーン**と鉄砲を撃つのは、それだけで胸がすく」〈助左衛門四代記・有吉佐和子〉「どこかで、光り物がして**ダーン**……と響く鈍く重い爆音が迫って来た」〈帰郷・大仏次郎〉

❷音・さま 何かを強く打ちたたく音。勢いよく打ち当たるさま。「**だあんッ**と――横手の障子に、その人間は飛んで行った」〈宮本武蔵・吉川英治〉

たおたお さま やわらかにたわむさま。「**たをたを**と羽ばたいてゆく五位のむれを見おくりながら」〈銀の匙・中勘助〉「薄紅梅に、さくら色にて、柳の緑のやうに、**たをたを**とたゆみ、いと、そびやかに、なまめかしう、澄みたるさまして」〈源氏物語・竹河〉

たかたか さま 子どもなどが足音高く走っているさま。「黒い小さな影が幾つも**たかたか**駆け寄って来た」〈清経入水・秦恒平〉

たがたが ❶さま古 幼児の歩くさま。足もとの確かでないさま。「蹣踵 小児行皃此間云宇比阿由美一云**多賀々々**《たがたが》」〈名義抄〉

❷さま古 落ち着かず忙しそうなさま。「わしが一日**たがたが**するを笑止がって、荷ひの片端お手伝ひなされ」〈浄瑠璃―義経千本桜〉

たくたく さま古 幼児がおぼつかなく歩くさま。たどたどしく歩くさま。「又小児の**タクタク**アヨビなどと云」〈俚言集覧〉

方言 おぼつかない足どりで歩くさま。「たぐたぐ」「だくだく」ともいう。「腹がへって足が**たくたく**して歩かれん」〈島根県〉「お婆さんが**たぐたぐ**と歩いてござった」〈岐阜県〉

だくだく ❶さま 汗や血などが連続して、はげしくわき出して流れるさま。「ぎっしりだから入れやしないんだ。汗は**だくだく**流れるしね」〈我等の一団と彼・石川啄木〉「乳母は乳を**だくだく**こぼす初の首尾」〈雑俳―智恵車〉

❷さま古 胸などがはげしく鼓動するさま。どきどき。「身共の番じゃと思へば胸が**だくだく**する」〈狂言―内沙汰〉

❸音・さま古 勢いよく走る音。また、そのさま。「Dacudacu（**ダクダク**）〈訳〉副詞。馬が疾駆するさま」〈日葡辞書〉

❹さま古 足などに力がはいらずもつれるさま。がくがく。「二つに引かれ身も顫《ふる》へ、踏出す足も**だくだく**」〈浄瑠璃―那須与市西

海硯〉
方言 おぼつかない足どりで歩くさま。「あの坂を**だくだく**とおりたとこにある家《ちう》や」〈富山県〉
❺ さま 方言 胸騒ぎのするさま。「胸ぬ**だくだくしち**、じっとしちゃおられん」〈長崎県壱岐〉
❻ ⇩漢語編「いいだくだく(唯唯諾諾)」

だくぼく さま 道などが平らでなく、高低や凹凸《おうとつ》のあるさま。でこぼこ。だっくりぼっくり。「しどろもどろにうたふ一曲**だくぼく**な山路の花に詩を作り〈寿貞〉」〈俳諧―玉海集追加〉

たじたじ ❶ さま 困難に直面したり、相手に威圧されたりして、気おくれするさま。くじけてひるむさま。「恐ろしい子供の目が、じっとつらぬくように男を見すえ、彼を**たじたじ**とさせた」〈こども・北杜夫〉⇩使い分け「たじたじ」
❷ さま 足もとが定まらないでよろめき歩くさま。「突《かっ》れて孝助**たじたじ**と石へ躓《つまづ》き尻もちをつく」〈怪談牡丹燈籠・三遊亭円朝〉

たたーっ さま 勢いをつけて軽快に一気に走り抜けるさま。一目散に目標にむかうさま。「声をかけると、三歳の大河ちゃんが、**たたーっ**と玄関まで駆けてくる」〈はたらく・生きる女・毎日新聞・93・7・1〉

だだーっ さま はげしい勢いで力強く走り抜けたり、目標にむかうさま。「女子高校生たちが**だだーっ**と慎ちゃんを追いかけた」〈戦後史開封・産経新聞・95・6・28〉

たたたた ❶ 音 規則的に軽くものをたたく音。軽機関銃などを撃つ音。『太鼓の**タタタ**、タタタタの音に合わせて、ほかの楽器が加わっていった』「地上戦を思わせる砲撃の音が交じる。そして時には、**タタタタ**という小銃の音までが」〈イラク戦争一気に緊迫・東京新聞・03・4・7〉
❷ 音・さま 規則的にひた走りに走る足音。一目散に走るさま。「そもそも、その女房あやまちせんからに、出家すべきやうやはあると思ふ心またつきて、**たたたた**と、走り出でられにけり」〈宇治拾遺物語〉

だだだだ ❶ 音 重機関銃などを撃つ音。「米軍の戦闘機が通り過ぎた。**ダダダダ**。機銃の音が耳に残る」〈天声人語・朝日新聞・91・2・16〉
❷ さま はげしい勢いで突進するさま。「**だだだだ**と階段からころげ落ちるやうに騒々しく下へ降りて行って」〈斜陽・太宰治〉

たたたん 音 舞や音楽の軽い足拍子、手拍子の音。「汽車の音を聞いてゐても〈略〉『タアン、タ、**タタタン**、タアンタ、タアン』と、このやうな調子の歌となり」〈罌粟の中・横光利一〉「一つまひませう。〈略〉したんに、**たたたん**に、たっほほ、たっほほ」〈狂言記―笠の下〉

使い分け

【共通の意味】
態度や行動にためらいのあるようす。

たじたじ
うじうじ／いじいじ／もじもじ／まごまご

❶**たじたじ**は相手に圧倒されてしり込みをするようす。「新入幕の力士は、横綱の強さに**たじたじ**で、わざをかけることもできない」 ❷**うじうじ**は優柔不断で、ためらっているようす。「学芸会の主役をやりたいと言い出せずに、**うじうじ**している」。**いじいじ**は、いじけて態度がはっきりせず、ためらっているようす。「妹は兄たちに一緒に遊んでと言えないで、**イジイジ**している」 ❸**もじもじ**は、恥ずかしさから、はっきりした態度がとれないでいるようす。「挨拶もできず恥ずかしそうに**もじもじ**している」 ❹**まごまご**は、どのように行動していいかわからず落ち着かないようす。「初めての海外旅行で、右も左もわからず**まごまご**するだけだった」

だだぼだ ❶ さま 古 乱雑に取り散らかしてあるさま。めちゃめちゃ。むちゃくちゃ。「廓へ入込み、ゆききのぞめきを投げたり踏んだり、**だだぼだ**をつくすゆゑ」〈多島目山富寿亥初春〉
❷ さま 古 具体的な事柄を示す語をうけて、それ以外の事柄を口調よく示すもの。「色でも恋でも**だだぼだでも**」〈売卜先生安楽伝授〉

だだぼぼ さま 古 表面が盛り上がったりくぼんだりしているさま。でこぼこ。「殿さゆらりとお馬の手綱を斜に構へ、道は**だだぼぼ**、かっくりそっくり」〈歌舞伎—四天王楓江戸粧・鶴屋南北〉

たたんたん 音 ものを軽く調子よく連続して打つ音。「あまりおそさに、つねのくせなれば手を**たたんたん**とうちければ」〈咄本—軽口星鉄砲〉

だちだち さま こきざみに強くふるえるさま。「鋭敏な馬の皮膚のやうに**だちだち**と震へる青年の肩におぶひかかりながら」〈或る女・有島武郎〉

たっ さま 動作が軽くすばやいさま。『合図の笛で、走者はいっせいに**たっ**と駆けだした』

だっ 音・さま 重いものが落ちたりぶつかったりする音。勢いよくとび出すさま。「ハンモックの外にはみ出したからだが、あたまからもんどり打って、**だっ**と下に」〈鷹・石川淳〉

だっくりぼっくり さま 古 道などに凹凸《おうとつ》のあるさま。だくりぼくり。だくぼく。「奥の山道**だっくりぼっくり**、小石まじりのがけ道を」〈浄瑠璃—嵯峨天皇甘露雨〉

たっしり さま 古 ものなどがじゅうぶんにあるさま。たくさん。たっぷり。「どちらにも、めな子が、御さるによって、両めい、**たっしり**と、あると申ます」〈狂言記—粟田口〉

たった さま 動作のすばやいさま。急ぐさま。とっと。「**たった**と彼方《あなた》へ立ち去ってしまった」〈宮本武蔵・吉川英治〉『**たったと**説かしゃませ』『これまででおぢゃる』〈歌舞伎—連獅子〉

たったかたったか さま 軽快に律動感をもって走るさま。『遠くから**タッタカタッタカ**と駆けてくるのは、僕の息子だ』

たったっ さま 規則的に足早に歩き続けるさま。ものごとをすばやく行うさま。「彼はもっと肩が四角ばっていて、大股に早足で、**たっ**、**たっ**と歩いていたと思う」〈後裔の街・金達寿〉

だっだっ ❶ 音 規則的に生じる重量感のある音。『トラクターの音が**ダッダッ**と近づいてきた』
❷ さま 勢いをもっておしすすめるさま。『**ダッダッ**と走りよってきた』

たっぷたっぷ 音・さま 多量の液体が容器の中でゆれ動く音。また、そのさま。「薄青いなかにコハク色の液が**たっぷたっぷ**とゆれていた」〈青い月曜日・開高健〉

たっぷり ❶ さま 満ちあふれるほどの量があるさま。『髭《ひげ》を**たっぷり**たくわえていた』「いま汐のあげてゐる最中であらう、**たっぷり**した感じにふくれた水が」〈春泥・久保田万太郎〉「教祖の歌は、声もよく、ゼスチュア**たっぷり**で、気分を出すことは堂に入ったものだから」〈日本の裏街道を行く・大宅壮一〉
❷ さま じゅうぶんに余裕のあるさま。ゆとりのあるさま。ゆったり。『**たっぷり**したセーター』「お父さんが金づかひの乱暴な派手者であった処から少年時代には、随分贅沢に**たっぷり**とのびのび育った」〈竹沢先生と云ふ人・長与善郎〉 ⬇使い分け「どっさり」
❸ さま 少なめに見積もっても、かなりの量や距離があるさま。「**たっぷり**一握《ひとつかみ》ある濃い褐色のお下げが重げに垂れてゐる」〈青年・森鷗外〉「店と台所はぼくの歩幅にして**たっぷり**三十歩は離れている」〈あくる朝の蟬・井上ひさし〉

コラム　オノマトペのもと

たふ・たぶ・たぷ・だぶ・だぷ

「たぷ」「だぶ」は、水などの液体が容器いっぱいにあってゆれ動くときの音やそのようすを表す。ある程度の重量のあるものがゆっくりと動き、何かにぶつかるイメージだが、「たぷ」のほうが比較的容量が小さく、軽い感じがある。「たぷたぷ」の語形は新しく、古くは「たぶたぶ」が用いられていた。

　また、「たぷ」「だぶ」は、多量の液体を注ぎかける音やようすを表したり、「液体が容器に満ちている」ということから、おなかが飲み物でいっぱいになっているようすをいうときにも使われる。さらには、生き物の肉がゆれる(ほど贅肉がついているとか、張りがない)ようすを表すこともある。

　「だぶだぶ」には、ほかに、外側にある衣服など(やわらかいもの)が、身体などの中身より大きすぎて余っている、たるみができているようすも表す。類義語に「だぼだぼ」「ぶかぶか」がある。

【たふの語群】

たぶたぶ・たぷたぷ・だぶだぶ
たふっ・たぷっ・だぶっ・だぷっ
たんぶ・だんぶ
たっぷたっぷ・たんぶたんぶ
だぶり・だぶりだぶり・たんぷら
たっぷり・たんぶり・だんぶり
たぷん・たっぷん・だぶん・だぷん

	水が―(と)ゆれる	―(と)した下腹	―(と)したズボン
たぷたぷ	○	○	―
たぷっ	○	○	―
たぷん	○	―	―
だぶだぶ	○	○	○
だぶっ	○	○	○
だぶん	○	―	―
たっぷり	―	○	○

【表現】

「たぶたぶ」は中世から用例があり、現在の「たぷたぷ」のもつ用法以外に、ゆったりとしているさまや、じゅうぶんにあるさまを表す用法があった。ゆったり・じゅうぶんである、という同義で「たぶやか」という形容動詞もあり、この意味が「たっぷり」に受け継がれていると考えられる。

　「たふ」という表記は、中世であれば「タウ(トウ)」と読む可能性もある。『日葡辞書』には、「Tǒtǒ.(タウタウ)湖や池が、水で一杯になり、溢れているさま」「Tabutabu. l, Tabutabuto.(タブタブ。または、タブタブト)容れ物の中などで水や酒が揺れ動くさま。または、容れ物に一杯になるまで注ぐ時に、それらがだぶつくさま」とあり、両者に共通性を見たくなる気もするが、もともと「タウタウ」という形容動詞は「滔々」「蕩々」「鞺鞳」などと書かれるいくつかの漢語で、水がさかんに流れるさまや、多量の水を悠然とたたえるさま、よどみないさまなどを表す。現代語の「とうとうと」も、ふつう、「流れる」「水をたたえる」などの語が続く。

　また、古語の「トウトウ」という副詞は、「とんとん」と何かをたたくような音を写した擬音語と考えられ、「たふたふ」は「タブタブ」と読んで、これら「トウトウ」とは無関係の語と考えておいてよいかと思われる。

(宮武利江)

たっぷん 音・さま 大量の水がゆれ動くときの音。また、そのさま。「腕まくりをした四人の科学者が、素手で丸はだかのレーニンを抱え、**たっぷん**と浴槽に漬ける」〈二〇〇人の二〇世紀・朝日新聞・98・3・1〉

たっほほ 音 古 鼓《みつづ》を鳴らす音。ぽんぽん。「おどりてふりを見せまいらせう〈略〉**たっほほたっほほ**、たっほたっほたっほほ」〈狂言記―笠の下〉

たどたど ❶さま 足もとのおぼつかないさま。不確かな足どりで歩むさま。「人目憚る畝伝《あぜづた》ひ心細道**たどたど**と落させ給ふ後影の見ゆる限りは」〈近世紀聞・染崎延房〉
❷さま 古 火などが今にも消えそうなさま。頼りないさま。「風の前なる燈火《ともしび》も、**たどたど**見えし一間《ま》には、顔も蔵太が茫然と、書見《しょけん》の体こそ佗しけれ」〈歌舞伎―筑紫巷談浪白縫〈黒田騒動〉・河竹黙阿彌〉

たふ ⇒コラム「たふ・たぶ・たぷ・だぶ・だぷ」

たふたふ さま 引き締まっていたものがゆるんで手ごたえがないさま。「胃部が断崖のやうに落ち窪んで、腹が**たふたふ**してゐた」〈父―その死・幸田文〉

たぶたぶ ❶音・さま 古 液体を容器に注ぐときや、液体が容器の中でゆれるときの重くにぶい音。水や酒などが容器にじゅうぶんに満ちるさま。「少も残さず嚙み食ふて巵《さかづき》に酒を**たぶたぶ**と受け」〈太平記〉
❷さま じゅうぶんにゆとりがあるさま。また、そのような衣類。「ある者は苦力《クーリー》のやうに汚い**たぶたぶ**に褲子《クゥツ》を穿《は》き」〈日蝕・石上玄一郎〉「かけゐぼしに大紋の袖**たぶたぶ**と掻き合せ」〈浄瑠璃―烏帽子折〉
❸さま 数量がじゅうぶんにあるさま。たっぷり。「泥金を少しもをしまず、すつるやうに、**たふたふ**と玉璽にぬって、印をつきたまふたとぞ」〈三体詩素隠抄〉
❹さま みちあふれそうなほど太っているさま。「僧都は年こそとられましたが、**たぶたぶ**と肥え太った体を徐《おもむろ》に運びながら」〈邪宗門・芥川龍之介〉

たぷたぷ ❶音・さま 容器に豊富にある液体がゆれ動く音。また、そのさま。「一升瓶に焼酎を**タプタプ**させて、五月闇の中を、大谷は家へ帰って来た」〈狐・永井龍男〉
❷さま ふくらんだものがやわらかくゆれ動くさま。「**たぷたぷ**と揺れる乳房」〈青べか物語・山本周五郎〉

だぶだぶ ❶音・さま 水などの液体があふれるばかりの勢いでたてる音。また、そのさま。「カンテラの灯で照らして見ると、下谷辺の溝渠《どぶ》が溢れた様に、薄鼠になって**だぶだぶ**してゐる」〈坑夫・夏目漱石〉
❷音・さま 水などの液体が勢いよくふりかかる音。ものごとがあふれるように次々に出てくるさま。「小判型のコロッケに、ソースを**だぶだぶ**かけて、熱いめしのオカズにする」〈贋食物誌・吉行淳之介〉「さういふお洒落が**だぶだぶ**出ては、旦那は隅へは置かれませぬ」〈歌舞伎―四千両小判梅葉・河竹黙阿彌〉
❸さま 身につけるものなどが、大きすぎるさま。ぶかぶか。「かれは**だぶだぶ**するズボンのポケットに両手を差込みながら」〈一兵卒の銃殺・田山花袋〉
❹さま 締まりなく太っているさま。「母がだらしなくはふり出して眠ってゐる、**だぶだぶ**に脂肪のたるんだ腹の前に」〈温泉宿・川端康成〉
❺さま 古 称名《しょうみょう》をとなえるさま。「這首《ここ》に**だぶだぶ**といふ僧あれば、彼首《かしこ》にぶうぶうをいふ俗あり」〈浮世風呂・式亭三馬〉
✵⑤は、「だぶつだぶつ（陀仏陀仏）」をかけていったもの。

だぶっ さま 身につけるものなどが、大きすぎるさま。「近ごろはやりの服のように少し**だぶっ**としていて、見た目にやわらか」〈男もおしゃれ志向・読売新聞・87・10・18〉

だぶり 音・さま 水が一度ゆるやかに波打ったり、ものに当たったりする音。重いもの

が水の中へ落ちるときの音。また、そのさま。「橋をふみはづして**だぶり**と落ちたり」〈おらが春・一茶〉

だぶりだぶり 音・さま 水がゆるやかに波立つ際の重くにぶい音。また、そのさま。「夕風呂の**だぶりだぶり**とかすみ哉」〈文化六年句日記・一茶〉

たぷんたぷん 音・さま 水などが容器に豊富にあって、ゆれ動いたり波立つ音。また、そのさま。「給食でポンジュースと牛乳が一緒に出てくるのも、おなかが**たぷんたぷん**になってつらかったな」〈ふらっと～女ひとり旅・毎日新聞・06・10・19・大阪版〉

たぽ ⇒コラム「たぽ・だぼ」

たぽたぽ 音・さま 液体が容器に豊富にあって、ゆれ動く音。また、そのさま。たぶたぶ。『水を飲みすぎて、おなかが**たぽたぽ**する』

だぼだぼ ❶音・さま 水などの液体が容器の中に豊富にあってゆれ動く音。また、あふれるように多量にあるさま。「インクがダボダボと出てきたり、寒くなったら出なくなってしまった」〈快適生活の技術・坂村健〉 ❷さま 身につけるものなどが、大きすぎるさま。だぶだぶ。「今やゲレンデは、**だぼだぼ**のウエアを着たスノーボーダーたちでにぎわっている」〈情報あらかると・朝日新聞・97・1・17〉

だぼん 音・さま 大きい物体が水の中などに落ちる音。また、そのさま。どぼん。「石のやうに**だぼん**と井戸の中に沈んでしまったら」〈犬喧嘩・金子洋文〉

たよたよ ❶さま 古 しなやかなさま。なよなよ。「いにしへの静御前を、目の前に見るやうに思ふて、**たよたよ**としておもしろかったれは」〈狂言―今参〉 ❷さま 古 元気のないさま。弱々しいさま。よたよた。「不思議のいい目を見せて、**たよたよ**として火鉢に凭《よ》った」〈湯島詣・泉鏡花〉 ✸「たよだよ」とも。

たら さま 古 眠けがさすさま。しばらくまどろむさま。とろり。「いもじ男は**たら**とねいりぬ」〈古今著聞集〉

たらたら ❶さま 液体が続けざまに少しずつ流れ落ちるさま。「惣右衛門の鼻からタラタラと鼻血が流れました」〈真景累ケ淵・三遊亭円朝〉 ⇒使い分け「たらたら」 ❷さま あるものごとを長く、いくつも続けざまにするさま。並べ立てるさま。『自慢**たらたら**の司会者』「丑の日に思ひそめてや**たらたら**とあはで長びく恋もするかな」〈堀河百首題狂歌集〉 ✸多くはあまり好ましくないことについていう。

使い分け

【共通の意味】少量の液体がしたたり落ちるようす。

たらたら

ぽろぽろ／ぽたぽた／ぽとぽと

❶**たらたら**は、汗やよだれ、また油など粘りけのある液体がたれて落ちるようす。「冷や汗がたらたら流れた」 ❷**ぽろぽろ**は、液体がまるい玉になってこぼれ落ちるようす。「大粒の涙が**ポロポロ**こぼれた」 ❸**ぽたぽた、ぽとぽと**は、汗、血など粘りけのある液体のしずくが続けて落ちる音やようす。「古い家なので**ポタポタ**雨もりがする」「試合中の選手たちの汗が**ぽとぽと**床に落ちた」 ❹**たらたら**は、したたり落ちたり流れたりする途中のようす。**ぽろぽろ**は、流れはじめたときのようす。**ぽたぽた、ぽとぽと**は、流れ落ちたときのようすを表す。

だらだら ❶さま 水などが不快さを感じさせつつ続けざまに流れるさま。「玉子がぐちゃりと割れて鼻の先から黄味が**だらだら**流れだした」〈坊っちゃん・夏目漱石〉 ❷さま ものごとが締まりなく長びくさま。不得要領のことばや文句を長く続けるさ

ま。「よくもそうダラダラ同じことを言えるだな！」〈鈍・真船豊〉 ⬇使い分け「くだくだ」

❸ さま 坂道などの傾斜が、いつ終わるともなくゆるやかに続くさま。「道がだらだらと昇りになって行って、線路に近づくと」〈松川裁判について・広津和郎〉

❹ さま ゆるんで締まりのないさま。「締括《しめくく》りのない紐をだらだらと嬾《ものうく》も垂らした傍らに」〈虞美人草・夏目漱石〉「今のだらだらした生活を、すっかり清算してしまひたいと考へたので、その相談なのだ」〈帰郷・大仏次郎〉

たらっ ❶ さま ねばりけのある液体が一度したたるさま。『よだれをたらっと流す』『ハチミツをたらっとかける』

❷ さま わずかな量の液体を一度すばやくかけたり、まぜ入れたりするさま。『仕上げに、しょうゆをたらっとかける』

だらっ ❶ さま 力なく、または、だらしなくたれ下がるさま。だらり。「台所との境ののれんはだらっと物憂く垂れている」

❷ さま 液体が不快な感じで、したたるさま。『ソースがだらっとこぼれた』〈昔の街・高橋たか子〉

たらり ❶ 音・さま 液体がひとしずくしたたり落ちる音。また、そのさま。『冷や汗たらりの瞬間』「Tararito（タラリト）〈訳〉水滴が落ちるさま、またはその音」〈日葡辞書〉

❷ さま ものが、ほんの少したれ下がるさま。「眼はあくまでも細く、口髭がたらりと生えてゐた」〈ロマネスク・太宰治〉

❸ さま 古 滞りなく行われるさま。「此詩もなにとなく景の句を作てたらりと無事にて事にも不レ預、述懐を云也」〈三体詩幻雲抄〉

だらり ❶ さま 液体がねばるように、ひとしずくたれるさま。『額に脂汗をだらりと浮かべていた』

❷ さま 長いひも状のものややわらかいものが、たれ下がっているさま。「赭《かあ》い鉢に植ゑたゴムの樹が一本、肉の厚い葉をだらりと垂らしてゐた」〈或阿呆の一生・芥川龍之介〉

❸ さま 力や勢いがなく、締まりのないさま。ぐたり。『庭木が、猛暑でだらりとなる』「引きずり上げられた溺死体のやうにだらりとして」〈海に生くる人々・葉山嘉樹〉

✹京都祇園の舞妓が締める「だらりの帯」は、呼び名のとおり、双方へだらりと長く結びさげることからいう。

たらりたらり さま 液体などが、少しずつ続けざまにしたたり落ちるさま。「情けない人間の声をだしながら、苦悶の油汗を、タラリタラリと絞り落した」〈猿飛佐助・織田作之助〉

だらりだらり ❶ さま 液体などがねばつくように、続けざまにしたたり落ちるさま。「Dararidararito（ダラリダラリト）〈訳〉副詞。雨が軒端から落ちる、つまり、滴り落ちるさま」〈日葡辞書〉

❷ さま 長いものがだらしなくゆれるさま。「花沢の絹糸《レース》編みのネクタイがだらりだらりと動く」〈あきらめ・田村俊子〉

❸ さま 締まりがなく、ゆるんでいるさま。だらだら。「赤い胴の太鼓を首へ懸けてだらりだらりとだらけた叩きやうをしながら」〈土・長塚節〉

だらりべんべん さま いたずらに時間を費やすさま。べんべんだらり。「此君か代やたらりべんべん 酒舟のしめ木に置る石清水〈末成〉」〈俳諧一物種集〉

たらん さま 軽いものが、力なく、たれ下がるさま。「『テルテール』というのだそうだが、これが風に正しく45度の方向に向いていると、横一直線になるが、そうでないとタランと下向きに」〈遊び歳時記・ヨット・毎日新聞・98・5・7〉

だらん ❶ さま 力なく、だらしなくたれ下がるさま。「急に麻縄がゆるみ、スルスル穴の中に降りて、だらんとたるんだ」〈夏の

コラム オノマトペのもと

たぽ・だぼ

「たぽ」は、容器にはいった比較的多量の液体がゆれ動くようすや、そのときに生じる軽い音を表す。「たぽたぽ」といった繰り返しの形だけでなく、「たぽんたぽん」や「たっぽんたっぽん」といった派生形が用いられることもある。

濁音の「だぼ」になると、生じる音がにぶくなり、ゆれ動く液体の量がより多く、深さもあるように感じられる。「たぽん」が、水滴のはねかえる音を連想させるのに対して、「だぼん」は、水中にものが落ちこんだときの音やようすの印象がある。

「たぽたぽ」「だぼだぼ」は、液体がゆれ動く音やさまから、水などでおなかが一杯のようすも表す。

「たぽ」は液体の動きにかかわりのあるオノマトペだが、「だぼ」のほうは、そのほかに、衣服などの身につけるものが大きすぎるさまも表し、「だぼシャツ」(非常にゆったりしたシャツ)という表現もある。

【たぽの語群】
たぽたぽ・だぼだぼ
たぽっ・だぼっ
たっぽたっぽ・たっぽんたっぽん
たぽんたぽん・だぼんだぼん

	水が―(と)ゆれる	ソースを―(と)かける	―(と)した上着
たぽたぽ	○	△	―
たぽんたぽん	○	△	―
たっぽんたっぽん	○	△	―
たぽっ	○	△	―
だぼだぼ	○	○	○
だぼんだぼん	○	○	○
だぼっ	○	○	○

【表現】

「だぼだぼ」については、これを比較的新しいオノマトペと見る指摘がある。『暮らしのことば 擬音・擬態語辞典』(山口仲美編)によれば、「だぼだぼ」は、「ごく最近用いられはじめた語で、類義語の『だぶだぶ』より程度が大きい。(小柳智一)」とある。ただし、歌舞伎の例で、「大勢寄ってだんぼらぼ、川の深みへ水煙り」(『敵討天下茶屋聚』)というように、水に飛びこむ音を「だんぼらぼ」と表現していることから、「だぼ」自体は、一概に新しく生じた語幹であるともいえなさそうである。

液体が流動するさまを表すオノマトペには、「たぽたぽ」「だぼだぼ」のほかにも「どぼどぼ」「だぶだぶ」などの似た語形がある。特に濁音形「だぼ」には、「どぼ」「だぶ」などの既存のオノマトペとの間で音韻的な類似点が多い。

まず、ともに液体を注ぐ意味で使われる「だぼ」「どぼ」では、第一拍目の母音に「a」〜「o」の入れ替えが見られる。また、衣服などが大きすぎてゆるいさまを表す「だぼ」では、同様の意味を表す「だぶ」との間に第二拍目の母音に「o」〜「u」の入れ替えが見られる。このような点で、「だぼだぼ」には、音韻構造・意味の類似するほかのオノマトペとの関係の深さがかいま見られる。

(那須昭夫)

流れ・丸山健二〉

❷ さま 気持ちに張りがなく、たるんでいるさま。だらしないさま。「このとき彼は窓の下の事務机の前にだらんと腰掛けた准尉の横側に頭をたれたまま重い口調で話す木谷をみた」〈真空地帯・野間宏〉

たらんくらん さま 酒に酔って正体のなくなるさま。ぐでんぐでん。ぐでぐで。「こないだも**タランクラン**に酔って、無理に女を追っかけてってね、入歯をおとして来やがった」〈いろは交友録・徳川夢声〉

たわたわ ❶ 音 古 ものの煮える音。「彼《か》の魚を入ければ、**たはたはたは**と煮えて」〈咄本—軽口御前男〉

❷ さま 木の枝などがたわみしなうさま。「母のやうな和かい日影は、**たわたわ**に実った蜜柑に、ちらほらと色を附けてゐる」〈小鳥の巣・鈴木三重吉〉「白っぽく煙り立つような染井吉野の大木が、**たわたわ**と揺れて重く咲き極まり」〈入江のどんど・大原富枝〉

たわわ さま 木の枝に多くの実がなったりして、枝がしなうさま。「途中、サンキスト・オレンジの**たわわ**に実る陽光眩ゆい南カルホルニアの平野を疾駆」〈オリンポスの果実・田中英光〉「大きなる柑子の木の、枝も**たわわ**になりたるが」〈徒然草〉

たん 音 ものを一度軽く打つ音。軽やかに着地する音。『タンバリンが**タン**と鳴ったら、目の前の椅子に座るゲーム』

だん 音 ものを一度強くたたく音。重いものがかたいものの上に落ちる音。『机を**だん**と平手でたたいた』

たんこたんこ 音 かたいものを連続してゆっくり打つ音。たんたん。「昼は**たんこたんこ**な、桶の輪をさ締みやるさ、のほんへ、夜さりやせんま女の腰締みやる、しやうがへ」〈歌謡—松の葉〉

たんたん ❶ 音・さま ものを軽く連続して打つ音。また、そのさま。「主人は落ち着きはらって、きせるを**たんたん**とてのひらへたたくのだ」〈なめとこ山の熊・宮沢賢治〉「さみだれに堤の滝の水まさり岩打つ音は**たんたん**となる」〈為忠集〉

❷ ⬇漢語編 ①「たんたん(坦坦)」 ②「たんたん(眈眈)」 ③「たんたん(淡淡)」 ⬇使い分け「すかっ」 ④「たんたん(湛湛)」

だんだん ❶ 音・さま 力強く続けてたたく音。また、そのさま。「**ダンダン**ダンダンと云ふ汽関の音に混って」〈暗夜行路・志賀直哉〉

❷ ⬇漢語編「だんだん(団団)」

たんたんたけじょ 声 ホトトギスの鳴く声。⬇鳴き声編

たんぶ さま 古 酒などがじゅうぶんにあるさま。「盃取〈略〉**たんぶ**と請て一ひき飲み」〈浄瑠璃—堀川波鼓・近松門左衛門〉

だんぶ 音・さま 古 水中に勢いよく落ちこむ音。また、そのさま。「長瀬、塩谷、東西より河中に歩ませ寄り、馬と馬とを打並べて、組んで**だんぶ**と落ちにけり」〈源平盛衰記〉

たんぶたんぶ 音・さま 古 多量の水などがゆれ動いてたてる音。また、そのさま。「底すむ水をくまふよ、**たんぶたんぶ**とくめば」〈浄瑠璃—釈迦如来誕生会・近松門左衛門〉

たんぶり さま 古 酒などがじゅうぶんにあるさま。たんぶ。どんぶり。「盃然と云は、酒の盃々然として、盃に**たんぶり**とあるを云ぞ」〈四河入海〉

だんぶり 音・さま 古 水中へ深々と落ちこむ音。また、そのさま。「無間のそこに**だんぶり**と落ふずる」〈狂言—東西離〉

だんぼらぼ 音・さま 古 水中に大きなものを投げ入れる音。また、そのさま。「大ぜいかかって**だんぼらぼ**、ほとりもしれぬ海の中まっさかさまに打込んで」〈浄瑠璃—博多小女郎波枕・近松門左衛門〉

たんまり ❶ さま ありあまるほどあるさま。「**たんまり**仕入れてきたタバコのストックが切れるまでは」〈司令の休暇・阿部昭〉 ⬇使い分け「どっさり」

❷ さま 古 落ち着いているさま。満足する

さま。「ほんにほんに、**たんまり**と湯へも這入れません」〈浮世風呂・式亭三馬〉
方言 満足するさま。「うまいものを食べて**たんまりした**」〈長野県〉

ち

ちーちー ❶声 小鳥や虫などの鳴く声。「裏の方で小鳥が**ちいちい**と啼いてゐる」〈山彦・鈴木三重吉〉
❷音・さま 湯の煮たつときの高く鋭い音。また、そのさま。ちんちん。「風呂はとろとろ火ながら、**ちいちい**と音がしてる」〈隣の嫁・伊藤左千夫〉
❸さま もの惜しみするさま。けちけち。「あれからだもの、彼奴の**ちいちい**し出したのは……」〈春泥・久保田万太郎〉

ちーちーはーはー さま ものが粉のように散ってしまったさま。「**ちいちいはアはア** 物の粉のやうに散うせたるを云」〈俚言集覧〉

ちーちーぱーぱー ❶さま わけのわからないことばをしゃべりたてるさま。「尊敬《おだて》ておきゃアいい先生のつらアして**チイチイパアパア**かんかんのウきうのれすの蕃人《とうじん》の寐言をならべて」〈西洋道中膝栗毛・仮名垣魯文〉
❷さま うるさいくらいによくしゃべるさま。「いやもう雀のお宿みたいに**チイチイパアパア**始めたので」〈へのへのもへじ・林二九太〉

ちーちーはいはい さま ゆくえやわけのわからないさま。「売った金も**チイチイハイハイ**となって、今ぢゃア昔のてび編笠」〈人情本—花街寿々女〉

ちーちーぱっぱ ❶声 スズメの鳴く声。
⬇鳴き声編
❷さま 小学生などを相手に、教えたり遊んだりするさま。習いたての初心者程度であるさま。「介護施設では〈略〉さながら**チーチーパッパ**と幼児のような遊戯をやらせて」〈大転換小転換・産経新聞・01・3・4〉「**チーチーパッパ**ではなく、やっぱりプロにやらせてみたいなという願望が」〈即興政治論・東京新聞06・5・16〉
✸②は童謡「雀の学校〈清水かつら〉」に用いられた擬音表現から。

ちーん ❶音 金属製のものが高く鋭く鳴る音。「**チーン**と九時半の柱時計が鳴った」〈坊っちゃん・夏目漱石〉

使い分け

【共通の意味】
肌や目などに小さな刺激を感じるようす。

ちかちか
むずむず／いらいら／ぱちぱち

❶**ちかちか**は、光などの刺激が強すぎて、目が断続的に痛む感覚。「急に明るいところに出たので、目が**ちかちかする**」❷**むずむず**は、虫でもいるようなくすぐったくかゆい感覚。「草原に寝ころんだら背中が**むずむずした**」❸**いらいら**は、皮膚や粘膜にとげなどが刺さったような痛みのある感覚。「このところ空気が乾燥しているせいか、のどが**イライラする**」❹**ぱちぱち**は、まぶしさなどの刺激をうけて、瞬きをするようす。「目にごみでも入ったのか、しきりに目を**パチパチ**させている」。また、静電気にふれて出る音。「冬の夜、ドアの金具にふれたら**パチパチ**音がした」

❷音・さま 洟《なは》を強くかむ際の高くひびく音。また、そのさま。「例えばスープを飲む時に音を立てるなと言いながら、食事中に鼻を**チーン**とかんでるでしょう」〈本音で語ろう・東京新聞・93・6・10〉
❸さま 動かないでとりすましているさま。

つん。「朝から晩まで**ちいん**と机の前に坐って」〈大阪の宿・水上滝太郎〉

ちーんじゃらじゃら 音・名 パチンコの玉が穴にはいって、たくさんの玉が出てくる音。パチンコのこと。『気晴らしに**チーンジャラジャラ**にばかり出かける』

ちかちか ❶ さま 強い光が目を刺激するさま。「物を見て時々目が**ちかちか**するやうに痛むのは年来のことであるが」〈仰臥漫録・正岡子規〉 ↓使い分け「ちかちか」
❷ さま まわりから、きわだって目立つさま。ランプなどが点滅するさま。『ウインカーが**ちかちか**する』「ほうせん花の紅色が**ちかちか**光っている」〈昔の街・高橋たか子〉 ↓使い分け「ぴかぴか」
❸ さま 小さな痛みやかゆみなど、刺激がこきざみに連続するさま。ちくちく。「こもった哀愁が、発しない酒のやうに、葉子の顳顬《こめかみ》を**ちかちか**と痛めた」〈或る女・有島武郎〉
❹ さま 方言 少しずつするさま。「**ちかーちか**とらじー、もちきっと取らんか（少しずつ取らずに、もっと取れ）」〈佐賀県〉

ちがちが ❶ さま 古 片足でとび歩くさま。「片足立てて**ちがちが**と、勢子の中にぞ逃げ入ける」〈浄瑠璃―百日曾我・近松門左衛門〉
❷ さま 片方の足を引いて歩くさま。「伊勢参あこきが浦にひく足もたび重なれば**ちがちが**ぞする」〈狂歌―後撰夷曲集〉

ちかっ さま ごく一瞬鋭く光るさま。「鉄路のわきに**ちかっ**と青い刺すような光が」〈鉄路に近く・島尾敏雄〉

ちがらちがら さま 古 一方の足をひきずって歩くさま。「**ちがらちがら**と足曳の、山下駄提げてちょっぴりの、茶碗の酒も鮫ケ橋、采女が原へ道中の、一文字さへよふよふに」〈歌舞伎―お染久松色読販・鶴屋南北〉

ちかり さま 一瞬鋭く光ったり、ひらめいたりするさま。「やがてその言葉の重大さが**ちかり**と私の脳裏にひらめくと」〈猟銃・井上靖〉

ちきちき 音・さま 小さい刺激や音が規則的に続くさま。ちくちく。「傷口が**ちきちき**するので目が開いた」〈小鳥の巣・鈴木三重吉〉「私の心がだんだんと棚の置時計の**ちきちき**と云ふ音の中に吸ひこまれて行くやうな気がしました」〈誓言・田村俊子〉

チクタク 音 ぜんまい時計の針が動く音。チックタック。「八角時計が〈略〉**チクタク**動いてゐるのを見たときに」〈或少女の死まで・室生犀星〉
❋英語の ticktack より。

ちくちく ❶ さま 先のとがったものなどで、こきざみに繰り返し刺すさま。また、そういう刺激や痛みを感じるさま。『夕飯後は**ちくちく**と針仕事をする』「上着の粗いツィードの**チクチク**する感触」〈エオンタ・金井美恵子〉「私の良心は其度に**ちくちく**刺されるやうに痛みました」〈こゝろ・夏目漱石〉 ↓使い分け「ちくちく」
❷ さま 古 こまぎれに次々に連なるさま。こまやかであるさま。こまごましたさま。「道風・行成などのかなが世間に今も少々侍るは、**ちくちく**と候へば、鼠の足形のやうに有りし也」〈正徹物語〉
❸ さま 古 量的に些細なことがだんだん積み重なるさま。こきざみな動きが繰り返さ

使い分け

【共通の意味】
鋭い痛みを感じるようす。

ちくちく
きりきり／ひりひり

❶**ちくちく**は針で刺すような痛み。「このセーターは首のあたりが**チクチク**する」 ❷**きりきり**は鋭いものが差しこまれるようなはげしい痛みを表す。「胃が**キリキリ**と差しこんで苦しい」 ❸**ひりひり**は皮膚や粘膜が刺激されて痛むようす。「日焼けした肌が**ヒリヒリ**する」

れるさま。少しずつ。「ただちくちくと商《あきなひ》などをして身を持つ卦《け》ぞ」〈周易抄〉

方言 少しずつ。四国地方。「その菓子、高いんじゃきに、**ちくちく**食べなよ」〈香川県〉「**ちくちく**貯金しても大金になる」〈高知県〉

❹↓漢語編「ちくちく(矗矗)」

ちくっ ❶さま 先のとがったものなどでほんの少し刺すさま。また、そういう刺激や痛みを感じるさま。「**ちくっ**と南京虫が兄さんの体を食った処を」〈続俳諧師・高浜虚子〉

❷さま わずかばかりのさま。「散歩して、**ちくっ**と一杯やる」〈三ちゃんも三ちゃんや・古山高麗雄〉

ちぐはぐ さま 不ぞろいであるさま。対《つい》になるべきものがそろっていないさま。くいちがっているさま。ちごはご。「そのときと今の気持が**ちぐはぐ**で結びつかず」〈死の棘・島尾敏雄〉「ひくい下駄の**ちぐはぐ**なるを二そくもってくると」〈続膝栗毛・十返舎一九〉

ちくり さま 針など先のとがったもので少しだけ一度刺すさま。また、そういう痛みを感じるさま。皮肉や苦言などで人を刺激するさま。「あるは若枝にも薔薇《ばら》の刺《とげ》とて**ちくり**としたる詞の端」〈門三味線・斎藤緑雨〉↓使い分け「ぶすり」

ちくりちくり さま 針などで何度も刺すさま。また、そういう痛みを感じるさま。皮肉や気に障る言行が他の人を刺激するさま。「はりのたちをばさかてにもって**ちくりちくり**と、はらぢゅうつけば」〈唱歌―一寸法師・巌谷小波〉「**チクリチクリ**と私の勘に引っかかる」〈見知らぬ人・真船豊〉

ちぐりはぐり さま 古 不ぞろいなさま。不規則なさま。くいちがうさま。「人のを見れば易さうで、かつにはからき連枷の、早うや遅うや**ちぐりはぐり**、がっくりそっくりこりゃいかぬは」〈浄瑠璃―応神天皇八白旗〉

ちくりん さま 背たけの低いさま。たけのたりないさま。→ちんちくりん。「此の男いかにもせいが**ちくりん**にて、見だてもなし」〈仮名草子―可笑記〉

ちくん さま 針など先のとがったもので、少しだけ一度刺すさま。また、そのような刺激や痛みを感じるさま。「折角癒着しかかった傷口をむりに引き裂くやうな苦痛が、彼の不安に閉ざされた胸を**チクン**と刺し貫いた」〈怒れる高村軍曹・新井紀一〉

ちこちこ さま 身近で親しげなさま。うわべや義理などのためではなく、心からするさま。「ついぞ此のやうに**ちこちこ**と側へ寄ってくれぬ吾妻が」〈歌舞伎―猿若万代厦〉

ちごはご さま 不ぞろいなさま。うまくかみ合わないさま。「お前は辞義が下手で誠に困る。両手を**チゴハゴ**に突ては不可《いけ》ねヘヨ」〈落語―にゅう・三遊亭円朝〉

ちたちた さま 古 ウマなどがよろめくさま。「馬のあせり、さはぐをちためく、**ちたちた**などいへる、ちた、如何」〈名語記〉

ちち ❶声 小鳥や虫・ネズミなどの小さく鋭く鳴く声。「午前四時、紙を貼りたる壁の穴僅にしらみて窓外の追込籠に鳥**ちち**と鳴く、やがて雀やがて鴉」〈墨汁一滴・正岡子規〉

❷音 鼓《つづみ》の音。「小鼓を**ちち**と打ちはやすも、いとしほらしき手もとなれば」〈仮名草子―よだれかけ〉

❸さま わずかな動きや変化が連続して続くさま。「大鼓・歌・鼓の頭《かしら》よりは**ちち**と遅く足を踏み」〈風姿花伝〉

❹↓漢語編「ちち(遅遅)」

ちちかい 声 ウズラなどの鳴く声。「ちちっかい」とも。「さいの川原の萩の下道なく鶉ひかしへ向ては**ちちく**はいと〈一鸖〉」〈俳諧―物種集〉↓鳴き声編「ウズラ」

ちちっぽぽ 音 鼓《つづみ》の音。「ヤア、和泉の三郎が父とは、鼓の**チチッポポ**、是れから我等、鼓の習ひを打ってお聞かせ申さう」〈歌舞伎―御摂勧進帳〉

ちちぽぽ 音 鼓《つづみ》を調子よく打つ音。「**チチポポ**と鼓打たうよ花月夜」〈鷹・松本たかし〉

ちちよちちよ 声 言い伝えで、ミノムシの鳴く声。「みのむしみのむし、声のおぼつかなきをあはれぶ。**ちちよちちよ**となくは、孝に専なるものか、いかに伝へて鬼の子なるらん」〈俳諧―本朝文選〉

✻『枕草子』「虫は」の段に、「八月ばかりになれば、**ちちよ**、**ちちよ**とはかなげに鳴く、いみじうあはれなり」と見え、ミノムシが「父よ父よ」と鳴く言い伝えが古くからあるが、実際にはミノムシは鳴かない。カネタタキの鳴き声と混同したものと思われる。

ちちりゅー 音 古 小さい玉などがふれ合ってたてる軽やかな音。ちりりん。「玉冠玉佩火打の様なる物どもの、**ちちりうちちりう**と鳴ほどに令練給けるを」〈富家語〉

ちっ 音・声 鳥などの短いさえずり。舌打ちの音や、不満を表明するために口の中で発する音。「ふところの銭二三文取出し、死なぬよふにと葭《しょ》の中へ、ばらばらとなげ込めば、よしきりおどろき、**チッ**と鳴てにげ行ば」〈咄本―蝶夫婦〉「**ちッ**、厭になっちまふね」〈あらくれ・徳田秋声〉

ちっきらほっきら さま 方言 少しずつであるさま。「**ちっきらほっきら**出してる」〈埼玉県〉

チックタック 音 時計が規則正しく時をきざむ音。チクタク。「**ちっくたっく** ちっくたっく ぼーんぼん おはよう おはよう 夜があけた」〈童謡―早起き時計・富原薫〉

ちっくり ❶ さま 古 わずかな程度であるさま。少し。ちょっぴり。「越後衆かあかしかびんが**ちっくり**ちぢんだ」〈浄瑠璃―丹波与作待夜の小室節・近松門左衛門〉

❷ さま 古 小さいさま。小柄なさま。「七尺豊の大の法師。五尺に足らぬ**ちっくり**法印」〈浄瑠璃―平仮名盛衰記〉

ちっこ ❶ さま 古 小さくまとまっているさま。つつましくしているさま。「壁の下道の傍に**ちっこ**とたたずみ、頭も足も冷えのぼり」〈咄本―醒睡笑〉

❷ さま 古 小さいけれどもきびきびとしているさま。「蟄居倀 **チッコ**トシタルワランベ」〈天正本節用集〉

❸ 名 古 背の低い人をいう語。ちび。「**ちっこ** 背のひきき人をいへる俗語なり」〈和訓栞〉

ちっこり さま 古 小さくまとまっているさま。つつましくきまじめなさま。ちっこ。「男女家にいて、**ちっこり**と我が家を治るにはよいぞ」〈周易抄〉

ちっちっ ❶ 音・声 時計の秒針の進む際の規則正しいこきざみな音。鳥の短くかん高い声。舌打ちや楊枝を使うときの短い音。『古い時計が、ふたたび**チッチッ**と動き出した』

❷ さま 古 わずかなさま。少しずつ続けるさま。「**ちっちっ**と飲だ」〈杜詩続翠抄〉「あちらむくうちに**ちっちっ**と舌を出し」〈雑俳―川柳評万句合〉

ちっぷー 音・さま 古 湯などが沸騰する音。また、そのさま。「やくゎんが**ちっぷう**とこぼれる故ふたをとる」〈洒落本―傾城買談客物語〉

ちっぷかっぷ ❶ 音・さま 古 湯などが沸騰する音。また、そのさま。ちっぷー。「**ちっぷかっぷ**とお汁が煮へ立ち」〈雑俳―ふでりきし〉

❷ さま 古 あれこれ文句を言うさま。「大家の子**ちっぷかっぷ**ではばをする(＝幅をきかせる)」〈雑俳―川柳評万句合〉

ちっぽり さま 小さいさま。少ないさま。ちんまり。「ちひさき物を、ちんまり、ちょっぽり、**ちっぽり**」〈かた言〉

ちばちば さま 方言 針などで刺されるような刺激。ちくちく。「芝生に腰おろしたら**ちばちば**した」〈千葉県〉

ちびちび さま 金の支払い、借金、飲酒などを、一度にしないで、ほんの少しずつ惜しむようにするさま。「好でも無い葡萄酒を取って**チビチビ**嘗めて居る」〈青春・小栗風葉〉「窮迫に窮迫を重ね、**ちびちび**した

借金も積りて」〈節操・国木田独歩〉

ちびりちびり さま 酒を少しずつ飲むさま。「**ちびりちびり**のみながら何やら本をよみゐたるが」〈西洋道中膝栗毛・仮名垣魯文〉

ちぼちぼ ❶ さま 古 小さなものが続くさま。散在するさま。ぽちぽち。「鱔は虵に似てぬめりて、皮は黄な**ちぼちぼ**と紋がありて鱗がないぞ」〈山谷抄〉「Chibochibo(チボチボ)〈訳〉小粒の雨が降るさま。また、吹出物などが吹出ている様子」〈日葡辞書〉

❷ さま 古 小さいさま。こぢんまりしたさま。「御所より**ちほちほ**の御かはらけの物五色、ちいさき御たる二かまいる」〈御湯殿上日記〉「Chibochibo(**チボチボ**)シタコト〈訳〉わずかなこと。小さなこと。女性の語」〈日葡辞書〉

ちまちま さま 小さくまとまっているさま。こぢんまりしているさま。「東京の**ちまちま**した生活に馴れなかった」〈面影・芝木好子〉「**ちまちま**と倹約しるがいい」〈大千世界楽屋探・式亭三馬〉

ちゃーちゃー さま 騒々しく言い立てるさま。「『きすは北の間じゃぞ』『**ちゃアちゃアちゃア**』ト皆々囂《やかま》しう云ふて値を付ける」〈歌舞伎・宿無団七時雨傘〉

ちゃかちゃか ❶ 音 かたいものがこきざみにぶつかるかん高い音。小型の機械が作動する音。「舞台上でシャープペンシルをひたすら**チャカチャカ**とノックしたり」〈気鋭・新鋭・松井茂さん・読売新聞・02・11・8・東京夕刊〉

❷ さま 動作に落ち着きがなく、騒がしいさま。言動がはでで、にぎやかなさま。「**ちゃかちゃか**しないで落着いてゐるのよ」〈縮図・徳田秋声〉「その夜から『クレオパトラ』の女給となって、又、**チャカチャカ**立ち働くやうになった」〈銀座川・井上友一郎〉

ちゃがちゃが さま 方言 落ち着きがなく、いい加減なさま。筋道の立たないさま。めちゃくちゃ。「そんなに**ちゃがちゃが**しんでね」〈茨城県〉「仕事手早いけど、**ちゃがちゃが**で困る」〈石川県〉「さっぱり話が**ちゃがちゃが**になってまった」〈岐阜県〉「一人ずつしゃべらな(話さないと)頭**ちゃがちゃが**になる」〈福井県〉

ちゃがはが さま くいちがうさま。ちぐはぐ。「**ちゃがはが**と女房ひとりが法花也」〈雑俳・卯の花かつら〉

方言 前後矛盾するさま。整然とまとまっていないさま。「**ちゃがはが**した(とんちんかんなことを言う)」〈石川県〉「**ちゃがはが**普請(いい加減な普請)」〈石川県〉

ちゃかぼこ ❶ 音・さま 鉦《ねか》、笛、鼓などのにぎやかな音。また、そのさま。「八木節は群馬・栃木県境の八木地方で生まれたとされる盆踊り歌。『**チャカボコ**、チャカボコ』と刻む軽快なリズムが人気を博し」〈「八木節ライブトレイン」発車・毎日新聞・97・10・10・群馬版〉

❷ 名 古 いい加減なでたらめをいうこと。ちゃらぽこ。「下帯の伽羅の烟を命にて〈志斗〉**ちゃかほこ**の声絶し揚り場〈在色〉」〈俳諧・談林十百韻〉

ちゃがらはがら さま 古 つり合わないさま。他とそろわないさま。「大根は**ちゃがらはがら**の馳走に出」〈雑俳・川柳評万句合〉

ちゃきちゃき ❶ 音 拍子木を打ったり、はさみで切りすすめるときのかん高くひびく音。ちょきちょき。「髪を刈る鋏の、忙しげな音が、**ちゃきちゃき**聞える」〈灰燼・森鷗外〉

❷ さま ものごとを元気よく手早くするさま。「それぞれのおはこびを一人で**ちゃきちゃき**やって行った」〈続女ひと・室生犀星〉

❸ さま きわめてはっきりしてまぎれのないさま。生粋《きっすい》であるさま。「お前は**ちゃきちゃき**の江戸っ子じゃないか」〈忘却の河・福永武彦〉

❹ さま 仲間の中ですぐれていて注目されるさま。有望であるさま。江戸っ子のように勇み肌で、めりはりのあるさま。「大

学出の若い**ちゃきちゃき**の巡査を理詰めで降参させた」〈青べか物語・山本周五郎〉

✸③④は「嫡嫡《ちゃくちゃく》（＝嫡子から嫡子へ代々家督を伝える意）」の変化した語という。

ちゃきりちゃきり 【音】はさみで少しずつ髪を切る軽い音。ちょきりちょきり。『『へい』とばかりで、後は**ちゃきりちゃきり**と鋏の音ばかり」〈多情多恨・尾崎紅葉〉

ちゃく ❶【さま】【古】時間をおかないでただちにするさま。すぐに。すばやく。ちゃっ。「卒爾ながら火を一つ御無心と立寄ば、旅人も**ちゃく**と身構へし」〈浄瑠璃―仮名手本忠臣蔵〉

❷【さま】【古】ものごとを、簡単にあるいは気やすく行うさま。たやすく。手軽に。「いやさ、それを告げいでは、**ちゃく**と教へられぬわい」〈南蛮寺門前・木下杢太郎〉

ちゃくや 【さま】【古】よくしゃべるさま。ぺちゃくちゃ。「藪入りが来ると其藪**ちゃくや**し」〈雑俳―川柳評万句合〉

ちゃちゃ ❶【声】小鳥などの鳴く声。「ふと音の消えた時、違棚の上で、**チャチャ**、と囁くやうに啼いたものがある」〈日本橋・泉鏡花〉 ⬇鳴き声編「スズメ」

❷【さま】ものごとが急速に行われるさま。手早く。さっさ。「電気広告。**チャチャチャチャ**と文字が進行する奴ですな」〈まんだん読本・古川緑波〉「サア此羽衣もを**ちゃちゃ**と着たと打着せ打着せ引立出るを」〈談義本―成仙玉一口玄談〉

❸【さま】手抜かりのないさま。確実なさま。「節と云は、竹に有ㇾ節様に、あるべい処に**ちゃちゃ**と、一てまり落したりなんどはせいであるぞ」〈史記抄〉

❹【さま】一時のがれにその場を適当にすますさま。「のがれぬ首尾のときに、くどきかかられては、**ちゃちゃ**とはづすなり」〈浮世草子―男色十寸鏡〉

ちゃちゃくちゃ ❶【声・さま】小鳥などのにぎやかに鳴く声。多弁なさま。「**ちゃちゃくちゃ**と分《わけ》こそあるら百千鳥〈高世〉」〈俳諧―当座払〉「大老職の羽交《はが》ひの下にしゃっ屈《かが》む雀が**ちゃちゃちゃくちゃ**とやかましい」〈歌舞伎―毛抜〉

❷【さま】間に合わせにするさまや、いい加減にするさま。めちゃくちゃ。『**ちゃちゃくちゃ**仕事』（＝骨を折らず遊び半分の仕事）

ちゃちゃちゃん ❶【音】摺鉦《すりがね》や三味線などのかん高い音。「草木も眠る丑満《うしみつ》といふ頃に凄く出ないと芸者が三味を**チャチャチャン**弾いて居る所へ出しては凄味《すごみ》が御坐いませぬ」〈落語―反魂香・柳家禽語楼〉

❷【さま】ものごとが急速に行われるさま。手早く。ちゃっちゃっ。「何か声かけ**ちゃちゃちゃん**と、出かけた女め、道の邪魔」〈歌舞伎―名歌徳三舛玉垣〉

ちゃっ ❶【さま】動作の迅速なさま。すばやいさま。「こちらででた論文を**チャッ**と訳して、横文字を縦になおして日本語にしただけで」〈夏の闇・開高健〉

❷【さま】動きがわずかであるさま。かりそめであるさま。ちょっと。少し。「忝《かたじけ》なや尊やな。是皆親のお慈悲じゃぞや。マアコレ**ちゃっ**と拝まっしゃれと」〈浄瑠璃―夏祭浪花鑑〉

ちゃっかり ❶【さま】抜け目がないのだけれども、どことなく憎めないさま。「きみが**ちゃっかり**我が家の露払いをしてくれたとはねえ」〈どちらでも・小島信夫〉 ⬇使い分け「しっかり」

❷【名】ライターやマッチをいう隠語。「照子はネーヴィ・カットの缶から煙草を出し、**チャッカリ**（ライター）をぱちりと鳴らして火をつけた」〈いやな感じ・高見順〉

ちゃっきり 【さま】動作がすばやく秩序のあるさま。ちゃっくり。「どうしてこのお礼が、**ちゃっきり**と云はれるものか」〈歌舞伎―盤話水滸伝〉

ちゃっきりちゃっ 【さま】すばやくすませ

るさま。ちゃっくりちゃっ。「鬼の来ぬ間に洗濯も何も彼も**ちゃっきりちゃっ**と、ええまだる」〈浄瑠璃―伊豆院宣源氏鏡〉

ちゃっちゃっ さま ものごとが急速に行われるさま。手早いさま。さっさ。「こいつは茶に酔うと気がつよくなりやせぬ。サア**ちゃっちゃっ**といかふ」〈東海道中膝栗毛・十返舎一九〉

ちゃっぷちゃっぷ 音・さま 水が勢いよくゆれたり、はじかれたりしてたてる軽く高い音。また、そのさま。「あめあめ ふれ ふれ、かあさん が じゃのめで おむかひ、うれしいな。ぴっちぴっち **ちゃっぷちゃっぷ** らんらんらん」〈童謡―あめふり・北原白秋〉「かもめの水兵さん ならんだ水兵さん 白い帽子 白いシャツ 白い服 波に **チャップ チャップ** うかんでる」〈童謡―かもめの水兵さん・武内俊子〉

ちゃびちゃび ❶ さま 方言 水などの浅いさま。「余計入れずに、**ちゃびちゃび**でええ」〈新潟県〉
❷ さま 方言 おしゃべりなさま。「**ちゃびちゃび**言う」〈島根県〉

ちゃぶちゃぶ ❶ 音・さま 水や湯をこまかくかき混ぜる際の軽くひびく音。また、そのさま。「夜泣きうどん屋は、抽斗《ひきだし》からうどんの玉を出すと、熱湯の中へ浸して**ちゃぶちゃぶ**やった」〈小さい田舎者・山田清三郎〉
❷ さま 茶づけ、あるいは水や酒などを食べたり飲んだりするさま。「このまあととさん帯屋長さまは、よく稼ぐお人であったに、此頃では毎日のどんたく、**ちゃぶちゃぶ**呑んで歩いてばっかり」〈歌舞伎―三国三朝良薬噺〈忘れ薬〉〉
❸ 名 食事のこと。湯づけを食べる音からいう。「あなた**喰事**《ちゃぶちゃぶ》ありませんか」〈西洋道中膝栗毛・仮名垣魯文〉

ちゃぷちゃぷ 音・さま 軽く波立ったり、波がものにぶつかったり、水の軽くはねる際の小さく明るい音。また、そのさま。「泥水の清んだので揉んだり、振ったり、**ちゃぷちゃぷ**する間に」〈松翁道話〉

ちやふや さま ことばや動作でおだてたり甘やかしたりするさま。ちやほや。「見ず知らずの人に取巻かれて**チヤフヤ**云はれて」〈福翁自伝・福沢諭吉〉

ちゃぷりちゃぷり 音・さま 水が大きくゆれ動いてはねる際の明るくひびく音。また、そのさま。「**ちゃぷりちゃぷり**と小さな波が波打際でくだけるのではなく」〈溺れかけた兄妹・有島武郎〉

ちゃぷん 音・さま 水に何かが落ちたときの小さな音。また、そのさま。「カモは**ちゃぷん**と、水音をたてて泳いでいった」

ちゃぼちゃぼ 音・さま 水がはねたりかき回される際の小さくこもる音。また、そのさま。「洗濯機が**チャボチャボ**回り、掃除機がゴォーとうなりはじめる」〈書評・朝日新聞・06・11・12〉

ちゃぽちゃぽ 音・さま 水が軽くはねたりかき回される際の軽く明るい音。また、そのさま。「空き缶を拾ったら重くて**チャポチャポ**音がする」〈自然は宝ばこ・東京新聞・98・10・27〉

ちゃぽっ 音・さま 水に何かが落ちたときに一瞬軽くはねる音。また、そのさま。「竹の先に鉄バケツをつけたつるべを、するすると井戸の中へ落とすと、**チャポッ**と音がする」〈水辺の風景・毎日新聞・96・8・18・宮城版〉

ちやほや さま ことばや動作でおだてたり甘やかしたりするさま。ちやふや。「当座の一週間位は下にも置かないやうに、**ちやほや**歓待されるのに〈略〉あとはそろそろ家族の熱が冷《さ》めて来て」〈こゝろ・夏目漱石〉

ちゃぽん 音・さま 水に何かが落ちた際の小さくひびく音。また、そのさま。「人指し指をプリン容器に**チャポン**と突っ込んでは、固まり具合を検査した」〈日曜くらぶ・串間努・毎日新聞・01・3・18〉

ちゃら ⬇コラム「しゃら・ちゃら・じゃら」

ちゃらくら ❶ さま 古 うそやいい加減なことを言うさま。「あのお方は大の**裏表**《ちゃらくら》じゃよって油断はならぬぞへ」〈洒落本—南遊記〉

❷ さま 古 異性に軽々しく言い寄るさま。「男と見りゃ、**ちゃらくら**いふてほたへまはり、飯のこげつくもしらずに」〈大師めぐり・十返舎一九〉

ちゃらちゃら ❶ 音 貨幣のたてる音、鈴の鳴る音、雪駄《せった》で歩く音など、金属やかたいものがふれ合って出す高く鋭い音。「小さな蝦蟇口《がまぐち》を出して、**ちゃらちゃら**と箪笥の上に置いた」〈葛飾砂子・泉鏡花〉「せったをはいて、**ちゃらちゃら**ならしてみたい」〈咄本—吟咄川〉

❷ 音 少量の水が流れる高くひびく音。「亜鉛の樋を走る水の**ちゃらちゃら**といふ声がする」〈ヰタ・セクスアリス・森鷗外〉

❸ さま 軽薄で多弁なさま。ぺらぺら。「**チャラチャラ**おべんちゃらいっても」〈解体の日暮れ・杉浦明平〉

❹ さま 女性が目立ってしなをつくってふるまうさま。また、女性の服装が安手ではでなさま。「そんな**ちゃらちゃら**した服を着てたって、お前は田舎もんだ」〈野菜売りの声・坂上弘〉

❺ さま 軽薄でうわついたさま。男女がなれなれしくふざけ合うさま。「日本からきた連中がフランス女と**ちゃらちゃら**したって、別に問題ないんですよ」〈新西洋事情・深田祐介〉

ちゃらりくらり さま 古 いい加減にすませて、ごまかすさま。「**ちゃらりくらり**とちゃらりくらりと姥で候姪で候と過ぎて行く」〈雑俳—千枚分銅〉

ちゃらりちゃらり 音・さま 金属性の小片がふれ合って発する高く鋭い音。はでで安っぽいさま。ちゃらちゃら。「耳の金環を**ちゃらりちゃらり**鳴らしながら通りすぎて行くのは」〈長春五馬路・木山捷平〉「あいつが鉄《かね》のあるを鼻緒にかけ、**ちゃらりちゃらり**と音をさせて、このやうにきれましたといふ」〈咄本—鯛の味噌津〉

ちゃらんちゃらん 音 金属がふれ合ったり、かたいものにぶつかったりしてたてる高くひびく音。「**ちゃらんちゃらん**と鈴の音がきこえると間もなく」〈銀の匙・中勘助〉

ちゃらんぱらん さま いい加減で気持ちのこもらないさま。ちゃらんぽらん。「『見学記』が会社にたのまれたために**チャランパラン**のものになったのではなく」〈佐久間ダム見学記について」について・杉浦明平〉

ちゃらんぽらん さま いい加減で無責任なさま。また、そのような行動。「何をおざなりな、**ちゃらんぽらん**なことをいっているのだというところである」〈芸術と政治の妙な—関係・高橋義孝〉

ちゃりん 音 金属がふれ合ったり、かたいものにぶつかったりしてたてる高くひびく音。「鎖の音を**ちゃりん**！と云はして、いきなり跳び着かうとするのである」〈蓼喰ふ虫・谷崎潤一郎〉

ちゃりんちゃりん 音 金属が何度かふれ合ったり、かたいものにぶつかったりしてたてる高くひびく音。「**チャリンチャリン**蚊帳の鐶が鳴るのを、足立は夢うつつに聞いた」〈今年竹・里見弴〉「敵味方**チャリンチャリン**と斬り結ぶ下を」〈江戸から東京へ・矢田挿雲〉

ちゃわくちゃ さま 古 意味もなく多弁なさま。「明けても芝居、暮れても芝居**ちゃわくちゃちゃわくちゃ**と、はては泣いたり笑ったり」〈咄本—市川評判図会〉

ちゃわちゃわ ❶ さま 古 うるさいほど多弁なさま。「いったいよく、**ちゃはちゃは**とくちをきさて、とかく女には、いやがられるふうぞくなり」〈洒落本—色講釈〉

❷ さま 方言 目まぐるしいさま。落ち着きのないさま。「なんだかんだ言うてるうちに**ちゃわちゃわ**と片づけてしもた」〈新潟県〉「いくつになっても、**ちゃわちゃわ**して」

〈福井県〉

ちゃん ❶ 音・さま 金属製の鐘や陶器などが鳴ったり、ぶつかったりしたときにたてるかん高くひびく音。また、そのさま。「目もはなさず時斗《とけい》を見て居れば、ほどなく八つのかしらを**ちゃん**と打つと」〈咄本―寿々葉羅井〉
❷ さま ぐあいや折り合いのよいさま。まさしく。うまいぐあいに。「神棚や仏壇に上げるべきお鏡餅の店迄が**ちゃん**と出て居る」〈東京年中行事・若月紫蘭〉
❸ さま 折り目正しいさま。決まりや習慣に忠実に従っているさま。「朝むっくり起きると、旦那どのが**ちゃん**と帳場にすわり」〈松翁道話〉「あたしは**ちゃん**と市に税金を払っているのに」〈がらくた博物館・大庭みな子〉
❹ さま 確かであるさま。不足なくじゅうぶんであるさま。『**ちゃん**としたものを食べなさい』「君達は何しに来たんだか、僕がここの家の者だから、**ちゃん**と話を聞かうぢゃないか」〈金・宮嶋資夫〉
❺ さま 古 動作の迅速なさま。ちゃっ。「木の葉をそめる十月の時雨もまだふらぬのに神なひの杜ははやかねて**ちゃん**と色が染まった」〈古今集遠鏡〉

ちゃんきり 音 はたを織るときの杼《ひ》の音。『**ちゃんきりばた**』(＝バッタンという木の枠をとりつけた手織りばたのこと)

ちゃんぎり ❶ 音 鉦《ねか》などをたたいたりこすったりして出す音。ちゃんぎりしっきり。「はやし立てなけや**ちゃんきり**子規の声」〈三吉〉〈俳諧―玉海集〉
❷ 名 金属製の直径約一〇センチの円蓋《えんがい》状の鉦《ねか》。先端に球状の鹿の角のついたばちで、するように打って鳴らす。下座《ざげ》音楽や祭礼囃子に用いる。当り鉦。摺鉦《すりがね》。「急に、**ちゃんぎり**を入れた馬鹿囃子《かばばやし》が始まった」〈ひょっとこ・芥川龍之介〉「**ちゃんきり**も坊主の持はやかましい」〈雑俳―川柳評万句合〉

ちゃんぎりしっきり 音 古 鉦《ねか》などをたたいたりこすったりして出す音。ちゃんぎりすっきり。「世上にばっと囃し立て、いひ渡したる山鉾の、**ちゃんぎりしっきり**切ったりや」〈浄瑠璃―堀川波鼓・近松門左衛門〉

ちゃんちき 音 規則正しく鉦《ねか》などを打ち鳴らす音。『**ちゃんちきおけさ**』「**ちゃんちきちゃんちき**と、雷《いら》をなして去りぬ」〈談義本―当世花街談義〉

ちゃんちきちん ❶ 音 おはやしの鉦《ねか》を打ち鳴らす高く鳴りひびく音。
❷ さま 程度が最高に達しているさま。こんこんちき。「あるともあるとも大ありの**ちゃんちきちんだ**」〈彼女とゴミ箱・一瀬直行〉

ちゃんちゃか さま 太鼓や三味線などの鳴り物入りではやしたてて、遊び騒ぐさま。どんちゃん。「記憶の底に、**ちゃんちゃか**にぎやかな祭囃子や出店のにぎわいが浮かびあがって来る」〈清経入水・秦恒平〉

ちゃんちゃん ❶ 音・さま 金属や木材、陶器などを打ち合わせたときのかん高い音。また、そのさま。「鰐口《わにぐち》**ちゃんちゃん**打ならして、神前にひざまづき」〈咄本―蝶夫婦〉「中木戸から、**ちゃんちゃんちゃんちゃん**と拍子木の音」〈洒落本―水月ものはなし〉
❷ 音・さま 三味線を続けて弾く音。また、そのさま。「橋下へ著ておく船のなかで、ヨヲ、引イ、ヤ、**チャンチャンチャンチャン**と三味《さみ》ずるを切かけに」〈七偏人・梅亭金鵞〉
❸ 音・さま 斬り合いなどで、二本の刃物の刃と刃がぶつかってたてる高くひびく音。また、そのさま。ちょうちょう(丁丁)。「すらり引抜いて一生懸命に大勢を相手に**ちゃんちゃん**切合ひましたから」〈真景累ケ淵・三遊亭円朝〉
❹ さま ものごとが滞らないさま。きちんきちん。「月々のものも**几帳面**《ちゃんちゃん》と送って来たから好かったが」〈三四郎・夏目漱石〉
❺ さま ものごとにけりや区切りがつくさま。『はい、それまで。**ちゃんちゃん**』

ちゃんちゃんばら ❶ 音・さま はでに刀で

斬り合いをするときの音。また、そのさま。「双方負けず劣らず遣合って、チャンチャンバラと闘ったが」〈骨董・幸田露伴〉
❷名 けんか。乱闘。「近頃は、なぐりこみもなくって不景気だな、一つやりてえな、チャンチャンバラっていふ奴さ」〈浅草・サトウハチロー〉

ちゃんちゃんばらばら ❶音・さま 刀で斬り合いをするときの音。また、そのさま。「赤穂浪士の討ち入り以降〈略〉桜田門外の変に至るまで、刀でチャンチャンバラバラというのはなかった」〈富山おもしろ美術散歩・北國新聞・07・3・19〉
❷名 はでなけんか。乱闘。「この朝の涙が出ないやうになれば、まづ女として一人前だわ。―ところが弓子さんときたら、男とチャンチャンバラバラ、ね」〈浅草紅団・川端康成〉

ちゃんと →ちゃん。

ちゃんぽん ❶音 鉦《かね》と鼓《つづみ》、または、三味線と鼓などを合奏する音。「芸者の滑稽、チリツンテン、ちゃんぽんの大さわぎ」〈洒落本―花街鑑〉
❷さま はっきり異なる二種以上のものを混同するさま。かわりばんこにするさま。「洋酒に日本酒とちゃんぽんにやったものですから」〈苦の世界・宇野浩二〉「僕なんか面倒くさがり屋だから、自炊と外食をチャンポンにしてゐますが」〈ボロ家の春秋・梅崎春生〉

ちゅー ❶声 小鳥やネズミなどの鳴く声。『たわらのねずみが米くってチュー』
❷音・名 キスする音。また、キスそのもの。『突然頬にチューをされた』「女は何も答へずに、俺をひき寄せてみんなの前でチュウと唇を吸った」〈苦力頭の表情・里村欣三〉
❸音・さま 酒や汁などをすすりこむ際の高くあたりにひびく音。また、そのさま。「口を箸の方へ持って行ったなと思ふ間もなくつるつるちゅうと音がして」〈吾輩は猫である・夏目漱石〉
❹音・さま 液体がせまい口から勢いよくふきだす音。また、そのさま。『水鉄砲で、チューッと水を飛ばす』「『此フライは何だい。〈略〉』と青年は人指指と親指の間からちゅうと黄色い汁を鮭の衣《ころも》の上へ落す」〈野分・夏目漱石〉
❺音・さま 火が水によって瞬間に消える音。また、そのさま。「茶釜を溢《あふ》れた沸湯《にえゆ》が、炭火の上に落ちてチューと言った音で米友は眼を醒《さ》ましましたが」〈大菩薩峠・中里介山〉
❻音・さま 古 金属性のものが強くぶつかり合ってたてる音。また、そのさま。ちーん。「尻苔ふらむと思ふに、箭のちうと鳴て、外様《よそ》に反ぬれば」〈今昔物語集〉
❼さま 古 動作が滞らないで行われるさま。すばやいさま。さっ。ぱっ。「そんならそちにも一両ちうとせよ」〈歌舞伎―傾城壬生大念仏・近松門左衛門〉

ちゅーちゅー ❶声・さま ネズミやスズメなどの鳴く声。また、そのような声で鳴くさま。「鼠になって蔵の中をかけめぐり、ときどき立ちどまってちゅうちゅうと鳴いてみた」〈ロマネスク・太宰治〉「あながちに恋をする身はちうちうと鼠鳴してよぶもことはり」〈狂歌―後撰夷曲集〉
❷音・さま 酒や汁などを少しずつ吸う音。また、そのさま。『ストローでチューチューと飲む』「カニのはずなのに〈略〉口の中でたちまち溶けそうで、チュウチュウと中の薄い肉と汁を吸いだすのである」〈小説家のメニュー・開高健〉「何にしろ此《この》又海老の具足煮《ぐそくに》てぇ奴は楽しみなもので、チュウチュウ(殻を舐め汁を吸ふ音)ウン、旨《うめ》へヤ」〈落語―転宅・古今亭今輔〉
❸名 ネズミやスズメをさす幼児語。
❹さま 方言 落ち着きがないさま。「ちゅーちゅーするなー。じっとしちょけー」〈大分県〉

ちゅーちゅく 声 スズメの鳴く声。⇒鳴

き声編

ちゅちゅ ❶声 スズメなどの続けざまに短く鳴く声。「あるひは雀は**ちゅちゅ**で烏《からす》はかあかあとも云ふ」〈虞美人草・夏目漱石〉

❷音 酒や汁などをすする音やキスする音。ちゅっちゅっ。「その儘直に**チュチュ**と寄あふ口が三三九度」〈人情本―春情花の朧夜〉「隅の方に三人かたまって、何かつるつる、**ちゅちゅ**食ってた連中が」〈坊っちゃん・夏目漱石〉

ちゅっ ❶音・名 一度キスする音。また、キスそのもの。「白い鳥打をアミダに冠って**チュッ**と投げキッスの、真似をした」〈雪夫人絵図・舟橋聖一〉「両方から顔を押しつけては、口の中で『**チュッ**』と舌を鳴らしてゐるのが」〈細雪・谷崎潤一郎〉「御褒美に、ほっぺに**ちゅっ**してあげませうねえ」〈妻・田中純〉

❷音・さま 汁などを短くすする音。また、そのさま。「両切の和煙草を蠟巻の口に挟んで、**チュッ**と吸って」〈日本橋・泉鏡花〉

❸さま 少量の液体を勢いよくかけるさま。「その生ガキを外套の襟をかきあわせながらレモンの汁を**チュッ**とかけ、ツルッと呑みこむ」〈小説家のメニュー・開高健〉「御嬢さんは人が悪う御坐いますヨ、徳どんへ**チュッ**と手水《てみず》をはね掛けて」〈落語―お節徳三郎連理の梅枝・三代目春風亭柳枝〉

ちゅるちゅる 音・さま 汁などを少しずつ吸う音。また、そのさま。「コリコリとした歯ごたえの中から甘みと上品なうま味が**チュルチュル**と出てくる」〈食あれば楽あり・小泉武夫〉

ちゅるるる 音・さま 汁などを続けて吸う音。また、そのさま。「さらにかんでいくと今度は奥の深いうま汁が**チュルルル**と出てきた」〈食あれば楽あり・小泉武夫〉

ちゅんちゅく 声 スズメの鳴く声。⬇鳴き声編

ちゅんちゅん ❶声・名 スズメの鳴く声。また、スズメをさす幼児語。『ベランダの**チュンチュン**にお米をご馳走する』 ⬇鳴き声編

❷さま 方言 非常に熱いさま。ちんちん。「**ちゅんちゅん**に湯がわいている」〈福井県〉

ちょい さま ものごとの動きや程度がわずかなさま。ちょっぴり。「若原投手第一球の構え。第一球ボール、アウトコーナを**ちょい**とはずれた球」〈漫才読本・横山エンタツ〉「コリャ半兵衛、走りの出刀庖丁よふ磨《とが》して置いたぞや、**ちょい**と触っても剣じゃぞ」〈浄瑠璃―心中宵庚申・近松門左衛門〉

ちょいちょい ❶さま 間を置いて同じことが続いたり、何度も繰り返されるさま。たびたび。「うん、此んな処に**ちょいちょい**来る代物ぢゃないねえ」〈太陽のない街・徳永直〉「荻生さんが心配さうな顔をして**ちょいちょい**裏から入って来る」〈田舎教師・田山花袋〉

❷さま ものごとの動きや程度が軽くわずかなさま。『着付けの仕上げに、襟元を**ちょいちょい**と整えた』「子供等の頭を**ちょいちょい**と叩きながら行った」〈暗夜行路・志賀直哉〉

ちょうちょう ⬇漢語編①「ちょうちょう(丁丁・打打)」②「ちょうちょう(喋喋・諜諜)」⬇使い分け「ぺらぺら」

ちょーん 音 一回、拍子木の高く鳴りひびく音。「**ちょーん**と柝《き》が入り、幕が上がった。かすんだ月が浮かび、青みがかった光が、舞台中央の橋を照らしている」〈生涯現役・読売新聞・91・6・16〉

ちょかちょか さま 落ち着きなく、小走りに歩いたり走ったりするさま。ちょこちょこ。「かかる処へ或者、**ちょかちょか**と来りければ」〈咄本―当世手打笑〉

方言 落ち着かないさま。「**ちょかちょか**すんな(するな)」〈福井県〉「**ちょかちょか**するよって見つかってもうた(見つかってしまった)」〈大阪府〉

ちょき ⬇コラム「ちょき・じょき」

ちょきちょき ❶ 音・さま はさみを軽快に動かしたり、はさみでものを切りきざむ音。また、そのさま。「鋏を**ちょきちょき**いわせながら教授が呟いた」〈冥府・福永武彦〉「緬羊の毛を、柵《さく》番《ばん》の留守に褒められようとて、頼まれもしないのに鋏で**チョキチョキ**刈って」〈黒猫・龍胆寺雄〉 ❷ 音・さま 古 庖丁などでものを切る音。また、そのさま。「薄刃追取五尺の大芋三寸斗切ととのへ、つゐ皮むいて**ちょきちょきちょき**」〈浄瑠璃—心中宵庚申・近松門左衛門〉 ❸ さま 古 手順よく動作のすばやいさま。しゃきしゃき。「畳んで打盤出して**ちょきちょき**と打て」〈浄瑠璃—心中宵庚申・近松門左衛門〉「今も小手廻よきを**チョキチョキ**といふ」〈随筆—嬉遊笑覧〉

ちょきり ❶ 音・さま はさみで一度ものを切る音。また、そのさま。ちょっきり。『庭のシャクヤクを根もとから**ちょきり**と切った』 ❷ さま 乱れなく整っているさま。ちょきん。ちょっきり。「道楽爺《どうらくぢぢい》、年がよってもあたまは**ちょきり**とした本田に結ひ」〈浮世風呂・式亭三馬〉

ちょきん ❶ 音・さま はさみなどでものを一度に断ち切る音。また、そのさま。ちょっきん。「濡れたままの爪を大きな鋏で器用に剪った。**チョキン**、チョキンといふ音と一緒に」〈通学物語・渋沢秀雄〉 ❷ さま ものごとが乱れなく整っているさま。「ひと風呂あびて、貸ゆかたになって、浅葱めりんすの短い絎帯を**チョキン**と前結びにして」〈今年竹・里見弴〉「お客扱にせられ、自分の傍に**ちょきん**と坐て足をもぢもぢさして居る」〈帰去来・国木田独歩〉

ちょくちょく さま わずかの間をおいて同じことが繰り返されるさま。ちょいちょい。「彼はゆるくなった帽子を**ちょくちょく**脱いで」〈路・藤枝静男〉「鯉太郎さまも**ちょくちょく**此処へお出でなされた」〈人情本—恩愛二葉草〉

ちょこすか さま 取るに足りないわずかなさま。こまごましたさま。「一場の話説やなどの**ちょこすか**したことを言質に取て弁別するは、大に隘陋なことにて候」〈雑話筆記〉

ちょこちょこ ❶ さま 小走りに走るさま。落ち着きなく動き回るさま。ちょこまか。『**ちょこちょこ**歩き』『**ちょこちょこ**走り』「折鞄をかかえて**ちょこちょこ**と取調べ室に入ってきた」〈ノリソダ騒動記・杉浦明平〉 ❷ さま 手間どらず簡単にするさま。ちょこまか。『**ちょこちょこ**っと身繕いして、買い物に出かけた』 ❸ さま 手軽に、または少しずつ、何度もするさま。ちょいちょい。ちょくちょく。「閑散《かんさん》の身の隠居は、当座朝夕に**ちょこちょこ**と会ひに行く」〈二人女房・尾崎紅葉〉 ❹ さま 少しずつあちこちに散らばっているさま。「**ちょこちょこ**と沢辺に残る雪はただ　まっしら鷺がすくんだと見ゆ」〈狂歌—古今夷曲集〉

ちょこっ さま 程度や時間がほんのわずかなさま。『**ちょこっ**としたプレゼント』「私は芹沢先生が講義のあい間に**チョコッ**とはさむ何気ない世間ばなしが大好きだった」〈父の詫び状・向田邦子〉

ちょこなん さま やや離れた所にかわいらしく小さくかしこまっているさま。ちょこりん。「八手の大きな緑の葉の上に、雨蛙が**ちょこなん**と載っていた」〈冥府・福永武彦〉

ちょこまか さま 落ち着きなく動きまわるさま。こまめに動くさま。「**ちょこまか**と側にくっついて何かと母親にお喋りをしながらお八つをねだっていた自分」〈忘却の河・福永武彦〉「乃木大将でも、羅門光三郎でも、昔の映画だからコマが違っていて、みな一様に、**ちょこまか**とし、せかせかと動いて」〈巷談本牧亭・安藤鶴夫〉

ちょこり さま 小さくかしこまっているさ

コラム　オノマトペのもと

ちょき・じょき

「ちょき」は、はさみなどで軽快にものを切ったり、きざんだりする音やそのようすを表す。このオノマトペには「ちょきちょき」「ちょきっ」「ちょきん」「ちょきり」「ちょっきり」など豊富な形態がある。

「ちょきり」「ちょっきり」には、ものごとが乱れないできちんとしているようすを表す用法もある。特に「ちょっきり」は、「ぴったり」や「きっちり」の意味で使われることもある。

「じょき」も、はさみなどでものを切りきざむ音やそのようすを表すが、「ちょき」に比べると重さやにぶさといったニュアンスが若干加わる。鋭利なはさみで軽快に切るようすを表すには「ちょきちょき」がふさわしいが、はさみが錆びついていたり、切り方が乱雑であったり、あるいは切りきざむ対象がある程度の力を要するほど分厚いような場合には「じょきじょき」のほうがふさわしい。

たとえば散髪のようすを表す場合、「ちょきちょき」からは腕のよいプロの理容師が軽快に仕事をするさまや、丹念さなどがうかがえる一方で、「じょきじょき」は慣れない人がいかにも乱雑に髪を切りさばくような場面を想起させる。

【ちょき・じょきの語群】

ちょきちょき・じょきじょき
ちょきっ・じょきっ
ちょきり・じょきり
ちょっきり・じょっきり
ちょきん・じょきん
ちょっきん・じょっきん

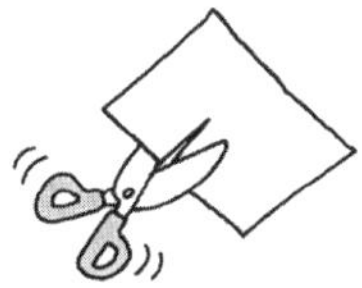

	色紙を―（と）切る	厚紙を―（と）切る	六時―に出かける
ちょきちょき	○	△	―
ちょきり	○	△	―
ちょっきり	○	△	○
ちょきん	○	△	―
ちょっきん	○	△	―
じょきじょき	○	○	―
じょきり	○	○	―
じょきん	○	○	―

【表現】

多くのオノマトペに当てはまることだが、「ちょきちょき」のような繰り返し形は連続的な動作を表す。たとえば「駅員が切符を～と切る」という文脈で、多くの客の切符に手際よくはさみを入れるようすを表すには「ちょきちょき」がふさわしい。一方、「ちょきん」「ちょきり」は一回の入鋏《にゅうきょう》の動作を表す。細いひもや枝など、一回の動作で切り終わるものは「ちょきり」「じょきり」で表せるが、大きな紙や布などを切るときは、自然「ちょきちょき」「じょきじょき」の繰り返し形になる。

語頭子音の清濁によってもニュアンスが大きく異なる。「駅員が切符を～と切る」という文脈でも、「じょきじょき」だと入鋏のようすは表せない。むしろ、不要になった切符などを切りきざむような場面が思い浮かぶ。

なお、「ちょき」の用法の中でも、「ちょっきり」は、「千円ちょっきりのお買い得品」のように、「ちょうど」の意味を表す点で特異である。この意味においては「じょっきり」のような語頭濁音の形は用いられない。

（那須昭夫）

ま。小さなものがつき出たり付いたりしているさま。「**ちょこり**と手を膝に頭を下げた星子を、お高は急いで抱き上げた」〈良人の自白・木下尚江〉

ちょこりん さま 周囲とのつながりを持たずに、小さくかしこまっているさま。ちょこん。「僕の家から六七町田の中に**ちょこりん**と一個《ひとり》立った茅葺のが其れで」〈思出の記・徳冨蘆花〉「小さな二階建の市庁舎《シテーホール》が**チョコリン**と畏《かしこ》まって居る」〈紐育・原田棟一郎〉

ちょこん ❶ さま 小さくなって身動きをしないさま。「流し端に**ちょこん**と佇んでいつものやうに両手を腋の下にかって黙ってにこにこ笑ひながらこっちを見てゐた」〈若き日・広津和郎〉❷ さま 小さなものがつき出たり付いたり、のっているさま。「紺の羅紗の小皿のような制帽を**チョコン**と後頭部にのせた彼等が」〈自由と規律・池田潔〉「小さい、真白い三角が、地平線に**ちょこん**と出てゐて、それが富士だ。なんのことはない、クリスマスの飾り菓子である」〈富嶽百景・太宰治〉❸ さま わずかに動かすさま。『**ちょこん**と頭を下げる』「わたくしはいっさんに本塁へ殺到し、草八が**チョコン**とバットを出して、ころッと球が転がって一点獲得」〈受胎・井上友一郎〉

ちよちよ 声 チドリの鳴く声。 ⬇鳴き声 編

ちょっきり ❶ 音・さま はさみでものを切る音。また、そのさま。「これで髷節を**ちょっきり**切てしまったら宜らう」〈七偏人・梅亭金鵞〉❷ さま 整いそろっているさま。ちょきん。ちょこん。「かみの毛が**チョッキリ**おっ立っちまって〈略〉丸でブラシ(刷毛)の様です」〈小公子・若松賤子訳〉❸ さま 程度や、動きがわずかであるさま。少し。ちょっと。「此しんなんざ、宵《よい》に**ちょっきり**、頬《つら》をつん出したまま、やうやう今に成って来た」〈洒落本―遊子方言〉❹ さま 過不足のないさま。ちょうど。かっきり。「**ちょっきり**約束の時間に行ってましたら」〈卍・谷崎潤一郎〉 ⬇使い分け「きっかり」

ちょっきりちょっ さま ほんのわずかなさま。「イヤモ此礼が**ちょっきりちょっ**とは申されませぬ」〈浄瑠璃―生写朝顔話〉

ちょっくら さま わずかな時間のかかるさま。簡単な出来事であるさま。ちょっくり。「あんな立派な息子になるのは**ちょっくら**のことじゃない」〈悪魔・国木田独歩〉「それじゃア母人《おっかア》、**ちょっくら**行て来てくれ」〈春色辰巳園・為永春水〉

ちょっくらちょい さま ごくたやすいさま。ほんの手軽に。ちょっくらちょっ。ちょっくりちょい。「官員の口てったって**チョックラ、チョイ**と有りゃアよし、無からうもんなら」〈浮雲・二葉亭四迷〉

ちょっくらちょっ さま あまり労力をかけないさま。「半切の一枚や二枚**ちょっくらちょっ**と書いて呉りやはりますやろ」〈茶話・薄田泣菫〉

ちょっくり さま わずかなさま。簡単なさま。短いさま。「あしたの朝文をかいておくから、人をやるなら**ちょっくり**しらせてくだせへよ」〈洒落本―まわし枕〉

ちょっくりちょい さま 気楽でたやすいさま。「情談《じゃうだん》のどさくさ紛れに**チョックリチョイ**といって除《の》ける事の出来ない文三」〈浮雲・二葉亭四迷〉

ちょっこ さま 古 ほんのわずかなさま。「くる秋や**ちょっこ**と見するけさの露」〈当清〉〈俳諧―破篳〉方言 見かけによらず、ものごとをじょうずにしたり、こざかしいさま。「あんな子でも**ちょっこ**とやりよるで」〈大阪府〉

ちょっこら さま 気軽に少しだけものごとを行うさま。ちょっくら。「絶対多数党の大臣どのは、我が世の春に酔いしれて、

ちょっこら、人民どもの前に、御愛嬌を振りまいたものであろう」〈鉛筆ぐらし・扇谷正造〉

ちょっこり ❶ さま 小さくまとまっているさま。『手のひらに**ちょっこり**とのるウサギ』「人形は2階食料品売り場に上る階段の、幅の広い手すりの上に**ちょっこり**と立っていた」〈街・朝日新聞・86・1・25〉
❷ さま 動作が大げさでないさま。手軽に。「よしあり気なる浪人の風呂敷包み**ちょっこり**と、似合ぬ風の旅姿」〈浄瑠璃—和田合戦女舞鶴〉

ちょっちょっ ❶ さま 軽い動作やわずかなことを、繰り返しするさま。「平生**ちょっちょっ**ときをつけ熟すれば、をのづから心上うかつかず」〈敬説筆記〉
❷ さま わずかな間をおいて同じことが続いたり、何度も繰り返されるさま。たびたび。しばしば。「雨やとり**ちょっちょっ**と出てはぬれてみる」〈雑俳—誹風柳多留〉「**ちょっちょっ**と金の置所母は替え」〈雑俳—藐姑柳〉

ちょっぴか さま 方言 落ち着きがないさま。そそくさ。「いつも**ちょっぴか**しているので危なくて見てはいられねえ」〈東京都〉

ちょっぴり さま 分量や程度のきわめて少ないさま。時間的に非常に短いさま。少し。「いままで**ちょっぴり**鼻にかけていた語学の実力を」〈司令の休暇・阿部昭〉 ⇩使い分け「ちょっぴり」

ちょっぽかわ さま 古 人目をさけて、小声で話すさま。ささやくさま。「是といふが女来のお蔭、ひとつはお松が仕合と、独りして**ちょっほかは**と安右衛門いはるれば」〈浮世草子—好色染下地〉

ちょっぽくさ さま 古 口先たくみに話すさま。ちょぼくさ。「**ちょっぽくさ**と追従言うて酒を進め」〈浮世草子—好色小柴垣〉

ちょっぽり ❶ さま 分量や程度のほんのわずかなさま。時間的に短いさま。少し。「一方は所謂山又山さ。其上から富士が**ちょっぽり**覗いてるなんぞは頗る妙だ」〈不如帰・徳冨蘆花〉
❷ さま 小さくまとまっているさま。ちょこん。「大天狗の鼻や**ちょっぽり**かたつむり」〈文政句帖・一茶〉「ひとつ、**ちょっぽり**、赤いブイ」〈童謡—ブイ・北原白秋〉
❸ 名 卑小な者。人や子どもを卑しめていう語。小僧。「親仁がどっからやら連れてきて、兄弟同前にせいといはるるけれど、気にくはぬは**ちょっぽり**め」〈浄瑠璃—源平布引滝〉

ちょっぽりちょっ さま 古 口先でうまく言いくるめるさま。「**ちょっぽりちょっ**と何角の手廻し」〈浄瑠璃—東海道七里艇梁〉

使い分け

ちょっぴり
ぽっちり／ちょぼちょぼ

【共通の意味】数量や程度がわずかであるようす。

❶**ちょっぴり**は、「ほんの**ちょっぴり**しか食べない」のように、量を表したり、「**ちょっぴり**悲しい」のように程度を表したりする。❷**ぽっちり**は、**ちょっぴり**よりさらに少ない感じ。「スープの中に肉が**ぽっちり**しか入っていない」❸**ちょぼちょぼ**は、「ゴルフの腕前は息子と**ちょぼちょぼ**です」のように、腕前や能力に大した差がない場合に使う。

ちょび ⇩コラム「ちょび・ちょび」

ちょびかわ さま 古 忙しくすばやく立ちまわるさま。気ぜわしいさま。「憎い女子共、我が見る前では**ちょびかは**して、一寸立てば早や何所へ」〈浄瑠璃—心中宵庚申・近松門左衛門〉

ちょびくさ さま うるさく口早にしゃべるさま。繰り返し言うさま。「牛に付いた虻《ぶあ》のやうに**ちょびくさちょびくさ**、寝ようと思ふても寝られぬわいの」〈浄瑠璃—信州姥

捨山〉

ちょびちょび ❶ さま わずかずつ続けて何度もするさま。『**ちょびちょび**と涙が出る』『**ちょびちょび**と酒を味わう』「外出好で、**チョビチョビ**と金をつかふので」〈細君・坪内逍遙〉 ❷ さま 方言 差し出がましいことをするさま。北関東地方・中部地方。「おれの前でがとー(過度に)**ちょびちょび**するじゃねえぞ」〈山梨県〉「そんなつもりじゃあないに、**ちょびちょび**すんなと叱られた」〈静岡県〉

ちょびっ さま 量や程度の少ないさま。大げさでないさま。「一つか二つ、完全にあるよりは、みんなが**ちょびっ**とずつ万遍なくあればよい」〈越前竹人形・水上勉〉

ちょぴり さま 分量や程度のかなり少ないさま。時間的に非常に短いさま。「成程鼻の下には**チョピリ**と薄い鬚を蓄《た》てて居る」〈良人の自白・木下尚江〉

ちょびりちょびり さま 休みながら、わずかずつ行うさま。「泡盛の肴《さかな》にこれを**チョビリチョビリ**と箸でとって」〈小泉教授が選ぶ「食の世界遺産」日本編・小泉武夫〉

ちょべこべ さま 古 出しゃばってあれこれとしゃべりたてるさま。不平・理屈・へつらいなどをうるさく言うさま。つべこべ。「**ちょべこべ**とようしゃべらんす」〈評判記―役者大福帳〉

ちょべちょべ さま 方言 よくしゃべるさま。差し出がましいさま。北関東地方・新潟県。「よく**ちょべちょべ**話してるよ」〈埼玉県〉「いつまで**ちょべちょべ**やってんだ」〈埼玉県〉「**ちょべちょべ**しないで、落ち着いていない(落ち着いていなさい)」〈新潟県〉

ちょぼくさ ❶ さま 古 気ぜわしげにあれこれうるさくしゃべるさま。ちょっぽくさ。『『それ陸奥様へ、お人進ぜませ』**ちょぼくさ**言って、皆々奥へ入にける」〈歌舞伎―傾城暁の鐘〉 ❷ さま 古 人目をさけてささやき合うさま。ひそひそ。「小隅や暗がりで**ちょぼくさ**と、囁《ささや》いたり抱きついたり」〈歌舞伎―思花街容性〉 ❸ さま 古 口先たくみに話すさま。ことば上手にとりなすさま。「何が仲人口云付けた利口者。**ちょぼくさ**いふての馳走」〈浮世草子―風流茶人気質〉 ❹ さま 古 少しずつ分かれているさま。あちこちに少しずつあるさま。「其小冊にして読足らず、且**ちょぼくさ**と数多きは、回覧するの煩はしきを厭ひ」〈風来六部集・風来山人(平賀源内)〉

ちょぼちょぼ ❶ 音・さま 水が少しばかり流れる音。また、そのさま。「狭い山道のわきに、**チョボチョボ**と流れ出た小さなわき水。手で受けて夢中で飲む」〈水の風景・朝日新聞・97・7・19〉 ❷ さま 量や程度が少ないさま。ものがまだらであったり、点在するさま。ちょびちょび。しょぼしょぼ。『**ちょぼちょぼ**髭』「ただ一面の茅野で、偶《また》に灌木の林が**チョボチョボ**と、くすねて生えてるを見るばかりであらう」〈少年行・中村星湖〉 ❸ さま 両者に優劣をつけがたいさま。『彼は僕と**ちょぼちょぼ**だよ』「緯度でいえば北緯四十五度と**ちょぼちょぼ**にすぎぬ」〈日本拝見―稚内・中野好夫〉

✹③は、同じことを重ねて記す際に略して点を打つところから。⬇使い分け「ちょっぴり」

ちょぼっ さま ほんのわずかであるさま。小さくかしこまっているさま。「西洋の声帯模写があるとの話だったが、**ちょぼッ**とだけ」〈古川ロッパ日記・古川緑波〉

ちょぼり さま 小さくかしこまっているさま。小さくまとまっているさま。「地面を潤《ひろ》く取たる中に、荒たる小家の**ちょぼり**と立てる様は」〈むき玉子・尾崎紅葉〉

ちょぼん さま 他から離れて、そのものだけで小さくまとまったり、場を占めたりしているさま。ちょこん。「お定は気分のよ

コラム　オノマトペのもと

ちょび・ちょぴ

「ちょび」「ちょぴ」は、分量や程度が少ないようすや、時間的に短いようす、大げさでなく控えめであるようすなど、総じて「少し」に類する意味を表すが、語形によって表すニュアンスが若干異なる。

　繰り返し形の「ちょびちょび」は、同じ動作を少しずつ何度も行うようすや、少しの分量のものを何回かに分けて扱うようすなど、少量の動作が継続的・断続的に行われるさまを表す。一方で「ちょびっ」「ちょぴっ」は、短い時間のうちに少しだけ動作を行うさまや、分量がほんのわずかであることを表す。この形で表される動作は一回限りの動作であり、継続性はない。

　「ちょっぴり」も分量がわずかであることを表すが、表す量の対象が具体物に限定されないという特徴がある。たとえば「ちょっぴり悲しい」のように、具体的なものの分量を直接表すのではなく、心理的な状態の程度がわずかであるさまを表す場合にも用いられる。この点で副詞の「ちょっと」と用法が似ている。

【ちょびの語群】

ちょびちょび
ちょびっ・ちょぴっ
ちょびり
ちょんびり・ちょっぴり

	酒を—(と)飲む	酒を—(と)飲み続ける	—(と)さびしい
ちょびちょび	○	○	—
ちょびっ	○	—	—
ちょぴっ	○	—	—
ちょっぴり	○	—	○

【表現】

「ちょびちょび」「ちょびっ」「ちょっぴり」によって表される分量の少なさには、語形によってさらに程度の差が見られるようである。

　「ちょびちょび」が繰り返し少量のものを扱う結果、最終的に多くの分量に達することを表せるのに対し、「ちょびっ」「ちょっぴり」にはそうした役割がない。たとえば「十円玉をちょびちょび貯めていったら一万円になった」といえるのに対し、「十円玉をちょびっと貯めていったら一万円になった」とはいわない。「ちょびっ」は、あくまでも一回限りの動作にかかわる表現なので、その表せる全体量はごくわずかである。そのため、「だけ」と共起して「ちょびっとだけ」のような表現が成り立つ。また「ちょびっ」が結果的に全体量の増えるようすを表すには、副助詞「ずつ」との共起が必要である。この点で「ちょびっ」には「少し」「ちょっと」との類似性がうかがえる。

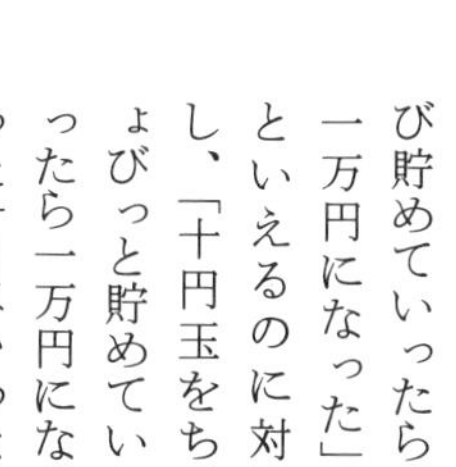

　「ちょびちょび」は、古くは無駄口をたたいたり、おしゃべりをしたりするようすにも用いられ、「ちょびくさ」などの語もある。

　なお、少量を表す「ちょび」を含む表現としては「ちょびひげ」がある。鼻の下にほんの少しだけ生やしたひげであり、「ちょぼひげ」「ちびひげ」ともいう。

（那須昭夫）

い時など背中を起して**ちょぼん**と坐り」〈蛍・織田作之助〉

ちょりちょり 音・さま 目の粗いものが、こすれ合ってたてる音。また、そのさま。「足で抑へた縄の端へ藁を継ぎ足し継ぎ足ししして**ちょりちょり**と額の上まで揉み挙ては右の手を臂へ廻してくっと縄を扱《こ》く」〈土・長塚節〉

ちょろ ⬇コラム「ちょろ・しょろ・じょろ」

ちょろちょろ ❶音・さま 少量の液体の流れる音。また、そのさま。「狭い浅い溝には、腐れた水が**チョロチョロ**と流れて」〈鳥影・石川啄木〉「**ちょろちょろ**と山清水の走るのと同じ音が、たえず足の下から聞えてくる」〈助左衛門四代記・有吉佐和子〉

❷さま 小さなものが動き回るさま。うろちょろ。「指をさすと電気《エレキ》を感じたやうにくるりと廻って、小犬は**ちょろちょろ**駈け上る」〈湯島詣・泉鏡花〉 ⬇使い分け「ちょろちょろ」

❸さま 小さな炎のわずかにあがっているさま。ちろちろ。「青い火が**ちょろちょろ**と燃えてゐるのを」〈大塩平八郎・森鷗外〉「始め**チョロチョロ**中パッパ、ジワジワ時《どき》に火を引いて赤子泣くとも蓋取るな、てエ御膳炊きの式を心得て居るから」〈落語―王子の幇間・三代目三遊亭円遊〉

❹さま こきざみにゆれたり、動いたりするさま。ちらちら。『**ちょろちょろ**まなこ』「床屋の顔を、鏡を通して**チョロチョロ**とうかがひながら」〈故旧忘れ得べき・高見順〉

❺さま 軽い気持ちで事を行うさま。間に合わせに。「スポーツは万能選手で、たのまれて**チョロチョロ**と競技会へ出場すると、関東大会でも優勝するし」〈安吾巷談・坂口安吾〉

ちょろっ さま 軽く事を行うさま。また、わずかなさま。「鼻下に**ちょろっ**と貧弱な髭《ひげ》などを蓄えているので、チョロ松という」〈青葉繁れる・井上ひさし〉

ちょろり ❶さま 動きがすばやいさま。巧妙で迅速なさま。「横合からお源の手が**ちょろり**と其の執心の茶碗を掻攫《かっさら》って」〈婦系図・泉鏡花〉

❷さま すばやく小さな動きをするさま。「舌の先を**ちょろり**と出して見せた」〈忘却の河・福永武彦〉

❸さま あっけなく事が行われるさま。軽々しく。たやすく。「**チョロリ**人に乗せられる」〈春泥・久保田万太郎〉

❹さま わずかなさま。「砂糖水にしょうゆとレモンの絞り汁を**チョロリ**とたらすのがコツ」〈生活音・大学イモを作る・読売新聞・90・10・27〉

使い分け

【共通の意味】
あちらこちら歩き回るようす。

ちょろちょろ／うろうろ／ぶらぶら

❶**ちょろちょろ**は、小さい子どもなどが小走りに動き回るようす。「かわいい子犬が**ちょろちょろ**と公園を走り回っている」「車が走っている道路を、子どもが**チョロチョロ**して危ない」 ❷**うろうろ**は、比較的狭い場所を歩き回るようす。「この辺は治安が悪いから、夜遅く**うろうろ**しないほうがいい」 ❸**ぶらぶら**は、特に目的もなくのんびりと歩くようす。「**ぶらぶら**散歩でもしよう」「店を冷やかしながら**ブラブラ**と歩く」

ちょん ❶音・さま 鋭い刃物などで一瞬に断ち切る音。また、そのさま。ちょきん。「そなたの首を **チョン**と切るぞ」〈童謡―てるてる坊主・浅原鏡村〉

❷音・さま 拍子木の音。また、それを打つさま。「舞台は**チョン**と打った拍子木の音に今丁度廻って止った処である」〈すみだ川・永井荷風〉

❸さま じっと小さくかしこまっているさま。ちょこん。「ひな棚に**ちょん**と直りし

ち

コラム オノマトペのもと

ちょろ・しょろ・じょろ

「ちょろ」「しょろ」「じょろ」は主に、水などの液体が少しばかり流れるさまを表す。語頭拍の清濁により若干のニュアンスの違いがあり、清音形の「ちょろちょろ」「しょろしょろ」が小さく可愛らしい流れ方を表しやすいのに比べ、濁音形の「じょろじょろ」は音を立てながらとめどなく(あるいは若干だらしなく)流れるさまを表す。

また、濁音形「じょろ」が、主に液体の流れるさまを表すのに対し、清音形の「ちょろ」「しょろ」は、流水のありさま以外も表す。たとえば「しょろしょろ」は、枝などが細々と伸びているさまを表す「ひょろひょろ」に通じ、「ちょろちょろ」も、虫などの小さなものが動き回るようすを表す。

総じて「ちょろ」「しょろ」「じょろ」には、何か小さなものや細いものが微細な動きを表象する役割がある。この視点から捉えると、少量の液体の流れるさまも、そうした小さな動きの一つとして理解できる。また、小さな動きの表現から意味が広がって、特に「ちょろ」には、程度がほんの少しだけであるようすを表す用法も認められる。

【ちょろ・しょろの語群】
ちょろちょろ・しょろしょろ・じょろじょろ
ちょろっ・しょろっ・じょろっ
ちょろり・しょろり・じょろり

	川が—(と)流れる	—(と)水を数滴こぼす	—(と)伸びた枝
しょろしょろ	○	—	○
ちょろちょろ	○	—	—
じょろじょろ	○	—	—
ちょろっ	—	○	—
じょろっ	—	○	—
ちょろり	—	○	—

	ヘビが舌を—(と)出す	近くを—(と)うろつく	—と立ち寄る
ちょろちょろ	○	○	—
ちょろっ	○	△	○
ちょろり	○	△	○

【表現】

「ちょろ」は、液体の流れるようすを表すだけでなく、程度がほんのわずかであるようすや落ち着きのなさ、小ささや量の少なさといったニュアンスも表せる。

「ちょろ」を含む表現としてよく知られているのは、炊飯のコツをいう「はじめチョロチョロ(中パッパ)」であろう。ふつう「ちょろちょろ」は弱火と解釈されるが、温度が「ちょろちょろ」と上昇していく過程を言い表した表現であるともとれる。

タカラ(現タカラトミー)の商品「チョロQ」もよく知られている。乗り物を模したぜんまいで走るミニカーだが、その名の由来は「チョロチョロ走るキュートなクルマ」である。

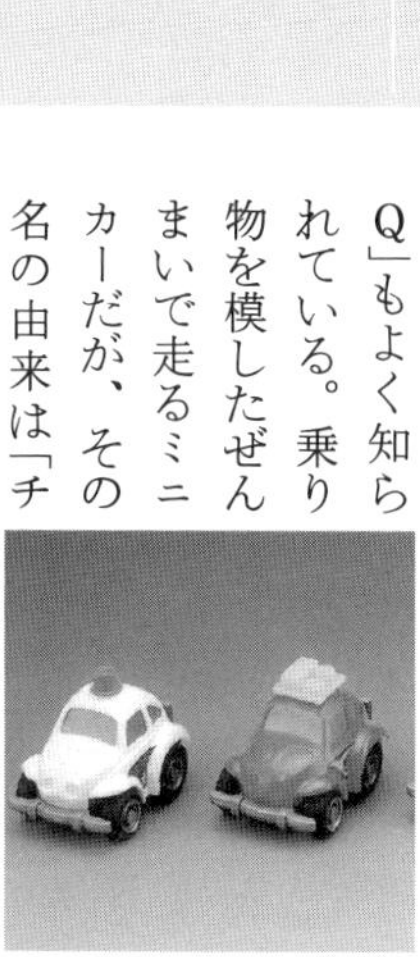
1980年に発売されたチョロQ
(タカラ／現タカラトミー)

このほか、「八十のちょろちょろわっぱ」(老齢になってふたたび小児のようになること)のような慣用表現や、「ちょろい」「ちょろまかす」「はげちょろ」「壁ちょろ」(トカゲ、ヤモリの意)など、「ちょろ」を含む表現は比較的豊富に見られる。

(那須昭夫)

小猫哉」〈八番日記・一茶〉
❹さま 何か小さなものが突き出ていたり、ついているさま。「眼鼻だけがその黒光りのする丸い顔の中程に**ちょん**と附き」〈春の城・阿川弘之〉
❺名 ものごとの終わり。免職になること。「一巻の終りか、**チョン**だな」〈黒い蝶・井上靖〉
✵⑤は、②の拍子木を芝居の幕切れの際に打つことから。

ちょんちょこりん 名 他人の頭や衣服についているちょっとしたもの。『誰かさんの頭に**ちょんちょこりん**がとまった』

ちょんちょん ❶音・名 拍子木を続けて短く打つ音。また、歌舞伎で、幕切れに打つ拍子木のこと。幕切れ。「**ちょんちょん**のきっかけにて、築地の道具残らず横へ引いて取る」〈歌舞伎—伊勢平氏栄花暦〈暫〉〉
❷音・さま 刀などで互いに斬り合うときの、金属がぶつかるかん高い音。また、そのさま。ちゃんちゃん。「二人で大勢を相手に**チョンチョン**切結んでをりましたが」〈真景累ケ淵・三遊亭円朝〉
❸音・さま 手をたたく音。また、そのさま。しゃんしゃん。「手ばたき**チョンチョン**『これわかいしゅ、酒を〈略〉もってきてくんねい』」〈洒落本—広街一寸間遊〉
❹さま 軽いものや小さいものが、続けざまに規則的に動くさま。『スズメが**ちょんちょん**はねる』「竿のさきで**ちょんちょん**とたたいてみると」〈銀の匙・中勘助〉
❺さま 刃物などで軽くものを切るさま。「包丁《はうてう》を取ってたうふをきる。其はやきこと、中々祇園などの及ぶことではなし。**チョンチョン**と切て仕廻へは」〈咄本—富来話有智〉
❻声・さま 古 スズメのさえずる声。人が小うるさくしゃべるさま。「物毎《ものごと》に、利根《りこん》さうに吐《ぬ》かす奴《やつ》に、久しうて出会ふた。『**ちょんちょん**のちょん』と囀《さへづ》る男」〈評判記—けしずみ〉

ちょんびり さま 分量や程度の少ないさま。行動が軽い気持ちで行われるさま。「大禿顱《おほやかん》の後ろに**チョンビリ**残った毛を奇麗に撫付けてゐた」〈社会百面相・内田魯庵〉

ちょんぼり さま 小さくまとまっているさま。少しばかりであるさま。ちんまり。「あの子も、おつな真似をすることを、**ちょんぼり**覚えたね」〈老妓抄・岡本かの子〉「**ちょんぼり**と白毫釈迦の慈悲ほくろ」〈雑俳—媒口〉

ちらくら ❶さま ものが見えかくれするさま。ものがこまかくせわしなく動くさま。「家内の癖に、**チラクラ**動いて邪魔に成るから取払へ」〈落語—殿様の廓通ひ・禽語楼小さん〉
❷さま 視界が明滅するようにして、めまいがするさま。くらくら。「眼が**ちらくら**して立てねえ、と銀公が答え」〈青べか物語・山本周五郎〉

ちらちら ❶さま ものごとが断続的に目にうつったり、意識にのぼったりするさま。ものが見えかくれするさま。「ズボンのさきに、**ちらちら**したスパッツののぞく田瀬は、今の青年らしい昂然とした口調で」〈真理の春・細田民樹〉「純一が頭の中には、おちゃらが〈略〉立った形が**ちらちら**浮んだり消えたりして」〈青年・森鷗外〉
❷さま 話やうわさが少しずつ耳にはいるさま。「娘との関係も**チラチラ**学校の者の耳には入るし」〈青春・小栗風葉〉
❸さま 雪や花などのこまかいものが小さくゆれ動きながら落ちるさま。「**チラチラ**雪の来る中を出掛けた」〈夜明け前・島崎藤村〉
❹さま 弱い光が断続的に光るさま。「海士の漁り火**ちらちら**と、星か蛍か影うすく」〈浄瑠璃—天神記・近松門左衛門〉「駈下りて覗くと、**チラチラ**焚火の明が見えます」〈真景累ケ淵・三遊亭円朝〉 ⬇使い分け「ぴかぴか」

ちらっ ❶さま 動きや程度がほんのわずかであるさま。動作がすばやいさま。「崔啓友は〈略〉眼に**ちらっ**と何かごみでも入っ

たような気がして」〈後裔の街・金達寿〉 ❷さま ほんの一瞬、わずかに見聞きするさま。「菓子は単純に応じて、もう一度**ちらっ**と木部を見た」〈或る女・有島武郎〉「**ちらっ**と母のそういうつぶやきをきいたような気がする」〈格子の眼・島尾敏雄〉 ⬇使い分け「ほんのり」

ちらばら さま まばらに散らばっているさま。「胴のうへに雁の形の琴柱が**ちらばら**に立ってゐるのも」〈銀の匙・中勘助〉

ちらほら ❶さま 時たまにあるさま。少しずつ行われるさま。「桜の噂が**ちらほら**私の耳に聞こえ出した」〈こゝろ・夏目漱石〉 ❷さま まばらに見えるさま。「遠くは其の砂から生えたやうに見えて、**ちらほら**と散らばって少しづつ動いて居る」〈土・長塚節〉「時の移り行くのを惜しむ姿が**ちらほら**していた時でした」〈島の果て・島尾敏雄〉 ⬇使い分け「ちらほら」 ❸さま 見えかくれするようにひるがえすさま。「自分の褄先の色の乱れを楽しむやうに鏡の前に行くとわざわざ裾を**ちらほら**させて眺めてゐたが」〈女作者・田村俊子〉「満開に遅れて来た旅行者の頭上に、未練の花びらが**ちらほら**と舞っている」〈砂漠の駅・森村誠一〉

ちらり ❶さま 動きや程度がわずかであるさま。動作がすばやいさま。「眠れないでしょぼしょぼからだをちぢめているだろうなという意識が**ちらり**と湧いて消えた」〈三とせの春は過ぎやすし・杉浦明平〉 ❷さま 一瞬、わずかに見聞きするさま。ちらっ。「かの女が**ちらり**と彼に濺いだ一瞥を」〈都会の憂鬱・佐藤春夫〉 ❸さま まばらであるさま。ちらばら。ちらほら。「人ちらり木の葉も**ちらり**すがれ栗」〈八番日記・一茶〉

ちらりちらり ❶さま ものごとが断続的に目にうつったり意識にのぼったりするさま。ものが見えかくれするさま。「此方の庭の生垣の方から**ちらりちらり**と火縄の火が見える様だから」〈真景累ケ淵・三遊亭円朝〉「平岡は、**ちらりちらり**と何故三千代を貫ったかと思ふ様になった」〈それから・夏目漱石〉 ❷さま 話やうわさが少しずつ耳にはいるさま。「私も雑談の中で**ちらりちらり**と聞いただけ」〈追悼抄・読売新聞・99・8・15〉 ❸さま 雪や花などのこまかいものが間をおいて小さくゆれ動きながら落ちるさま。「はだゑは、霜月師走のかうりのうへ、うす雪が**ちらりちらり**ちらりと、ふりかかったがごとくで御ざりまする」〈狂言記―長光〉

ちらりほらり ❶さま 古 すばやく動くさま。落ち着きのないさま。「権三見るめの糸ずすき**ちらりほらり**と馬の先避《よ》けるふりして邪魔をする」〈浄瑠璃―鑓の権三重帷子・近松門左衛門〉 ❷さま まばらであるさま。わずかずつ、間をおいて続くさま。ちらほら。「三日目ぐらゐから客はがた落ち、土間も桟敷も**ちらりほらり**」〈明治世相百話・山本笑月〉

使い分け

【共通の意味】
まばらに存在しているようす。

ちらほら
ぱらぱら／ぽつぽつ／点点

❶**ちらほら**は、あちらこちらに少しずつ見られるようす。また、たくさん集まっている中に、異なるものが見え隠れするようす。「成人式では華やかな和服姿の中に、スーツ姿も**ちらほら**見られた」 ❷**ぱらぱら**は時間がずれて少しずつ集まったり離れたりするようす。「この展示室はあまり人気がなく、**ぱらぱら**と人が訪れるだけだ」 ❸**ぽつぽつ**、**点点**は広い場所にまばらに人やものが見えるようす。「山から村を見下ろすと、明かりのついた家が**ポツポツ**と見えた」。**点点**は「夜空に**点々**と輝く星」のように、小さくまばらに見えるようす。

❸【さま】雪や花のようにこまかいものがゆっくりと舞い落ちるさま。「柏木の衛門か鞠をとんとけたれば、まりは枝にとまりつつ、花はちらりほらりと」〈俳諧―白雄句集〉

ちりこり【さま】【方言】まめまめしいさま。勤勉によく働くさま。「**ちりこり**とよう働く嫁はんや」〈和歌山県〉

ちりたり【音】笛の音色。「笛のねの春おもしろく聞ゆるは花**ちりたり**とふけばなりけり〈よみ人しらず〉」〈後拾遺和歌集〉

ちりちり ❶【声・さま】チドリやヒバリなど、小鳥の鳴く声。また、そういう小さいものが動くさま。「はんまちどりのともよぶこゑは、**ちりちり**やちりちりちりちりやちりちりと」〈狂言―千鳥〉「五形菫の畠六反〈杜国〉 うれしげに囀《さへづ》る雲雀**ちりちり**と〈芭蕉〉」〈俳諧―冬の日〉 ❷【音・さま】三味線の高い音を続けてひく音。また、そのさま。「子曰ちんぷんかんぷんよりは、ちょいときなさい**チリチリ**チリリッの方が面白くてね」〈古今百馬鹿・式亭三馬〉 ❸【音・さま】毛などの焼ける音。また、そのさま。「濃紫の墨で縁どったような花のへりだけが、**ちりちり**に焦げていた」〈蘭を焼く・瀬戸内晴美〉 ❹【さま】縮んでしわのよるさま。毛などの短く縮れているさま。「其のうすい処は、**ちりちり**と縮んで」〈志都の岩屋講本〉 ❺【さま】恐怖や不安などですくむさま。こきざみにふるえるさま。「感度の鋭い彼の感受性は**チリチリ**と痛みに顫《ふる》え」〈原爆と作家の自殺・佐々木基一〉 ❻【さま】すばやく動くさま。「さこんは、このよし、うけたまはって御ざあると、**ちりちり**とはしりいで」〈説経節―をくり〈御物絵巻〉〉 ❼【さま】液状・粒状のものが落ち散るさま。小雨、粉雪などのこまかく降るさま。「どこからともなく粉雪が、私のほてった背中に**ちりちり**と降った」〈初夜・三浦哲郎〉「その風呂敷の間から、白い米粒がザラザラ流れ、その付近に**チリチリ**と飛び散った」〈臍繰物語・渋川驍〉 ❽【さま】【古】朝日や夕日の照るさま。ものに日の光が映じてきらめくさま。「春はよく晴れたる日、空に糸のやうに**ちりちり**とみだれ見ゆる事あり。それを遊糸とは申す也」〈筆のまよひ〉

ちりちりばっ【さま】【古】花や木の葉などが一時に乱れ散るさま。「折しも春風に、桜の花が散りかかる、**ちりちりはっ**と花の散りたるは」〈歌謡―松の葉〉

ちりちりん【音】鈴やベルなど金属が軽くふれ合って鳴る鋭い音。「門を明けると、ベルが**チリチリン**と鳴った」〈田舎教師・田山花袋〉

ちりてちりて【音】【古】少し間をおきながら弾く三味線の音。ちりてれ。ちりてれてん。「三味線おっ取り、一ふしのはやり小哥をうちまじゑ、**ちりてちりて**と引きにける」〈仮名草子―元の木阿彌〉

ちりてれ【音】【古】何とはなしに弾く三味線の音。ちりてれてん。「三味線を露**ちりてれ**と引ならししのびて通ふ六条の町」〈俳諧―若狐〉

ちりとてちん【音】【古】三味線の鳴りひびく音。『裏の稽古屋から**ちりとてちん**と三味線の音が聞こえてくる』

ちりやたらり【音】【古】笛の音色。「おきな面に牛ぞいでくる　庭中の**ちりやたらり**とふまるらん」〈俳諧―竹馬狂吟集〉

ちりり【さま】毛髪などがちぢれるさま。ものが急にひきつれるさま。「**ちりり**と攣《ひきつ》る頰の肉と共に全身を鳥肌に縮ませながら」〈普賢・石川淳〉

ちりりちりり ❶【さま】【古】日の照るさま。日の光が映じてきらめくさま。「**ちりりちりり**と日の西へ入る」〈雑俳―芥子かのこ〉 ❷【さま】【古】恐怖や不安などで縮み上がるさま。こきざみにふるえるさま。「あねごのやきがねにおどろいて、**ちりりちりり**とをちらるる」〈説経節―さんせう太夫〈与七郎正本〉〉

ちりりん【音】金属が軽くふれ合ってたて

る高く鳴りひびく音。呼び鈴や鈴などの軽快な音。ちりん。「それで呼鈴と言ふので、**ちりりん**と拈《ひね》ると」〈藁草履・島崎藤村〉

ちりん 音 鈴などの金属が一度軽くふれ合ってたてる音。「何うして外れたのか**チリン**と土間に落ちる」〈青春・小栗風葉〉

ちりんちりん ❶ 音 鉦《かね》や鈴の鳴る音。「門の格子が**チリンチリン**、チリリリリンと鳴る」〈吾輩は猫である・夏目漱石〉
❷ 名 江戸時代の町飛脚の異称。「其手紙も**町飛脚**《ちりんちりん》が頼まれて店まで持って来たと云ふから」〈春の若草・為永春水〉
✵②は、ちりんちりんと鈴を鳴らして走ったところから。

ちろかわ さま 古 気持ちにゆとりがなく視点が定まらないさま。「うかうかしたり、沢山につかふたり、**ちろかは**すれば、どこともなく目の貴が減て位がない程に」〈絅斎先生敬斎箴講義〉
✵「かわ」はそのような状態であることを示す接尾語。

ちろちろ ❶ 音・さま 水などが細く流れる小さな音。また、そのさま。「篠の根を洗って行く水の響が**ちろちろ**と耳に近く聞える」〈土・長塚節〉
❷ 声 虫の小さく低く鳴き続ける声。「**チロチロ**と地虫が鳴出した」〈南小泉村・真山青果〉
❸ さま 火、光などが細く薄いさま。灯火などが断続的に明暗を繰り返しながら小さくゆれるさま。ちらちら。「暖炉の薪の火の**チロチロ**するのを眺めていた」〈近くて遠きは・飯沢匡〉
❹ さま こまかく動くさま。うろちょろ。「お神の小夜子は、媚《なまめ》かしげに**ちろちろ**動く美しい目をしてゐて」〈仮装人物・徳田秋声〉

ちろっ さま 目玉を鋭く動かして、軽く横目で見るさま。『駅員は**チロッ**と乗車券を見ただけだった』

ちろり さま 動きがわずかであるさま。瞬間的であるさま。ちらり。「小野田が薄目をあいて、**ちろり**と彼女の顔を見たとき」〈あらくれ・徳田秋声〉

ちろりちろり さま 繰り返し、また、ときどきものが光ったり見えたりするさま。「古家に誰立かへりすまふらん　**ちろりちろり**とするは狐火」〈俳諧―望一千句〉

ちん ❶ 音・さま 金属などのかたいものが一度ぶつかってたてる高く鋭い音。また、そのさま。「かけがねを**ちん**とあけられた程に」〈狂言―花子〉
❷ 音・さま 電子レンジの完了を知らせる音。また、電子レンジで手軽に調理するさま。『昨夜の夕食の残りを**チンする**』「電子レンジで五、六分。**チン**、と鳴ったらホッカホカのお夜食よ」〈イモ・日のあたる場所に・朝日新聞・84・11・21〉
❸ 音・さま 洟《はな》をかむかん高い音。また、そのさま。「葉をひとつちぎりたり。何にするぞと見て居たりや、**チン**と鼻をかんで捨た」〈咄本―鹿の子餅〉
❹ →ちんと。

ちんから さま 何もないさま。「今は巾着《きんちゃく》算用すれば、**ちんから**と、鈴の森の茶屋に腰かけ胸算用すれば」〈浮世草子―沖津白波〉

ちんからり ❶ さま 内部に何ものもないさま。ちんから。「千太郎は身一つの外は**チンカラリ**」〈当世商人気質・饗庭篁村〉
❷ 音・さま 金属製のものがぶつかる音。また、そのさま。「風鈴もや涼し月見の**ちんからり**」〈作者不知〉〈俳諧―懐子〉
❸ 名 とるに足りないような人をののしっていう語。「ヤイ、そこにけつかる**ちんからりめら**」〈歌舞伎―和布苅神事〉

ちんがらり さま 方言 こなごなにこわれるさま。めちゃくちゃ。九州地方。「ちんがら」ともいう。「せっかくうまく行きよったけんどん、仲間割れして**ちんぐゎらり**よ」〈宮崎県〉「コンクリの上に落てたもんじゃかり**ちんがらっ**ちゃが」〈宮崎県〉

ちんかん 音・さま 金属など、かたいものが続けてぶつかり合って出す音。また、そ

ち

のさま。「修道院の鐘が羅馬に向って**チンカン**チンカンとなる　これは人をして呼子笛を吹奏さす」〈**Ambarvalia**・西脇順三郎〉「**鏗鏘鏗鏘**《ちんかんちんかん》と間断無《しっきりな》く叩いてゐた機械鍛冶屋の鎚が」〈恋慕ながし・小栗風葉〉

ちんたらちんたら さま 適当になまけながら、あまり身を入れずに行うさま。「あんなもの**チンタラチンタラ**やってたら頭へきちゃうの」〈世相講談・山口瞳〉

ちんちくりん ❶ さま・名 非常に背の低いさま。小さいさまや小さい人を軽んじていう語。「背丈は**チンチクリン**で私の胸までしかない」〈夢声戦争日記・徳川夢声〉 ❷ さま 背たけに比べて着物などが短すぎるさま。つんつるてん。「**ちんちくりん**な外套の羽根の下から手を出して」〈明暗・夏目漱石〉

ちんちこちん さま 方言 非常に熱いさま。ちんちん。中部地方。「寒いで、酒を**ちんちこちん**に沸かしてやるわ」〈岐阜県〉

ちんちろり ❶ 声・名 マツムシの鳴く声。また、マツムシ。⬇鳴き声編 ❷ 音 残り少なくなった徳利の酒を注ぎ終わるときの音。「こもかぶりをなをし、さしむかひの酒もり。とうとうひとたるは、**ちんちろり**」〈咄本―千里の翅〉

ちんちろりん ❶ 声・名 マツムシの鳴く声。また、マツムシ。「例の戯談好きな太閤様の歌にある、**ちんちろりん**のやうな長い鬚《ひげ》を生やした男だったが」〈茶話・薄田泣菫〉⬇鳴き声編 ❷ 音 風鈴の涼しげな音。「初めて風鈴を並べた。〈略〉『**チンチロリン**という音に誘われるのか、ふだんより多くのお客さんが立ち寄ってくれるみたい』」〈夏至に涼しげな音色・朝日新聞・94・6・22・大阪版〉 ❸ 名 さいころを二個以上茶碗の中に投げ入れ、現れたさいころの目の数の組み合わせによって勝負を競うばくち。
✹さいころを投げ入れるときの音から。

ちんちん ❶ 音・さま 湯の沸騰する音。また、そのさま。「鉄瓶の湯も**ちんちん**音がして来た」〈夜明け前・島崎藤村〉「埋火や白湯も**ちんちん**夜の雨」〈文政句帖・一茶〉⬇使い分け「ちんちん」 ❷ 音・さま 金属やかたいものがふれ合って発し続けるかん高い音。また、そのさま。「第一電車の**ちんちん**鳴るので驚いた」〈三四郎・夏目漱石〉「更に又、小さな槌で**ちんちん**と叩いて」〈土・長塚節〉 ❸ 音・さま 洟《はな》をかみ続ける際の高く鋭い音。また、そのさま。「清さんは**チンチン**と手鼻をかんで」〈隣の嫁・伊藤左千夫〉 ❹ 音 琵琶や三味線などの弦をはじく音。

使い分け

［共通の意味］
湯や鍋などの煮え立つようす。

ちんちん ｜ **しゅんしゅん／ぐらぐら／ぐつぐつ／ことこと**

❶**ちんちん**は、やかんや鉄びんなどの湯がわいているようす。「火鉢にかけた鉄びんが**チンチン**とわいている」。**しゅんしゅん**は、沸騰して水蒸気が上がっているようす。「湯が**シュンシュン**わいて、やかんの口からこぼれそうだ」 ❷**ぐらぐら**は、湯などが沸騰して煮え立っているようす。「湯が**グラグラ**沸騰してきたら、うどんを入れる」 ❸**ぐつぐつ**、**ことこと**は、弱い火で長い時間煮るようす。**ぐつぐつ**は、底のほうから泡がわき上がってくる状態で煮るのに対し、**ことこと**は静かに煮続けるようす。「夏みかんの皮を**ぐつぐつ**煮てジャムを作る」「牛の骨と野菜を半日かけて**コトコト**煮ると、おいしいスープができる」

「琵琶の軸を転じ絃を**ちんちん**とならすぞ」〈長恨歌琵琶行抄〉 ❺ さま 方言 激怒するさま。かんかん。「いかんわぁ、相手さん、**ちんちん**なってまっ

とるで（しまっているから）、話んなーせんわぁ（話にならないよ）」〈愛知県〉
❻さま方言 少しずつ変わるさま。秋田県・山形県・九州地方。「風が西北へ廻ったから、**ちんちん**海も凪《な》ぎるだろう」〈鹿児島県〉
❼➡漢語編「ちんちん（沈沈）」

ちんと ❶さま 整っているさま。きちんと。「職人風情の住居とは見えませぬくらゐ、**整然**《チン》**と**致してをりまする」〈二人女房・尾崎紅葉〉
❷さま とりすましたさま。つん。「お勢はくすくすと吹出したが、急に真地目になって**ちんと**澄ます」〈浮雲・二葉亭四迷〉
❸→ちん。

ちんとん 音 玉や石などがふれ合って発する澄んだ音。「ここらはただ手杵の業わびしく、麦の秋稲の秋、あはれは砧の**丁東**《ちんとん》にもゆづらず」〈俳諧―鶉衣〉

ちんどん 音 鉦《かね》と太鼓のいりまじる音。『チンドン屋』「彼は野中を行くごとく、しかしいよいよ**チンドン**とたたきながら歩いて行った」〈舗道雑記帖・高田保〉

ちんとんしゃん 音 三味線や口三味線《くちじゃみせん》の音。「今までお行儀のよかった女学生が早速煙草を輪に吹き出し、『**チチ、チントンシャン**』なんて口三味線で立ち上る」〈東京エロオンパレード・西尾信治〉
✺「ちん」は三の糸を押さえた音、「とん」は二の糸の開放弦の音、「しゃん」は一の糸と二の糸を同時に弾く音をいう。

ちんびり さま 量や程度の少ないさま。ちょっぴり。ちょんびり。「蔭は彼女の下唇あたりまでを蔽ってゐて、笠の緒の喰ひ入ってゐる頤の先だけが、纔《わづ》かに**ちんびり**と月の光に曝されてゐる」〈母を恋ふる記・谷崎潤一郎〉

ちんぶらり さま 空っぽで何もないさま。無一物。無一文。ちんからり。「何もかも打て打て博奕に打あげ、びたひらなかもない**ちんぶらり**の与作」〈咄本―露鹿懸合咄〉

ちんぼり さま 小さくまとまっているさま。ちんまり。「除夜の事なれば、寒梅と凍杏と蝋蕚が麦粒《むぎつぶ》程に**ちんぼり**とある程に」〈四河入海〉

ちんまり さま 小さくまとまっているさま。ほどよく小さいさま。『**ちんまり**したお座敷が予約してあった』「床の上に**ちんまり**座ったお婆さんは微動もしなかった」〈記念碑・堀田善衛〉「冷蔵車から出て来たのはまあ六寸、さうやっと七寸、中鯛とは云へぬ**ちんまり**小さいそれが鯛だった」〈父―その死・幸田文〉

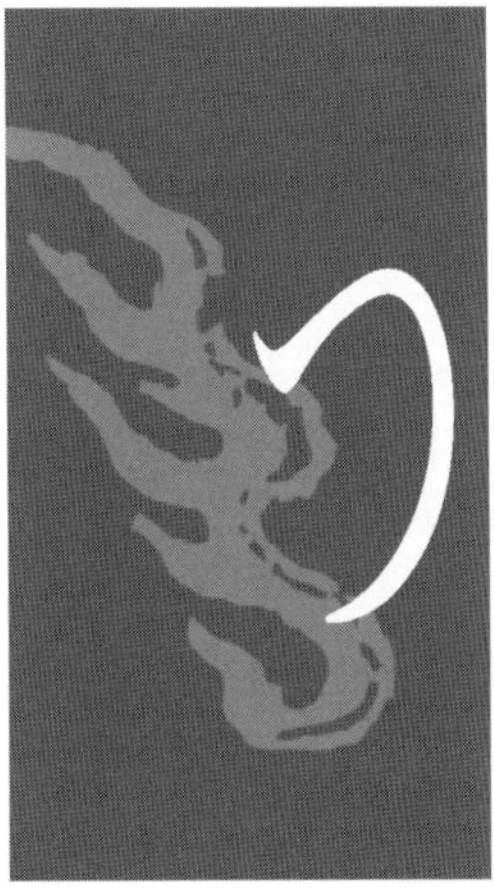

つい ❶さま 動作が突然行われるさま。「何かの拍子に**つい**と空ざまに高く舞ひ上った」〈田園の憂鬱・佐藤春夫〉「もう少し何か云ってやればよかったと云ふ様な反抗が**つい**と湧いてきた」〈女作者・田村俊子〉「やがて口もきかずそのまま**つい**と後を向いて突如に桟橋の方へばたばたと駆けだした」〈澪・長田幹彦〉
❷さま 動作がすばやく、身軽に行われるさま。さっ。すっ。つっ。「例の若い高慢臭《かうまんくさ》った看護婦は何か含んでゐるやうな顔附をして自分の役目が済むと**つい**と出て行ってしまった」〈続俳諧師・高浜虚子〉
❸さま 細くまっすぐにのび出ていたり、まっすぐに進むさま。「彼長竿が**ツイ**と出てゐるから」〈浮世風呂・式亭三馬〉「一匹の燕が、糸に引き落されたやうに、**つい**と往来をはすかひに抄《しゃく》ひ下りて」〈小鳥の巣・鈴木三重吉〉

❹さま 意図しないでそうなってしまうさま。不本意ながらその動作をしてしまうさま。『つい行きそびれてしまった』「思余って**不知**《いつ》口走ったのであるが」〈多情多恨・尾崎紅葉〉 ⬇使い分け「ひょっ」 ❺さま 時間、距離、数量などが、ほんのわずかであるさま。『ついこの間の話だ』「ツイ眼下に瓦葺の大家根の、翼然として峙《そばだ》ってゐるのが視下される」〈浮雲・二葉亭四迷〉

ついつい ❶さま まっすぐに突き出るさま。「やなぎ鮠《はや》だの、金鮒などが**ついつ**いと泳ぎまわっていた」〈青べか物語・山本周五郎〉「**ついつい**と藪の中より菜種かな」〈文化句帖・一茶〉 ❷さま 動作のすばやいさま。さっさ。「幼年の本能は常に銀箔の光を放つ水面にかの**ついつい**と跳ねてゆく水すましの番《つが》ひにも震慄《わなな》いたのである」〈思ひ出・北原白秋〉 ❸さま 思わず知らず、期待していないほうに事が進むさま。「遠出の不安も目的地が近づいたことで気がゆるみ、**ついつい**君はまどろんでしまったものらしい」〈私のサハリン・李恢成〉 ⬇使い分け「むざむざ」

つー ❶音 電話の話し中の音やモールス符号の長音など、電子的な信号音。「相手は了解の『**つー**』を打ったのち、俄に変幻する光りのまたたきで、船名を送ってきた」〈天人五衰・三島由紀夫〉 ❷さま 直線的に流れるように動くさま。『涙が**つー**っと頬を伝う』「男と生れた甲斐がねえと思って、その女の方へ**つうー**と近づいた」〈手鎖心中・井上ひさし〉 ❸さま 時間の流れの速いさま。「『もう四つを打たかネ』『何いひじゃいな。**つうっ**と最前打てじゃ』」〈浮世風呂・式亭三馬〉 ❹さま すましかえったり、知らぬふりをしたりするさま。つん。「女のくせに、ツーと澄して直ぐ主人の部屋へ通るってのは」〈くれの廿八日・内田魯庵〉

つーかー さま 互いに気心が知れていて、ちょっと話をすればすぐ理解し合えるさま。「経営者と**ツーカー**の汚職議員が生まれたのか」〈現代経済を考える・伊東光晴〉

✹「つうと言えばかあと答える」から。

つーつー ❶音 電話の話し中などの信号音。「何度発信しても、**ツーツー**という話し中の音がして、送れない。先方のファクスが使用中なのだ」〈オバさんの逆襲・小林洋子・毎日新聞・97・7・17〉 ❷さま ものごとがさまたげられずに進んだり、障害となるものがなくなるさま。『すきま風が、**つうつう**通る』「この板をのけると、隣りの押入れと**ツーツー**になるのやわ」〈殺人環状線・島田一男〉「石中先生は、相槌を打ちながら、稲妻のように**ツーツー**と、四方八方に思案を走らせていた」〈石中先生行状記・石坂洋次郎〉 ❸さま 気脈を通じているさま。つーかー。「私たち二人が、裏で**ツーツー**だからこそ、乗用車の三大メーカーを適当に牛耳れるわけよね」〈黒の試走車・梶山季之〉 ⬇使い分け「つーつー」

つーん ❶さま お高くすましかえったり、

使い分け

【共通の意味】

秘密や隠しごとのないようす。

つーつー

ざっくばらん／あけすけ

❶**つーつー**は、相手との間で情報や気心が通じているようす。「あの二人はツーツーだから、どちらかに言えばすぐ伝わる」 ❷**ざっくばらん**は、打ち解けた率直な態度で、隠しごとがないようす。「かた苦しい会議ではないので、**ざっくばらん**に意見を言ってください」 ❸**あけすけ**は、ことばや態度に包み隠しがなく、露骨なこと。「上司のことを、能力がないと**あけすけ**に批判する」

知らぬふりをしたりするさま。つん。「例の通り意地悪《いこぢ》ものだから、ツーンと、しらん振で居やアがるんさ」〈当世書生気質・坪内逍遥〉

❷さま鼻にひびくような刺激を感じるさま。つん。「焦臭《きなくさ》いものがつうんと鼻を衝いた」〈四十一番の少年・井上ひさし〉「なつかしい『湯』の臭いが、ツーンと鼻に来た」〈いやな感じ・高見順〉

❸さま古動作が一挙に遠くまで行われるさま。「出塵埃と云へばとてつうんとぬけたではないぞ」〈人天眼目抄〉

つか さま ためらわないで勢いよく動くさま。遠慮なく進み出るさま。「十吉は、つかと戸を押して中に這入った」〈小鳥の巣・鈴木三重吉〉

つかつか ❶さま ためらわないで軽快に勢いよく動いてゆくさま。遠慮なく進み出るさま。「男はつかつか辻公園へ入っていくと、ぴいっと口笛を鋭くひとつ吹いた」〈抱擁・瀬戸内晴美〉「女が無遠慮につかつか行くから、余も無遠慮につかつか行く」〈草枕・夏目漱石〉 ⬇使い分け「どやどや」

❷さま古遠慮なくものを言うさま。つけつけ。「殊にツカツカと不躾《ぶしつけ》構《かま》はぬそのお詞」〈歌舞伎―桜姫東文章・鶴屋南北〉

❸さま古動作の軽率なさま。軽々しいさま。「ほんに常からつかつかと、よう何事にも出過ぎなお方」〈歌舞伎―当穐八幡祭〉

つくつく ❶さま まっすぐに、よく伸びるさま。「画稿ではツクツクとこわそうなひげがみじかく突き立っていたようにおぼえている」〈解体の日暮れ・杉浦明平〉「苦竹の子や幸につくつくと」〈八番日記・一茶〉

❷→つくづく。

つくづく ❶さま 注意深く見聞きするさま。念入りに観察するさま。「今もあの角の店の鏡で自分の姿をつくづくと見て来たのでさ」〈都会の憂鬱・佐藤春夫〉

❷さま心に深くしみこむさま。心の底から、そう思うさま。しんみり。しみじみ。「つくづくと春の眺めの淋しきは、春の眺めの淋しきは、忍《しのぶ》に伝たふ軒の玉水」〈謡曲―羅生門〉「世の中がツクツク厭になったなんて」〈火の柱・木下尚江〉 ⬇使い分け「しんみり」

❸さま 意欲や行動を伴わないで沈んだ気持ちでいるさま。ぼんやり。つくねん。「われは今のこる最後の一本の煙草を把《と》りてつくづくと見る」〈明治四十一年歌稿ノート・石川啄木〉「つくづくと永き春日に鶯のおなじねをのみ聞くらすかな〈徽安門院〉」〈風雅和歌集〉

✿「つくつく」ともいう。動詞「尽く」の終止形の重なったものか。

つくつくぼーし ❶声 ツクツクボウシ(セミ)の鳴く声。

❷名 植物のツクシのこと。「杉菜ちふのは、土筆《つくつくぼふし》の姉さんや」〈父の婚礼・上司小剣〉

つくねん さま なすこともなく、ひとり、静かにしているさま。「坊ちゃんはじめじめした家の中をそちこちして、一人でつくねんと遊んでゐられたりするけれど」〈桑の実・鈴木三重吉〉「お政は独り徒然《つくねん》と長手の火鉢に凭《もた》れ懸って」〈浮雲・二葉亭四迷〉 ⬇使い分け「がっかり」

つくねんかん さま 小さくなって静かにしているさま。「火鉢の縁によりかかり、突然《つくねん》かんとして居て見たが」〈七偏人・梅亭金鵞〉

つくねんぼー さま 動かず放心状態でいるさま。つくねんかん。「夕べの首尾を思ひ出し、むねに大火のもへつきて、つくねんぼうとあんずるに」〈浮世草子―夕顔利生草〉

つくん さま 鋭くまっすぐにつき立っているさま。「巻奉書《まきぼうしよ》のそぎ竹のやうなのがつくんと立って、大きなお神酒《みき》徳利《どくり》が供へられる」〈銀の匙・中勘助〉

つけつけ ❶さま 遠慮や加減なしに言うさま。感情を丸出しにして思ったとおり

言い切るさま。「何だの彼だのと意地悪く**ツケツケ**云ふんだ」〈くれの廿八日・内田魯庵〉「あのやうの物知らずは真向から浴《びあ》せつけずは何事も分るまじとて**つけつけ**と憎くまれ口はばかりなく」〈やみ夜・樋口一葉〉 ⬇使い分け「ずけずけ」

❷ さま 動作の無遠慮なさま。「奥さんの顔をああ遣って**つけつけ**見ても好い訳ね」〈明暗・夏目漱石〉

つだつだ さま 古 こまかくきれぎれのさま。ずたずた。「俄に雷《いかつち》落ち懸りて御身を**分《つだつだ》**に引き裂きてぞ捨たりける」〈太平記〉

つっ ❶ さま 勢いよくすばやいさま。急に。さっ。「菊治は**つっ**と立つと、呪縛で動けない人を助け起すやうに、文子の肩をつかんだ」〈千羽鶴・川端康成〉「傍の点火機の控鈕《ボタン》を押すと、青い燄が**つっ**と出た」〈流行・森鷗外〉

❷ さま 速やかでじゅうぶんであるさま。勢いよく奥まで入りこむさま。ずい。『裏通りを**つっ**と通り抜ける』「弓手の肩を馬手の脇へ**つっ**と射抜かれて、しばしもたまらず、馬よりさかさまにどうどおつ」〈平家物語〉

❸ さま 古 状態、程度などのはなはだしいさま。「あれは心のやさしひものの、**つっ**となみだもろひ者じゃ程に」〈狂言―墨塗〉「頼うだ御方は**つっ**と念の入た御方じゃに依て」〈狂言―抜殻〉

❹ さま 古 空間または時間がへだたっているさま。同じ状態が、長く継続するさま。『『お奏者はどこもとに御ざるぞ』『**つっ**と奥に御ざる』』〈狂言―餅酒〉

つっく ❶ さま 古 だまって一心に動かずにいるさま。つっくり。「常葉の御かほを**つっく**とまぼりとれて(＝見とれて)ぞゐたりける」〈幸若―伏見常磐〉

❷ さま 古 動かずに、そびえるように立っているさま。すっく。「とびかかって丁どきる、ひらりとはづし中にとび、うしろに**つっく**と立て有」〈浄瑠璃―隅田川〉

つっくり さま 古 ひとりだまって動かずにいるさま。特になすこともなく、思いに沈んでいるさま。「今宵も**つっくり**とひとり硯に向ひて」〈随筆―独寝〉

つっけり さま 古 遠慮なくありのままを思いきって言うさま。つけつけ。ずっけり。「養君に頑白《ばくわん》を、云はさぬやうに育ちゃいのと、**つっけり**云へば」〈浄瑠璃―那須与市西海硯〉

つっけんどん さま 相手に対する愛想や思いやりがなく乱暴なさま。「山村の奥さんが**つっけんどん**にささやきかえしている」〈弱い結婚・小島信夫〉

✵「突っ慳貪」の字を当てることもある。「慳」は物惜しみをすること、「貪」はむさぼることとの意。

つつっ さま 直線的にすばやく、すべるように動くさま。「『酔って候』には、江戸城中で**つつっ**と老中、阿部正弘に近寄った容堂が耳打ちする場面がある」〈日曜くらぶ・毎日新聞・01・6・24〉

つっつっ さま 動作にめりはりがあってすばやいさま。すべるように次第次第に速やかに進むさま。「ぽん太の膝が、**つっつっ**と前へにじり寄り」〈ぼんち・山崎豊子〉「啼つる声も虚空也けり　**つっつっ**と羽ぶしつよげに帰雁」〈俳諧―望一千句〉

つつてん 音 三味線の音。「**つつてん**、つつてん、つつてんなぞと引かけた所は、たまらぬ、たまらぬ」〈浄瑠璃―仮名手本忠臣蔵〉

つっぺり さま 古 なめらかなさま。のっぺり。つるり。「形はしかも美女めきて目も鼻もなく**つっへり**としたる貌也」〈好色盛衰記・井原西鶴〉

つっぽり さま 古 ひとりわびしげに身を小さくしているさま。「玉は寝もせず寝所に、只**つっぽり**と起ゐたり」〈浄瑠璃―大経師昔暦・近松門左衛門〉

つづりさせ 声 コオロギの鳴く声。⬇鳴き声編

つぶつぶ ❶【さま】一面に粒状のものが浮き出ているさま。粒状のものが入っているさま。ぽつぽつ。ぷつぷつ。「絲瓜《へちま》のぬうっとした恰好、**つぶつぶ**してにくらしい黄瓜《きうり》など」〈銀の匙・中勘助〉「あづきの**つぶつぶ**した汁粉をつくってくれたことも覚えてゐる」〈死について・唐木順三〉 ⬇使い分け「ぽちぽち」

❷【音・さま】涙、血、水などがわきあがってこぼれ落ちてたてる音。また、そのさま。ぽたぽた。「**つぶつぶ**と木々や草の葉を洩れて雫する音など」〈清経入水・秦恒平〉「いといみじう胸ふたがる心地し給て、涙の**つぶつぶ**と落ち給ふを」〈宇津保物語〉

❸【さま】【古】文字をなめらかに続けて書かないで、少し間を置いて書くさま。ぽつぽつ。「紙五、六枚に、**つぶつぶ**とあやしき鳥のあとのやうに書きて」〈源氏物語・橋姫〉

❹【さま】【古】まるまると肥えているさま。「いとよく肥えて、**つぶつぶ**とをかしげなる胸をあけて」〈源氏物語・横笛〉

❺【さま】【古】こまごまと続けてゆくさま。つまびらか。「あはれこの比の御随身ならば**つぶつぶ**よみ聞せ参らせなんとぞいひける」〈十訓抄〉

❻【音・さま】【古】思いがあまって胸が高鳴る音。また、そのさま。胸さわぎなどのするさま。どきどき。「いといみじく胸**つぶつぶ**と鳴る心地す」〈源氏物語・若菜下〉

❼【音・さま】【古】針などを無造作に刺す音。また、そのさま。ぷつぷつ。「その針をぞ〈略〉君の御したがひの御くびに、**つぶつぶ**と長く縫ひつけて」〈宇津保物語〉

❽【音・さま】【古】ものなどを無造作に切る音。また、そのさま。ぶつぶつ。「**つぶつぶ**と切て、鍋《かなへ》に入れて煮て」〈今昔物語集〉

❾【音・さま】【古】煮物の煮えたつ音。また、そのさま。「豆を煮ける音の**つぶつぶ**と鳴るを聞き給ひければ」〈徒然草〉

❿【声・さま】小声で経文を唱えたり、不平を言ったりする声。また、そのさま。ぶつぶつ。「口のうち**つぶつぶ**と念じ給ひつつ」〈雨月物語・上田秋成〉

✱「つぶつぶ」の語源としては、音を写したと思われるものや、「つぶ(粒)」「つぶら」「つぶさ」などとの関連が考えられる。

つべこべ ❶【さま】出しゃばってあれこれとしゃべりたてるさま。不平・理屈・へつらいなどを気にさわるほどうるさく言うさま。「**つべこべ**ぬかさねえで、言われた通り寝ぐらの用意をしろい」〈水の葬列・吉村昭〉「その傍にお勢がベッタリ坐って何か**ツベコベ**と端手《はした》なく囀ってゐた」〈浮雲・二葉亭四迷〉

❷【さま】【方言】進んでご機嫌取りをするさま。「男がそんなに**つべこべ**してはいけない」〈東京都伊豆大島〉

つべつべ 【さま】【古】遠慮なくしゃべるさま。「高笑ひもせざりし口を、有る程あいて、**つべつべ**と男へ口答へ」〈世間手代気質・江島其磧〉「松の木へのぼったり又ひょっと落たりする様な、そそこしうて**つべつべ**とうそをつく男に」〈浄瑠璃―信田小太郎〉

つべらこべら 【さま】あれこれ、うるさいぐらいに遠慮なくしゃべり続けるさま。「最前から**つべらこべら**と、此女中よくしゃべるが」〈東海道中膝栗毛・十返舎一九〉

つほつほ 【音】【古】水の湧き出る音。「わき出る水のをと、**つほつほ**とひびきて」〈浮世草子―好色美人角力〉

つまつま 【さま】【方言】質素で地道なさま。「**つまつま**としたよい仕事する人や」〈富山県〉「**つまつま**と暮らしておられて、きまじめな人や」〈富山県〉「**つまつま**とお金をためる」〈富山県〉「急がん仕事やさけ(急がない仕事だから)**つまつま**としるわいにん(少しずつやります)」〈石川県〉

つむつむ 【さま】【古】少しずつ時間をかけて行うさま。「相坂の関路にけふや秋の田の穂坂のこまを**つむつむ**とひく〈藤原公実〉」〈堀河百首〉

つやつや ❶さま 光沢があって美しいさま。「**つやつや**とした若葉の上にチョコナンと坐っている雨蛙は、それ自体が季節の風物詩としてすてがたい」〈蛙のこえ・大宅壮一〉「こほれかかりたる髪**つやつや**とめでたうみゆ」〈源氏物語・若紫〉 ⇩使い分け「てらてら」
❷さま うるおいと張りのあるさま。「年齢《とし》の割合には**つやつや**とした色の白い相手の顔を眺める」〈夜明け前・島崎藤村〉「やや濁音を帯びてわりに太く、しかも**つやつや**とうるほひのあるその聞き慣れぬ声の方へ向って」〈竹沢先生と云ふ人・長与善郎〉
❸さま 古 ものごとが徹底しているさま。きれいさっぱり。すっかり。「げに**つやつや**忘れて、見て参れと仰せあり」〈とはずがたり〉「木の葉をかきのけたれど、**つやつや**物も見えず」〈徒然草〉
❹さま 古 ものごとをよく見るさま。つくづく。つらつら。「**つやつや**おもふに、当世傾国の威儀すたれ、けしきをとろへ来るをいかにといふに」〈評判記―色道大鏡〉
❺さま 古 完全に寝入るさま。すやすや。とろとろ。「今は御身も、つかれはて、御枕をかたぶけ、**つやつや**、まどろみ給ひける」〈浄瑠璃―釈迦八相記〉

つらつら ❶さま ものごとを落ち着いて深く考えるさま。よく観察するさま。じっくり。「今日**つらつら**考へるに、武術は同胞に対して実行すべきものに非ず」〈花吹雪・太宰治〉「**熟々**《つらつら》見て篤と点撿すると、是れにも種々種類のあるもので」〈浮雲・二葉亭四迷〉 ⇩使い分け「しんみり」
❷さま 古 よく寝入るさま。ぐっすり。「男も草臥て、**つらつら**寝入りければ、女はねいりもせず」〈東海道名所記・浅井了意〉「**つらつら**と夢に入子や置ごたつ〈利夕〉」〈俳諧―水の友〉
❸さま 古 続けてしたたり落ちるさま。流れ出るさま。たらたら。「刀に随て、血**つらつら**と出《いで》来《き》けるを」〈今昔物語集〉

つらり ❶さま 全部もれなく行きわたるさま。ずらり。「唯『綺麗だことネー』と云ってツラリと見亘すのみ」〈浮雲・二葉亭四迷〉「これも夜分の景とかはり、**つらり**っと灯がとぼります」〈御存商売物・山東京伝〉
❷さま 動きや程度がわずかであるさま。動作がすばやいさま。ちらり。「直径二寸ばかりの円を描いた、**つらり**と光る黒麦酒の面に、天井の電燈や後の葭戸《よしど》が映ってゐる」〈妖婆・芥川龍之介〉「横目で二階を**つらり**と見れば」〈人情本―春色雪の梅〉

つる ⇩コラム「つる・ずる」

つるっ ❶さま 表面が全体的に平らでよくすべるさま。「コケシのように顔の無い**つるっ**とした前を見せていた」〈異郷・加賀乙彦〉
❷さま 勢いよくすべるさま。「足もとが**つるっ**と滑ってけがをする人も出て、おっかなびっくり歩く列が続いた」〈首都圏は雪の朝、冷え込みも今冬一番・朝日新聞・87・1・6〉
❸さま なめらかにすべるさま。なめらかなかたまりなどが、一度に入ったり、抜け出たりするさま。『皮が**つるっ**とむける』「うすい貝の蓋を針の先でひっかけると、**つるっ**と身がでてくる」〈象のいないサーカス・井上光晴〉

つるつる ❶さま 表面が平らで、光沢のあるさま。「長方形や正方形の**ツルツル**した塗料の塗ってある広告板が」〈自然の子供・金井美恵子〉 ⇩使い分け「すべすべ」
❷さま ものの状態がなめらかなさま。すべりやすそうであるさま。「今は、**つるつる**の舗道を歩いているから」〈夢を植える・清岡卓行〉
❸音・さま 麺類などをすする際の軽く高い音。また、そのさま。「隅の方に三人かたまって、何か**つるつる**、ちゅちゅ食ってた連中が」〈坊っちゃん・夏目漱石〉
❹さま 動きが速く、とどこおらず、流れるようであるさま。するする。「与次郎は頗る能弁である。惜しい事に其能弁が**つ**

コラム オノマトペのもと

つる・ずる

「つる」は、なめらかに滑るようすの表現である。ものの表面がなめらかで光沢のあるようす、表面がなめらかな麺類などをすするようすの表現に使われる。かつては、「つるつる走る」「時間がつるつる過ぎる」なども使われたように、スピードがあり、軽快で滞りのない感じを表している。

「ずる」は、「つる」のように軽快ではなく、抵抗を感じながら動く感じを表している。液体をすすったり、ものを引きずったりするときの描写に使われる。「いつまでもずるずると続ける」のように、人の態度や気持ちについて、けじめのない状態であるときにもよく使われる。

【つる・ずるの語群】

つるつる・ずるずる
つるっ・ずるっ
つるり・ずるり
つるりん・ずるりん

	—(と)滑る	—(と)すする	—(と)延ばす
つるつる	○	○	—
ずるずる	○	○	○
つるっ	○	○	—
ずるっ	○	○	—
つるり	○	○	—
ずるり	○	○	—
つるりん	○	△	—
ずるりん	△	△	—

【表現】

「つるつる」は、表面がなめらかなものを吸い込むように食べるときによく使われる。うどんやそうめんなどが代表的な「つるつると食べる物」である。山形県、長野県、茨城県などに、うどんやそうめんなどの麺のことを「つるつる」という地域もある。

つるつるとそうめんを食べたり、ずるずると蕎麦をすすったりする習慣は、欧米にはない。しかし、日本人が表現すれば、パスタ類にさえも「つるつる」が使われることがある。たとえば、伊丹十三は『ヨーロッパ退屈日記』で、スパゲッティを「白くて、熱くて、つるつるして、歯ごたえがあって、ピカピカしたもの」と書いている。二〇〇四年に首都圏でアンケートを行い、つるつるを食感表現に使うか否かを調べたところ、性別や年代にかかわらずほとんどの人が使うと答えた。つるつるは、心地よく唇やのどを滑る感じを表す、なじみ深い擬音語・擬態語といえる。

さて、うどんやそうめんは「つるつる」だが、同じ麺でも蕎麦は「ずるずる」だ。「するする」には軽やかさが、「つるつる」にはなめらかさがあるので、これらのことばでは蕎麦の音を表現しきれない。日本の食文化には、音を楽しむという考え方がある。音がおいしさを引き立てるから、遠慮せず、思い切り音をたてるのが最高の味わい方という考え方である。しかし、最近の蕎麦店は静かになった。音をたてて食べることをはしたないとするマナーがすっかり浸透してしまったようである。

それを反映してか、「ずるずる」は食べるときの感じを表すと思うかを首都圏で調査したところ、世代が若くなるほど「Ｙｅｓ」と答える人が減ってくる。食の表現としては、「ずるずる」は消えつつある表現なのかもしれない。

（早川文代）

るつるしてゐるので重みがない」〈三四郎・夏目漱石〉「夕暮の山の端見ればまつさかや**つるつる**とこそ月は出でけれ」〈七十一番職人歌合〉

❺さま 方言 浅く短く眠るさま。近畿地方・中国・九州地方。「つるっ」ともいう。「いつの間にやら**つるつる**と寝てしもうた」〈京都府〉「**つるつるっ**としたら一番列車が通った」〈島根県〉「**つるっ**とした(一眠りした)」〈広島県〉

つるてん 音 名 三味線を弾く音。また、三味線のこと。「三味線では柴田さんは楽譜を用いず、『てんてんてん、**つるてん**とん』などと口伝で手ほどき」〈座敷芸を後世に・岐阜新聞・07・4・8〉

つるり ❶さま 全体になめらかで光沢があるさま。「年かさの江添友助は、ちょっと水成岩《すいせいがん》のかけらのやうな、**つるり**とした固い顔の猛者であった」〈真理の春・細田民樹〉

❷さま なめらかにすべるさま。「ぼくの顎を下から上に、斜にこじ上げた瞬間、**つるり**と仮面が、剝げ落ちてしまったのである」〈他人の顔・安部公房〉「其清かな温順な顔を**つるり**と撫でた」〈園遊会・国木田独歩〉

❸さま なめらかなかたまりなどが、一度にはいったり、抜け出たりするさま。「しかし世の中には豪傑がゐるもので、このいやったらしいナメクジを、精をつくとて生きたまま**つるり**と飲むというからおっかない」〈にんげん動物園・中島梓〉

つるりん さま なめらかでよくすべるさま。また、そういう感じのするさま。「**ツルリン**とした顔の何処《どっか》に『間抜の狡猾』とでも言ったやうな所があって」〈湯ケ原ゆき・国木田独歩〉

つるん さま よくすべるさま。いかにもすべりやすそうになめらかで光沢のあるさま。『**つるん**と後ろ向きに転倒した』「**つるん**として皺が一本もなくなったような気がした」〈水中都市・安部公房〉

つん ❶さま ほかより抜きんでて高いさま。とがって高いさま。「黒眼鏡の下の鼻の、婆さんらしく無く**つん**と高いのが、根性をよく見せ無かった」〈大阪の宿・水上滝太郎〉「曲馬団の花形桜子が、**つん**と身を反らせ」〈招魂祭一景・川端康成〉「白菊の**つん**と立たる土用哉」〈文政句帖・一茶〉

❷さま 細いもので、一度軽く突っつくさま。「額を**つん**と指さきで押した」〈二十四の瞳・壺井栄〉

❸さま 周りとひとりだけ関わりがないかのような愛想のない態度をとるさま。「イヤに生若い新米らしい巡査が**ツン**と済まして立ってゐるのを見た」〈正義派・志賀直哉〉「**ツン**とした何食はぬ顔つきで、いかにも額の汗を拭ふやうな恰好をしたうへで」〈受胎・井上友一郎〉

❹さま 怒りを含んだり、不機嫌であったりして、無愛想なさま。「彼女は、誇りを傷つけられたように、**ツン**として、立ち去った」〈自由学校・獅子文六〉

❺さま 感覚を強く鋭く刺激するさま。「アイ・シャドーのせいかもしれないが、たしかに青い炎のような、**ツン**と俺の眼を刺す光を俺は見た」〈いやな感じ・高見順〉「雨に濡れた草の、青《あを》酸《ず》っぱい臭ひに混って、私のよく知ってゐる、あの**つん**と鼻をつく臭気が、緑の間に漂ってゐた」〈野火・大岡昇平〉

⇨使い分け「ぷん」

❻さま 古 ものをあざやかに一気に切るさま。「物をきり侍るを、ちょんときる、すかときる、**つん**ときる、ずんときる、すっかりこときるなどいふは、いつれまされるにや」〈かた言〉「かぶとのしのびのをを、蠅頭《はひがしら》にむすびあけ、すへを**つん**ときって」〈浄瑠璃―宇治の姫切〉

❼さま 古 動作を勢いよく突然にするさま。鼻汁をかむさま。放屁するさま。ふん。「泣止《なきやめ》泣止、ドレじじかんでやろ、サ**つん**とせい、**つん**とせい」〈浄瑠璃―染模様妹背門

松〉

つんけん さま 機嫌が悪かったり、不親切であったりして、ことばつきや態度にとげのあるさま。つんつん。「なぜか**ツンケン**と、つれないそぶりばかりしやるによって」〈桐一葉・坪内逍遙〉 ↓使い分け「つんけん」

つんつら さま 古 着物のたけが短いさま。つんつるてん。「おの川じまのほしゆかたの**つんつら**みじかいやつをうでまくりして」〈仕懸文庫・山東京伝〉

つんつる さま 体に合わず衣服のたけが短いさま。つんつるてん。「佐ア坊に着換へをさせて自分の病牀へ連れて這入り、その**ツンツル**になったネルの寝巻の胴へやさしく手をまはして」〈あの道この道・十一谷義三郎〉

つんつるてん ❶さま 身長にくらべて衣服のたけが短くて、手足の先が出ているさま。つんつら。つんつる。「シャツ股引きの上に**つんつるてん**の揃いの浴衣を着」〈路・藤枝静男〉「うれしそうに例の**ツンツルテン**の洋服を着たガストンを連れて」〈おバカさん・遠藤周作〉

❷さま 頭が完全にはげているさま。「ああ、あの人たちも**つんつるてん**だ、丸坊主になったんだと思うと」〈地の群れ・井上光晴〉

つんつん ❶音 三味線をつまびく音。綿を打つ音。「もっぱら三味線だけをペンペン、**ツンツン**弾いて」〈いろは交友録・徳川夢声〉「**ツンツン**と彼方此方《あちこち》の二階で綿を打つ音を、時ならぬ砧の合方《あひかた》にして」〈婦系図・泉鏡花〉

❷さま とがったものがいくつも突き出ているさま。鋭くとがったさま。「タイ風の角を**つんつん**つき出したような屋根を持つ寺が見えた」〈地を潤すもの・曾野綾子〉「決め手は、つま先が極端にとがった靴だ。ローマの靴屋のウインドーに並ぶブーツにパンプス、ミュールまでも、**つんつん**にとがっている」〈装い街から・朝日新聞02・5・4〉

❸さま 何度も続けて軽くつっついたり、引っぱるさま。勢いよくはねあがるさま。「右の手の指で軽くかはるがはる**ツンツン**とテーブルの上を打った」〈黒雨集・田中貢太郎〉「この場合のアタリは、道糸が張って**つんつん**と竿先を揺らして現れる」〈釣然草・産経新聞・00・7・22・大阪夕刊〉

❹さま とりすまして、愛想のないさま。不機嫌なさま。つんけん。いけつんつん。「いつになくやっきとなり**ツンツン**してさきへあゆむに」〈西洋道中膝栗毛・仮名垣魯文〉

❺さま ものの強烈なにおいが、続けてつきさすように鼻を刺激するさま。「不快な匂ひが彼の鼻の奥を**つんつん**刺戟した」〈カ

使い分け

【共通の意味】機嫌が悪く、人にあたるようす。

つんけん **ぷすっ／ぷんぷん／ぷりぷり／かんかん／むかっ**

❶**つんけん**、**ぷすっ**はどちらも不機嫌だったり怒ったりしていて、口をきかないようす。**つんけん**は態度にやわらかさがなく無愛想なようす。「この店の店員は**ツンケン**して感じが悪い」。**ぷすっ**は、ふくれているようす。「おやつを弟にとられて、**ぷすっ**として出て行った」 ❷**ぷんぷん**、**ぷりぷり**は腹を立てていることが顔つきや態度に表れているようす。「約束の時間を一時間も待たされて**ぷんぷん**怒っている」。**ぷりぷり**のほうが、より強く態度に出ているようす。「仕事でよほどいやなことがあったのか、**プリプリ**してものも言わない」 ❸**かんかん**は、はげしく憤っているようす。「大切な花びんを割られ、**カンカン**になって怒った」。**むかっ**は、急に怒りの感情にとらわれるようす。「『少しダイエットでもしてみたら？』と言われて、**ムカッ**ときた」

インの末裔・有島武郎〉

つんづんころり さま 重く、勢いよく転がるさま。「今の先、**つんづんころり**とやった間に、本間物《ほんまもの》もしてやったか」〈歌舞伎―傾城浜真砂〉

つんてんつとしゃん 音・さま 三味線の音。口三味線でうたうさま。つんてんしゃん。つんとんしゃん。「……しぶきで濡れるぐらいなら、わたしゃ袖ヶ浦と、いっそ、濡れたいね……**ツンテンツトシャン**」〈江戸の夕立ち・井上ひさし〉

つんぼり さま 古 小高いさま。盛り上がっているさま。「鼻は**つんぼり**、口ちょぼちょぼ」〈浄瑠璃―比良嶽雪見陣立〉
方言 中高で端正な顔のさま。「あの人の顔は**つんぼり**している」〈兵庫県〉

つんまり ❶ さま 小さくまとまっているさま。ちんまり。「物のつづまやかなることを、**つんまり**とは如何」〈かた言〉
❷ さま 方言 平穏なさま。つつましいさま。「**つんまりとしとれ**」〈富山県〉

つんもり さま ものの表面が引き締まり、丸みを帯びて盛りあがっているさま。「**つんもり**した手製の羽根蒲団のやうな生活の中に潜り込み度《た》いものだと思った」〈老妓抄・岡本かの子〉「帆立て貝を器に盛り、その上にリンゴとキュウリを漬け汁ごと**つんもり**とのせ、いりゴマ小さじ1を散らす」〈プロの一品・朝日新聞・96・12・15〉

てい 音 古 ものが勢いよく打ち当たる音。ちょう(丁)。「栗原を通れは**てい**と落つる栗あり」〈歌謡―田植草紙〉「山伏の腰に着けたる法螺貝の、丁《ちゃう》と落ち、**てい**と割れ、砕けて物を思ふ頃かな」〈梁塵秘抄〉

ていてい ❶ 音 鼓《みつづ》などを、続けざまに打つ際のかん高くひびく音。ちょうちょう(丁丁)。「入り替りては、鼓をも『や、**ていてい**』と打て、蜻蛉返りなどにて、ちゃくちゃくとして、さと入也」〈申楽談儀〉
❷ ⬇漢語編「ていてい(亭亭)」

ていとー 音 鼓《みつづ》を打ち鳴らす音。また、そのように澄んで高くひびく音。「**ていとうていとう**と、つづみをうちて」〈一言芳談〉

でーん さま 重みをもって落ち着き払っているさま。「兄さんと並んで**でーん**と控へてるのよ」〈薔薇一族・小山祐士〉

てかっ さま ものの表面につやがあって一瞬光るさま。「チラリと肩ごしに**テカッ**と光った髪が。橋本総理を護衛するSPさん達だとわかりました」〈ピーピングしのすけのふしあなから世間・毎日新聞・96・11・08〉

てかてか ❶ さま ものの表面につやがあって光っているさま。「その**テカテカ**光ってる顔を見た」〈何処へ・正宗白鳥〉「夏中ほとんど一本で通して、垢で**てかてか**に光り、木片のやうにこちこちに固まった蝶ネクタイに」〈真理の春・細田民樹〉 ⬇使い分け「てらてら」
❷ さま 古 日光の照り輝くさま。「冬の日の**てかてか**としてかき曇〈越人〉 豕子に行と羽織うち着て〈野水〉」〈俳諧―曠野〉

でかでか さま 大きくていかにも目立つさま。「**でかでか**したキャバレなんか建てるのは、打ち毀しだ」〈帰郷・大仏次郎〉「ホテルの前の同仁病院の建物にも**でかでか**とスローガンがあげられた」〈赤い国の旅人・火野葦平〉

てきてき ❶ 音 古 野菜などをきざむ音。「俎板にしろ瓜《りふ》菜がたな取って、**てきてきてきヤてきてきてきヤ**、てきてきしやんと揉み瓜《りふ》に」〈浄瑠璃―卯月の潤色・近松門左衛門〉
❷ ⬇漢語編「てきてき(滴滴)」

てきぱき ❶〔さま〕事柄が次々にとどこおりなくすばやく進展するさま。動作の機敏なさま。「然うテキパキ事情の決るのが何だか可厭《やい》なやうな気がした」〈新世帯・徳田秋声〉「相談をしかけたら、すぐてきはき始末をつけてくれさうだけれども」〈星座・有島武郎〉❷〔さま〕ことばや態度などがはっきりしているさま。はきはき。「明るい調子で、てきぱきと指示し」〈エオンタ・金井美恵子〉✵「てきはき」ともいう。⬇使い分け「きびきび」

てくてく〔さま〕わき目もふらず同じ調子でひたすら歩き続けるさま。「順礼姿になりまして仕込み杖を持って、御成街道をテクテク遣って来る道中《みちすがら》」〈落語―花見趣向・四代目橘家円蔵〉「さすが馬産国だけに、親馬が通ると、そのあとへ必らず小馬がてくてくついて行くのに出会ふことが多い」〈断橋・岩野泡鳴〉⬇使い分け「てくてく」

でくでく ❶〔さま〕人の肥満しているさま。『でくでく役者』(＝演技のへたな俳優のこと。大根役者)「でくでくした身躰で腰の太さが行水盥ほどもあってどったりばったり怠義さうに歩く村娘《あね》達が」〈湯女・内田魯庵〉「色の黒いでくでくと、肥満た眼の大い」〈滑稽本―八笑人〉〔方言〕人の肥満しているさま。東北地方・新潟県。「でくでくした子ども」〈福島県〉❷〔さま〕〔方言〕傷口からひどく血が流れ出るさま。「血がでくでく出た」〈静岡県〉

でくぼく〔名〕盛りあがったところとへこんだところ。でこぼこ。「ぬしの所の大釜は、なぜこんなに凸凹《でくぼく》があるのだ」〈歌舞伎―四天王産湯玉川〉

でくん〔さま〕大きくて重みのあるものがたれ下がるさま。「デクンと垂れた乳房を絹寒冷紗のゆかたの地がへばるほど突き出し」〈今年竹・里見弴〉

てけてけ ❶〔音〕エレキギターを速いリズムで演奏する音。「メンバーの平均年齢は56歳になったが、あの『テケテケテケテケ……』サウンドは健在だ」〈ベンチャーズ28回目の日本公演・朝日新聞・92・7・29・夕刊〉❷〔さま〕同じ調子で頼りなげに歩くさま。てくてく。「ときならぬ花を、変にお思いになったでしょう。ユリがてけてけあすこ迄行っての上のおくりものと、お察し下すったでしょうか」〈獄中への手紙・宮本百合子〉

てこてこ〔さま〕同じ調子でひたすら歩くさま。てくてく。「いいとこへ連れて行ってやろうと、伊与さんはボクを従えて、テコテコと歩き出した」〈カツドウヤ紳士録・山本嘉次郎〉

でこでこ ❶〔さま〕ものがかたく大きく盛りあがったり、凸凹しているさま。「デコデコの丸髷島田を、決して擁護する訳ぢゃアないが」〈諷誡京わらんべ・坪内逍遙〉❷〔さま〕必要以上に飾りたてているさま。ごてごて。「二人は肩を組んで泡盛・ドブ酒・享楽亭といふデコデコの看板の出てゐる露地に這入って行った」〈戦争・北川冬彦〉❸〔さま〕ふくれあがる感じをもつほど数量が多いさま。「乃公《おれ》の知って居る所《こと》だが、其奴はデコデコに金を持って居るんだ」〈落語―三で賽・三代目柳家小さん〉

使い分け

【共通の意味】ふつうの速さで続けて歩くようす。

てくてく すたすた／のこのこ

❶**てくてく**は、距離のあるところを、ひたすら歩くようす。「なだらかな山道を**てくてくと歩く**」。**すたすた**は、急ぎ足でどんどん歩いていくようす。「仲間をおいて、ひとりで**すたすた**と行ってしまった」。

❷**のこのこ**は、場違いなところへ平気で現れるようす。「会議が終わるころになって、**のこのこ**現れる」

でこぼこ ❶〔さま〕表面にでっぱりやくぼ

みがあって平らでないさま。おうとつ。でくぼく。『**でこぼこ頭**』「**でこぼこ**した板石の長い道である」〈家族会議・横光利一〉 ↓使い分け「ざらざら」

❷【さま】大小、優劣、不公平など、人やものごと相互の間に差のあるさま。「見渡した所**凸凹**《でこぼこ》の無い、よく云へばよく揃った、悪く云へば傑出の人に乏しく」〈思出の記・徳冨蘆花〉

でじこじ 【さま】【方言】長短が不ぞろいであるさま。でこぼこ。中部地方。「こんだけ足《た》したげるで、**でじこじ**なしになったやろ」〈岐阜県〉「垣根の木をこんな**でじこじ**に刈ってみっともないぎゃあ」〈愛知県〉

てっかり ❶【さま】光りかがやくさま。てかてか。『**てっかり**千両』（＝一日太陽が照りつければ、千両に値するほどの塩はつくれるの意。江戸時代、千葉県西部、行徳付近で製塩が行われたころの土地ことばという）

❷【さま】【方言】まぬけでうかつなさま。「おまえが**てっかり**しているからこんなことになった」〈群馬県〉

でっかり 【さま】大きく重々しく威厳のあるさま。「**でっかり**するゑた三里の灸《やいと》のすりむけたまでちがはぬちがはぬ」〈浄瑠璃―蘆屋道満大内鑑・竹田出雲〉

てっきり 【さま】判断などがゆるぎなく確かなさま。「**てっきり**仕事の話とおもい込んで社長室に緊張して赴くと」〈砂漠の駅・森村誠一〉「**確適**《てっきり》と此方で想像した通りであった」〈別れた妻に送る手紙・近松秋江〉

でっくり ❶【さま】人の肥満しているさま。「おにぶとりのどてらをきたる、**でっくり**とせし大男」〈東海道中膝栗毛・十返舎一九〉

❷【さま】安定感があって確かなさま。「此度は**でっくり**と此入道が秘蔵息子、同名四郎清親を受取りにやったれば」〈浄瑠璃―和田合戦女舞鶴〉

てっしてっし 【音】体重をかけて地を踏みつけて歩く音。「重はばたつかぬ、しとしととあるく。**てっしてっし**とふみつけてあるこうとすると」〈絅斎先生敬斎箴講義〉

てっしり 【さま】量が多くじゅうぶんであるさま。どっさり。でっちり。「田舎うば**てっしり**盛て五はいづつ」〈雑俳―川柳評万句合〉

でっちり ❶【さま】【古】量が多くじゅうぶんであるさま。てっしり。どっさり。「鰒汁をくって、酒を**でっちり**飲んだ。あったまっていいよ」〈咄本―詞葉の花〉

【方言】量が多くじゅうぶんなさま。東北地方。「てっちり」ともいう。「やまのもので**でっちり**もってきた」〈岩手県〉「**てっちり**五杯食った」〈山形県〉「**てっちり**と盛った」〈山形県〉

❷【さま】【方言】偶然に人と出会ったり、衝突したりするさま。「てっちり」ともいう。「思いがけない所で**でっちり**行遇った」〈秋田県〉「思ってーとーことが**てっちり**当たった」〈山梨県〉

❸【さま】【古】重々しくすわるさま。「**でっちり**すわるなといふ、本、埏埴の義より出たる言に似たり。どっさりなど云も同し言なり」〈俚言集覧〉

てっつり 【さま】【古】臆面もなく図々しいさま。「そう**てっつり**いはれては、何ぞうけ賃もらはねばならぬ」〈洒落本―箱まくら〉

てっつんつん 【音】三味線の音。「そこでは義太夫、爰ではめりやす、**てっつんつ**んの音にうかれ」〈咄本―近目貫〉

てって 【さま】【方言】精を出して働くさま。手際よく仕事を片付けるさま。「仕事**てって**とやっちまえ」〈千葉県〉「**てって**と掃除をしていたぜ」〈長野県〉

でっぷり 【さま】人の肥満したさま。太っていて恰幅《かっぷく》のよいさま。『**でっぷり顔**』「わたくしの主人はどちらかというと、**でっぷり**と太った肥満型の人でしたから」〈長春五馬路・木山捷平〉

てっぺんかけたか 【声】ホトトギスの鳴く声。↓鳴き声編

てててっぽー 【声】ハトの鳴く声。↓鳴き声

編

ててん 音 三味線の高くひびく音。「春大夫が息を吐くのと一つ間を置いて、テテンと三味線が鳴った」〈一の糸・有吉佐和子〉

ででん ❶音 三味線の太くひびく音。「宵のうちはその障子に人影が写り『デデンデン』といふ三味線の撥音と下手な嗚咽の歌が聞こえて来る」〈温泉・梶井基次郎〉
❷音 銅鑼《どら》や太鼓などの重くひびく大きな音。「その心臓の響きが、『デデン、デンデンデン』という慰霊祭の銅鑼《どら》や太鼓の音とともに、私の耳の中で、鳴りやまないのである」〈文芸時評・朝日新聞・99・10・26・夕刊〉

でぶでぶ さま 締まりがないほど極端に太っているさま。「デブデブと肥った身体《からだ》をソファに埋めて」〈別天地・国木田独歩〉「年は四十に近づひて、色くろぐろと**でぶでぶ**太り」〈人情本―明烏後正夢発端〉

でらっ →でらり。

てらてら ❶さま ものの表面につやがあって光っているさま。「おたふくのやうな顔をワゼリンで**てらてら**させ」〈父祖の地・尾崎一雄〉「長火鉢は拭き込んで**てらてら**光る所が身上なのだが、此代物は欅か桜か桐か元来不明瞭な上に」〈吾輩は猫である・夏目漱石〉
⬇使い分け「てらてら」
❷さま 日や月などが、明るく照り輝くさま。光が反射するさま。「驟雨は全く霽《は》れて、日が**てらてら**と照り出した」〈東京灰燼記・大曲駒村〉「波は**テラテラ**と滑らかな表皮に陽を揺るがして」〈紫衣の夫人・龍胆寺雄〉「**てらてら**と石に日の照枯野かな〈蕪村〉」〈俳諧―発句題苑集〉

でらでら さま ものの表面に多量の油がついたり、表面が凍ったりして見苦しいほど光るさま。「田舎者のくせに髪に**でらでら**油をぬりつけ」〈犬喧嘩・金子洋文〉

てらり さま なめらかな表面が、光って見えるさま。灯火などの光り輝くさま。「眼のひっこんだ、眉の濃い、そのくせ頭が**てらり**と禿げた、背の低い四十を越した男だった」〈防雪林・小林多喜二〉「舗装が**てらり**と白く反射し」〈昔の街・高橋たか子〉

でらり さま 方言 残らず、すべてそうなるさま。すっかり。「でらっ」ともいう。「田の畔を歩いているうちに、**でらり**田に落ちてしまった」〈岩手県〉「**でらっ**と忘れて読めない」〈秋田県〉

てりてり さま 古 光り輝くさま。「絹の**てりてり**と光色のあるに」〈四河入海〉

てれ ⬇コラム「てれ・でれ」

てれっ さま 締まりがなく、だらしのないさま。「『テレッとしている(＝だらだらしている)のが普通だよ』という毎日だから」〈患者のための医療つきあい学・武山ゆかり・東京新聞・99・8・23〉
方言 安閑とだらしないさま。すぐに行動に移さないさま。ぼんやり。てれてれ。島根県・九州地方。「なんぼー叱っても**てれっ**としとる」〈島根県〉「そげな処《とこ》に**てれっ**と立っちょるな」〈大分県〉「**てれっ**と待っちゃおられん」〈長崎県〉

でれっ さま 締まりがなく、だらしのない

使い分け

【共通の意味】
なめらかで光沢のあるようす。

てらてら
てかてか／つやつや

❶**てらてら**は、「脂ぎったおでこが**てらてら**光っている」のように脂ぎって光っているようす。**てかてか**は、「ポマードで固めた**てかてか**の髪」「古い上着のひじが**テカテカ**している」のように、表面がなめらかでつやがあり、光っているようす。どちらも、あまり好ましいイメージではない。
❷**つやつや**は、「ツヤツヤの黒髪」「健康そうな**つやつや**した肌」のように、光沢があって美しいようす。

さま。異性に色目をつかうさま。「併し芸人が婦人へデレッとするとお客さまを失嬌《しくじ》る事が有ります」〈落語—王子の幇間・三代目三遊亭円遊〉

てれつく 音 太鼓を打つ音。「よせ太鼓日は**てれつく**と打いづる波の音まで河原ものかな」〈狂歌—古今夷曲集〉

てれつくてん 音 太鼓や三味線などの音。「桜がもとにあそぶけいせい　しゃみせんの**てれつくてん**も長閑にて」〈伊勢山田俳諧集〉

てれてれ さま 仕事に身を入れずはかどらないさま。「自分の馬が鞍傷をやっとるのも平気で、水飼与へに来ないで、**てれてれ**してゐるちふ、それが初年兵の動作か」〈初年兵江木の死・細田民樹〉

方言 安閑とだらしないさま。だらだら。ぼんやり。島根県・九州地方。「てれっ」ともいう。「**てれてれ**しとるけなめらるる。まちっとシャンシャンせんか」〈福岡県〉「**てれてれ**しとっと日の暮るっぞ」〈熊本県〉

でれでれ ❶ さま 態度やようすに、締まりのないさま。だらだら。『この暑さでは、だれでも**でれでれ**してしまう』「晩くまで三人は、さんざん飲み喰ひした。〈略〉**デレデレ**に酔って、フラフラした足つきで、三人は新道路へ出ると」〈彼女とゴミ箱・一瀬直行〉

❷ さま 心ひかれる異性にだらしなく媚びるさま。「新河内家などのお酌に**でれでれ**するやうぢゃあ、まだ初歩だね」〈大川端・小山内薫〉

でれり さま 態度や姿勢に締まりがなく、だらしのないさま。「どうしてか**でれり**として次から次にいろんな女の子に惚れて」〈三とせの春は過ぎやすし・杉浦明平〉

でれん さま みっともないほど力が抜けきっているさま。「呷《あふ》ったウヰスキイの酔ひで、目がとろんこになり、〈略〉**でれん**とした姿で庸三の傍へ寄って来ることもあった」〈仮装人物・徳田秋声〉

てれんこてれんこ さま あまり気を入れず、いい加減な調子でものごとを行うさま。「仕事なんて、**テレンコテレンコ**やってるものであって」〈にんげん動物園・中島梓〉

てろっ ❶ さま 流動体や粘液状のものが少しずつ流れるさま。「適度な照りがあって、実際に飲んだ印象も、**てろっ**とまとわりつく感じ。これが古酒独特のうまみというものなんだな」〈俵万智の百人一酒・朝日新聞・01・3・1・大阪夕刊〉

❷ さま しなやかでつやがあるさま。「髪は流行のあわびみたいな型だ。まんなかだけ**てろっ**と素直な毛で、ぐるりいっぱいむちゃくちゃに縮らして」〈流れる・幸田文〉「素材が軽く、**テロッ**とした感じが初夏の装いに合っているので」〈おしゃれCLUB・産経新聞・95・5・22〉

でろっ ❶ さま 締まりなく、流れたりたれさがるさま。『休日を**でろっ**と過ごす』『ソースが**でろっ**とかかっている』「神経質みたいに見えるらしいけど、公演以外の時は、**デロッ**とかノテッとかが好きなんですよ」〈坂田栄一郎のオフカメラ・AERA・89・6・6〉

❷ さま 方言 残らず、すべてそうなるさま。「てろっ」ともいう。「**でろっ**ともの忘れする人だ」〈秋田県〉「持っていた金を**てろっ**とつかってしまった」〈岩手県〉「お鉢一つ**てろっ**と食べた」〈秋田県〉

❸ さま 方言 いつもそうであるさま。四六時中。「てろっ」ともいう。「**でろっ**と パチンコさばり えてる(パチンコにばかり行っている)」〈秋田県〉「うちの嫁は**てろっ**と実家にばかり行っている」〈岩手県〉

てろてろ ❶ さま ものが流動体や粘液状になって、溶けそうなさま。つやを帯びて光るさま。「植え溝に呆れるほど大量の水を流し込み、畑を**てろてろ**の泥池にしてしまったのだった」〈吉里吉里人・井上ひさし〉「顔中、脂《あぶら》で**てろてろ**に光っていて」〈吉里吉里人・井上ひさし〉

❷ さま 張りや力が抜けているさま。「スポ

コラム オノマトペのもと

てれ・でれ

「てれ」「でれ」は、締まりがなくだらしない感じで、動きも緩慢なさまを表す。「でれ」は、特に好きな相手の前で気持ちを隠しきれず、表情や態度がゆるんだり甘い感じになったりするときに使われる。

「てれ」「でれ」を語素にもつ語はあまり多くない。「てれ」には、急がずのんびりしているさまを表す「てれんこてれんこ」という語例が見られるが、「てれてれ」と同じく、だらしなさの表現であり、そのような動作を見る側にとっては、ふつう苛立ちや非難の気持ちが含意される。「でれ」には「でれり」「でれん」の形もあるが、すべてだらしのないさまを表す点で共通している。

古い用例はあまりなく、「でれっ」「でれでれ」は一九世紀後半、「てれてれ」は二〇世紀になってからの登場のようである（「でれん」は一八世紀の俳諧に見られる）。「でれる」「でれつく」のような派生語が生まれた中で、だらしない、好色な男をさす「でれすけ」は、語形のバリエーション（てれすけ・てえすけ・てれんこ・でれ……）を広げながら、現代も愚か者・だらしない人・不真面目な人をいう語として方言の中にみえる。

【てれの語群】

てれてれ・でれでれ

てれっ・でれっ

でれり・でれん・てれんこてれんこ

【表現】

「てれ」「でれ」は、「―e―e」という形をもっているが、実は日本語の擬音語・擬態語の中で、このようなタイプは珍しい。二番目の音がラ行音になるタイプ（「から・きり・くる・ころ」のようなもの）は多いのだが、「―れ」はほとんどない。また、「がさ」「みし」「ずぶ」「ぼと」のように、一番目と二番目の音が同じ母音を持つタイプも多く存在するが、「―a―a」「―i―i」「―u―u」「―o―o」の形はあっても「―e―e」はほとんどない。そもそもエ段の音が擬音語や擬態語に使われることが相対的に少ないのである。そして、エ段音を含む擬音語は、笑い声ならば「へへっ」「でへへ」「げらげら」「へらへら」のように、どちらかといえば下品な感じが伴う。「げっ」「めきっ」のような音も、きれいな感じとはいえない。擬態語でも、「ねっとり」「てかてか」「でろん」「ぺたっ」「べろべろ」…と並べていくと、どうもよくない印象のものばかりに見える。

これは偶然とは言えまい。もともとの日本語音の体系にまで遡ってその理由を推測すると、古代日本語には、a・i・u、（少し遅れて）oの四つの母音はあったが、eという母音はaとiの組み合わせによって後から生じたものであるという見方がおおかた認められている。（現代語でも「いたい！」が「いてぇ！」になるのと同じ原理である。）

現在でも、昔からの日本語（和語）にはエ段音で始まる語は少ない。一般語彙に比べて音の印象が重要であり、「造られる」語である擬音語・擬態語において、比較的新しいエ段音が使われにくかったのと、原初的な母音ではないための違和感のようなものが影響し、一般・普遍的ではない異質なイメージ、やや「外れた」感じの表現につながっているのではないか。そしてそれが、今新たに生み出されるオノマトペにも受け継がれているのではないだろうか。（宮武利江）

ーツウエアはスポーティであってほしい。〈略〉デレデレしたもの、**テロテロ**したものはそぐわない」〈新・ゴルフざんまい・週刊東洋経済・05・5・28〉

でろでろ さま ものが流動体や粘液状になって、だらしなく溶けそうなさま。「深夜をまわるあたりから、**でろでろ**の化粧くずれも気にしなくなり、目のまわりがタヌキになっていたりする」〈日曜くらぶ・小池真理子・毎日新聞・95・1・22〉

てん ❶ 音 三味線や太鼓などの高くひびく音。
❷ さま 古 丁寧にまとまったさま。「厭はぬ心に**てん**と結ふた髪を、望みなら根からふっつときりぎりす」〈歌謡－松の葉〉

でん さま 堂々と腰を据えて落ち着きはらっているさま。「そして彼女は両足を、**でん**と男の膝に載せて、赤い指を揉み出した」〈温泉宿・川端康成〉「彼女を**デン**とかまえさせたのは、〈略〉時代に対する知識と感覚の若々しさであった」〈自由学校・獅子文六〉

てんつく 音 太鼓の音。「さはらばひやせさはらばひやせ、**てんつくてんつく**と、いねながら、足拍子ふんで」〈咄本－戯言養気集〉「つくつく**てんつく**つくどんがらが、太鼓の音もよし、やっとしよ」〈歌謡－松の葉〉

でんつくでん 名 芝居のこと。「父が、けふは**でんつくでん**の前を通りてなどいひし、でんつくでんとは芝居の事也」〈随筆－後はむかし物語〉
✿はやしの太鼓などの音から。「てんつくてん」ともいう。

てんつつ 名 歌舞伎下座《ざげ》音楽の一つ。人物が忙しく出入りするときに用いる。「ト**てんつつ**になり、花道より七兵衛、白酒の荷をかたげ出て来て、花道の中程に留まる」〈歌舞伎－助六廓夜桜〉
✿三味線の音「てんつつ」を繰り返すことから。

てんつるてん ❶ 音 三味線の音。「歌や三味線**てんつるてんてんつるてん**とうかれ立皆皆、奥へ入にけり」〈浄瑠璃－義仲勲功記〉
❷ さま 着物のたけが短く、手足がむき出しになっているさま。つんつるてん。てんつらてん。「服は四年も五年も着続けた、**てんつるてん**の中学の制服である」〈少年行・中村星湖〉
❸ さま 無一物であるさま。すってんてん。てんつらてん。「女と酒に入れあげて、身上が**てんつるてん**のすりきりになるよりはいいでしょ」〈手鎖心中・井上ひさし〉

てんつるてんつる 音 三味線の音。「『はい！ テンドッツン、**テンツルテンツル**…』と口三味線に合わせた入門編」〈名流フォーラム・東京新聞・04・10・2・夕刊〉「初瀬川波も**てんつるてんつる**と〈貞因〉」〈俳諧－難波風〉

てんて さま 方言 足早に軽く歩くさま。→てんてん②。「(幼児が)くつをはいて、**てんて**ど、歩けるようになった」〈青森県〉

てんてこ ❶ 音 太鼓の音。「和太鼓の響きが、山深い寸又郷温泉にとどろいている。**テンテコ**と歯切れのいい締太鼓の裏打ちに乗って」〈顔の旅・静岡新聞・00・8・6〉
❷ さま あわただしく立ち回るさま。てんてこ舞い。「代診は大森夫人と回春居士の間に立って**天手古**《てんてこ》を舞はされる」〈続珍太郎日記・佐々木邦〉

てんてれつく 音 小太鼓を軽快に打つときの音。てんてんてれつく。「猪なら**テンテレツク**で出てくるのだが、虎の鳴物《なりもの》のはなんだろふ」〈開化自慢・山口又市郎〉「屹度立ったる向ふよりヒュー…と云ふ笛が這入って**テンテレツク**ックと云ふ早笛で」〈落語－素人芝居・橘家円喬〉

てんてん ❶ 音・さま 軽快にものを打ち続ける音。軽くたたき続けるさま。「表ての方から**てんてん**と毬をつく音が聞えて来てゐたが」〈鶯・伊藤永之介〉
方言 満腹で太鼓腹のさま。「腹が**てんてん**している」〈東京都〉
❷ さま あわただしく忙しくするさま。て

んてこ舞いするさま。「なほも燃え立つ汗ばんだ火に　火龍《サラマンドラ》はてんてんと躍る」〈道程・高村光太郎〉

方言 足早に軽く歩くさま。「みんなを置いててんてん歩いて行く」〈静岡県〉

❸⇩漢語編①「てんてん（点点）」⇩使い分け「ちらほら」②「てんてん（転転）」

でんでん ❶ 音 太鼓や太棹三味線の太くひびく音。「八つの太鼓がでんでんでんば後《あと》がやどやのいたみへいけだ」〈浄瑠璃—心中刃は氷の朔日・近松門左衛門〉

❷ さま 古 あとからあとから続くさま。どんどん。「冷して有る西瓜デンデン差湯して流す」〈雑俳—とかへり集〉

てんてんからり 音 鍛冶《かじ》で鉄を打つ鎚《つち》の音。「てんてんからりの槌の音、秘密を尽くし鍛《うつ》ふ劔」〈浄瑠璃—唐船噺今国性爺・近松門左衛門〉

てんてんてれつく 音 太鼓を打つ音。「時の声上を下へとかへしけり　夫籠ぬけのてんてんてれつく」〈俳諧—西鶴大矢数〉

てんやわんや さま 各自が勝手にふるまって騒ぎたてるさま。まとまりがつかず混乱するさま。「てんやわんやの乱痴気騒ぎです」〈死霊・埴谷雄高〉

✤関西で各自が勝手にの意の「てんでん」と、むちゃくちゃの意の「わや」または「わやく」が結合してできた語という。⇩使い分け「どんちゃん」

とー 声・さま 武道などで気合いを入れる際のかけ声。また、そのさま。たー。

どー ❶ 音・さま 大きな重いものが落ちたり倒れたりして強く当たる音。鉄砲などを撃つ大きな音。また、そのさま。どん。「ちょっとゆるめばどうと墜落する間髪に危く身を支へてゐるのだと思った」〈間木老人・北条民雄〉「いきなり大地にどうと倒れたのは、沙門ではなくて、肝腎の鍛冶の方でございました」〈邪宗門・芥川龍之介〉「どうとひびくてっほうの、こだまもひかぬはやわざの」〈浄瑠璃—国性爺後日合戦・近松門左衛門〉

❷ さま 古 重量のあるものが、おびただしく多くあるさま。「せかせかとおこうよりも、一度にどうとおいてつかはふ」〈狂言—鼻取相撲〉

❸ さま 古 病気が重くなって、起き上がることのできないさま。「ちいさまがどうど床に着て十死《じひ》一生だはな」〈浮世風呂・式亭三馬〉

❹ さま 歌舞伎脚本のト書きの用語。「どうとなる」の形で用いる。倒れるさま。「立廻りあって、この内猪熊、竹槍を取って源吾を突く。これにて撞《どう》となる」〈歌舞伎—四天王楓江戸粧・鶴屋南北〉

とおお さま 古 たわみしなうさま。たわわ。「秋萩の枝もとををになりゆくは白露重く置けばなりけり」〈よみ人しらず〉〈後撰和歌集〉

とーから ❶ 音 古 船をこぐ櫓《ろ》や櫂《かい》の音。「とうから空艪の音がした」〈歌謡—落葉集〉

❷ 音 古 櫓《やぐら》太鼓の音。「よせ太鼓音もたうから唐からやわたる孔雀か能の鼠戸」〈狂歌—古今夷曲集〉

どーっ ❶ 音 大きな重いものが、落ちたり倒れたりする音。「ときどき何処かの木からどおっと音を立ててひとりでに崩れる雪の飛沫を浴びながら」〈風立ちぬ・堀辰雄〉

❷ さま 人やものが一度にはげしく押しよせたり、集まったりするさま。「田中内閣発足一年で地価、諸物価がドーッと上がる」〈戦後50年にっぽんの軌跡・読売新聞・94・11・16〉

どーど 音 水が勢いよく流れおちる音。波がはげしく打ちよせる音。風がはげしく吹く音。「雨はどうどと車軸を流す様に降

って来ました」〈真景累ケ淵・三遊亭円朝〉

とーとー ❶音古鼓などが鳴りわたる音。「群雀、追ふ声を立て添へさて、いつも太鼓は**とうとうと**」〈謡曲―鳥追舟〉❷音古ものを打ったりたたいたり、踏み鳴らす音。とんとん。「鎧の引合より、扇抜出し、銚子の長柄を**とうとうと**打て」〈狂言―二千石〉❸音古水や波がぶつかって勢いよくたてる音。「うれしや**とうとう**となるは滝の水」〈幸若―高たち〉❹⬇漢語編①「とうとう(丁丁)」②「とうとう(洞洞)」③「とうとう(滔滔・濤濤)」⬇使い分け「ぺらぺら」④「とうとう(蕩蕩)」⑤「とうとう(鼕鼕・鏜鏜・鞺鞳)」

どーどー ❶音・さま古板敷きなどを足音高く踏み鳴らす音。また、そのさま。どんどん。「縁の板ふみならし、西へ向きて**どうどう**と行きける」〈義経記〉❷音・さま水が勢いよく流れおちる音。波がはげしく打ちよせる音。風がはげしく吹く音。また、そのさま。「**どうどう**と鳴るは、松風の音か、但波の音か」〈狂言―井礑〉方言盛んなさま。「雨ん**どーどーどー**で降いよっけんが、行かれんばんたー(雨がひどいから、行けないよ)」〈佐賀県〉✸佐賀県では「どーどーどー」のように、三回繰り返して使われる。❸音・さま鼓や太鼓などが大きく鳴りひびく音。また、そのさま。「法性寺の八つの太鼓を、**どふどふ**と打たりけり」〈幸若―景清〉❹⬇漢語編「どうどう(堂堂)」

とーん ❶音・さまものが、はずみをつけて突き当たったり、落ちたりする音。また、そのさま。「拙者《てまへ》がよろけた処を**トーン**と突衝《つきあたっ》たから」〈怪談牡丹燈籠・三遊亭円朝〉❷音・さま軽く足を打ちつける際の高くひびく音。また、そのさま。「**トオン**、トン、トン、トンと上草履が階子《はしご》を上って行く音」〈末枯・久保田万太郎〉

どーん ❶音大砲・鉄砲などの弾丸を発射する音。「今でも乃公は鉄砲の音が**ドーン**と鳴ると頭の中がズーンとして来る」〈福翁自伝・福沢諭吉〉❷音・さま人やものが勢いよくぶつかる際の大きくひびく音。また、そのさま。「『太政官でも何んでも、**ドーン**と来い。負けはせんぞ』と、青六は胸を叩いた」〈太政官・上司小剣〉❸さま勢いよく、盛大にものごとを行うさま。重々しく場所を占めるさま。でーん。「六甲か有馬で、**ドーン**と桃色パーティ」〈初稿・エロ事師たち・野坂昭如〉「東大は、**どーん**と構えている印象だったが、地方に出向いて説明会をするとは、変わったなと思った」〈教育ルネサンス・読売新聞・06・9・28〉

どか ⬇コラム「どか」

どがちゃが ❶さま大混乱になるさま。多忙のさま。「まだ、二十人ばかり、本牧亭の寄席に残っていたが、すっかり、もう**どがちゃか**である」〈巷談本牧亭・安藤鶴夫〉❷さま乱雑にまぎらすさま。ごまかすさま。「店の者一同になんかおいしいものを食べさしていただきまして、その入費はこの、帳面を**どがちゃがどがちゃが**」〈落語―味噌蔵・三代目桂三木助〉✸「どが」も「ちゃが」もともに乱雑になるさま。「どがちゃか」「どがらちゃがら」ともいう。

どかっ ❶音・さま重いものが勢いよく落ちてものに当たる音。勢いよく腰をかける音。また、そのさま。『屋根の雪が**どかっ**と落ちる』「そういって宋里英は**どかっ**と坐ると、ひったくるようにして盃をとって口へもって行った」〈後裔の街・金達寿〉❷さまものが一度に大量に集まるさま。ものごとが一時にたてこむさま。『荷が**どかっ**と届いた』「あの本で**どかっ**と儲けたことはよくありません。あれでいい気になると大失敗します」〈人間嫌ひ・正宗白鳥〉

どか

「どか」は、重量感のある運動やそれに伴う重々しい音響、ないしは大量であることや急激なさま・勢いのあるさまを表す。基本的には、重いものが勢いよく落ちたりくずれたりするようすや、ものが落ちて何かに当たるさまを表すが、語形によりさまざまな意味用法がある。

まず「どかっ」「どっかり」「どっか」などの語形は、勢いよく腰を下ろすようすや、重いものをしっかりと収めるさまを表す。また「どかどか」は、落下の様態だけでなく、荒々しい足音を立てて動き回ったりするときのようすや音響も表す。さらに「どかん」「どっかん」のように、撥音《はつおん》「ん」を語尾に含む形では、衝撃の伴う音響を主に表すという特徴がある。

ところで、「どか」は先述のような物理的な面での勢いのよさやはげしさだけでなく、抽象的な様態における勢いのよさや、はげしさも表すことがある。たとえば「どかどか」「どかん」は、ものごとが一度に集中してたてこむさま、ものごとが一度に大きく変化するようす、大きなことを断行したりするさまなど、具体物の運動とは直接かかわりのない様態を表すこともある。

【どかの語群】
どかどか
どかっ
どかり・どっかり
どかん・どっかん

	荷物が―(と)落ちる	―(と)大砲を撃つ	郵便が―(と)届く
どかどか	○	△	○
どかっ	○	△	○
どかり	○	―	△
どかん	―	○	○
どっかん	―	○	―

	椅子に―(と)座る	部屋に―(と)上がる	―(と)構える
どかどか	―	○	―
どかっ	○	―	○
どっか	○	―	○
どっかり	○	―	○

【表現】

「どか」には、ものごとが大量であることや動作が一度に急激に起こるようすを表す働きがあり、このニュアンスを生かした派生語も多くある。

たとえば雪国では、一晩に一メートル以上の降雪を「ドカ雪」という。ほかには「ドカ食い」「ドカ儲け」「ドカ損」などが、名詞や動詞の連用形の上に「どか」がついて、「一度に」「大量に」の意を添えている例である。

ドカ雪と除雪車(1950年代)

また、「どか」が接頭語としてつくことにより、「騒がしい」の意を添えることもある。「ドカ足」「ドカ歩き」がその例で、どかどかと音を立てて歩くようすを表したり、そのように歩く人をさしたりする。

なお、大きな弁当をさす「ドカ弁」は、一見オノマトペの「どか」からの派生語と思われがちだが、もともとは「土方弁当」が略された語だという。

(那須昭夫)

とかとか さま 足早に歩くさま。「『早く逃げるが宜しうまっせ、』清は**とかとか**と一人になって歩いた」〈黒雨集・田中貢太郎〉

とがとが さま 古 口やかましく遠慮のないさま。「此様に**とがとが**いふもお前のお為」〈浄瑠璃―奥州安達原〉

どかどか ❶ 音・さま 太鼓などが鳴りひびく大きな音。重いものが続けて落ちたり、ぶつかり続ける音。また、そのさま。「花火の音の合間々々にドタドタ**ドカドカ**といふ音のするのは水上飛行機だ」〈東京初上り・生方敏郎〉

❷ 音・さま 主として大勢が、荒々しい足音をたてて、無遠慮に出入りしたり、動きまわったりするさま。「**どかどか**二階に上って来た三人連の会社員らしい客があった」〈大阪の宿・水上滝太郎〉「番頭は二度まで呼ぶがそれでも起きなかったら**どかどかっ**と別間の夫婦者の部屋へでも踏み込み」〈女工哀史・細井和喜蔵〉 ⇒使い分け「どやどや」

❸ さま ものが一度にたくさん集まるさま。ものごとが急激に進行するさま。また、さかんなさま。「穀値段**どかどか**下るあつさかな」〈希杖本一茶句集〉「東京方は死物狂ひで買ひ廻って来始めたので、再び一円、二円、と上り出した。すると、その三倍の早さでまた**どかどかっ**と崩れ落ちた」〈家族会議・横光利一〉「自分の前の炉には、榾火が**ドカドカ**燃え盛って、自在鍵には大鍋がかかり」〈少年行・中村星湖〉

❹ さま 方言 火が盛んにおこるさま。体がよくぬくもるさまや暖かく感じるさま。「火が**どかどか**おこった」〈長野県〉「ストーブを入れたら**どかどか**するほど暖かい」〈長野県〉「額が**どかどか**する」〈岐阜県〉

❺ さま 方言 ひどくぬれたり汚れたりするさま。「自動車がはねをあげて、塀を**どかどか**にしてしもた」〈富山県〉「あっつい中ずっと外で働いとったから(汗で)**どかどか**やわ」〈富山県〉「ズボンをこないに**どかどか**にして」〈石川県〉

どがらちゃがら さま 古 あれこれ入り乱れるさま。「**どがらちゃがら**と嬉しいと悲しいとがごっちゃに成って」〈浄瑠璃―箱根霊験躄仇討〉

どかり ❶ 音・さま 重いものが落ちてものに当たる際のにぶい音。重みをかけながら勢いよく腰をおろす音。また、そのさま。「竹は深い竪坑《たてあな》の中に**どかり**と落ち込んだやうに頭の中が暗くなった」〈山の鍛冶屋・宮嶋資夫〉「主人の弟だと思はれる若い男が外からはひって来て、店の売台の上へ**ドカリ**と腰かけて」〈不良児・葛西善蔵〉

❷ さま ものごとが一度に大きく変化したり、大きな事を断行したりするさま。「やくざ男に有勝ちの不料簡**どかり**と遣る気の相場にでもかかったもの歟」〈おぼろ夜・斎藤緑雨〉

どかん ❶ 音・さま 銃・砲などの発射音や爆発音。重いものが一瞬当たるなどしてたてる、大きくはげしい音。また、そのような衝撃をうけるさま。「小石に当って**どかん**と車体が跳ね上る事があった」〈地に頬つけて・谷崎精二〉「あたしは、**どかん**と頭を叩かれたように大陸を感じました。どちらを見ても見知らない街、見知らない白衣の人々がいっぱいいます」〈後裔の街・金達寿〉 ⇒使い分け「ずどん」

❷ さま ものごとが一度に大きく変化したり、大きな事を断行したりするさま。「あそこら辺の海はちょっと行きますと、じきに**どかん**と深うになってますので」〈卍・谷崎潤一郎〉

❸ さま ゆるぎなく安定したさま。「大きな飯櫃《おはち》が**どかん**と据ゑてあって」〈俳諧師・高浜虚子〉「十全な安心と、自足とを感じ得る底の一つの**ドカン**とした客観的価値に」〈竹沢先生と云ふ人・長与善郎〉

どきっ さま 驚き、恐れ、期待などで瞬間的にはげしく動揺するさま。「ところが正直な話、お目にかかって僕は、**どきっ**

としたのだ」〈帰郷・大仏次郎〉

ときとき ❶音・さま 脈などのような、規則的に出る小さな音。また、そのさま。「フクフクしたお乳の上へ頭を載せて色ンなことを考へて居ますとネ、底の方で**トキトキ**脈が打ってるでせう」〈良人の自白・木下尚江〉 ❷さま こきざみに急いでゆくさま。「定附の座頭の坊まで、**ときとき**とやがて表へ走り出て」〈浄瑠璃―傾城八花形〉

ときとぎ さま 細くとがっているさま。「ふっくりと軟かに美しかった頬や顎の、何処となく**尖々**《とぎとぎ》として」〈良人の自白・木下尚江〉

どきどき さま 驚き、恐れ、不安、または、喜び、期待などによる気持ちの高ぶりや、はげしい運動などによって、動悸がはげしく打ち続けるさま。「さういふ時彼は胸で**ドキドキ**と血の動くのを感ずる事があった」〈好人物の夫婦・志賀直哉〉「私が不安と恐怖で胸を**どきどき**させながら、その後について行くと」〈斜陽・太宰治〉 ➡使い分け「どきどき」

どぎどぎ ❶さま 刃物の鋭利なさま。「**ドギドギ**する様な鎌を腰に差して」〈落語―化物・橘家円喬〉「人でも馬でも、触れて行くものは、忽ち両断されて了ひさうな、**ドギドギ**した刃《やいば》が」〈大道無門・里見弴〉 ❷さま 古 うろたえ、あわてるさま。どぎまぎ。「上人**どぎどぎ**し給ひ暫し詞もなかりしが」〈浄瑠璃―義経東六法〉「何ぢゃやら**どぎどぎ**とをかしい物の云ひやう」〈歌舞伎―伊勢音頭恋寝刃〉 ❸さま 古 適当にごまかすさま。どぎまぎ。「親父や母の帰られたら、まだ庚申から戻らぬと、**どぎどぎ**首尾を合はせてと言捨て行くを」〈浄瑠璃―心中二つ腹帯・紀海音〉

どぎまぎ ❶さま 相手への気おくれからとっさに適切な対応ができないさま。「挨拶さへ**どぎまぎ**して急には二の句の出ざる中《ちう》」〈五重塔・幸田露伴〉「彼がそれを切り出した時の**ドギマギ**した様子は寧ろ惨めな気さへした」〈暗夜行路・志賀直哉〉 ➡使い分け「まごまご」 ❷さま 古 混乱して、まぎらわしいさま。「これでは**どぎまぎ**と、さっぱり訳が分らなくなった」〈歌舞伎―染分千鳥江戸褄(傾城重の井)〉

どきめき さま 期待、心配、喜び、恥じらいなどの強い感情で、心が高ぶるさま。「今にも何事か起りさうで心が**どきめき**するのだった」〈牛部屋の臭ひ・正宗白鳥〉

どぎらまぎら さま 混乱して筋道がたたないさま。「**どぎらまぎら**とどぎらまぎらと　どれ取て見ても茶碗が洒くさい」〈雑俳―千枚分銅〉「門の外には三人が、心々の不審顔、**どぎらまぎら**の物思ひ」〈浄瑠璃―信州姥捨山〉

✵「どぎまぎ」を強め、あるいは口調をととのえたいい方。

どきり さま 驚き、恐れ、不安、または喜び、期待などで、胸に一瞬衝撃がはしる

使い分け

【共通の意味】動悸が乱れたりはげしくなるようす。

どきどき **はらはら／ばくばく／どくどく**

❶**どきどき**は、「入社試験の面接を、ドキドキしながら待つ」のように、不安、期待、恐怖などで心臓の鼓動がはげしく感じられるようす。**はらはら**は「サーカスの空中ぶらんこを、落ちはしないかと**ハラハラ**しながら見る」のように、気をもみながら状況を見ている場合に使う。❷**ばくばく**、**どくどく**は、心臓の鼓動や脈拍をいう。**ばくばく**は「高いつり橋を渡りながら下を見たら、胸が**バクバク**した」のように、心臓が大きくはげしく脈打つようす。**どくどく**は強く脈打ったり、血液が大量に流れたりするようす。「強い酒を飲んだら、とたんに**ドクドク**と鼓動がした」

さま。「『おい見ろ見ろ』と小声になったから、おれは思はず**どきりとした**」〈坊っちゃん・夏目漱石〉「**どきり**としたが、素知らぬ振りを装ひ」〈新釈諸国噺・太宰治〉

どきん さま 驚き、恐れ、不安、または喜び、期待などで気持ちが高まり、一瞬強い動悸《どうき》を打つさま。「彼の心臓は、合図の警鐘のやうに、**どきん**と打った」〈明暗・夏目漱石〉「恥かしい様子を見られはしなかったかと思ふと胸が**どきん**として」〈或る女・有島武郎〉

どきんどきん さま はげしい動悸を打ち続けるさま。「激しい動悸が、樽の口から酒がこぼれるやうな音立てて**どきんどきん**鳴ってますのんが」〈卍・谷崎潤一郎〉

とく ⬇コラム「とく・どく」

とくとく ❶ 音・さま 口の小さな入れものから液体が流れ出る音。また、そのさま。「油壺の嘴から**とくとく**と飴色の種油をつぐ」〈銀の匙・中勘助〉

❷ 音・さま 脈がこきざみに打ち続ける小さな音。また、そのさま。「刺繍は日の丸の旗であったのだ。少年の心臓は、**とくとく**と幽かな音たてて鳴りはじめた」〈逆行・太宰治〉「見しはさめぬる邯鄲《かんたん》の夢 **とくとく**と打《ちう》つる脉やあがるらん」〈俳諧―誹諧独吟集〉

❸ さま 古 水、しずく、涙などがしたたり落ちるさま。「御涙の**温々**《とくとく》と落ちけるが」〈源平盛衰記〉「軽風が、ざっと吹たれば、宿雨が、**とくとく**と落て」〈中華若木詩抄〉「彼**とくとく**の清水は昔にかはらずとみえて、今も**とくとく**と雫落ける」〈俳諧―野ざらし紀行〉

❹ さま 足を確実に踏みしめて歩くさま。「さかをあがる時、身をかろくもちて、ひっしめて、そくそくとあがればよし。又くだる時は、力を入《れい》**とくとく**とあしをふみさだめてくだり候へばよし」〈禅鳳雑談〉

❺ ⬇漢語編「とくとく(得得)」

どくどく ❶ 音・さま 液体が続けて多量に流れ出たり、あふれ出たりする際の重くにごった音。また、そのさま。「同時に鼻血が**どくどく**口から顎を伝って胸の合せ目をよごした」〈或る女・有島武郎〉

❷ さま 興奮したり不安を感じたりして胸が高鳴るさま。「源ちゃんこと見た時は、嬉しくって、胸が**ドクドク**した」〈虎ちゃんの日記・千葉省三〉 ⬇使い分け「どきどき」

❸ さま 古 茶などのごく濃いさま。「ヲヲきのどくと、茶を**どくどく**にしてだす」〈洒落本―広街一寸間遊〉

どくん 音・さま 他から、きわだって、一瞬高鳴る音。また、そのさま。『心臓が**どく**んと鳴った』「さしいでたる口をおのれが口へあてがひてガブガブ**ドクン**とのみかける」〈西洋道中膝栗毛・仮名垣魯文〉

とげとげ ❶ さま とがったものが一面に並んでいるさま。「**とげとげ**した枝を八方にのばしている」〈小説平家・花田清輝〉

❷ さま 口調・目つきなどが、きつく鋭く意地わるそうなさま。「その輪廓の何所と指して丸みを持った線なぞは見られないほど、男の相は、**とげとげ**としてゐるのでした」〈誓言・田村俊子〉「慰みに父を忿《こお》らせてでもゐるやうに恨めしさうに**とげとげ**叱るのである」〈小鳥の巣・鈴木三重吉〉

とことこ ❶ 音・さま 継続する軽い音。また、そのさま。足早に、軽やかに歩く音。また、そのさま。「酒は**トコトコ**と瓢箪の口から猪口につがれた」〈東京の三十年・田山花袋〉「小籠を肩にして**とことこ**下りて来る」〈山彦・鈴木三重吉〉

❷ さま 方言 たやすいさま。やすやすと行うさま。「あの男はなんでも**とことこ**とやりあげてしまう」〈長崎県対馬〉

❸ さま 方言 居心地がよく落ち着くさま。「このソファーは**とことこ**とある、離れられんばい」〈福岡県〉

どこどこ ❶ 音 太鼓の音。『**ドコドコ**、ドコドンと、太鼓の音が景気よく鳴り響く』

コラム　オノマトペのもと

とく・どく

擬音語の「とく」は、口の細い容器から液体が流れ出るときの音や、脈を打つ音などを表す。「とくとく」や「とっくとっく」「とっくん」など、語形を変え、音をリアルに描写することができる。

「どく」は、「とく」の音が重く大きくなったようすを表す。「どくどく流れる」や「どくどく脈打つ」のように、液体の量や粘性が高いために、「とく」に比べて音が大きいようすを表現する。

擬態語の場合「とく」は、ゆるやかなようす、確実で慎重なようすを意味する。誠意がある、熱心であるなどを意味する「篤《とく》」と関係があるかもしれない。「とくとくと足を踏みしめて歩く」「とっくり相談する」「とくと考える」などと使われる。

【とくの語群】

とくとく・どくどく
とくっ・どくっ
とっくとっく・どっくどっく
とくり・どくり・とっくり
とくん・どくん
とっくん・どっくん

	―(と)注ぐ	―(と)脈打つ	―(と)考える
とくとく	○	○	―
どくどく	○	○	―
とくっ	△	△	―
どくっ	△	△	―
とっくり	△	―	○
とくん	―	△	―
どくん	―	○	―
とっくん	―	○	―
どっくん	―	○	―

【表現】

「とくとく」は、口の細い容器から液体が流れ出るようすを表現し、おだやかな心地よさを伴う。かつては水滴が落ちるようすにも用いられていた。たとえば、「涙がとくとく流れる」、「雨がとくとく落ちる」などともいった。『源平盛衰記』には「御涙のとくとくと落ちける」とある。

現在は、しずくの落ちるようすではなく、液体が注がれるようすの表現として使われることが多い。たとえば、小泉武夫は『吾輩はビールである』で、ビールを「トクトクトクとグラスに注ぎ」と書いている。また、中勘助は『銀の匙《さじ》』で、油を壺から「とくとく」とつぐと使っている。

最近の使われ方を見ると、とくとくは酒類になじみが深いようだ。そもそも徳利《とっくり》は、酒を注ぐときのとくとくという音からついた名だという説がある。ウイスキーのコマーシャルでもとくとくと注がれるシーンがよく使われる。とくとくは、静かな夜にしみじみと飲むような場面に似合うような心地よい音の表現である。

これが「どくどく」となると、もっと液体の粘度が高い場合か、量が多い場合に使われる。驚きを伴ったり、不快感があったりする。確かに、「一升瓶からどくどくと酒をつぐ」というと、量も多く、やや下品な印象がある。「さらさら」と「ざらざら」、「とろとろ」と「どろどろ」などにもあてはまることだが、濁点がつくだけで、ことばのニュアンスはがらりと変わる。

(早川文代)

❷音·さま 勢いよく続けざまに出る大きな音。また、そのさま。「大きな木の榾の中にじゃが芋を**どこどこ**投げ入れて」〈白い手・椎名誠〉

とことん ❶音 足拍子や太鼓の軽くかわいた音。「**トコトン**トコトンと云ふ淋しげな大太鼓と締太鼓《しめだいこ》の音と」〈東京年中行事・若月紫蘭〉「手拭肩にちょいと載せて、**トコトン**と足拍子踏むさまなんど」〈東京風俗志・平出鏗二郎〉

❷名 どんづまり。最後の最後。「ゆっくりでいいから、**とことん**まで、やろうぢゃないか」〈帰郷・大仏次郎〉

どこどん 音 太鼓が低くひびく音。「踊の輪は淀んで唄が止む、下駄の音がゾロゾロと縺れる。（ドド**ドコドン**、ドコドン――）と新しく太鼓が鳴り出す」〈鳥影・石川啄木〉

どさくさ さま 混雑していて騒々しいさま。取りこんでいるさま。ごたごた。「今に驚いて降りてくるだろうと思う間もなく、果たして**ドサクサ**と降りて来て室の外から」〈幽霊塔・黒岩涙香訳〉「今日は**どさくさ**して、遅なったですばい」〈牛山ホテル・岸田国士〉 ⬇使い分け「ごたごた」

どさっ ❶音·さま 重いものがほんのわずかの間に落ちたり倒れたりする音。力強く打ったり踏んだりする音。また、そのさま。「アザラシの毛皮を**ドサッ**と席になげてよこしたりした」〈私のサハリン・李恢成〉

❷さま 多くのものごとが一度に変化したり移動するさま。「一と月か二月の中に一時に**どさっ**とさらって行くのでごわすからな」〈金・宮嶋資夫〉

どさどさ ❶音·さま 重いものなどが、続けざまにたくさん落ちるさま。「鍬の音が狭い坑道に反響してドーンドーンと聞える。その度毎に土や石が**ドサドサ**と落ちる」〈雑嚢・桜井忠温〉

❷さま 大勢がいちどきに騒がしく入り乱れるさま。無遠慮に入りこむさま。どかどか。「奥は**どさどさ**と、騒々しい事ではあるぞ」〈歌舞伎―霊験曾我籬・鶴屋南北〉

どさり ❶音·さま 重いものが一度落ちたり倒れたりする音。力強く打ったり踏んだりする音。また、そのさま。「湯に入る時彼男が**どさり**と取り落した懐中の重やかなるに」〈思出の記・徳冨蘆花〉「座席の真中は鞄が**どさり**と場を占めていた」〈畜生塚・秦恒平〉

❷さま ものごとが勢いよく一度に変化したり移動するさま。「今になって、旨く**どさり**と引繰り返す事が出来るかの問題になると」〈明暗・夏目漱石〉

どさん 音·さま 重いものが落ちたり倒れたりする際の大きくひびく音。また、そのさま。「碌さんは、**どさん**と仰向きになって」〈二百十日・夏目漱石〉「ツネ子は、堀木の傍に、**ドサン**と腰かけたので、自分はハッとしました」〈人間失格・太宰治〉

どじぐじ さま 古 あれこれと入り組んで、くい違うさま。けじめがつかないさま。「筋道のわからねへ**どぢぐぢ**なことは申しやせん」〈早変胸機関・式亭三馬〉

✺「どちこち（彼方此方）」の変化した語。

どじぐじべったり さま なんの見分けもつかないさま。「真黒ひ**ドジクジベッタリ**烏賊料理」〈雑俳―玉柏〉

どしこ さま 古 非常に大量に手に入れるさま。たくさん。どっさり。「何処かで金剛石《ダイヤモンド》の大きいのを**ドシコ**と拾って、一つ五六万円づつにも授けて」〈当世商人気質・饗庭篁村〉

どしっ さま 目方が重く安定したさま。「いぶし瓦の屋根と黒い土佐漆喰の外壁という、地域の特徴を打ち出した、**どしっ**としたデザインで」〈土佐派の家 自然素材を生かす技・高知新聞・05・7・3〉「商売を始めてからも、夫はいつも、**どしっ**と動かず、『私が切り盛りしているのに』と自負さえしていた」〈せせらぎ・北海道新聞・06・6・13〉

どしどし ❶音・さま 何度も力強く踏みつけたり、たたく音。また、そのさま。どしんどしん。「せなかを**ドシドシ**たたくうち、やうやくのどをすぎて」〈西洋道中膝栗毛・仮名垣魯文〉「**ドシドシ**と男の足音がしたり」〈別れた妻に送る手紙・近松秋江〉
❷さま 遠慮なくものごとを行うさま。同様のものごとが次から次へ多く続くさま。「それは結構、**どしどし**書くがよい」〈君山先生・桑原武夫〉「其内に雨は**どしどし**降って来る」〈山の力・国木田独歩〉 ➡使い分け「どんどん」

どじどじ さま あわて惑うさま。うろたえるさま。「思ふ存分見ておけば可《いい》に、**どぢどぢ**して奔竄《にげかく》れるとは何事であらう」〈隣の女・尾崎紅葉〉

どしゃどしゃ 音・さま 多量の雨のはげしく降る音。また、そのさま。「堤《てど》だって人っ子一人通りゃァしねヱで、雨ァ**どしゃどしゃ**降りゃァがる」〈老車夫・内田魯庵〉 ➡使い分け「ざーざー」

どしり 音・さま 重いものがぶつかったときの低くにぶい音。また、そのさま。「大きな氷の塊に**ドシリ**と頭を撃たれた心地」〈病院の窓・石川啄木〉「二階で人の寝返りを打ったやうな**どしり**とした響きが聞えたので」〈木乃伊の口紅・田村俊子〉

どしん 音・さま 重いものが落ちたり倒れたりぶつかったりしてひびく、低くにぶい音。また、そのさま。「すぐ別な波がむくむくと起き上ってきて、**ドシン**と船の横腹と体当りをする」〈蟹工船・小林多喜二〉「縦ゆれに**どしん**とくるのが一番こわいんだ」〈抱擁・瀬戸内晴美〉

どしんどしん 音・さま 続けて勢いよく倒れたりぶつかったり踏みつけたりする音。また、そのさま。「伸は時々**どしんどしん**と襖に尻を当てながら行李などを解いて」〈三畳と四畳半・高浜虚子〉

どしんばたん 音・さま 勢いよく倒れたりぶつかったりしてたてる騒々しい音。また、そのさま。「**どしんばたん**梯子段を上る入りまじった足音がしたが」〈大阪の宿・水上滝太郎〉

どすっ 音・さま 重いものがぶつかったときの、低くにぶい音。また、そのさま。「何か、**どすっ**と鍬の刃にぶつかった。細長い物が穴の底に横たわっている」〈宮本武蔵・吉川英治〉

どすどす 音・さま 連続的におこる低く大きな音。また、そのさま。「**どすどす**と凄い足音が地鳴りのやうに響いて来る」〈いのちの初夜・北条民雄〉

どすん 音・さま 大きく重いものなどが突き当たったり倒れたりしてたてる、力強くにぶい音。また、そのさま。「叔父は掌を拡げて、**どすん**と京子さんの背中を叩いた」〈悪い夏・吉行淳之介〉

どすんどすん 音・さま 間をおいて何度もおこる低くひびく音。また、そのさま。「市枝はコンクリートの隣の室で、**どすんどすん**と唯ならぬ音がおこり、何か弁明するやうな男の声を聞いた」〈真理の春・細田民樹〉

どたくた さま 混雑してせわしく、騒がしいさま。「**どたくた**といそがしく料理しけり」〈咄本―軽口露がはなし〉「**どたくた**と大晦日も四つのかね〈孤屋〉 無筆のこのむ状の跡さき〈利牛〉」〈俳諧―炭俵〉

どたっ 音・さま 何かが一度勢いよくぶつかったり、倒れる音。また、そのさま。「寝そべっている私の顔のまえに新聞紙の包みをおき、**どたっ**とたおれた」〈青い月曜日・開高健〉

どたどた 音 たて続けに、荒々しくたてるけたたましい音。「やがて**ドタドタ**とアパートの階段を乱暴にかけ上る音」〈エロ事師たち・野坂昭如〉

どだどだ さま いかにも重そうなさま。まだるっこいさま。「イヤきいてはるだらうが、何分さう**ドダドダ**したからだではい

けねへ」〈滑稽本―八笑人〉

どたばた ❶音・さま 続けざまにぶつかる音。走り回ったり、取っ組み合いをしたり、あばれ騒いだりして、荒々しくたてる音。また、そのさま。「大声を揚げさせての騒動、**ドタバタ**と云ふ足音も聞えた」〈浮雲・二葉亭四迷〉 ⬇使い分け「どんちゃん」
❷さま 余裕なしにあわてふためくさま。ばたばた。「そんな事に**ドタバタ**するよりか、金は金で仕舞て置て」〈福翁自伝・福沢諭吉〉

どたらどたら 音・さま あちこち動き回ってたてる騒々しい音。また、そのさま。「**どたらどたら**とどたらどたらと手おひするやくしゃはいかうくたびれふ」〈雑俳―蓬莱山〉

どたり ❶音・さま 瞬間的に重いものなどが倒れたり、落ちたり、ぶつかったりする音。また、そのさま。どたん。「その時葉子の部屋の戸に**どたり**と突きあたった人の気配がして」〈或る女・有島武郎〉
❷さま 疲れたりしていて、いかにもだるそうに寝ころんだり、すわったりするさま。「庭を背にして、**どたり**と椅子に腰をおろす」〈堅塁奪取・福田恒存〉
❸さま 体の肥満しているさま。「すふわりが三分**どたり**が壱分也」〈雑俳―誹風柳多留〉

どたりばたり 音・さま 重いものなどが、間をおきつつぶつかったり倒れたりしてたてる、荒々しく騒がしい音。また、そのさま。「日中に**どたりばたり**と砧かな」〈享和句帖・一茶〉

どたん ❶音・さま 一度重いものなどが倒れたり、落ちたり、ぶつかったりする大きな音。また、そのさま。「**どたん**と畳を蹴て立つ音して」〈婦系図・泉鏡花〉
❷さま 疲れたりしていて、いかにもだるそうに寝転んだり、すわったりするさま。「中年女が〈略〉ガタンと一揺れ電車がゆれると、彼の上に肥った身を**ドタン**と投げかけ」〈故旧忘れ得べき・高見順〉

どたんばたん 音・さま 取っ組み合って倒れたり、あちこち転げ回ったりしてたてる、騒がしい音。また、そのさま。「職場から帰った産業戦士たちが、その道場に立寄って、**どたんばたん**と稽古をしてゐる」〈花吹雪・太宰治〉

とちとち ❶さま 古 あわてふためくさま。『何だかおれにも分らなくなった』と矢場七はひとり**トチトチ**してゐる所へ」〈滑稽本―和合人〉
方言 歩き回ったり、忙しく立ち働いたりするさま。四国地方。「この子は**とちとち**するけん、目がはなせれん」〈高知県〉「今日は朝から晩まで**とちとち**しよった」〈愛媛県〉
❷さま 動作のにぶいさま。もたもた。よちよち。『**とちとち**歩み』
方言 幼児や老人などの歩き方の心もとないさま。足が不自由で歩くのが困難なさま。「（幼児を歩かせるときに）おー、おー、**とちとち**せー」〈島根県〉「おらんのおばあはへえ 足が**とちとち**して歩けんようになっただよ」〈山梨県〉

とちぱち さま 方言 忙しくこまかに動き回るさま。「そんなに**とちぱち**すな（そんなに駆け回るな）」〈愛媛県〉

どっ ❶声・さま 大勢が一度に声をあげたり、高笑いする声。また、そのさま。「敵も味方も道理なれば一度に**どっ**とぞ笑ける」〈源平盛衰記〉
❷音・さま 風や雨が急に強く、吹いたり、降ったりする音。また、そのさま。「凩《こがらし》が裏の林を**ドッ**と鳴した」〈田舎教師・田山花袋〉
❸さま 人やものが一度にたくさんおしよせ、または集まるさま。「あまりをそろしげな者が**どっ**ときたほどに、かぎりない項羽も不覚膝を立てなをして刀のつかに手をかけたぞ」〈漢書列伝景徐抄〉
❹さま 水などが一時にたくさんみなぎりあふれるさま。「水桶の栓でも抜いた様に**ドッ**と心中に湧出た」〈魔風恋風・小杉天外〉
❺さま 急に寝こむさま。病気や疲れが急

に重くなるさま。『どっと疲れる』「年比の心労も手伝てドット床に就く」〈浮雲・二葉亭四迷〉

❻さま 古 景気のよいさま。はなばなしいさま。すぐれているさま。『どっとしない』（＝あまり感心しない。飛びつくほどよくはない）「此上に五郎様が見へたればどっといふた正月じゃ」〈浄瑠璃―曾我虎が磨・近松門左衛門〉

どっか ❶さま 体の重みをかけて腰をおろすさま。「そのひとが現れて、どっかとそこに坐ったために」〈死霊・埴谷雄高〉

❷さま 重いものを据えたり、納めるさま。「息を切てかけ戻りかしこにどっかと鎧櫃おろせば」〈浄瑠璃―平仮名盛衰記〉

どっかり ❶さま 重々しくものを置いたり腰をおろしたりするさま。「両人は草臥れたから大樹の根にドッカリ腰を掛けて」〈塩原多助一代記・三遊亭円朝〉「金蔵《かねぐら》の観音開きの前へ薙刀をドッカリ突き」〈落語―女丈夫・禽語楼小さん〉 ⇩使い分け「ずっしり」

❷さま ものごとが一時に大量に集中して起こるさま。「なんぞドッカリ儲かる事はあるまいかと」〈歌舞伎―貞操花鳥羽恋塚〉

とつかわ さま あわて急ぐさま。せかせか。「老婢は此《ここ》を倉皇《とつかは》起ちて」〈金色夜叉・尾崎紅葉〉「それになんぞや、とりいそいでとつかはといなしゃるは」〈古今集遠鏡〉

✸「かわ」は、ようすを表す接尾語。

どっかん ❶音・さま 銃・砲などの発射音や大爆発音。また、そのような衝撃をうけるさま。『国境地帯で地雷がドッカンと爆発する』

❷さま ためこんでいた感情や能力などを一気に爆発させるさま。「マスクをかぶる村田はまず、こう考えた。『ソロ本塁打ならいい。とにかくランナーをためてドッカン、というのだけは避けよう』」〈一発を恐れるな・読売新聞・02・6・29〉「コミュニケーションのパターンをドッカン攻撃的、オロロ受け身的、ネッチー作為的に分けた場合、皆さんはどれに当てはまりますか」〈TOKYO発・東京新聞・03・10・27〉

どっかんどっかん ❶音・さま 大きな衝撃が繰り返し何度も起こる音。また、そのさま。「『連続的に』とはいっても、実際には『ドッカンドッカン』と爆発する」〈開発の鉄人開発を語る・日経ものづくり・04・1・1〉

❷声・さま 観客席から波のように、笑い声が沸き上がるさま。「80年代のMANZAIブームだ。どんな過激なネタをやっても、どっかんどっかんと受けまくった」〈be週末・ことばの旅人・朝日新聞・03・8・30〉

どっきどっき さま 心臓の鼓動の音がふだんより強く感じられるさま。「いまだに心《むね》がドッキドッキと云て」〈浮世風呂・式亭三馬〉

どっきり ❶さま 一瞬胸が高鳴るほど、おそれたり、驚くさま。「思ひもかけぬ事なれば阿関《おせき》は胸をどっきりとさせて」〈十三夜・樋口一葉〉 ⇩使い分け「ぎっくり」

❷さま 方言 満腹で苦しいさま。「どっけり」「どけーん」ともいう。「今日いかにもあぶら濃き物を食わされてどっきりした」〈長崎県対馬〉「餅三つ食たりゃどっけりした」〈長崎県壱岐〉「食いすぎたんで腹の中がどけーんとしている」〈埼玉県〉

どっきんどっきん 音・さま 心臓が自覚できるほどはげしく鼓動する音。動悸がはげしくなるほど、次々に胸に強くこたえるさま。「それと同時に頭や心臓がドッキンドッキンして爆発するのではないかと思うほどの異常を感じました」〈外にも出られない「杉並病」の怖さ・週刊朝日・02・7・12〉

とっくとっく さま 液体や流動状のものが、徐々にしたたり落ちるさま。「豆腐くだけては雪を集める　葛溜《くづだま》り苔路の雫とっくとっく」〈俳諧―投盃〉

とっくり ❶さま じゅうぶん注意して行うさま。念入りに行うさま。『今晩、とっくりと相談しましょう』「その前に、紀ノ川の姿をとっくり見せておいてやりたい

と思って」〈紀ノ川・有吉佐和子〉
❋多く、見たり聞いたり、または、判断にかかわる行為についていう。⇒使い分け「みっちり」
❷さま古 心身がくつろぐさま。ゆっくり。「それじゃきうくつで、**とっくり**しいせん、まだおはなしもふしいすことがおざんす」〈洒落本―自惚鏡〉
❸さま古 日が完全に暮れて暗くなるさま。とっぷり。「これ人顔が見えませぬ。**とっくり**と暮れて参りました」〈歌舞伎―鳴神〉

とっけこー 声 ニワトリの鳴く声。⇒鳴き声編

とっけり さま古 熟睡するさま。ぐっすり。「夜も心よく帯解いて**とっけり**と寝る事なく」〈浮世草子―西鶴伝授車〉

どっけり →どっきり②。

とっこつ ⇒漢語編「とっこつ（突兀）」

どっさり ❶さま 数量の多いさま。たくさんあるさま。「私にはまた、喜楽亭のねえさんは小説のネタを**どっさり**持ってゐるから紹介するとのことだ」〈浅草紅団・川端康成〉「俄に胸が痛いといってネ。血をネ。血を**ドッサリ**と吐いて」〈内地雑居未来之夢・坪内逍遥〉⇒使い分け「どっさり」
❷音・さま古 ものが勢いをつけて、落ちたり倒れたりぶつかったりする瞬間の重々しい音。また、そのさま。「うしろから大男がひっこぬいて、肩先を**どっさり**切る」〈咄本―気のくすり〉
❸さま 重々しく落ち着いているさま。どっしり。「**どっさり**腰をおとすが否や、腹掛の中から汚れた古ぎれに包んだものを摑み出したのは、勲章にちがひない」〈勲章・永井荷風〉「**どっさり**していいものは、せうばいやの大がみさまと大道臼《だいだうす》じゃアねへかっ」〈洒落本―意妓口〉

どっしどっし 音・さま 力強く地を踏みしめて歩き続ける音。続けて重いものを落としたり、ぶつけたりする音。また、そのさま。「下では、**どっしどっし**と米をつくをと」〈通言総籬・山東京伝〉

どっしり ❶さま ひどく重いさま。重々しく落ち着いているさま。威厳をもって落ち着いているさま。「彼の上背のある体はどちらかというと**どっしり**としていて」〈真空地帯・野間宏〉「約束された椅子は革ばりの**どっしり**した重味のものだった」〈若い人・石坂洋次郎〉⇒使い分け「ずっしり」「どっしり」
❷音・さま 重いものが落ちたり倒れたりする音。また、そのさま。「胴巻が裂けて中から**ドッシリ**と落るとたんに、封が切れ黄金の花が近辺《あたり》へ散乱する」〈塩原多助一代記・三遊亭円朝〉
❸さま古 数量の多いさま。たくさんあるさま。「雪なんぞの**どっしり**つもったあし

使い分け

【共通の意味】
数量や程度がたくさんあるようす。

どっさり
たっぷり／わんさ／ざくざく／たんまり

❶食べ物や品物などの量が多い場合は、**どっさり**、**たっぷり**、**わんさ**を使う。**どっさり**は量が多く重い感じ。**たっぷり**はじゅうぶんであるようす。**わんさ**はたくさん集まっている感じを表す。「古本を**どっさり**買った」「ソースを**たっぷり**かけて食べる」「りんごが**わんさ**と実った」❷金銭に関しては、①のほかに、**たんまり**、**ざくざく**も使える。「お金が**たんまり**ある」は、金額がじゅうぶんで、満足しているようす。**ざくざく**は、「小判が**ザクザク**ある」のように、金貨などの硬貨や宝物などにも使う。❸時間に関しては、「出発まで時間は**たっぷり**ある」のように、**たっぷり**を使う。❹人に関しては、「報道陣が**わんさ**と押しかけた」のように**わんさ**を使う。

たに」〈洒落本―青楼日記〉

どったり ❶ さま 重量のあるものが倒れるさま。尻餅をつくさま。「式台の中段を足蹈はづしどたどた**どったり**、真仰向に転がりおち」〈七偏人・梅亭金鵞〉 ❷ さま 重たそうなさま。「口のなかでブッブッ云ひながら、塩ぬれの**ドッタリ**した袢天を脱いだ」〈蟹工船・小林多喜二〉

どったりばったり 音 重いものなどが間をおきながら倒れたり、落ちたり、ぶつかったりし続ける音。「でくでくした身躰で腰の太さが行水盥ほどもあって**どったりばったり**怠義さうに歩く村娘《あね》達が」〈湯女・内田魯庵〉

とっちり さま 古 酒をじゅうぶんに飲むさま。酒に酔って思慮がなくなっているさま。「こころやすい一座のざしきで**とっちり**飲んで、とろんこ目にちどり足で」〈洒落本―傾城買花角力〉 方言 じゅうぶんなさま。「あんなにやかましいては、**とっちり**寝られやひん」〈奈良県〉

どっちり さま 重々しく落ち着いているさま。どっしり。「首を振りながら上框《あがりかまち》へ**どっちり**腰を落した」〈骨ぬすみ・広津柳浪〉

とっちりとん ❶ 音 三味線の音。「**トッチリとん**と身を落せば」〈辰巳婦言・式亭三馬〉 ❷ 名 俗曲の一つ。江戸時代中期ごろから始まり、後期に流行した。三味線の前弾きの終わりに口三味線でいえば「トッチリトン」という旋律を弾くので、この名がある。とっちりとん節とも。「都々逸や**とっちりとん**の文句にある通り」〈歌舞伎―染分千鳥江戸棲〈傾城重の井〉・河竹黙阿彌〉

とっちんぱたん さま 方言 不ぞろいなさま。「草履を左右反対に**とっちんぱたん**に履いてみっともないぎゃあ」〈愛知県〉

どってり さま 人の肥満したさま。でっぷり。「大柄で、**どってり**とふとっていたので」〈金色の鼻・古山高麗雄〉

とっと さま 歩みや行動のすばやいさま。さっさ。「**とっとと**大坂へ帰って、以後をたしなましゃんせ」〈浄瑠璃―女殺油地獄・近松門左衛門〉「冴へた笑声をのこして照子は**とっとと**駈け出す」〈黒潮・徳冨蘆花〉 ✹「とっと」は、形容詞「疾《と》し」の連用形「とく」を重ねた「とくとく」の変化したもの。

どっと ❶ 声・さま 大勢が一度に声をあげたり、大笑いするさま。「**どっと**と笑ひ孝経を茶屋でよみ」〈雑俳―川傍柳〉 ❷ 音・さま 風や雨が急に強く、吹いたり、降ったりする音。また、そのさま。「夜が更けてから雨になりまして、**どっと**と降って参ります」〈真景累ケ淵・三遊亭円朝〉

とっとことっとこ さま 足早に、調子をとって、小股で進むさま。「うちの子供たちはかなり歩くのに慣れて、観光旅行に行っても**トットコトットコ**よく歩いてくれるので助かります」〈家族でDO!アウトドア・産経新聞・00・5・17・夕刊〉

とっとっ ❶ 音 こきざみに打ち続ける小さな音。『心臓の音が、**トットッ**と聞こえた』「**トットッ**…という オートバイの単調な爆音が、灌木の茂みの陰に聞え出した」〈青い山脈・石坂洋次郎〉「雨のやみばもなうふるは声が**とっとっ**と米を打やうなぞ」〈玉塵抄〉 ❷ 音・さま 足早に、調子をとって、こきざみに進む足音。また、そのさま。「踊子が一人裾を高く掲げて、**とっとっ**と私について来るのだった」〈伊豆の踊子・川端康成〉 ❸ さま 動きや行動の早いさま。さっさ。「けんくゎ好の家守は風義にあはず。**とっとっ**と暇を出しや」〈談義本―教訓続下手談義〉「鈍い足取りで動く彼の姿は、**トットッ**、トットッと流れて行く川面に、ただ一つ漂ってゐる空俵のやうに見えた」〈日は輝けり・宮本百合子〉

とつとつ ❶ 音 単調にひびく低い音。「三四人の駅夫が駅の名を呼ぶでもなく、只歩いて通る。靴の音**トツトツ**と只歩い

て通る」〈浜菊・伊藤左千夫〉 ❷⇩漢語編「とつとつ〈訥訥・吶吶〉」 使い分け「ぼそぼそ」⇩

どっどっ 音・さま 規則的に強く打ちつけてくる重く低い音。また、そのさま。「どっどっと衝き上げるやうな音がして、ごうと地鳴《ぢなり》がする」〈電車の窓・森鷗外〉「睡眠不足で蒼ざめた皮膚もだんだんと赤味を帯びて来て、手足にはどっどっと順調な血が勢好く流れるままに」〈地に頬つけて・谷崎精二〉

とっぱかっぱ さま 古 気分が高まって急ぐさま。「おれは嬉しきに任せとっぱかっぱと歩くに依って」〈歌舞伎―隅田川続俤(法界坊)〉

とっぱかわ さま 古 せわしく立ち騒ぐさま。あわて急ぐさま。「とっはかはもどって、我家をとりちがゑ、となりのうちへずかずかとはいり」〈咄本―軽口機嫌嚢〉

✿「かわ」は、ようすを表す接尾語。

とっぱくさ さま 古 せわしく立ち騒ぐさま。あわて急ぐさま。「肝を潰せし顔色にて、打詠《なが》め居たりしが、とっぱくさして走り入り」〈人情本―恩愛二葉草〉

どっぱさっぱ さま 古 余裕なく立ち騒ぐさま。あわて急ぐさま。「お辻先でどっぱさっぱ、旦那様のお恥になる」〈歌舞伎―鼠小紋東君新形(鼠小僧)〉

どっぴ さま 古 喚声をあげたりして、勢いよく立ち騒ぐさま。「娵を見にどっぴと路次へかけて出る」〈雑俳―誹風柳多留〉

とっぴきぴー 音 古 笛などの鳴りものの賑やかな音。「トッピキピイの神楽舞ひヒョコリヒョコリの俵をも商ひ得可けんや」〈寄笑新聞・梅亭金鵞〉

どっぴさっぴ さま 古 混乱状態で大騒ぎするさま。「表ざしきが乱妨な、どっぴさっぴの大一座、私を伴れて来いといふお客があるといふ事ゆへ」〈歌舞伎―与話情浮名横櫛(切られ与三)〉

どっぴどっぴ さま 古 勢いが盛んなさま。次から次へと繰り出して騒ぐさま。「さまざまの者を内へ取込で、どっぴどっぴと騒ぐやら」〈浮世風呂・式亭三馬〉

とっぷり ❶ さま 日が完全に落ちて、夜の静けさがあたりをつつむさま。「外は、もう、とっぷりと残る隈なく暮れてゐた」〈露芝・久保田万太郎〉「しょんぼり起って硯箱、とりいだす間にとッぷりと、夕暮告ぐる鐘の声」〈桐一葉・坪内逍遙〉 ❷ さま ものが全体的に覆われるさま。もの全体が湯や液体に浸るさま。「『冷えさせちゃえかねえ』彼は掛蒲団をとっぷり蓋した」〈土・長塚節〉「お湯のなかにとっぷりとつかって」〈都会の憂鬱・佐藤春夫〉「炭火でこんがり焼いて、トップリ黒蜜にひたしたその可愛いおだんごは、まるであやめの花のようだった」〈私の浅草・沢村貞子〉

使い分け

【共通の意味】落ち着きはらっているようす。

どっしり

おっとり／のんびり／しっとり／のほほん

❶**どっしり**は、重々しくて落ち着いているようす。「何が起こってもあわてず、どっしりと構えている」 ❷**おっとり**、**のんびり**は、気持ちにゆとりがあり、態度がおおらかなようす。「**おっとり**した話し方なので、聞いているほうも穏やかな気持ちになる」。**のんびり**は、「締め切り間近になっても、**のんびり**とテレビを見ている」のように、周囲の忙しさに関係なくゆっくりしているときにも使う。 ❸**しっとり**は、上品で落ち着いた態度であるようす。「**しっとり**と着こなした和服姿に思わず振り返った」 ❹**のほほん**は、ものごとを気にかけず、苦労をしないで楽に過ごしているようす。「恵まれた家庭で、**のほほん**と育った」

どっぷり ❶ さま 液体をじゅうぶんに含ませるさま。湯水などにじゅうぶんに浸る

さま。「墨をドップリ附けて其紙の隅から隅まで悉皆《すっかり》塗抹《ぬっ》て仕舞ました」〈落語―京阪見物・春風亭柳枝〉「そしていいかげんにさめた湯船に**どっぷり**とつかって」〈銀の匙・中勘助〉
❷ さま ある環境に完全にはまりこむさま。「おれはお前と違って、日常的な俗悪さの中に**どっぷり**つかって暮しているのに」〈がらくた博物館・大庭みな子〉「前後のみさかいなく**どっぷり**と全身でのめりこんでしまう」〈蒼ざめた馬を見よ・五木寛之〉

どっぺり さま 方言 空が暗く曇っているさま。「空が**どっぺり**曇る」〈群馬県〉「空がどっぺり曇っちゃった」〈埼玉県〉

とっほ さま 古 放心状態でいるさま。「あまり閑寂の中に**とっほ**として居たほどに、ふっと去年の事を思出ぞ」〈三体詩幻雲抄〉

とてちてたー 音 らっぱを吹き鳴らす音。「らっぱふく音、**とて**、**ちて**、**たー**」〈尋常小学読本・明治三六年〉

とてちり 音 三味線の音。三味線の合いの手。「**とてちり**の内にたいこはさゆをのみ」〈雑俳―誹風柳多留〉
✺三味線の音で「とてちりとてちり」と弾き出すところから、歌舞伎で、茶屋場の幕開きや役者の出入りなどのときの三味線・太鼓を用いたはやしを「とてちり」という。

とてちん ❶ 音 三味線の音。ちりとてちん。
❷ さま 鳴りものがはいるさま。事を荒だてるさま。「橘屋といふ三味線屋へ、**とてちん**なしに踊込娘押さへて取って来た」〈浄瑠璃―木下蔭狭間合戦〉
✺②は、「とてちんなしに」の形で、三味線の音がないことからいう。

どてっ さま 行儀悪く力を抜いて、体を横たえるさま。どでん。どでっ。「大《でけ》え顔して、一日中、何にもせんと、寝台の上で**どてっ**としてやがって」〈真空地帯・野間宏〉「酒くさい息吐きながら帯もとかんと、**ドテッ**と横になって」〈エロ事師たち・野坂昭如〉

どでっ さま 怠惰に横たわったまま動こうとしないさま。どてっ。「陽だまりの中でドデッと腹這う不敵なデブ猫の写真」〈松崎菊也流・かんちがってま専科?・毎日新聞・98・12・24〉

とてとて 音 太鼓やらっぱの音。しずくが落ちる音。「**とてとて**太鼓」(=上方の劇場で、開演時と終演時にたたく櫓《やぐら》太鼓のこと。江戸でいう、かんから太鼓)「狂言初りにも果にも櫓の上にて**トテトテ**と太鼓敲く事は絶てなし」〈随筆―皇都午睡〉「**とてとて**ぴっちゃんとてぴっちゃん、と波が、やはり土台石を叩く音……」〈江戸の夕立ち・井上ひさし〉「橋の袂まで来たとき、うしろの方で、トー…テー…**トテトテ**トー…と、遠くラッパの声がきこえて来た」〈遠いラッパ・千葉省三〉

どてん さま あおむけにひっくり返るさま。行儀悪くすわりこんだり、寝ころんだりするさま。「**ドテン**と身を投げたままで、ああ腹が減ったと言ひ」〈故旧忘れ得べき・高見順〉

どでん 音・さま かなりの勢いで転倒する音。また、そのさま。行儀わるくすわりこんだり、寝転んだりするさま。『**どでん**とあぐらをかいたきり、動こうとしない』「すぐさまベッドに**どでん**と横たわる仏のかたわらに通され」〈とむらい師たち・野坂昭如〉

とてんとてん 音・さま 三味線などの音。鳴りもの入りであるさま。「国家老帰ると**とてんとてん**なり」〈雑俳―誹風柳多留〉

どどっ さま 人やものが一度にたくさんおしよせたり、くずれたりするさま。「石炭は〈略〉船のダンブルへ**ドドッ**と雪崩れ込むのである」〈海に生くる人々・葉山嘉樹〉

ととと 音・さま 小走りする足音。また、そのさま。「権之助は猶、**とととと**、三足ほど歩いてそのまま仆れ」〈宮本武蔵・吉川英治〉「木槿《むくげ》垣《がき》の向ふの薄暗い庭で、**トトト**と鶏を追廻す気勢」〈青春・小栗風葉〉

どどど 音・さま 大地をゆるがすような、はげしく鳴りひびく音。また、そのさま。「ドドドッとあげたる鯨波、砂塵《さじん》を蹶あぐる夥多の足音」〈内地雑居未来之夢・坪内逍遥〉

とととん 音・さま 続けてたたいたり、小走りする軽やかな音。また、そのさま。「今まで綱の三分の一どころをためらって居た少女が、**トトトン**と二足三足綱の上を前方に進んで、すぐ又そこで立ち止った」〈綱の上の少女・片岡鉄兵〉

どどどん 音・さま 大砲・太鼓・打ち上げ花火、地ひびきなどがはげしく鳴りわたる音。また、そのさま。「**ドドドン**と、先頭の太鼓が合《ひぁ》を入れた」〈鳥影・石川啄木〉

とどろ 音・さま 古 音が力強くいっぱいに鳴りひびくさま。「かきくもり空も**とどろ**に鳴る神の空おそろしきこの夕べかな〈大進〉」〈永久百首〉

とどろとどろ ❶ 音・さま 古 板敷きを踏み鳴らしたり、雷のはげしく鳴りひびく音。また、そのさま。「**とどろとどろ**と鳴神も、ここは桑原よも落じ」〈狂言—靫猿〉
❷ さま 古 弱々しく倒れそうに歩くさま。「Todorotodoroto（**トドロトドロト**）〈訳〉弱々しく今にも倒れそうにしながら歩くさま」〈日葡辞書〉

どどんがどん 音・さま 拍子をとって太鼓などが鳴りひびく音。また、そのさま。「大きなブリキの太鼓を腹の前に肩から掛けて、両手の撥《ばち》で**ドドンガドン**〈略〉と叩き」〈明治大正見聞史・生方敏郎〉

どどんどどん 音・さま 大砲・太鼓、あるいは波や地ひびきがはげしく鳴りわたる音。また、そのさま。「**どどんどどん**と大きな濤《なみ》が人の世を威嚇しに来る」〈草枕・夏目漱石〉「**ドドンドドン**と太鼓の音がしきりに聞えて」〈湖畔手記・葛西善蔵〉

ととんとん 音 軽快に太鼓などを続けざまに打ち鳴らす音。「**ととんとんと**んと大坂関が原打をさめたる万世の声」〈風流志道軒伝・風来山人〈平賀源内〉〉

とぱくさ さま 古 せわしく立ち騒ぐさま。あわて急ぐさま。とっぱかわ。「今の男は**とぱくさ**と、礼も言はずに行ってしまった」〈歌舞伎—東京日新聞・河竹黙阿彌〉
✵「とばくさ」とも。

どばっ さま 大量のものが、勢いよくふき出るさま。『鼻血が**どばっ**と出た』「ヘルメットを脱ぐと、汗が**どばっ**としたたり落ちた」〈ニッサンがルマンを制覇する時・高齋正〉

とばとば ❶ さま 古 落ち着きなく、あわて急ぐさま。せかせか。「坊主肝をつぶし、やにはになんどへかくし置、**とばとば**として出るに」〈咄本—軽口もらいゑくぼ〉
方言 落ち着きがないさま。騒ぎ立てるさま。「そう**とばとば**するな」〈岐阜県〉「どうも**とばとば**して勉強が出来ん」〈島根県〉「お姉ちゃんが勉強しよるきに、ふちで**とばとば**しなさんな」〈高知県〉
❷ さま 方言 軽率にものを言うさま。「**とばとば**したことをゆー」〈香川県〉「ちったあ考えりゃよかっぱって**とばとば**しゃべるもんぢゃけん」〈長崎県〉
❸ さま 方言 衰えて、足もとの定まらずに歩くさま。「**とばとば**しだいて困ったもんよ」〈高知県〉

とぱとぱ さま 方言 落ち着きのないさま。あわて急ぐさま。「巡査が来たもんだけん一日中**とぱとぱ**した」〈島根県〉 ↓とばとば。

どばどば さま 大量のものが、勢いよく続けざまにふき出るさま。「わたしとしては**どばどば**お湯が出て欲しい。ところが、ちょろちょろとしか出てこない」〈町田康の爆発道祖神・朝日新聞・98・12・11・夕刊〉

とぷ ⬇コラム「とぷ・どぶ・どぷ」

どぶどぶ ❶ 音・さま 液体が大きくうねってたてる重苦しい音。水が大きくゆれたり、酒を大量につぐ音。また、そのさま。「時に**どぶどぶ**動く水が急に膝迄減った」〈坑夫・夏目漱石〉「さあさあ、早うつげ。心得ま

とぷ・どぶ・どぷ

「とぷ」「どぶ」「どぷ」は、液体の様態にかかわるオノマトペである。液体がゆれ動くようすや、液体の中に何かが落ちるようす、またはそのときに生じる音を表す。

「どぶり」「どぶん」など、語尾が「り」であったり、撥音《はつおん》「ん」を伴う語形は、重いものが水中に落ちたり、あるいは水中に飛びこんだりするときに生じる音響やその様態を表すことが多い。一方、「どぶどぶ」のような繰り返し形は、入れ物の中の液体がゆれ動くようすや、液体を注いだりするときの音やようすを表すときによく用いられる。「どぶんどぶん」は、複数のものの様態も表せる。

また「どっぷり」は、液体をじゅうぶんに含ませるさまや、湯などにじゅうぶんに浸るさまを表す。あるいは比喩的に、ある環境にすっかりはまりこむさまを表す。

このオノマトペの類のうち、他と表す意味が若干異なるのは、日がすっかり暮れるようすを表す「とっぷり」である。ただし「どっぷり」に似て、ものがうまくはまりこむさまや、ものがすっかり覆われるさまを表す用法もあり、たとえば長塚節の小説『土』には、「彼は掛布団をとっぷり蓋した」という用例が見られる。

【とぷの語群】

とぷとぷ・どぶどぶ・どぷどぷ
とぷっ・どぶっ・どぷっ
とぷり・どぶり・どぷり
とっぷとっぷ・どんぶどんぶ・どっぷどっぷ
とっぷり・どっぷり
とぷん・どぶん・どぷん
とっぷん・どっぷん
とんぶり・どんぶり・どんぶりこ

	水を―(と)注ぐ	池に―(と)落ちる	悪の世界に―(と)浸る
とぷとぷ	○	―	―
どぶどぶ	○	―	―
どぶり	―	○	―
どぶん	―	○	―
どっぷり	―	―	○
とっぷり	―	―	―

【表現】

このオノマトペでは、清音と濁音での表象効果の違いが比較的はっきりしている。

たとえば水を注ぐようすを表すとき、清音形「とぷとぷ」と濁音形「どぶどぶ」では水の量や勢いに差があり、より大量の水を注ぐ場面であれば、後者のほうがふさわしい。同様に、水に石を投げこむようすを表す場合も、清音形「とぷん」であれば、小石が想起されるが、濁音形「どぶん」は重く大きな石が想起される。また、濁音では沈みこむ水の深さや事態の重さが感じられ、童謡の「どんぐり」は、韻の関係もあるだろうが、小さなどんぐりが池に落ちても「どんぶりこ」で違和感はない。昔話の表現「どんぶらこ」も、波に浮き沈みしながら流れてくるような重みを感じさせる。

どちらかというと濁音形のほうが語形のバリエーションが多く、たとえば「どんぶり」「どんぶらこ」のような濁音始まりのオノマトペはあっても、これに対応する清音始まりの形は見かけない。

なお、「どんぶり」と同音の「丼」には、その字源として、井戸にものを投げ入れた音の意とする説がある。

（那須昭夫）

した。**どぶどぶ**、ちょろちょろ。ハヤ御座らぬ」〈狂言―井礑〉

❷ さま 水分を含み過ぎて、重くやわらかくなっているさま。ずぶずぶ。「膿は出ても出ても尚出て、一度に脱脂綿一包ほど**ドブドブ**に濡らした」〈津軽の野づら・深田久彌〉「さっき、どなたか表土《うはづち》の**ドブドブ**に軟かいのは大へん悪いと云はれましたが」〈稲熱病・岩倉政治〉

とぶり さま 古 ものがうまくはまりこむさま。「戸の枢を、上へから木を以て、をとし入て、**とぶり**と合ふ心也」〈中華若木詩抄〉

どぶり 音・さま 重いものなどが水中に落ちこむ際のくぐもった音。水がゆれ動いたり、ぶつかったりする音。また、そのさま。「**ドブリ**と汐先の寄せるたびに、船がゆれて」〈男五人・真山青果〉

どぶん 音・さま 重いものなどが水中に落ちたり、人が水中に飛びこんだりする音。また、そのさま。「左の腕を洗ったばかりで**ドブン**と湯槽の中につかって」〈俳諧師・高浜虚子〉

とぷんとぷん 音・さま 入れものの中の水が、ゆれてたてる軽い音。また、そのさま。「其の瓶子を振ってみると、酒か水か、**トプントプン**と音がした」〈石川五右衛門の生立・上司小剣〉

どぶんどぶん 音・さま 続けざまに水中に落ちたり、飛びこんだりする音。また、そのさま。「舷《げん》の高い和船の舳《みよし》から、暗い海の水へ**ドブンドブン**と飛び込んでゐる若者たちの」〈善心悪心・里見弴〉

とほ さま 気抜けしたり、放心して、静まりかえっているさま。とほん。「ねられぬほどに夜半より起て**とほ**として」〈三体詩幻雲抄〉

とぼっ さま 物思いにふけるなどして、まわりのことに気の回らないさま。元気なく疲れたさま。「どうもまちがへではない。げんに紙袋のはしの三日月形に裂けてゐるのに、たしかに見おぼえがある。国助は**とぼっ**とした」〈鷹・石川淳〉

どぼっ 音・さま 液体を一度にそそいだり、液体にものが一気につかる音。また、そのさま。「湯が**どぼっ**と出て、中央がへこんだ。それを直そうと周辺に湯を注いだら」〈コーヒーを入れる・朝日新聞・96・10・20〉

とぼとぼ ❶ さま 力なくほんの少しずつ行うさま。気力をなくして歩くさま。「橙色の服を着た豆大の人が長い棒を杖にし、前に五六頭の牛羊を追うて**トボトボ**出て来る」〈森の絵・寺田寅彦〉「大黒傘肩にして少しうつむいて居るらしく**とぼとぼ**と歩む信如の後かげ」〈たけくらべ・樋口一葉〉 ↓使い分け「とぼとぼ」

❷ さま うす暗くおぼつかないさま。「**とぼとぼ**頃」(＝日暮れどき)「暗い街の灯が、**とぼとぼ**して少し幾重の心が滅入った」〈春の晩・田村俊子〉「さればこれで君の幻からもお別れしませう。と言ふうちに日が**とぼとぼ**になったぞ」〈常長・木下杢太郎〉

❸ さま 古 元気なく疲れたさま。「ろくに寝ぬ夜の目も**とぼとぼ**とほこりまぶれの髪かたち」〈浄瑠璃―鑓の権三重帷子・近松門左衛門〉

どぼどぼ ❶ 音・さま 液体を大量にそそぐ際の重くにぶい音。液体にものを続けて入

使い分け

【共通の意味】
ゆっくり歩くようす。

とぼとぼ／しずしず／しゃなりしゃなり

❶**とぼとぼ**はいかにも力なく歩くようす。「財布を落としてバスに乗れず、**トボトボ**歩いて帰った」❷**しずしず**は盛装した人などが静かに歩き進むようす。「長い着物のすそを引きながら、**しずしず**と舞台に歩み出る」❸**しゃなりしゃなり**は気どって歩くようす。「美しい衣装を着たモデルが、舞台の上を**しゃなりしゃなり**と歩く」

れる音。また、そのさま。「泥に**ドボドボ**苗を突っ込むトマトの定植法を彼の篤農家は『泥づけ』と名付けたが」〈吉里吉里人・井上ひさし〉

❷ さま 方言 完全にぬれるさま。「雨にぬれて**どぼどぼ**や」〈滋賀県〉

とほほ さま 救いようがなくすぐに立ち直れないさま。「CMでコミカルな役を演じる外国の大物タレントを見るたびに、**トホホ**と情けなくなる」〈CM界・読売新聞・95・11・27〉

どぼり 音・さま 重いものなどが水に落ちこむにぶい音。一気に湯水などにつかるさま。「共同風呂迄行って、平気な風に**どぼり**と浸った」〈満韓ところどころ・夏目漱石〉

とほん さま 気が抜けて静まりかえっているさま。「押ひらき**戸ほん**とひとり月みかな〈夕翁〉」〈俳諧―崑山集〉「どんな長煩ひでもしたあとのやうに自分にもさう**トボン**と感じられた」〈春泥・久保田万太郎〉

✵「とぼん」ともいう。

方言 気が抜けてどうしていいかわからないさま。「とほらん」ともいう。「あんまり思いがけなくて、ほんに**とほん**となるばりっしゃ」〈宮城県〉「試験終たどて、こだつさはて（コタツに入って）**とほらん**としてる」〈秋田県〉

どぼん 音・さま 水に勢いよくはいるときの重くにぶい音。また、そのさま。「**どぼん**と鈍く釣瓶が井戸の底に落ちた音が聞えた」〈助左衛門四代記・有吉佐和子〉「その恐竜は、**どぼん**と海中にとびこみ、そしてわしたちの乗っている船をめがけて、追いかけてきた」〈恐竜島・海野十三〉

どまどま さま 心の中であれやこれや思ってどうしてよいかわからない状態になるさま。「頭から誹謗《なけ》されると、お作の心は**ドマドマ**して、何が何だか薩張《さっぱり》解らなくなって来る」〈新世帯・徳田秋声〉「声が散ってよく聞取れないんだから、**ドマドマ**して了ったよ」〈田舎教師・田山花袋〉

方言 うろたえるさま。北陸地方。「どまこま」ともいう。「道に迷って、**どまどま**した」〈新潟県〉「あまり変なことを言い出されると返事に**どまこま**する」〈新潟県〉

どもども さま 言動や態度が明確でなく鈍重なさま。もぞもぞ。「老ツェラーは**どもども**と聞きとりにくい声で、どうしても病棟を見まわるといってきかないのであった」〈夜と霧の隅で・北杜夫〉

どやどや 音・さま 大勢が一時に騒がしく出入りする音。また、そのさま。「一本道のむこうから若い男が五、六人**どやどや**とやって来た時には」〈妻隠・古井由吉〉「東京と云ふ所は、いやもう人ばかり**どやどや**して、火事が一夜に三度もあって、いやな所だ」〈思出の記・徳冨蘆花〉 ⬇使い分け「どやどや」

とらり さま 古 残るところのないさま。ようすが一変するさま。「秋きに至ては枝葉も尽く落尽夕空栄となって内外ともに**とらりっ**と見ゆる物だ」〈大淵和尚再吟〉

とろ ⬇コラム「とろ・どろ」

どろくへろく さま 古 締まりがなく、確かなもののないさま。「**どろくへろく**じゃ**どろくへろく**じゃ身の五つこいつめに来ばもどそまで」〈雑俳―蓬莱山〉

とろっ ❶ さま やわらかくねばりけがありそうに感じられるさま。「熱つ熱つのパイの中で、チーズが**とろっ**ととけている。おいしい！」〈東京の空の下オムレツのにおいは流れる・石井好子〉「フ糊でも溶かしたやうに**トロッ**としてゐる海を、ぼんやり見てゐた」〈蟹工船・小林多喜二〉

❷ さま 眠けをもよおすさま。わずかの間気持ちよく眠るさま。「老父《ちち》を送り出して、一眠りした。**とろっ**としたと思って目を覚すと、もう日が高くなって居る」〈微温・水野葉舟〉

❸ さま 動きのにぶいさま。とらえどころのないさま。「眉毛のない**とろっ**とした眼

や、いつもむすんだまま動くことのない唇など」〈青べか物語・山本周五郎〉

どろっ さま 液体に、重いねばりや濁りがあるさま。「ソースの**どろっ**とした粘りや匂いまでが」〈遭難・加賀乙彦〉「異臭を放ちそうな水が、流れるでもなく**どろっ**と淀んでいる」〈青べか物語・山本周五郎〉

とろとろ ❶ さま とけたり、固まりかけるなどして、流動体や液状になっているさま。「毎日毎日のみぞれのために、道は**とろとろ**溶けてゐた」〈逆行・太宰治〉「白身は壁になるだけのかたさなのに、なかの黄身は**とろとろ**の粘液状のまま、上を向いている」〈男のだいどこ・荻昌弘〉

❷ さま とろみのある液体がたれ落ちたり流れたりするさま。たらたら。「かたまりかけて居る血が、**とろとろ**と滲み出た」〈蘭学事始・菊池寛〉「よだれ**とろとろ**垂らして見入給へり」〈源平盛衰記〉

❸ さま 眠けをもよおして意識が薄れるさま。浅くまどろむさま。「遂に綿の如く疲れて思はず**トロトロ**とすると、早や起床喇叭《らっぱ》が鳴って」〈下士官・小栗風葉〉「又一二杯ひっかけ**とろとろ**眠れば」〈洒落本―雑文穿袋〉 ⇩使い分け「こっくりこっくり」

❹ さま 弱く、ゆるやかなさま。火の勢いが弱く、静かに燃えるさま。「亀甲万の濃口醤油をふんだんに使って、松炭のとろ火で**とろとろ**二昼夜煮つめると」〈夫婦善哉・織田作之助〉「雪のべに火が**とろとろ**と燃えぬれば赤子は乳をのみそめにけり」〈赤光・斎藤茂吉〉

❺ さま 動作が緩慢で、なかなか進まないさま。「雪の上では必ずといっていいほど後輪が滑る。仕方がないから、いつも道路左側を**とろとろ**と走っていた」〈りんごの目・朝日新聞・99・1・6〉

❻ さま 締まりのないさま。魅入られるさま。「ストイックの聖人でも**トロトロ**に溶けて仕舞はねばならぬ」〈良人の自白・木下尚江〉「入道も気をとられ〈略〉**とろとろ**見とれおはします」〈浄瑠璃―平家女護島・近松門左衛門〉

どろどろ ❶ 音・さま 雷や大砲などが大きく鳴りひびく音。車馬などが音をひびかせて往来するさま。地鳴りなど不気味な音。「**どろどろ**という地鳴りが丸一日つづいたと思うと」〈夜と霧の隅で・北杜夫〉

❷ さま ねばりけのある重くにごった流動体や粘液状になっているさま。「濃く**どろどろ**した油を造るために働いている時の彼ら」〈芽むしり仔撃ち・大江健三郎〉「かわいたすり鉢へ入れて、**どろどろ**になるまですりつぶすのである」〈土を喰う日々・水上勉〉

❸ さま ひどく汚れるさま。「堅い木で作った歯車や槓杆《こうかん》の簡単な機械が、**どろどろ**に埃と油とで黒くなって」〈星座・有島武郎〉「**どろどろ**に濁った河の流れを見下ろして居ると、川波がチカチカと陽の光を照り返し」〈若い人・石坂洋次郎〉「えらいこっちゃ。**泥々**やないかいな」〈助左衛門四代記・有吉佐和子〉

❹ さま 締まりのないさま。だらしなくくずれるさま。「いつか引っ張り出して、ど

使い分け

【共通の意味】

勢いよく近づいていくようす。

どやどや／**どかどか**／**つかつか**／**ずかずか**

❶**どやどや**は、大勢の人が騒がしく押しかけてくるようす。「記者会見の会場に記者やカメラマンが**ドヤドヤ**と入ってきた」❷**どかどか**は、重い靴音をひびかせて乗りこんでくるようす。「選手たちはスパイクシューズの音をひびかせて**ドカドカ**と部室に戻ってきた」❸**つかつか**は、靴音をひびかせて、遠慮なく進み出るようす。「議員は**ツカツカ**と議長席に歩み寄った」❹**ずかずか**は、遠慮なく部屋などに入りこんでくるようす。「刑事たちは、**ずかずか**と土足で部屋に入った」

コラム　オノマトペのもと

とろ・どろ

「とろ」は、流動体がスムーズに流れるようすや、液体におだやかな粘りがあるようすを表す。ここから、動作がゆるやかであるようす、浅くまどろむようす、火の勢いが弱いようすなどにも使われる。心地よいおだやかさが感じられる表現だ。

「とろとろ」は古くから使われ、すでに鎌倉時代の『名語記』や『源平盛衰記』に記述が見られる。ほどよい濃さのなめらかな流動体の表現である。「さらさら」よりも粘りけやとろみがあり、「どろどろ」よりも粘りけがなくなめらかな状態を表す。

「どろ」は、「とろ」に比べて粘度が高いほか、「どろどろの人間関係」のように、濁った状態であったりする。

【とろの語群】

とろとろ・どろどろ
とろっ・どろっ
とろり・どろり・とろん・どろん

	―(と)溶ける	―(と)まどろむ	―(と)燃える
とろとろ	○	○	○
どろどろ	○	―	―
とろっ	○	○	○
どろっ	○	―	―
とろり	○	○	―
どろり	○	―	―
とろん	―	○	―
どろん	―	―	―

【表現】

「とろとろ」は、シチュー、温泉卵、かゆ、生クリーム、ハチミツ、とろろなどによく使われる。室町時代、御所の女房たちが使っていた女房詞で「とろとろ」といえば、とろろ汁のことをいった。

「とろとろ」や「とろり」は、その食べ物がおいしい場合に使われることが多く、たとえば、池波正太郎は『食卓の情景』でスペアリブを「とろとろに煮込んだ」と書いている。また、山田詠美の『風味絶佳』には、「彼女は、甘くてとろとろした食べものが大好きです。シュークリームの中身などを口にすると、おいしくって眠くなるう、と目を細めるのです」とある。スペアリブも、クリームも、とてもおいしそうに表現されている。

食べ物のほかにも、「とろりとする」などのうたた寝のようすや、「とろとろと煮る」、「とろ火」(＝弱い火)など、さまざまな形容に使われ、「とろ」にはいずれも心地よさを連想させる。

「どろどろ」は、「とろとろ」に比べ、濃く濁ったようすを表現する。

武田泰淳のエッセイ『父母のたべもの』では、洋食のメンチ・ボール(現在のハンバーグのようなものと武田は説明している)にかかったソースが「ドロドロとかけられた、泥色の汁のにおい」と描写されている。玉村豊男は『玉村豊男の食客旅行』で、麻婆豆腐を「(豆腐が)ドロドロした赤黒い油液にからまっている」と表現している。いずれも、決して高級な料理ではない。濃く濁った食べ物は、おだやかさや上品なイメージはあまりないようである。しかし、どろどろも、とろとろ同様、おいしい食べ物に使われることが多い。

「とろとろ」は心地よい美味、「どろどろ」は安定感のある美味とでもいえばよいだろうか。

(早川文代)

ろどろに酔はせちまってから」〈今年竹・里見弴〉「まるで蓮沼に落ちこんだやうに、**ドロドロ**してゐる私である」〈放浪記・林芙美子〉

❺さま 古 大勢が群がり集まり、往来するさま。ぞろぞろ。どやどや。「紳士の一行が**ドロドロ**と此方《こち》を指して来る容子《ようす》を見て」〈浮雲・二葉亭四迷〉「村の若衆四五人〈略〉台所の土間へ**どろどろ**と這入るゆへ」〈春色恵の花・為永春水〉「雨の足音さっさっさ、人の足音**どろどろ**右往左往にもてかへす」〈浄瑠璃―曾我会稽山・近松門左衛門〉

❻さま・名 姿をくらますさま。逃亡や駆け落ちをすること。どろん。「火遁の術でも水遁の術でもよろしい。**ドロドロ**ドロンと消えてなくなりたかった」〈いろは交友録・徳川夢声〉「いづれ此節季は**ドロドロ**をくわすつもりでおり升《ます》ゆへ」〈咄本―諺臍の宿替〉

✻❻は、本来は芝居仲間の用語だったが、江戸末期から流行語として一般でも使われた。

❼名 歌舞伎下座《ざげ》音楽の一つ。幽霊・妖怪・変化などの登場や、人物が正気を失う時、また、夢からさめる時の場面転換などに用いる大太鼓のはやしのこと。古くは幽霊太鼓ともいった。「『我が夫。おさらば』ト**どろどろ**になり、龕燈にてお亀消える」〈歌舞伎―絵本合法衢〉

とろへろ さま 古 友だち同士で互いにけじめなく仲良くするさま。「ここらのいやしい者が云ぞ。**とろへろ**にすると云ぞ。我れがなれがとたがいにことばをいやしうたがいに云て、心安すどくにあいしらうことを云ぞ」〈玉塵抄〉

とろり ❶さま 溶けてやわらかくなるさま。油のような濃い液体などが、たまっていたり、たれおちるさま。「タン・シチュウなんかの軟かな、**とろり**とした舌ざはりは、先づ此処の身上でせう」〈ロッパ食談・古川緑波〉

❷さま 肌ざわりがやわらかく、快く感じるさま。空気などが濃厚に淀んでいるように感じるさま。「甘い、香しい、暖かな、**とろり**とした、春の野に横はる心地で」〈婦系図・泉鏡花〉「**とろり**と凪いだ暑苦しそうな海を見た」〈水の上の会話・阿川弘之〉

❸さま 眠そうな焦点のあわない目つきをするさま。「毎晩きまりの二合の酒で**トロリ**となりながら、欅の分厚な縁を環らした台所火鉢に頬杖をついて」〈父親・里見弴〉

どろり ❶さま 重くにごったものが溶けてやわらかくなっているさま。「血は鼻の先に鮮かに見えた。〈略〉白い底に大きな動物の肝の如く**どろり**と固まって」〈思ひ出す事など・夏目漱石〉

❷さま 雰囲気や気持ち、態度などのたるみきったさま。「牡丹の時分は軽寒軽暖で**どろり**として風光も慚困した様なぞ」〈山谷抄〉

とろりとろり ❶さま 溶けてやわらかくなっているさま。油のような濃い液体が断続的にゆれたり、垂れ落ちたりするさま。「**とろりとろり**とねばりければ、もちに着たる蝿のごとく」〈風流志道軒伝・風来山人〈平賀源内〉〉

❷さま ゆるやかなさま。落ち着いて余裕のあるさま。「沖の引く汐に、竹に油を塗るやうに、**とろりとろり**と歌ふて名乗りて、漕ぐや船方はえい」〈歌謡―松の葉〉

❸さま 眠けをもよおしたり、ちょっとの間まどろむさま。「うしろの障子によりそひて**とろりとろり**と眠りけり」〈幸若―鎌田〉

とろん ❶さま 濃い液体や空気などが動くことなく、よどんでいるさま。「相かはらずごろごろごろと音を立ててゐるところの、**とろん**とした鉛色の海が見えた」〈苦の世界・宇野浩二〉「丘も、畠も、樹も、家も、すべてただ**トロン**と霞んでいる」〈自由と規律・池田潔〉

❷さま 眠けをもよおしたり、酒に酔ったりして今にも眠りそうに目の焦点があわないでいるさま。「信行は熱があるらしく眼の中が**とろん**として」〈暗夜行路・志賀直哉〉

どろん ❶さま 濃い液体や空気などが動かずに、重くよどんでいるさま。「池といふと清らかな水を連想するが、これは**どろん**と濁った泥沼で」〈間木老人・北条民雄〉 ❷さま 眠けをもよおしたり、酒に酔ったりしてかなり目つきに力がなくなっているさま。「目も光を失って**どろん**として一そう陥ちこんで」〈解体の日暮れ・杉浦明平〉 ❸さま・名 姿を隠すこと。逃げて姿をくらますさま。どろどろ。「父は折を見て座中の一芸妓を引連れると、俗にいふ**ドロン**をきめ込んでしまった」〈通学物語・渋沢秀雄〉 ❹名 歌舞伎下座《げざ》音楽の一つ。→どろどろ⑦。「よき所にて、**どろん**になり、車の中より手を出して、二通を引ッたくる」〈歌舞伎―戻橋背御摂〉

とろんこ さま 眠そうな目つきをしているさま。「相手は**トロンコ**に酔っぱらってゐるでせう」〈盲獣・江戸川乱歩〉

どろんどろん ❶さま ものが溶けて、ねばりけの強い、流動体や粘液状になっているさま。「野菜のネギは**どろんどろん**、ニラは鍋の横に張りついて」〈男の身だしなみ・産経新聞・01・1・22〉 ❷名 歌舞伎下座《げざ》音楽の一つ。→どろどろ⑦。「**ドロンドロン**と芝居でする様な、お化が出たりなんぞするものとおもふは、余りあほうげたはなし」〈寄合ばなし・榊原伊祐〉

とわかわ さま古 あわて急ぐさま。とっぱかわ。「箒かたげて銘々に**とばかは**かしこへ急ぎ行」〈浄瑠璃―伽羅先代萩〉

とん ❶音さま はずみをつけて軽く突き当たったり、たたいたり、倒れたりするときの音。また、そのさま。「傍に置いた安楽椅子へ落ちる様に**とん**と腰を卸《お》ろした」〈三四郎・夏目漱石〉 ❷音 モールス符号の音。→とんつー。

どん ❶音 銃砲などを発射する音。太鼓などを強く打つ音。重いものが落ちたりぶつかったりする音。『背中を**どん**と押された』「しめたと思って**ドン**と其処へ飛下りると」〈真景累ケ淵・三遊亭円朝〉 ❷さま 大胆で盛大なさま。「若いときゃ 二度ない **どん**とやれ 男なら 人のやれない ことをやれ」〈いっぽんどっこの唄・星野哲郎〉「此五月になれば**ドン**と直《ね》の出るのは知れてゐるが」〈落紅・内田魯庵〉 ❸名 正午の号砲。午砲。サイレンの普及する前に、東京の丸の内で、空砲を鳴らして正午の時刻を知らせたもの。転じて、正午をいう。「正午の**号砲**《どん》の音たかく」〈大つごもり・樋口一葉〉

とんかち 名 金槌の俗称。「**トンカチ**の音も賑やかに、二間つづきの部屋が改造された」〈雪夫人絵図・舟橋聖一〉 ✿打ちたたくときの音から。

どんかち 名古 楊弓場《ようきゅうば》のこと。「さもなけりゃア清正公の地内で**揚弓**《どんかち》かネ」〈江湖機関西洋鑑・岡丈紀〉 ✿的に矢が当たると、太鼓を打ち鳴らすところからいう。

とんからん 音 機織りや太鼓の軽快に鳴

使い分け

【共通の意味】騒ぎの大きいようす。

どんちゃん／てんやわんや／どたばた

❶**どんちゃん**は、大勢で酒を飲み、歌ったりして騒いでいるようす。「二階で**ドンチャン**騒いでいる音が、下までひびく」

❷**てんやわんや**は、混乱した状況でむやみに忙しいようす。「事務所の引っ越しのため、社員総出で、**てんやわんや**の騒ぎだ」

❸**どたばた**は騒いで走り回る音やようす。また、状況が混乱して忙しそうなようす。「友だちがたくさん来ているらしく、子ども部屋から**ドタバタ**音がする」「イベント会場は開幕の準備で**ドタバタ**している」

りひびく音。「手機のときは良かった。トンカラントンカランって音にも情緒があったよ」〈呪われたシルク・ロード・辺見じゅん〉

とんかんとんかん 音 金槌などを続けてたたく軽快な音。「日曜大工で**トンカントンカン**と何かを作りたかった」〈天声人語・朝日新聞・90・5・8〉

どんじゃん →どんちゃん④。

どんちき さま 鳴りもの入りではやしたて、大声で歌いなどして、遊び騒ぐさま。「『ヲヤヲヤおきつねさんがめへりいした』〈略〉『御祈禱御祈禱**どんちきどんちき**』」〈青楼松之裡・十返舎一九〉

どんちゃか さま 鳴りものなどをにぎやかに鳴らして騒いでいるさま。どんちゃん。「覗き絵、腕力試し、手相判断などの器械を陳べて**ドンチャカ**と囃し立てる見世物小屋などがあって」〈紐育・原田棟一郎〉

どんちゃん ❶ 音 太鼓と鉦《かね》をいっしょに打ち鳴らす音。「劇場《しばひ》の前を通って中で**ドンチャン**音がすると見たふなりますね」〈落語―欲しい物覚帳・橘家円喬〉 ❷ さま 入り乱れてたたかうさま。心が乱れ騒ぐさま。「軍がはじまるといふ噂ぢゃが、イヤモ**どんちゃん**は真平真平」〈桐一葉・坪内逍遙〉「さて種々混雑で、何から言て宜らうか、アア胸が**とんちゃんする**」〈閑情末摘花・松亭金水〉 ❸ さま 鳴りもの入りではやしたて、大声で歌いなどして、遊び騒ぐさま。どんちき。「チャールスと云ふ英人が福島県の東山温泉で、芸者や湯女を総揚げにして**どんちゃん騒ぎ**をやってゐた」〈明治大正見聞史・生方敏郎〉 ➡使い分け「どんちゃん」 ❹ 名 歌舞伎下座《げざ》音楽の一つ。修羅や戦乱の場面で、太鼓や鐘の音をいり混ぜて騒がしくすること。どんじゃん。「**ドンチャン**烈しく、勢子太鼓《せこだいこ》になり、向うより大鹿一疋、走り出て来るを」〈歌舞伎―金幣猿島都〉

とんちんかん ❶ さま ものごとが行き違ったり前後したりしてわけがわからなくなるさま。「駅では必ず**トンチンカン**のホームへ行くし」〈月は東に・安岡章太郎〉 ❷ さま・名 場にそぐわない言動をすること。また、そのさまやそのような人。「美意識が欠けているとしか思えない配色の**とんちんかん**な服装の趣味も」〈傷ついた葦・曾野綾子〉 ✸鍛冶屋の相槌《あいづち》を打つ音が交互してそろわないさまから。

とんつー ❶ 音 電信機で送信する際の、電鍵をたたく音。「『モールス符号ってのを知ってる？』〈略〉『**トンツー**、トンツー、ツーツートンなんてやる奴だらう』」〈若い人・石坂洋次郎〉 ❷ 名 モールス符号。「とん」は短符号「-」、「つー」は長い符号「ー」を表す。電信。「文字どおり**トンツー**式の古めかしい通信機だった」〈幻奇島・西村京太郎〉

どんつく ❶ 音 うちわ太鼓の鳴る音。「夜番人ぜひなく、太鼓を**どんつくどんつく**と打て」〈咄本―軽口東方朔〉 ❷ 名 太鼓をたたくこと。また、その役。「松屋の**どんつく**、小登良の鎗さび」〈食後の唄・木下杢太郎〉 ✸②は、うちわ太鼓が日蓮宗で使われることから、特に、日蓮宗、また、その信者をさして「どんつく」ということがある。

とんてんかん 音 金槌などをたたくときのかん高い音。「**トンテンカン**とつちをふるい、ふいごで風を送ってという神話が伝承されたのは」〈編集手帳・読売新聞・87・11・17〉

どんど ❶ 音・さま 勢いのある水や風などのはげしく鳴りひびく音。また、そのさま。どーどー。「秋の空の変り易く、朝から**どんど**と抜ける程降りますから」〈真景累ケ淵・三遊亭円朝〉「『淀の川瀬の水車《みづぐるま》**どんど**と落ちるは滝の水、子供よ、子供よ、今に雷鳴ってくる、ごろごろ』と謡ひ、謡ひ終るや、手を放ちて散ずるもあり」〈東京風俗志・平出鏗二郎〉

❷ 声・さま 古 大声で呼びたてる声。どなりたてる声。また、そのさま。「何者やらどんどと申す程に」〈狂言記—末広がり〉
❸ さま 勢いの盛んなさま。「行けよ、荒くれ、どんどと登れ、夏は男の度胸だめし」〈山の唄・北原白秋〉

どんどこ ❶ 音・さま 太鼓などを勢いよくたたく音。また、そのさま。「あの**どんどこどんどこ**と鳴る太鼓の音。あれが鳴っている間は、恐竜はおとなしいね」〈恐竜島・海野十三〉「トンカチで**どんどこどんどこ**叩いて砕きました」〈ラッキートメちゃん・犬丸りん〉
❷ さま ものごとが勢いよく進むさま。ためらわないで事を進めるさま。『引っ越しの荷物が**どんどこ**と運び込まれてきた』

どんどり ❶ さま 目つきなどが、にごったり、うるんだりしているさま。「**ドンドリ**としたる眼を見開ひて」〈花間鶯・末広鉄腸〉
❷ さま 古 続けて行うさま。「みづから売りもひるまず、**どんどり**やかましう言はれな」〈洒落本—列仙伝〉
❸ さま 重く濁っているさま。どろどろ。「生き物ではないぞと云。中に、**どんどり**として、いると云」〈狂言—附子〉

とんどろとどろ 音 古 足を大きく踏み鳴らす音。足音のひびき。「**とんどろとどろ**と蹈み鳴らし、世を宇治橋の橋姫の宮居をたたき祈りしは」〈浄瑠璃—蝉丸・近松門左衛門〉

とんとん ❶ 音・さま 続けざまに軽くたたく音。床や階段を軽く調子よく足早に踏む音。まな板の上で軽く調子よくものをきざむ音。釘を軽く打つ音。また、そのさま。「慌しく**とんとん**と庖丁の響を立て」〈土・長塚節〉
❷ さま ものごとが軽快に続けざまに進行するさま。ものごとが順調にはかどるさま。『**とんとん**とはかどる』「三十七歳で権大納言従一位、それから内大臣、左大臣と、**とんとん**と上の方を飛びこえて進みましたのは」〈慈照院義政・唐木順三〉
❸ さま 二つのものの差がほとんどなく、ちょうど同じぐらいであるさま。五分五分。「競馬ってやつは〈略〉一年間やって**トントン**の成績なら、よっぽど上等としたものなんだ」〈ぽんこつ・阿川弘之〉
❋収支に差のないときにいうことが多い。

どんどん ❶ 音・さま 連続する大きくひびく音。大砲・花火を発射する音。戸を強くたたく音。床を荒々しく踏み鳴らす音。また、そのさま。「**ドンドン**と太鼓を叩いてゐる」〈銃後・桜井忠温〉「此の時花道の揚幕にて、**どんどん**と捕物の鳴物を打つ」〈歌舞伎—青砥稿花紅彩画〈白浪五人男〉・河竹黙阿彌〉
❷ 音・さま 水がはげしく流れてぶつかる音。また、そのさま。「**どんどん**と砕ける波になにもかも忘れて見とれてゐた」〈銀の匙・中勘助〉
❸ さま ものごとが勢いよくとどまることなく進むさま。ためらわないで事を進めるさま。「さう云ふ思想が海を越えて**ドンドン**日本へ入って来る」〈北東の風・久板栄二郎〉
⬇使い分け「どんどん」

どんどんかかか 音 祭りでたたく太鼓の音。「いっちょい町は**どんどんかかか**な

使い分け

【共通の意味】
強引に推し進めるようす。

どんどん どしどし／じゃんじゃん

❶**どんどん**は、「**どんどん**料理を運んでくれ」「新しい技術を**どんどん**取り入れる」のように、積極的に前へ進むようす。**どしどし**は、「生徒に宿題を**どしどし**出す」「**どしどし**意見を言ってください」のように、遠慮せず進めるようす。❷**じゃんじゃん**は、周りにかまわず強引に進めるようす。「きょうは無礼講だから、**じゃんじゃん**飲んでくれ」

り」〈雑俳—誹風柳多留〉
✵「どんどん」は太鼓を打つ音、「かかか」は太鼓の縁を打つ音。

どんぱち ❶ 音 ピストルで撃ち合う音。「当時、神戸は暴力団抗争真っ盛り。その主役である組の事務所から、**ドンパチ**の音が聞こえるほど近いのだ」〈桂あやめの艶姿ナニワ娘・朝日新聞・98・4・6・大阪〉
❷ 名 争っている人同士が銃で撃ち合うこと。「なにしろアメリカはこれまで自分の国の中で**ドンパチ**をやったことがない」〈吉里吉里人・井上ひさし〉

どんぴしゃ さま 完全に合っているさま。「『そいつが、滞在中に、そのお嬢さんの肖像を描いた、という寸法だろう』『**ドンピシャ**だ。つまり、そうよ』」〈銀座二十四帖・井上友一郎〉 ✵軽い口調。

どんぴしゃり さま 完全に的中するさま。どんぴしゃ。「最近のティーン・エイジャーの好みに**ドンピシャリ**の中年男だと宣伝している」〈笹まくら・丸谷才一〉

どんぶらこ ❶ さま ものが水の流れのままに浮きつ沈みつして、漂いゆくさま。「桐の簞笥は笹くれて、浪に漂ひ**どんぶらこ**、金の火鉢はいびつ形なり」〈歌舞伎—忠臣蔵年中行事〉
❷ 音・さま 大きな容器に入れた液体がゆれてたてる音。大量の液体が一度に降りかかるさま。「桶は揺れて**ドンブラコ**と翻《こぼ》れる糞《こひ》を、虚呂松は半身あびて」〈七偏人・梅亭金鵞〉
❸ 音・さま 重いものなどが水中に落ちたり、水中に飛びこんだりする音。また、そのさま。「是でも飲んで酒の元気で一思ひド**ンブラコ**と遣《やら》かさう」〈団団珍聞〉

とんぶらとんぶら さま 方言 間隔が開いてまばらなさま。「とんぼらとんぼら」ともいう。「**とんぶらとんぶら**植えんえ(植えるんだよ)」〈大分県〉「ここらへんの家は**とんぼらとんぼら**あんのう」〈大分県〉

とんぶり 音・さま 一気に水に沈める音。また、そのさま。「朧月夜にして上潮でトブーリトブーリと岸を洗ふ浪の音は誠に淋しいもので、**トンブリ**投《やっ》て仕舞へば夫れっ切りの事で」〈落語—入れ髪・三遊亭円遊〉

どんぶり 音・さま 水中に勢いよく落ちこむ重くにぶい音。また、そのさま。「もしや橋のうへから、**どんぶり**とやりはせまいかと、心のうちにゆだんせず」〈東海道中膝栗毛・十返舎一九〉

どんぶりこ ❶ さま 水中に勢いよく落ちこんだり、ものを投げこむさま。「どんぐりころころ　**ドンブリコ**　お池にはまってさあ大変」〈童謡—どんぐりころころ・青木存義〉
❷ さま 水に浮き沈みして漂うさま。「大きな桃が**どんぶりこ**、どんぶりこどんぶりこと流れ来る」〈歌舞伎—柳風吹矢の糸条・河竹黙阿彌〉

どんみり さま 古 色合いなどが重くうるんで見えるさま。また、空模様が曇ってうす暗いさま。「うす曇る日は**どんみり**と霜おれて〈乙州〉」〈俳諧—ひさご〉

どんめり さま 古 重く雲がたれこめて暗いさま。「空の曇りたるをどんみりと云は、曇《どん》**めり**なるべし」〈随筆—東牖子〉

どんより ❶ さま 空が曇ってうす暗いさま。「薄曇の**ドンヨリ**した日射を浴びながら」〈青春・小栗風葉〉
❷ さま 目が、濁って生気の感じられないさま。色合いなどが濁って重くうるんだように見えるさま。『**どんより**眼』「黒眼は薄鳶色に**どんより**として」〈対髑髏・幸田露伴〉
❸ さま 空気や水などが、濁って、よどんでいるさま。「隅田川の**ドンヨリ**無精ったらしく流れてゐるのが窺はれた」〈末枯・久保田万太郎〉

なびなび ❶【さま】【古】のびやかで、感じのやわらかなさま。流麗なさま。「句移りの文字鎖りの〈略〉聞きよくて、**なびなび**と有やうに、節をば付るなり」〈音曲声出口伝〉 ❷【さま】【古】こまごましていないさま。曲折を尽くしていないさま。鷹揚《おうよう》なさま。のびのび。「只数寄の心深くして、昼夜の修行怠らず先々**なひなひ**と口がろに読みつけなば」〈正徹物語〉

なみなみ ❶【さま】水や酒など液体が入れものいっぱいにあふれそうになるほど多量にあるさま。満々。なんなん。「ピッチャーの水を**なみなみ**と陶器製の洗面盤にあけて」〈或る女・有島武郎〉「見ればとなりの田には水が**なみなみ**と有る」〈狂言—水掛聟〉「そばにある燗徳利をとり、湯呑へ**なみなみ**とつぐ」〈春色梅児誉美・為永春水〉 ❷【さま】余裕のあるさま。「水のなかの浮草は新しい蔓を張り〈略〉**なみなみ**と満ち溢れる明るいものが頻りに感じられるのだった」〈永遠のみどり・原民喜〉「一句を**なみなみ**としたてて、前句を捨つべきか」〈梵燈庵主返答書〉

なむなむ ❶【さま】手を合わせて、拝むさま。幼児語。『毎朝、仏壇に向かって**なむなむ**する』 ✹「南無」を重ねた語。 ❷【さま】【古】水や酒など液体が入れものいっぱいにあふれそうなさま。「御土器を取上げて、**なむなむ**と受け給ひ」〈浄瑠璃—傾城無間鐘・紀海音〉「勝負は互角**なむなむ**継だ酒が冷る」〈雑俳—智慧くらべ〉 ✹「なみなみ」の変化した語。 ❸【さま】【方言】平凡に暮らすさま。「まあ**なむなむ**生きてますねん」〈京都府〉

なめなめ 【さま】【古】なめらかなさま。ぬめぬめ。ぬるぬる。「鞠《まり》計《ばかり》なる物の目口もなきが、さすがに生物《いきもの》にて、**なめなめ**としてくるめくなり」〈沙石集〉

なよなよ ❶【さま】長いもの、幅広いものが弱々しく曲がりくねっているさま。「額髪《ひたいがみ》の袖口まで**なよなよ**と引かれいでたるも、様殊にみゆ」〈狭衣物語〉 ❷【さま】弱々しげに、やわらかくしなやかなさま。「疲れを夢のやうに味ひながら、**なよなよ**とソファに身を寄せて」〈或る女・有島武郎〉 ⬇使い分け「なよなよ」

なんどり 【さま】やわらかなさま。おだやかなさま。「明日、あたしから、**ナンドリ**と訊いてみますからね」〈自由学校・獅子文六〉「私も煮豆を**なんどり**と煮ることができない組で」〈雀の手帖・幸田文〉

なんなん ❶【さま】水や日ざしが満ち満ちているさま。『水を**なんなん**とたたえた湖』「てうど水瓶に**なんなん**と汲込で、翻《こぼ》れる処は此口一所で」〈絅斎先生敬斎箴講義〉 ✹「なみなみ」の変化した語。 ❷⬇漢語編「なんなん（喃喃）」

使い分け

［共通の意味］
態度や動作がやわらかで弱そうなようす。

なよなよ

しなしな／しおしお

❶**なよなよ**は、体の格好や動作、態度がやわらかく頼りないようす。「こびながら**なよなよ**ともたれかかる」 ❷**しなしな**は「着物を着て、**しなしな**と歩く」のように、しとやかさを意識した、やわらかい動作や態度を表す。 ❸**しおしお**は、気落ちして自信をなくしたようす。「先生にきつく叱られ、子どもは**しおしお**と部屋を出て行った」

にー さま 古 急に現れるさま。ぬっ。にょっ。にっ。「**ニイ**と虹《にじ》笈摺るで乗物を出る」〈雑俳—あぶら碪〉

にーっ さま 意味ありげな笑いやうす気味わるく感じられる笑いを浮かべるさま。「子供はおいしいと云ふのが、きまり悪いので、ただ、**にいっ**と笑って、母の顔を見上げた」〈鮨・岡本かの子〉

にーやり さま 気持ちわるくねばりつくさま。「門口へでられければ、又何やら**にゐやり**とあしにさはり、いよいよ気にかけ」〈咄本—口合恵宝袋〉

にかっ さま 歯を出してほほえむさま。「金屏風の前で、**ニカッ**と口をあけた。両手を上げたまま二度、背伸びをして、拍手にこたえた」〈ふわふわした権力をあやつる竹下登・AERA・98・10・5〉

にかにか さま 思惑ありげに笑うさま。にこにこ。「主人はだまってしばらくけむりを吐いてから顔の少しで**にかにか**笑ふのをそっとかくして云ったもんだ」〈なめとこ山の熊・宮沢賢治〉

にがにが ❶ さま 古 いやみを帯びて笑うさま。「ありのままに申せといへば、**にかにか**とうちわらひて、またくうけ給るむねも候はずといひけるを」〈御伽草子—あしびき〉 ❷ さま 古 愛想よく笑うさま。にこにこ。「此つかぬ言葉がをかしゅなりて、夫婦ともに**にがにが**笑《わら》ふて中をなをりた」〈咄本—軽口露がはなし〉

にこっ さま うれしそうな顔で一瞬笑うさま。にこり。にっこり。「彼は木谷に向って敬礼し直すと、子供のように**にこっ**と笑って」〈真空地帯・野間宏〉

にこにこ ❶ さま うれしそうに笑みを浮かべ続けるさま。にっこり。「**にこにこ**と笑ってたわごとを話しかけてくるようである」〈青い月曜日・開高健〉 ❷ さま 古 ものやわらかなさま。「くちに物をかむに、**にこにこ**とかむといへる、にこ如何」〈名語記〉「又座敷をば、急に**にこにこ**としなす様に、故実をもてすべし」〈能序破急事〉

にこはご さま 古 顔つきを変えながら笑みを浮かべ続けるさま。「うぬぼれはかが見を出して**にこはごし**」〈雑俳—川柳評万句合〉

にこぽん さま・名 ことさらに親しみを示して相手を懐柔するさま。また、そういう態度をとる人。「再渡欧の折柄《をりから》旧知の男爵と邂逅《めぐりあ》ったので、途《と》ある料理店に案内し巨頭を撫《ぶ》し**ニコポン**を濫発《らんぱつ》して」〈江戸から東京へ・矢田挿雲〉

✹**にこにこ**して相手の肩を**ぽん**とたたくところから。明治後期の首相、桂太郎のたくみな政党操縦術を評する語に始まる。

にこり さま うれしそうに一度ほほえむさま。少し笑うさま。にっこり。「女はすらりと立ち上る。〈略〉顧みて**にこり**と笑った」〈草枕・夏目漱石〉 ⬇使い分け「にこり」

にこりわごり さま 古 歯を出してほほえむさま。にっこり。「うららに姫のめすわたぼうし　正月は**にこりわごり**とかねつけて」〈俳諧—立圃万句〉

にじくじ さま 古 恥じらいなどのために、ためらうさま。うじうじ。もじもじ。「こちえよれと手をとるに、**にじくじ**として、とってもつかぬ、さかひ町の咄してゐるも」〈浮世草子—男色十寸鏡〉

にしにし ❶ さま 古 しみじみと見つめるさま。とっくり。「顔が**にしにし**と見たい事やと這い寄りて」〈浄瑠璃—八百屋お七・紀海音〉 ❷ さま 方言 腹が痛むさま。しくしく。「ちょっと、おなかの下が**にしにし**する」〈香川

県〉「昼の食べ物がわるかったのか、お腹がにしにしする」〈香川県〉

にたっ さま 声をたてないで、うす気味わるく笑ったり、意味ありげに笑うさま。「子供はぶるぶるっと両方の掌で顔を擦《すこ》り、**にたっ**と笑ってみせた」〈白い壁・本庄陸男〉

にたにた ❶さま 声をたてないで、気味わるく笑い続けるさま。にたりにたり。「思ひ出すほど嬉しく、うす気味わるや**にたにた**の笑ひ顔」〈たけくらべ・樋口一葉〉 ❷さま 湿気やねばりけがあるさま。にちゃにちゃ。「爪の間には脂じみた雲脂《ふけ》が一ぱいたまって**にたにたする**」〈小鳥の巣・鈴木三重吉〉

にたり さま 声をたてずに、うす気味わるい笑いを瞬間顔に浮かべるさま。「K—も顔を見合せて無意味に**ニタリ**と笑った」〈黴・徳田秋声〉 ⬇使い分け「にこり」

にたりにたり さま いやみな笑いをしては消すことを続けるさま。「『然らば説法して呉れう』と上座《じゃうざ》に直りて**ニタリニタリ**と笑ひ」〈文学者となる法・内田魯庵〉

にちゃにちゃ ❶音・さま だ液まじりの音をきたなくたてながら、かんだり食べたりする音。また、そのさま。「肉桂《にくけい》か何かを**ニチャニチャ**舐《ぶしゃ》っている」〈南小泉村・真山青果〉 ❷さま 粘着性の強いものが気味わるくくっつくさま。また、そのようにしつこいさま。ねちゃねちゃ。「疑がひ深い**にちゃにちゃした**口調で云ひますのんで」〈卍・谷崎潤一郎〉「指の股が油で**ニチャニチャする**」〈琴のそら音・夏目漱石〉

にちゃりにちゃり 音・さま ねばっこくかみ続ける音。また、そのさま。「切れふみ(＝離縁状)を**にちゃりにちゃり**とかんですて」〈雑俳—川柳評万句合〉

にっ ❶さま 声をたてないで、愛嬌を伴って少し笑いを浮かべるさま。「マリヤは〈略〉ハンドバッグから手鏡をとり出して自分の顔に**にっ**と笑いかけた」〈がらくた博物館・大庭みな子〉 ⬇使い分け「にこり」 ❷さま 急に現れるさま。ぬっ。「早くも半造の負け色が、**にっ**と眼の縁に現れ出した」〈家族会議・横光利一〉

にっこ ❶さま 明るい顔で一瞬笑うさま。にっこり。「相手はやがて花吹雪を身に浴びながら、**にっこ**と微笑んで申したは」〈きりしとほろ上人伝・芥川龍之介〉 ❷さま 古 なごやかなさま。心地よいさま。「この道は礼楽にとらば楽也。人の中を**にっこ**となすべし」〈申楽談儀〉

使い分け

【共通の意味】声を出さずに笑うようす。

にこり

にやり／にたり／にんまり／にっ

❶**にこり**は、「子どもは祖母にほめられて、**ニコリ**とした」のように、明るい表情で微笑むようす。❷**にやり**、**にたり**、**にんまり**は、思いどおりになって声を出さずに笑うようす。「いたずらがうまくいって、**ニヤリ**とした」。**にたり**は、「まんまと忍びこみ、二人組は**ニタリ**と目配せした」のように、笑い方がうす気味わるいようす。両方とも、短く一回だけの笑い。**にんまり**は、悪だくみなどがうまくいった満足げな顔で笑うようす。「スリは盗んだ財布の中の金を見て、**ニンマリ**した」❸**にっ**は、「草むらから、見知らぬ顔が現れて**ニッ**と笑ったので、びっくり仰天した」

にっこにこ さま 心底うれしげに笑うさま。「**にっこにこ**上きげ［ん］也二ッ星」〈文政句帖・一茶〉

にっこにっこ さま 何度もうれしそうに笑うさま。「判官たのもしげに見やりたまひ、**にっこにっこ**わらひ給ふ」〈狂言記—那須の与

二〉

にっこり ❶【さま】明るい表情で笑うさま。「普段着のスカートに赤いカーディガンをはおって、**にっこり**笑う庶民的カワイコちゃん」〈われら戦友たち・柴田翔〉

❷【さま】なごやかなさま。心地よいさま。「一陽来復して、**にっこり**とうるはしう、春になりたらば」〈仁説問答師説〉

にっしり 【さま】【古】しみじみと見つめるさま。にしにし。「お二方のお顔を**にっしり**と見せ」〈浄瑠璃―彦山権現誓助剣〉

にったり 【さま】うす気味のわるい笑いを短く浮かべるさま。何かの思惑がありそうに静かに笑うさま。「**にったり**と笑へば髭がざはと鳴る」〈雑俳―唐子おどり〉

にっちゃくちゃ 【さま】気持ちわるくねばつくさま。にっちゃりくっちゃり。「ころげまはりてこま物見世をいだし、手足もからだも**にっちゃくちゃ**と」〈続膝栗毛・十返舎一九〉

にっちゃり 【さま】優柔で、意気地のないさま。「牙婆《ばき》といへるすさまじき女郎も、此地へ来ると**にっちゃり**と見へて」〈洒落本―浪花色八卦〉

にっちゃりくっちゃり 【さま】ねばりつくさま。また、そのように感じられるさま。「去《さる》所の飴屋のむすめ出、**にっちゃりくっちゃり**、沢山な水飴もどきの上しろものが出ます」〈東海道中膝栗毛・十返舎一九〉

にっとり ❶【古】【さま】しとやかで礼儀正しいさま。「Nittorito（ニットリト）シタヒト」〈訳〉とりわけ客人にたいして言葉遣いも礼儀も正しくなすことのできる人」〈日葡辞書〉

❷【さま】【古】うるおいながらねばるさま。ねっとり。「塩じむ肌《はだ》へ**にっとり**と油に髪のあかばりも、今は翡翠《ひすい》のぐるぐる嶋田」〈浄瑠璃―大職冠・近松門左衛門〉

❸【さま】【古】余裕のあるさま。小さなことにこだわらないさま。「**にっとり**と身が我身なり温泉のめぐみ」〈雑俳―長ふくべ〉

にとにと 【さま】しきりにねばつくさま。「Nitonito（ニトニト）スル」〈日葡辞書〉

にふぶに 【さま】【古】やわらかい笑いを浮かべるさま。「かる臼は田ぶせのもとに吾が背子は**にふぶに**咲《ゑ》みて立ちませり見ゆ〈作者未詳〉」〈万葉集〉

にゃー 【声】ネコの鳴く声。「『これはありがた山ぶき色、**にゃァにゃァにゃァ**』と猫の啼き真似をしながら、引揚げた」〈手鎖心中・井上ひさし〉 ⬇鳴き声編

にやくや 【さま】【古】あいまいで煮えきらないさま。のらりくらり。『**にやくや**者』「懐中が乏しきゆゑ、**にやくや**の挨拶してゐるに」〈続膝栗毛・十返舎一九〉

にやっ 【さま】声をたてないで、意味ありげに短く笑うさま。「佑子の気を迎えるような合の手に、規一は〈略〉**にやっ**と口許をゆるめながら」〈蘭を焼く・瀬戸内晴美〉

にやにや ❶【さま】声をたてないで、表情だけで笑い続けるさま。冷ややかに、意味ありげにうす笑いを浮かべるさま。「そのボーイは意味ありげに**にやにや**薄笑ひをしてゐた」〈或る女・有島武郎〉

❷【さま】【古】からんでねばりつくさま。にちゃにちゃ。「皺多き手を煖めておなかをさすれば、あさましくほつぽのうちよりにほひ出て、何やら**にやにや**とするもむつかしや」〈御伽草子―福富長者物語〉

❸【さま】【方言】蒸し暑いさま。「今日は**にやにや**する」〈長崎県〉

にやふや 【さま】あいまいでわかりづらいさま。あやふや。「最初《はじめ》いひ出し時**にやふや**ながら結局《つまり》は宜しと有し言葉を頼みに」〈大つごもり・樋口一葉〉

にやほや ❶【さま】【古】声をたてないで、うれしそうな笑いを浮かべるさま。男女がうれしそうに仲よくするさま。『**にやほや**顔』「御息女のかりや姫、斎世の君と**にやほや**した世間の取りざた」〈浄瑠璃―菅原伝授手習鑑〉

❷【さま】【古】ことばをあいまいにして濁すさま。「言ひ放さんと存ぜしが、先親又左衛

門に申聞かせ上のこととに**やほや**にして」〈浄瑠璃—頼政追善芝〉

にゃむにゃむ 声・さま 口の中で小声で何かものを言う声。また、そのさま。むにゃむにゃ。にゃもにゃも。「心得た。妙法蓮華経**ニャムニャム**ニャム」〈狂言—惣八〉

にゃもにゃも 声・さま 口の中で経文をつぶやき続ける声。また、そのさま。「勤を致う。南無至心帰命礼西方、**ニャモニャ**モニャモ」〈狂言—地蔵舞〉

にやり さま 声をたてないで、笑う顔つきをするさま。意味ありげな笑いを顔に浮かべるさま。にやっ。「近藤は**にやり**笑って岡本の顔を見た」〈牛肉と馬鈴薯・国木田独歩〉

⬇使い分け「にこり」

にやりにやり さま 意味ありげなうす笑いを繰り返すさま。「古賀は**にやりにやり**笑って僕のする事を見てゐたが」〈ヰタ・セクスアリス・森鷗外〉

にゃんにゃん ❶ 声 ネコの鳴く声。→にゃー。

❷ さま 方言 食べ物をよくかみ砕くさま。かんでやわらかにするさま。「もっとよお**にゃんにゃん**しなはれや」〈大阪府〉「この昆布わ、よー、**にゃんにゃん**して、たべなはい」〈長崎県〉

にゅー さま 突然つき出てくるさま。「彼は亀のやうに**にゅう**と首を蒲団のなかからつき出したが」〈苦の世界・宇野浩二〉

にゅっ さま だしぬけに現れたり行われるさま。とびぬけて突き出ていたりするさま。にゅー。にょっ。「木村は**ニュッ**と拳固突き出して」〈良人の自白・木下尚江〉

にゅるっ さま 表面がなめらかで、すべるさま。すべりでてくるさま。『絵の具がチューブから**にゅるっ**と出てきた』

にゅるにゅる ❶ さま すべりやすく、つかもうとすると抜け出るようなさま。「ムニュムニュ、**ニュルニュル**、いつまでたっても口の中で細片にならず」〈鯛ヤキの丸かじり・東海林さだお〉

❷ さま 長くうねるものが、のび進むさま。「行燈《あんどん》の油でも舐《な》めるんですか、それとも首が**にゅるにゅる**っと伸びるとか」〈江戸の夕立ち・井上ひさし〉

にゅるり さま 表面がなめらかで、つかみどころがないさま。にゅるっ。『畑仕事でナメクジが**ニュルリ**と手にふれた』

にょい さま 古 思いがけなく、視野にはいってくるさま。ぬっ。「**にょひ**と出た月はさながら宝珠かな〈長利〉」〈俳諧—大海集〉

にょーにょー ❶ 声 ネコの鳴く声。⬇鳴き声編

❷ 声 読経や祝詞をあげる声。

にょき さま いきなり視野にはいってくるさま。「山より**にょき**と月ぞ出ぬる　見るに只肝のつぶるる鹿のつの」〈俳諧—伊勢山田俳諧集〉

にょきにょき ❶ さま ものごとが次々に現れ出るさま。植物が次々にいくつも生えてくるさま。「漁師の智恵のまわる奴等がそんな海の家を**にょきにょき**建てているんだ」〈抱擁・瀬戸内晴美〉

❷ さま 突然勢いよく人などが現れ出るさま。周囲の状況に無頓着に、姿を現すさま。「暗澹たる膠州《かうしう》湾上に、突如**ニョキニョキ**と数頭の海坊主が現れた次第」〈夢声半代記・徳川夢声〉「かの雉子《じき》衣をかぶり、**にょきにょき**とだんなの前へ出ければ」〈咄本—百物語〉

にょきり さま 平らなところから、ものがとび出るさま。ぬきんでて高いさま。にょっきり。「飛んでもないものが**にょきり**と首を出すびっくり箱のようなものなのか」〈死霊・埴谷雄高〉

にょこにょこ さま 次々に姿を見せるさま。「洛中《らくちゅう》の家々の門の口へ、**如鼓如鼓**《にょこにょこ》と彼しゃれかうべをさし出し」〈咄本—一休咄〉

にょこり さま 基準となるところから、いきなりものがとび出るさま。ぬきんでて高いさま。にょっこり。「向の畑の間から百

姓がにょこりと出た時は驚きました」〈真景累ケ淵・三遊亭円朝〉

にょっ さま 目の前に突然現れるさま。急にものを差し出すさま。にゅっ。ぬっ。ひょっ。「月もはや鳩の峯ごしにょっと出」〈俳諧―犬子集〉

にょっき さま 基準となるところから、ものが長くのび出ているさま。「名許りの表門裏門があるが、太《ふと》やかな棒がにょっきと二本立っただけで」〈厲人厲語・杉村楚人冠〉「残がいの外郭が、にょっきとたっている」〈恋文・丹羽文雄〉

にょっきり さま 基準となるところから、ものがとび出るさま。ぬきんでて高いさま。「額の両側に人さし指の角を、ニョッキリと突っ立ててみせて」〈今年竹・里見弴〉

にょっこり さま 基準となるところから、ものがとび出るさま。ぬきんでて高いさま。にょっきり。にょこり。「海からにょっこりと、上ってくる海士《あま》の長太」〈浄瑠璃―奥州安達原〉

にょっぽにょっぽ さま 古 急に姿を現すさま。「世間へ銀《かね》を貸人《かして》と責人《せめて》、家主先にょっぽにょっぽ、お六は悲しや折悪しと走寄って」〈浄瑠璃―軍法富士見西行〉

にょっぽり さま 目の前にいきなり出て来るさま。「碧空ににょっぽりと月が面を出す」〈新浦島・幸田露伴〉「にょっぽりと秋の空なる富士の山」〈俳諧―鬼貫句選〉

にょろっ さま 細長いものが長くのび出るさま。くねり進むさま。『ヘビがにょろっと出てきた』

にょろにょろ ❶ さま ヘビなど細長いものがうねり進むさま。「久慈は腐った筵《むしろ》を引き剝いだ後からにょろにょろ現れて来る青い蜥蜴《とかげ》を見付け出すやうに」〈旅愁・横光利一〉
❷ さま 古 何の目的もあてもなく行動するさま。のこのこ。「仁三郎が母妙慶、吾妻さままだ起きてかと、にょろにょろ来れば」〈浄瑠璃―淀鯉出世滝徳・近松門左衛門〉
❸ さま 古 細くて頼りないさま。ひょろひょろ。「箒木のにょろにょろたけて便宜なし」〈雑俳―折句道しるべ〉

にょろり ❶ さま 細長いものがうねり進むさま。「向うの溝から鰌《どぢやう》がにょろり」〈国貞ゑがく・泉鏡花〉
❷ さま いきなり目の前にさし出るさま。「野仏のにょろりと高き冬野かな〈紫水〉」〈俳諧新選〉

にょんにょ さま 古 勢いよく伸びたり、続けて出てくるさま。「八幡様へも厄神へも、手手を合はせての様とおっしゃると早今の間に、お背《せい》がにょんにょと伸びまする」〈浄瑠璃―源頼家源実朝鎌倉三代記〉

にりにり さま 古 少しずつ時間をかけてしんぼう強く進むさま。じりじり。「しりのほりまたにたにをへめぐりてにりにりくだるはこね山かな」〈咄本―百物語〉

にんまり さま ひとり満足げに声を出さないでほほえむさま。「妙子はこっちを振向いて、にんまりすると、すたすたと歩み寄ってくる」〈誰かが触った・宮原昭夫〉 ⬇使い分け「にこり」

ぬい さま 突然現れ出たり、立ち上がったりするさま。ぬーっ。「画に描いたる鬼の如き顔が、ヌイと戸口を這入った」〈良人の自白・木下尚江〉

ぬーっ ❶ さま 前ぶれなく、現れたり立ち上がったりするさま。何もせず黙って突っ立っているさま。「思ひきり不機嫌らしく皺めながら、ぬうッと茶の間にはいって来た」〈今年竹・里見弴〉「顔の表情は微動だもせ

ず、ぬうっとして落着いたその態度はまるで無神経の人間のやうであった」〈黒髪・近松秋江〉

❷さま 表面がなめらかで手がかりのないさま。「絲瓜のぬうっとした恰好」〈銀の匙・中勘助〉

ぬーぼー さま 動作や顔つきなどがつかみどころのないさま。態度が鷹揚なさま。「もって生れたぬうぼうで、ちょちょんがよいやさと切れて来た」〈道程・高村光太郎〉

✵ぬけてぼーっとしているようすをフランス語の nouveau（新しい、の意）に引っかけていったもの。

ぬかぬか さま 古 勢いよく大胆に進み出るさま。つかつか。「元来大将けっきの公卿、ながえ乗すてぬかぬかと立出」〈浄瑠璃―都の富士〉

ぬかりん ❶さま 古 何くわぬ顔つきをしてとぼけるさま。「『どふぞ御出被成ませ』（しばらくかんがへ）『イイイ、ぬかりんとしたつらで行ふ』」〈洒落本―歌妓琴塩屋之松〉

❷さま 古 油断するさま。うっかり。「ぬかりんでいた来伝《らいでん》、此ときさてはと気がつきむっと成」〈洒落本―取組手鑑〉

✵多く「ぬかりんと」の形で用いられる。「ぬかりんで」の形でも用いる。

ぬくぬく ❶さま 気持ちよくあたたかいもの中に身を置くさま。「体のぬくぬく温まって来るのが感ぜられた」〈足袋の底・徳田秋声〉「炬《こ》たつに、ぬくぬくと寝そべって、いい雪だなあ、と云ってゐるだらう」〈橇・黒島伝治〉 ⬇使い分け「ほかほか」

❷さま 労することなく、自分だけ安楽な状況にいるさま。うまうま。「周二のほうは未だにぬくぬくと婆やの庇護の下にあった」〈楡家の人びと・北杜夫〉

❸さま 古 周囲をはばからず、ずうずうしいさま。身勝手なさま。ぬけぬけ。「此の孫右衛門をぬくぬくとだまし、起請まで返して見せ」〈浄瑠璃―心中天の網島・近松門左衛門〉

❹さま でき上がって間もないさま。できたてのほやほや。『ぬくぬく話』（＝あまり時がたっていない話。聞いたばかりの話）「女房も女房、今ぬくぬくの女房ぢゃ」〈歌舞伎―傾城三拍子〉

ぬけぬけ さま あつかましいさま。知っていても知らないふりをするさま。でまかせを言ってしらじらしいさま。「職業上の秘密を、かうもぬけぬけと言い抜かれたのではたまったものではない」〈方丈記私記・堀田善衛〉

ぬさぬさ さま 古 遅い速度で歩くさま。のそのそ。「群集に紛れ兵介は、深編笠に長刀、ぬさぬさと歩み来る」〈歌舞伎―傾城浅間嶽〉

ぬたがん さま 古 態度や方針が定まらず締まりのないさま。「流漫―とは、ぬたくゎんとしたものぞ」〈史記抄〉

ぬたくた さま 汗などでぬれて不愉快なさま。「頸筋の辺りが汗でぬたくたする」〈煤煙・森田草平〉

ぬっ ❶さま 突然現れ出るさま。急に立ちあがるさま。「隔の障子の彼方からヌット顔を差出して」〈浮雲・二葉亭四迷〉「赤シャツが席に復するのを待ちかねて、山嵐がぬっと立ちあがったから」〈坊っちゃん・夏目漱石〉 ⬇使い分け「ぬっ」

❷さま 尊大に構えているさま。「ぬっとして旦那さん鳥渡大の字を」〈雑俳―四季の花〉

ぬっきり さま 古 堂々とまっすぐ立っているさま。「彼方此方へ倒れると後辺にぬっきり衝立たる二つ目入道」〈七偏人・梅亭金鵞〉

ぬっく ❶さま まっすぐに毅然として立っているさま。ぬっきり。「成程舟のへさきに当ってヌックと立てる大坊主の姿」〈紀文大尽・村井弦斎〉

❷さま 勢いよく立ち上がったり頭をもたげるさま。すっく。「富岡老人釣竿を投出してぬっくと起《た》ち上がった」〈富岡先生・国木田独歩〉

ぬ

ぬっくり ❶ さま 古 ものにおおわれたりして暖かそうに見えるさま。ぬくぬく。「**ぬっくりと** をとがいも巻く綿帽子」〈雑俳—替狂言〉 ❷ さま 古 周囲をはばからず、図太いさま。あつかましいさま。ぬくぬく。「**ぬっくり**と雪舟に乗たるにくさ哉〈荷兮〉」〈俳諧—曠野〉 ❸ さま 古 財物などが豊かで思うままであるさま。思う存分であるさま。「**ぬっくり**と臍くり金が有ふも知れぬ」〈浄瑠璃—いろは蔵三組盃〉 ❹ 名 なまぬるい人間。愚かでにぶい者。まぬけ。「今朝から庄屋の**ぬっくり**は見えなんだか」〈浄瑠璃—摂津国長柄人柱〉

ぬっけり さま 古 あつかましいさま。「アノ**ぬっけり**とした顔はいの、こちと夫婦は何にも知らぬと思ふてか」〈浄瑠璃—心中宵庚申・近松門左衛門〉

ぬったり ❶ さま 古 朗らかなさま。「儒雅—余謂一段効論語先進篇之語也。滑稽はまんまるに**ぬったり**として道を云たぞ」〈史記抄〉 ❷ さま 方言 専念するさま。一心にするさま。「この仕事さ**ぬったり**取りかかる」〈秋田県〉「**ぬったり**勉強する」〈秋田県〉

ぬっぺり ❶ さま 顔かたちにめりはりがなく、とらえどころのないさま。「あの正直な徳兵衛めをば、**ぬっぺり**とした顔をして、どのやうにだましたやら」〈浄瑠璃—お初天神記〉 ❷ さま 何くわぬ顔をしたり、口先だけで、相手をだまそうとしたりするさま。ぬけぬけ。「ありもせぬ名に、又よき口をもって**ぬっぺり**といへば」〈仮名草子—見ぬ京物語〉

ぬっぺりこっぺり さま 古 あれこれ口先だけでごまかすさま。「**ぬっぺりこっぺり**と口先きで間に合せ、一日一日と日を延さば」〈浄瑠璃—猿丸太夫鹿巻毫〉

ぬっぽり ❶ さま 古 変化がなく、何の彩りも風情《ふぜい》もないさま。のっぺり。『**ぬっぽり**松』(=まのびした感じの松)「**ぬっぽり**とした岩のすげなき」〈雑俳—続玉柏〉 ❷ さま 古 周囲をほとんど気にせず、すきがあるさま。「ぬっかり **ぬっぽり**など云俗語も、右のぬかると云より出たるか」〈志不可起〉 ❸ さま 古 恥を恥とも思わない図太いさま。ぬけぬけ。「数年**ぬっぽり**と親をよふ欺したなア」〈浄瑠璃—日本振袖始・近松門左衛門〉 ❹ 名 古 まぬけ。のろま。「是**ぬっぽり**ども、現在の同胞《きょうだい》を殺すものか」〈歌舞伎—関東小六今様姿〉

ぬなり さま 古 変化がなく締まりのないさま。「其ままする能には、目に離れたる所を書くべし。是大事也。それがなければ、**ぬなり**として悪し」〈申楽談儀〉

使い分け

【共通の意味】突然に現れるようす。

ぬっ／**ふらり**／**ひょっこり**／**のっこり**

❶**ぬっ(と)**は、予測をしていないものがふいに現れるようす。「ドアのすきまから、いきなり腕が**ヌッ**と出て驚いた」。**ふらり**は、特に目的もなく予告もしないで現れるようす。「散歩のついでに、友人の家に**ふらり**と立ち寄る」 ❷**ひょっこり**は、期待していなかったものが、突然現れるようす。「十年も音信不通だった友人が、同窓会に**ひょっこり**姿を見せた」 ❸**のっこり**は、場違いなところへ偶然現れるようす。「華やかなパーティー会場に、大きな犬が**のっこり**入ってきた」

ぬまぬま ❶ さま 古 粘液状のものがくっついて、なめらかにすべるさま。ぬめぬめ。「あやめかり**ぬまぬま**したる手足哉」〈俳諧—毛吹草追加〉 ❷ さま 古 凹凸《おうとつ》やめりはりがないさま。「渾沌はぬんまとして茶わんのやうに**ぬま**

ぬまとして目口もないぞ」〈玉塵抄〉

ぬまり さま 古 とらえどころがなく、すべりやすいさま。「Numarito（ヌマリト）シテ、または、ヌメリトシテ」〈日葡辞書〉

ぬめっ さま なめらかですべりのよいさま。すべりのよさそうな光沢を放つさま。「薄暗い畳の上を細い木の筒に巻いた**ヌメッ**と光る色とりどりの刺繍糸が走り」〈父の詫び状・向田邦子〉

ぬめぬめ さま なめらかで、すべりやすそうなさま。ぬらぬら。ぬるぬる。「足の裏を冷たい**ぬめぬめ**する石につけて」〈記念碑・堀田善衛〉

ぬめり さま なめらかで、すべりやすいさま。ぬまり。「黒い藻が段々に濃くなって来て、時々は脚に**ぬめり**と絡む事もあった」〈蛇・青木健作〉

ぬらくら ❶ さま つかもうとしても、よくすべってぬめりやすいさま。「**ぬらくら**して長ひものは、うなぎで有ふ」〈咄本―楽牽頭〉
❷ さま とりとめもなく漫然と動くさま。のらりくらり。「『かならずへびをつかはずにいそげいそげ』『かしこまりこのとろろじる、**ぬらくら**とまいりませう』」〈化物太平記・十返舎一九〉
❸ さま 態度がにえきらず、とらえどころのないさま。のらりくらり。「瓢箪でなまずおさへるうその川押さへて聞けばとかく**ぬらくら**」〈松翁道話〉

ぬらっ さま 表面にねばりけや油け、湿気の感じられるさま。一度すべり動くさま。「『ウナギが**ぬらっ**と逃げる』」「衣服をとおしても、**ぬらっ**と感じられる刑部の腕が、鮎姫のからだをしめつけたとき」〈江戸忍法帖・山田風太郎〉

ぬらぬら ❶ さま 表面に粘液や油がついていて、ふれたりつかんだりするとすべりやすいさま。ぬるぬる。「僕は**ぬらぬら**する河童《かっぱ》の皮膚に手を触れることを余り好んではゐないのですが」〈河童・芥川龍之介〉「里芋は適宜の大きさに切り、湯を二三度取替て**ヌラヌラ**のないやうに茹で」〈児童のお弁当百種・小林完〉
❷ さま にぶい動きで進むさま。「思ひ切って落つきに落つき、牛の歩の**ぬらぬら**行くことと定めた」〈思出の記・徳冨蘆花〉

ぬらり ❶ さま やわらかくて、よくすべるさま。「かかる世に**ぬらり**としたる生海鼠哉」〈無名氏〉〈俳諧古選〉
❷ さま 漫然としていて、つかみどころのないさま。「謡《うたい》を、**ぬらり**と、利口のやうに謡ふべからず」〈禅鳳雑談〉

ぬらりくらり ❶ さま やわらかくすべってつかまえにくいさま。「吉原通ひに浅の頭巾。羽織・脇指、布屋が格子に和国と云ふに上り鯰。**ぬらりくらり**の順貞」〈浮世草子―新色五巻書〉
❷ さま 態度などが定まらず、いらだたしい気持ちを起こさせるさま。締まりがなく、漫然としているさま。「三島神社の放し鰻を見るやうに、**ぬらりくらり**と取止めのないことばかり申上げてゐたら」〈修禅寺物語・岡本綺堂〉「よく云へば流麗、わるく云へば**ぬらりくらり**した字体で」〈卍・谷崎潤一郎〉

ぬらりころり さま 古 とらえどころのないさま。「大名深草大納言、唐人分別**ぬらりころり**の兼平〈略〉唐人もろこし分別あん餅、**ぬらりころり**は鰻の蒲焼山椒味噌」〈浄瑠璃―吉野都女楠・近松門左衛門〉

ぬらりぬらり さま 方向が定まらず、場当たり的であるさま。「殿中の草履下駄なぞを穿きまして、**ヌラリヌラリ**と遊んで歩行《ある》いた人もございましたが」〈落語―両手に花・三遊亭金馬〉

ぬらりひょん ❶ さま 古 表面がなめらかでつかみどころのないさま。「その形**ぬらりひょん**として、たとへば鯰に目口もないやうなるもの、あれこそ迂詐《うそ》の精なれ」〈浮世草子―好色敗毒散〉
❷ 名 つかまえどころのない架空の化物の名称。「〈化物絵〉〈略〉扨その奇怪の物に

名のあるは浄土絵双六など其始にや。其名の大略は赤口**ぬらりひょん**、牛鬼、〈略〉ぬっへらほう」〈嬉遊笑覧〉

ぬらりまんがん さま 古 決断が遅く、締まりのないさま。「其体もかどばらずぬ**らりまんがん**にして性も柔弱なれば」〈周易抄〉

ぬるっ さま 粘液状でつかみどころがないさま。なめらかなさま。「**ぬるっ**とした肝油は生臭いが、いそいで僕らは配られた三粒のラッカを口にほうり込んでやる」〈砧をうつ女・李恢成〉

ぬるぬる ❶ さま 粘液状のものがまつわりつくようにしてすべりやすく、不快なさま。「足許で**ヌルヌル**する粘土、どうしても抜けない根、恐ろしい暑さ」〈光と風と夢・中島敦〉「トカゲみたいに**ぬるぬる**して気持がわるうて」〈羽なければ・小田実〉 ⬇使い分け「ねちねち」
❷ さま 凹凸《おうとつ》がなく、うす気味わるいさま。「千年も経過《った》た池から出さうな**ヌルヌル**した面《つら》だ」〈落語―三都三人絵師・禽語楼小さん〉

ぬるり さま おさえようとすると、すべってすり抜けるさま。「**ぬるり**と四方からその跡を埋めに流れ寄る泥の動揺は身の毛をよだてた」〈クララの出家・有島武郎〉「頭蓋骨が砕けているので、おさえた指は、じかに脳味噌の中へ、**ぬるり**とめりこみそうになった」〈ぽんこつ・阿川弘之〉

ぬるりぬるり さま すべるようにあちこち動き回って、つかまえようがないさま。「その言葉が、冷えきった須田の胸を、意味もなく、**ぬるりぬるり**と静に衒《は》ひ廻ってゐた」〈今年竹・里見弴〉

ぬんなり さま 古 適度に水気を含んでなめらかなさま。ぬんめり。「草津の姥は**ぬんなり**として〈友雪〉 大豆の粉に塗坊主をやおとすらん〈西鶴〉」〈俳諧―両吟一日千句〉

ぬんまり さま 古 なめらかでめりはりのないさま。「律では沙彌は、縵衣《えまん》とて条もない**ぬんまり**として達磨のかけられた袈裟の様なものを掛るが」〈百丈清規抄〉

ぬんめり ❶ さま 古 表面が粘液でおおわれ、すべりやすそうなさま。「無地金革《むちきん》(一名梨地金革)総金うすびゃくだん色にして、地紋模様等なく、**ぬんめり**としたる物也、革やはらかなり」〈装剣奇賞〉
❷ さま 方言 なめらかで光沢のあるさま。「**ぬんめり**した茶」〈静岡県〉

ね

ねじねじ さま・名 らせん状にねじれているさま。また、そういう形をしたもの。「私が**ねぢねぢ**の太い綱をもって」〈銀の匙・中勘助〉

ねそねそ さま 古 動作がきわめてのろく、もどかしく感じるさま。口の重いさま。「公事に上たくは上うまでよと、**ねそねそ**といふたが、何とはらの立事ではないか」〈狂言―右近左近〉

ねたねた さま ひどくねばるさま。ねちゃねちゃ。「ペクチンと呼ばれるネギの**ネタネタ**したゼリー状の物質が」〈ネギ　地中で育つ白、体温める薬効も・朝日新聞・98・11・18〉

ねちくち さま 方言 挙動などが煮えきらないさま。ぐずぐず。「ねちくつ」ともいう。東北地方。「いつまでも**ねちくち**するな」〈山形県〉「おら**ねちくつ**ってのやんた(嫌だ)」〈岩手県〉

ねちっ さま まつわりついてねばつくさま。しつこいさま。「**ネチッ**とした歯ごたえの

からすみと、サクッとした歯ごたえの大根は相性がよく」〈島田雅彦の料理・朝日新聞・99・12・18〉

ねちねち ❶ さま 粘液状のものなどがくっついて、不快にねばつくさま。「船の中の淡水では洗っても洗っても**ねちねち**と垢の取り切れなかったものが」〈或る女・有島武郎〉 ❷ さま 動作や話し方が、いつ終わるとも知れず、いやになるほどしつこいさま。性格などがくどいさま。「ひと晩ぢゅうでも**ねちねち**と、皮肉や諷刺《あてこすり》や悪る丁寧や不貞腐れで悩まされるにきまってゐる」〈今年竹・里見弴〉 ⬇使い分け「ねちねち」

ねちゃっ さま 気味わるくねばってくっついてくるさま。「おはぐろの入れ歯のばさまは〈略〉重箱からなにか**ネチャッ**としたものをすくって差し出すのです」〈月山・森敦〉

ねちゃねちゃ さま しつこいほどねばるさま。「ギョーザの皮を作る時。〈略〉水を加えて**ねちゃねちゃ**と混ぜ込むと弾力性がでてくる」〈癒しの五感生活、カンタン幸せレシピ・AERA・02・3・25〉 ⬇使い分け「ねちねち」

ねっこり ❶ さま 古 盛りだくさんであるさま。たんまり。どっさり。「ふぐはきらいだと**ねっこり**もったやつ」〈雑俳―誹風柳多留〉 ❷ さま 古 あつかましいさま。ぬけぬけ。「夜とぎとは**ねっこり**としたうそをつき」〈雑俳―誹風柳多留〉

ねっそり ❶ さま 古 言語・動作などが重く遅いさま。ねそねそ。「ヤア**ねっそり**の牛盗人ちょろい工《みたく》のあめだ牛」〈浄瑠璃―関八州繋馬・近松門左衛門〉 ❷ さま 表立たないで、少しずつ進むさま。こっそり。「**ねっそり**とした事慥へて、久兵衛めと腐合ひ子迄孕《はら》うで」〈浄瑠璃―心中涙の玉井〉「**ねっそり**と溜め**ねっそり**と娶《もち》」〈雑俳―類字折句集〉

ねっちり さま さまざまなことをたくらんで、しつこいさま。「粘りのない生一本の男の心と、細工に富んだ**ねっちり**した女の心とがいつも食ひ違って」〈木乃伊の口紅・田村俊子〉

ねっつり さま しつこいさま。慎重で、言動がにぶいさま。ねちねち。「不愛嬌のかはりには多言《かずくち》きかず。**ねっつり**温和《おとなし》き女なれば」〈三人妻・尾崎紅葉〉

ねっとり ❶ さま 粘液状のものが一面にまつわりついて離れないさま。「一サジ含んでみると、**ネットリ**と甘く」〈自由学校・獅子文六〉 ❷ さま しつこく、ねばりつくような感じや態度であるさま。「もっと**ねっとり**と語るところを、さらりと軽く流すからお客様が満足しない」〈人情馬鹿物語・川口松太郎〉

ねつねつ さま 古 しつこいさま。動きがにぶいさま。「浪人はいづくも同じ秋の夕飯を**ねつねつ**と喰てゐらるるにぞ」〈諸道聴耳世

使い分け

ねちねち

【共通の意味】
全体にねばついて、まつわりつくようす。

ねばねば／ねちゃねちゃ／ぬるぬる

❶**ねちねち**は粘着性の強いようすだが、不快なほど、嫌味などをしつこく言う場合に使う。「新人のくせに挨拶がなっていないと、先輩から**ねちねち**小言を言われた」

❷**ねばねば**は、粘りついてなかなか離れないようす。また粘って糸をひくようす。「**ねばねば**した納豆」「靴底にくっついたガムが、**ネバネバ**してなかなかとれない」

❸**ねちゃねちゃ**は、水分を含んで粘りが出るようす。「せっけんが水でふやけて**ネチャネチャ**になった」「子どもたちが**ねちゃねちゃ**の泥でだんごを作って遊んでいる」

❹**ぬるぬる**は、表面が粘りついたり、滑りやすかったりするようす。「水槽のウナギは、**ヌルヌル**してなかなかつかめない」「風呂場の床が**ヌルヌル**してすべる」

間猿・上田秋成〉
方言 優柔不断でぐどいさま。「いつも**ねつねつ**しておって全然決断のつかん人じゃ」〈長崎県対馬〉

ねつりねつり さま 動作が遅いさま。ねばりつくようにものごとを行うさま。ねちねち。「亀亭《かめてい》めが**ねつりねつり**と藩垣《ませがき》をしばり付て」〈大千世界楽屋探・式亭三馬〉

ねとっ さま ねばりつくように、すきまなくくっつくさま。「口ざわりが意表をついた。**ネトッ**とした蛸やきの口ざわりと、パサッとしたパンの口ざわりが」〈渡辺文雄の味はつらつ・読売新聞・97・5・18〉

ねとねと ❶さま 不快なほどねばりけがあるさま。また、そういうものがねばりつくさま。にとにと。「**ねとねと**として無暗に歯の間に挟まる此所いらの麺麭《パン》に」〈明暗・夏目漱石〉

❷さま 動作や話し方が遅くにぶくて、からみつくようなさま。ねちねち。「この声がまた、冬の水飴をスプンで捏ね廻す様に、妙に**ネトネト**と重苦しく甘たるい」〈漫談集・徳川夢声〉

ねぱかぱ さま 方言 ねばつくさま。性質の優柔不断なさま。「ねっぱかっぱ」ともいう。東北地方北部。「あの人**ねっぱかっぱ**と語る人だ」〈岩手県〉

ねばねば ❶さま 糸をひくような粘着性があって、はなれたり切れたりしにくいさま。「浸《し》み出る脂汗が不愉快に人の肌を**ねばねば**させるが」〈すみだ川・永井荷風〉「琥珀色の**ねばねば**するレンゲ蜂蜜を一匙ミルクに入れ」〈自然の子供・金井美恵子〉 ⬇使い分け「ねちねち」

❷さま 声や口調などが、不快になるほどしつこいさま。「男はその手を取って、『君ちゃんかい、よく来たねえ』と、**ねばねば**した声でいった」〈大川端・小山内薫〉

ねぴらねぴら さま 方言 しつこく粘るさま。ねちねち。「**ねぴらねぴら**て、えづ迄も(いつまでも)、終わんなえ」〈山形県〉

ねまねま さま 古 粘着性のあるさま。「はっとおもいて手をはづしさま、**ねまねま**としたる汁、ぜんもんのほうがいへかかりければ」〈浮世草子―好色床談義〉

ねんばり さま 古 動作や話し方がのろくてしつこいさま。「物静かな猫なで声にて、**ねんばり**と物をいふ」〈早変胸機関・式亭三馬〉

の

のーのー ❶さま 心配やとらわれごとがなく、気分にひどく余裕があるさま。「こうして毎日を**のうのう**と送り暮らしている息子がいるものだろうか」〈司令の休暇・阿部昭〉「先づ是で十九の厄《やく》を免れて**ノウノウ**した」〈社会百面相・内田魯庵〉 ⬇使い分け「しゃーしゃー」

❷さま 方言 たくさんあるさま。「竹藪に筍が**のーのー**出た」〈福島県〉

のかのか さま 古 品がなく遠慮のないさま。のさのさ。「『よかっぺいよかっぺい』とうなぎやの浜屋の内へ**のかのか**と腰をかける」〈戯場粋言幕の外・式亭三馬〉

のかりん さま 古 何のとらわれごともなく余裕のあるさま。ぼんやり。のほほん。「敵工藤が事も忘れてしまひ、**のかりん**として居たりしが」〈黄表紙―年寄之冷水曾我〉

のけのけ さま 厚かましく平然としているさま。ぬけぬけ。「**ノケノケ**と言交《ことばかは》す

る無礼者」〈婦女の鑑・木村曙〉「よくマア面もかぶらずに、**のけのけ**と出てうたたナ」〈人情本―仮名文章娘節用〉

のこのこ さま 何のこだわりもなく、時間をかけて歩くさま。ひとりだけ周囲の状況には無頓着に、姿を現すさま。「又の**このこ**と花柳界へ戻って行かれちゃ、それだけ此方《こっち》も世界が狭くなるからな」〈蓼喰ふ虫・谷崎潤一郎〉 ⇩使い分け「てくてく」

のこのこさいさい さま 自分だけの都合を考え、他を何とも思わないさま。「内心ちっとくらゐは得意ンなって、**のこのこさいさい**出かけて行った」〈今年竹・里見弴〉

のさのさ ❶ さま ゆとりがあって、ものに動じないさま。平然としたさま。悠々。「楠をも河を越させて打殺せとて最閑《しづか》に馬を飼て**のさのさ**としてぞ居たりける」〈太平記〉

❷ さま 周囲のことに気を配らないで、ひとり横柄にふるまうさま。「渡辺は見向もせず、右大将の宿入りの中押し割っての**さのさ**と、はがひのしたる夕烏」〈浄瑠璃―嫗山姥・近松門左衛門〉

❸ さま 周囲の状況を気にかけず、おおらかで、のんきなさま。「きのふもぶらぶらと暮し、けふも**のさのさ**と過ぬ」〈俳諧―三千風笈さがし〉

❹ さま 周りを気にせず時間をかけて歩くさま。のそのそ。「**のさのさ**歩けば自然と時が遅れるから」〈真景累ケ淵・三遊亭円朝〉

のさりのさり さま 横柄な態度やのんきな様子で鈍重に歩くさま。のっさのっさ。「何となく一寸愛敬のあるもので、**のさりのさり**と歩いて参りまして」〈真景累ケ淵・三遊亭円朝〉

のさん さま 大きいものが、ゆるやかに落ちるさま。「自然《ひとりで》に、**のさん**と、二階から茶の間へ素直《まっすぐ》、棒立ちに落ちたで、はあ」〈日本橋・泉鏡花〉

のしのし ❶ さま 力強く重々しい足どりで歩むさま。のっしのっし。「**のしのし**二階から降りていって、茶店の一隅に腰をおろしゆっくりお茶を飲むのである」〈富嶽百景・太宰治〉

❷ さま 古 広く高く積みあげるさま。「**のしのし**とけたかう材木にあかせて物だくさんにつくった家の心ぞ」〈玉塵抄〉

のしり さま 落ち着いて重みのあるさま。のっしり。「姿こつきわろし、されど、**のしり**として、いやしげはなし」〈評判記―満散利久佐〉

のしりのしり さま 力強く時間をかけて歩くさま。のっしのっし。のしのし。「与三は顧み勝ちに**ノシリノシリ**と表庭へと歩を運んだ」〈良人の自白・木下尚江〉

のそっ さま 鈍重で動きがにぶいさま。「楢雄は濡雑巾のやうな薄汚い浴衣を着て、**のそっ**とやって来た」〈六白金星・織田作之助〉

のそのそ ❶ さま まどろこしいほど遅く歩くさま。のそりのそり。「**のそのそ**女と一緒に彷徨《うろ》つき廻るなんて、身を持った者のする業ぢゃない」〈煤煙・森田草平〉

❷ さま 動作がにぶく、引き締まっていないさま。ぐずぐず。「仕方がないから、**のそのそ**出て来て実は是々だと清に話した所が」〈坊っちゃん・夏目漱石〉 ⇩使い分け「のっそり」

のそり さま 動作がにぶく、とりとめのないさま。ぶっきらぼうなさま。のっそり。のそっ。「耳の遠い爺さんは、**のそり**した体をまた夜具のなかへ潜込ませて、黙ってしまった」〈足袋の底・徳田秋声〉

のそりのそり さま 動きがにぶく、少しずつ時間をかけて歩くさま。のそのそ。「龍華寺の庭先から信如が部屋へ**のそりのそり**と、信さん居るかと顔を出しぬ」〈たけくらべ・樋口一葉〉

のたのた ❶ さま いらだたしいほど頼りなげに遅く動くさま。「蟇《ひきがへる》が**のたのた**とはひ出れば」〈浮世草子―好色万金丹〉

❷ さま にぶい動きで動き回るさま。「ああ

熱い熱い、そう言うて腹の中で二人が**のたのた**するうち鬼は息が出来んで死んでしまいました」〈清経入水・秦恒平〉⬇使い分け「のっそり」

のたらのたら さま まどろこしいほどあれこれと時間をかけるさま。「人を見おろす山坂を、**のたらのたら**と立ち帰る」〈浄瑠璃―唐船噺今国性爺・近松門左衛門〉

のたり さま あわてず余裕のあるさま。悠々としているさま。「恐しいのは、蛇で。両方の叢に尾と頭とを突込んで、**のたり**と橋を渡して居るではあるまいか」〈高野聖・泉鏡花〉「建つめた中に**のたり**と増上寺」〈雑俳―卯の花かつら〉

のたりのたり ❶ さま ゆるやかに、あせらず動くさま。余裕のあるさま。「岩の凹みに湛へた春の水が、驚ろいて、**のたりのたり**と鈍《ぬ》るく揺《うご》いてゐる」〈草枕・夏目漱石〉「春の海終日《ひねもす》**のたりのたり**哉〈蕪村〉」〈俳諧古選〉 ❷ さま だらしなく、無為に過ごすさま。のらりくらり。「くら暗《やみ》から引出したやうな、黒仕立のヅボンマンテル、**のたりのたり**となまけるが癖で」〈開化自慢・山口又市郎〉

のっ さま 思いがけないときに、突然目の前に現れたり、急に動くさま。ぬっ。「大きな赤い日であった。〈略〉赤いまんまで**のっ**と落ちて行った」〈夢十夜・夏目漱石〉

のっかのっか さま 尊大な態度で大股で余裕ありげに歩くさま。「男の心と大仏の柱は太うてもふとかれと申。何の思ひ切て**のっかのっか**と行にゆかれぬ事が有る物か」〈狂言―空腕〉

のっこり さま のんきに落ち着いているさま。「その時、道平が**のっこり**と診察室に上って来た」〈医師高間房一氏・田畑修一郎〉⬇使い分け「ぬっ」

のっさのっさ さま にぶい動きで頼りないさま。「権作は**ノッサノッサ**と駆け出したが」〈良人の自白・木下尚江〉

のっしのっし さま 時間をかけて重々しく歩くさま。「大女のマリヤが**のっしのっし**と歩くと、小女のアヤが走るようにちょこちょことその後を追って歩くのである」〈がらくた博物館・大庭みな子〉

のっしり さま 落ち着いて重々しいさま。重厚であったり鷹揚であるさま。のしり。「御庭に引き据ゑた檳榔毛の車が、高い車蓋《やかた》に**のっしり**と暗を抑へて」〈地獄変・芥川龍之介〉「さのみ人にもあはず、**のっしり**と暮さるる果報人じゃといふ」〈咄本―初音草噺大鑑〉

のっそのっそ さま 重々しげに動き続けるさま。「真正面に向て**のっそのっそ**歩く風《ふう》は」〈暴風・国木田独歩〉

のっそり ❶ さま 落ち着いて余裕ありげに見おろすように立つさま。「英国人は、ノッソリと高く、とても、普通の日本人

使い分け

【共通の意味】
動作や反応が遅いようす。

のっそり

のたのた／のそのそ／のろのろ／ぐずぐず／もたもた

❶**のっそり**、**のたのた**、**のそのそ**は、動作が重そうでにぶいようす。「大きな熊が**ノッソリ**と現れた」「重い荷物を抱えて**のたのた**歩く」「子どもが真夜中に寝ぼけて**のそのそ**起きてきた」 ❷**のろのろ**、**ぐずぐず**、**もたもた**は動作や態度がはっきりせず、はかどらないようす。**のろのろ**は動作やものごとの進み方が非常に遅いようす。「渋滞の高速道路を車が**のろのろ**と進んでいる」。**ぐずぐず**は、ためらってなかなか行動を起こさないときにも使う。「布団の中で**ぐずぐず**してなかなか起きてこない」。**もたもた**は手際がわるく無駄な動作が多くて遅いようす。「券売機の使い方がわからなくて**もたもた**している」

には肩を並ぶること能はず」〈仏国風俗問答・池辺義象〉 ⬇使い分け「のっそり」

❷さま方言量の多いさま。どっさり。東北地方・千葉県。「洗濯物、のっそり、川さもってきて、洗濯したぁじも〈洗濯したそうなのだ〉」〈青森県〉「ゆんべ雪がのっそり降った」〈千葉県〉

のったり さま落ち着きはらってあわてないさま。動きのにぶいさま。「ゆらめく海藻の、茶褐や黒緑の色どりが、T村の漁夫の立ち騒ぐ船の周辺に、**のったり**と漂ふ」〈流人島にて・武田泰淳〉

のっとり ❶さまおおらかすぎるほど、間延びした態度でいるさま。のんびり。『**のっとり声**』『**のっとり顔**』 ❷さま粘液状になめらかで、やわらかなさま。ねっとり。「**のッとり** 葛粉の餡《あん》かけなどの滑らかに柔かなる意也」〈俚言集覧〉

のっぺら さま何のめりはりもないさま。「いつも**のっぺら**しているF湾が〈略〉細く手を伸ばしている向うの州崎からこの堤防の下まで、満潮でふくれあがり」〈解体の日暮れ・杉浦明平〉

のっぺり ❶さま起伏がなく平らに広がっているさま。「只有るのは、摑えどころのない、**のっぺり**した曲線で区切られた海岸線が見えるだけである」〈地球要塞・海野十三〉

❷さま変化にとぼしく、表情に欠けるさま。「土色の皮膚に**のっぺり**した無表情をたたえている彼らは、頑強に黙っているのだ」〈芽むしり仔撃ち・大江健三郎〉「自分の画いたものは、まるで千代紙細工のやうに**のっぺり**して、ものになりさうもありませんでした」〈人間失格・太宰治〉 ❸さまやさしくなめらかな女性の顔、または、整ってはいるが、締まりのない男性の顔のさま。平板で味のない顔かたちについていう。「高襟《ハイカラ》を着けたモーニング－コートの**ノッペリ**した柔弱男《にやけをとこ》で」〈社会百面相・内田魯庵〉「やや**のっぺり**しているが、いかにも女性にもてそうなマスクである」〈砂漠の駅・森村誠一〉 ⬇使い分け「すべすべ」

のっぽり ❶さま古とびぬけて高いさま。「嵯峨はしげった森の中、**のっぽり**高いは愛宕山」〈咄本―滑稽即興噺〉 ❷さま古突然であるさま。「**のっぽり**と江戸の伯父貴の庭へ野等」〈雑俳―後の栞〉 ❸さま古ひどく間延びして、気の長いさま。「疾々と言てまだ来ぬ**のっぽり**と〈元灌〉めたくた風にそこら出て扨〈千山〉」〈俳諧―花の雲〉 ❹さま古めりはりのないさま。まのぬけているさま。「角落て**のっぽり**したる鹿の顔」〈雑俳―俳諧觿〉

のどのど さま古あわてることなく、きわめてのどかなさま。態度に余裕のあるさま。のんびり。「**のどのど**として晴たる水上に、春色を浮て流るるぞ」〈四河入海〉「世間のこと**のどのど**と御談合あり」〈保元物語〉 ⬇使い分け「うらうら」

のびのび ❶さま何のさまたげもなく伸びたり成長するさま。「輝く春の日の下に青草が**伸々**と萌えてゐた」〈青草・近松秋江〉 ❷さま人の気持ちや性格、作風などが、落ち着いて、余裕のあるさま。「気が**暢**《の》び**暢**《の》びして魂が大空程の大きさになる」〈三四郎・夏目漱石〉「自由を束縛されたものにとって、落書は唯だ一つの**のびのび**と解放された楽天地だ」〈一九二八・三・一五・小林多喜二〉 ⬇使い分け「のんべんだらり」

のぶのぶ さま古気楽なさま。「貴人の待遇《もてなし》もしらいで、**のぶのぶ**と此場へ出さる、のぶとい奴」〈歌舞伎―姉妹達大礎〉

のへっ さま方言鈍感なさま。平然としているさま。横着なさま。「あいつはいつも**のへっ**としている」〈山形県〉「**のへっ**としてるが、いたって大人しい若者だ」〈宮城県〉「この忙しいのに**のへっ**と立ってるものあっか」〈栃木県〉

のぺっ さま 平板で表情に乏しいさま。のっぺり。「あんな**のぺっ**としたた顔をしてえてすけべえなことったら」〈青べか物語・山本周五郎〉

のへのへ さま 方言 無頓着で平気なさま。恥を知らないさま。のめのめ。「のへらのへら」ともいう。「あんな不義理をしておきながら、よくも**のへのへ**と来られたもんだ」〈岩手県〉「無断で**のへらのへら**と歩かれで困る」〈宮城県〉

のほほん さま 見ているほうが腹立たしくなるほど何の悩みもなさそうに、気ままにしているさま。格別の動きもなく、そのままの状態でいるさま。「でなければあんな**ノホホン**でゐられるわけがないと思ひます」〈大寺学校・久保田万太郎〉 ⬇使い分け「どっしり」

のめのめ ❶ さま しなければならないことをせずに何となく時を過ごすさま。おめおめ。「主人の難儀を**ノメノメ**と見て居るのか、不忠者めが」〈歌舞伎—紋尽五人男・鶴屋南北〉
❷ さま 恥じらいもなく平然としているさま。「役者を慕うて楽屋まで、**のめのめと**は入って来る」〈藤十郎の恋・菊池寛〉

のめりのめり さま 怠惰に時を過ごすさま。のめのめ。「鶴と亀めが何打ち食らってすっ百万年、**のめりのめり**と、くたばり外れにあやかりなされ」〈浄瑠璃—雪女五枚羽子板・近松門左衛門〉

のらくら ❶ さま とらえどころなく身をかわすさま。これといった仕事もしないで日を送るさま。「兄が信州へかへったから、又々諸片へ出歩行、**のらくら**していたが」〈夢酔独言〉
❷ さま やわらかくてなめらかで、おさえどころのないさま。「蛇は**のらくら**とゆがむが持合せなれど、竹の筒に入れらるると挾《よんどころ》なう真直に成てゐる」〈鳩翁道話〉

のらのら ❶ さま 動作に締まりがなくにぶいさま。のろのろ。「三五郎ただ一人**のら****のら**として立帰る」〈浄瑠璃—心中天の網島・近松門左衛門〉
❷ さま なすこともなく、何も気にせず時間を過ごすさま。のらくら。「もうどう仕様もない日日を**のらのら**過ごしておりました」〈蝶の皿・秦恒平〉

のらりくらり ❶ さま 相手の鋭い追及にも決め手を与えず、身をかわし続けるさま。『**のらりくらり**とした答弁で押し通した』
❷ さま とらえどころがなく締まりのないさま。これといった仕事もしないで無為に日を送るさま。のらくら。「女房に女優をさせて自分が**のらりくらり**してゐる了見が判らない」〈都会の憂鬱・佐藤春夫〉
❸ さま やわらかくてなめらかで、おさえどころのないさま。のらくら。「遊魚《げくら》なす**のらりくらり**の遊の道は、ながいも有ればみじかいも」〈根無草・天竺浪人(平賀源内)〉

のらりのらり さま あてもなく遅く歩むさま。のろのろ。「**のらりのらり**と目的のない歩みを引いて行くうちに」〈小鳥の巣・鈴木三重吉〉

のりすりおけ 声 フクロウの鳴く声。⬇鳴き声編

のろくさ さま 動作がにぶく重たるいさま。のろのろ。「又た彼の魯鈍《づぐ》のことだから、**のろくさ**のろくさして居るのだらう」〈泣き笑ひ・国木田独歩〉

のろっ さま 見た目にも動きのにぶさを感じるさま。「年の割に**のろっ**と大きな感じの子で」〈夢の中での日常・島尾敏雄〉

のろのろ さま 動きがにぶく、遅いさま。「女は人群の間を足まかせに**のろのろ**歩きながら」〈抱擁・瀬戸内晴美〉 ⬇使い分け「のっそり」

のろり ❶ さま こまかいことを気にせず、おおらかなさま。のんびり。「**のろり**と育って世間の塩風の辛いのも寒いのも知らぬ男に極ってゐるから」〈露団々・幸田露伴〉
❷ さま 何のあてもなく動きもにぶいさま。

ふらり。「ゆふべ**のろり**と帰った所が、内へは這入られねへから車屋の大八さん所へうせたのさ」〈浮世風呂・式亭三馬〉

のろりのろり さま 少しずつ、時間をかけて行うさま。「坊さんを載せた車も、書生さんを載せた車も、**のろりのろり**と進んで行く」〈ル・パルナス・アンビュラン・森鷗外〉

のんこのしゃー さま・名 あつかましく、恥ずかしがらないさま。平気で、ずうずうしいさま。また、そのような人。「あの男があやって今頃私の宅へ**のんこのしゃあ**で遣って来るのも」〈道草・夏目漱石〉

ノンシャラン さま 行動に熱意がなく、いい加減なさま。「**のんしゃらん**とした一匹狼が、ぞっとするほど気持ちの悪い純情男になっちゃった」〈人生の岐路・AERA・96・12・16〉「熱帯産の珍奇な果物を豊富に、**ノンシャラン**に並べた店前」〈銀座細見・安藤更生〉
✹フランス語の **nonchalant**（無頓着な、の意）から。

のんどり さま 余裕があって、のどかなさま。のんびり。「**のんどり**した暗碧《あんぺき》なその水の面《おも》には」〈あらくれ・徳田秋声〉

のんのん ❶ さま 深い川や大量の水がゆるやかに流れるさま。「ふかい水は声も**のんのん**と流れておともせぬぞ」〈玉塵抄〉
❷ さま 勢いのよいさま。「裏の空屋敷には色んな雑草が**のんのん**と繁ってゐたが」〈思ひ出・太宰治〉
方言 勢いの盛んなさま。どんどん。「雪まだ**のんのん**降ってるんだべ」〈北海道〉「**のんのん**水ぁながれる」〈岩手県〉「**のんのん**ど走ってきた」〈秋田県〉

のんびり さま 何にとらわれるでもなく、心身ともにくつろいでいるさま。のびのび。「もっともっと自由に**伸《のん》びり**と、仕《し》たい事をずんずんやって行けるやうにならねば駄目だ」〈暗夜行路・志賀直哉〉 ⬇使い分け「どっしり」

のんべん さま なすこともなく、むだに時間を過ごすさま。のんべんだらり。「今日までお前らが、**ノンベン**と暮せたのは、誰のおかげだ！」〈狐・永井龍男〉

のんべんぐらり さま むだに時間を浪費するさま。事の進展がはかばかしくないさま。「今までの様に**のんべんぐらり**と、遊んぢゃア暮されねえぜ」〈人情本―娘消息〉

のんべんぐらりん さま 何の目的やあてもなく時間を過ごすさま。「世の中と自分の関係がよくわからないで、**のんべんぐらりん**に暮らして居たのが、急に自分が明瞭になるんです」〈野分・夏目漱石〉

のんべんだらり さま だらしない気持ちで明確な方針のないさま。「**のんべんだらり**と慣れ合って、それが世の中なのだと、心得顔に暮してゆく大人たち」〈われら戦友たち・柴田翔〉 ⬇使い分け「のんべんだらり」

使い分け

【共通の意味】気持ちよくリラックスするようす。

のんべんだらり／のびのび／ゆったり／ゆっくり／悠悠

❶**のんべんだらり**は、生活態度がのんびりしすぎてだらしない場合に使う。「仕事もせず、**のんべんだらり**と日々を送る」。**のびのび**は、振る舞いなどに束縛がなく自由であるようす。「自然の豊かな環境で子どもが**のびのび**と育つ」 ❷**ゆったり**、**ゆっくり**は、体や気持ちが緊張から解放されてくつろいでいるようす。「温泉につかって**ゆったり**とした気分だ」「土・日はうちで**ゆっくり**する」。**ゆったり**は、衣服などがきつくなく、ゆとりがあるようすにも使う。「**ゆったり**としたガウンでくつろぐ」 ❸**悠悠**は、生活や時間などにゆとりがあり、のんびり過ごすようす。「退職後は田舎で**悠々**と暮らしたい」「**悠々**自適の生活」

は

ぱー ❶〔さま〕四方に散るさま。「ああ、煙突からパーと煙出る。煙草よりもっともっと小さい」〈職工と微笑・松永延造〉❷〔さま〕完全になくなるさま。「どうせ生保は担保に入れて**ぱあ**になっとろうが」〈階級・井上光晴〉❸〔さま〕はでで人目につくさま。はなやかで人目をひくさま。「そういうもんはパーと派手な方がええにきまってる」〈餓鬼の晩餐・富岡多恵子〉

はーっ〔さま〕息をはくさま。「真蒼《まっさお》な顔で、**はあっ**はあっと、くるしそうな呼吸をして」〈ヴィヨンの妻・太宰治〉

ばーっ ❶〔さま〕ものが勢いよく一面に広がるさま。広がって覆うさま。「魔といふものは髪を**ばあっ**とさげたどす黒いもののやうに思ってゐた」〈銀の匙・中勘助〉❷〔さま〕一気に勢いよく仕事をするさま。『**ばーっ**と仕上げる』

ぱーっ ❶〔さま〕あたり一面に散るさま。「竹の林が強い北風に首筋を圧しつけては雪を攫《かっ》んで**ぱあっ**と投げつけられながら、力の限は争はうとして」〈土・長塚節〉❷〔さま〕変化がはげしいさま。『パーッと明るくなった』❸〔さま〕はでで人目につくさま。「『あたい**ぱあっ**としたことが好きなのよ』と栄子は云った」〈青べか物語・山本周五郎〉

はーはー ❶〔音・さま〕急激な運動などで口で呼吸する音。また、そのさま。「赤い顔をしてハアハアいひながら還って来ると」〈清兵衛と瓢簞・志賀直哉〉❷〔音・さま〕口を開いて強く息をふきかける音。また、そのさま。「**はあはあ**拳固へ息をふっかけてかかってくるので」〈銀の匙・中勘助〉❸〔さま〕〔古〕胸をおどらせて、心配するさま。はらはら。「喧嘩《けんか》にでもならふかと思っては**あはあ**するはナ」〈洒落本―南客先生文集〉

✹③は、はげしい息づかいの音から。

ぱーぱー ❶〔さま〕開放的なさま。深く考えずに明るく言ったりしたりするさま。「あたしは、師匠のような緻密《ちみつ》な、文学的な芸じゃなくて、陽気でパーパー言ってるだけです」〈文楽見参・朝日新聞・92・9・18〉❷〔さま〕無一文になるさま。「こいつあ、貸金《かし》をパアパアに損をするかと思ったら」〈歌舞伎―三題噺高座新作〈髪結藤次〉〉「丸山へ来て**ぱあぱあ**にしてかへし」〈雑俳―誹風柳多留拾遺〉❸〔さま〕〔古〕意味のわからないことばをしゃべり立てるさま。特に外国人のことばにいう。「何かパアパアぬかして指をさして笑やアがるぜ」〈西洋道中膝栗毛・仮名垣魯文〉

ばーん ❶〔音〕ものをはげしく打ったり、たたいたりする音。ものが破裂する音。「ビルディングをこわすダイナマイトの音が、**ばあんばあん**と響いていた」〈砂漠の花・平林たい子〉❷〔さま〕はでで、強く押し出す印象を与えるさま。「ここでバーンとその法要をやれば必ずマスコミにうける」〈とむらい師たち・野坂昭如〉

ぱーん〔音〕ものが破裂するかん高い音。「材木を鋸でひいて〈略〉鉈で**ぱーん**と打ち割ることに、日本の剣道の味さえ感じます」〈楊先生・豊島与志雄〉

ぱい〔さま〕無造作にものを投げ出すさま。ものを捨てることをいう幼児語。ぽい。「其処へ墨をパイと投《ほを》り込んでお遣《やり》なさい」〈落語―裏の裡愛妾の肚・翁家さん馬〉

ぱおん〔声〕ゾウの鳴く声。「ゾウとサボテンのマスコットキャラクターの愛称が〈略〉

パオンは、ゾウの鳴き声、サボンはサボテンから付いた」〈東山動植物園・毎日新聞・06・8・31・愛知版〉

ばかすか さま 際限なく勢いよくものごとをするさま。「すると、バカスカ打たれて、当然ゲームは負ける」〈UFO殺人事件・福本和也〉

ばかっ 音・さま 勢いよく口やものが裂けたりして急に大きく開くさま。急にとれたりはずれたりするさま。『ドアのノブがバカッと取れた』

ぱかっ さま 軽い調子で口やものが急に大きく開くさま。急にとれたりはずれたりするさま。「昼のパカッとあいたところで、スポンジを入れる」〈とむらい師たち・野坂昭如〉

はかはか さま 方言 動悸のするさま。はらはら。どきどき。東北地方北部。「息ぁ切れではかはかどなった」〈岩手県〉

ばかばか ❶ さま むやみに勢いよくものごとをするさま。「冬季五輪を開催してバカバカ土木工事やってたけど」〈「変革願望」という危うさ・AERA・00・10・30〉

❷ さま ものがはずれたり、大きなすきまができているさま。「茂吉の洋服は古く、外套も古く、靴は大きくてバカバカしている」〈遠いあし音・小林勇〉

ぱかぱか ❶ 音 ウマの軽やかに歩むひづめの音。「ぱかぱかぱかぱか走れよ小馬」〈文部省唱歌―こうま〉

❷ さま ものがはずれたり、すきまができているさま。『開き戸の蝶つがいがぱかぱかする』

❸ さま 続けてものごとを軽々しくするさま。「本当にうまいトロは、一日に少ししか入らない。それをぱかぱか食べるやつはセコいね」〈言わなきゃいいのに……林真理子〉

❹ さま 目、口などが何度も大きく開くさま。「オーヤ目をパカパカ開いてて柔順《おとな》しい事」〈少年行・中村星湖〉

ぱかり さま くっついていたりはまっていたものが無造作に離れるさま。「『蟹甲癬』は、頬っぺたにカニの甲型のデキモノができて固くなり、やがてパカリと外れる」〈にんげん動物園・中島梓〉

ばかりばかり さま だらけて締まりのないさま。「物干へ出てばかりばかりむだ口をたたいて居《をり》ます」〈浮世風呂・式亭三馬〉

はき さま 古 確かであるさま。明らかであるさま。はっきり。はっき。「人も犬も草も木も判然《はき》と映らぬ古き世界には」〈虞美人草・夏目漱石〉「仁は仁の筋、義は義の筋と、はきと分れてあること也」〈本然気質性講説〉

ばきっ 音・さま 太くて丈夫なものが折れる音。また、そのさま。ぼきっ。『バキッと大きな音がして、床板を踏みぬいた』

ぱきっ 音・さま 細いものが折れたり、薄くてかたいものが割れたりする軽くかわいた音。また、そのさま。『食後にパキッと割りばしを折るのがくせだ』

はきはき ❶ さま 態度や物言いが賢くて、手早く要領のよいさま。ぱきぱき。「ぱっちりと醒めて居る母ははきはき万端の事務を捌いて」〈思出の記・徳冨蘆花〉「はきはきと物をいふて、心のかるさうなものじゃよ」〈狂言―栗田口〉 ➡使い分け「きびきび」

❷ さま 明確で間違えようのないさま。はっきり。「矢っ張り頭がはきはきしません」〈千鳥・鈴木三重吉〉

ばきばき ❶ 音・さま かわいたものが勢いよく折れる重くにぶい音。また、そのさま。『カニの足をバキバキと折ってむしゃぶりついた』

❷ さま かたくこわばるさま。『座りっぱなしで腰がバキバキになる』

ぱきぱき ❶ 音・さま 細いものが次々に折れたり、切れたりする軽くかわいた音。また、そのさま。「アスパラがぬかの味を取り入れてパキパキしてうまい」〈鯛ヤキの丸かじり・東海林さだお〉

❷ さま 態度や物言いが明瞭で、手早く要領のよいさま。「歳に似合はずパキパキと

英明振りを発揮して」〈青銅の基督・長与善郎〉

⇒使い分け「きびきび」

ばきゅん 音 拳銃を発射する音。「人気のまとはディスプレーも派手派手しく、バキュン！バキュン！と電子音を響かせているゲームソフトの展示である」〈オモチャ・小山内美江子・朝日新聞・94・12・4〉 ⇒使い分け「ずどん」

ばきん 音・さま 太くて丈夫なものが、勢いよく折れたり割れたりする重くにぶい音。また、そのさま。『椅子のあしがバキンと折れた』

ぱきん 音・さま 細いものが折れたり、薄くてかたいものが割れたりする軽くかわいた音。また、そのさま。『カッターの刃をパキンと折る』

はくしょん 声・名 くしゃみをする声。また、くしゃみのこと。「何をいったってハクションすりゃ、そいでおしまいだ」〈ノリソダ騒動記・杉浦明平〉

ばくっ ❶ さま 口を大きくあけて、勢いよく食いつくさま。『愛犬に向かってボールを投げると、バクッとくわえて戻ってくる』

❷ さま 割れ目や裂け目などが突然大きく開くさま。『カバがばくっと口をあけた』

ぱくっ ❶ さま 口を大きくあけて、ひと口で食べるさま。『ケーキをパクッと食べた』

❷ さま 割れ目や裂け目などが大きく開くさま。『財布の口がぱくっとあいていた』「慢心和尚は〈略〉その絶世の巨口をパクッと開いて、児頭大の拳をポカリとその口中へ入れて」〈大菩薩峠・中里介山〉

はぐはぐ さま しきりに口を開け閉めするさま。あくあく。「カラフルなおじやに、トイプードルのクララ（メス11歳）は跳ね回り喜ぶ。『よし』が出ると、一気にハグハグと食べた」〈どうぶつと暮らす・毎日新聞・05・2・25〉

ばくばく ❶ 音・さま 心臓の鼓動がはげしいさま。「心臓がバクバク鳴って」〈すっぴん魂・室井滋〉 ⇒使い分け「どきどき」

❷ さま 締まりのないさま。歯の抜けた老人の口の動くさま。身につけるものなどが大きすぎて合わないさま。「背の低い痩せた庄谷には、衣裳が大きすぎて、何だかばくばくしてゐたが」〈医師高間房一氏・田畑修一郎〉

❸ さま タバコを勢いよくふかすさま。「髑甲羅宇《らを》の長煙管《きせる》でバクバク燻《ふ》かして」〈社会百面相・内田魯庵〉

❹ さま ものを遠慮なく盛んに食べるさま。『人のぶんまでバクバクと食べた』

❺ さま 方言 いっしょうけんめいに、仕事などをこなすさま。「ばくばく仕事しろ」〈北海道〉

❻ ⇒漢語編「ばくばく（漠漠）」

ぱくぱく ❶ さま 小魚などが、しきりに

使い分け

［共通の意味］

食欲が旺盛で、勢いよく食べるようす。

ぱくぱく

がつがつ／むしゃむしゃ／もりもり／ばりばり

❶**ぱくぱく**は、大きく口を開けておいしそうに食べ物を食べるようす。「野球の練習で腹をすかした子どもたちがパクパクお弁当を食べている」 ❷**がつがつ**は、ひどい空腹のため夢中になって食べるようす。「飢えたオオカミが肉をガツガツとむさぼる」 ❸**むしゃむしゃ**は、しきりに口を動かして食べているようす。「わき目もふらずにむしゃむしゃ食べる」 ❹**もりもり**は、たくさんの料理を勢いよく食べるようす。「さあ、もりもり食べて元気をつけよう」 ❺**ばりばり**は、「祖母は歯が丈夫で、かたいせんべいでもバリバリ食べる」のように、かたいものを勢いよくかみくだく音。

口を開け閉めするさま。歌わないで口を開け閉めするさま。「金魚や緋鯉がぞろぞろと出て来て、**パクパク**それをつついた」〈東京の三十年・田山花袋〉「口が**パクパク**動くのと、声がビッタシ合ってんの」〈ゴクミ語録・後藤久美子〉

❷さま タバコをしきりに吸うさま。「シガーを**パクパク**ふかして居る者もある」〈日の出・国木田独歩〉

❸さま ものを軽やかに盛んに食べるさま。「蕎麦饅頭を**ぱくぱく**ってゐた」〈銀の匙・中勘助〉 ⇒使い分け「ぱくぱく」

❹さま ものの合わせ目や継ぎ目が離れかかっているさま。「蓋が**ぱくぱく**開くのを知った」〈学生時代・久米正雄〉

❺さま 老人の歯が抜けて、口に締まりのないさま。「アー歯を抜かれて仕舞った、宜い気味だ。アレ見よ**パクパク**になった」〈落語—地獄旅行・三代目三遊亭円遊〉

はくり 音古 強く力を込めて突き放す音。どたり。「おとどの御前にひき出で来て、**はくり**とついすゑられて」〈落窪物語〉

ぱくり ❶さま 口を大きくあけるさま。大きく口を開いて一度に食べたり飲みこんだり、タバコをふかしたりするさま。「眼前を横切る昆虫を瞬時に**ぱくり**とやる」〈死霊・埴谷雄高〉

❷さま 割れ目や傷口などが大きく開くさま。「底知れぬ深淵が、大きな口を**ぱくり**と明けた」〈金・宮嶋資夫〉

❸名 盗むことや、かっぱらいをいう俗語。「何かの本で、東京の不良少年が、**パクリ**をするとき、それと同じ方法を用ゐることを読んでゐた」〈半自叙伝・菊池寛〉

❹名 勝手に拝借してそのままの真似をすること。『入賞作が、素人写真の**パクリ**だと判明した』

ばくりばくり さま 勢いよくものを食べたり飲んだりするさま。しきりにタバコをふかすさま。「細い雁首をずぅいと伸して吸口を明き、何やらを**ばくりばくり**呑みまする化ものが御座います故」〈七偏人・梅亭金鵞〉

ぱくりぱくり さま タバコを時間をかけて余裕をもって吸うさま。大きく口をあけてものを食べるさま。「たばこを**ぱくりぱくり**のんでしばらく考てゐた所が」〈浮世風呂・式亭三馬〉

ぱくん ❶さま 大きく口をあけてものを食べるさま。「彼は甘藷についてる飯粒を振り払ひ、**ぱくん**と開いた口の中へ抛り込んだ」〈食魔・岡本かの子〉

❷さま 割れ目や傷口などが大きく開くさま。「気抜けしたように**ぱくん**と口をあけて、栓ぬき瓢箪みたいな恰好で空を見上げたまま」〈聴雨・織田作之助〉

ぱこっ ❶音さま ものを軽くたたく音。またそのさま。『カスタネットを**パコッ**とたたく』

❷さま ふたが急に開いたり、ものを簡単に抜いたり差したりするさま。『ケースが**パコッ**と開いた』

ぱこぱこ 音さま 薄いものがへこんだり、でっぱったりする音。また、そのさま。「おまえこそ卒業証書入れる筒に入れて、**パコパコ**音させたろか」〈意外性光った「フット」・藤田曜・朝日新聞・03・2・27・大阪版〉「電車内や病院などオフィス以外でも、携帯電話を使うように携帯パソコンを**パコパコ**操作する光景が見られるかもしれない」〈けいざい世相・読売新聞・97・8・29〉

ばさっ 音さま 広がりのあるものが落ちたり、覆いかぶさったりする音。また、そのさま。ばさり。「**ばさっ**とした八ツ手の木の上からちらちらと灯が洩れてゐた」〈田舎医師の子・相馬泰三〉「古着の塊のように**ばさっ**と泥のなかへまた投げ出された」〈馬喰の果て・伊藤整〉 ⇒使い分け「かぽっ」

ぱさっ ❶音さま 広がりのあるものが落ちたり、覆いかぶさったりする軽い音。また、そのさま。『上着を**パサッ**と背中にかけたままで』

❷ さま かわいたさま。水分のたりないさま。「パサッとしたパンの口ざわりが」〈渡辺文雄の味はつらつ・読売新聞・97・5・18〉

ばさばさ ❶ 音・さま かわいたものがふれて発する騒々しい音。また、そのさま。「木津大尉は**バサバサ**扇子を振りながら」〈春の城・阿川弘之〉「鯉幟《のぼり》が**ばさばさ**と飜《ひるがえ》っては」〈土・長塚節〉
❷ さま 水けがまったくなって散らばっているさま。「**バサバサ**とした髪を掻きまはすやうにしたり」〈恋人たちの森・森茉莉〉
❸ さま 古 余分なものがなく軽やかなさま。「美しくおもてに色をふくみ気しつかろく**はさはさ**として座敷の面白きゆへに」〈洒落本—交代盤栄記〉

ぱさぱさ ❶ 音・さま かわいたものがふれて発する音。また、そのさま。「南天の枝だけが**ぱさぱさ**揺れて鳴ってゐた」〈家族会議・横光利一〉
❷ さま かわいて水分のないさま。じゅうぶんなうるおいのないさま。「いちじくは、二つに割ると、赤い実が**パサパサ**していて、ねっとりとしたあまさがない」〈私の浅草・沢村貞子〉「其時呑み込んだ麺麭《パン》の一片が、如何にも水気がないやうに、**ぱさぱさ**と感ぜられた」〈行人・夏目漱石〉 ⬇使い分け「ぱさぱさ」
❸ さま 気持ちにうるおいのないさま。「淡く語って物足りないのも、人間が**ぱさぱさ**してゐる証拠でせう」〈人情馬鹿物語・川口松太郎〉

ばさらばさら 音・さま 広がりのあるものがゆれ動いたりする音。また、そのさま。「例の櫟の大木の葉が何処やら知れぬ空の中途で**ばさらばさら**と鳴って居る」〈少年・谷崎潤一郎〉

ばさり 音・さま 広がりのあるものが重々しく落ちたり、覆いかぶさったりする音。勢いよくものを広げたり切ったりする音。また、そのさま。「肩の白布に**バサリ**と髪の落ちた瞬間、羽島は呼吸がつまるほどのショックを受けた」〈四角な卵・永井龍男〉「**バサリ**と扇子を開いて」〈今年竹・里見弴〉

ぱさり 音・さま 軽くものが落ちる音。また、そのさま。「**ぱさり**と朴の木の広葉が」〈星座・有島武郎〉「そこで、大石でも誰でもいいや、師直の首を**パサリ**とやるんだ」〈浅草・サトウハチロー〉

はし ⬇コラム「はし・ばし・ぱし」

ばしっ 音・さま 何かに強く当たったり、割れたりする音。非常に強い調子でものごとにあたるさま。「其の脚を上げ、宛ながら馬の如く地面を後ろへ蹴るのである。そして**ばしっ**と板裏の音を立てる」〈女工哀史・細井和喜蔵〉「勢いよく水道の蛇口をひねって**ばしっ**と水音をたてる」〈遠すぎる友・高樹のぶ子〉

ぱしっ 音・さま ものが軽く打ち当たる音。

使い分け

【共通の意味】
うるおいや水けのないようす。

ぱさぱさ

かさかさ／かすかす／すかすか／からから／ばりばり

❶**ぱさぱさ**、**かさかさ**は、乾いて水けや油けのないようす。「髪が傷んで**パサパサ**だ」「このパンは**パサパサ**でおいしくない」「乾燥した天気が続いて、肌が**カサカサ**になった」 ❷**かすかす**、**すかすか**は食べ物に水けが少なく、味がしないようす。「**カスカス**の大根は煮てもおいしくならない」「古くなって**スカスカ**のりんご」 ❸**からから**は、乾いて水けがまったくないようす。「一か月も雨が降らなくて、**カラカラ**の天気が続いている」「今朝から一滴の水も飲んでいないので、のどが**カラカラ**だ」 ❹**ばりばり**は、水分がなくなって、表面がかたくなっているようす。「二週間のキャンプ生活で、皮膚も髪も**バリバリ**だ」

はし・ばし・ぱし

「ばし」は、何かをたたいたり、ものが裂けたりするときに生じる鋭い音を表す。また、遠慮なくきびしくものごとを行ったり、鋭く直言したりするようすを表す。

「ぱし」も何かをたたいたり、ものが跳ねたりするときの音を表すが、「ばし」に比べ、軽くかわいた音感を伝える。どちらも「ばしばし」「ぱしぱし」のような繰り返しの形や、「ばしん」「ばしっ」「ぱしん」のような形で使われることが多い。繰り返しの形は、ものをたたく動作やその音響が続けざまに起こるようすを表す。

「はし」は、「はしはし」の形で動作や状態がきちんとしているようすを表したり、「はっしと」「はっしはっし」の形で、ものを打つさま、ものが爆《は》ぜたりするさま、ものが勢いよく何かに当たるさまなどを表す。「はっしと受けとめる」など、現代語でも使われはするが、いずれも古語や方言などのほうに用例が多い。

【はしの語群】

はしはし・ばしばし・ぱしぱし
はしっ・ばしっ・ぱしっ
はっし・ばっし・ぱっし
ばしり・ぱしり
ばしん・ぱしん
ばっしん・ぱっしん

	—(と)たたく	—(と)続けてたたく	—(と)答えを当てる
ばしばし	○	○	○
ぱしぱし	○	○	—
ばしん	○	△	—
ばしっ	○	△	○
ぱしん	○	△	—
ぱしっ	○	△	△

【表現】

「ばしばし」は、「たたく、打つ」のように、動作の結果、音響が伴う表現と共起する用例が多いが、ものごとを果敢に行うといった意味での擬態語としての用法も盛んである。たとえば「ばしばし買い物をする」のような表現も近年では見かけるようになった。積極性を表現する語法の一つとして、共起する動詞のタイプに広がりが生じているようである。

「ばしっ」「ぱしっ」にも同様の傾向が見られる。たとえば、「言い当てる」「打ち切る」のような動詞とともに用いられるケースが多い。このとき、「ばしっ（と言い当てる）」が鋭く本質を突いて言い当てるといったニュアンスを主に表現するのに対し、「ぱしっ（と言い当てる）」には的確に（または即座に）何かを言い当てるといったニュアンスが伴う。「ぱし」には軽快さを表す語感が伴うようである。

ところで「ぱしぱし」は、「市枝は眼をぱしぱしさせた」（『真理の春』細田民樹）のように、しきりに瞬きをするさまを表すことがあるが、拍の順序が入れ替わった「しぱしぱ」や、「しばしば」といった形も同様の意味で使われる。こちらの形には、「（目を）しばたたく」「しばしば目」（しばたたく目つきの意）といった、瞬きのようすを表す語がある。

（那須昭夫）

きびしい調子でものごとにあたるさま。「皆が欠点をほじくり出す前に、会議を**ぱしっ**と打切る」〈白く塗りたる墓・高橋和巳〉

はしはし ❶音古ものを打ち合わせる音。ぱちぱち。「碁石の玉のやうなを盤に**はしはし**と打てひびかす声律の音律とちやうどかなうたぞ」〈玉塵抄〉 ❷さま古動作や状態が整っているさま。「**はしはし**とした事はなうて面白世間と浮沈して子細もないぞ」〈史記抄〉 方言勤勉なさま。すばやく敏捷《びんしょう》なさま。てきぱき。関東地方・中部地方・中国地方。「**はしはし**動かなけりゃー間に合わねぁー」〈群馬県〉「よく**はしはし**働く子だ」〈埼玉県〉「仕事を**はしはし**やれと言っておいたじゃんか」〈静岡県〉「朝の仕事を**はしはし**やってしまえ」〈埼玉県〉

ばしばし ❶音・さま続けざまにひびく鋭い音。また、続けて強くたたくさま。「波の砕けるしぶきは砂でも叩きつけるように**ばしばし**と顔を打った」〈さぶ・山本周五郎〉 ❷さま遠慮なく、きびしく事を行ったりものを言ったりするさま。「(堪へ難いやうに、**ばしばしと**)私は、はっきり云って置くがね、決してあなたの重荷となる積りはないのだ」〈火のついた踵・宮本百合子〉

ぱしぱし ❶音続けざまにひびく鋭く小さい音。ぱちぱち。「パシパシと焚火の燃えさかるような音が聞えて来た」〈春の城・阿川弘之〉「脱兎のごとく縁側の方へはしり出すゆくてに、**ぱしぱしぱしっ**と、散弾のようなものがばらまかれた」〈江戸忍法帖・山田風太郎〉 ❷音・さまかたくて薄いものが折れ曲がったりふれ合ったりするときに発する音。また、そのさま。「夏の炎天に、パシパシする鋭い稲の葉の中へ顔を突込んで草取りもやった」〈綿・須井一〉 ❸さましきりにまばたきをするさま。ぱちぱち。しばしば。「ノボルのまつ毛は、**ぱしぱし**と絶えずしばたたいていたが」〈洟をたらした神・吉野せい〉 ❹さま方言勤勉なさま。てきぱき。「男は**ぱしぱし**しとらんといかん」〈熊本県〉

ばしゃ ⇩コラム「ばしゃ・ぱしゃ・ばちゃ・ぱちゃ」

ばしゃっ 音・さま水面などをたたいたり、水がものに打ち当たって飛び散ったりする音。また、そのさま。『バシャッと水しぶきをあげて、車が通り過ぎた』

ぱしゃっ ❶音・さま水が飛び散ったりする音。また、そのさま。『時おり魚のはねる音が**ぱしゃっ**と聞こえてくる』 ❷音・さまカメラのシャッターを切るかすかな音。また、そのさま。「記憶というのはシャッターと同じで、一度、パシャッと焼きついてしまうと〈略〉変えることが出来ないのである」〈眠る盃・向田邦子〉

ばしゃばしゃ 音・さま水面などをたてて続けにたたいたり、水がものに打ち当たって飛び散ったりする音。また、そのさま。「三日にゃ十人ぐらゐあつまって**ばしゃばしゃ**と田植をする」〈欅の芽立・橋本英吉〉

ばじゃばじゃ 音水が勢いよくものに当たる音。「叢の葉に、今迄堪へてゐたやうな小便が、勢よくバヂャバヂャと当る音がした」〈不在地主・小林多喜二〉

ぱしゃぱしゃ ❶音たて続けに水面をたたいたり、かき乱したりする音。「しゃがんで引き抜くと、パシャパシャと根本の泥を洗ひ落して束ねた」〈綿・須井一〉 ❷音ものが軽く、続けて打ち当たる音。たて続けにカメラのシャッターを押す音。『網戸をパシャパシャと閉めた』

ばしゃり 音・さま水面などをたたいたり、水がものに打ち当たって飛び散ったりする音。また、そのさま。「石垣へ**ばしゃりば**しゃり波があたって楼中で気が注っかれて見ると」〈根岸お行の松因果の由来・三遊亭円朝〉

ぱしゃり 音ものが一瞬、軽く水面を打つ音。「其鯉が五分に一度位は必ず高い音

コラム　オノマトペのもと

ばしゃ・ぱしゃ・ばちゃ・ぱちゃ

「ばしゃ」「ぱしゃ」は、ものが当たって水が飛び散るようすや、水面をたたくようす、およびその際に発する音を表すほか、カメラのシャッターを切る音など、軽くかすかな音を表す用法もある。また、「ばしゃん」「ぱしゃん」の形では、割れ物が勢いよく倒れたり落ちたりするようすも表す。この用法は「がしゃん(がちゃん)」と似ている。

「ばちゃ」「ぱちゃ」の語群も、水の飛び散るようすやその音を表す点で「ばしゃ」「ぱしゃ」とほぼ類似した意味・用法を持つが、摩擦音の拍「しゃ」が破擦音の拍「ちゃ」と交替することにより、若干のニュアンスの違いがもたらされる。「ばしゃ」「ぱしゃ」に比べると、「ばちゃ」「ぱちゃ」は、水の跳ねる勢いが強いようすを表す。

【ばしゃの語群】

ばしゃばしゃ・ぱしゃぱしゃ
ばしゃっ・ぱしゃっ
ばしゃり・ぱしゃり
ばっしゃばっしゃ・ぱっしゃぱっしゃ
ばしゃん・ぱしゃん
ばっしゃん・ぱっしゃん

	—(と)浅瀬で遊ぶ	—(と)写真を撮る	ガラスを—と割る
ばしゃばしゃ	○	○	—
ぱしゃぱしゃ	○	○	—
ばしゃっ	—	△	—
ぱしゃっ	—	○	—
ばしゃん	—	—	○
ぱしゃん	—	—	○
ばしゃり	—	△	—
ぱしゃり	—	△	—

【表現】

「ぱしゃ」—「ぱちゃ」のように、類似の意味を表しながらも摩擦拍「しゃ」と破擦拍「ちゃ」が入れ替わるオノマトペのペアは比較的多い。「びしょびしょ」と「びちょびちょ」、「くしゃくしゃ」と「くちゃくちゃ」のペアなどが類例であるが、一般に、摩擦音に対して破擦音は子どもっぽさの表象と深いかかわりがあるといわれる。たとえば、軽く洗顔するようすが「ぱしゃぱしゃ」で表せるのに対し、子どもが元気よく水遊びをしているようすを表すには「ぱちゃぱちゃ」や「ばちゃばちゃ」がよりふさわしい。

破擦音と子どもっぽさとのかかわりは、オノマトペ以外の言語についても見てとれる。いわゆる幼児語(ないしは育児語)である。たとえば「ジューチュ(ジュース)」、「〜でちゅ(〜です)」、「貸ちて(貸して)」のように、子ども向けに発する言語形式には摩擦音を破擦化した形が多い。敬称の「〜さん」が愛称的な「〜ちゃん」になるのも同様の例である。

オノマトペと幼児語は類似点が多いのだが、両者の関係の正確なところはまだよくわかっていない。しかし、「ワンワン」のような擬声語が子どもの語彙に多いことなどから、どこかに両者のつながりがありそうで、興味の尽きないところである。

(那須昭夫)

を立てて**ぱしゃり**と水を打つ」〈思ひ出す事など・夏目漱石〉

ばしゃん 音・さま 勢いよく水面を打つ音。また、そのさま。「**バシャン**といふ大きな音がした。身体を濡らさないで、とびこんだものらしい」〈故旧忘れ得べき・高見順〉

ぱしゃん 音・さま ものが水面を打つ音。もの同士が軽く打ち当たる音。また、そのさま。『水たまりに**ぱしゃん**とはまる』「**パシャン**、**パシャン**という単純なプレス加工の作業の中で、どうやってコストを4分の1も抑えることができるのか」〈敗軍の将、兵を語る・日経ビジネス・01・1・1〉

ばしり ❶音・さま かたいものを打ちつける音。また、そのさま。『**バシリ**と机の上をたたいて、説教を始めた』❷さま 思いきって何かをするさま。「彼女は梳いてゐた髪を握鋏で**バシリ**と七八寸も切って」〈秋立つまで・嘉村礒多〉

ばしん 音・さま かたいものが、何かに強く当たったり、割れたりする音。また、そのさま。『閉まりかけたドアに**バシン**とはさまれた』

ぱしん 音・さま 平たいものなどを強くたたきつける音。また、そのさま。「**パシン**と音がして、怪漢が地にたたきつけられた」〈自由学校・獅子文六〉

はた ❶音・さま 突然、ものがぶつかり合ったり落ちたりする音。人やものを勢いよく打ったり蹴ったりするさま。はった。はたっ。「泬寥《けつれう》たる春夜の真中に、和尚は**はた**と掌を拍つ」〈草枕・夏目漱石〉「よっぴいてひゃうどいる。手ごたへして**はた**とあたる」〈平家物語〉❷さま 動作や状態が急激に転換するさま。突然動作を中止するさま。「一歩を踏み出さんとしたまま、**はた**と停止している地点である」〈死霊・埴谷雄高〉「承らんと申されけるに、大納言入道、**はた**とつまりて」〈徒然草〉❸さま 思いがけず出会うさま。ばったり。「貴婦人の婦人待合室より出で来たるには**はた**と行き逢ひたり」〈不如帰・徳冨蘆花〉「赤壁と云処にて、**はた**と曹操に相逢ふ也」〈中華若木詩抄〉❹さま ゆるぎのないさま。目を据えて強くにらむさま。「**はた**と睨《ね》めて動かざる眼《まなこ》には見る見る涙を湛《たた》へて」〈金色夜叉・尾崎紅葉〉

ばたくさ さま あわただしくまとまりのないことを行うさま。ばたばた。「下手講師ひとり**ばたくさ**皆昼寝」〈雑俳―誹風柳多留〉

ばたすた 音・さま せわしく歩き回るときの騒がしい音。また、そのさま。「茶碗を洗ふ、揚板を踏む、がらがら**ばたすた**と騒々しい中で」〈二人女房・尾崎紅葉〉

はたっ さま 突然動きのとだえるさま。物音などの急にやむさま。はた。はった。「少女曲芸団の幟が、重い風に**はたっ**と止まってゐた」〈彼女とゴミ箱・一瀬直行〉

ばたっ ❶音・さま 重みのあるものが勢いよく急に落ちたり倒れたりぶつかったりする音。また、そのさま。「書物を**ばたっ**と取落して」〈星座・有島武郎〉❷さま ものごとが急に絶えるさま。『事件以来、**ばたっ**と来なくなった』

ぱたっ ❶音・さま ものが軽い感じで急に落ちたり倒れたりぶつかったりする音。また、そのさま。『ドアを**パタッ**と閉めた』❷さま ものごとが急に絶えるさま。「ところが雨はまもなく**ぱたっ**とやみました」〈谷・宮沢賢治〉

はたはた ❶音・さま 続けざまに打ち合わせる音。また、そのさま。「急に人気の失くなった寂しさを覚えて、其辺《そこいら》の障子も**はたはた**と閉めた」〈栄華・田村俊子〉❷音・さま 団扇《うちわ》を使ったり、旗などがあおられたりしてたてる音。鳥のはばたく音。また、そのさま。「胸のあたりを**はたはた**と打あふぐ」〈にごりえ・樋口一葉〉 ➡使い分け「ひらひら」

❸ さま 古 動作が迅速であるさま。機敏であるさま。「『物さはがしく候。見候はん』と云て、**はたはた**と打出けるこそ、時にとりてよにたのもしかりけれ」〈愚管抄〉

❹ さま 方言 心配するさま。はらはら。「子どもの走りぐっちょうばってん(走り回っているけれども)、親の方が**はたはた**するっちゃもん」〈福岡県〉

ばたばた

❶ 音・さま 続けざまにはげしく打ち合わせる音。また、そのさま。「『ようよう』茂作と、新さんと、謀合《しめしあは》したやうにテーブルを**ばたばた**と叩いた」〈露芝・久保田万太郎〉

❷ 音・さま 音をたてて勢いよく歩くさま。手足を強く振ったり床に打ちつけたりするさま。「悪魔は、彼女の胸壁に鋭い爪を立ててぶらさがり、足を**ばたばた**させていた」〈がらくた博物館・大庭みな子〉「私の名を呼んで後ろから**ばたばた**と追ひ縋った者がある」〈少年・谷崎潤一郎〉

❸ 音・さま 羽音や団扇《うちわ》などを大きくあおぐ音。また、そのさま。「**ばたばた**と団扇《うちは》を使ひながら」〈黴・徳田秋声〉「おつたはぎりっと絞った手拭を開いて**ばたばた**と叩いた」〈土・長塚節〉⬇使い分け「ひらひら」

❹ さま ものが続けざまに倒れたり衰えたりするさま。「**ばたばた**人が死んで行くんで」〈帰郷・大仏次郎〉

❺ さま あわただしく事を行うさま。あわてもがくさま。「馬鹿馬鹿しい賭《か》けっこなんてよしだ。いくら**ばたばた**したって同じだ」〈煤煙の臭ひ・宮地嘉六〉「そんな時は急に誰でも、**バタバタ**と心が『あやしく』騒ぎ立った」〈蟹工船・小林多喜二〉

❻ 名 歌舞伎の演出用語。人物のあわただしい出入りの効果をさしていう。最初は実際に足音をさせて聞かせていたが、のちには拍子木を付板の上で交互に打って、人物の駆け出してくるのを強調する。「**ばたばた**にて官蔵出る」〈歌舞伎―幼稚子敵討・並木正三〉

❼ 名 オート三輪、また、オートバイのこと。「**バタバタ**―というのはオート三輪のことですが」〈道・庄野潤三〉

✺エンジンの音がかん高くばたばたと鳴りひびくところから。「ばたばたオートバイ」ともいう。

ぱたぱた

❶ 音・さま 続けざまに軽く打ち合わせる音。風などに吹かれて布をたたくような軽い規則的な音。また、そのさま。「狭い靴ぬぎ場で後向きになり着物の裾を**ぱたぱた**とはたいた」〈白く塗りたる墓・高橋和巳〉「机や本箱へ**パタパタ**と払塵《はたき》を掛けてゐる」〈平凡・二葉亭四迷〉

❷ 音・さま 軽い音をたてて勢いよく歩くさま。「遠い廊下を**ぱたぱた**駈けて来る足音が聴こえた」〈明暗・夏目漱石〉

❸ 音・さま 羽音や団扇《うちわ》などを軽くあおぐ音。また、そのさま。「足もとから雉子が**ぱたぱた**飛び出す」〈思出の記・徳冨蘆花〉⬇使い分け「ひらひら」

❹ 音・さま ものが続けざまに倒れる音。また、そのさま。ものごとが衰えたりするさま。「ドミノが**パタパタ**と倒れはじめた」「池じゅうのさぎが、いっせいに**ぱたぱた**と池に落ちて死んでしまいました」〈古事記物語・鈴木三重吉〉

❺ さま 事を続けざまに、軽やかに行うさま。あわてもがくさま。事がはかどるさま。「存外**ぱたぱた**と気持よく片づき」〈大道無門・里見弴〉

はたり

❶ 音・さま ものが落ちるときの軽い音。軽く打ち合わされる音。また、そのさま。「窓を**はたり**と卸《おろ》す」〈虞美人草・夏目漱石〉

❷ さま 突然動きがとだえたり、思いがけず出会ったりするさま。「静な足音がちかづいて**はたり**と障子のそとでとまった」〈銀の匙・中勘助〉「思ひ懸けない人に**はたり**と出会った」〈道草・夏目漱石〉

ばたり

❶ 音・さま ものが当たったり勢いよ

く倒れたりする音。また、そのさま。「体は**ばたり**と僕の腕に倒れて」〈思出の記・徳冨蘆花〉

❷ さま 動きや音などが強い印象を残して突然とだえるさま。思いがけず出会ったりするさま。「送火や**ばたり**と消てなつかしき」〈七番日記・一茶〉

ぱたり ❶ 音・さま ものが軽くぶつかったり軽いものが落ちる音。また、そのさま。「**パタリ**と落ちるは一通の手紙なり」〈内地雑居未来之夢・坪内逍遙〉

❷ さま 思いがけず軽い感じで出会うさま。あっさりと終わるさま。「夢の中の小野さんと**ぱたり**と合った」〈虞美人草・夏目漱石〉「太鼓の低い長い不気味な音がときどき**パタリ**と止ると」〈がらくた博物館・大庭みな子〉

はたりはたり ❶ 音 古 連続してかすかに聞こえる、ものを軽く打つ音。「几帳の内に、物の**はたりはたり**と鳴ければ」〈今昔物語集〉

❷ 音 古 廊下などを遅い足どりでひそかに歩く音。「今廊下を**はたりはたり**とかへる」〈洒落本—婦美車紫𪊲〉

❸ さま 次から次へと続いて倒れるさま。「燃え切った灰は、棒の儘《まま》で、**はたりはたり**と香炉の中に倒れつつある」〈虞美人草・夏目漱石〉

ばたりばたり ❶ 音・さま 平らなものが風にあおられて出す大きな音。また、そのさま。「菰簾**ばたりばたり**としぐれ哉」〈七番日記・一茶〉「板塀の三尺の開きが**バタリバタリ**と風にあほられて居ますのに」〈怪談牡丹燈籠・三遊亭円朝〉

❷ 音・さま 草《ぞう》履《り》を地面に打ちつけて歩くときに出る音。また、そのさま。「二階へあがる上草履の**バタリバタリ**の声に和して」〈当世書生気質・坪内逍遙〉

ぱたりぱたり ❶ 音・さま 団《うち》扇《わ》などを遅い動きであおぐ音。また、そのさま。「上形風の塗柄の団扇を持て、**パタリパタリ**と通る姿を、月影に透し見るに」〈怪談牡丹燈籠・三遊亭円朝〉

❷ 音・さま 水滴が時間をかけて連続的に落ちる軽い音。また、そのさま。「榎の雫が**ぱたりぱたり**と洋傘《かさ》に落ちる」〈山彦・鈴木三重吉〉

ばたん ❶ 音・さま 一度ものが強く当たってたてる耳にひびく音。また、そのさま。「**ばたん**と書物をふせるやうに」〈或る女・有島武郎〉

❷ 音・さま 戸を一回開け閉めするときの大きな音。また、そのさま。「**バタン**といふ玄関の戸の音に」〈故旧忘れ得べき・高見順〉

ぱたん ❶ 音・さま 軽くものが当たったり倒れたりする音。また、そのさま。「彼は**パタン**と帳面を閉《ふ》せると共に鋭《けは》しい目容《まなざし》をしたが」〈野心・永井荷風〉

❷ さま 動きや音などが突然簡単にとだえるさま。「声をつかふ商売の人たちには調子をやると云ってときどき**パタン**と声のでなくなってしまふときがあるのですが」〈寄席風俗・正岡容〉

ばたんきゅー ❶ さま はげしい疲労や酔いなどで、横になるとすぐ深い眠りに落ちるさま。「部屋に戻ると、**バタンキュー**」〈旅の素・阿川佐和子〉

❷ さま 突然倒れるなどして、命を失うさま。ばったり。「心臓麻痺で**ぱたんキュー**といったらしく」〈とむらい師たち・野坂昭如〉

ぱちくり ❶ さま 盛んに大きくまばたきして驚いたりあきれたりするさま。「私は眼を**ぱちくり**させて、答えられなかった」〈男鹿・田村泰次郎〉「目ばかり**ぱちくり**あきるる顔」〈桐一葉・坪内逍遙〉

❷ 音・さま 扇子などを小さく開いたり閉じたりする音。また、そのさま。「稽古のすむまで縁近くに坐って扇子を**ぱちくり**させながら」〈すみだ川・永井荷風〉

ぱちっ ❶ 音 何かを強くたたく音。火花が散ってはじける音。「乾燥した季節にドアノブやエレベーターボタンに触れるとバ

は

チッと音がして痛みが走る」〈ニッポンの技術再発見・週刊東洋経済・05・4・23〉

❷さま じゅうぶんなさま。ちょうど具合のよいさま。『**ぱちっ**と視線が合った』「ファーストシーンから**ぱちっ**とスクリーンに魅《ひ》き入れられてまう」〈エロ事師たち・野坂昭如〉

ぱちっ ❶音 かたいもの同士がぶつかって一瞬ひびく鋭く小さな音。「『ごちそうさん』勝治は箸を**ぱちっ**と置いてお辞儀をした」〈日の出前・太宰治〉

❷さま 目を大きく見開くさま。「弟の児も末の女の児まで、眼を**パチッ**と見開いて」〈悲しき配分・鷹野つぎ〉

❸さま 動きや形の輪郭がよくきわだっているさま。「すっかり何か、**ぱちっ**とした新鮮なものをみなが求めていたのは、この戦争がおわった、その翌日からの話なんですが」〈おしゃれ案内・マダム・マサコ〉

はちはち ❶音・さま古 ものとものが打ち合って出る音。焼けてはぜる音。また、そのさま。「腰より寸珎《すんちん》の算盤出して**はちはち**とはぢいて」〈医者談義〉「忽ち**はちはちはち**とはねる拍子に」〈松翁道話〉

❷さま方言 頭痛がはげしいさま。「頭が**はちはち**痛む」〈徳島県〉「頭痛で頭が割れそうに**はちはち**する」〈長崎県対馬〉

❸さま方言 興奮して頭に血がのぼるさま。「**はちはち**なる」〈香川県〉

ばちばち ❶音・さま ひどくものが焼けたり、はげしく火花の散る音。また、そのさま。「相手の体に接触すると、二十万ボルトの電気が流れて〈略〉店員がテストすると、**バチバチ**と耳をつんざくような音がした」〈「子供・女性狙い」の撃退法・AERA・97・9・1〉

❷音・さま 続けざまにはじけたり、たたいたりする音。また、そのさま。「由三の小さい固い頭を、平手で**バチバチ**なぐりつけた」〈不在地主・小林多喜二〉「盤上に石を下《くだ》す音**バチバチ**」〈雪中梅・末広鉄腸〉

ぱちぱち ❶音・さま 続けざまにひびく鋭く小さい音。火の強くはぜて燃える音。放電などの音。手を続けて打ち鳴らす音。また、そのさま。「**ぱちぱち**といふ音の外に、ぱんぱんと鉄砲を打つやうな音も聞こえてゐた」〈火事とポチ・有島武郎〉「筆を咥《くは》へて**ぱちぱち**と算盤を弾くは」〈閑情末摘花・松亭金水〉「妙な所で手を**ぱちぱち**と叩く」〈吾輩は猫である・夏目漱石〉

❷音・さま カメラのシャッターを次々に切る音。また、そのさま。「そこかしこにひそんだカメラマン**ぱちぱち**シャッターを切る」〈とむらい師たち・野坂昭如〉

❸さま しきりにまばたきをするさま。「あっけに取られて、眼を**ぱちぱち**させた」〈坊っちゃん・夏目漱石〉⬇使い分け「ちかちか」

❹さま こまかい模様のさま。「着付は**ぱちぱち**とした小紋太織の綿あつなる布子」〈戯場粋言幕の外・式亭三馬〉

❺さま 服の寸法がきついさま。「薄い、真黒い上服《うわふく》をピッタリと着込んで、丸い乳と卵型《たまごなり》のお尻をタマラナイ流線型に**パチパチ**と膨《ふく》らましている」〈超人鬚野博士・夢野久作〉

ばちゃ ⬇コラム「ばしゃ・ぱしゃ・ばちゃ・ぱちゃ」

ばちゃっ 音・さま 大きく水がはねかかる音。水中に人が飛びこんだり、ものが落ちたりする音。また、そのさま。「**バチャッ**と足の裏で湯を打つような入り方をすれば、周りの人の顔に湯がはねる」〈よいしぐさほど理にかなう・朝日新聞・94・9・4〉

ぱちゃっ 音・さま 軽いものが水に落ちて出る、小さく水がはねる音。また、そのさま。『鯉が**パチャッ**と頭の向きを変えた』

ばちゃばちゃ 音・さま 水面を何度もたたいたり、水がものに勢いよく当たったりする音。また、そのさま。「**バチャバチャ**と洗濯の音をさしてゐる」〈鳥影・石川啄木〉

ぱちゃぱちゃ 音・さま 軽く水面を打つ音。また、そのさま。「朝になると二羽そろっ

て洞庭の湖水で**ぱちゃぱちゃ**とからだを洗ひ口を嗽《すす》ぎ」〈竹青・太宰治〉

はちゃめちゃ さま ものごとが収拾がつかないほど混乱したさま。めちゃくちゃ。「この**ハチャメチャ**な設定が」〈サイモン印・柴門ふみ〉

ばちゃり 音 水がはねかかる音。水中に人が飛びこんだり、ものが落ちたりする音。「**ばちゃり**……内《うち》端《は》に湯が動いた」〈眉かくしの霊・泉鏡花〉

ぱちゃり 音 軽く水がはねかかる音。水に落ちる際の小さな音。『記念のコインを**パチャリ**と池に投げ入れた』

ばちゃん 音 勢いよく水がはねかかる音。水中に人が飛びこんだり、ものが落ちたりする音。「ときどき**ばちゃん**と水の中に飛びこんで」〈苦の世界・宇野浩二〉

ぱちゃん 音 水に落ちる際の小さな音。平手で軽くたたく音。「長い尻尾が、**ぱちゃん**と大きくヤシの梢《こずえ》を叩く」〈恐龍艇の冒険・海野十三〉

ぱちり ❶ 音 かたいものが折れたりぶつかったりして発する鋭く小さい音。「銀製の烟草入を出して**ぱちり**と開けた」〈虞美人草・夏目漱石〉

❷ さま 目を大きくあけるさま。また、そのような印象をあたえるさま。「丸顔の、眼の**パチリ**とした可愛い娘《こ》」〈波の音・国木田独歩〉

❸ 音 カメラのシャッターを一度切る音。ぱしゃっ。「写真器は〈略〉レンズを向けて**パチリ**やりさへすれば、殆んど自動的に写るやうにできては居りますが」〈フィルム写真術・高桑勝雄〉

ばちん 音 一度ものを強くたたいたり、綴じつけたりするときの音。『**バチン**といきなり平手をくらった』「熊だの取りに来ると、枝にあたって**ばちん**とはねかへって殺すやうにしかけたりして」〈祭の晩・宮沢賢治〉

ぱちん ❶ 音 金属などかたいものがぶつかって発する鋭く小さい音。口金を締める音。スイッチの音。碁石を打つ音。「しばらく刀を拝見しているようなふりをしていたが、やがて**パチン**と鞘におさめて押しいただき」〈鳥獣戯話・花田清輝〉

❷ 名 帯留めの両端につける金具。また、それのついた帯留め。ぱちんどめ。「帯は繻珍《しゅちん》か夏雄の彫りの**ぱちん**の金具は滝に鯉」〈花ごもり・樋口一葉〉

はっ ✹金具を合わせてとめる際の音から。

❶ さま 思いがけない出来事に驚くさま。「降り立った一組の男女になにげなく視線を向けた蒔田は、**はっ**とした」〈砂漠の駅・森村誠一〉

✹感嘆して発することば「は」「はっ」から。

❷ さま 動作や状態の変化が急であるさま。勢いよく押し寄せたり、散ったりするさま。ぱっ。「俊寛が妻の幽霊ぞや。手取にして見よといふより姿**はっ**と消へ、忽人のしゃれかうべ」〈浄瑠璃―平家女護島・近松門左衛門〉

❸ さま 古 はでで目に立つさま。「奥ぶかには見へず、**はっ**とならずは、此里に出ぬがまし也」〈好色二代男・井原西鶴〉

ばっ ❶ 音・さま 力がこもって、勢いよくあたりへ広がる音。また、そのさま。「大薬鑵《おおやかん》を取って〈略〉顛覆《ひっくりかへ》しましたから、**ばっ**と灰神楽が上りまして」〈真景累ケ淵・三遊亭円朝〉

❷ 音・さま 強く風を切って動く際の音。動作や状態の変化が急であるさま。急で勢いのあるさま。「**ばっ**と音がして、何物だか飛び出した。案内の市川君が鶉ですと云ったので始めてさうかと気がついた位早く」〈満韓ところどころ・夏目漱石〉

❸ さま はでで人目につくさま。はなやかで人目をひくさま。「女は**ばっ**とした色気の中微塵《ちりみぢん》の小紋の羽織で、男と対の浴衣を着てゐる」〈隣の女・尾崎紅葉〉

ぱっ ❶ さま 軽やかに勢いよくあたりへ広

がるさま。「単語のカアドが二三枚**ぱっと**飛び散った」〈思ひ出・太宰治〉

❷さま 動作や状態の変化が急であるさま。急で勢いのあるさま。『**ぱっと**見は、三十歳ぐらいだが』「いきなり**ぱっと**あたしの胸をひっ叩くんでせう」〈家族会議・横光利一〉「**ぱっと**二つに割ると、中から小楊枝が飛び出すので」〈大英游記・杉村楚人冠〉

❸さま 急に明るくなるさま。電気がついたり、火がつくさま。「ぶすぶす煙る雑木を大火箸であらけ、**ぱっと**燃え付いたところへ」〈千曲川のスケッチ・島崎藤村〉

❹さま はなやかで人目につくさま。「カメラは、〈略〉他の報道陣の人々、あるいは自分自身の表情を**ぱっと**大写しにすべきなんですね」〈白く塗りたる墓・高橋和巳〉「西洋葵の**ぱっと**した赤い花の壺を」〈桑の実・鈴木三重吉〉

ばっか さま 古 ものが勢いよく割れたり裂けたりするさま。「光重がかぶとのまっかうを二つに**ばっか**ときりわられ」〈幸若—四国落〉

ぱっかぱっか 音 ウマの軽やかに歩むひづめの音。「馬車の上にのっていた二人の男がつかみ合いを始めた。〈略〉人通りの中を縫うように**パッカ**、**パッカ**と南へ進んだ」〈長春五馬路・木山捷平〉

ぱっかり さま 軽い調子で口などがあいたり、ものが割れたりするさま。ぽっかり。「巨大な、どんよりとした眼が、**パッカリ**と二つあいていて眉毛は無い」〈大菩薩峠・中里介山〉「**ぱっかり**と雲のわれ目に十三夜」〈雑俳—誹風柳多留〉

はっき さま 古 確かであるさま。明らかであるさま。はっきり。はき。「**はっき**と年のしれざれば」〈俳諧—鶉衣〉

はっきり ❶さま 他との区別が明らかで、あざやかに認識できるさま。明らかに。「自動車のタイヤのあとが、**はっきり**と形押しされている」〈エオンタ・金井美恵子〉「秋がきたといふて、それと**はっきり**と目には見えぬけれど」〈古今集遠鏡〉⬇使い分け「くっきり」

❷さま 定まっていて他の可能性が考えられないさま。確実に。確かに。「これでお互ひが極め附きのマヌケだと言ふことが、**はっきり**判っただろ」〈ボロ家の春秋・梅崎春生〉「実は貴方をメンバーに組み込んでありますが、**はっきり**した事は明日で無いと申上げられません」〈若い人・石坂洋次郎〉

❸さま 心身が晴れやかで、さわやかな状態。すっきり。さっぱり。「水の如く流れ込む新しい空気は〈略〉人々の重い鈍った頭を冷やして、気も清《すが》やかに**亮然**《はっきり》となる」〈恋慕ながし・小栗風葉〉

❹さま 自分の気持ちを表したり、何かをしたりするのに遠慮もなく、明確であるさま。『彼は、**はっきり**しているからね』「なんのコンピラ（漬け物）だ。**はっきり**言え」〈いやな感じ・高見順〉⬇使い分け「きっぱり」

ばっくり さま 口やものが勢いよく裂けたりして大きく開くさま。『カバンがナイフで**バックリ**切り裂かれていた』

ぱっくり さま 口やものが簡単に、裂けたりして大きく開くさま。「蟬の脱殻であった。それは背中のまんなかから**ぱっくり**裂けた〈略〉小さな鎧であった」〈田園の憂鬱・佐藤春夫〉

ぱっくん さま 口を大きくあけていっぺんに食べたり、飲みこんだりするさま。「ひゃくにんで たべたいな ふじさんの うえで おにぎりを **ぱっくん** ぱっくんと」〈いちねんせいになったら・まどみちお〉

ばっくんばっくん さま 心臓の鼓動がはげしいさま。『緊張のあまり、心臓が**バックンバックン**と破裂しそうだった』

ばっさばっさ 音・さま 次々に勢いよく切ったり、振ったりする音。また、そのさま。「上ってくる荒武者どもはかねて伏せおいた腕ききの家士のために、**バッサバッサ**切られておじゃった」〈おあんさま・大原富枝〉

ばっさり ❶さま ものがまとまりなく広がるさま。しどけないさま。「洗髪の潰《つぶ》し島田、**ばっさり**して稍ほつれたのに横櫛で」〈湯島詣・泉鏡花〉❷さま 刀などで勢いよく切るさま。「主人に**バッサリ**と首ぶち切られる敵役」〈歌舞伎―霊験曾我籬・鶴屋南北〉➡使い分け「ばっさり」❸さま 思いきって捨てたり除いたりするさま。『**ばっさり**やって半分の量にした』「つまり警察機構を**バッサリ**やったりすることはないだろう」〈記念碑・堀田善衛〉❹さま 方言 失敗や失望するさま。残念なさま。「ばったり」ともいう。「**ばっさり**する（失敗する）」〈三重県〉「私も大事の人に死なれて**ばっさり**かやったきにのーし」〈高知県〉

ぱっさり ❶音・さま 広がりのあるものが落ちたり、覆いかぶさったりする音。何の抵抗もなくものを広げる音。また、そのさま。「松の木目あてに、手裏剣**ぱっさり**、おちるところを、どっさりちょんのまく、三段目の世話場に、立役、たたみをあぐれば」〈歌謡―粋の懐〉❷さま 刀などで簡単に切るさま。「酔っぱらったままで**ぱっさり**とやられや、本人は却ってらくでいいかな」〈武装せる市街・黒島伝治〉

はっし ❶さま 矢や槍、石つぶてなどが勢いよく飛んで、ものに突き立ったり、打ち当たるさま。「庭へ飛び降り小石を拾ひ、**はっし**とぶっつけた。狆の頭部に命中した」〈ロマネスク・太宰治〉❷さま 刀剣などかたいものがはげしく打ち当たったり、強く重いものを体全体でうけとめるさま。「**はっし**と火鉢をうちたる勢《いきほひ》に、煙管の羅宇《らう》はぽっきと折れ」〈不如帰・徳冨蘆花〉❸さま きびしく張りつめたさま。「山茶のなりは葉が厚して、**はっし**として、しかも有レ稜が一向しきめの甲の如にして健なぞ」〈四河入海〉

はっしり さま 古 心などが、明らかなさま。「物体かねたを仁と云と、心に**はっしり**とさめ、身にひっしりと無ニ余義一功夫はたたぬぞ」〈仁説問答師説〉

はった ❶音・さま 突然、ものがぶつかり合ったり落ちたりする音。人やものを勢いよく打ったり蹴ったりするさま。「額際《ひたいぎは》を**はった**と蹴て」〈浄瑠璃―心中天の網島・近松門左衛門〉❷さま 突然動作が中止されるさま。困惑して途方に暮れるさま。「時雨は**はった**と已《や》み、あとの静寂《しづけさ》譬《たと》ふるに物なし」〈自然と人生・徳冨蘆花〉❸さま ゆるぎなく安定しているさま。目を据えて強くにらむさま。「膝をおさへて、**はった**とにらみて、〈略〉右の手をさしのべて、後ざまへおしければ」〈曾我物語〉❹さま 完全にその状態になるさま。「**はった**としつねんいたひてござる」〈狂言―麻生〉✹「はた」を強めた言い方。

使い分け

【共通の意味】一気に切ったり、割ったりするようす。

ばっさり **ざっくり／じょきじょき／ざくざく／すっぱり**

❶**ばっさり**は、「長い髪を**ばっさり**切った」のように、大量のものを思い切って一気に切るようす。**ざっくり**は、量があってあまりかたくないものを、力を込めて一気に切るようす。「よく研いだ鎌で、稲の束を**ザックリ**と切る」❷**じょきじょき**は、はさみで、布、髪を勢いよく切るようすやその音。**ざくざく**は、野菜などを無造作に粗く刻むようすや音。❸**すっぱり**は、刀や包丁で、勢いよく一気に切るようす。「斧で青竹を**すっぱり**切り落とした」

は

ばったばった ❶ さま 続けざまに倒したり倒れるさま。「敬二の父は師に群がる刺客を父自身**ばったばった**と片端から斬り倒す夢を見た」〈黒い眼と茶色の目・徳冨蘆花〉 ❷ 音・さま 次から次へと戸などを閉める音。また、そのさま。「家々みせの戸**ばったばった**」〈洒落本―大通秘密論〉 ❸ 音・さま 乱暴に歩くときにたてる騒がしい音。また、そのさま。「はうばいの娼妓《おいらん》達が客を送り出して**バッタバッタバッタ**足並てうれんで廊下を通りながら」〈西洋道中膝栗毛・仮名垣魯文〉

ばったひし さま しつこくせめ騒ぐさま。やいのやいの。「それうたへ、たれうたへと、**ばったひし**とあらそふ」〈幸若―伏見常盤〉

はったり ❶ さま 古 余裕があってじゅうぶんであるさま。酒のお燗の適当なさま。「酒の燗**はったり**に、けふのうさをはらし」〈談義本―化物判取牒〉 ❷ さま 古 ゆとりがあって、あくせくしないさま。「病気あがりに要《い》らざる争ひ、気を**はったり**と持給へ」〈浄瑠璃―本朝檀特山〉 ❸ さま 古 動作や状態が急激に転換するさま。ある動作や状態に集中するさま。→はた② 「**はったり**と打忘れ、今日ふっと思ひ出し」〈浄瑠璃―女殺油地獄・近松門左衛門〉

ばったり ❶ 音・さま 急に落ちたり倒れたりするさま。戸や障子などを閉め切る音。また、そのさま。「追ひ疲れて、**ばったり**砂場《さじやう》に倒れながら」〈思出の記・徳冨蘆花〉 ❷ さま 人と人とが驚くほど偶然に出会うさま。「思はず**バッタリ**行当り互にこれはと顔見合せ」〈春色梅児誉美・為永春水〉 ❸ さま ものごとが急にとだえるさま。「**ば**ったりと跡の淋しき花火かな〈可幸〉」〈俳諧新選〉 ❹ さま 日が急激に暮れるさま。「今迄鼠色に見えた世界が、突然と四方から**ばったり**暮れた」〈永日小品・夏目漱石〉 ❺ さま 方言 残念なさま。「ばっさり」ともいう。「答案へ名前書くこと忘れて、**ばったり**いた」〈高知県〉

ぱったり ❶ 音・さま ものが簡単に急に落ちたり倒れたりする音。戸や障子などを軽く閉め切る音。また、そのさま。「虚空を摑んで横に**ぱったり**倒れましたから」〈真景累ケ淵・三遊亭円朝〉「後《あと》は**ぱッたり**立て切る障子」〈人情本―恩愛二葉草〉 ❷ さま 人と人とが思いがけず出会うさま。「前日の美人と**ぱったり**逢った」〈湯島詣・泉鏡花〉 ❸ さま ものごとが軽い調子で急に終わってしまうさま。「そのため太平洋従来の捕鯨業は**ぱったり**になった」〈黒船前後・服部之総〉 ❹ さま 日が急激に暮れるさま。「既にして日は**パッタリ**暮れる」〈浮雲・二葉亭四迷〉

ばったりこ 名 長い板などの中央を台で支え、両端に子どもが乗って交互に上下する遊び。また、その遊具。シーソー。✽「ばったんこ」ともいう。

ばったん 音・さま 重いものが急に落ちたり倒れたりする音。戸や障子などを力を込めて閉めきる音。また、そのさま。

ぱったん 音・さま ものが簡単に急に落ちたり倒れたりする音。戸や障子などを力を入れずに閉めきる音。また、そのさま。

ばったんこ ❶→ばったりこ。❷ さま 騒々しく折り曲げたり、たてたりするさま。「庭をへだてた向うの部屋で、誰れか体操をしている。腰をしきりに曲げ、上半身を**バッタンコ**させている」〈夢声戦争日記・徳川夢声〉

ばっちり ❶ さま 抜け目なく、じゅうぶんであるさま。「腹拵《はらごしら》えができれば**バッチリ**と働くことも可能になる」〈吉里吉里人・井上ひさし〉 ❷ さま ちょうど具合のよいさま。「ぼくの車は、時速五十キロ以上出ないので、安全運転**ばっちり**である」〈吉里吉里人・井上ひさし〉

ぱっちり ❶ 音・さま ものが裂けたり、割

れたり、閉じたり、軽く当たったりする音。また、そのさま。「『なかなか別品《べっぴん》だね。』と扇子《あふぎ》**ぱっちり**」〈二人女房・尾崎紅葉〉「今に腹がさけるであらふぞといふ内、腹で**ぱっちり**と音がすれば」〈咄本―寿々葉羅井〉

❷さま 動きや形の輪郭がよくきわだっているさま。目を大きく見開くさま。「冬の弱い日光にすら眼を**パッチリ**とは開いて居られないやうな心持になって来ました」〈濁った頭・志賀直哉〉「何か**ぱっちり**した縞の綿入に白茶の帯をしめ」〈思出の記・徳冨蘆花〉

❸さま 女性を自分の意のままにするさま。「客人、貴公はお娘《むす》を**パッチリ**と」〈歌舞伎―高麗大和皇白浪・鶴屋南北〉

ぱっちん 名 平たい紙でできた、打ちつけて勝負を争う男の子の遊び道具。めんこ。また、それを用いてする遊び。「金さんの息子とわたしとは、ビー玉と**パッチン**友達だった」〈鼻・後藤明生〉

ばっつばっつ さま 方言 遠慮なく言ったり断言するさま。「あの人は、何でも**ばっつばっつ**と言う人だ」〈岩手県〉

ぱっぱ ❶さま ものが散ったり、あたりに広がったりするさま。「うすら禿《はげ》の頭の地まで真赤にし、**ぱっぱ**と唾を反《そ》っ歯《ぱ》の合間から撥《はじ》き出しながら」〈白い壁・本庄陸男〉「埃**ぱっぱ**とかんかん道なれば」〈菊宛一茶書簡〉

❷さま 金などを次々に惜しげもなく使うさま。「無益の事に**パッパ**と湯水の様に使っては」〈浮世風呂・式亭三馬〉

❸さま ものごとのやり方や歩き方や話し方が活発であるさま。動作が軽く手早いさま。あたりを憚らないさまなど。「能く**パッパ**と恋愛論を為たもので」〈青春・小栗風葉〉

❹さま 火などが燃えさかるさま。光が点滅するさま。また、タバコを吸うさま。すぱすぱ。「一本十銭も十五銭もする葉巻を**パッパ**と燻《ふ》かして」〈社会百面相・内田魯庵〉

ぱっぱか ❶音・さま ウマが軽やかに走る音。また、そのさま。「おんまはみんな**ぱっぱか**はしる」〈童謡―おんまはみんな・中山知子〉

❷さま 惜しげもなく使うさま。『独身時代はお金を**ぱっぱか**使ったが』

はっぱさっぱ さま 古 ものごとについて明瞭に、露骨に扱うさま。「あまり**はっぱさっぱ**と云ふな。はづみ悪敷ばそんすべし」〈浮世草子―新色五巻書〉

はっはっ ❶声・さま 屈託なく笑う声。また、そのさま。「紳士は俄然大口を開いて肩を揺ッて**ハッハッ**と笑ひ出し」〈浮雲・二葉亭四迷〉

❷音・さま 急激な運動などで短く口で呼吸する音。また、そのさま。「打倒れるようにして、烈しい吐息《といき》を、**はっはっ**とつきながら」〈大菩薩峠・中里介山〉

❸さま 古 危ぶみ気づかうさま。はらはら。「とっさんがじれ出しなさるだらうかと思って、**ハッハッ**として居るに」〈浮世風呂・式亭三馬〉

ばっぱっ ❶さま 多くのものが勢いよく散るさま。「**ばっぱっ**と金の花ふる遊女まち」〈雑俳―もみぢ笠〉

❷さま 古 多くのものが連れ立ってあちこち行くさま。「元手いらずの商売、**ばっぱっ**とさわぎて、是は近比大事ないものといひ出してより」〈風流曲三味線・江島其磧〉

ぱっぱっ ❶さま 勢いよくものが散ったり、あたりに広がったりするさま。「馬の蹄の下から時々**ぱっぱっ**と、白い砂埃が蹴立てられるのまで、総て小さく手にとるやうに見える」〈古き小画・宮本百合子〉

❷さま 金などを次々に惜しげもなく使うさま。「御父さまはきっと私達が要らない贅沢をして、無暗《むやみ》に御金を**ぱっぱっ**と遣ふ様にでも思って」〈明暗・夏目漱石〉

❸さま 動作ややり方が軽くて活発なさま。手早く、あたりを憚らないさま。「**ぱっぱっ**とするお島の遣口に、不安を懐きながらも、気無性な養父は、お島の働きぶり

を調法がらずにはゐられなかった」〈あらくれ・徳田秋声〉

❹ さま 火などが燃えさかるさま。また、タバコを吸うさま。すぱすぱ。「半鐘の響、太鼓の音、ぱっぱっと燃ゆる音、べらべらと煙の響、もの音ばかり凄じく」〈日本橋・泉鏡花〉

❺ さま 断続的に起きるさま。点滅するさま。「あの信号の下に40だの、50だのという数字が電光で浮き出ていて、ときどき**ぱっぱっ**と点滅していますが」〈新西洋事情・深田祐介〉「もう一つケッタクソのわるかった記憶〈略〉が**ぱっぱっ**と思いだされた」〈むらぎも・中野重治〉

ぱっぱらぱー ❶ 音 トランペットの明るく高らかな音。

❷ さま 楽天的で深い考えのないさま。また、そのような人。あっぱらぱー。「遊び人**ぱっぱらぱー**の性格を、しっかり、うけついでいる」〈山田ババアに花束を・花井愛子〉

はつらつ ⇓漢語編「はつらつ(潑剌)」⇓使い分け「ぴちぴち」

ぱぱっ さま 手際よくすばやいさま。『先生の気配を察して、**ぱぱっ**と隠した』

ははは 声・さま 屈託なく快活に笑う声。また、そのさま。「ハハハ汝の工夫が出来ぬからとて自棄になって揚屋遊びするなどといふほど、気の錬れぬ椀久でも無い」〈椀久物語・幸田露伴〉

ばばば 音 機関銃やエンジンなどの続けて打ちつける重く低い音。『休日になると、バイクの音が**ばばば**と騒がしい』

ばぶー 声・さま 赤ちゃんの機嫌のいいときの声。また、そのさま。

はふはふ さま 口を開閉して繰り返し息を強く吹きかけるさま。「うなぎが丼からはみ出しているようなような丼。これをハフハフと食べていくわけだが」〈タクアンの丸かじり・東海林さだお〉

ばぶばぶ 声・さま 赤ちゃんの機嫌のいいときの声。また、そのさま。

ぱふぱふ ❶ 音 ゲームの終了などを知らせるラッパの音。

❷ さま 空気を含んでやわらかいさま。「かぶりついたときの、フワフワ、パフパフしたパフ感がいい」〈タクアンの丸かじり・東海林さだお〉

ばほばほ さま 方言 団扇《うちわ》などで風を送るさま。はためくさま。「**ばほばほ**とあおぐ」〈秋田県〉

ぱやぱや ❶ さま 方言 作物や毛がまばらに生えているさま。「畑さいったら豆ぁ**ぱやぱや**どしかねぁがった」〈岩手県〉「親父の髪の毛**ぱやぱや**てきた(薄くなってきた)」〈秋田県〉

❷ さま 方言 浮かれ気味なさま。軽薄なさま。「(酒を飲んで)**ぱやぱや**どなってきた」〈岩手県〉「隣のおんちゃ(次男)、町中**ぱやぱや**てありてる(歩いている)」〈秋田県〉

はら ⇓コラム「はら・ばら・ぱら」

はらっ 音・さま 布、紙、木の葉など軽くて薄いものや小さいものがひるがえったり散ったりする音。また、そのさま。「書棚の手垢《てあか》のついた歳時記を開いていたら、**はらっ**とメモが落ちました」〈猫またといふもの・吉永哲郎・朝日新聞・02・3・16〉

ばらっ さま 一つにまとまらずに、散らばっているさま。「ある程度、薄く広くでも日本中の都道府県に**ばらっ**と拠点がある」〈ネットビジネス30問30答・週刊エコノミスト・00・3・7〉

ぱらっ ❶ 音・さま 雨や木の葉など軽いものがまばらに落ちてくる音。また、そのさま。『塩を**ぱらっ**とかける』

❷ 音・さま 本などのページがめくれる音。また、そのさま。『窓際のノートが風でひとりでに**ぱらっ**とめくれた』

❸ さま 一つにまとまらずに、少しずつ散らばっているさま。「十四、五人の客が、**ぱらッ**と客席のまわりに散らかっていたが」〈巷談本牧亭・安藤鶴夫〉「もとの大牢の裏手の方は淋しい**パラッ**とした町で」〈旧聞日

本橋・長谷川時雨〉

はらはら ❶音・さま 小さくて粒状のものや薄いものが、散らばりながら落ちる音。また、そのさま。「腰ごろもの観音さま濡れ仏にておはします御肩のあたり膝のあたり、**はらはら**と花散りこぼれて」〈ゆく雲・樋口一葉〉「川縁の繁みからは、雨滴が**はらはら**と傘の上に乱れ落ちた」〈田舎教師・田山花袋〉❷さま 長い髪が乱れるさま。「肩のあたり鬢のおくれ毛**はらはら**とぞみだれたる」〈龍潭譚・泉鏡花〉❸音・さま いっせいに動く音。また、そのさま。「出遅れた雀がハラハラ礫手《つぶて》の如く慌忙《あわただ》しく竹藪を飛び去って」〈青春・小栗風葉〉❹さま 気をもみ、危ぶむさま。「見ている彼が**はらはら**するような場面が多くなって来た」〈静物・庄野潤三〉⬇使い分け「どきどき」❺音・さま 古 ものが砕けたりこわれたりする音。ものが焼けて次々にはぜる音。また、そのさま。ぱちぱち。「焚かるる豆殻の**はらはら**と鳴る音は」〈徒然草〉❻音・さま 古 ものが連続してすれ合ってたてる音。また、そのさま。「きぬの音なひ、**はらはら**として」〈源氏物語・帚木〉

ばらばら ❶音・さま 粒状のものが、散らばりながら勢いよく広がって、ものにぶつかる音。また、そのさま。「毛の並んだやうな薄黄色い栗の花が**ばらばら**と落ちてゐる」〈桑の実・鈴木三重吉〉❷さま 多数が、勢いよくいっせいに、あるいは次々に立ったり動いたりするさま。「なかでもおべっかつかひの三四人の奴らが**ばらばら**とあとについていった」〈銀の匙・中勘助〉❸さま 一つのまとまりをもったものが、こまかくわかれるさま。また、こまかくなって落ちるさま。「餅切庖丁で、小包を絡《かが》った麻糸を**ばらばら**と切り放した」〈妻・田山花袋〉❹さま 一つにかたまらないであちこちにあるさま。それぞれが独立していてまとまりのないさま。「彼は**ばらばら**にしてあった繋《つな》ぎ竿《ざお》をまとめて袋に入れた」〈悠蔵が残したこと・小川国夫〉「現象としてはバラバラに見えるような心理や感情を掘り下げていくと」〈文学の根本問題・中島健蔵〉❺音・さま 本などのページが乱暴に次々とめくれる音。また、そのさま。「私は日記を**ばらばら**とめくってみました」〈猟銃・井上靖〉

ぱらぱら ❶音・さま 雨や霰《あられ》や木の葉など軽いものがまばらに落ちてくる音。また、そのさま。「小雨が忍びやかに、怪し気に、私語するようにパラパラと降って通った」〈あひゞき・二葉亭四迷訳〉⬇使い分け「しょぼしょぼ」❷さま 一つのまとまりをもったものが散らばって広がるさま。「見るまに**ぱらぱら**に鬢《びん》が乱れて」〈婦系図・泉鏡花〉❸さま まばらであるさま。一つにかたまらないで、分散しているさま。まとまりのないさま。「私の口は墓地のことをパラパラとしゃべりながら」〈父が消えた・尾辻克彦〉⬇使い分け「ちらほら」❹音・さま 本などのページが軽く次々にめくれる音。また、そのさま。「記録は**ぱらぱら**とめくってみるだけですぐにファイルに押しこみ」〈歯車・堀田善衛〉

はらはらずんど さま 古 突然に勢いよく、ものが砕けたり、切れるさま。「金剛力を出しゐいやっと身ぶるひすれば、大くぎ大縄**はらはらずんど**切れてのいた」〈浄瑠璃―出世景清・近松門左衛門〉

はらら さま 古 ちりぢりにあるさま。ばらばら。「白波の　八重折るが上に　海人《あま》小舟　**はらら**に浮きて」〈大伴家持〉〈万葉集〉

はらり ❶さま 軽いものが他のものにかすかに当たったり落ちたりするさま。「プロマイドの写真がハラリと膝の上に落ちた」

は

コラム　オノマトペのもと

はら・ばら・ぱら

「はら」は、「木の葉がはらはらと散る」「髪をはらりと解いた」のように、薄いもの、小さいものの静かな動きを表し、「ばら」は、「雹《ひょう》がばらばらと降る」「積んでいた椅子がばらばらとくずれる」のように大きいもの、重いものの勢いのある動き・大きな動きや、一つにまとまっていたものが分かれるようすを表す。「ぱら」は、「ページをぱらぱらとめくる」「塩をぱらりとかける」のように、軽いもの、小さいものの軽やかな動きを表す。

「ばら」「ぱら」は、動きとともに音も表し、「雹《ひょう》がばらばらと降る」はたくさんの雹の粒がたてる大きな勢いのある音、「ページをぱらぱらとめくる」は薄い紙のたてる小さな軽い音を表す。

「ばらばら」は、擬音語でもあり擬態語にもなる「ばらばらと」(副詞用法)と、もっぱら擬態語になる「ばらばらに」(形動用法)とではアクセントに違いがある。「ばらばらと」は初めの「ば」を高く、「**ばらばらに**」は、初めの「ば」を低く発音する。「ぱらぱら」も同様で、「**ぱらぱらと**」と「**ぱらぱらに**」のように違いがある。

【はらの語群】

はらはら・ばらばら・ぱらぱら
はらっ・ばらっ・ぱらっ
はらり・ばらり・ぱらり
ばらん・ぱらん

	花びらが—(と)散る	人通りが—(と)ある	雨が—(と)降る
はらはら	○	—	—
ばらばら	△	○	○
ぱらぱら	○	○	○
はらっ	○	—	—
ばらっ	△	—	—
ぱらっ	△	○	○
はらり	○	—	—
ばらり	△	—	—
ぱらり	△	○	△

【表現】

「ばらばら」は、「一つにまとまっていたものがいくつかに分かれる」ようすや「それぞれ異なって不統一」の意味で使われることが多く、それらの意味を表す「ばらす」「ばらける」「ばらつく」など動詞の派生語が生まれた。「てんでんばらばら」「ばらばら事件」「ばらばら死体」のような使われ方もある。また、「ばらにして売る」「ばら売り」など、「ばら」だけでも用いられる。古くは、乱れた髪を「ばらばら髪」、明け方に声をそろえずに鳴く鶏を「ばらばら鳥」といった。

『万葉集』の歌の一節に「海原見れば白波の八重折るが上に海人《あま》小舟はららに浮きて」というものがあり、奈良時代には「ばららに」という擬態語を「はららに」と表現していたことがうかがわれる。

「はらはらと泣く」という表現は、涙の粒がこぼれ落ちるようすを表したものである。また、この語群の中では、「はらはら」だけが「いつ落ちるかとはらはらする」のように心情を表す場合にも用いられる。

飯田蛇笏《いいだだこつ》(一八八五〜一九六二)の俳句に「折りとりてはらりとおもき芒《すすき》かな」がある。「はらり」は通常軽いものを描写する語だが、それを「重い」と表現するところにも、この句の味わいがある。

(中里理子)

〈青春・小栗風葉〉
❷**さま** 髪などが軽く乱れてさがったり広がったりするさま。「**はらり**と下る前髪の毛を」〈たけくらべ・樋口一葉〉
❸**さま** 軽くすばやい動作や動きをするさま。「衣紋を直したと思ふと、**はらり**と気早に立って」〈婦系図・泉鏡花〉
❹**さま** **古** 例外なくその状態であるさま。残るところなく。すっかり。ぱらり。ばらり。「主人たる人の心と、下男の心と、ものごと**はらり**と違ひて」〈咄本―醒睡笑〉

ばらり ❶**さま** 重みを感じさせながら、ものが落ちるさま。花びらや涙などの落ちるさま。「驚き起って飛び去りし羽風《はかぜ》に、黄なる桜の一葉**ばらり**と散りぬ」〈不如帰・徳冨蘆花〉
❷**さま** 髪などが乱れてさがったり広がったりするさま。「いかにも淋しい顔を為て、束髪《つくねがみ》にした鬢のほつれが**ばらり**と落ち掛って居る」〈骨ぬすみ・広津柳浪〉
❸**さま** 糸や紐、あるいは紙の継ぎ目などが切れるさま。「常子はその時細引の**ばらり**と切れるのを見たさうである」〈馬の脚・芥川龍之介〉「外道か僧の袈裟を糸を抜て説法はて、立たれは**ばらり**とほとけた事あり」〈六物図抄〉
❹**音** **古** 琵琶や琴を一度かき鳴らす音。「世の中はさだめないあだなうき世ぢゃといわうずと至極あわれに云いつくいてそこで琴を**ばらり**とひいたぞ」〈玉塵抄〉
❺**さま** **古** 例外なくその状態であるさま。残るところなく。まったく。すっかり。はらり。ぱらり。「心当なるれうりも**ばらり**と違ひ」〈好色一代女・井原西鶴〉

ぱらり ❶**さま** 軽いものが落ちるさま。はらり。「梅花《うめ》が一輪**パラリ**と落ちて」〈落語―恵方詣・三代目三遊亭円遊〉
❷**さま** 髪などが軽く乱れてさがったり広がったりするさま。「肩の黒髪を**ぱらり**と背後へさばき」〈女心の強ければ・豊島与志雄〉
❸**さま** まばらに散らばっていたり散らすさま。『ふりかけをご飯に**パラリ**』「電車へ乗ると、雨に濡れた人が隅々に**ぱらり**と腰かけて居るのも寒かった」〈あきらめ・田村俊子〉
❹**さま** 紙や布などがめくれるさま。『詩集を**パラリ**とめくる』
❺**さま** **古** いっせいに動くさま。「Pararito（**パラリト**）タッタ〈訳〉一人残らず全員が立ちあがった」〈日葡辞書〉
❻**さま** **古** 例外なくその状態であるさま。すっかり。「Pararito（**パラリト**）ウチクヅス。〈訳〉残るところなくすっかり打ちこわす」〈日葡辞書〉

はらりさん **さま** **古** きれいになくなるさま。残るところなく。「加賀殿の御下の露は**はらりさん**何とも思はぬ月城の中」〈俳諧―西鶴大句数〉
✱「ばらりさん」「はらりしゃん」ともいう。

ばらりずん ❶**さま** **古** 一刀のもとに斬り落とすさま。ばっさり。「起しも立ず剣を抜て、**ばらりずん**と砍《き》りたふし」〈椿説弓張月・曲亭馬琴〉
❷**さま** **古** 勢いよく垂れ下がるさま。「髪の毛が縮れて居ぬゆゑ、若し**バラリズン**と垂た時には」〈諷誡京わらんべ・坪内逍遙〉
✱「はらりずん」ともいう。

ばらんばらん **さま** 多くのものがそろわないままにいっせいに動くさま。「嵐、山颪、松風が**ばらんばらん**と吹音づるれば」〈浄瑠璃―日本振袖始・近松門左衛門〉「階段を**ばらんばらん**とあがって近づいてくる足音に」〈真空地帯・野間宏〉

はり ⬇コラム「はり・ばり・ぱり」

ばりっ ❶**音・さま** かたいものや厚いものが勢いよく割れたり破れたりする重い音。また、そのさま。『**バリッ**と壁を突き破る』「そこに出てゐた西瓜の種を、上手に前歯で**バリッ**と噛み割ってゐた」〈多情仏心・里見弴〉
❷**さま** 態度や身なりが整っていて、すき

コラム　オノマトペのもと

はり・ばり・ぱり

「ぱり」は、薄くて張りのあるものを一気に破ったり壊したりするときの音や、そのようすを表す。また、ものの表面がかたくて張りのあるようすも表すが、この場合はそれが快感につながる含意がある。

「ばり」は、かたくて薄い～やや厚みがあるものを、一気に割ったり壊したりするときの音や、そのようすを表す。「ぱり」に比べて音は大きく、やや乱暴な動作の表現となる。「ばりばり」はものの表面がかたくなっているようすも表すが、こちらにはこわばっていたりかたすぎたりして不快である感じを伴うことが多い。

「ぱりっ(とした)」「ぱりっ(とした)」は、張りがある感じを表す意から派生したものとして、(弾力や新鮮さをもつニュアンスから)態度や服装などが新しく立派で好ましいさまを表す用法があるが、「ばりっ」のほうが大きくて重く、やや強引な動作の印象から か、貫禄の加わったニュアンスがある。

[はりの語群]

はりはり・ばりばり・ぱりぱり
ばりっ・ぱりっ
ばりん・ぱりん

	薄い氷を／厚い氷を —(と)割る	紙を／板を —(と)はがす	—(と)した 海苔
ぱりっ	○／—	○／—	○
ぱりん	○／—	○／—	—
ぱりぱり	○／—	○／—	○
ばりっ	—／○	○／○	—
ばりん	—／○	—／○	—
ばりばり	—／○	○／○	—

[表現]

「はりはり」は、現代では「はりはり漬け」「はりはり大根」に使われるのみだが、もとは噛んだときの音から切り干し大根を「はりはり」といった女房詞に由来する。一七世紀初頭の『日葡辞書』には、「はりはりと」が副詞として「乾いて粗いざらざらした物か、数枚の紙とかなどが音を立てるさま」と説明されている。「ばりばり」は中世から例があるが、「ぱりぱり」が近世になって登場するのは、中世までハ行子音が両唇摩擦音の[Φ]だったために「はりはり」がその役目を果たしていたということだろうか。

「ばりばり」は、精力的に働いたり行動したりするようすや、そのようなエネルギーにあふれている人のようすなどを表す擬態語として用いられることがある。(「ぱりぱり」にも同様な用法があるが、最近は「ばりばり」のほうが一般的か。)オノマトペは、音をそのまま写そうとする擬音語(「～(と)＋述語」という副詞が基本)から、そのような音が出ている(または出そうな)ようすを表す擬態語(副詞以外に、「～の・な＋名詞」「～(と)した＋名詞」「～(と)する」の形も)が派生することが多い。(すべての擬態語が擬音語由来というわけではない。)この場合、擬態語オノマトペが形容動詞「～だ」や動詞・名詞となって抽象度を増し、一般語彙化していることもある。「ばりばり」も、勢いよく何かを破壊するような音そのものから、触ると「ばりばり」と音がしそうにかたくこわばっている状態を表し、さらには「ばりばり」と音が聞こえる感じがするくらい威勢がよく、精力的に活動しているようすを表す用法も生まれたということだろう。

(宮武利江)

のないさま。衣服などが新しくて立派なさま。「まだ三十だけど、とてもしっかりしてるンだわ。紹介するわよ。**バリッ**としたスタイルよ」〈茶色の眼・林芙美子〉

ぱりっ ❶音・さま かたいものや薄いものが割れたり破れたりするときの、かわいた高い音。また、そのさま。「海苔に歯があたって**パリッ**と破れ、次にメシがあって干ぴょうに突きあたる」〈タクアンの丸かじり・東海林さだお〉

❷さま 張りがあって、整っているさま。「クリーニングからかえってきたばかりの**パリッ**と糊のきいた診察衣を着た院長先生が」〈ブンとフン・井上ひさし〉

はりはり 音・さま 古 紙片や枯れ葉などがすれ合う音。ものが燃えさかる音。また、そのさま。「Farifarito（**ハリハリト**）〈訳〉乾燥してがさがさした物や紙片などの鳴るさま」〈日葡辞書〉

ばりばり ❶音・さま こわばったものがこすれ合う音。こわばっているさま。「足袋も穿かぬ足の甲が鮫の皮のやうに**ばりばり**と皹《ひび》だらけに成って居る」〈土・長塚節〉

⬇使い分け「ぱさぱさ」

❷音・さま かたいものを力をこめてかみ砕く音。また、そのさま。「沢庵を**バリバリ**、待ち兼ねた風に食い初めた」〈竹の木戸・国木田独歩〉 ⬇使い分け「ぱくぱく」

❸音・さま 氷が砕ける音。また、そのさま。凍ってかたくなるさま。「**ばりばり**と氷の張る音が聞えてゐた」〈奇病患者・葛西善蔵〉

❹音・さま 石や弾丸などが連続的に勢いよく発射されたり、当たったりするときの大きな音。また、そのさま。「林の角に歩兵が散兵線を布いて居ると思ふと、**バリバリ**と小銃の音が凄じく聞える」〈田舎教師・田山花袋〉

❺音・さま 紙や布などを強く引き裂いたり引きはがしたりするときの大きな音。また、そのさま。「何処かで、**バリバリ**と紙を裂く音が低く断続した」〈自殺未遂・荒木巍〉「さしもの大竹が乍ち**バリバリ**と割れる」〈孤蝶随筆・馬場孤蝶〉 ⬇使い分け「べりべり」

❻さま ものごとの威勢がよいさま。景気がよく羽振りのよいさま。がんがん。「薪がないぞ。もっと**ばりばり**もってきてくれよ」〈真空地帯・野間宏〉「あたらしく生れかわったつもりで**ばりばり**働こう」〈とむらい師たち・野坂昭如〉

❼さま 明確な考え方に基づいて行動するさま。正真正銘であるさま。れっきとしているさま。「愚兄が**バリバリ**の民権家で国会開設請願の為め太政官へ出頭した時分」〈あたらよ・内田魯庵〉

ぱりぱり ❶音・さま 歯切れよくものをかむ軽快な音。また、そのさま。「**パリパリ**と脛のやうなところを嚙み砕いた」〈百鬼園随筆・内田百閒〉

❷音・さま 乾燥したなかで火が燃えさかる音。また、そのさま。「**ぱりぱり**と威勢よく燃える麦藁《わら》の火」〈土・長塚節〉

❸音・さま 張った布や紙が、勢いよく破れる音。また、そのさま。布や紙が新しくて、ゆるみやしわのないさま。「わが紙幣は〈略〉出来たてのときは、**ぱりぱり**して」〈変痴気論・山本夏彦〉

❹さま 凍ってかたくなるさま。「その仕事着さへも**パリパリ**と凍ってゐたのである」〈海に生くる人々・葉山嘉樹〉

❺さま 立場が強く羽振りのよいさま。勢いが盛んで活動的なさま。また、そのような人。ぱりぱり。「あんさんはまだ現役や、現役の**パリパリ**や」〈羽なければ・小田実〉「鬼の金兵衛さんが**パリパリ**させてゐた楼《みせ》ではあり」〈旧聞日本橋・長谷川時雨〉

❻さま・名 新しく上等なさま。また、そのようなもの。「52年型**パリパリ**の自家用車を乗り廻しているのだから、偉い」〈いろは交友録・徳川夢声〉

ばりぼり 音・さま かたいものを勢いよくかみ砕く音。また、そのさま。「1時間半

後、死ぬかと思った、と言いつつ煎餅《せんべい》を**バリボリ**かじっていた」〈1992年、あの女性・この言葉・朝日新聞・92・12・31〉

ぱりぽり 音・さま かたいものを小気味よく勢いよくかじる音。また、そのさま。「一晩漬けるだけで、すぐに食卓に出す。『**パリポリ**』と、たくさん食べられる」〈食！味な関西・読売新聞・04・3・4・大阪版〉

ばりん 音・さま かたいものが勢いよく割れたり破れたりする音。また、そのさま。「冬になると、とにかく寒い。樹木の中の水分が凍って膨張、木が**バリン**と裂ける『凍裂』がよく起きる」〈夢、マイホームが買える！・毎日新聞・95・9・25〉

ぱりん ❶ 音・さま 軽くてかたいものが割れたり破れたりする音。また、そのさま。『ガラス窓に**パリン**とひびがはいった』
❷ さま かたくて張りのあるさま。『しなびていたレタスを、水につけて、**パリン**とさせる』

ばん ❶ 音・さま かたいものを強くたたくときの大きな音。風船などが破裂する音。また、そのさま。『いつも乱暴に**バン**とドアをしめる』
❷ さま 立派でじゅうぶんなさま。「これアどうして**バン**としたもんだ」〈蟹工船・小林多喜二〉

ぱん ❶ 音・さま ものを勢いよく打ったり置いたりするときのかん高い音。また、そのさま。「赤い顔をしながら、紙包を受取って、**パン**と、机の上に投げ出した」〈自由学校・獅子文六〉
❷ 音 ものが破裂するときのかん高い音。「蓋をするとき、**ぱん**とふっくらした音の」〈銀の匙・中勘助〉

はんなり さま はでなさま。明るく陽気ではなやかなさま。「**はんなり**とした、余情に富んだ、それでゐてりんりんとひびきわたるやうなこゑでござりました」〈蘆刈・谷崎潤一郎〉「一体に蝶と申せば**はんなり**したものでございましょう」〈蝶の皿・秦恒平〉
方言 明るく陽気なさま。近畿地方・三重県。「この帯、**はんなり**したええ色どすなぁ」〈京都府〉「**はんなり**してええ柄の帯しめてはる」〈大阪府〉「あそこは**はんなり**した好い場所だ」〈奈良県〉
✿「華なり」が変化したという説、「はな(花・華)」に、状態を表す接尾語「り」が付いたものが撥音化したものとする説がある。

ばんば ❶ さま ものごとが勢いよく盛んに行われるさま。「さて又春になりて花も**ばんば**とちる時分になれども未帰ぞ」〈山谷抄〉
❷ 音 飛ぶ鳥の羽音、風の音、人の足音。「Banbato（バンバト）〈訳〉飛んでいる鳥の羽の音、または、風や歩いている人がたてる音などの形容」〈日葡辞書〉

ぱんぱかぱん ❶ 音・さま ファンファーレの音。また、晴れがましいさま。「ぼくは渋々岡山の県立高校を受験した末に、**ぱんぱかぱーん**と合格した」〈十七歳だった！・原田宗典〉
❷ さま 破裂しそうなほどふくれあがったさま。「炭酸ガス（CO_2）のガス圧で缶は内側から外に**パンパカパン**に膨れ出し」〈不味い！・小泉武夫〉
✿①は、昭和三十年代、「漫画トリオ」がテレビで流行させたことで広まった。

ばんばらこ さま 方言 ものの乱れているさま。だらしなく散らかっているさま。「服は脱いだまんまだし、ほんとに**ばんばらこ**だな」〈京都府〉

ばんばらばん さま 方言 締まりなく広々としたさま。「**ばんばらば**」ともいう。「**ばんばらばん**とした処で、何処に人がいるのやらわからん」〈和歌山県〉「この部屋は**ばんばらば**で座ることもでけん」〈愛媛県〉

ばんばん ❶ 音・さま ものが破裂したり、勢いよく連打するときの大きな音。また、そのさま。『爆竹の音が**バンバン**と響きわたった』

は

❷さま ものごとを勢いよく盛んにするさま。「こっちからバンバン攻めまくると勝つ」〈にんげん動物園・中島梓〉

ぱんぱん ❶音 手を打ち合わせたり、手でものをたたいたりする高い音。「思はずパンパンと太陽に向って柏手を打って礼拝するのである」〈家庭の幸福・太宰治〉

❷音 続けてものが破裂する音。ぱーん。「ぱちぱちといふ音の外に、**ぱんぱん**と鉄砲を打つやうな音も聞こえてゐた」〈火事とポチ・有島武郎〉

❸さま ものがはちきれそうにふくらんでいるさま。「これがなんと当時の条約局長の紙入れ。**ぱんぱん**にふくらんでおりましたなあ」〈吉里吉里人・井上ひさし〉

ぴ

ひー ❶音 笛の鋭い音。「**ヒー**ッと甲高い笛に、チョーンと拍子木が入れば、そこはもう鳥さえ鳴かぬ深山幽谷である」〈心の耳でジ〜ンと聴くあの日の横丁唱歌・AERA・98・2・16〉「代々に聞ふる笛の音の、**ひい**や兵乱治りて」〈浄瑠璃—雪女五枚羽子板・近松門左衛門〉

❷声・さま 驚いたときや恐ろしいとき、苦しいときなどにあげるかん高い声。また、そのさま。「**ヒイ**と、堪《こら》へかねてか、泣く声して」〈縁結び・泉鏡花〉「**ヒー**。と二声三声泣入ったのが此世のなごり」〈真景累ケ淵・三遊亭円朝〉

びー ❶声 シカの鳴く声。⬇鳴き声編

❷音 ブザーの音や雑音など。「**ビー**ッと、後方で大きな音がした。玄関前で、誰かが身につけていた防犯ブザーを間違って鳴らしたらしい」〈ルポ06・朝日新聞・06・11・5〉

❸音・声・さま 強く洟《はな》をかむ音。子どもがはげしく泣く声。また、そのさま。

ぴー ❶音・声 笛の音、鳥の鳴き声など、ひと声高く澄んで聞こえる音。「男はつかつか辻公園へ入っていくと、**ぴい**っと口笛を鋭くひとつ吹いた」〈抱擁・瀬戸内晴美〉

❷音・さま 勢いよく何かを引っ張るさま。線を引く音。また、そのさま。『テープで**ピー**ッとはっただけの修理』

ひーこら さま 苦役などで、悲鳴や泣き声をもらすさま。『寄る年波に、階段の上り下りで**ひいこら**言うようになった』

ぴーちくぱーちく 声・さま 小鳥がにぎやかにさえずる声。人がかん高い声でやかましく話すさま。「その大切な時間に**ピーチクパーチク**騒がれては何も出来はしない」〈ボロ家の春秋・梅崎春生〉

ひーひー ❶音・声 古 笛の音や鳥の鳴き声。「撥袋の中より調子笛《てうしぶえ》を出だし**ひいひい**と吹き」〈黄表紙—通一声女暫〉

❷音・さま 刺激や呼吸困難で、のどが鳴る音。また、そのさま。「からい涙に目玉も飛んで、咽は**ひゐひゐ**火花を散らして」〈浄瑠璃—曾我会稽山・近松門左衛門〉

❸声・さま 苦しさやつらさではげしく続く悲鳴や泣き声。また、そのさま。「打ちのめせば、孝助は**ヒイヒイ**と叫びながら」〈怪談牡丹燈籠・三遊亭円朝〉「ベビーブームが終っちゃって教室が余って**ひいひい**言っている私立高校のうちで」〈いつか汽笛を鳴らして・畑山博〉

びーびー ❶音・声 雑音が混じってうなるような不快でにぶい音。笛の音、鳥・虫などの鳴き声。「**びいびい**といやらしい紙うなりを鳴らしながら」〈銀の匙・中勘助〉「豪然たる雨になり、電光が**ビイビイ**ビビビ……と音をたてて光った」〈山中歌合・林芙美子〉

❷声・さま 幼児のぐずって泣く声。思いどおりにならなくて泣くさま。『いつまでも、**びーびー**泣くんじゃな

い』

ぴーぴー ❶音声 笛の音、鳥・虫などの鳴き声、子どもの泣き声など、連続して高く鳴りひびく音や声。『手荷物検査で機械が**ピーピー**と鳴る』「のどが、笛のように**ピイピイ**鳴った」〈海になみだはいらない・灰谷健次郎〉

❷音・さま 紙を簡単に続けて裂く音。また、そのさま。「芸術家肌で気にくはぬ写真は**ピーピー**とさいて了ふ」〈蚤の市・石黒敬七〉

❸さま ひどく困窮しているさま。金に飢えているさま。「儲け口もありましたが、いつも女にしてやられ年中**ぴいぴい**して居ます」〈幇間・谷崎潤一郎〉

❹さま 下痢をするさま。「腹がヘンになり、**ピーピー**下痢し出した。まことに弱る」〈古川ロッパ日記・古川緑波〉

❺名 未熟者。かけだし。若造。「うぬ等のやうな**ぴいぴい**を相手にしては此方の名折だ」〈歌舞伎—天衣紛上野初花（河内山）〉

✵⑤は鳥のひなの鳴き声からいうか。

ぴーぴーがらがら ❶さま 金銭のもちあわせがとぼしいさま。「おもいつきでもねい。てめい立の**ぴいぴいがらがら**にゃあ。もっていねい。ばちがあたるぞよ」〈洒落本—自惚鏡〉

❷名 音の出る玩具のこと。「で—でのみやげになにもろた **ピーピーガラガラ** 打ったいこ」〈うたってよ子守唄・西舘好子〉

びーびーぶーぶー 音・さま 自動車のクラクションの音。また、文句を言うさま。『あいつはいつも**ビービーブーブー**言う』

ぴーひゃら 音 笛やチャルメラの音。「夜中に、**ピーヒャラヒャー**と、チャルメラを鳴らして売り歩くワンタン屋まで、各種或る」〈ロッパ食談・古川緑波〉

ぴーひょろろ 声 トビの鳴き声。⬇鳴き声編

ひーふっ 音古 矢が風を切って飛び、勢いよく命中する音。ひふっ。「兵破と云鏑を取て番ひ、兵と射る、**ひいふっ**と手答して覚ゆるに」〈源平盛衰記〉

ぴーぽーぴーぽー 音・名 救急車の非常音。また、救急車。『夜中に**ピーポーピーポー**とあわただしい音が聞こえる』

✵一九七〇年まで消防車と同じ「ウーウー」というサイレン音だったが、消防車よりも出動件数が多いので、騒音と運ばれている患者の心理的負担に配慮して、電子音に変更された。

ひーやり ❶音 笛の音。「はや鹿笛を**ひいやり**とふく秋の風に」〈狂歌咄・浅井了意〉

❷さま 鋭い冷たさを感じるさま。ひんやり。「露を踏み分けて進むとそのこぼれが靴を通して熱した足に**ひイやり**と浸み込む」〈断橋・岩野泡鳴〉

❸さま 不安やおそれを一瞬心に感じるさま。「鐺のさやをぬいて、脇章門《わきじゃうもん》（＝わき腹）のあたりを**ひいやり**とさせらるる時は」〈世間娘容気・江島其磧〉

ひーよろ 声 トビの鳴き声。ひよろ。⬇鳴き声編

ひーわり さま古 たわみ曲がるさま。ひわひわ。しわしわ。「雪の重さに、**ひいわり**としはりし竹を引廻し」〈浄瑠璃—仮名手本忠臣蔵〉

ひーん 声 ウマがいななく声。「鈴のおとしゃんしゃん、馬**ヒインヒイン**」〈東海道中膝栗毛・十返舎一九〉

✵ウマのいななく声を「ひーん」で表すのは意外に新しい。古くは「いん」のように表していた。これは日本語のハ行の音が古くは「ファフィフフェフォ」のような音であり、ウマの鋭くいななく声には不適切だったからである。

びーん ❶音・さま まわりの空気を騒がしくかきたててひびきわたる音。また、そのさま。『飛行機が**ビーン**と遠ざかる』

❷さま しびれたり、強い刺激を受けて、その痛みが体にひびくさま。「冬の日の雨の中のホッケーは辛い。〈略〉力を入れた敵

味方のスティックがぶつかって、かじかんだ手にビーンとひびく」〈自由と規律・池田潔〉

❸さま強くかためたり張りつめたりするさま。ぴーん。「留置場へだまって入れっちまったのさ。〈略〉そして、外から、ビーンと戸が閉められてあるんだからね」〈火事の夜まで・今野賢三〉

ぴーん ❶音・さま細く、鋭く、張りのある音。また、そのさま。「相撲取が一生懸命に吸鳴る声だから木霊致してピーンと山間に響きました」〈真景累ケ淵・三遊亭円朝〉

❷さま勢いよく、まっすぐに張りつめているさま。力が満ち満ちて、引き締まって張りのあるさま。「手足の冷たさが、あたまのしんまでぴいんと突き透るやうな気がする」〈火事の夜まで・今野賢三〉

❸さま一瞬で心に浮かぶさま。明確な手ごたえの感じられるさま。「妾《わた》しそれを聞いて、ピーンと第六感にきたわ」〈昭和孝子伝・獅子文六〉

ぴかしゃか さま古すねたり気どっていたりして、いやみのあるさま。「そばへ寄ればぴかしゃかと、拗《すね》言《ごと》のある条」〈浄瑠璃—今宮心中・近松門左衛門〉

ぴかっ さま一瞬、鋭く輝くさま。ぴかり。「殆んど同時に、陳長財の手元にもニッケル鍍金のものがピカッと光った」〈武装せる市街・黒島伝治〉

ぴかどん 名原子爆弾の俗称。「『ゲンバク』と耳で聞いただけではわからない。〈略〉そこへいくと『ピカドン』はわかりいい」〈第2ブラリひょうたん・高田保〉

❋「ぴか」は強烈な閃光、「どん」は爆発音を表す。

ひかひか さま古光り輝くさま。つやがあるさま。「ひかひかと下の月弓ことさらに〈蕪村〉綿摘入し家にやとりぬ〈雑駒〉」〈俳諧—連句会草稿〉「大なる目のをそろしくひかひかする」〈随筆—孔雀楼筆記〉

❋「ぴかぴか」に相当する古い言い方。

びかびか ❶さまつやがあって、いやみなほど光っているさま。「油を付て髪のびかびかするは見ぐるし」〈随筆—独寝〉

❷さま気どっていて、いやみのあるさま。「低い鼻のさきをたかふなるほどぬりをって、びかびかしたやつで御ざる」〈浮世草子—五箇の津余情男〉

ぴかぴか ❶さま点滅したり、向きを変えたりして光り輝くさま。光線をよく反射するさま。つやがあって光っているさま。「指環や時計をぴかぴかさした貴婦人が一人、手提袋をさげて」〈黴・徳田秋声〉「頭をリーゼントにして、ぴかぴかと光らし、肩の張った派手な服を着てゐるのだ」〈朝顔・田村泰次郎〉 ⬇使い分け「ぴかぴか」

❷さま新しさで輝くさま。まぶしく感じられるさま。「服をぴかぴか光らせています」〈二人の友・庄野潤三〉「新しいごわごわの袴と、新しいカバンと新しいぴかぴかする帽子をかぶって」〈黒い御飯・永井龍男〉

ぴかり さま一瞬、鋭く光り輝くさま。光のひらめくさま。「稲妻がまたぴかりと閃き、雷がごろごろ鳴ると」〈濹東綺譚・永井荷風〉「忽ち音楽の二字がぴかりと眼に映った」〈草枕・夏目漱石〉

ぴかりぴかり さま何度も、またたくように光り輝くさま。「一挺の斧が抛げ出してあるが〈略〉其白い刃がぴかりぴかりと光る事がある」〈倫敦塔・夏目漱石〉

びきびき 音・さまひびや亀裂のはいる音。また、そのように痛みや緊張などのはしるさま。「その時またゆうべのように、ビキビキと胸のしこりが痛んだ」〈絵門ゆう子のがんとゆっくり日記〉

ぴきぴき ❶音・さま細いものが折れる音。細い亀裂がはしる音。また、そのように痛みや緊張などのはしるさま。「外に出たら、『ピキピキ』と音がして地面のあちこちに亀裂が走っていた」〈台風22号影響・読売新聞・04・10・11〉

❷さまけいれんするさま。神経をとがら

せるさま。「もうける日も損する日も1億～2億円くらいになるのは当たり前。ストレスで背中が**ピキピキ**と張って重いという」〈下げ相場でのネットトレード・AERA・06・6・26〉

ひく びく ❶ さま 反抗するそぶりをしたり、むだな抵抗をするさま。「**びく**共せばふみつぶさんと思ひこふだる其けしき」〈浄瑠璃―凱陣八島・井原西鶴〉 ❷ さま ほんの少し動いたり驚いたりするさま。びくり。「どんな嵐が来ても、**ビク**ともしないやうな堅牢なものになった」〈俊寛・菊池寛〉 ⬇コラム「ひく・びく・ぴく」

✹①②とも、「びくとも」の形で用いられ、②は打ち消しを伴って用いる。

びくしゃく さま 古 敵対するそぶりを示してあれこれ動くさま。おそれたり驚いたりするさま。ぴくしゃく。「何だ四十や五十の端金、〈略〉それぱかりのことに**驚愕**《びくしゃく》するものか」〈心の闇・尾崎紅葉〉 「ト立ちかかるを、四人押へて『何を**びくしゃく**刎ね廻る』」〈歌舞伎―浮世柄比翼稲妻（鞘当）〉

ひくっ ❶ 音 しゃっくりの音。 ❷ さま いきなりひきつるように、体や体の一部がかすかに動くさま。「一回『ふ』と笑うごとに喉が**ひくっ**と動いて」〈羽なければ・小田実〉

びくっ さま 驚きおそれて、反射的に身をふるわせたりこわばらせたりするさま。「杉中は歩きながら何か強い感じに打たれたようにびくっとしたが」〈金・宮嶋資夫〉

ぴくっ さま 体や体の一部がこまかく急に動くさま。「彼は**ぴくっ**となり、軀をいっそう固くし」〈青べか物語・山本周五郎〉

ひくひく ❶ さま 短い時をおいてかすかに何度か動くさま。体の一部がけいれんしたように時々動くさま。「『へえ、いい匂いだ』と太助は鼻を**ひくひく**させた」〈手鎖心中・井上ひさし〉 「青蛙はきょとんとした眼玉をして、**ひくひく**胸をふくらませてゐます」〈蛙・林芙美子〉 ❷ さま 不安や恐怖などにふるえるさま。「すっぽんのうち首をみるやうに、あんまり**ひくひく**しやァがるな」〈仕懸文庫・山東京伝〉 「そなたが不便なばっかりに、切ない思ひを辛抱して、**ひくひく**活きてゐるけれど」〈歌舞伎―因幡小僧雨夜噺・河竹默阿彌〉 ❸ さま 死にかかってわずかに動き続けるさま。ひこひこ。「死ななくったって、**ひくひく**してゐるよりは、いっそ一思ひに、喉笛《のどぶえ》でも犬に食ひつかれた方が、益《ま》しかも知れないわね」〈偸盗・芥川龍之介〉

びくびく ❶ さま 体や体の一部などが強くこまかくふるえ動くさま。「**びくびく**はねかへる様な胃痙攣に苦しみ乍らその苦しみに順応して、正確な苦痛を測定することの出来る者はない」〈折口信夫日記〉 「声を殺してしゃくり上げる度びごとに、咽喉の骨が〈略〉息が詰まりはしないかと思はれる程切なげに**びくびく**と凹んでゐる」〈母を恋ふる記・谷崎潤一郎〉

使い分け

ぴかぴか／ちかちか／ちらちら／きらきら

【共通の意味】
光が明滅するようす。

❶**ぴかぴか**は、光が輝いたり、磨かれたりして光沢のあるようす。「街のネオンが**ピカピカ**輝く」「窓ガラスを**ぴかぴか**に磨く」 ❷**ちかちか**は、光が点滅するようす。「夜空に星が**チカチカ**とまたたく」「蛍光灯が**チカチカ**しているから、取り替える」。**ちらちら**は、弱い光が断続的に光ったり、何かが目の前で動くように感じて見えるようす。「遠くに家の明かりが**チラチラ**と見える」「雪が**ちらちら**と舞うように降る」 ❸**きらきら**は、まばゆく光り輝くようす。「夜空に大きな星が**きらきら**と輝く」「瞳を**キラキラ**させて、将来の夢を語る」

❷ さま 不安や恐怖などのために絶えずおびえ恐れるさま。「生命をおびやかされぬ土地に来てやうやく**びくびく**した小心者になったのだ」〈夜と霧の隅で・北杜夫〉「近くに女性でもいて電車が少しでも混んでいるときは、それだけで痴漢に間違えられないかと**びくびく**してしまう」〈いつか汽笛を鳴らして・畑山博〉 ➡使い分け「おどおど」「がくがく」

ぴくぴく ❶ さま ひきつるように、こまかくふるえ動くさま。「公子のまぶたが、**ぴくぴく**と痙攣するように動いた」〈われら戦友たち・柴田翔〉

❷ さま 動物などが死にきれないでわずかに動き続けるさま。「俎板《まないた》の上で首を切られても、胴体だけは**ぴくぴく**動いてゐる河沙魚《はぜ》のやうな」〈河沙魚・林芙美子〉

ひくらひくら さま 古 やっと息をしているさま。「まだしも今日まで**ひくらひくら**と、生きて居たのが不思議なことだ」〈歌舞伎―網模様燈籠菊桐〈小猿七之助〉・河竹默阿彌〉

ひくり さま いきなりひきつるように、体や体の一部がかすかに動くさま。ひくっ。「佐平は起上って驚きの眼を巡査にむけた。**ひくり**と口尻を動かして微笑んだ」〈熊の出る開墾地・佐左木俊郎〉

びくり ❶ さま 古 意外なことに驚くさま。びっくり。「喜八**びくり**して、それは我等がままにもならぬといふ」〈傾城色三味線・江島其磧〉

❷ さま いきなりひきつるように、体や体の一部が勢いよく小さく動くさま。「お才は美しき眉の根**ビクリ**顰《ひそ》めつ」〈火の柱・木下尚江〉

ぴくり さま いきなりひきつるように、体や体の一部がわずかに動くさま。「藤尾の眉は**ぴくり**と動いた」〈虞美人草・夏目漱石〉

びくりびくり さま 不安や恐怖などのために絶えずおびえ恐れるさま。「男共もやさしき声にて江戸ものの言葉には**びくりびくり**いたし候様子に候」〈島崎金次郎宛大田南畝書簡〉

ぴくりぴくり さま 体や体の一部などが間をおきながら何度もひきつるように、ふるえ動くさま。「時々、**ピクリピクリ**と痙攣《ひきつけ》が顔に現れる」〈病院の窓・石川啄木〉

びくん さま 体や体の一部が反射的に一瞬動くさま。不安や恐怖などのために体をこわばらせるさま。「馬は**びくん**として耳をたてたが、やがて首をのばしてその香をかいだ」〈カインの末裔・有島武郎〉

ぴくん さま 体や体の一部がこまかく急に動くさま。「膝頭を丁と叩くと、膝から下が**ぴくん**と跳ねる事がある」〈坑夫・夏目漱石〉

ぴくんぴくん さま 何度も、一定の間隔でひきつるようにふるえ動くさま。「**ぴくんぴくん**と脈を打つ氷嚢を見詰て」〈行人・夏目漱石〉

びこしゃこ さま 古 ぎこちない動作で応対するさま。安定のわるいさま。「若旦那が、箒持って**びこしゃこ**しらるるが、目に掛かって」〈浄瑠璃―双蝶蝶曲輪日記〉
✵「びこしゃか」「ぴこしゃく」ともいう。

ひこひこ さま 少しずつ、こまかくふるえるように動くさま。息も絶えだえになって、かすかに動くさま。「**ひこひこ**とうごくは長き花のさき鶺鴒の尾のみゆる秋の野〈貞徳〉」〈俳諧―玉海集〉

びこびこ ❶ さま 古 虚勢をはったり、さからって力むさま。「和藤内が虎をとりひしぎし勢ひのごとく〈略〉番頭がほして**びこびこ**とやかましひ」〈世間娘容気・江島其磧〉

❷ さま 古 わずかにこまかくふるえるように動くさま。「鷺など一羽転合のかは**尾行々**《びこびこ》と貧乏ゆるき森の月」〈俳諧―西鶴大矢数〉

ぴこぴこ ❶ 音さま 移動を示したり、注意を喚起する電子音。光が点滅するさま。『赤と緑のランプが**ピコピコ**している』『夜通し**ピコピコ**と、テレビゲームに没頭する』

❷ さま 少しずつ、こまかくふるえるように動くさま。かすかに動くさま。ぴくぴ

コラム オノマトペのもと

ひく・びく・ぴく

「ひく」「びく」「ぴく」は、引きつるように動くようすを表す。

「ひくひく」「びくびく」「ぴくぴく」の繰り返し形は、体の一部がこまかく動くさまを表し、「ひくひく」に比べ、「びくびく」は動きがはっきりしており、「ぴくぴく」は引きつるような動きを表す。また、「ひくひく」と「びくびく」はおびえたようすを表す。「ひくひく」「ぴくぴく」は、死ぬ間際の動物などがわずかに動くようすを表す。

「ひくっ」と促音がつくと、一瞬のすばやい動きを、「ひくり」と「り」がつくと突然の一回の動きを、「ひくん」と撥音《はつおん》がつくと一回のはねるような動きを表す。

【ひくの語群】

ひくひく・びくびく・ぴくぴく
ひくっ・びくっ・ぴくっ・ひっく
ひくり・びくり・ぴくり
ひっくり・びっくり
ひくん・びくん・ぴくん
ひっくん・びっくん・ぴっくん

【表現】

「ひくっ」「ひっく」はしゃっくりの音を表す。しゃっくりは「しゃくり」から変化した語だが、しゃくりあげて泣く声も「ひっく」である。

顔面痙攣《けいれん》などで、自分の意思ではなく目の周囲や口の周りなどがこきざみにふるえることがある。このようすを表すのに「ぴくぴく」を使う。一回きりの痙攣であれば「ぴくっ」、数回であれば「ぴくぴくっ」、突然はっきり一回ふるえるのは「ぴくり」、突然にはねるように一回ふるえるのは「ぴくん」。

おびえて「びくびく」することがある。目の前に実際にあるものに対して恐れ、できるだけ自分に直接の影響がないように小さくなっているようすをいう。また、目に見えないもの、実際にはまだ出現していないもの、起きていない事態に対しておびえるようすにもいう。

「ぴくり（びくり）とも動かない」「ぴくり（びくり）ともしない」などは、ものや事柄がまったく動かないようすを表す。ほんのわずかに動くこともない静止状態である。

「びっくり」は驚くようすを表すが、「びっくり驚く」のように副詞として動詞の「驚く」を修飾するのではなく、「びっくりする」という「する動詞」で使われることがほとんどである。このため、「びっくり」は一般語彙化の程度が進んでいるといわれる。

「びっくり〇〇」という名がついているものがいくつもある。「びっくり箱」は、人をびっくりさせる目的で作られたおもちゃである。ふつう、箱の蓋を開けるとばねで中から人形などが突然飛び出してくる仕掛けになっている。びっくりするような娯楽性のあるニュースを集めて、「びっくりニュース」として特集するテレビ番組もある。

「びっくり水」は、麺類や豆などをゆでるときに沸騰した湯の温度を下げるために入れる差し水のことで、一瞬で沸騰が収まるようすが湯がびっくりしたように見えることからいう。

「びっくり草」はオジギソウの別名で、触るとびっくりしたように葉を閉じるためにこう呼ばれる。

（守山恵子）

く。「和尚サンの耳は動くぜ〈略〉どうかしたはづみにぴこぴこと猫のやうに動くんだもの」〈風流懺法・高浜虚子〉「時に鶺鴒、飛び来りて、其尾をぴこぴこ揺を」〈風流志道軒伝・風来山人〈平賀源内〉〉

❸ さま 古 虚勢をはったり、さからってこまかく動くさま。「腕まくりしてねぢ寄れば、ヤアぴこぴこするない」〈浄瑠璃―生玉心中・近松門左衛門〉

ひさひさ 音 古 水中でものが打ち当たったり、しぶきがはねたりする音。ぴしゃぴしゃ。「近代も湯屋にとめ湯して、女房入れまゐらせんとて、ひさひさとさばくる」〈沙石集〉

ひし ⬇コラム「ひし・びし・ぴし」

ひし ❶ 音 古 ものがおされてきしんで鳴る音。「ぬば玉の　夜はすがらに　この床の　ひしと鳴るまで　嘆きつるかも〈作者未詳〉」〈万葉集〉

❷ さま 心の奥底から実感するさま。「年月の厚みが自分と彼女たちを隔てていることをひしと思った」〈最後の旅・加賀乙彦〉

❸ さま ゆるみなく、かたく密着するさま。「歯をガタガタさせながらからだをすぼめて、ひしとより添うて」〈火事の夜まで・今野賢三〉

❹ さま 数多くのものがすきまなく並ぶさま。「葭簀《よしず》がこひをひしと並べた店の」〈焼跡のイエス・石川淳〉

❺ さま 古 厳格に行うさま。「ひしと国治まり、民あつくてめでたかりけり」〈愚管抄〉

❻ さま 古 手ひどく行うさま。「鼻柱をひしとくわせて血が滴る」〈咄本―昨日は今日の物語〉

びしっ ❶ 音・さま 強く打ったり、一瞬で折れたり亀裂がはしるときの鋭い音。また、そのさま。「家屋のどこかで、ビシッ、と梁の折れる音がした」〈日本沈没・小松左京〉

❷ さま 非常に強い調子でものごとをするさま。『びしっとしかる』

❸ さま まったくすきを見せずにものごとを終えるさま。『得意の大技で、着地をびしっときめる』『帳尻がビシッと合う』

ぴしっ ❶ 音 ものがはげしい勢いで当たってたてる、かわいた軽い音。「さういふ私たちを眼がけて、狙撃弾がぴしっと来て、岩に当って高い音を立てるのだ」〈肉体の悪魔・田村泰次郎〉

❷ さま きびしく鋭いさま。ぴしり。「国助の両手は邪険につかまれて、ぴしっと、そこに手錠がかかった」〈鷹・石川淳〉「実感がぴしっと来ないせいでもあらうし」〈北の人・金田一京助〉

❸ さま いい加減なところがないさま。すきがないさま。「ズボンの折り目はぴしっとしている」〈砂漠の駅・森村誠一〉

びしばし 音・さま はげしくたたく音。また、少しの遠慮や容赦もなく事を行うさま。「強気の態度でビシバシ叩いたりすると」〈十七歳だった!・原田宗典〉

ひしひし ❶ 音 古 ものが強くおされてきしむ音。おしひしがれて鳴る音。みしみし。「物の、あしおとひしひしと、踏み鳴らしつつ、うしろより寄り来る心地す」〈源氏物語・夕顔〉「ひしひしとただ食ひに食ふ音のしければ」〈宇治拾遺物語〉

❷ さま 強く身に迫ってくるさま。強く身にこたえるさま。「ここまでくれば既にみちのくの気配がひしひしと感じられる」〈宗祇私語・唐木順三〉 ⬇使い分け「じわじわ」

❸ さま 古 多くのものが少しのすきまもなく、寄りつくさま。「顔には砂ひしひしとつき」〈平治物語〉

❹ さま 古 勢いのはげしいさま。遠慮や猶予のないさま。「相撲をとりけり。たがひにひしひしと取くみて、此法師を打まろばかしてけり」〈古今著聞集〉

びしびし ❶ 音・さま 弾力のあるもので強く、何度も打つときにたてる重い音。ものが折れるときの音。また、そのさま。「それでもやっぱり生きてゐるとの叫びを文字にして、自分の鼓動をびしびしと叩

コラム　オノマトペのもと

ひし・びし・ぴし

「ひし」は、すきまなく密着・密集しているようすを表す擬態語。一回的に強く抱き締めたりする場合に用いられ、現代語では「ひしひし」が物理的な密着を表すことはほとんどない。

一方、「ぴし」「びし」は、すきまがないようすを表すこともあるが、むしろ擬音語として、鞭や棒などで強く打ったり、小さくてかたいものが勢いよくぶつかったり、何かが裂けたり折れたりするときの鋭い音を表すことが主である。さらに、（緊密であるとか音の印象の鋭さから）容赦なく厳格であるようすを表す用法もある。

「びしっときめる」のように、すきがなく完璧であるようすの意にも使われるのは、厳格さを表す用法の中の、「背筋がぴしっとした」など、きちんとした姿勢をいう用法から派生したものと考えられる。「ぴしっとしない（＝気合いが入らない）」のような「～とする」という動詞の形でも同様の意味になる。

［ひしの語群］
ひしひし・びしびし・ぴしぴし
ひし・びしっ・ぴしっ
びしり・ぴしり
ひっしり・びっしり・ぴっしり

	―(と)並ぶ	―と抱く・胸に迫る	―(と)打つ	―(と)閉める
ひし	―	○	△	―
びしっ	―	―	○	○
ぴしっ	―	―	○	○
ひしひし	―	○	△	―
びしびし	―	―	○	―
ぴしぴし	―	―	○	○
びっしり	○	―	―	○
ぴっしり	○	―	―	○

［表現］

「ひし」の歴史は古く、『万葉集』に「この床のヒシト鳴るまで嘆きつるかも」、『源氏物語』には「ものの足音ひしひしと踏み鳴らしつつ」（夕顔）のような例がある。これらは床板などを踏むときに出る音なので、現代語なら「みし（っ）と」「みしみし」のマ行音＋サ行音で表されるところだろう。「ひしひし」には「ひしひしとただ食ひに食ふ音のしければ」（『宇治拾遺物語』）と、何か（ここではぼた餅）を一心に食べるときの音を表すらしい例もあり、こちらも現代語なら「むしゃむしゃ」のようにマ行音＋サ行音のオノマトペになりそうだ。やはりハ行子音が両唇音だった時代だからこそ成立し得た擬音語だと感じられる。

濁音の「びしびし」にも面白い用例がある。有名な山上憶良の「貧窮問答歌」の中に、「しはぶかひ（＝咳込み）鼻ビシビシ　しかとあらぬ（＝わずかしかない）ひげかき撫でて…」（『万葉集』）という表現が出てくる。鼻水をすすり上げるようすを表していると解されているが、現代語からするとやや違和感があるだろう。しかし、鼻水を「ズビーッ」とすすったり、洟《はな》をかむときの音を（特にマンガなどで）「ビーッ」とか「ブーッ」のように表すこともあるので、鼻水の音（？）をb音で写すことはそうおかしなことではないと考えられる。なお、古代日本語（和語）では、ことばの最初に濁音は来ないという法則があったが、このようなオノマトペに限っては、例外的にそれが許されていた。

（宮武利江）

きたかつたのだらう」〈現代詩・武田麟太郎〉
❷さま 少しの容赦もなく、きびしく事を行うさま。手ごころを加えないさま。「統制を破る者あ、上の者だらうと**びしびし**やっつけてやった」〈女猿・田中千禾夫〉
❸音 古 洟《はな》をすすりあげる音。「咳《しは》ぶかひ　鼻**びしびし**に　しかとあらぬ　鬚《ひげ》かき撫でて〈山上憶良〉」〈万葉集〉

ぴしぴし ❶音・さま 弾力のあるもので鋭く、何度も打つときにたてる軽快な音。細くかたいものを勢いはげしく、続けて折る音。また、そのさま。「**ピシピシ**と、背の皮が剝けるような、叱責の鞭だった」〈自由学校・獅子文六〉
❷音・さま 次から次へと的を射る音。また、そのさま。「清純な気もちに成れたときの道占ひは**ピシピシ**的中し、少しでも汚濁した気がさすと悉く外れた」〈耳を掻きつつ・長谷川伸〉
❸さま 遠慮も容赦もないさま。「てる子と比較にならない器量の劣った女から、**ぴしぴし**縁談を断られてきたのだ」〈或る「小倉日記」伝・松本清張〉

ひしゃ 音・さま 古 ひしがれてつぶれる音。また、そのさま。ひしゃり。「五月五日競馬かへりの金蔵主やりにつかれて**ひしゃ**とこそなれ」〈寒川入道筆記〉

びしゃっ ❶音・さま 水が勢いよくはねかかる音。水がものとぶつかる音。また、そのさま。『防波堤で、波が**ビシャッ**と降りかかった』
❷音・さま はげしくたたいたり、ものがつぶれる音。また、そのさま。『ハエを**ビシャッ**とたたきつぶした』

ぴしゃっ ❶音・さま 平手などできびしくたたいたり、強く閉めたりするときの音。また、平らな姿につぶれるさま。「惣助は寝たまま**ぴしゃっ**と膝頭を打たうとしたが」〈ロマネスク・太宰治〉「コーリャは、窓の方へ来かけて、途中、ふとあとかへりをして、扉《ドア》を**ぴしゃっ**と閉めた」〈渦巻ける烏の群・黒島伝治〉「**ぴしゃっ**と地面へうつぶせになった時の勝子の顔はどんなだったらう、といふ考へがまた蘇って来た」〈城のある町にて・梶井基次郎〉
❷音・さま 液体などが鋭くはねる音。また、そのさま。「馬はたびたび**ぴしゃっ**と泥水をはねあげて、みんなの顔へ打ちつけました」〈グスコー・ブドリの伝記・宮沢賢治〉
❸さま きめつけるように言うさま。『おどし文句を**ぴしゃっ**とはねつける』
❹さま ちょうど合うさま。『計算が**ぴしゃっ**と合う』

びしゃびしゃ ❶音・さま 雨や水が勢いよく打ちはねる音。また、そのさま。びしょびしょ。「貰ひ湯に来てゐる人が**びしゃびしゃ**と湯の音をさしてゐた」〈黒雨集・田中貢太郎〉
❷さま 水浸しになるさま。ぬれ通るさま。『**びしゃびしゃ**のまま、風呂場から出て来た』「まだ**びしゃびしゃ**するやうな土の上に」〈或る女・有島武郎〉 ➡使い分け「びしょびしょ」

ぴしゃぴしゃ ❶音・さま 細いものや平らなもので軽く連打する音。また、そのさま。「山羊の手袋で外套の胸を**ぴしゃぴしゃ**敲き始めた」〈野分・夏目漱石〉
❷音・さま 液体などが続けてはねる音。また、そのさま。「**ぴしゃぴしゃ**と飛沫の泥を蹴りつつ」〈土・長塚節〉

ひしゃり 音・さま 古 ひしがれてつぶれる音。また、そのさま。ひしゃ。「打めぐ打わるふみくだく、めりめり**ひしゃり**と鳴る音に」〈浄瑠璃―嫗山姥・近松門左衛門〉

びしゃり ❶音・さま 平たいものをはげしく強く打つ音。戸、障子などを手荒く閉める音。また、そのさま。「**ビシャリ**と障子を閉切りつ」〈社会百面相・内田魯庵〉
❷音・さま 水けのあるもの、やわらかいものなどが、こわれながらつぶれる音。また、そのさま。「カキガ bixarito （ビシャ

リト）ツブルル」〈日葡辞書〉
❸音・さま 水、泥などが勢いよくはねかかる音。また、そのさま。『バケツの水をビシャリと浴びせかけた』「**ビシャリ**と水をはねかした」〈黒猫・龍胆寺雄〉

ぴしゃり ❶音・さま 平たいものを強く打つ際の軽快な音。戸、障子などを手荒く閉める際のかわいた軽い音。また、そのさま。「私は怒って其手を**ピシャリ**と打った」〈暗夜行路・志賀直哉〉「竹篦《しっぺい》で**ぴしゃり**と頬辺《ほほべた》を叩かれた」〈虞美人草・夏目漱石〉
❷さま 水、泥などがはねかかるさま。「釜の中でドロドロにとけている頭薬を、柄杓《ひしゃく》ですくって、頭から**ピシャリ**とぶちかけた」〈武装せる市街・黒島伝治〉
❸さま 手きびしく、高飛車に断ったり、言い切ったりするさま。「そのつど**ぴしゃり**とやっつけられるのだった」〈ニッポン日記・井本威夫訳〉「はずみきって言ひかけたりしに、**ピシャリ**と柔かに押へつけられ」〈内地雑居未来之夢・坪内逍遙〉
❹さま 寸分たがわず、瞬間的に決定するさま。ちょうどおさまるさま。『どん**ぴしゃり**』「其表情は**ぴしゃり**と心のカメラへ焼き付いて仕舞った」〈草枕・夏目漱石〉

ひしゃりほん ❶音・さま 古 強くはずみをつけてたたく音。また、そのさま。「頭をひしゃりぽんと叩いて」〈風流曲三味線・江島其磧〉
❷さま 古 ひしがれてつぶれるさま。「ひしひしと身躰をたたませ、**ひしゃりほん**となし給ふ」〈浮世草子・人倫糸屑〉
✻「ひしゃりぽん」「ぴっしゃりぽん」とも。

ぴしゃん ❶音・さま 平らなものを手荒く打ち合わせたときの高く鋭い音。たたかれたように、平べったくなったさま。「お関は**ピシャン**と無理に襖を音させて出て行った」〈良人の自白・木下尚江〉
❷音・さま 液体などが小さくはねる音。また、そのさま。『**ピシャン**としずくが落ちてきた』

びしゃんこ さま 完全にぬれ通るさま。「だが、不思議や羽根布団が**ビシャンコ**になってしまった。〈略〉羽根布団の下は真赤な血に染ったシーツばかりである」〈冥土行進曲・夢野久作〉

ぴしゃんこ さま 押しつぶされたように、平べったくなったさま。ぺしゃんこ。「妹さんの別居してゐた家も**ぴしゃんこ**だと云ふ事だった」〈竹沢先生と云ふ人・長与善郎〉「かう云って、照子は腰を下ろして、**ぴしゃんこ**に坐り直した」〈悪魔・谷崎潤一郎〉

びしょっ さま 水が表面ににじみ出るほどぬれているさま。全体的にぬれるさま。『**びしょっ**としたおしぼり』

びしょびしょ ❶さま 大粒の雨がたえまなく気持ちもめいるように降り続くさま。「昼少し下る頃より雨となって、**びしょびしょ**と降り出したので」〈浮雲・二葉亭四迷〉
❷さま ぬれ通って、しずくがたれるさま。水びたしのさま。「淡雪の後の道を**びしょびしょ**歩みながら」〈千曲川のスケッチ・島崎藤村〉「桑の若葉に雨が**びしょびしょ**に溜ってゐる」〈鳥物語・鈴木三重吉〉 ⬇使い分け「びしょびしょ」
❸さま 方言 病気がちなさま。「今年ァ夏中子どもが**びしょびしょ**ゆーた（病気し続けた）」〈岡山県〉

ぴしょぴしょ 音・さま 雨が軽い音をたてながら、たえまなく降り続けるさま。「その日は雨が**ぴしょぴしょ**降りつづけていた」〈円形劇場から・辻邦生〉

びしり ❶音・さま かたいものや弾力のあるもので強く打ったり、太いものが一瞬に折れる音。また、そのさま。「馬がのそりのそりと動き出した。と思うと**ビシリ**と、鞭が当る音がして、急に馳け出した」〈遠野へ・水野葉舟〉
❷さま 少しの容赦もなく、きびしく事を行うさま。『**びしり**と叱りつけた』

ぴしり ❶音 平手やむちなどで鋭く一撃する音。勢いよく亀裂がはしる音。「主

人も後始末がわるいといってはぴしりとやった」〈真空地帯・野間宏〉

❷さま 容赦なく厳しいさま。いい加減なところがなく、すきのないさま。ぴしっ。「貴方はぴしりとするときには、ぴしりときめつけなければいけないのよ」〈死霊・埴谷雄高〉

ぴしりぴしり ❶音 平手やむちなどでたたき続ける音。少し間をおきながら鋭く亀裂がはしり続ける音。「台所の方でぴしりぴしりと柱などの干割れる音がする」〈多情多恨・尾崎紅葉〉

❷さま きびしくきめつけ続けるさま。

ひそ さま 静かでものさびしいさま。静まりかえっているさま。ひっそり。「此の水陸寺は人はなれて有る程に、ひそとしてよいぞ」〈四河入海〉

ひそくさ 声・さま 人に聞かれないように隠れて話す小さな声。また、そのさま。「傍輩どももひそくさといへども」〈浮世草子―古今堪忍記〉

ひそひそ ❶声・さま 人に聞かれないように隠れて話す小さな声。また、そのさま。『ひそひそ声』「飯焚《めしたき》が出入の車夫と火鉢を挟んでひそひそ何か話してゐた」〈彼岸過迄・夏目漱石〉 ⇒使い分け「こそこそ」

❷さま 物音もなく、静かなさま。人に知られないようにものごとをするさま。「大木が倒れた跡の淋しいやうな、ひそひそした正月が来た」〈微温・水野葉舟〉

ひそり ❶さま 物音ひとつせず、さびしく静まりかえっているさま。人が少なくさびしいさま。「冬籠りと見える家が軒を並べてひそりと静まってゐる許りである」〈永日小品・夏目漱石〉

❷さま 人に知られないように事を行うさま。目立たないようにするさま。「御立派な後帯にひそりと散った双つ蝶々の黄の色に」〈蝶の皿・秦恒平〉

ひた ⇒コラム「ひた・びた・ぴた」

ひた ❶さま すきまなく、直接に付くさま。じかに。ぴったり。「吸膏薬を取出し、口へひたと貼りにけり」〈仮名草子―竹斎〉

❷さま あることだけに集中するさま。ひたすら。一途に。「旦那様が去歳《こぞ》の今頃は紅葉館にひたと通ひつめて」〈われから・樋口一葉〉

❸さま 突然ある状態になるさま。「舞台にてひたと絶句したる小俳優ありけり」〈春迺屋漫筆・坪内逍遙〉

びたくさ さま 古 異性にいやらしくまつわりつくさま。「びたくさした事は、わっちゃア、マア、さっぱり嫌ひサ」〈歌舞伎―染替蝶桔梗〉

使い分け

［共通の意味］
ひどくぬれるようす。

びしょびしょ／ぐしょぐしょ／びしゃびしゃ／びちゃびちゃ／べちゃべちゃ

❶**びしょびしょ**はひどくぬれたようすを表す。「風呂からあがったばかりで、髪がまだびしょびしょだ」「びしょびしょのタオル」。**ぐしょぐしょ**はひどくぬれて、形が崩れたようす。「雨にぬれて紙袋がグショグショになってしまった」 ❷**びしゃびしゃ**、**びちゃびちゃ**は表面が水溜まりになっているようす。「風呂場で体をよく拭かないから、脱衣所の床がびしゃびしゃだ」。**びちゃびちゃ**は水分が表面に出るほどに多量に含まれるようす。「こぼれたお茶を拭いて、ふきんがびちゃびちゃだ」 ❸**べちゃべちゃ**は水分が多いために、粘りけが出ているようす。「水加減を間違えて、ご飯がベチャベチャになってしまった」

びたっ 音・さま 平手でたたく音。また、強くはりつけるさま。『ポスターを強いのりでビタッと張った』

ぴたっ ❶音 平手で軽くたたく音。「お

コラム　オノマトペのもと

ひた・びた・ぴた

「ひた(っ)と」は、現代語ではあまり用いられないが、古くは平安時代から、密着するようすを表す用法があり、一八世紀からは急にある状態になるようすを表す例も見られる。「ひたひた」も、古くは軽くものがぶつかったりたたいたりする音を表す用例がある。

「ぴた」はより新しい語で、ほぼ「ひた」の用法と重なり、擬音語としては平手などで軽くたたいたり、液体がはねたりものにぶつかったりする音を表し、擬態語としてはすきまなく密着するようすや、それまでの動きや状態が急に止まるようすを表す。

「びた」は「ぴた」よりも重たい音で、特にものがひどく水にぬれた状態で、貼りついたり何かにぶつかったりするような音やようすを表し、不快感を伴うことが多い。

【ひたの語群】

ひたひた・びたびた・ぴたぴた
ひたっ・びたっ・ぴたっ
びたらびたら
ひたり・びたり・ぴたり
ひったり・びったり・ぴったり・ぴったし
びたん・ぴたん・びったん・ぴったん

	―(と)たたく	―(と)くっつく	―(と)合う	―(と・に)ぬれる
ひたひた	△	△	―	―
びたびた	○	○	―	○
ぴたぴた	○	○	△	△
びたっ	△	○	○	○
ぴたっ	○	○	○	―
びったり	―	○	―	△
ぴったり	―	○	○	―

【表現】

「ひたひた」には、「ひたひたの水で煮る」「ひたひたにします」など、名詞や形容動詞として使われる場合、(特に料理用語として)鍋の水やスープの量が、材料がやっと隠れるくらいであることを表す用法がある。「ひたひた」が、川などの水が船べりや岸辺に打ちつける音やようすを表したり、そのように水が何かを浸す感じを表したりするところから生まれたものだろう。「ひたひたと迫る足音」などの用法も、繰り返し小さな波が打ち寄せるイメージから少しずつ水量が増えたり、何かが近づいてくるような感じを表す意が生じたと考えられ、不安や不気味さの含意がある。

「ひたすら」「ひたみち」「ひたむき」などの「ひた」は、「まっすぐに、いちずに」の意を表す副詞「ひたと」と同じ語素で、「直」の字を当てることもある。『日本国語大辞典第二版』では、この「ひた」を語素として項目を立て、補注には「語源については一(ひと)の交替形であろうという説が有力である」と述べられているが、一つのことに集中していることと、何かにぴったりくっついていることを表すオノマトペの「ひた」との間には、何らかの共通性があるように感じられる。

「ひた謝り」「ひた隠し」など、動詞の連用形が名詞化したものについて、もっぱら(一生懸命に)その動作をする意を表すのも、同辞典によれば語素の「ひた」ということになるが、これを擬態語の「ひた」の一用法として収録しているオノマトペ辞典(飛田良文・浅田秀子著『現代擬音語擬態語用法辞典』)もある。

(宮武利江)

でこをぴたっとたたかれた』

❷さま ものがすきまなく完全にくっつくさま。『ふたを**ピタッ**と閉める』「多佳子のすべすべした頬に、**ピタッ**とくっつけられた」〈春風駘蕩・源氏鶏太〉

❸さま ものが完全に適合または的中するさま。「みかんの色艶と実り具合で**ぴたっ**と値をつけ、めったに狂ひがなくなるまでには〈略〉五年や六年の年期は要った」〈青果の市・芝木好子〉

❹さま 動いていたものが、急に止まるさま。継続していたものが、急に絶えるさま。「**ぴたっ**と立ちどまって」〈銀河鉄道の夜・宮沢賢治〉

ひたひた ❶音・さま 水が岸、へりなどに打ち当たる音。平らなもので軽くたたく音。また、そのさま。「葦の岸を打つ大川の波音が、**ひたひた**と、うら寒い晩秋の夜を暗のうちに葬って行くかのやうに沈んでゐるのが」〈芭蕉・吉田絃二郎〉「竿をとり、針を川へなげると見へしが、大きなる鯉のかかりて、**ひたひた**とはねる」〈咄本－軽口剽金苗〉

❷さま わずかずつ、確実に迫ってくるさま。「夜の明ける頃に本能寺を**ひたひた**と取巻いて」〈光秀と紹巴・正宗白鳥〉⬇使い分け「じわじわ」

❸さま 動作が滞りなく、すみやかであるさま。「遠くの彼方から**ひたひた**と小刻に駈けて来るのは、二本足に草鞋を穿いた獣と思はれた」〈高野聖・泉鏡花〉「御要害**ひたひた**と出来候を見申候て」〈信長公記〉

❹さま ものが密着したり、適合するさま。ぴたぴた。「濡れた桜の花瓣が〈略〉前掛や袂の上にも**ひたひた**と附着いて居た」〈新梅ごよみ・永井荷風〉

❺さま 料理用語で、水、汁などに材料の頭がやっとかくれるくらいひたるさま。「**ヒタヒタ**位の水を加へて火にかけ」〈児童のお弁当百種・小林完〉

びたびた ❶さま ものが気持ちのわるいほどぬれているさま。また、そういうものがふれ合うさま。「たださへ色の変った袢天が**びたびた**に濡れて」〈永日小品・夏目漱石〉

❷さま なまめかしく寄り添うさま。男女間の情がしつこいほど深いさま。べたべた。「けいせいにふらるるおとこあり。あたまから、**びたびた**さするおとこ有」〈評判記－難波鉦〉

ぴたぴた ❶音 足早に歩く音・平手で軽くたたき続ける音。「白状しっこないわ。だもんで、みんなを並ばせといてね。**ぴたぴた**順々になぐるって話ですわ」〈浅草紅団・川端康成〉

❷音 水が、はねたりゆれたり、ものにぶつかったりしてたてる軽い音。「折柄驟雨のあとで場内の片隅には河水が**ピタピタ**溢れ込んで居た」〈映画時代・寺田寅彦〉

❸音・さま ものとものが続けて軽く付いては離れる音。また、そのさま。「湯上りの素足が凍えた。岩に**ぴたぴた**吸ひついた」〈温泉宿・川端康成〉

❹さま 雨や水などで、はりつくほどひどくぬれるさま。「**ピタピタ**に濡れた両袖を定九郎のやうに肩までたくし上げて」〈俄あれ・里見弴〉

びたらびたら さま 古 だらしなく、たわむれかかるさま。「中の丁を着ながしで、**びたらびたら**と通りぬけ、ゑもん坂を出」〈傾城買四十八手・山東京伝〉

びたり さま 一面につくさま。一面にぬれるさま。「洗面器の水を**びたり**と浴びせかけた」〈小鳥の巣・鈴木三重吉〉

ぴたり ❶音 平手などでたたく音。「思ひ切った調子で**ぴたり**と平手で膝頭を叩いた」〈吾輩は猫である・夏目漱石〉

❷さま ものとものが、すきまなくくっつくさま。「私は大きな声で泣きながら地面《ぢべた》の上へ**ぴたり**と突っ伏してしまひ度いやうな」〈誓言・田村俊子〉

❸さま おじぎをしたり座ったりする際に

礼儀正しくするさま。「**ぴたり**とお辞儀をした」〈湯島詣・泉鏡花〉

❹さま 非常にうまく事が運んだり、ものごとがうまくかみ合うさま。「何か、直子の気持が**ピタリ**と来ない事が感ぜられ」〈暗夜行路・志賀直哉〉「あなたが発見した持ち逃げ犯人は、私の推測を**ぴたり**と裏づけます」〈砂漠の駅・森村誠一〉

❺さま 目標の位置ちょうどにきちんと止まるさま。「足音は寝室の障子の前へ来て**ぴたり**と已む」〈吾輩は猫である・夏目漱石〉

ひたりひたり さま 古 カエルの飛びはねるさま。「今度はかへるが**ひたりひたり**と出まして」〈狂言―竹生島参〉

ぴたりぴたり 音・さま 水がものにゆるくぶつかる音。また、そのさま。「汐は鈍く緩く、**ぴたりぴたり**と岸の石垣を洗って」〈沈黙の塔・森鷗外〉

びたん 音・さま 平たいもので強くたたいたり、押したりする音。また、平たく押しつぶれるさま。『**ビタン**とおでこを張った(平手で打った)』

ぴたん ❶音・さま 平たいもので、たたいたり押したりする音。ものをはりつけるさま。『花見会の案内を掲示板に**ぴたん**とはりつける』

❷音・さま ものが急に落ちたり倒れたりする音。また、そのさま。ぱたり。「愚痴咄**ぴたん**と鼠ぶち落る」〈雑俳―太箸集〉

ぴたんぴたん 音・さま 続けて平たいものでたたいたり、ものをはりつける音。また、そのさま。『素足で**ぴたんぴたん**と歩き回る』「平手で頭を**ピタン**ピタンと叩いた」〈黒猫・龍胆寺雄〉

びちっ ❶音・さま むちなどで強く打つ、短くひびく音。戸障子を勢いはげしく閉めきる音。また、そのさま。「琴龍や栃乃洋はこの投げをこらえてひじのじん帯を切った。『ブチッとか**ビチッ**とか音がすれば力を抜くけどね。きょうはタイミングもよかった』」〈大相撲春場所・朝日新聞・02・3・19〉

❷さま すきまがないさま。『**びちっ**と予定の書かれた手帳』

ぴちっ ❶音・さま 急に割れ目ができたり、切れたりするときの短く鋭い音。また、そのさま。『ゴムが**ぴちっ**と切れる』「いささかの力で**ピチッ**とかかってしまふ錠のやうに」〈鬼子母神・平林たい子〉

❷さま すきまなく、完全に合うさま。「それがほんまに気持が**ぴちっ**と合ふのんでなうて」〈卍・谷崎潤一郎〉「**ぴちっ**とした両腿《もも》が牛肉のあぶらみのように、艶々してる」〈めし・林芙美子〉

ひちひち ❶音 古 やわらかなものが、水に混じって排出される音。大便や放屁《ひほう》の音。びちびち。「腹こぼこぼと鳴れば、翁、あなさがな、冷えこそ過ぎにけれといふに、しひてこぼめきて**ひちひち**と聞こゆるは」〈落窪物語〉

❷音・さま 古 魚の勢いよくはねる音やさま。また、いきのよいさま。「**ひちひち**する程新しいのは何なくても玉の腰から若殿を産んとて」〈洒落本―禁現大福帳〉

びちびち ❶音・さま 魚の勢いよくはねる音。また、そのさま。いきのよいさま。「鯰のやうな、小鮒のやうな、頭の大な茸が**びちびち**跳ねて居さうなのが」〈みさごの鮨・泉鏡花〉「**Bichibichi**(**ビチビチ**)〈訳〉魚が水の外でふるえるようなさま」〈ロドリゲス日本大文典〉

方言 元気で達者なさま。「まめで**びちびち**と暮らしています」〈滋賀県〉

❷音 水けを多く含んだものを強く踏んだり押したりするときに出る重くにぶい音。「水の沁み込んだ靴底に吸付いた吾輩の右足の裏が、**ビチビチ**と音を立てたが」〈超人鬚野博士・夢野久作〉

❸音・さま やわらかなものが、水に混じって排出される音。下痢をするさま。ひちひち。「又**びちびち**はじめるよ。マア相談の極るまでは、尻へかかとでも押つけて置

ッし」〈滑稽本―八笑人〉

ぴちぴち ❶ 音・さま 水が続けてはねたり、水泡がはじける音。また、そのさま。「小さな気泡が**ピチピチ**その表面をはねまわっている」〈他人の顔・安部公房〉
❷ 音・さま 魚の勢いよくはねる音。また、そのさま。いきのよいさま。「**ぴちぴち**する肴に、持って来た葡萄酒を飲んだり」〈爛・徳田秋声〉
❸ さま 若々しく健康で元気のよいさま。「もとの、ちゃっかりした、生きのいい、**ぴちぴち**の和子にもどりはじめた」〈ぼんこつ・阿川弘之〉 ⇒使い分け「ぴちぴち」
❹ さま 衣服のサイズがやっと入るか入らないかのさま。『**ぴちぴち**のTシャツ』
❺ さま ものごとが、はかったようにうまく合い続けるさま。「一々の台辞が、**ぴちぴち**と感どころにはまって実にうまい」〈春興倫敦子・福原麟太郎〉

びちゃっ ❶ 音・さま 水などが勢いよく、音をたててはねあがるさま。『**ビチャッ**とコーヒーをこぼした』
❷ 音・さま 平たくたたいたり、押して、つぶれる音。また、そのさま。『**ビチャッ**とつぶれたソフトクリーム』

ぴちゃっ ❶ 音・さま 水などが勢いよくはねあがるときの音。水けの多いものを食べるときの音。また、そのさま。『蛇口から落ちた水滴が**ぴちゃっ**と音をたてた』
❷ 音・さま 平手などで軽くたたいたときの鋭い音。平らな姿にあっけなくつぶれるさま。『腕にとまった蚊を**ぴちゃっ**とつぶした』

びちゃびちゃ ❶ 音・さま 水や液状のものがはねかえる音。また、そのさま。「大沼小沼が干た故か、ぢょんぢょろ水に、**びちゃびちゃ**と泳いだ処を、ちょろりと掬《しゃく》った」〈夜叉ヶ池・泉鏡花〉
❷ さま 水浸しになるさま。不快なほど全体にぬれ通るさま。「油で**びちゃびちゃ**に毛を濡らして」〈温泉宿・川端康成〉 ⇒使い分け「びしょびしょ」
❸ さま 古 さんざんな目にあうさま。「うづと谷風がせろぶは妙さ。〈略〉うづか形かちいさひ故、仕まひは**びちゃびちゃ**負けても」〈洒落本―愚人贅漢居続借金〉

ぴちゃぴちゃ ❶ 音 平手で軽く何度もたたく音。「自分で自分の禿頭を**ぴちゃぴちゃ**叩く事や」〈吾輩は猫である・夏目漱石〉
❷ 音・さま 水がぶつかったり、はねかえってたてる小さな明るい音。また、そのさま。「汚ない水を**ぴちゃぴちゃ**跳ねかす奴があるか」〈吾輩は猫である・夏目漱石〉
❸ 音・さま ものを飲み食いするときなどにたてる小さく耳ざわりな舌の音。また、そのさま。「一と口のんで、**ピチャピチャ**したうちをして」〈戯場粋言幕の外・式亭三馬〉「酒をのむ時に、舌を**ぴちゃぴちゃ**鳴らす

使い分け

【共通の意味】
元気がよく活発なようす。生命力にあふれているようす。

ぴちぴち
ぴんぴん／しゃんしゃん／いきいき／潑剌

❶**ぴちぴち**は若さがあふれているようす。「弾けそうに**ピチピチ**した若い肌」。**ぴんぴん、しゃんしゃん**は、よく動き、姿勢がいいようす。「病気が治って今は**ピンピン**している」「この魚は新鮮で**ピンピン**している」。**しゃんしゃん**は、年をとっても元気な場合に使う。「祖父は八十五歳になっても**シャンシャン**している」 ❷**いきいき**は人の表情や態度に、心身ともに充実して元気なようすが表れていること。「勉強は嫌いだが、好きな体育の授業になると**いきいき**する」。**潑剌**《はつらつ》は、「新しい職場で**潑剌**と働く」のように、人が元気よく動いたり働いたりするようす。

くせがある」〈苦の世界・宇野浩二〉

❹ さま 液体がしみわたっているさま。全体にぬれ通るさま。「桃割髪が油で**ぴちゃぴちゃ**に濡れたやうに」〈温泉宿・川端康成〉

ひちゃり 音・さま 古 軽く平手でたたいたり、舌打ちしたりする音。また、そのさま。「**ヒチャリ**ヒチャリと舌打し」〈洒落本―温海土産〉

びちゃり 音・さま やわらかいもの、湿ったものが、ぶつかったりつぶれたりはねあがったりする音。また、そのさま。「雨上りの往来を**びちゃり**びちゃりと町筋へ出る」〈鳥物語・鈴木三重吉〉

ぴちゃり ❶ 音・さま 水などが小さな音をたててはねあがるさま。「秋の黄昏の湖で水が桟橋の足に**ぴちゃり**ぴちゃりと音たてている」〈夏の闇・開高健〉

❷ 音 平手でたたいたり、平たいものがぶつかってたてる音。「尻もべったり突いて仕舞った。**ぴちゃり**と云った」〈坑夫・夏目漱石〉

ぴちゃん ❶ 音 軽い平たいものなどが水面に落ちる音。水などが軽くはねあがる音。「キムが必要以上に、手拭で浴槽の湯を**ピチャン**、ピチャンさせるのは、甘えと、人工的羞恥だ」〈怖るべき子供たち・菊岡久利〉

❷ 音 軽く平手でたたく音。ふくらんでいたものがつぶれる音。戸などをいきなり閉めるときの鋭く耳に残る音。「**ピチャン**と、かう、その手をひっぱたく」〈今年竹・里見弴〉

ぴちゃんこ さま おしつぶされて平たくなるさま。ぴしゃんこ。ぺちゃんこ。「乳房は**ぴちゃんこ**で」〈春泥尼抄・今東光〉

びちょびちょ ❶ 音・さま 雨がたえまなく降り続けたり、雨や水などにぬれながら歩く音。また、そのさま。びしょびしょ。「**びちょびちょ**と足音がして誰やら壁の穴から差覗いたが」〈良人の自白・木下尚江〉

❷ さま 雨や水などにひどくぬれ通るさま。びしょびしょ。『**ビチョビチョ**になった雨靴を干す』

びちょりびちょり 音・さま 雨がたえまなく降り続ける音。水たまりを踏んで歩くときに出るくぐもった音。また、そのさま。「**ビチョリビチョリ**と水溜を践《ふ》む足音がして」〈良人の自白・木下尚江〉

ぴちり ❶ 音・さま かたいものや弾力のあるものが、勢いよく打ち当たったり、折れたりはねたりなどして鳴る音。また、そのさま。「何所か**ぴちり**と捩《ねひ》って、電気燈を点けた」〈門・夏目漱石〉

❷ さま すきまなく密着しているさま。「木型のやうな堅い白足袋を**ぴちり**と嵌めた足頸が一寸ばかり見えた」〈蓼喰ふ虫・谷崎潤一郎〉

ぴちん ❶ 音・さま かたいものや弾力のあるものが、勢いよく打ち当たったり、折れたりはねたりなどして残響や余韻を残しながらたてる音。また、そのさま。ぴちり。「其上から**ぴちん**と錠を下ろして、わざとお延の方を見た」〈明暗・夏目漱石〉

❷ さま 乱れなく整ったさま。ものやようすが整ってすきのないさま。「飯喰うている横に、**ぴちん**と坐りよって身動きもせんのや」〈助左衛門四代記・有吉佐和子〉

ひっ 音・声・さま 短く強く吹く笛の音。驚くなどして、息をのむ声。また、そのさま。「笛**ひっ**と吹て、太鞁打出て、おんどをとる」〈わらんべ草〉

びっ ❶ 音・さま 瞬間的にブザーの鳴る音。静電気がはしるさま。『ドアノブをさわったとたん、**ビッ**ときた』

❷ さま 急に姿を現すさま。「渦のさかまく其中より、小山程なるくろき物**びっ**とうき出」〈日本永代蔵・井原西鶴〉

❸ 音・さま 勢いよく裂いたり、はいだりする音。また、そのさま。「若《わか》詰《づめ》を**びっ**とむしって紙燭する」〈雑俳―松の雨〉

ぴっ ❶ 音・声 笛の音。鳥の鳴き声。『**ピッ**と合図の笛を吹く』

❷**音・さま** 勢いよく裂いたり、はいだりする音。また、そのさま。『布テープを**ぴっ**とはがす』

❸**さま** 背筋などを瞬間的に伸ばすさま。「**ぴっ**と鶺鴒《せきれい》の尾のように刀身がはねあがった刹那――」〈江戸忍法帖・山田風太郎〉

ひっか **さま** **古** 光るさま。ぴかっ。「其の日光活爪の程は、芦花寥紅の辺に**ひっか**としたぞ」〈大淵和尚再吟〉

ぴっかぴか **さま** まぶしいほど光り輝いているさま。『**ぴっかぴか**の小学一年生』「**ぴっかぴか**しかも錫屋の南向き」〈雑俳―ロよせ草〉

ぴっかぴっか **さま** 目を射るほど光り輝き続けるさま。「りっぱな侍が編笠きて京の方へ**ぴっかぴっか**光る著物をきて」〈浄瑠璃―南蛮鉄後藤目貫〉

ひっかり ❶**さま** **古** 光のひらめき輝くさま。「**ひっかり**とせしうたのこはいろとどろなる神かときけばうすひきて〈季吟〉」〈俳諧―玉海集〉

❷**さま** **古** 凛《りん》として引き締まったさま。「当座の咄の内も一言也。工夫して可レ云ことなり。**ひっかり**とするもの也」〈葉隠〉

ぴっかり **さま** 一瞬に鋭く目立って、光り輝くさま。「情は吉野紙の薄物に、蛍の光**ぴっかり**とする斗」〈にごりえ・樋口一葉〉

ぴっかりこ **さま** かわいらしく光っているさま。「お星さま**ぴっかりこ** 夜のお空で**ぴっかりこ**」〈童謡―俵はごろごろ・野口雨情〉

ひっく ❶**音・声・さま** 息を短く吸いこみながら泣く声。しゃっくりの音。また、そのさま。「『さあ、それはどうかな、**ヒック**』悪魔は、シャンパンの飲みすぎか、げっぷの連発」〈ブンとフン・井上ひさし〉

❷**さま** **古** ひどく驚くさま。「やれ心動だぞと云はれて**ひっく**と驚いた」〈巨海代抄〉

びっくら **さま** 不意の出来事、また意外なことに驚くさま。びっくり。「あんまり女児《むすめ》が美麗《うつく》しいのに**恟《びっく》らして**」〈閑情末摘花・松亭金水〉

びっくり ❶**さま** 不意の出来事、また意外なことに驚きあわてるさま。『**びっくり**マーク』（＝感嘆符「！」の俗称）「なにげなくお店へ出て来ましたら、あなたが入って来られたので**びっくり**しましたわ」〈砂漠の駅・森村誠一〉 ⬇使い分け「ぎっくり」

❷**さま** 鋭くほんの少し動くさま。ぴくり。「何万騎でも持て来い。**びっくり**ともする若衆じゃアねへ」〈歌舞伎―名歌徳三舛玉垣〉

ひっしひっし **さま** **古** はげしい勢いの続くさま。遠慮や猶予もなく、次々と行うさま。「かたなよごしの蠅侍《はいざむらい》、此蠅打喰へと、松の木取て片足飛、**ひっしひっし**と打殺せば」〈浄瑠璃―信州川中島合戦・近松門左衛門〉

使い分け

【共通の意味】物音や人の声がせず、静まりかえっているようす。

ひっそり／しーん／森閑／閑散

❶**ひっそり**は、「留守らしく、家の中は**ひっそり**している」のように、静かで人の気配が感じられないようす。❷**しーん**は、「先生の質問に誰も答えられず、**しーん**としている」「会場は水を打ったように**シーン**となった」のように、人々が声を出さずに静まりかえっているようす。❸**森閑**は、「神社の境内は**森閑**としている」のように、神社や寺など厳粛な場所で、あたりが静まりかえっているようす。**閑散**は、普段にぎやかな場所に人気がなく、静かでさびしいようす。「いつもにぎやかな商店街も正月は**閑散**としている」

びっしゃり **音・さま** 戸などをはげしく閉める音。ものをきびしく打ったりたたいたりする音。また、そのさま。ぴっしゃり。「三尊仏のある大きな本堂の扉は、**びっしゃり**と閉って、深い神秘が私の魂に迫っ

て来るやうな気がした」〈東京の三十年・田山花袋〉「『難有《ありがて》え』額を**びっしゃり**」〈婦系図・泉鏡花〉

ぴっしゃり ❶音 戸などをきびしく閉める鋭い音。鋭くものを打ったりたたいたりする音。「なんでも、あたま**ぴっしゃり**とうって見にゃ合点せぬ」〈松翁道話〉 ❷さま ものとものとが一分たがわず合うさま。手きびしく決定したり断ったりするさま。「現実ばなれしている。芝居がかっている。そこが**ぴっしゃり**と心に収まらないのだった」〈吉里吉里人・井上ひさし〉

ぴっしゃりぽん ❶音古 ものを打ったりたたいたりする音。↓ひしゃりほん。「此あたまつきと、**ひっしゃりほん**とたたき立にして行事」〈好色一代女・井原西鶴〉 ✹「びっしゃりぽん」「ひっしゃりほん」とも。 ❷さま古 打ちのめされるさま。どうにも動きがとれないさま。「一戦で**びっしゃりぽん**」〈評判記―朱雀信夫摺〉

びっしょり ❶さま ひどくぬれるさま。ずぶぬれになるさま。「伝通院の先から降り出された驟雨に、例の古洋服は**びっしょり**と濡れしょぼって」〈東京灰燼記・大曲駒村〉 ❷さま すきまなく並んでいるさま。びっしり。「裸の太腿から脛へかけて**びっしょり**毛が生えているうえに」〈青べか物語・山本周五郎〉

ひっしり ❶さま古 すきまなく並ぶさま。びっしり。「中能さうに軒と軒とを、**ひっしり**と建ならべた程にの」〈狂言―察化〉 ❷さま古 きびしく言いきったり、言い当てたりするさま。核心をつくさま。「思はぬ詞も**ひっしり**と言当られて」〈浄瑠璃―忠臣一力祇園曙〉

びっしり ❶さま すきまなく並んでいるさま。ものがいっぱいに、あるいは一面にあるさま。「黒いおぞましい毛に**びっしり**覆われた怪獣だった」〈円形劇場から・辻邦生〉「最初のスケッチ・ブックが細かい文字で**びっしり**とつまってしまって」〈壺中庵異聞・富岡多恵子〉 ⬇使い分け「ぎゅーぎゅー」 ❷さま すきまなくものを合わせたり、戸を閉めたりするさま。またふたつのものが合致するさま。「**ビッシリ**唐紙を閉《た》て切れば」〈花間鶯・末広鉄腸〉

ぴっしり ❶音・さま きびしく戸を閉める音。すきまなくものを合わせるさま。「電話室に飛び込むと**ぴっしり**と戸をしめてしまった」〈或る女・有島武郎〉 ❷さま すきまなく並んでいるさま。ものがいっぱいに、あるいは一面にあるさま。「注文は、下駄の此通りへ鉄のびゃうを、**ぴっしり**と打つのだ」〈咄本―富来話有智〉

ひっそ さま 物音ひとつせず、さびしく静まりかえっているさま。また、人が少ないさま。「室《へや》の中**ひッそ**と静まり返りしが」〈己が罪・菊池幽芳〉

ひっそり ❶さま 物音ひとつせず、さびしく静まりかえっているさま。人が少ないさま。「三輪与志は、**ひっそり**した廊下へ出て行った」〈死霊・埴谷雄高〉 ⬇使い分け「ひっそり」 ❷さま 人に知られないように静かにしているさま。人が物音をたてずに沈みこんでいるさま。「その男たちは、妙に暗く、**ひっそり**した感じで」〈帰郷・大仏次郎〉

ひっそりかん さま 物音ひとつせず、さびしく静まりかえっているさま。「ひろい玄関ホールは**ひっそりかん**としていて」〈結婚・三浦哲郎〉 ✹「ひっそり」に同じ意味の「閑」をつけて強めた語。

ひっそりぽかん さま 物音ひとつせず、抜けたようにさびしく静まりかえっているさま。ひっそりかん。「ですから、チンリンと云ふ音もしないで、**寂寞《ひっそり》ぽかん**として居るんですわ」〈日本橋・泉鏡花〉

ぴったし さま ちょうどうまく合うさま。「平たく云うと中年の行く所だね。その点、山藤さんなど、**ピッタシ**であろう」〈に

んげん動物園・中島梓〉
✹フォーマルな書きことばとしては使いにくい。

ひったり ❶さま すきまなく寄り添うさま。一面にまつわりつくさま。「膏薬を芥子粒程取出し、拇《おゆび》のはらに**ひったり**とぬり」〈狂言―膏薬煉〉「寝床は、例の絹夜具の中へ一緒に潜って、息の生暖かい、腰の冷たいをばさまに、**ひったり**と抱かれて寝た」〈唐人お吉・十一谷義三郎〉 ❷さま古 一面を覆ってぬれるさま。ぬれそぼつさま。「姫君はっとちも上り、むねもだくだく、**ひったり**とあせははだへをひたしけり」〈浄瑠璃―用明天皇職人鑑・近松門左衛門〉

びったり ❶さま すきまなく強く付き添うさま。一面にまつわりつくさま。『うしろからび**ったり**とついてくる影』「板戸へび**ったり**と両手を縋って」〈玄武朱雀・泉鏡花〉 ❷さま 一面にぬれるさま。ぬれそぼつさま。「水を潜ったやうに濡れて、冷たく身体にび**ったり**と吸着く」〈魔風恋風・小杉天外〉

ぴったり ❶さま すきまなくくっつき合うさま。戸、蓋などをすきまなく閉めるさま。「男湯も女湯も**ピッタリ**湯槽は蓋が為てあって」〈青春・小栗風葉〉 ❷さま よく合っていて、似つかわしいさま。「あんまり憐れな有様なもんだから、あんたの気持に**ピッタリ**したんだわ」〈炎の人・三好十郎〉「彼の注文に**ぴったり**の家が小田急の沿線に見つかったのだ」〈徳山道助の帰郷・柏原兵三〉 ⬇使い分け「きっかり」

❸さま ちょうど時を同じくするさま。「見とれてゐた眼と**ピッタリ**出逢ふ」〈浮雲・二葉亭四迷〉

❹さま 連続している音や行動、運動などが急にやむさま。「**ぴったり**と御出のとまった処を見たり」〈にごりえ・樋口一葉〉

ぴったんこ さま すきまなくくっつき合ったり張りつくさま。ちょうど符合すること。合致すること。ぴたんこ。「立ち直りのきっかけをつかむというお兄さんの説にも**ピッタンコ**合うと思うけど」〈吉里吉里人・井上ひさし〉

ぴっちぴち ❶さま 衣服のサイズがわずかに小さく、張りつめているさま。「スパッツってご存じ。最近街で見かける、**ぴっちぴち**のももひき風パンツ」〈スパッツきめちゃう・朝日新聞・90・7・2〉 ❷さま 魚のいきがよいさま。若々しく健康なさま。『地元沖で取れた**ピッチピチ**の魚』「近ごろの競馬場〈略〉**ピッチピチ**の女のコが、ターフを駆けるお馬さんにアカルーク声援を送ったりして」〈写会学’88・読売新聞・88・11・16〉

ぴっちぴっち ❶さま 容量いっぱいに詰めこまれたさま。『**ぴっちぴっち**に本を箱におしこむ』 ❷音・さま 雨水のはねあがる音。また、そのさま。「あめあめ　ふれふれ、かあさんが　じゃのめで　おむかひ、うれしいな。**ぴっちぴっち**　ちゃっぷちゃっぷらんらんらん」〈童謡―あめふり・北原白秋〉

びっちょり さま 完全にぬれるさま。「**びっちょり**汗になりましたよ」〈人情本―仮名文章娘節用〉

びっちり さま すきまなく、一面につまっているさま。びっしり。「特別職ですから、八時間**ビッチリ**詰めていなければいけないということはないんです」〈おいしい行政委員・週刊朝日・00・6・16〉

ぴっちり さま すきまなく密着しているさま。『袋の口を**ぴっちり**閉める』「鮮やかな翡翠色のコートに**ぴっちり**としたブーツをはき」〈がらくた博物館・大庭みな子〉

びっとり さま ひどくぬれるさま。汚れが不快にへばりつくさま。「暖簾が**びっとり**と濡れ、油の焦げた煙と湯気が雨の中にもうもうと煙ってゐる」〈彼女とゴミ箱・一瀬直行〉

ひっひっ ❶声・さま おし殺してしゃくり上げるように泣く声。また、そのさま。「お

そでは青褪めた顔して、**ヒッヒッ**と泣入ってゐた」〈生まざりしならば・正宗白鳥〉

❷ 声・さま おさえぎみに下品に笑う声。また、そのさま。「春子より、としてあるの、大江さんのいい方でせう。**ヒッヒッヒヒ**」〈業苦・嘉村礒多〉

ぴっぴっ ❶ 音 規則正しく鳴る号令の笛や電子音の高い音。『沸騰したら、**ピッピッ**と知らせる湯沸かしポット』

❷ 声 小鳥がさえずる声。『毎朝ベランダの餌台で、小鳥が**ピッピッ**とあいさつする』

❸ さま 短く鋭い動作を繰り返すさま。「彼は急に腹立たしくなって**ピッピッ**と唾を飛ばした」〈青草・十一谷義三郎〉「デパートなどのお手洗いで〈略〉手をふくペーパーを**ピッピッピッ**と2枚も3枚も取る人が少なくない」〈編集部から・毎日新聞・03・1・15〉

ひっひっふー さま 無痛分娩の一つ、ラマーズ法の呼吸法で、吸って吸って吐くさま。「夫が立ち会い、**ヒッヒッフー**という呼吸法で出産すれば、だれでも安産できると、ラマーズ法の形に自分を合わせる傾向がある」〈「心身ともに自然なお産」の試み・朝日新聞・89・10・9〉

ひとくひとく 声 古 ウグイスの鳴き声。

⇩鳴き声編

✱「ひとく」は『古今集』では「人来《ひとく》」にかけて用いられているが、ハ行の音は古くはP音なので、「ピーチク」に通じるものではないかという説がある。

びとっ さま 粘着質のものが気持ちわるげにすきまなく張りついているさま。「ハイラインの『人形つかい』は、背中に巨大ナメクジが**ビトッ**とはりついて、人間をあやつる、てえ話だし」〈にんげん動物園・中島梓〉

ぴとっ さま 軽く張りついたり、くっついているさま。『付箋を**ピトッ**とつけておく』

ひなひな さま 古 かよわいさま。「十八十九は美人のさかりだぞ。うつくしくほそほそと**ひなひな**と玉をのべたる如くなるそこが分明なぞ」〈人天眼目抄〉

ひねくね さま 決心がつかず、身をくねらせてためらうさま。「『でも巧く出来てないのでねえ』とお香は**躊躇**《ひねくね》してゐる」〈紫・尾崎紅葉〉

ひひ ❶ 音 古 矢、風などが速く動く音。「かぶら矢いれば**ひひ**と鳴てとをるやうなぞ」〈荘子抄〉

❷ 音声 古 笛の音。禽獣類の鳴き声。「ふゑの音の**ひひ**ときこゆる、如何。ふきふきの反りてひひとなる」〈名語記〉

❸ ⇩漢語編「ひひ(霏霏)」

びび ⇩漢語編「びび(娓娓)」

びびっ ❶ 音・さま 電気がはしる音。感電したり、直観的にさとるさま。「竹林が風に吹かれてサラサラという音がして、それを聞いた途端に『あ、こここそ僕が住むべき所だ』と**ビビッ**ときた」〈新鎌倉文士、続々移住の理由・週刊朝日・02・1・25〉

❷ 音・さま 布や紙などを裂く音。また、そのさま。びっ。びりっ。『本箱からとりだすときに**ビビッ**と表紙が破けた』

ぴぴっ ❶ 音声 笛の音。鳥の鳴き声。合図などの電子音。『体温計が**ピピッ**と測定終了を告げる』

❷ さま 直観的に心に強く感じるさま。すぐにさとるさま。「味がわかる客がカウンターの向こうに座ると、**ピピッ**とした電流を感じるものだそうだ」〈言わなきゃいいのに……林真理子〉

ひひひ 声・さま 気味のわるい、または下品な笑い声。また、そのさま。「唯だ言ふだけのことか、**ヒヒヒヒ**」〈牛肉と馬鈴薯・国木田独歩〉

びびび 音 長く鳴りひびくブザーの音や雑音などの低くにごった音。「**びびびび**とおかしな断続音がした。〈略〉猫が洗面所へ臭いものを失礼したのである」〈流れる・幸田文〉

ぴぴぴ 音・声 長く鳴り続ける電子音などの高く澄んだ音。鳥が明るく鳴き続ける声。『目覚まし時計は、昔はジリジリ、今

はピピピ』

ひひん 声 ウマのいななく声。「鹿毛の馬車馬は**ヒヒン**と嘶いて」〈社会百面相・内田魯庵〉

ひふっ 音 古 矢を射放つひびき。矢が風を切って飛び、勢いよく命中する音。ひーふっ。「あやまたず扇の要ぎは一寸ばかりをいて**ひふっ**とぞ射きったる」〈平家物語〉

ひやっ ❶ さま 水や空気などが、肌に冷たいさま。「覚えず**ひやっ**とした事さへある」〈吾輩は猫である・夏目漱石〉

❷ さま 不安や驚きで、背筋を冷たいものがはしるさま。「その言葉の空々しいのに**冷っ**とした」〈雪国・川端康成〉

ひやひや ❶ さま 肌に冷たく感じるさま。「霧のやうな雨が**ひやひや**と襟頸《えりくび》に入るので」〈郊外・国木田独歩〉「此のまあ、朝風の**ひやひや**吹き入る心地好さ」〈誕生・谷崎潤一郎〉

❷ さま わるいこと、危険なことが起きはしないかと心配して、気をもむさま。「ある夜同僚に無理矢理誘はれて行き、割前勘定になるかも知れないと**ひやひや**しながら、おづおづとビールを飲んでゐる寺田の横に坐った時」〈競馬・織田作之助〉

びやびや ❶ さま 身につけているものがぬれて、肌にくっついて冷たいさま。「雪が靴の中に融け込んで**びやびや**とするのにも平気で街の中心の方に歩いて行った」〈冬の宿・阿部知二〉

❷ さま 方言 細長くてたわむさま。「竹が長すぎて**びやびや**する」〈島根県〉

ぴやぴや 声 小鳥の鳴き声。子どもの細く高い声。「ひよこが口開いて**ピヤピヤ**〝餌おくれ〟とばかり言っている」〈政局最前線・熊本日日新聞・03・4・5〉「円くあいた脣の奥から**ぴやぴや**した声がまろびでる」〈銀の匙・中勘助〉

ひやり ❶ さま 冷たさを感じるさま。よく冷えているさま。「**ヒヤリ**と氷のやうな冷いものを手に摑むで」〈婦系図・泉鏡花〉

❷ さま 突然の出来事に驚いたり恐怖感を抱いたりするさま。「今打たうと振上げた拳の下に立ったやうに、文三は**ひやり**として」〈浮雲・二葉亭四迷〉

❸ さま 態度が冷淡なさま。「お高は目を逸らして**冷り**と笑った」〈良人の自白・木下尚江〉

ひやりひやり ❶ 音 古 笛の音。ぴーひゃら。「膝栗毛後篇の序びらき、**ヒヤリヒヤリ**、てれつくてれつくすってんすってん」〈東海道中膝栗毛・十返舎一九〉

❷ さま 繰り返し冷たさを肌に感じるさま。「寝心地は頗《すこぶ》る嬉しかったが〈略〉肩のあたりへ糺《ただ》の森の風が**ひやりひやり**と吹いて来る」〈京に着ける夕・夏目漱石〉

ひゃんひゃん さま 方言 子どもや幼児がむずかるさま。「赤ん坊が朝から**ひゃんひゃん**して寝ない」〈群馬県〉「子どもば**ひゃんひゃん**いわすんな（言わせるな）」〈熊本県〉

ひゅー ❶ 音 鋭く風のひと吹きする音。笛や汽笛の鋭い音。「**ヒュウ**と身を斬る様な風が吹き込んだ」〈良人の自白・木下尚江〉「汽車の笛が**ヒュー**と鳴るとき」〈坊っちゃん・夏目漱石〉

❷ 音・さま ものが鋭く風を切って動く音。また、そのさま。「**ひゅう**といふ音がして、頭の上の針線《はりがね》が鳴った」〈門・夏目漱石〉

びゅー ❶ 音・さま 風のはげしく吹く音。また、そのさま。「三町ばかり先へ落雷でガラガラガラガラ**ビュー**と火の棒の様なる物が下ると」〈真景累ケ淵・三遊亭円朝〉

❷ 音・さま ものがはげしく風を切って動く音。また、そのさま。「大鷲のくそまじめな巨大な眼が槍のやうに**びゅう**と来る」〈道程（改訂版）・高村光太郎〉

ぴゅー ❶ 音 風が一瞬速く吹くときのかん高い音。ものが風を切ってはげしく動く音。「**ピュウ**と、笛をふくような音をたてて、いちにち北風が、電線をゆすぶりつづけています」〈母のない子と子のない母と・壺井栄〉

❷ 音 笛・汽笛のかん高い音。口笛の音。「**ピュウ**と耳を貫くばかりに蒸気の笛

が鳴った」〈良人の自白・木下尚江〉

❸ さま 勢いのよいさま。すばやく走るさま。液体が細く遠くにふき出すさま。『しかられて**ぴゅーっ**と逃げていった』

ひゅーどろどろ ❶ 音 芝居で、幽霊の出没する際に鳴らす下座音楽の音。「とんしゃうぼたいと手をあわせしが、**ひゅうどろどろ**となるがいなや」〈咄本―軽口若夷〉

✹「ひゅー」は笛の高い音を、「どろどろ」は太鼓をこきざみに打つ音を表す。

❷ 名 幽霊。「なんでも、**ヒウドロドロ**にちげへねへ」〈西洋道中膝栗毛・仮名垣魯文〉

❸ 名 芝居などで、狐火《きつねび》に擬してたく焼酎火《しょうちゅうび》。ひゅーどろ。「いり酒を**ひうどろどろ**にしてしまひ」〈雑俳―誹風柳多留拾遺〉

ひゅーひゅー ❶ 音 鋭く吹き続ける風の音。強風が木や電線などに当たって出す音。「烈しく吹きつける風が屋根の上の電線を**ヒューヒュー**鳴す」〈すみだ川・永井荷風〉

❷ 音 かすれた、はげしくせわしない息づかい。「**ひゅうひゅう**と云ふのは、切られた気管の疵口から呼吸をする音であった」〈心中・森鷗外〉

❸ 音・さま 笛の音。はやしたてるさま。『観客が**ヒューヒュー**騒ぎたてた』「**ひゅうひゅう**と笛をならして騒ぎ廻る冬」〈道程・高村光太郎〉

びゅーびゅー 音・さま 重量感を伴った風がはげしく吹いたり、風を切り続ける音。また、そのさま。「二本のマストは釣竿のやうにたわんで、**ビュウビュウ**泣き出した」〈蟹工船・小林多喜二〉

ぴゅーぴゅー ❶ 音・さま かん高い音をたてて風が吹いたり、風を切り続けるさま。「**ピューピュー**といふ筑波颪《おろし》が身に染みます」〈真景累ケ淵・三遊亭円朝〉

❷ 音・さま 笛、口笛、指笛などの音。うるさくはやしたてるさま。「指を口に啣へて**ぴゅうぴゅう**と劇しく鳴らして見たり」〈土・長塚節〉

❸ さま 液体が断続的に細く遠くにふき出すさま。『水鉄砲で**ぴゅーぴゅー**と水を飛ばして遊ぶ』

ひゅーん 音・さま 軽快に高速で飛んだり、機械が稼働するときの音。また、そのさま。「なにかしら、**ひゅーん**という高い唸り音をあげて、廻転機がまわっていた」〈宇宙女囚第一号・海野十三〉

びゅーん 音・さま 高速で飛んだり走るときのはげしく空を切る音。また、そのようにすばやいさま。「敵の砲弾は**ビューン**と世界を引裂くやうな音響を発して、空を截《き》って飛ぶ」〈雑嚢・桜井忠温〉

ぴゅーん 音・さま 軽やかに高速で飛んだり走るときの空を切る音。また、そのさま。『弾丸が**ピューン**と空気を切り裂いた』

ひゅっ ❶ 音・さま 一瞬風を切ってすばやく飛ぶ音。勢いよく飛び出すさま。「火の棒のやうなものが眼の先を**ヒュッヒュッ**と飛び出した」〈孤蝶随筆・馬場孤蝶〉

❷ さま 手軽に行われるさま。「うたが直に、**ひゅっ**と出るといふものじゃから」〈東海道中膝栗毛・十返舎一九〉

❸ さま 古 間違いなく確かなさま。「わたしとこのぞうりは**ひゅっ**と丈夫で」〈東海道中膝栗毛・十返舎一九〉

びゅっ さま 風を切って強くすばやく動いたり、飛び出したりするさま。「武蔵竹を右手にとって、**びゅっ**と振ると、竹が砕けてしまったというから凄いものである」〈巌流島・直木三十五〉

ぴゅっ ❶ 音 勢いよく笛などを吹く音。「**ピュッ**と口笛を吹いた」〈くれの廿八日・内田魯庵〉

❷ 音・さま ものがすばやく風を切って動く音。また、そのさま。「御用だ。**ピュッー**と来るやつを、身を退き」〈真景累ケ淵・三遊亭円朝〉

❸ さま ものが勢いよく飛び出すさま。『万年筆のインクが**ピュッ**と飛んだ』

ひゅるひゅる ❶ 音・さま 物体が高速に進んでいくときに、空気との摩擦によって出続ける音。また、そのさま。『花火がひゅるひゅると空へ上がる』
❷ 声 ロバの鳴き声。「驢馬《ろば》はただ単に鳴いてゐたにすぎないのである。〈略〉『キーコ、キーコ、**ヒュルヒュルヒュル**』と鳴いてゐるのだ」〈驢馬の声・安岡章太郎〉
❸ 音・さま 線状のものが、のびたり移動したりする音。また、そのさま。『掃除機のコードが**ひゅるひゅる**と本体の中に入った』

ひゅるるん 音 風が鋭く空をわたっていく音。「スヌーピーの心のなかでは、**ヒュルルン**どころか、typhoon（台風）クラスの暴風雨が駆け抜けたようです」〈スヌーピーの英語塾・産経新聞・99・11・24・夕刊〉

びゅわーん 音・さま 乗り物が迫力をもって超高速で駆けぬける音。また、そのさま。「**ビュワーン**、と新幹線より速く走りそうなスマートなボディー」〈悠遊ウオッチ・読売新聞・91・6・6・夕刊〉
❋ 一九六〇年代、開業したばかりの新幹線を題材にした歌「はしれちょうとっきゅう」（山中恒作詞）の中の「ビュワーン」から。

ひゅん 音・さま 瞬間的に高速で飛んだり走るときの空を切る音。また、そのさま。『**ひゅん**と竹刀をひと振りする』

びゅん 音・さま 高速で飛んだり走るときのはげしく空を切る音。また、そのさま。「南無八幡！と瞑目《めいもく》して深く念じて放ちたる弦は、わが耳を**びゅん**と撃ちて、いやもう痛いのなんの」〈花吹雪・太宰治〉

ぴゅん 音・さま 高速で飛んだり走るときの空を切るかん高い音。また、そのさま。『**ぴゅん**と矢を放った』

ひゅんひゅん 音・さま 連続的に強風が吹いたり、ものが強く風を切って動くときの高い音。また、そのさま。『子どもたちのなわとびの音が**ひゅんひゅん**聞こえる』

びゅんびゅん 音・さま 連続的に強風が吹いたり、ものが強く風を切って動くときの重々しい音。また、そのさま。『車が**びゅんびゅん**走り過ぎる』「バットを凄い勢いで**びゅんびゅん**振りながら、ボールを待っている」〈夢を植える・清岡卓行〉

ぴゅんぴゅん 音・さま 連続的に強風が吹いたり、ものが強く風を切って動くときのかん高い音。また、そのさま。『ジャッキーが、**ピュンピュン**とヌンチャクをふり回す』

ひよ ❶ 声 古 ひなの鳴き声。ぴよぴよ。「巣を出でてねぐらも知らぬひな鳥もなぞや暮れゆく**ひよ**と啼くらん」〈宇津保物語〉
❷ さま 古 身軽なさま。軽はずみなさま。「心ぅかれて、**ひよ**とあがり、覚ず一度二度とたびかさなり」〈仮名草子―都風俗鑑〉

ぴよ 声 ひなの鳴き声。ぴよぴよ。

ひょい ❶ さま 身のこなしが軽やかなさま。気軽に行ぅさま。「あなやと思ふ隙もなく**ひょい**と口から出てしまって」〈異端者の悲しみ・谷崎潤一郎〉
❷ さま 突然であるさま。「理由のわからない可笑《おか》しさが、**ひょい**とこみ上げて来たのです」〈ヴィヨンの妻・太宰治〉

ぴょい さま 身軽に動いたり飛びあがったり、飛び出したりするさま。「泣いた後機嫌直した子供のいたづらっ気で、**ぴょい**と〈略〉それに飛び移ってしまった」〈招魂祭一景・川端康成〉

ひょいひょい さま 軽い調子であちこち動いたり、現れたりするさま。「筍が**ひょいひょい**と顔を出して居る」〈魔風恋風・小杉天外〉「高島のベンチに**ひょいひょい**踊るように歩いてきた男が腰をおろした」〈夜と霧の隅で・北杜夫〉

ぴょいぴょい さま 軽い調子で動いたりはねたりするさま。「若い妓でも、朋輩と二人づれぐらゐで、平気で**ピョイピョイ**出かけて来て」〈今年竹・里見弴〉

ひょー ❶音古笛などの音。「嘯をひょうとふいて人を聚ぞ」〈史記抄〉❷音古矢が弦を離れて勢いよく飛び出す音。ひゅーっ。「与一鏑をとってつがひ、よっぴいて**ひゃうど**はなつ」〈平家物語〉❸さま古急に動くさま。突然。ひょい。ひょっ。「ここにある人、**ひゃうと**よりきていふ」〈蜻蛉日記〉

ぴょー 音古矢が弦を離れて飛ぶ音。「其時すかさず三浦の介弓に矢つがひ**ぴゃうと**射る」〈歌舞伎—釣狐〉

ひょーずわ 音古矢が音をたてて飛んで行って命中した音。「馬の左のむながいづくしを、**ひゃうづは**と射て、はずのかくるほどぞ射こうたる」〈平家物語〉

ひょーひょー ❶音笛やらっぱなどの鳴る音。「笛は塀越しに〈略〉**ひょうひょう**と流れて来るのである」〈旅人・湯川秀樹〉「らっぱちゃるめら高音をそらし**ひゃうひゃう**とこそ聞えけれ」〈浄瑠璃—国性爺合戦・近松門左衛門〉❷⬇漢語編「ひょうひょう（飄飄）」 ⬇使い分け「しゃーしゃー」

ひょうびょう ⬇漢語編「ひょうびょう（縹渺・縹緲・瞟眇）」

びょーびょー ❶声古イヌのほえる声。⬇鳴き声編 ❷⬇漢語編「びょうびょう（渺渺）」

ひょーふっ ❶音古矢が音をたてて飛んで、命中する音。「おッかかってよっぴいて**ひゃうふっ**と射る」〈平家物語〉❷音笛の音。「ふるるひょうひょう**ひょうふっ**と吹けばかすかに音をたてぬ」〈故郷の花・三好達治〉❸さま古指摘や予想などが的中するさま。ぴしゃり。ずばり。「福右衛門といふ名をばいはずして、**ひょうふっ**と、市太郎殿の御親父とさへいふ程に」〈咄本—醒睡笑〉

びょうぼう ⬇漢語編「びょうぼう（渺茫）」

びよーん さま驚くほどよくのびるさま。「最初に驚かされたのが寄生虫。『猫トイレに米粒みたいなのが落ちていたので、取ろうとすると**ビヨーン**と伸びて、キャーッ！』」〈ハロー！ペット・東京新聞・02・9・11・夕刊〉

ぴょーん さま大きく飛びはねるさま。「宇宙服に身を固めた生き物が**ぴょーん**ぴょーんと、とんでくるではないか」〈ブンとフン・井上ひさし〉

ひょかすか さま古考えもなく気軽にものごとを行うさま。ひょこすか。「**ひょかすか**と飛や蓮のみをしらず」〈宗勝〉〈俳諧—詞林金玉集〉「物草どの、こなさんは**ひょかすか**と、人の心を慰めるが上手ぢゃげな」〈歌舞伎—けいせい廓源氏〉

ひょかひょか さま古たいした考えもなく軽率にものごとを行うさま。「かかる所へ麁相者**ひょかひょか**と来り」〈咄本—軽口居合刀〉

ひょく さま思いがけなく事の起こるさま。ひょい。「皆があらまし思ふ事を言って了った頃に、**ひょく**と起きて」〈我等の一団と彼・石川啄木〉

ひょくひょく ❶声古イヌのほえる声。「犬のほゆる声の**ひょくひょく**ときこゆる如何」〈名語記〉❷さま飛びはねるように動くさま。「田亀が**ひょくひょく**もぐったりしてゐる」〈銀の匙・中勘助〉

ひょくり さま急に出現したり、出会ったりするなど、思いがけなくある状況になるさま。ひょこり。「昌作が植込の中から**ヒョクリ**と出て来た」〈鳥影・石川啄木〉

ぴょくり さま古急に少し飛びあがるさま。また、こまかく時々動くさま。ひょくり。「鯉が**ぴょくりス**」〈浮世床・式亭三馬〉

ひょくりひょくり さまこきざみにはずむように動くさま。「土蔵の横を**ヒョクリヒョクリ**と折れて、裏門を何処かへ出て行った」〈良人の自白・木下尚江〉

ぴょくん さま軽くはずみをつけて動作するさま。「江波は顔を俯せたまま**ピョクン**と御辞儀をしてコートの方へ駈け出して

いった」〈若い人・石坂洋次郎〉

ひょこ ⇩コラム「ひょこ・ぴょこ」

ひょこ ❶ さま 突然、動いたり現れたりするさま。ひょっこり。「忽ち外《はづ》しを食って、**ヒョコ**ッと踏《のめ》った」〈珍太郎日記・佐々木邦〉

❷ さま 頭を上下方向に一回軽く動かすさま。「車掌に**ひょこ**と頭を下げて」〈婦系図・泉鏡花〉

❸ さま 古 言動を軽々しくするさま。「口も心も**ひょこ**する坊主」〈歌舞伎―忠臣蔵年中行事〉

ぴょこ ❶ さま 軽くはずみをつけて動作するさま。「浮島氏は**ぴょこ**っと、だらけたお辞儀をして」〈他所の恋・正宗白鳥〉

❷ さま 小さなものが突然に、動き出したり現れ出たりするさま。「赤ん児《ばう》が〈略〉扇を半開きにして、**ピョコ**と飛び出しました」〈落語―ひねり家・初代三遊亭円左〉

ひょこすか さま 考えもなく気軽にものごとを行うさま。うっかり。ひょかすか。「手当り次第なげちらす。かくともしらず**ひょこすか**と、年寄役の卒次とて」〈人情本―明烏後正夢〉

ぴょこたん さま はずみをつけて軽く動作するさま。「もう一度**ピョコタン**と子供みたいなしぐさで腰を落ちつけると」〈羽なければ・小田実〉

ひょこつか さま こきざみにおどるように動くさま。ひょこひょこ。「**ヒョコツカ**と急ぎ足で前歯の欠けた厚朴歯《ほうのきば》の下駄を引摺って来た」〈あたらよ・内田魯庵〉

ひょこひょこ ❶ さま こきざみにはずむように動くさま。「郷里の青い荒浜《あらはま》で、海獣のやうに**ひょこひょこ**と、波にもまれてゐるエビの生舟《いけす》が浮かんですぐ消えた」〈真理の春・細田民樹〉

❷ さま 軽率に歩きまわるさま。「看病をするお前が**ヒョコヒョコ**出歩いては師匠に気の毒で仕様がねえ」〈真景累ケ淵・三遊亭円朝〉

❸ さま しきりに頭をさげるさま。ぺこぺこ。「出入の者が〈略〉**ヒョコヒョコ**頭を下げて揉手をしても」〈くれの廿八日・内田魯庵〉

❹ さま 軽い調子で次から次へと出てくるさま。数多くのものが軽くつき出ているさま。「小供《がき》なんてえものは拵へたくねえと思っても**ひょこひょこ**出来やがる」〈夢の女・永井荷風〉「鉄筋の建物だけが〈略〉古代の廃墟のように、あちこちに**ひょこひょこ**立っていた」〈春の城・阿川弘之〉

ぴょこぴょこ ❶ さま こきざみにはずむように続けて動くさま。「邪魔なお耳は**ぴょこぴょこ**するし」〈童謡―あわて床屋・北原白秋〉「帰《かへ》ろ、ひょこひょこ三《み》**ぴょこぴょこ**」〈洒落本―辰巳之園〉

❷ さま しきりに頭をさげるさま。ぺこぺこ。「家を明けて済まなかったと、己れが**ピョコピョコ**謝って帰るわけにゃア可《かい》ねエ」〈落語―子ころし・初代三遊亭円左〉

❸ さま 小さいものが次々と続いて現れるさま。「巣から顔だけ**ピョコピョコ**出す鳥のやうに騒ぎ廻ってゐるのが」〈蟹工船・小林多喜二〉

❹ さま 空腹なさま。ぺこぺこ。「腹を**ぴょこぴょこ**に減らせて帰って来ると」〈牛部屋の臭ひ・正宗白鳥〉

ひょこり さま 小さい動作をすばやくするさま。上下に動くさま。「体を横に開いて**ヒョコリ**と頭を下げる」〈雲は天才である・石川啄木〉

ぴょこり さま はずみをつけて、上下に小さい動作をするさま。「反動をつけて、米つき虫のやうに**ぴょこり**と起きあがった」〈苦の世界・宇野浩二〉

ひょこりひょこり さま 何度も小さくはずんだような動きをするさま。「腰ばかり前の方へ**ひょこりひょこり**遣って居る」〈七偏人・梅亭金鵞〉

ひょこん ❶ さま はずみをつけて一回軽く小さな動作をするさま。『うずくまっていた犬が**ひょこん**と駆けだした』

❷ さま 思いがけず急に現れ出るさま。「子

コラム　オノマトペのもと

ひょこ・ぴょこ

「ひょこ」「ぴょこ」は、典型的には跳躍の表象にかかわるオノマトペで、カエルやウサギなど、一般に跳躍の習性のある小動物の運動を表すことが多い。さらに、「ぴょこんとお辞儀をする」や「ひょっこり顔を出す」「建物がひょこひょこと林立する」など、跳躍以外の動作・様態を表す用法も珍しくない。全般に、こきざみな運動・弾みのある動作・突然で急な動作・思いがけず現れるようすなど、小さく突然の運動や様態を表す機能がある。

「ひょこ」と「ぴょこ」では、パ行音で始まる「ぴょこ」のほうが、より直接に跳躍の動作の表象と結びつきやすいようである。他方、ハ行音で始まる「ひょこ」は必ずしも跳躍を表すとは限らない。たとえば「ひょこひょこ」は、「出歩く」と共起して、不用意に（または身軽に、軽はずみに）歩き回るさまを表したりする。対して「ぴょこぴょこ」には、この意味に対応する「ぴょこぴょこ出歩く」といった表現は一般的とはいえない。用いたとしても、弾むように元気なようすの印象が強く、「ひょこひょこ」のような不用意さはあまり感じられない。

［ひょこの語群］

ひょこひょこ・ぴょこぴょこ
ひょこっ・ぴょこっ
ひょこり・ぴょこり
ひょっこり・ぴょっこり
ひょこん・ぴょこん

	―（と）跳ねる・お辞儀する	―（と）出くわす	―（と）出歩く
ひょこひょこ	○	―	○
ぴょこぴょこ	○	―	△
ひょこっ	○	△	―
ぴょこっ	○	―	―
ぴょこり	○	―	―
ぴょこん	○	―	―
ひょっこり	―	○	―

［表現］

「ひょ」「ぴょ」の拍は、全般に軽さや小ささの表象にかかわるようである。これらの拍を含むオノマトペには、ほかに「ぴょん」「ひょい」「ぴょい」「ひょっ」などがある。古いものでは、「ひょか」「ひょく」なども挙げられる。これらは、思いがけないようすや、身軽に跳ねたり弾んだりするようすを表す点で、「ひょこ」「ぴょこ」と用法がたいへんよく似ている。

弾むようすの表象という点では、清音拍「ひょ」に比べて、半濁音拍「ぴょ」のほうがそのニュアンスが強い。たとえば「ぴょこぴょこ歩く」は飛び跳ねるような歩き方を表すが、「ひょこひょこ歩く」は、幼い子どもがたどたどしく歩くようなニュアンスを伝える。

将棋の歩の駒を使った遊びに「ひょこ回り」と呼ばれるものがある。将棋盤を使用した一種のスゴロクであるが、「回り将棋」という名称のほうが一般的であるようで、「ひょこ回り」の語源については、はっきりしたことはわからない。

（那須昭夫）

供の時に、母の秋乃から受けた訓戒の言葉が、ヒョコンと頭へ飛び出してくるのだから、意地が悪い」〈自由学校・獅子文六〉

ぴょこん ❶さま はずみをつけて一回軽く動作するさま。「私は、**ぴょこん**と、ゴムじかけの人形のやうに、椅子から立ちあがった」〈苦の世界・宇野浩二〉「警官に呼びだされた兄が別の部屋から出て来て、三吉に**ぴょこん**とお辞儀をした」〈血・岡田三郎〉
❷さま 思いがけず急に現れ出るさま。「高い煙筒が、**ピョコン**と一本間抜じみて立ってゐたりした」〈今年竹・里見弴〉

ひょっ ❶さま 何の気なしに行うさま。思いがけず。「**ひょっ**と男の児を抱き上げて勝手元からこっそり門を出て行った」〈妻・田山花袋〉「すみなれしわがふる寺を**ひょっ**とでて、あしにまかせて行ほどに」〈狂言記―笠の下〉 ⇒使い分け「ひょっ」
❷さま 何かのはずみでものごとが起きるさま。万一。ひょっとして。「氷が解て、**ひょっ**と落《おっこち》たらどうする」〈浮世床・式亭三馬〉
❸さま ものが軽く突き出るさま。「腰の太い、尻の**ひょっ**と出た女子《おなご》」〈浄瑠璃―生玉心中・近松門左衛門〉
❹さま 事を行うのに、身軽に、また、気軽に、簡単にするさま。ひょい。「手の平に載せた嵯峨あられを**ヒョッ**と手の甲を叩いて口の中へ飛び込ませてゐた兆木さんは」〈珍太郎日記・佐々木邦〉

ひょっかひょっか さま 古 はずむように動き続けるさま。「道心者風呂敷かたに**ひょっかひょっか**」〈浄瑠璃―妹背山婦女庭訓〉

ひょっくら さま 急に出現したり、出会ったりするなど、思いがけなくある状況になるさま。「此の間**ひょっくら**見附け出したから其所《こそ》に取っといたがな」〈煤煙の臭ひ・宮地嘉六〉

ひょっくり ❶さま 思いがけずある状況になるさま。「それが**ひょっくり**Kのひとり寝の枕頭に思出された」〈東京の三十年・田山花袋〉
❷さま すばやく、小さく頭をさげるさま。「『今日は、お暖になりました。』と吉五郎は揉手を為ながら、**ひょっくり**と頭を下げた」〈新梅ごよみ・永井荷風〉
❸名 歌舞伎の殺陣《たて》の型の一つ。あお向けに寝て、手を使わないで、飛び起きるもの。

ひょっくりひょっ さま 思いがけなく現れるさま。特に目的もなく何かをするさま。偶然。ひょっこり。「此の事触れも、何んぞの用もあらうかと、**ひょっくりひょっ**と出申した」〈歌舞伎―御摂勧進帳〉

使い分け

【共通の意味】 不用意に何かをしたり、そうなるようす。

ひょっ

うっかり／つい／うかうか

❶**ひょっ(と)**は、意識しないで体や口が動いてしまうようす。「すっかり忘れていた昔の友人の名前が**ひょっ**と口をついて出た」 ❷**うっかり**は、「**うっかり**砂糖のかわりに塩を入れてしまった」のように、不注意で、無意識のうちにしてしまったことをいう。それに対して、習慣になっていることを無意識にするときは、**つい**を使う。「医者からたばこを禁止されているのに、**つい**手がのびてしまう」 ❸**うかうか**は、無意識で、ぼんやりしていたことを後悔するようす。「トップを走っていたが、**うかうか**しているうちに、後ろのランナーに追い抜かれてしまった」

ひょっこり ❶さま 急に出現したり出会ったりするなど、思いがけずある状況になるさま。『**ひょっこり**訪ねてくる』「袂やかくしから、**ひょっこり**出て来たその時の乗換券を見つめて」〈百鬼園随筆・内田百閒〉「池の周りを縄張りにした雌の家鴨は〈略〉

ひょっこり無精卵を産むやうになってからは」〈狐・永井龍男〉 ⬇使い分け「ぬっ」

❷さま すばやく、軽く頭をさげるさま。「『先生ただいま』とひょっこり頭をさげた」〈銀の匙・中勘助〉

ぴょっこり さま 急にたち現れたり、出会ったりするさま。「年に一回ぐらゐ変な時にぴょっこりと思ひ出されて来るのでした」〈猟銃・井上靖〉

ぴょっぴょ 音 古 つば、痰《たん》などをはき出す音。「火鉢の中へはぴょっぴょと痰を吐て」〈浮世風呂・式亭三馬〉

ひょっひょっ さま 軽率に何度も行うさま。よく考えもしないまま、ことばや考え、動作などが次々に現れ出るさま。「詞をひょっひょっと云はいでよいぞ」〈周易抄〉

ひよひよ ❶声 ひな、ひよこなどの鳴く声。「にはとりのひなの〈略〉ひよひよとかしがましう鳴きて」〈枕草子〉

❷さま 見た目や動きがいかにも弱々しいさま。ひょろひょろ。「なんやらヒヨヒヨした鳥やわ」〈のんきな患者・梶井基次郎〉「なつかし気《げ》なくも常夏《とこなつ》（＝ナデシコ）のひよひよと、暑くろしきに」〈十二月花鳥譜〉

❸さま 方言 おびえるさま。「何もひよひよするこたあないでないか」〈兵庫県〉

ぴよぴよ ❶声 ひな、ひよこなどの鳴く声。「巣の中には、大なる卵六つありて、其一つは、殻少しく破れ、中にピヨピヨ、と小さき鳴き声のあるを聞けり」〈尋常小学読本・文部省〉

❷さま 小さく、か弱いさま。弱々しく動くさま。「鶏雛のぴよぴよとしたしほらしひ処でも看よ」〈仁説問答師説〉

ひょひょい さま 軽い気持ちで、ものごとを行い続けるさま。「『うまい話にひょひょいと飛びつく』「フランス流のビジネスもまた蛙的、ところどころでひょひょいと跳躍してしまう蛙的発想に」〈新西洋事情・深田祐介〉

ひょひょらひょ さま 古 ヒョウタンが風に吹かれてゆれ動くさま。「風がふひてきて、あなたへちゃきりひょこなたへちゃきりひょ、ひょひょらひょ、ひょうたんつるいておもしろやなふ」〈狂言―節分〉

ひよろ 声 トビの鳴き声。ひーよろ。⬇鳴き声編

ひょろっ ❶さま やせて身長が高く、どことなく頼りなさそうなさま。「ヒョロッと背の高い男で」〈くれの廿八日・内田魯庵〉

❷さま 少しよろめくさま。「ええか、前からポンと突き当って、ひょろっとする隙をやってしまふのや」〈小さい田舎者・山田清三郎〉

ひょろひょろ ❶声 鳥などの鳴き声。「鳶はひょろひょろと云て天に飛ぶ」〈雑話筆記〉

❷さま 力が抜けて足もとが確かでないさま。よろめいて倒れそうなさま。「君達のやうなヒョロヒョロした、〈略〉芥子粒のやうな根性の無気力漢《いくじなし》と」〈社会百面相・内田魯庵〉「ヒョロヒョロとひょろついて台所の竈《へっつひ》でボッカリ膝を打って」〈真景累ケ淵・三遊亭円朝〉 ⬇使い分け「ふらふら」

❸さま 細長く弱々しげにのびているさま。やせてひよわなさま。「痩せてヒョロヒョロとした体が、ダブダブな、薄い夏服のなかで」〈善心悪心・里見弴〉「息を吹き込むとヒョロヒョロ、象の鼻のやうに伸る玩具も売ってゐる」〈先生への通信・寺田寅彦〉 ⬇使い分け「ひょろひょろ」

ぴょろぴょろ ❶声 トビの鳴き声。⬇鳴き声編

❷さま こきざみにふるえ動くさま。「固まり加減の黄身に対し白身がピョロピョロした『温泉卵』が、家庭でも簡単に作れないかなあ、と思った」〈おんなの発明・工夫・読売新聞・87・12・23〉

ひょろり ❶さま 力が抜けて足もとが確かでないさま。よろり。「刀につられ手はふらふら、組は組んでも締めねば、左右へひょろりと離れ」〈浄瑠璃―平家女護島・近松門左

衛門〉

❷ さま 細長くて弱々しいさま。やせて背の高いさま。「ひょろりと細長い茎が立っていて」〈月暈・島尾敏雄〉

ひょろりひょろり さま 力が抜けて足もとが確かでないまま動くさま。よろよろ。「さけきげんぅかれて**ひょろりひょろり**とつぎのまへ出かける」〈続膝栗毛・十返舎一九〉

ひょろん ❶ さま 力が抜けて確かでないさま。思いがけないさま。「宇宙ができるといぅと、何もないところに**ヒョロン**と現れるイメージを持ってしまうんやけど」〈Weらぶ 男たち・読売新聞・91・7・27・大阪夕刊〉

❷ さま 細長くて弱々しいさま。やせて背の高いさま。「ええ、好きですね。**ヒョロン**としたのが好き。ガッチリ・デップリじゃなくて」〈語りつくす時間・毎日新聞・90・10・24〉

ぴょん ❶ さま 身軽に飛び上がったり、飛び越えたりするさま。「竹の兎は**ぴょん**と跳ねる」〈銀の匙・中勘助〉「蛙が一疋草のかげから**ぴょん**と出て」〈童謡—はだか・若山牧水〉

❷ さま 細長い姿で、一つだけ現れ出ているさま。『髪の毛が**ぴょん**とはねている』「**ピョン**と立った針金と」〈地の群れ・井上光晴〉

ひょんひょん さま 繰り返し身軽に飛び上がったり、飛び越えたりするさま。「狐のやうに、**ひょんひょん**遁げて行って了ったさうだ」〈重右衛門の最後・田山花袋〉

ぴょんぴょん さま 繰り返し身軽に飛び上がったり、飛び越えたりするさま。「敏捷な鼬《いたち》のやうに、**ぴょんぴょん**死骸や負傷者を飛び越えながら」〈上海・横光利一〉

ひらから さま 方言 機敏なさま。すばやいさま。東北地方。「三里ばかりのところぁ、**ひらからっ**と自転車で回れ！」〈青森県〉

びらしゃら ❶ さま 衣服の裾などが垂れ下がってなびきひるがえるさま。「黄八丈に襟の掛った着物で、袖を**びらしゃら**して黒繻子に緋鹿子の腹合せの帯を締めて」〈落語—いもりの間違ひ・三代目柳家小さん〉

❷ さま 女性の言動のくどいと感じられるほどなまめかしいさま。「其奴等《そいつら》ア座敷で**ビラシャラ**しやがるだけで」〈良人の自白・木下尚江〉

❸ 名 古 女性、特に娘をいう。「母くろう**ひらしゃら**斗二三人」〈雑俳—誹風柳多留〉

✽長い衣装をなびかすさまから。

ひらっ さま 軽やかに一瞬ひるがえるさま。「私はどぎまぎして了った。**ひらっ**と私の前に現れたのが、昨日の断髪の少女であった」〈断崖の錯覚・太宰治〉

びらっ さま だらしなくひろがるさま。不快にひろげるさま。『札束を**びらっ**と見せつけた』

使い分け

【共通の意味】体格が細くやせているようす。

ひょろひょろ **ほっそり／すらり／がりがり／ぎすぎす**

❶**ひょろひょろ**は、体つきが細く不安定に伸びているようす。「やせて背が高く、ひょろひょろした頼りなげな若者」 ❷**ほっそり**、**すらり**は、細くて形がいいようす。**すらり**は、「バレリーナのようにすらりと伸びた体」のように、しなやかに伸びているようすをいうのに対して、**ほっそり**は「三週間入院して体がほっそりしてしまった」のように細いほうに焦点がおかれる。❸**がりがり**は、やせすぎて骨が外からも見えるようす。「胃を手術して**ガリガリ**にやせてしまった」 ❹**ぎすぎす**は、体つきにふくよかさがないようす。また、優しさや寛容さが欠けているようす。「仕事は手早いが、**ギスギス**して冷たい人だ」

ぴらっ ❶ さま 一瞬軽く身をおどらせて、飛び乗ったり飛び越えたりするさま。「ピンと飛び上り、**ピラッ**と乗り、ポンと飛び下り、トットッと歩るけば、さして難な

かるべけれど」〈仏国風俗問答・池辺義象〉

❷さま 紙や布などの薄くて弱いさま。薄いものを一枚めくったり、ひらつかせるさま。『店員は、ノートを**ぴらっ**とめくって何やら書きこんだ』

ひらひら ❶さま 薄く軽いものが空中にひるがえるさま。こきざみにゆれ動くさま。「或る一つの葉だけが**ヒラヒラ**ヒラヒラ、同じリズムで動いてゐる」〈城の崎にて・志賀直哉〉「『入隊が迫っとるから家にも戻れん』と召集令状を**ひらひら**させながら」〈ガダルカナル戦詩集・井上光晴〉⬇使い分け「ひらひら」

❷さま きらめき輝いたり、炎がゆれ動いたりするさま。「真の絶望者は、絶えず蛇の舌のような焔の**ひらひら**と揺めいている、絶対不可侵の魔圏によってとりかこまれており」〈絶望について・花田清輝〉

❸名 軽くひるがえる薄いもの。布様のものの小片。『**ひらひら**のついたエプロン』「旗竿の先へ三寸幅の**ひらひら**を付けて」〈こゝろ・夏目漱石〉

びらびら ❶さま 布や紙などが垂れて重たげになびきひるがえるさま。ひらひら。「**びらびら**と竹輿から紅の袖が出る」〈雑俳—替狂言〉

❷さま古 言動のなまめかしいさま。「**びらびら**と和らいだ文も書れず」〈浄瑠璃—摂州渡辺橋供養〉

❸名 金属・布などの厚めの小片で、可動するようにものに取り付けたもの。「**ビラビラ**の付いた同じやうな簪が」〈父の婚礼・上司小剣〉

ぴらぴら ❶さま 布や紙などが垂れて軽々しい感じでひるがえるさま。ものの間などからのぞいたり飛び出たりするさま。「あかいじゅばんのそでを**ぴらぴら**出しかけ」〈安愚楽鍋・仮名垣魯文〉

❷さま 炎がゆれ動くさま。「川の中から**ピラピラ**と火が燃え出したらう」〈滑稽本—和合人〉

ひらり ❶さま 身軽に飛び乗ったり飛び越えたりするさま。「漁師がやをら起て舟を寄せる。犬が逸早く心得貌に**ひらり**と飛び乗る」〈思出の記・徳冨蘆花〉

❷さま 衣服や紙などが軽くひるがえるさま。「『いいの?』親の手からはダイヤの三が**ひらり**と辷《すべ》り出た」〈三等船客・前田河広一郎〉「此時両手で羽織の折返しをズウイとしごいて、左右へ**ヒラリ**と羽《は》をって」〈浮世床・式亭三馬〉

❸さま 一瞬きらめき輝くさま。「種鮎《たねあゆ》か、それとも釣《かか》ったのか、**ヒラリ**と銀色の鰭《うろこ》が波間に躍った」〈鳥影・石川啄木〉

びらり ❶さま 布などが垂れてなびきひるがえるさま。「緋縮緬の蹴出し**びらり**ぱっとした遊興酒宴なんどに」〈毒朱唇・幸田露伴〉

❷さま方言 すばやいさま。東北地方。「**びらり**取る(さっと取る)」〈岩手県〉「いいど聞いたんで、**びらり**買いますた」〈宮城県〉

❸さま方言 徹底的なさま。すっかり。「あいつに**びらり**やられた」〈高知県〉

ぴらり さま 軽い調子でひるがえすさま。『特別会員券を**ぴらり**とり出した』

ひらりくるり ❶さま 空中にひるがえり、回るさま。「天しゃうも大ゆかも、**ひらりくるり**とまへければ」〈浄瑠璃—源平武将論〉

❷さま 空中にひるがえってきらめくさま。長柄の武器などをふり回すさま。「三ケ月のごとくに、ひとそりそったる長刀を、**ひらりくるり**とまはひておもてもふらずかかりけり」〈幸若—ほり川〉

ひらりさらり ❶さま古 あちこちと移動するさま。所定めず歩き回るさま。「飛花を、宦者のをごって、**ひらりさらり**として往来するにたとへ、御柳の斜めなるを、君の宦者にひかれて正道を失するにたとへたぞ」〈三体詩素隠抄〉

❷さま古 左右・前後に弱々しげになびいたり、乱れたりするさま。「蚯蚓の如きよはたくれた筆法を以て竹と云てかくが、

柳の**ひらりさらり**として、よはたくれたが如くなるぞ」〈四河入海〉

びらりしゃらり ❶さま古あちこちと移動するさま。所定めず歩き回るさま。「同じ所を四五返も**右行左行**《びらりしゃらり》と」〈好色一代女・井原西鶴〉

❷さま古左右・前後になびいたり、乱れたりするさま。「滄浪の水にてあらひたまひし冠の纓は、**左往右往**《びらりしゃらり》として、いと尊し」〈東海道名所記・浅井了意〉

❸さま古はなやかに、なまめいているさま。「**ひらりしゃらり**の春のあけぼのかへる鴈《かり》ふる院やうの文字ににて」〈俳諧―犬筑波集〉

ひらりひらり ❶さま軽々と飛び越えて進むさま。軽やかに行くさま。『パーティ会場で**ひらりひらり**と人の間を縫う』「三重の堀をば**ひらりひらり**とはねこして」〈幸若―鎌田〉

❷さま軽いもの、薄いものが飛んだり、ひるがえるさま。「蛙の声を踏分けて一村総出の田植時、早乙女の白手拭が**ひらりひらり**と風に靡いて」〈思出の記・徳冨蘆花〉

❸さま空中にひるがえってきらめいたり、光り輝いたりするさま。「衣の底より**閃**《ひら》**り閃り**と微に光を放つものあり」〈新浦島・幸田露伴〉「高根を出る月かげに、与一がかぶとのくわがたの、**ひらりひらり**とひらめくにぞ」〈狂言―文蔵〉

ひり ⇩コラム「ひり・びり・ぴり」

ひりっ さま一瞬、刺激や痛み、辛みを感じるさま。「久しぶりみたいな気のする朝の空気である。鼻の粘膜が**ひりっ**とする」〈流れる・幸田文〉

びりっ ❶音・さま紙や布などが勢いよく裂ける音。また、そのさま。「目の前の原稿用紙を上から十枚ばかり**びりっ**と毟《むし》り取る」〈吉里吉里人・井上ひさし〉

❷音・さま空中を電気がはしる音。急激な刺激をうけてしびれたり、体をふるわせるさま。「電気に打たれたように**ビリッ**となり」〈裸の日本人・佐藤忠男〉

ぴりっ ❶音・さま紙や布などが勢いよく裂ける音。また、そのさま。「**ピリッ**と音を立ててそれを引き裂き」〈水中花・五木寛之〉

❷さま一瞬、鋭く辛みを感じるさま。瞬間的な刺激をうけてしびれるさま。「山椒は粒でも、**ピリッ**と辛いぞ」〈童謡―お祭・北原白秋〉

❸さま体が引き締まるようなさま。態度に一本、筋が通っているさま。「我が家の家長たるものは、**ピリッ**としてるでしょう」〈ハッピネス・小島信夫〉

❹さま一瞬ふるえ動くさま。「過敏になってゐる神経が**ピリッ**とふるへて」〈星を造る人・稲垣足穂〉

ひりひり ❶さま皮膚、神経などが焼けつくように痛み続けるさま。また、切迫した緊張感が伝わるさま。「卑怯な自分は不意に硫酸を浴せられた様に**ひりひり**と

使い分け

【共通の意味】
薄いものなどが風にひるがえるようす。

ひらひら
はたはた／ぱたぱた／ばたばた／翩翻

❶**ひらひら**は、薄い布、紙、花びらなどが、風で飛んでいくようす。「**ひらひら**と桜の花びらが風に舞う」「ちょうちょが**ヒラヒラ**飛んで行った」❷**はたはた**は、紙や布などが風を受けてひるがえるようすや音。「大安売りののぼりが、店の前で**はたはた**と音をたてている」。**ぱたぱた**は**はたはた**より、また、**ばたばた**は**ぱたぱた**より音が強い。「ヨットの帆が**パタパタ**と風を受けてふくらむ」「病院の屋上に干したシーツが、強風で**バタバタ**とはためいている」❸**翩翻**《へんぽん》は、風にひるがえるようすを表す漢語。「万国旗が風に**翩翻**とひるがえる」

コラム オノマトペのもと

ひり・びり・ぴり

「ひり」「びり」「ぴり」は、しびれるような痛みや刺激を感じるようすを表す。

「ひり」は、表面がこすれるような刺激、「ぴり」は軽く刺すような刺激に対して使われ、「びり」は、電気がはしるような刺激をいう。いずれも「り」が付くと、刺激が瞬間であるようす、促音「っ」が付くと、さらに急激な一瞬の刺激を表現する。

「ひりひり」などの繰り返し形は、刺激が継続するようすを表し、さらに、その刺激によってこきざみにふるえるようすも表す。「ひり」「ぴり」「びり」と、ふるえ方の程度が大きくなる。

「びり」「ぴり」には、布や紙などが破れるときの音やようすも表す。「ぴり」には、態度や姿勢に張りがあるようすを表したり、笛などの高く澄んだ音を表す用法もある。

【ひりの語群】

ひりひり・びりびり・ぴりぴり
ひりっ・びりっ・ぴりっ
ひりり・びりり・ぴりり・びりん

	―(と)痛い	―(と)破る	―(と)した雰囲気
ひりひり	○	―	―
ひりっ	○	―	―
ひりり	○	―	―
びりびり	○	○	△
びりっ	○	○	―
びりり	○	○	―
ぴりぴり	○	○	○
ぴりっ	○	○	○
ぴりり	○	○	○

【表現】

「ひりひり」も「ぴりぴり」も、かつては香辛料の刺激に対して使われていた。しかし、最近は「ひりひり」は食の表現には使われないようである。一九九六年に首都圏で調査したところ、「ひりひり」を食表現に使うのはシニア層や高齢者層のほうが多く、若年層ではあまり使われないことがわかった。

一方「ぴりぴり」は、香辛料や炭酸の刺激によく使われている。角田光代はタイのさつまあげが「ぴりり」(『彼女のこんだて帖』)、村上春樹は柿の種が「ぴりっ」(『村上ラヂオ』)、椎名誠は紅しょうがが「ピリリ」(『全日本食えばわかる図鑑』)、と書いている。「ピリ辛」ということばも、すっかり定着したようである。

「ひり」は、表面がこすれるような痛み、「ぴり」は軽く刺すような痛みを表現する。確かに、唐辛子や炭酸などの刺激は表面の痛みではなく、刺すような刺激である。「ぴりぴり」のほうが主流になったのは、現代人がさまざまな香辛料の刺激を体験することによって、より厳密に感覚を表現するようになったからかもしれない。

ぴりぴりっとした刺激は、料理の味を引き締めたり、食べた人に活力を与えたりする。「山椒は小粒でもぴりりと辛い」のことわざや、「ぴりぴりした雰囲気」との表現もあるように、ぴりぴりは単なる刺すような感覚を表すだけでなく、引き締まる感じも暗示している。

現在、食の分野から閉め出されつつある「ひりひり」は、もっぱら、皮膚の痛み、たとえば、真夏の炎天下で焼けた肌の痛みなどに使われている。

(早川文代)

した」〈行人・夏目漱石〉
❷さま のどが痛いほどかわくさま。「咽喉も**ひりひり**乾いていたが」〈抱擁・瀬戸内晴美〉
❸さま 持続的に鋭い辛みを感じるさま。「唐辛子〈略〉を十二分に汁の上に振り掛けて、**ひりひり**するのを我慢しながら」〈彼岸過迄・夏目漱石〉 ⇩使い分け「ちくちく」
❹さま 古 細長いもの、小さいものなどがこきざみに動くさま。ひるがえるさま。「虫や蝶の**ひりひり**とはたらきとぶ。如何」〈名語記〉
❺さま 古 苦しさにもだえてけいれんするさま。「打込んで調合した毒だもの、それを服《の》むが最期の助、コロリバッタリ、**ヒリヒリ**ヒリ」〈歌舞伎―彩入御伽草・鶴屋南北〉

びりびり ❶音・さま 紙や布などが裂ける音。また、そのさま。「『障子を張るときは余程慎重にしないと失策《しくじ》るです』〈略〉茶の間の縁側から**びりびり**破き始めた」〈門・夏目漱石〉 ⇩使い分け「べりべり」
❷音・さま ものをこまかく振動させるほどひびく大きな音。また、そのさま。「忽ち裏手の山上高く天地も震ふばかりミキミキミキッと凄しい音がして、戸も障子も**ビリビリ**と動いた」〈良人の自白・木下尚江〉
❸さま こきざみにはげしくふるえ動くさま。ぶるぶる。「長い髭を**びりびり**と震はせて」〈吾輩は猫である・夏目漱石〉
❹さま 古 飢えているさま。欲情するさま。でれでれ。「酒にも女にも**びりびり**する男だぜ」〈春色恵の花・為永春水〉
❺さま 心や神経を強く刺激するさま。刺激を受け、神経を高ぶらせて興奮するさま。「そんな時、桃枝は**びりびり**とからだ中にいやらしさが電波のように流れ、感じた」〈巷談本牧亭・安藤鶴夫〉
❻さま 強い刺激や痛みを感じ続けるさま。「顔を**びりびり**するやうな夜寒に」〈或る女・有島武郎〉

ぴりぴり ❶音 笛などをかん高く吹き鳴らす音。「**ピリピリ**と集合図の笛を吹いて」〈途上・嘉村礒多〉
❷音・さま 紙や布などが続けざまに裂ける音。また、そのさま。「何と思ったか彼女はいきなり帳面を鷲摑みにして、**ピリピリ**に引き裂いて」〈痴人の愛・谷崎潤一郎〉
❸さま こまかにふるえ動くさま。ぴくぴく。「ずしんずしんといぅ足音は、校舎の窓ガラスを**ぴりぴり**と震わせ、みんなの頬を震わせた」〈ユタとふしぎな仲間たち・三浦哲郎〉
❹さま 心や神経を強く刺激するさま。神経が興奮するさま。「鋭くなった神経には**ピリピリ**触る」〈剃刀・志賀直哉〉
❺さま 鋭い刺激や痛みを感じ続けるさま。「ビールを飲み干した時、妙な現象が起った。始めは舌が**ぴりぴり**して」〈吾輩は猫である・夏目漱石〉
❻さま 方言 こまかい雨が降るさま。「あっ、**ぴりぴり**してった。急ごか」〈兵庫県〉「また**ぴりぴり**してきましたな」〈兵庫県〉

ひりり ❶さま 鋭い刺激や痛みを瞬間的に感じるさま。「此種の石鹸は一寸なめて見ると**ヒリリ**と舌を刺しますから」〈化粧美学・三須裕〉
❷さま 体をふるわせるさま。こきざみにふるえ動くさま。「先一言ぅけたまわっての分別ありと、**ひりり**ともせぬ男つき、それごかしの筒もたせとはしれど」〈浮世草子―忘花〉

びりり ❶音・さま 紙や布などが勢いよく裂ける音。また、そのさま。「わたしの手に、敵の爪が歯が嚙みついて来て、ホワイトシャツが**びりり**と裂け」〈焼跡のイエス・石川淳〉
❷音・さま 空中を電気がはしる音。瞬間的な刺激をうけてしびれるさま。「寒雷や**びりりびりり**と真夜の玻璃」〈寒雷・加藤楸邨〉「小野さんの神経は一度に**びりり**と動いた」〈虞美人草・夏目漱石〉

ぴりり ❶音・さま 薄い紙や布などが勢いよく裂ける高い音。また、そのさま。「袖つ

けから半分ばかりぴりりと綻《ほころび》が切れ」〈大阪の宿・水上滝太郎〉

❷さま 一瞬鋭く辛みを感じるさま。瞬間的な刺激をうけてしびれるさま。「山椒《さんしょ》は小粒でもぴりりと辛く」〈西洋道中膝栗毛・仮名垣魯文〉

❸さま 一瞬ふるえ動くさま。「太い眉毛が、痙攣《ひきつ》ける様にピリリと動いた」〈鳥影・石川啄木〉

❹さま 体が引き締まるようなさま。態度に筋の通ったきびしさのあるさま。「家を失う恐怖心はルウズな彼女の日常神経を、その点だけはピリリとひきしめていた」〈女の部屋・武田泰淳〉

びりん さま 瞬間的に強い刺激や痛みを感じて体がふるえるさま。「三本一緒にした細引でなぐりつけられた。身体全体がビリンと縮んだ」〈一九二八・三・一五・小林多喜二〉

びれびれ さま 古 異性に見さかいなくまつわりつくさま。でれでれ。びろびろ。「旦那らしくして、威儀《しゃん》として居るが宜いものだ。余りびれびれすると位が落ちますぜ」〈人情本―花筐〉

ぴろっ さま 比較的薄いものが、ほんのわずか出たり動いたりするさま。動作がすばやいさま。「『ホッピーちゃんは舌をぴろっと出していて可愛い』と満足そうだった」〈人気呼べるかな・朝日新聞・99・8・2・西部地方版〉

ひろひろ さま 古 紙、布、舌など比較的薄いものがゆれ動くさま。「お手ひろひろとまねく月の夜〈親重〉 ほに出て薄も我もされこころ〈慶友〉」〈俳諧―犬子集〉

びろびろ ❶さま 紙、布、舌など、比較的薄いものが、秩序なくゆれ動くさま。「Birobiro（ビロビロ）〈訳〉舌、またはそれに似た物が動くさま」〈日葡辞書〉

❷さま もろくなったり、溶けやすいなどして、形がくずれやすいさま。「サンマ缶のサンマのおなかはビロビロとおいしい。口の中でビロビロととろける」〈駅弁の丸かじり・東海林さだお〉

❸さま 古 異性に見さかいなくまつわりつくさま。「女さへ見るとびろびろと、武士にあるまい不行跡」〈歌舞伎―白縫譚・河竹黙阿彌〉

ぴろぴろ ❶音 笛の明るくひびく音。「凝った撥《ばち》さばきで太鼓を打ちこんだり、ピロピロ笛を吹いたりしていた」〈石中先生行状記・石坂洋次郎〉

❷さま 布や紙など平らなものにこしがあり、ゆるやかに波打つさま。ぴらぴら。『ピロピロした幅広の麺』

ぴろぴろぴー 音 機械が反応していることを示す電子音。「大きさは子犬くらい。ほめれば目を緑色に点滅させ、ピロピロピーと鳴く。すねると、首を横に振り怒った赤い目になる」〈ロボットと私・朝日新聞・01・1・1〉

ぴろろん 音 機械が出す高い電子音。「あっちでピロロン、こっちでルルルル――。街を行けば携帯電話の呼び出し音がもう日常の一部分」〈困った時のケイタイ頼み・読売新聞・98・6・14〉

びろん さま だらしなくのび広がるさま。よくのびるさま。『セーターのすそがビロンとのびてしまった』

ひわひわ さま 古 細く弱々しいさま。「萩の花のえだもひわひわとたわむほどおいたあの露が」〈古今集遺鏡〉

ひん ❶声 ウマのいななく声。「木馬はとてもうれしそう、代りにボクがヒンとなく」〈童謡―木馬・サトウ・ハチロー〉 ⬇鳴き声編

❷さま 古 ものが勢いよくはね上がったり、そり返ったり、直立したりするさま。「駕籠の紋は丸に虎のおひんとはねたる備後の福山」〈浄瑠璃―薩摩歌・近松門左衛門〉

❸さま 古 とりすまして愛想のない態度をとるさま。つん。「銭取て浜へゆく様なものじゃござんせんとて、ひんとする」〈浄瑠璃―最明寺殿百人上臈・近松門左衛門〉

びん さま 糸などをゆるみなく張るさま。神経が張りつめるさま。「したがって神経

は隅々まで**ぴん**と張りつめてゐ、〈略〉精いっぱいに突っぱるつもりだった」〈父―その死・幸田文〉

ぴん ❶ 音 錠などをかけるときのかん高くひびく音。「箪笥の抽斗《ひきだし》へ入れて**ピン**と錠を卸し」〈真景累ケ淵・三遊亭円朝〉 ❷ さま ものが勢いよくはね上がったり、そり返ったり、直立したりするさま。張りがあってゆるみのないさま。「木菟《みみずく》は〈略〉耳を**ピン**とたて」〈鳥獣戯話・花田清輝〉 ❸ さま 古 とりすまして愛想のない態度をとるさま。つん。「つんとしたる、**ぴん**としたるふくれっつら、仏頂頬、小児の泣《ほへ》っつら」〈咄本―喜美賀楽寿〉 ❹ さま ものごとをゆるみなく気持ちをこめて実行するさま。姿勢がゆるぎないさま。「もっと**ぴん**と揉めといふゆへ」〈咄本―無事志有意〉 ❺ さま 直観的に心に強く感じるさま。鋭くさとるさま。「店の常連から提供された情報に、牛尾は**ピン**とくるものをおぼえた」〈砂漠の駅・森村誠一〉

ぴんこしゃんこ さま 勢いよくはね回って遊ぶさま。飛んだりはねたり、上がったり下がったりするさま。『子どもが外で**ぴんこしゃんこ**遊んでいる』

ひんこひん さま ウマがはね回るさま。「**ひんこひん**とはねまはるは、誠にあら馬《むま》と見え侍れども」〈俳諧―貝おほひ〉

ひんしゃん ❶ さま 古 腹を立て、他人に対してすげない態度をとるさま。つんけん。つんつん。「さしてもないことささやきまはり、**ひんしゃん**として帰りける」〈浄瑠璃―大磯虎稚物語・近松門左衛門〉 ❷ さま 古 もっともらしい態度、気のあるそぶりで、とりすました態度をとるさま。「世上のぬればなし、河原の沙汰、時のはやりことばを有ほどいひ、**ひんしゃん**としておもはせぶり也」〈浮世草子―好色貝合〉

びんしゃん ❶ さま 古 勢いよくはね上がったり、そり返ったりするさま。年のわりに元気のいいさま。「釣舟の真似をして鐺《こじり》を**びんしゃんびんしゃん**とこきあげて」〈浄瑠璃―浦島年代記・近松門左衛門〉 ❷ さま 古 腹を立て不平顔をし続けるさま。他人に対してすげない態度をとるさま。「奥よりお絲、**びんしゃん**して出て来るを」〈歌舞伎―心謎解色糸〉

ぴんしゃん ❶ さま 勢いよくはね上がったり、そり返ったりするさま。年のわりに元気のいいさま。びんしゃん。「未だ**ぴんしゃん**して居るのに唯だ遊んで食うて居るといふのは」〈二老人・国木田独歩〉

使い分け

［共通の意味］寒さや冷たさを体に感じるようす。

ひんやり／**ぞくぞく**／**しんしん**／**凜凜**

❶**ひんやり**は、肌や舌などが冷たいものにふれたときの感じ。「井戸につけておいたスイカが**ひんやり**とおいしい」「外は暑くても、冷房の効いた部屋は**ひんやり**している」 ❷**ぞくぞく**は、寒さや恐怖、病気などから急に寒気を感じ、体が震えるようす。「風邪をひいたらしく、体が**ぞくぞく**する」 ❸**しんしん**は、寒さが体に深くしみるようす。「夜になると**しんしん**と冷え込む」。**凜凜**《りんりん》は、寒さが厳しく身にしみるようすを表す文章語。「雪国の**凜々**とした寒気が身にしみる」

❷ さま 古 腹を立て不平顔をし続けるさま。他人に対してすげない態度をとるさま。「**ぴんしゃん**と猫の顔ふるきらず食」〈雑俳―登梯子〉「甘ったるき語気に男をなでつけ、**ぴんしゃん**したる語気に男をぢれさせ」〈艶魔伝・幸田露伴〉

ぴんとこ 名 歌舞伎衣装の一種。俳優が唐人に扮《ふん》するときに用いる襟袈裟《えりげさ》で、

針金を入れて左右へピンと張ってあるもの。「**ぴんとこ** 『暫《しばらく》』の受《うけ》などが着る針金入りの衣裳」〈新時代用語辞典・長岡規矩雄〉

ぴんとこな ❶[名][古]すげなく振り放すようなさまをすること。また、そのような人やもの。「べったりに惚るあれば**ひんとこ**なにほれる有」〈洒落本—虚実柳巷方言〉
❷[名]歌舞伎の役柄の一つ。やわらかみのある色男で、しかも強いところのある役。「伊勢音頭恋寝刃《いせおんどこいのねたば》」の福岡貢《みつぎ》の類。「和実は人品の軽き役者の出来ぬ事にて是また容易に入安からず。依て彼《か》の**ピントコナ**と称する風出来しなり」〈劇場一観顕微鏡〉

ひんなり [さま]しなやかにほっそりとしているさま。すんなり。「細上布の帷子、**ひんなり**とした男振にて」〈そめちがへ・森鷗外〉

びんび ❶[さま][古]わずかずつすするさま。「Binbito（**ビンビト**）〈訳〉物を少しずつすするさま」〈日葡辞書〉
❷[さま][古]勢いよく動くさま。ぱっぱ。「ウマガ binbito（**ビンビト**）ハヌル」〈日葡辞書〉

ひんひん ❶[声]ウマのいななく声。⬇鳴き声編
❷[声]イヌなどがつらそうに鳴く声。「犬が**ひんひん**苦しがりながら俥を引くんだ」〈行人・夏目漱石〉
❸[さま][古]勢いよくはね上がったり、そり返ったりするさま。「馬の口取やっこ迄**ひんひん**と跳ね廻はり」〈浄瑠璃—津国女夫池〉
❹[さま][古]とりすまして愛想のないさま。「袖引きゃ**ひんひん**、なぜに顔ふりゃるえわしがどこに振ったぞえ」〈歌謡—落葉集〉

ひんぴん ⬇漢語編①「ひんぴん（彬彬・斌斌）」②「ひんぴん（頻頻）」

びんびん ❶[音・さま]強くひびく、低く重い音。低く強い振動が伝わってくるさま。「松下の声が**ビンビン**響いた時には無かった喜びを」〈故旧忘れ得べき・高見順〉
❷[さま]生気がひびくように伝わってくるさま。「爪は競馬うまのやうにはやりにはやってともすれば**びんびん**飛びだそうとする」〈銀の匙・中勘助〉

ぴんぴん ❶[さま]元気で生き生きとしているさま。健康なさま。「殺されたという男は**ぴんぴん**しとるんだよ」〈階級・井上光晴〉⬇使い分け「ぴちぴち」
❷[さま]勢いよくはね上がったり、そり返ったりするさま。「あんまり御世話のやき過ぎぢゃといふ様なかほして、**ぴんぴん**ぴんぴんはね廻はり」〈松翁道話〉
❸[さま][古]とりすまして愛想のないさま。つん。ぴん。ひんひん。「何を云っても、**ピンピン**として、おれが云ふ事は聞いてくれないから」〈歌舞伎—染纏竹春駒〉
❹[さま]刺激が強く伝わり、鋭くひびくさま。相手の思いが強く心に伝わるさま。「**ぴんぴん**と頭へ響く高声で」〈父の婚礼・上司小剣〉

ぴんぽん ❶[音・名]インターホンなどのチャイムの鳴る音。また、チャイムのこと。「『**ピンポン**が鳴っても、不用意にカギを開けないこと』」
❷[音・名]テレビのクイズ番組などで、正解のときに鳴らす効果音。会話の応答で、正解であること。「『あれが君の車だろう？』『**ピンポン！**』」
❸[名]玩具の一種「ぽぴん」の異称。「チャルメロ**ピンポン**の陽気が髷のさきへ舞のぼって」〈滑稽本—当世真々乃川〉

ひんやり [さま]冷たさを感じるさま。ひーやり。「ときどき**ひんやり**した微風が吹いて来た」〈青べか物語・山本周五郎〉⬇使い分け「ひんやり」

ふい さま 思いがけなく突然に行為、動作が行われるさま。「いまは亡き母が街角からふいと歩いて来るような気がする」〈砂漠の駅・森村誠一〉「その不思議な物の正体がふいっと分って来たのである」〈母を恋ふる記・谷崎潤一郎〉

ぶい 音 放屁《ひほう》の音。「初会のざしき、女郎、ぶいとの仕ぞこない」〈咄本―鹿の子餅〉「ブイと一ッ屁を放《ひ》ると」〈七偏人・梅亭金鵞〉

ぷい ❶さま 行為、動作が突然で軽く、すばやいさま。ぽい。「蛇の尾をつまみあげ〈略〉戸の外へぷいと投げすててしまった」〈清経入水・秦恒平〉

❷さま 不機嫌に顔をそむけたり、急に立ち去ったりするさま。「生徒がうっかり日本語でたずねてもプイとそっぽを向いて聞えないふりをする」〈青い月曜日・開高健〉「何だ馬鹿々々しいと言はぬばかりに、プイと又此方を向いて了ふ」〈其面影・二葉亭四迷〉

ふいふい ❶さま古 思いがけなく、次々に動いたり、見え隠れしたりするさま。「高が一年限《きり》でふいふいと風まかせの奉公だものを」〈浮世風呂・式亭三馬〉「フイフイと匂油の嗅る袈裟」〈雑俳―実意金石集〉

❷さま 格別意図しないこと、偶然のことが度重なるさま。たまたま。「私は自然にふいふい口浄瑠璃を唸りたいやうな気になって」〈別れた妻に送る手紙・近松秋江〉

ぶいぶい ❶音・声 コガネムシやブタの鳴き声、放屁《ひほう》の音など、太くひびく低い音。「目の覚ぬまじなひに、たらいをふせながら、大きな屁をぶいぶいとひれば」〈咄本―初登〉

❷さま こごとや不平をうるさく言い立てるさま。「ぶいぶいと小りき身に勇んで、木葉喧嘩《こっぱげんか》はしやるな、ヨウ」〈浮世風呂・式亭三馬〉

❸さま 勢いよく回すさま。ぶんぶん。「歯車のついた竹筒をぶいぶいとまはしながら」〈銀の匙・中勘助〉

❹さま 元気よく威勢があって、顔がきくさま。「野郎がいくら新宿でブイブイいわせてたってな、ここは東京じゃねえんだ」〈新宿鮫 無間人形・大沢在昌〉

❺名古 無頼漢や侠客など、他人にけんかなどを売って、嫌われている人。「何さぶいぶい共、人おどしのかいなに色々の彫物して喧嘩に事よせ」〈浄瑠璃―女殺油地獄・近松門左衛門〉

ふー ❶音・さま 風の吹く音。強く息を吹き出したり、ため息をつく音。また、そのさま。「フーッと、サジの中のものを、吹いた」〈自由学校・獅子文六〉「煙草の煙と一緒に、フーと軽い嘆息を吐いた」〈石中先生行状記・石坂洋次郎〉

❷声・さま ネコの怒りを示す声。また、そのさま。「猫が犬小屋の前に座り、よその犬猫が来ると、フーッと毛を逆立てて追い払っていた姿も記憶に焼きついている」〈憂楽帳・毎日新聞・91・9・2〉

❸さま 音もなく急に動くさま。突然に変化するさま。「まぼろしの如く女の影がふうと現はれた」〈草枕・夏目漱石〉「天の河のなかへ体がふうと浮き上ってゆくやうだった」〈雪国・川端康成〉

❹さま 意識が一瞬ぬけるように遠のくさま。「ふうっと足が宙に浮いてエレベエタアに乗ったやうにおぼつかない心地がした」〈続もめん随筆・森田たま〉

ぶー ❶音 汽笛の音や放屁《ひほう》の音など、太くて低い音。「電車が赤い札を卸して、ぶうと鳴って来る」〈虞美人草・夏目漱石〉

❷音 不正解を意味するブザーの音。「ブ

ー、ちがいます』

❸ 声・さま 不平であることを示す声。不平の気持ちを表して頬を丸くふくらませるさま。「全員はブウーと口をそろえて反撥した」〈口笛をふく時・遠藤周作〉「ぶうっと頬を膨らませ、軽く睨《にら》み殺しながら」〈ぼんち・山崎豊子〉

ぷー ❶ 音 警笛やらっぱ、放屁《ほうひ》などのかん高い音。『豆腐を売りにくるプーッというラッパの音も、もうなくなった』

❷ 声・さま ふき出すように笑う声。また、そのさま。「固く結んだ口の一端から、激しい息を洩らして、ぷうと云った」〈百鬼園随筆・内田百閒〉

❸ さま 息・湯気・煙などを軽快にふき出すさま。ぴゅー。「心地よく腹の底まで吸うてプーと吐き出す」〈欠び・高浜虚子〉「ぽっかりぽっかりと海面に首を出し、ぷうっと口々に水を吐《は》きながら」〈オリンポスの果実・田中英光〉

❹ さま ふくらんだり、ふくれているさま。不平や気合いをこめて、頬をふくらませるさま。『焼いた餅がぷーとふくらんだ』「ぷうっと頬っぺたを膨らました」〈吾輩は猫である・夏目漱石〉

ふーふー ❶ 音・さま 口をすぼめて繰り返して息を強く吹く音。また、そのさま。「その熱い奴を、フーフー言ひながら食ふ」〈ロッパ食談・古川緑波〉「生柴《ましば》を大炉に折り燻べて、フウフウ吹いてゐたお由は」〈赤痢・石川啄木〉

❷ さま はげしく苦しそうな息づかいであえぐさま。あえぎ苦しむさま。「源次郎は肩息をつきフウフウとばかりで返辞も致しません」〈怪談牡丹燈籠・三遊亭円朝〉「一日がかりになるいうて、皆ふうふうですわ」〈紀ノ川・有吉佐和子〉

❸ 声・さま ネコが怒ったり、盛りがつくなどして、毛を逆立てて鳴く声。また、そのさま。「風よりもぞっとすごきはふうふうと吹てかかれるのべののらねこ」〈堀河百首題狂歌集〉「さ、あの男猫がぐうぐうぐうぐうと、喉《のど》鳴らせば女猫めも、同じ様にふうふうふうふうと」〈歌舞伎―お染久松色読販〉

ぶーぶー ❶ 声 ブタの鳴き声。⬇鳴き声編

❷ 音 法螺《ほら》貝や吹奏楽器を鳴らす音。放屁《ほうひ》や警笛の音。「ブウブウ笛を鳴らしながら中禅寺から登って来るガタ馬車」〈湖畔手記・葛西善蔵〉「馬の屁のおと、ブウブウブウブウ」〈東海道中膝栗毛・十返舎一九〉

❸ 音・名 自動車の走る音や警笛。また、自動車をいう幼児語。「ブウブウとやって来た一台の大きな自動車」〈竹沢先生と云ふ人・長与善郎〉「来たよ、お父ちゃん、ブー、ブー来た、来た」〈真理の春・細田民樹〉

❹ さま あれこれ、不平や不満の気持ちを表すさま。「朝から酒飲んでブウブウばかり、言ってるじゃねエか」〈火の柱・木下尚江〉「日頃ぶうぶう言ふても怖い事はござりませぬ」〈歌舞伎―韓人漢文手管始〈唐人殺し〉〉

❺ 音・さま 火が風にあおられて燃える音。ものの煮え立つ音。また、そのさま。「ときどき一陣の熱風が湧き起ると、その焔が微かな『ぶうぶう』という音をたて」〈黒い雨・井伏鱒二〉「荒神様も女ご神、其せうこには鍋釜の臍の下を焚さへすれば、御きげんよがってぶうぶうとふかしゃります」〈浄瑠璃―猿丸太夫鹿巻毫〉

ぷーぷー ❶ 音 らっぱや放屁《ほうひ》などのかん高い音。「途中、ワンワンやコケッコや豆腐屋のプープーに合ひ、六丁ばかりの道を、二十分もかかって家へ帰った」〈真理の春・細田民樹〉「あのね。あとでおならは御免だよ。ぷう、ぷうぷうって」〈吾輩は猫である・夏目漱石〉

❷ さま 煙や湯気を鋭くふき出すさま。口をとがらして息を強くはくさま。「婆は急いで榾差し加へてプウプウと吹き立てる」〈良人の自白・木下尚江〉

ぶーん ❶音・さま 小虫の羽音。また、その飛ぶさま。「耳元にて蚊の**ブーン**と鳴るに」〈花間鶯・末広鉄腸〉 ❷音 低く小さくひびく共鳴音。「あたりの物音に耳をすました。すると、小さいながら**ぶーん**と飛行機の音が聞こえるではないか」〈恐龍艇の冒険・海野十三〉「竹蜻蛉を拵へ終り〈略〉**ブーン**と音をさせて上に飛ばせば」〈紀文大尽・村井弦斎〉 ❸音・さま 鋭く風を切って動いたり、飛んだりする音。また、そのさま。「其処からうんと力を込めて熱球《ダイレクト》を投げると、其球が**ブーン**と捻り声を放って飛んで来る有様」〈海底軍艦・押川春浪〉「身をかわした機《はず》みに弾《はず》みを加えて、**ぶうん**と横側の敵へ当って来た」〈宮本武蔵・吉川英治〉

ぷーん ❶音 高く小さくひびく共鳴音。「ハエが**プーン**と飛び回っていた」 ❷さま においが強く漂ってくるさま。ぷん。「さう思ったとたんに、嗅ぎ馴れた味噌汁の匂ひが**ぷーん**と私の鼻をそそって来た」〈母を恋ふる記・谷崎潤一郎〉「**ぷうん**と熱帯の花々が匂ふばかりです」〈オリンポスの果実・田中英光〉「肉と酒との臭が一度に**プウン**と鼻を衝いた」〈くれの廿八日・内田魯庵〉 ❸さま 軽くあつかうさま。ぽーん。「持って居た六尺ばかりの棒杭を、物をも言はず**プウン**と投げた」〈良人の自白・木下尚江〉

ぶぉーっ 音・さま 車や機械のエンジンがうなる音。火や風などがはげしくふき出す音。また、そのさま。「丘の斜面の砂れき層から、**ブォーッ**という鈍い音とともにオレンジ色の炎が噴き出していた」〈永遠の火・朝日新聞・98・11・3〉

ぷかっ さま 軽いものが空や水に浮くさま。浮き上がってきたものが姿を現すさま。「『たまちゃーん』。小学生数人が声をそろえて、呼び掛けた。**ぷかっ**と顔を出すと歓声がわく」〈こちら特報部・多摩川の橋下にアザラシ・東京新聞・02・8・16〉

ふかふか ❶さま やわらかく適度な弾力でふくらんでいるさま。「厚い駱駝《らくだ》のオーヴァに身体を**フカフカ**と包んだ男」〈一九二八・三・一五・小林多喜二〉「鍋焼の―これも、恐しく不味《まず》い**フカフカ**した蒲鉾や、ころも許りの蝦《えび》の天ぷらを突っつき乍ら」〈コップ酒・浅見淵〉「梅花の落て**ふかふか**と地上にたまるを見て」〈中華若木詩抄〉 ❷さま ものが浮いたり、漂ったりするさま。タバコを余裕をもってふかし続けるさま。「犬に追っかけられた牡鶏《をんどり》のやうに、**ふかふか**した足どりで」〈太陽のない街・徳永直〉「今の身の上には憎し剛慾《がうよく》もの事情あくまで知りぬきながら知らず顔の烟草**ふかふか**」〈別れ霜・樋口一葉〉 ❸さま 古 何の思慮もなく、うかつなさま。うかうか。「時宗にたらされてお預りの大事の囚人《めしうど》**ふかふか**と渡さるるは」〈浄瑠璃―百日曾我・近松門左衛門〉 ❹さま 方言 豊富なさま。裕福なさま。「**ふかふか**と、うまいものでも食べたいね」〈富山県〉「**ふかふか**の顔しとるね。ごっぽり儲けたんだろ」〈富山県〉

ふがふが ❶声・さま 口や鼻から空気がもれ、きわめて聞きとりにくい声。また、そのさま。「すると彼女が、**ふがふが**の声でいった」〈浅草・サトウハチロー〉 ❷さま しきりににおいをかぐさま。「紫宸殿を初として御所内《うち》を残らず**フガフガ**嗅いだが、どうも一人で嗅ぐ訳に往《い》かん」〈落語―出世の鼻・禽語楼小さん〉

ぶかぶか ❶音 らっぱなどの勢いよく鳴る音。→ぶかぶかどんどん。 ❷さま 靴やズボンなどのサイズがゆるく大きすぎるさま。「どいつもこいつも大柄な身体つきのくせに、着ている詰襟の制服はひどく**ぶかぶか**だった」〈いつか汽笛を鳴らして・畑山博〉 ❸さま なすすべもなく水に浮くだけのさま。「四十石さんだって、酒に溺れて**ぶかぶか**浮くことがある訳である」〈酒宴・吉田健一〉

❹さま みっともないほど肥満したさま。ぶくぶく。「普通の濁酒《マッカリ》や薬酒《ヤクチュ》や、日本酒では、奴の、**ぶかぶか**した腹の中や胸のむかつくのがたまらないのさ」〈権といふ男・張赫宙〉

ぷかぷか ❶音・さま らっぱや笛、アコーディオンなどを盛んに鳴らしたてる音。また、そのさま。「赤い帽子を横っちょにかぶって、**プカプカ**とやってゐた少年音楽隊上りの愉快なる人物」〈浅草・サトウハチロー〉
❷さま タバコを盛んにふかすさま。「無暗に**ぷかぷか**自分も煙草をふかしてゐる処へ」〈竹沢先生と云ふ人・長与善郎〉
❸さま 軽快に水に浮くさま。浮いて流れるさま。「透明な傘を広げて**ぷかぷか**浮いているくらげみたいなものだ」〈空中ブランコ・津島佑子〉

ぷかぷかどんどん 音・さま 吹奏楽器を盛んに鳴らす音と太鼓などを勢いよく打ち鳴らす音。また、そのさま。「**プカプカドンドン**の楽隊入で囃し立て、明い所から暗黒《くらがり》の中に引込む興行物あり」〈社会観察万年筆・松崎天民〉「常設館の中からは、楽隊の音が、郡聯合の『運動会』の時のやうに、**プカプカドンドン**と景気よく流れてゐた」〈小さい田舎者・山田清三郎〉
❋「ぷかぷかどんどん」とも。

ふからふから さま 時間をかけてタバコをふかし続けるさま。「黙ってのんきさうに煙草を**ふからふから**ふかしてゐる父親の顔も癪に触る」〈一兵卒の銃殺・田山花袋〉

ふかり さま 積もった灰や粉などに手や足を入れたときに感じるやわらかく頼りないさま。「うすら冷たい灰が足の裏に**ふかり**と触れたとき」〈天国の記録・下村千秋〉

ぷかり ❶さま 空や水に軽快に浮くさま。水面に浮き上がって姿を現すさま。「道草は、学校にも家にも属さずその中間に**ぷかり**と浮かんだ自由な時間と空間の比喩《ゆひ》であり」〈明日も夕焼け・猪瀬直樹・朝日新聞・99・7・11〉
⬇使い分け「ふわり」
❷さま タバコを軽くふかすさま。「藤枝はこう云って**ぷかり**と煙を輪にふいた」〈殺人鬼・浜尾四郎〉

ふかりふかり さま 余裕ありげにタバコをふかし続けるさま。「**フカリフカリ**烟草を吹かし居たる柔順《おとなし》やかなる爺《おやぢ》」〈火の柱・木下尚江〉

ぷかりぷかり ❶さま ひたすらタバコをふかし続けるさま。「**ぷかりぷかり**と煙突のやうに煙草の烟ばかりはきながら」〈苦の世界・宇野浩二〉
❷さま 軽快に水に浮くさま。浮いて流れるさま。「丁度沼水の底から沼気の**ぷかりぷかり**と浮んで来るやうに」〈暗夜行路・志賀直哉〉

ぶきぶき ❶さま 古 気力のあふれているさま。「水一ぱい呑人《のまして》も有まいに、**ぶきぶき**とした木の色艶」〈浄瑠璃―菅原伝授手習鑑〉
❷さま 古 無愛想なさま。「あいさつもせず**ぶきぶき**して、ふくれかへってゆく」〈滑稽本―稽古三味線〉
方言 怒ったり、人に当たり散らすさま。「**ぶきぶき**する人だ」〈長野県〉
❸さま 古 粒だっているさま。「**ぶきぶき**せぬ麦飯は丸屋でしこむ」〈洒落本―大抵御覧〉
❹さま 方言 病気がちのさま。体が弱っているさま。「近ごろは病気で**ぶきぶき**しちょーます」〈島根県〉

ふくいく ⬇漢語編「ふくいく（馥郁）」

ぶくっ ❶音・さま ひとつ大きく泡が立つ音。また、そのさま。急に大きくふくらむさま。勢いよく水面に浮かび上がるさま。「カレーを温めた時に、**ブクッ**と容器から飛び出したので」〈ののちゃんのDO科学・朝日新聞・06・3・6〉
❷さま やわらかくふくれてくずれそうなさま。「畳の上へ一足掛けて見ると**ぶくっ**とした」〈坑夫・夏目漱石〉

ぷくっ ❶音・さま 泡が軽くひとつ浮かぶ音。また、そのさま。「いやな臭いのガス

の泡が表面に**ぷくっ**と浮びあがる」〈エオンタ・金井美恵子〉

❷さま 一部分だけふくれ上がったり、浮き出ているさま。「丸顔に**ぷくっ**と下膨れの愛嬌でありながら」〈童謡・川端康成〉

ふくふく ❶さま やわらかくふくらんでいるさま。「**ふくふく**したその蒲団の中から」〈蔵の中・宇野浩二〉

❷さま 水がわいてくるさま。ある感情がわき起こってくるさま。ふつふつ。「彼の胸には悲しい頼りない浅猿しさが、**ふくふく**と込み上げて来た」〈神経病時代・広津和郎〉

❸さま 古 興奮して息をつまらせ、絶え絶えに呼吸するさま。「とりさゆるものなかりけり。**ふくふく**うたれてなからじににぞなりにける」〈義経記〉

❹さま 古 豊かであるさま。豊かに富み栄えるさま。豊かで幸福感にあふれるさま。ほくほく。「恵方の御蔵づっしり納て、家も**ふくふく**」〈浄瑠璃―大経師昔暦・近松門左衛門〉「安く買っておいたものが、ずんずん高く売れるから、吾市さんは**福々**《ふくふく》だ」〈歌舞伎―木間星箱根鹿笛・河竹黙阿弥〉

❺さま 古 意外であるさま。予想外によい、またはわるいさま。「俗に善事にても悪事にても思の外なる事を**ふくふく**のめにあひたると云は不虞《ふぐ》の字ならんか」〈志不可起〉

ぶくぶく ❶音・さま 次々とはげしく泡立つ音。また、そのさま。「ふたのつなぎ目から**ぶくぶく**と泡立ちながら滲み出してくる臭い水は」〈いつか汽笛を鳴らして・畑山博〉「今は背中全体が赤く腫《は》れ上がり、**ぶくぶく**と中で膿《うみ》血《ち》の波打つのが分かった」〈暗夜行路・志賀直哉〉

❷音・さま 大きな泡をたてながら水中に深く沈んだり、水面に浮かび上がる音。また、そのさま。「私は**ぶくぶく**と沈んでしまひ、浴槽の底へ溺死体のやうに横はってしまふ」〈冬の蠅・梶井基次郎〉「見て居ますと彼《か》の若い侍が水面へ**ブクブク**と浮上がったから」〈落語―巌流島・三遊亭円生〉

❸音・さま 水を口に含んで強くゆすぐ音。液体がはげしくゆれ動く音。また、そのさま。口をゆすぐことをいう幼児語。「5秒間ほど**ブクブク**うがいする」〈元気のひけつ・子どもの虫歯対策・朝日新聞・07・3・1〉

❹さま 不快なほどやわらかくふくらんだり、太っているさま。「挨っぽく**ぶくぶく**する畳の上には」〈或る女・有島武郎〉「近頃は運動もしないので**ぶくぶく**になった自分の体をみまわしました」〈ビルマの竪琴・竹山道雄〉

⇨使い分け「ぽっちゃり」

❺声・さま 古 口の中で続けて何かつぶやくあまりよく聞きとれない声。また、そのさま。ぶつぶつ。「**ぶくぶく**と衾のうちの小言哉」〈七番日記・一茶〉

ぷくぷく ❶音・さま 水中から泡などがこまかく次々と浮き上がる音。小さな泡をたてながら水中に深く沈んでいく音。また、そのさま。「雨もよひの宵などには、きまって**プクプク**と沼気《しょうき》を吐く青みどろの堀割とに」〈今年竹・里見弴〉

❷さま かわいらしいほどやわらかくふくらんださま。「アカンボが、周囲にただよう音を、あの**ぷくぷく**した手をのばしてつかみ取り」〈日曜くらぶ・伊藤比呂美・毎日新聞・97・4・13〉

ふくら さま 古 やわらかくふくらんでいるさま。ふっくら。『**ふくら**すずめ』「種はやせこけいで**ふくら**としていた体ぞ」〈毛詩抄〉

ふくらふくら さま 古 顔や体つきが愛嬌ありげにふくらんでいるさま。「御ぐしはふさふさとして打やられたるに、**ふくらふくら**とうつくしげなるかほつき」〈苔の衣〉

ぶくり ❶音・さま 水中から泡が大きく浮かびあがる音。大きな泡をひとつたてて水中に沈む音。また、そのさま。「別のコップを取って盃洗《はいせん》の水で**ブクリ**と云はせて」〈青春・小栗風葉〉

❷さま 大きくふくれているさま。「**ぶくり**

と床にのこさるる、むかしの世こそおもはるれ」〈歌謡―色里迦陵嚬〉

ぷくり ❶音・さま 水中から泡などがひとつ浮かび上がる音。水面に軽く浮かび上がる音。また、そのさま。ぷかり。『木片が一つ**プクリ**と水面に上がってきた』 ❷さま 球のかたちにふくらんでいるさま。ぷっくり。「彼の指は両手の十本ともその尖端に行って妙に丸く**ぷくり**と膨れてゐた」〈神経病時代・広津和郎〉

ぶくりぶくり 音・さま 水中から大きく泡が次々に浮かびあがる音。また、そのさま。「柴漬《ふしづけ》に古椀**ぶくりぶくり**哉」〈七番日記・一茶〉

ぷくん さま 球のかたちに張りをもってふくれているさま。「通りすがりに、赤黒く**プクン**としてゐる女の頰ぺたをつッついた」〈蟹工船・小林多喜二〉

ぶくんぶくん さま 締まりなく太り続けたり、ふくらみ続けるさま。ぶくぶく。「非常な美女なのだが、〈略〉何でも食べたい放題にさせておくうちに、みるみる**ブクンブクン**に肥ってくる」〈にんげん動物園・中島梓〉

ふさふさ ❶さま 細長いものが、多く集まってたれ下がるさま。「耳の長い、尾の**ふさふさ**した大きな犬」〈火事とポチ・有島武郎〉

⇒使い分け「ぼさぼさ」

❷さま 多くてあふれるさま。ゆとりがあるさま。「真中に**ふさふさ**と紅白の咲き分けの牡丹の枝に二本立てたる石橋の台」〈歌舞伎―狭間軍記鳴海録〈桶狭間合戦〉・河竹黙阿彌〉

ぶさぶさ ❶さま 波と波とが重く強くこすれ合うさま。「先刻より一層黒さを増した海面が、潮を**ぶさぶさ**とぶつけ合って拡がっているのが」〈補陀落渡海記・井上靖〉 ❷さま 方言 だらしなくたれ下がっているさま。「ぼろを**ぶさぶさ**下げて歩いている」〈山形県〉

ぶしぶし さま 古 人と人の仲がうまく折り合わなくなるさま。ぎすぎす。「傍輩づきも**ぶしぶし**と心よからず成にけり」〈浄瑠璃―娥歌かるた・近松門左衛門〉 方言 腹を立てて黙りこむさま。「一日中**ぶしぶし**して仕事をせん」〈島根県〉

ぷしゅっ 音・さま 気体を充填したり、充満した気体が勢いよく抜ける音。勢いよく亀裂がはしる音。また、そのさま。『ビールの栓を**プシュッ**と抜く』「くわい独得のにがみのある匂いが、**ぷしゅっ**と筋が入った亀裂から、湯気とともにただようまで、気ながに焼くのだ」〈土を喰う日々・水上勉〉

ぷしゅん 音・さま 頼りなげに空気が抜ける音。また、そのさま。「突然、『**プシュン**』とエアが抜ける音がして、急停車し、車内と駅構内全部の電気が一斉に消えた」〈イライラ暗闇山手線・朝日新聞・87・2・6〉

ぶす ⇒コラム「ぶす・ぶす・ぷす」

ぶすっ ❶音・さま やわらかいものに勢いよく突き刺さる音。また、そのさま。「夫は新しい頁の無傷のヌードのまるい腹のあたりに**ぶすっ**と鈍い音をたててナイフを突きたてて」〈抱擁・瀬戸内晴美〉 ❷さま ひどく不機嫌にふくれ面をするさま。「**ブスッ**として口をお利きにならない方もありで」〈父の詫び状・向田邦子〉

ぷすっ ❶音 弾力性のあるものに充満した気体が小さな穴から急に抜けるときの軽い音。また、そのさま。「空気制動のゴム管を、一本、一本、切りはなすだけの仕事である。〈略〉ひねったら**プスッ**というような、陰気な吐息が一つ洩れて」〈青い月曜日・開高健〉「悪臭のある瓦斯《ガス》がどぶの底から醱酵《はっこう》して来るように**ぷすっ**と思いだしたことだ」〈われ深きふちより・島尾敏雄〉 ❷音・さま やわらかいものに鋭く突き刺さる音。また、そのさま。「**プスッ**、**プスッ**と弾《たま》が庭先に落ちる。屋根を越して、裏の繁みに落ちる」〈雑嚢・桜井忠温〉 ❸さま 顔の表情を動かさず、少し不満そうなさま。「加害者たちは急にきまじめな顔付になり、**ぷすっ**として坐っている」〈頑

ふ

な今日・島尾敏雄〉 ⬇使い分け「つんけん」

ふすふす 音・さま 生焼けの状態で燃える音。また、そのさま。「剝いた皮を囲炉裏へ投込むと**フスフス**と燻ぶる」〈少年行・中村星湖〉

ぶすぶす ❶音・さま 生焼けのまま広い範囲が燃えるときのくぐもった大きな音。また、そのさま。「五六間向ふの大杉が二つに裂けて、**弗々**《ぶすぶす》煙が立って居るので」〈思出の記・徳冨蘆花〉 ❷音・さま 針、刃物などがやわらかいものにはげしく突き刺さる音。また、そのさま。「その死体に**ブスブス**弾が食いこむ」〈血の罠・大藪春彦〉 ❸さま くぐもった声で不平不満などを言うさま。不満などを表面化させないで不平な気分でいるさま。「**ぶすぶす**言ってゐる哀れな養父の声も」〈あらくれ・徳田秋声〉

ぷすぷす ❶音・さま 生焼けのまま小さな部分が燃えるときの軽く小さな音。また、そのさま。「その火は全く消えもしない。**プスプス**と醜く燻《ぶい》ってゐる」〈范の犯罪・志賀直哉〉 ❷音・さま やわらかいものに抵抗なしに細くかたいものを突き刺したり、刺さったものを抜き取る音。また、そのさま。「指を舐めて**ぷすぷす**と幾つも障子に穴をあけた」〈火・横光利一〉 ❸音・さま 密閉されていた気体などが小さな穴から少しずつ連続して勢いよく外に出る音。また、そのさま。「押へつけて居た笑声が一時にあちこちで**プスプス**破裂した」〈若い人・石坂洋次郎〉 ❹音・さま 少しかたいものを、勢いよくかみつぶす音。また、そのさま。「弁当の残を出して冷たい儘《まま》**ぷすぷす**噛った」〈土・長塚節〉

ぶすり ❶音・さま ものが勢いよく突き刺さる音。また、そのさま。また、やわらかいものに、ものを強く突き入れるさま。「踏むと**ぶすり**と音をさせて踝が隠れるやうな、滑な淤泥の心もちである」〈沼地・芥川龍之介〉 ⬇使い分け「ぶすり」 ❷さま ひどく不機嫌なさま。「彼は**ぶすり**として然も力のない声を投げ掛けるやうにしていった」〈土・長塚節〉

ぷすり ❶音・さま やわらかいものに細くかたいものを突き刺す音。また、そのさま。「あおむきに寝ていた胸のまん中を、**ぷすり**と突き刺して一ぺんで殺してしまいました」〈古事記物語・鈴木三重吉〉 ❷音・さま 密閉された気体などが小さな穴から外へ出るときの軽い音。また、そのさま。「喜助の胸は、いま**ぷすり**と音をたてなにかがふき出るような衝撃をうけた」〈越前竹人形・水上勉〉 ❸音・さま 糸やひもなどが簡単に切れる音。また、そのさま。ぷつり。「**ぷすり**前鼻緒

使い分け

【共通の意味】
ひと息に突き刺すようす。

ぶすり
ぐさり／ずぶり／ちくり

❶**ぶすり**、**ぐさり**、**ずぶり**は、刃物や、棒、太い針などを勢いよく突き刺すようすを表す。**ぶすり**は、「犯人は相手の腹を包丁で**ぶすり**と刺した」のように、鋭くとがったものを突き刺すようす。**ぐさり**は「胸にナイフを**ぐさり**と突き立てる」のような使い方以外に、「何げないことばが、わたしの胸を**ぐさり**と刺した」のように、比喩的にも使う。**ずぶり**は、「やわらかい土に**ずぶり**と棒を突き刺す」のように、勢いよく深く刺し入れるようす。❷**ちくり**は、「ハチが腕を**チクリ**と刺した」のように、細い針などで皮膚を突いたときのようすや、小さな刺すような痛みを表す。また、「**チクリ**と皮肉を言う」のように、比喩的にも使う。

コラム オノマトペのもと

ふす・ぶす・ぷす

「ぶす」は、表面に張りのある比較的やわらかいものに、尖ったものが突き刺さるときの音やそのようすを表す。「ぷす」は、刺さるものが小さく、勢いもやや弱くて、あまり深く刺さらない感じになる。

「ぷす」は、何かに密閉されていたり、風船のような張りつめたものに充満した気体が、小さな穴から抜けるときの音を表すこともある。おそらく頬をふくらませている状態がこれに共通するイメージをもつことから、不機嫌に黙っていたり、不満をつぶやいていたりする状態をさして、「ぷすっとする」などの言い方がされたが、最近では「ぶすっとする」「ぶすぶすと文句を言う」などと表現されることのほうが多い。

さらに、「ぶすぶす」「ぷすぷす」は、炎をあげずにくすぶりながら燃えるときの音や、そのようすを表す。このときも、やはり「ぷす」のほうがくすぶり方が小さく、勢いが弱い印象がある。

【ふすの語群】
ふすふす・ぶすぶす・ぷすぷす
ぶすっ・ぷすっ
ぶすり・ぷすり・ぶっすり・ぷっすり
ぷすん

	短刀を／針を —(と)刺す	エンジンが —(と) 止まる	火が —(と) くすぶる
ぶすぶす	○／△	△	○
ぶすっ	○／△	—	—
ぶすり	○／△	—	—
ぷすぷす	△／○	○	○
ぷすっ	△／○	○	—
ぷすり	△／○	○	—
ぷすん	△／○	○	—

【表現】

平安時代から見られる「ふすぶ（ふすべる）」という他動詞は、このオノマトペに由来するもので、「いぶす」「くゆらす」といった意味が原義である。が、『枕草子』の「くるしげなるもの」の段に「おもふ人ふたりもちて、こなたかなたふすべらるる男」とあるように、嫉妬する意で使われた例があり、炎はあげないがぶすぶすとくすぶるようすと、焼きもちを焼く、という気持ちのありようが重ね合わされて面白い。

ちなみに、現代ではふつう「くすぶる」が用いられるが、平安時代の字書には「薫」に「クスブル」と訓を付けたものも、「フスブ」しか見られないものもある。中世の『日葡辞書』には「フスブル」「フスボル」があって、「クスブル」「クスボル」はないが、同じく中世に「くすくす」がもののくすぶるようすを表す例がある。また、「節用集」などの近世の辞書は「フスボル」を載せ、他の文献では「クスボル」が使われている。しばらくの期間、両者は並行して用いられていたと考えられる。

「ふすべ色」（いぶしたような黒ずんだ色）、「ふすべ革」（煙でいぶして色を付けた革）、「ふすべ茶」（焚き火で湯を沸かして催す茶事）など、「ふすべ―」という複合語は多く、「ふすぼる」という自動詞も中世から用例があるが、こちらにも「ふすぼり鑵《かん》子《す》」（黒くすすけた茶釜）、「ふすぼり坊主」などの複合語がいくつか見える。現代に比べると、薫き物をくゆらすとか、屋外で煙を立てて、ものを燃やすというような機会が多かった故であろう。

（宮武利江）

ふ

が切れる」〈千鳥・鈴木三重吉〉

❹ さま 緊密なつながりが急に簡単に切れるさま。ぷつり。「孤堂先生との関係を**ぷすり**と切って棄てたい」〈虞美人草・夏目漱石〉

ぶすりぶすり ❶ 音・さま 刃物や、とがったもので、続けざまに強く刺す音。また、そのさま。『マジシャンは舞台の箱に無造作に短剣を**ぶすりぶすり**と刺していった』

❷ さま くぐもった声で不平不満などを言い続けるさま。不満などを表面化させないで内心不満でいるさま。「彼は**ぶすりぶすり**と口は利くのであったが」〈土・長塚節〉

ぷすりぷすり ❶ 音・さま 生焼けのまま燃え続けるときの軽くはじける音。また、そのさま。「**プスリプスリ**と燻るやうな気焔を吐いて」〈平凡・二葉亭四迷〉

❷ 音・さま やわらかいものに細くかたいものを続けて突き刺したり、刺さったものを次々に軽く抜き取る音。また、そのさま。「さうして泣きくたびれたか**ぷすりぷすり**と銀の簪を畳に突き刺してゐたが」〈雪国・川端康成〉

ぷすん ❶ 音・さま 充満した空気が小さな穴からあっけなく急に抜けるときの音。また、そのさま。つながりが突然切れるさま。「現在の幸福はシャボン玉のように浮わついたもので、いつ**プスン**と壊れてしまうか」〈婦人靴・石坂洋次郎〉

❷ さま 少し不満そうなさま。「太市はやはり**ぷすん**と突立ったまま、おどおどと見上げてゐるのであった」〈望郷歌・北条民雄〉

ふた 音・さま 古 勢いよくものに当たる音。また、そのさま。はた。「鼻持上の木動《うごき》ぬれば、鼻を粥《かゆ》の鋺《かなまり》に**ふた**と打入《うちいれ》つれば」〈今昔物語集〉

ふたふた ❶ 音・さま 古 扇であおぐ音。鳥の翼などがふれ合ってたてる音。また、そのさま。ぱたぱた。「扇**ふたふた**とつかひ、懐紙《ふところがみ》さし入れて」〈枕草子〉

❷ さま 古 はげしくあばれるさま。「三尺ばかりなる鯰の、**ふたふた**として庭にはひ出たり」〈宇治拾遺物語〉

❸ さま 古 血などの続けてしたたり落ちるさま。ぼたぼた。「よりましがふところよりくろ血を**ふたふた**ととりいだしたりければ」〈愚管抄〉

❹ さま 古 足もとのおぼつかないさま。ふらふら。「年は老たる者の、此を聞ままに、立上けるが、**ふたふた**としければ」〈今昔物語集〉

❺ さま あわてふためくさま。不安や心配で胸騒ぎがするさま。「乳母が後に廻って髷のみだれを直してくれるあいだも、わたくしは**ふたふた**と心が騒ぎ、蒼ざめていた」〈婉という女・大原富枝〉

❻ さま 方言 肥満しているさま。「あれえ、**ふたふた**に肥えてかわいらしい赤ちゃんやね」〈富山県〉「肥えて**ふたふた**の顔や肌しとる」〈富山県〉

❼ さま 方言 やわらかいさま。「長いこと煮たもんやさけ(煮たので)この魚骨まで**ふたふたんな(っ)た**」〈石川県〉

ぶたぶた ❶ さま まるまると肥満しているさま。余裕がありすぎるほどふくれているさま。「いつも**ブタブタ**なオバオールを着て、腕を捲《まく》り上げたお婆さんの命令のままに」〈一つの出来事・宮本百合子〉「色白けれど、**ぶたぶた**と肥めにて、気だて、おもくれたり」〈評判記―満散利久佐〉「坊主の如きのあたま、面体**ぶたぶた**と大きにはれ」〈浮世草子―好色小柴垣〉

❷ さま 古 ひどくぬれるさま。「来んといひたらすや秋の立ぬらん涙の露に袖は**ぶたぶた**」〈俳諧―望一千句〉

ふたり 音・さま 古 勢いよくものに当たる音。また、そのさま。「鼻もたげの木ゆるぎて、鼻はづれて、粥の中へ、**ふたり**とうちいれつ」〈宇治拾遺物語〉

ぶちっ 音・さま 急にはげしい勢いで断ち切られる音。また、そのさま。完全に理性を失い逆上するさま。『回線が**ぶちっ**と切

れた』「頭に血がのぼって血管が**ブチッ**と切れたように突然非常識な言動に走るという意味の『キレ』である」〈オバさんの逆襲・小林洋子・毎日新聞・97・11・2〉

ぷちっ ❶音 小さなものをひとつ、つぶす音。小さなボタンを押す音。「テレビやステレオ、エアコンを消すときは、本体かリモコンの電源ボタンを**プチッ**と押すだけでいい」〈科学・産経新聞・03・9・21〉
❷音・さま 急に軽く断ち切られる音。また、そのさま。『テレビが**プチッ**と消える』

ぶちぶち ❶さま もの言いが、つぶやくようで、聞きとりにくいさま。不平や不満を言うさま。「**ブチブチ**言うなら早く金を使え」〈経済観測・毎日新聞・03・2・25〉
❷さま 蕎麦などが切れやすいさま。「一回り太い麺の噛み心地は、確かに硬い。**ブチブチ**と切れる硬さではなく、もっちりした噛みごたえがあり」〈讃岐うどんの挑戦・産経新聞・03・4・14・大阪夕刊〉

ぷちぷち ❶音・さま古 ものが勢いよく燃えてはぜる音。また、そのさま。「火強く出る間、若竹を指入て置に、**ぷちぷち**と焼て、燃来なり」〈仮名草子―片仮名本因果物語〉
❷音・さま 小さなものをつぶす音。また、そのさま。「弾力のある**プチプチ**とした歯触りと淡泊な味を楽しめる。〈略〉とんぶりは『ほうき草』の実」〈がんばれ東北ブランド・読売新聞・04・10・2〉
❸名 小さな粒状のもの。包装や梱包に用いるポリエチレン製の緩衝材の商標名。「ひまつぶしに**プチプチ**をつぶす」
❹さま方言 肉づきのいいさま。「腕でも脚でも**ぷちぷち**して、はち切れそうだ」〈東京都〉

ふっ ❶音・声・さま 口をすぼめて息を吹く音。吹き出して笑ったりする声。また、そのさま。「おかしさどうもたまられず、**ふっ**と吹き出す斗也」〈浄瑠璃―蟬丸・近松門左衛門〉
❷さま 前後の脈絡もなく、突然に行動したり、事態が変化したりするさま。「白玉をこしらへながらの大きいお内儀さんのいったことを**ふっ**と思ひ合した」〈露芝・久保田万太郎〉「昌吉の歌が**ふッ**とやんだ」〈四十一番の少年・井上ひさし〉「泣きながらも菓子はどうかすると**ふっ**と引き入れられるやうに仮睡に陥らうとした」〈或る女・有島武郎〉

ふつ ⬇コラム「ふつ・ぶつ・ぷつ」

ふつ さま古 細長いものを完全に断ち切るさま。ぷつり。「縄などの切るる様に**ふつ**と切るるままに」〈今昔物語集〉

ぶっ 音・さま 風などが一気に吹きこむときの低く短い音。低い放屁《ひほう》の音。息を強く吹き出すさま。「斎藤は落付き払って金口の烟を**ぶっ**と吹いた」〈金・宮嶋資夫〉

ぷっ ❶音・声・さま 口先をすぼめて息やつばきを勢いよく出すときの短く鋭い音。高い放屁《ひほう》の音。思わず吹き出し笑いをする声。また、そのさま。「きいていて思わず**プッ**とくるような間違いは、ちょっとした御愛嬌で」〈マイクとともに・藤倉修一〉「**ぷっ**と掛けし唾」〈門三味線・斎藤緑雨〉
❷さま ものが丸くふくれるさま。怒って不愉快そうな顔つきをするさま。『お餅が**ぷっ**とふくれる』「お梅は**ぷッ**と膨れて」〈魔風恋風・小杉天外〉

ぷっかり さま 水面や空に、軽々と浮かんでいるさま。「大きな島には小学校もあるが、なかには葦が湖底に届かず、**プッカリ**と浮いている島もある」〈フジモリの国〉その後・産経新聞・94・3・15・東京夕刊〉

ふっきり さま 明確なさま。よくわかるさま。きっぱり。はっきり。「もし、これをお踏みになれば雪とあなたさまの心のつながり、その糸が**ふっきり**消えてしまいます」〈黄金の国・遠藤周作〉「げいにいきみばって声の**ふっきり**申すが談義そうな」〈滑稽本―叶福助略縁記〉

ぶつくさ さま 不平や不満をよく聞きとれない小さな声で言い続けるさま。ぶつぶ

つ。「何かぶつくさ言ってゐる母親を和《なだ》めてゐるらしかったが」〈あらくれ・徳田秋声〉「定家の明月記は、〈略〉上納をごまかしているんじゃないか、とかと生涯かけてぶつくさ言い」〈方丈記私記・堀田善衛〉

ふっくら さま やわらかく豊かにふくらんでいるさま。「女のふっくらツヤのある透きとほる声は次の女を指して美しく響いてゐるました」〈桜の森の満開の下・坂口安吾〉「麗子は、ふっくらとした、温順な仇気《あだけ》ない、気質の優しい少女だった」〈花物語・吉屋信子〉

ふっくり ❶さま 好ましく感じるぐらいやわらかくふくらんでいるさま。「薄赤い頬っぺたがふっくりと膨《ふく》らんでゐて、可哀らしい少年であった」〈ヰタ・セクスアリス・森鷗外〉 ❷さま やわらかく包みこむような感覚を生むさま。「女に心の平和を与へて、ふっくりした情緒に生きることを訓練しようと思って」〈計画・平出修〉

ぷっくり さま 丸く張りをもってふくらむさま。「えくぼのあるぷっくりふくれた手、まあるいおなか」〈二人だけの旅・津村節子〉

ふっさり ❶さま 毛などのように細くて長いものが豊かに多いさま。「コスメチックで美しく形を作ったフッサリした髭」〈社会百面相・内田魯庵〉「海老芋とうずら肉の叩き寄せを取り合わせた中へ柚子の細切りをふっさりと盛った」〈青井戸・秦恒平〉 ❷さま ものごとが細々と多くあるさま。「ふっさりとうらみ書込むはたし状」〈雑俳—小倉山〉

ぶっすり ❶音・さま やわらかいものを刃物などで突き刺すにぶい音。また、そのさま。「登山ナイフを、足が貫通するまでブッスリ刺しても痛いと言わなかった男が」〈からくりこらむ・丹野久美子・河北新報・02・1・24〉 ❷さま 不機嫌であまり口をききたくなさそうなさま。「勘兵衛老人は余計なことを訊く奴だと言はんばかりに、ぶっすりと、『知るもんかな』と答へた」〈煙管・新田潤〉

ふっちり さま 丸いものがすきまなくつまっているさま。「ふっちりと実の入大豆《まめ》や多からん。足のいたみは露の石婦見《ふみ》〈良徳〉」〈俳諧—鷹筑波〉

ふっつ ❶さま 古 ものを勢いよく断ち切るさま。ぷつん。「脇差ずはと抜放し元結際より我黒髪、ふっつと切て」〈浄瑠璃—心中天の網島・近松門左衛門〉 ❷さま 古 明確なさま。「何と仰せ候共、とどまり申事は中々思ひよらず。ふっつといやに候」〈三河物語〉

ぶつっ ❶音・さま ものを急に勢いよく断ち切ったり刺したりするときのにぶい音。また、そのさま。『話の途中で電話がブツッと切れた』「こねたそばをちぎって、粘りなくブツッと切れるようになればできあがり」〈手作り日本の味・読売新聞・87・2・22〉 ❷声・さま 不機嫌そうに短くつぶやく声。また、そのさま。ぶすっ。『何を聞いてもぶつっとした返事がかえってくるだけだった』 ❸さま 粒状のものが醜く表面にとび出すさま。『ぶつっと出たニキビ』

ぷっつ 音・さま ものを突然断ち切る音。また、そのさま。「仲田は野島がうはの空で聞いてゐるのがわかったか、話をぷっつとやめた」〈友情・武者小路実篤〉

ぷつっ ❶音・さま 細いもの、連続するものが急に、完全に切れる音。また、そのさま。長く続いている話や音信などが突然絶えてしまうさま。「それでなんか感情を害したのかプツッとこなくなっちゃった」〈壺中庵異聞・富岡多恵子〉 ❷音・さま 小さな粒状のものをつぶす音。また、そのさま。粒状のものがひとつ表面にとび出すさま。「お駒の面皰指で絞ってやったら、白いシンがぷつっと出たで」〈父の婚礼・上司小剣〉

ぶつつかわ さま 古 不平やこごとを言うさ

コラム　オノマトペのもと

ふつ・ぶつ・ぷつ

「ふつ」は、ものを断ち切る音やさまを表す。室町時代、「ふつふつ」は、ものを切ったり、きっぱりと答えたりするさまや、打ち消しの言い方を伴って完全に否定する意で用いられた。

「ぶつぶつ」は、大きく無造作に切るさまを表す。対象物はものだけでなく、事柄の場合もある。「ぶつっ」「ぶつり」「ぶっつり」「ぶつん」「ぶっつん」などは、一回で断ち切るさまを表す。「ぶつぶつ」は「ぷつぷつ」と比べて力強さがある。「ぷつぷつ」は小さなもの、細いものが切れるようすを表す。

また、「ぶつぶつ」「ぷつぷつ」は、粒状のものがたくさん生じるようすを表す。「つぶつぶ」の倒語とも考えられる。「ぶつぶつ」はつぶやくようすも表す。

【ふつの語群】

ふつふつ・ぶつぶつ・ぷつぷつ
ふつっ・ぶつっ・ぷつっ
ふつり・ぶつり・ぷつり
ふっつり・ぶっつり・ぷっつり
ぶつん・ぷつん・ぶっつん・ぷっつん

【表現】

粒状のものを「ぶつぶつ」「ぷつぷつ」といい、皮膚にできた小さなできものをさして、「ぶつぶつができた」などという。しかし、江戸時代の漢方医学書などでは、粒状のものができているということで「つぶつぶ」が使われている。たとえば、『外科神書』ではできものを「つぶつぶ」、『瘍科瑣言』でも顔にできる水泡のようすを「つぶつぶ」という。

「ぶつぶつ」が特に名詞として使われるときはマイナスのイメージをもつことが多い。たとえば、お菓子のネーミングで、つぶつぶいちご、つぶつぶチョコにはかわいらしくおいしそうなイメージがあるが、ぶつぶついちご、ぶつぶつチョコでは売れないだろう。「つぶつぶ」はプラスのイメージをもつことができ、「ぶつぶつ」はよくない粒状のものをさすことから、肌のできものに対して、「ぶつぶつ」が使われるようになったのだろうと思われる。

文句や独り言にも「ぶつぶつ」を使う。ぶつぶつ文句を言う人は、一言の文句で済ませるような潔さはなく、いつまでも繰り返し言い続ける。独り言も大きな声ではないが、声に出して言い続ける。

心の底にあった思いが、何かのきっかけで湧き上がってくるさまは「ふつふつ」で表す。この思いはだんだんに強くなる。憎しみであれば、その憎しみがだんだんに大きく強くなり、喜びであれば、その喜びがじわじわとふくらんでくるように感じられる。

「ぷっつり」「ふっつり」はそれまで続いていたものごとが、そのときを限りに完全に途切れるようすを表す。

「ぷっつん」は、ひもなどの細いものが断ち切られるようすも表すが、脳の血管が切れるようだということから、突然怒りを爆発させるようすを表すのに使われる。一九八六年に新語・流行語大賞になった片岡鶴太郎が言い出したギャグから広まったが、当時の流行語大賞受賞説明には「人に責められたり、都合の悪いことがあると、『プッツン』と言って、その場をごまかしてしまう」とあり、その場の状況を途切れさせてしまうニュアンスがあった。ぷっつん女優などという言い方もされる。

（守山恵子）

ま。ぶつぶつ。「一間の内よりぶつつかは面ふくらせし坊主客」〈浄瑠璃―神霊矢口渡・福内鬼外〈平賀源内〉〉

✱「かわ」はようすを表す接尾語。

ふっつり ❶さま ものを一瞬で断ち切るさま。「緑の黒髪《かみ》惜げもなふっつり切て」〈思出の記・徳冨蘆花〉

❷さま 状況や態度が明確であるさま。「なさけない気がして、それ以来ふっつり行くのを止めて了った」〈春の城・阿川弘之〉

❸さま古 爪を立てて強くつねるさま。「ふとももをふっつりとつめって御ざれば」〈狂言―縄綯〉

ぶっつり ❶音・さま 強い力でものを断ち切るにぶい音。また、そのさま。「悶掻《もが》いてゐるうち、ブッつり縄が切れた」〈落語―泗の医師・初代三遊亭円左〉

❷音・さま 刃物を勢いよく突き刺すにぶい音。また、そのさま。「身を躱《かは》したが受損じ、太股へ掛けブッツリと突き貫き」〈怪談牡丹燈籠・三遊亭円朝〉

❸さま ほんのわずかであるさま。「暴《あら》いことはぶっつりとも為《し》ないぞ」〈いさなとり・幸田露伴〉

❹さま 寡黙なさま。ぶっすり。「鷹夫のぶっつりおし黙った気難かしそうな顔の方がずっと信頼の出来る慕わしさだった」〈女坂・円地文子〉

ぷっつり ❶音・さま 瞬間的にものを断ち切る鋭い音。また、そのさま。「綱に百ポンド以上をかければ、その場にぷっつりと切れてしまうのは明らかに分ってるが」〈断橋・岩野泡鳴〉

❷さま ある時点で態度や行動を明確に決めるさま。「ぷっつり絶交してしまひました」〈卍・谷崎潤一郎〉

❸さま古 ほんのわずかであるさま。「つひしか、ぷっつりともおっしゃりません」〈浮世風呂・式亭三馬〉

ぶっつん 音・さま はげしくものが断ち切られる太い音。また、そのさま。「画面に『電池切れ』の表示。ブッツンと電源が切れてしまった」〈キャンパる・読見しました。・毎日新聞・05・8・27〉

ぷっつん ❶音・さま 鋭くものが断ち切られる高い音。また、そのさま。「いきなりプッツンと切ってしまおうというのではない。一定の期間を置いて、交渉を通じて解消し」〈私も発言1年生議員に聞く・朝日新聞・90・7・19〉

❷さま 緊張感や自制心などが突然なくなるさま。連絡がまったくとだえるさま。『ぷっつん女優』「ここしばらくは何に関してもプッツンである」〈年賀状　そろそろ欠礼いたします・寿岳章子・朝日新聞・02・12・28〉

ふってり さま古 豊かなさま。「細い利でふってりとなる居商売」〈雑俳―住吉みやげ〉

ぶってり さま 見苦しいほどふくらんでいるさま。でっぷり。「腹はぶってりふくれてゐる」〈豚群・黒島伝治〉

ふっとり さま古 いかにも太っていると実感されるさま。「ふっとりとした色の浅白い女だから」〈滑稽本―八笑人〉

ぷっぷ さま ことばや怒りなどが勢いよく次々に出てくるさま。「ぷっぷと知恵の出る者が来た」〈雑俳―清書帳〉「独りプップと慍《おこ》って居るので」〈青春・小栗風葉〉

ぶっぷー 音 ラッパや自動車の警笛の音。「三十数年前の都心は車の警笛音があふれていた。平気で『パッパーッ』『ブッブーッ』と鳴っていた」〈ルポ・都市の鼓動・朝日新聞・96・3・4〉

ふっふっ ❶音・さま 口をすぼめて繰り返し息を吹き出す音。また、そのさま。「いつものやうに、フッフッと息をかけて、紅雀の胸毛で上を軽くこすりました」〈貝の火・宮沢賢治〉

❷声・さま 意味ありげに笑う声。また、そのさま。不敵な笑いを浮かべるさま。『フッフッと自信ありげに笑った』

ふつふつ ❶音・声・さま 明瞭に聞きとれない

ほどの大きさで発する音や声。お経を唱えるさま。「深着世楽、無有慧心、などと譬喩品の偈を口の中にふつふつと唱へ唱へ」〈二日物語・幸田露伴〉「ふつふつ言ふ田螺のつぶやきがあたりの空気をふるわせている」〈桃・阿部昭〉

❷ 音・さま 古 縄や糸など細いものを勢いよく断ち切る音。また、そのさま。「佐々木太刀をぬき、馬の足にかかりける大綱どもをばふつふつとうちきりうちきり」〈平家物語〉

❸ 音・さま 古 鳥などが勢いよく飛び立つ音。また、そのさま。「ふつふつ飛びて帰るを見れば鴛の雌なりけり」〈沙石集〉

❹ さま ある時点で遂に限界にいたるさま。ほとほと。「今日といふ今日ふつふつ飽きて、お気の毒だが跡釜まで既《うも》定《き》めて来た」〈付焼刃・幸田露伴〉

❺ ⬇漢語編「ふつふつ（沸沸）」

ぶつぶつ ❶ 音・さま 長いものを次々に勢いよく切断する音。ものをこまかく切るさま。「軀をぶつぶつに切り放されてもなほビクビクと動いてゐる蛇のやうに」〈死刑囚と其裁判長・中西伊之助〉

❷ 音・さま 細く鋭いもので、強く何度も穴をあける音。またそのさま。「単衣には水色太白の糸で袖口の下をブツブツかがり、その末が房になってさがってゐるのを着てゐた」〈旧聞日本橋・長谷川時雨〉

❸ 声・さま 明瞭に聞きとれないほどの大きさでことばを発するさま。小声でものを言うさま。不平やこごとを言い続けるさま。『ぶつぶつ屋』「客の中には最う三時間も待たされたとぶつぶつ呟くのも聞える」〈魔風恋風・小杉天外〉 ⬇使い分け「こそこそ」

❹ 音・さま 勢いよく沸騰したり、次々と泡が立つ音。また、そのさま。「鉄瓶のブツブツと蓋を上げて煮へ返る音に」〈花間鶯・末広鉄腸〉「蟹が甲羅の隙間からぶつぶつと吹く泡のやうな」〈母を恋ふる記・谷崎潤一郎〉

❺ さま 粒状のものが多くあるさま。「黒地に白い亀甲絣のぶつぶつとした着物の紬を、鳥の翼のやうにひろげて眺めた」〈もめん随筆・森田たま〉「私は十七才の男子ですが、顔に色々ブツブツ赤い小さなものが、芽をふく様に出来てをりますが」〈漫談集・大辻司郎・徳川夢声〉 ⬇使い分け「ぽちぽち」

❻ さま 古 胸が動悸を打つさま。つぶつぶ。「ブツブツトナルつぶつぶとなる。むねつぶつぶとなるここちすと源野にあり。ものおもひに留飲したるなり」〈詞葉新雅〉

ぷっぷっ 音・さま 連続して息をふき出す音。また、そのさま。「彼は疎通《とほり》の好くなった烟管をぷっぷっと心持好ささうに吹きながら斯う云った」〈道草・夏目漱石〉

ぷつぷつ ❶ 音・さま 小さな丸いものをつぶし続ける音。また、そのさま。「利雄はズック靴の下でぷつぷつと桜の黒い実をつぶしているのである」〈四十一番の少年・井上ひさし〉

❷ 音・さま 細く鋭いもので、小さな穴をたくさんあける音。また、そのさま。「鶏肉は〈略〉皮目にフォークをぷつぷつと突き刺し、縮むのを防ぐと同時に、味をしみ込みやすくする」〈料理百科・朝日新聞・93・7・11〉

❸ さま ものごとが切れ切れになるさま。「別れを惜しむその無数の紙の流れは、ぷつぷつと切れて宙に舞ひ上る」〈竹沢先生と云ふ人・長与善郎〉「苜蓿《うまごやし》の四枚葉を探してみたりしても、刻々がいつもぷつぷつ断ち切れていた」〈われ深きふちより・島尾敏雄〉

❹ さま 小声でものを言い続けたり、不平やこごとを言い続けるさま。「硝子戸を爪でカリカリやりながら、その女は怨めしそうになおもぷつぷつ言い続けるのである」〈原爆と作家の自殺・佐々木基一〉

❺ さま 泡や粒状のものがたくさんできるさま。「壺の中には、米と麴の混合物が醱酵して、ぷつぷつと泡をふいてゐた」〈権といふ男・張赫宙〉

ふつり ❶ 音・さま 細いもの、連続するものが急にあっけなく、完全に切れる音。ま

た、そのさま。「両者の縁は紫の財布の尽くる所で、ふつりと切れてゐる」〈草枕・夏目漱石〉

❷さまやわらかく張りのあるものに、先の鋭いものを突き刺すさま。「洋小刀《ナイフ》をフツリと突き立てまする」〈落語—写真の指傷・初代三遊亭円左〉

ぶつり ❶音・さま太いもの、連続するものが急激に、完全に切れる音。また、そのさま。「頬にかかれる鬢の乱れ、**ブツリ**嚙み切って」〈火の柱・木下尚江〉「日記はここで、**ぶつり**と切れて居る」〈趣味の遺伝・夏目漱石〉

❷音・さまやわらかく張りのあるものに先の鋭いものを強く突き刺す音。また、そのさま。「刀を取直し、喉元を**ブツリ**と刺し貫き」〈塩原多助一代記・三遊亭円朝〉

❸さましぼり出すようにひとことと小声でつぶやくさま。ぼそり。「『わしが悪いのぢゃ』と、一言**ぶつり**と言ふのであった」〈望郷歌・北条民雄〉

ぷつり ❶音・さま細いもの、連続するものが急に、簡単に完全に切れる音。また、そのさま。「ようやく手応えをおぼえかけた一本の細い糸も、そこで**ぷつり**と切れた」〈砂漠の駅・森村誠一〉

❷音・さまやわらかく張りのあるものに先の鋭いものを突き刺す音。また、そのさま。「お賤の咽喉《のどぶえ》へ顔を当て**プツリ**と刺し貫きましたから堪りません」〈真景累ケ淵・三遊亭円朝〉

❸音・さま小さな粒や泡状のものができるさま。小さな粒状のものをつぶす音。また、そのさま。「孰《いづれ》も瞑目静坐《めいもくせいざ》。**ぷつり**とも音はさせぬ」〈厲人厲語・杉村楚人冠〉

ぶつん ❶音・さま太いもの、連続するものが急に、完全に切れるにぶい音。また、そのさま。「石包丁は児童らの手作り。近くの好間川の石を薄く割り、1時間かけて研いだ。穂に当てると**ブツン**と切れた」〈児童ら古代米を収穫・朝日新聞・01・10・10〉

❷さま粒状のものがひとつ醜く表面にとび出すさま。『**ぶつん**と顔に吹き出物が出た』

ぷつん ❶さま細いものがあっけなく急に切れるさま。「自分をこの世につり上げてる糸の一つが**ぷつん**と切れたやうな」〈或る女・有島武郎〉

❷さま話や音信などが突然切れてしまうさま。「言っている内に、筋道の通らぬ事を言っている事に気づいて、**プツン**と言葉を切る」〈炎の人・三好十郎〉

❸音・さま小さな粒状のものをつぶす音。また、そのさま。小さな粒や泡状のものができるさま。「**プツン**と小さなコンプレックスが出来てしまい、それをポケットの中でゆっくりと潰しているのではないだろうか」〈父が消えた・尾辻克彦〉

ぶてぶて さま締まりなく太っているさま。「**ぶてぶて**と肥た儀の太い柔かな手」〈姉と弟・嵯峨之屋御室〉

ふと →ふっ②。

ふなふな さま古腰が定まらず、体全体がゆれ動くさま。「**ふなふな**と腰も定めかね息つぎせはしく」〈好色一代女・井原西鶴〉

ふならふなら さま古腰や足などの力が抜け、完全に疲れ切ったさま。ふらふら。「猟人出て見れは、彼狸、**ふならふなら**としてにげ帰れり」〈咄本—軽口東方朔〉

ふなりふなり さま古体全体に力がはいらずゆらめくさま。「**ふなりふなり**酔ぬる泥のみづからをすくわせ給へたぶあみだ仏」〈長崎一見狂歌集〉

ふにゃ ❶声ネコの鳴く声。

❷さまやわらかくてすぐに力が抜けてしまいそうなさま。「ぱっと見と声はとってもクール。でも笑うとちょっとだけ**ふにゃ**っとして、全然別の表情になる」〈表紙番日記・蒼井優・週刊朝日・04・3・12〉

ふにゃふにゃ ❶さまやわらかくて張りがなく、弱々しいさま。『空気の抜けた

ふにゃふにゃのゴムまり』「彼は体力のつきた馬のように両足をふにゃふにゃと折って」〈真空地帯・野間宏〉

❷ さま すぐにゆらいで締まりのないさま。頼りないさま。「おれは頭のふにゃふにゃしたファナティクな十七歳の高校生で」〈万延元年のフットボール・大江健三郎〉

ふにゃり さま やわらかくて張りのないさま。「虫の柔い胴が**フニャリ**と紙ごしに指の尖に感じられた」〈箱根行・里見弴〉

ぶひぶひ 声 ブタなどの鳴く声。⬇鳴き声編

ふふ 声・さま 息をもらして笑う声。含み笑いのさま。「『**ふ、ふ**、どうせあたしは色気違ひよ』〈略〉美佐子はその場を救ふためにわざとづうしく笑った」〈蓼喰ふ虫・谷崎潤一郎〉「**ふふ**と含み笑ひしながら」〈雪国・川端康成〉

ぶぶ 音 古 ハチの羽音。ぶんぶん。「大きさ三寸許なる蜂の怖し気なる、空より出来て**ぶぶ**と云て」〈今昔物語集〉

ふふん 音・さま 鼻から息を出す音。また、そのさま。相手をばかにしたさま。「同僚の噂でも出ると、**フフン**と云った調子で取合はぬ」〈病院の窓・石川啄木〉

ふやふや さま 古 水けを含んでやわらかいさま。「**フヤフヤ**の餅につかるる草葉かな」〈七番日記・一茶〉

ふよふよ さま やわらかくゆれ動いたり、軽く浮き漂うさま。「大きな樹のうれに、小さい蚊虫が**フヨフヨ**と飛んでゐる夕暮れで」〈旧聞日本橋・長谷川時雨〉

ぶよぶよ ❶ さま 太りすぎて締まりのないさま。締まりがないほどやわらかいさま。「動きまわる太った**ブヨブヨ**の白い肉体と一緒に汗にまみれる」〈エオンタ・金井美恵子〉「**ぶよぶよ**冷めたくむくんだ娘かもしれない」〈眠れる美女・川端康成〉⬇使い分け「ぽっちゃり」

❷ さま やわらかく、弾力のないさま。「午後の陽ざかりで、舗道のアスファルトが溶けて、踏むと**ぶよぶよ**した」〈青い山脈・石坂洋次郎〉

ぷよぷよ さま やわらかく、こまかくゆれ動くさま。『**ぷよぷよ**のおなかを鍛える体操』「その**ぷよぷよ**した物に手を触れるのが何となく無気味だったので」〈細雪・谷崎潤一郎〉⬇使い分け「ぷよぷよ」

ふらいふらい さま 古 左右に力なくゆれるさま。「つはりやみする妻のいとしさ**ふらいふらい**是産前のふり薬〈玄札〉」〈誹諧独吟集〉

ぶらしゃら ❶ さま 古 あちらこちらとあてもなく動くさま。ぶらりしゃらり。「うき雲や峰ともならで**ふらしゃら**と」〈文政句帖・一茶〉

❷ さま たれ下がって見苦しくゆれ動くさま。ぶらりしゃらり。「それゆゑ長い袖の**ぶらしゃら**して邪魔になるより」〈開化問答・小川為治〉

ふらっ ❶ さま 一瞬平衡を失ってよろめくさま。『立ち上がったとたん、**ふらっ**とした』

❷ さま じゅうぶんに考えないで行動するさま。「わたくしは**ふらっ**と鏡の前にきて

使い分け

【共通の意味】弾力が感じられるようす。

ぷよぷよ　**もちもち／しこしこ**

❶**ぷよぷよ**は、食べ物の見た目や食感にやわらかさや弾力が感じられるようす。「皿にのせられたゼリーが**ぷよぷよ**とゆれる」 ❷**もちもち**は、舌触りや手で触った感触に、粘りけのある弾力が感じられるようす。「ほんのり甘くて、**もちもち**した和菓子」「赤ん坊の**モチモチ**したほっぺた」 ❸**しこしこ**は、かんだときの歯ごたえに弾力があるようす。「うどんが**シコシコ**しておいしい」

坐った」〈婉という女・大原富枝〉「フラッと紫のツナギとブラウスを衝動買いしたらお金なくなっちゃったの」〈にんげん動物園・中島梓〉
❸さま何の気なしに突然やってきたり出て行ったりするさま。『客が一人、ふらっと店に入ってきた』

ぶらっ ❶さまものが重たげに宙に釣り下がっているさま。「両手に力を入れないで、自然の重りで**ぶらっ**と下がってゐるやうにして」〈大発見・森鷗外〉
❷さま明確な目的もなく突然、やって来たり出て行ったりするさま。「或る午後、私がいつものやうに**ぶらっ**と散歩のついでにちょっと立寄ったとでも云った風に」〈風立ちぬ・堀辰雄〉

ぷらっ さまいかにも軽そうに釣り下がっているさま。何のあてもなく立ち寄るさま。『軒下に**ぷらっ**と下がった風鈴』

ぶらっか さま何のあてもなく歩くさま。「**ぶらっか**歩いて行かうぢゃないか」〈大川端・小山内薫〉

ぶらっかぶらっか さま何のあてもなく歩き続けるさま。何もせず暮らすさま。「戸外を**ブラッカブラッカ**為て歩く方が好うがアスなア」〈落語—一ツ穴・橘家円喬〉

ふらふら ❶さまものが力なくゆれ動いたり、飛んだり舞い上がったりするさま。「野道畔道**ふらふら**とふらつき廻る小挑燈《てうちん》」〈浄瑠璃—夏祭浪花鑑〉
❷さま力がこもらず安定感のないさま。めまいや疲れ、空腹などで体が安定しないさま。「金ならいくらでもといふ商人も、栄養不良で**フラフラ**の病人も来た」〈蝮のすゑ・武田泰淳〉「先刻の酒には強気に廻された。何だか頭が**フラフラ**する」〈歌舞伎—彩入御伽草〈おつま八郎兵衛〉・鶴屋南北〉 ⬇使い分け「ふらふら」
❸さまいねむりをしていて体がゆれるさま。「**ふらふら**坐眠りをして居たらしい人物は」〈婦系図・泉鏡花〉
❹さまじゅうぶんに考えず行動するさま。何の脈絡や根拠もなく気持ちがゆれ動くさま。「貧しい生活やら、つい**ふらふらっ**と犯して了ふ盗癖のことやら」〈今年竹・里見弴〉「たのもしくおもひ候つれども、御こころ、**ふらふら**とかはり」〈評判記—秘伝書〉
❺さま決断することができなくて迷うさま。「それまで**フラフラ**していた気持ちが、何とはなしに落ちついた形になったのである」〈彼の歩んだ道・末川博〉

ぶらぶら ❶さま宙に釣り下がってゆれ動くさま。「靴カバを袋にいれて**ぶらぶら**振り廻しながらの幼稚園への往復は百合人を楽しませた」〈格子の眼・島尾敏雄〉「爰《ここ》の名物で、尾花細工の木兎が**ブラブラ**釣下った軒並」〈青春・小栗風葉〉 ⬇使い分け「ゆらゆら」
❷さまあてもなく時間をかけて歩くさま。「**ブラブラ**百貨店を歩き回り、草臥《くたび》れたらエスカレーターに乗って遊ぶ」〈善意・舟橋聖一〉「いつも帰る道を逆に取って、楓河岸の方へ**ぶらぶら**歩き出すと」〈金・宮嶋資夫〉 ⬇使い分け「ちょろちょろ」
❸さま何の目的もなく怠惰に暮らしてい

使い分け

【共通の意味】
不安定でゆれ動くようす。

ふらふら
よろよろ／ひょろひょろ／ぐらぐら

❶**ふらふら**は「熱が下がらず、起きると**ふらふら**する」のように、体調がわるいときなどに体をしっかり保てずゆれ動くようす。**よろよろ**は、足元が不安定なようす。「荷物が重くて**よろよろ**した」❷**ひょろひょろ**は細く不安定に立っているようす。「発育のわるい稲が**ひょろひょろ**と伸びている」❸**ぐらぐら**ははげしくゆれ動くようす。「地震で家が**ぐらぐら**とゆれた」「歯が**グラグラ**して抜けそうだ」

るさま。「常は**ぶらぶら**遊んで計《ばか》り居て、試験に優等の点をとるし」〈当世書生気質・坪内逍遥〉

❹さま 原因がはっきりしない病気が長びいて、なかなか治らないさま。『**ぶらぶら**病《やまい》』「こなひだ内少し気分が勝れなくて**ぶらぶら**してゐたので」〈桑の実・鈴木三重吉〉「時をあらそふ程の病気にもあらず、只**ぶらぶら**とやせおとろへ」〈洒落本—鄰壁夜話〉

ぷらぷら ❶さま 宙に釣り下がったまま、軽くゆれ動くさま。「すると正介の死体は**ぷらぷら**揺れはじめた」〈長春五馬路・木山捷平〉

❷さま 何の主体性もなく流されるままに過ごすさま。「どうしてあんなに無駄な時間があったのだろうと不思議なほど、**ぷらぷら**と朝から友人たちと歩きまわっていた」〈オムニバス連載・工藤美代子・週刊エコノミスト・92・3・24〉

ふららん さま 古 何の力もこもらずにものが釣り下がっているさま。ふらりん。「忍びの殿さまに**ふららん**と下げさしよ縁のあるゆへ余念がないよの」〈歌謡—松の葉〉

ふらり ❶さま ものがゆれ動いたり、体がよろめいたりするさま。『舟から岸へとび移ると、足もとが**ふらり**とした』「そのつなをふんであちへ**ふらり**こちへ**ふらり**とひとりもぶらめかし」〈玉塵抄〉

❷さま 明確な目的や意図をもたないさま。何の気なしにやってしまうさま。「自動信号の青いシグナルに唆かされる形で、**ふらり**と横断歩道を二つ渡って」〈銀座二十四帖・井上友一郎〉「この吾が顔を、うつしたる鏡を、**ふらり**となげて」〈中華若木詩抄〉

❸さま 何の目的もなく突然やって来たり出て行ったりするさま。「何しろ開館して、余程時間がたってから、一人の客が**フラリ**と這入ったきり」〈閑散無双・徳川夢声〉「弟は郊外の公団住宅に一人で暮している その女友達のところに**ふらり**と現われた」〈弟・古井由吉〉

ぶらり ❶さま ものが重たげに宙に釣り下がっているさま。 ⬇使い分け「ぬっ」「蛇の半身が**ぶらり**と下がって、切口から黒ずんだ血がぽたぽた窓板の上に垂れてゐるので」〈雁・森鷗外〉

❷さま これといった仕事もせずに日を暮らすさま。「吹ぬ日は**ぶらり**と暮る鳴子かな〈宗雨〉」〈俳諧新選〉

❸さま 明確な目的なしに、突然やって来たり出て行ったりするさま。「二日か三日経つと、スーツケースを持っては**ブラリ**と帰って来る」〈欧米印象記・中村春雨〉「男爵は日本の物が懐かしいので**ブラリ**と出て、つまらないものを高《たか》買《がひ》して来ては静子夫人に笑はれた」〈江戸から東京へ・矢田挿雲〉

ぶらりしゃらり ❶さま 古 時間をかけてあてもなく動くさま。ぶらぶら。ぶらしゃら。「蔦の細道を〈略〉彼方へ**ぶらりしゃらりぶらりしゃらり**と、分け迷ひたる有様は」〈仮名草子—竹斎〉

❷さま 古 たれ下がってゆれ動くさま。ぶらしゃら。「蛸が見入れてあたまを**ブラリシャラリ**する」〈雑俳—伊勢冠付〉

ふらりふらり さま 時間をかけて大きくゆれ動くさま。よろけながら歩くさま。「精神に確固たる自信が無く、けふは左あすは右、**ふらりふらり**と千鳥足の生活から」〈花吹雪・太宰治〉

ぶらりぶらり ❶さま 釣り下がったものが重たげにゆれ動くさま。「柳に南瓜《かぼちゃ》なった如、**ぶらりぶらり**と 貧乏の重い袋を痩腰に下げて歩けど」〈石川啄木詩〉

❷さま あちらこちらと明確な目的なしに動き回るさま。「町を逆にとって返し、多那川べりの草堤に来て**ぶらりぶらり**逍遥します」〈生々流転・岡本かの子〉

ぷらりぷらり ❶さま 釣り下がったものが、軽くゆれ動くさま。頼りなげにゆれ動くさま。「月給取の午休み、**ぷらりぷらり**と手を振って あとからあとから出てくるわ」〈在りし日の歌・中原中也〉

❷さま 身軽にあちらこちらと動くさま。

「来たときと同じように、三味線一つで**プラリプラリ**と帰っていく」〈こころの小径・東京新聞・98・1・7〉

ぶらりん さま 頼りなく釣り下がっているさま。「両手を**ぶらりん**と垂れたまま」〈今年竹・里見弴〉

ぶらん さま 重たげに釣り下がっているさま。「足をささえている台をはずしたのである。その瞬間、死刑囚のからだはすうーッと下に落ち、そして途中でとまって、ぶらんとさがった」〈超人間X号・海野十三〉

ぷらん さま 軽く釣り下がっているさま。「志村は、急に暗い顔をして、肩にかけてゐた両手を、力なく**プラン**と落して了った」〈今年竹・里見弴〉

ぷらんさらん さま たいしたこともしないで気楽な暮らしをしているさま。「緋の衣や紫の衣で、**プランサラン**として居られるのなら、御同様にナ」〈良人の自白・木下尚江〉

ぶらんぶらん さま たれ下がって頼りなげにゆれ動くさま。「頭をさげるたんびに、望遠鏡が胸に**ブランブラン**した」〈大道無門・里見弴〉「彼女はむき出しの寝台に腰をかけ、足を**ブランブラン**させ乍ら喚いた」〈故旧忘れ得べき・高見順〉

ぷらんぷらん さま 軽いものがたれ下がってゆれるさま。「オーバーのボタンが**ぷらんぷらん**している」』

ふり ⬇コラム「ぶり・ぷり」

ぶりしゃり さま 古 すねて相手の気をひくさま。「後姿を眺むれば、**ぶりしゃり**めさるる歩み振り、世に可笑しうぞ思わるる」〈仮名草子―ぬれぼとけ〉
✿特に男女間の愛情表現として用いることが多い。

ぷりっ ❶ さま 中身が締まっていて、弾力性に富んでいるさま。「腹から尻尾へかけての**プリッ**とした膨らみ」〈城のある町にて・梶井基次郎〉
❷ さま 不機嫌に頬をふくらませているさま。「比田は**ぷりっ**と膨れてゐた」〈道草・夏目漱石〉

ふりふり ❶ さま 古 ゆれながら落ちるさま。「足を離れて網の上に踊ければ、**ふりふり**と落る程に」〈今昔物語集〉
❷ 名 衣服のひだ飾り。フリル。「大きなフリフリのついたテニスのアンダースコートのような白い下着」〈暴発する少女たちの身体感覚・朝日新聞・04・9・2〉
❸ さま 方言 ものごとに懲りはてたさま。ほとほと。「**ふりふり**いやになった」〈群馬県〉
❹ さま 方言 あたたかみの残っているさま。ほかほか。「かいろ入れたけ、**ふりふりた**い」〈福岡県〉「飯ぁまだ**ふりふり**しとる」〈熊本県〉

ぶりぶり ❶ 音・さま ものが裂けたり、空気や水が混じり合って排出されるときにたてる重く低い音。また、そのさま。「服のどこかが絶えず茎の歯にひっかかって**ぶりぶり**と鳴った」〈旅愁・横光利一〉
❷ 音 古 ものを強く振り回す音。ぶるぶる。「物をふるおとの**ぶりぶり**となりやがて**ぶりぶり**とふるなどいへる」〈名語記〉
❸ さま 重々しく弾力性に富んでいるさま。「**ぶりぶり**肥ってはいるが指をはじきかえしそうな筋肉」〈夏の闇・開高健〉
❹ さま 怒ってひどく機嫌のわるいさま。不機嫌さをあらわにするさま。「骨折り損をしたと云って**ぶりぶり**こぼしながら」〈竹沢先生と云ふ人・長与善郎〉
❺ さま 古 ふるえおののくさま。ぶるぶる。「あら怖や〈略〉**ぶりぶり**ふるひ出でたるを」〈浄瑠璃―日本振袖始・近松門左衛門〉

ぷりぷり ❶ さま はじけそうなほど弾力に富んでいるさま。「豊なる下唇は**ぷりぷり**と動いた」〈野分・夏目漱石〉「原田自身が、ヒロ子の**ぷりぷり**した、白い肌を思いっきり抱き締めることで」〈蝗・田村泰次郎〉
❷ さま 食べ物が、口中で快い歯ごたえと、いきのよさを感じさせるさま。「タンメンの温い湯気に顔を包まれて**プリプリ**した

コラム オノマトペのもと

ぶり・ぷり

「ぷり」は、張りと弾力があり、力を加えると勢いよくゆれるようすを表している。「ぷりぷり」は、すでに江戸時代には使われている表現で、『浮世風呂』に「ぷりぷりする鰹が一節《ひとふし》九文さ」とある。「ぷりっ」「ぷりん」は、ひときわ弾むような弾力性が感じられるようすを表す。

「ぶり」は、「ぷり」と同様、弾力の表現であるが、「ぷり」よりもかたいようすを表す。

また「ぷり」も「ぶり」も、ともに怒りの表現にも用いられる。急に怒りが湧く「かっ(と)」や、徐々に怒りが湧き起こる「むらむら」などと比較すると、「ぷりぷり」や「ぶりぶり」には継続的な怒りの勢いがあり、ふくれっ面をしているようすの表現である。

【ぶりの語群】
ぶりぶり・ぷりぷり
ぶりっ・ぷりっ・ぶりり
ぷりん・ぷりんぷりん

	―(と)した歯応え	―(と)怒る	―(と)した丸いお尻
ぶりぶり	○	○	△
ぷりぷり	○	○	○
ぷりっ	○	○	○
ぶりり	○	○	△
ぷりん	○	―	○
ぷりんぷりん	○	―	○

【表現】

食の表現としての「ぷりぷり」は、エビ、鮮魚、かまぼこ、ソーセージなどに使われる。見た目と食感を両方表したことばである。つまり、目で見て、さらに歯でかんで感じる新鮮な魚肉の弾力を表現している。類似の語に「ぷるぷる」があるが、こちらはゼリーやプリンなどのゆるい弾力、たとえばスプーンなどですくったときにゆれるようすに対して使われる。それに対して「ぷりぷり」は、よく締まった弾力を表現しているのである。

「ぶりぶり」は「ぷりぷり」に比べると、食の場面で使われることは少ない。二〇〇四年に首都圏で調査したところ、「ぷりぷり」を食感表現に使うと答えた人は約八割であったのに対し、「ぶりぶり」は二割にとどまった。こんにゃくなど、歯でかみ切るときにやや抵抗のあるものを「ぶりぶり」と表現するようである。

不機嫌で取りつくしまもないようすを「ぷりぷり怒る」などと表現することがある。江戸時代にも同じように使われており、洒落本『夜半茶漬《よわのちゃづけ》』に「むしゃうにぷりぷりする」、人情本『春色連理の梅』に「ぷりぷりして物も言はねば」などとある。怒りのエネルギーが内面から湧いて顔に出るようすと、いきのよい魚肉が生命のエネルギーで表面が弾むように張っているようすには共通するものがあるのだろうか。

「ぶりぶり」も怒りのようすを表すが、こちらは、実際に怒りのことばを発していることが多い。「ぷりぷり」も「ぶりぶり」も擬態語だが、怒りの表現に関しては、「ぶりぶり」は擬音語ともいえる。

また、「ぶりぶり」は、「ぶるぶる」と似た意味でふるえたり、恐れおののいたりするようすも表現した。浄瑠璃『鑓《やり》の権三重帷子《ごんざかさねかたびら》』には、「膝ぶりぶりの流武者」という表現があり、こきざみにふるえるようすを描写している。

(早川文代)

木耳《きくらげ》や香ばしいエビや」〈青い月曜日・開高健〉「**ぷりぷり**する鰹が一節《ひとふし》九文さ」〈浮世風呂・式亭三馬〉

❸ さま 怒りで頬をふくらませ続けるさま。不機嫌さをあらわにするさま。「そして閉廷になると、**ぷりぷり**怒りながら立ちあがった」〈ノリソダ騒動記・杉浦明平〉 ⬇使い分け「つんけん」

ぶりり さま 古 腹立ちをあらわにするさま。「田舎ものなれば、いささかさやうなわるじゃれな事は存ぜぬと、**ぶりり**として見せれば」〈浮世草子―三千世界色修行〉

ぷりん さま 中身が締まっていて、弾力に富んでいるさま。「**ぷりん**としたかわいいお尻を、ちょっと両手でかるく撫でるようにしてから」〈巷談本牧亭・安藤鶴夫〉

ぷりんぷりん さま 弾力に富んでいるさま。弾んでゆれるさま。「溶けだしたゼラチン質が、**プリンプリン**になって、とろけるほど柔らかくなった豚足を部厚く覆っている」〈デザートはあなた・森瑤子〉

ふる ⬇コラム「ふる・ぶる・ぷる」

ぶるっ ❶ 音 エンジンなどの振動音。唇をふるわせて出す音。「二人で顔を見合わせ、唇をつきだして**ぶるっ**といわせた」〈真空地帯・野間宏〉

❷ さま 恐怖や寒さなどのために、瞬間的に身をふるわすさま。「何か急に衝動を感じでもしたやうに、**ぶるっ**と身体を震はしながら立上った」〈神経病時代・広津和郎〉

ぷるっ ❶ さま やわらかく弾力のあるさま。『**プルッ**とした涼しげな和菓子』「野茂の肩の筋肉は赤ちゃんのように**プルッ**として柔らかさが際立っていたが」〈斎藤君というオアシス・AERA・06・9・4〉

❷ さま 一瞬小さくふるえるさま。『**ぷるっ**と軽く胴震いした』

ふるふる ❶ さま 古 縄やひもなどを苦もなく解くさま。するする。「からげなは**ふる**ふるとひっといて」〈幸若―文学〉

❷ さま 寒さや恐れなどでこまかくふるえるさま。「小さな安っぽい金網に、**フルフル**震へながら(その晩は可成寒風が強く、夜店の通りもひどくさびしかった)」〈アヒル競騒曲・徳川夢声〉

❸ さま 方言 はなはだしく嫌悪するさま。「いくら誘われてもあんなこたあ**ふるふる**だ」〈静岡県〉「奴は**ふるふる**好かん」〈福岡県〉

ぶるぶる ❶ 音・さま ものが破れこわれたり、はげしくふるえたりする音。また、そのさま。「扉の響きは、**ぶるぶる**と、お妙の細い靴の尖《さき》に伝はって」〈婦系図・泉鏡花〉「調《うて》高き荘重な神官の声に、静まり返った神殿は**ぶるぶる**と震へて」〈東京年中行事・若月紫蘭〉「船体はパシフィッククラインのエムロシアが、全速を出した時の様な、自震動を**ブルブル**と感じながら飛んで行くのであった」〈海に生くる人々・葉山嘉樹〉

❷ さま こきざみにふるえるさま。「ジェリは一目宝石の様に見えるが、**ぶるぶる**顫へて、羊羹程の重味がない」〈草枕・夏目漱石〉

❸ さま 寒さや恐れなどで唇や体がこきざみに強くふるえるさま。「宇治は拳銃を腰に収めようとあせってゐた。手が**ぶるぶる**

使い分け

【共通の意味】軽やかに浮かぶようす。

ふわり **ぷかり／ぽかり**

❶**ふわり**は、軽いものが空中に浮かんだり舞い降りたりするようす。「スカーフが**ふわり**と風に飛んだ」「天女が**ふわり**と空から舞い降りた」 ❷**ぷかり**、**ぽかり**は、水中に沈んでいたものが水面に浮かびあがったり、空中に雲や飛行船などが浮かんでいるようす。「池に黄色いボールが**ぷかり**と浮かんでいる」。**ぽかり**のほうが浮かんでいるものが大きい感じ。「空におおきな白い雲が**ぽかり**と浮かんでいる」

コラム　オノマトペのもと

ふる・ぶる・ぷる

「ふる」「ぶる」「ぷる」は、共通してふるえるようすを表す。「ふるふる」は、「小さな安っぽい金網に、フルフル震へながら」(『アヒル競騒曲』徳川夢声)のように、弱々しくふるえるようすを表す。

「ぶるぶる」は、ふるえがやや大きい。「ヲヲさむいと云ひながら、肩をぶるぶるとして入来るは」(『浮世風呂』)などと使われる。また、イヌや鳥などがぬれた体を大きく振るようすなど、実際に音をたててふるえるようすを描写することもある。

「ぷるぷる」は、ふるえがこまかかったり、滑稽さが感じられたりする場合が多い。「下唇がぷるぷる震へて来て」(『斜陽』太宰治)など、「ぶるぶる」に比べて、ふるえがこきざみである。

「ぶる」も「ぷる」も擬音語として使われることもある。「ぶる」はエンジン音や機械のバイブレータ音、「ぷる」は電車の発車ベルの音などによく使われる。

［ふるの語群］
ふるふる・ぶるぶる・ぷるぷる
ぶるっ・ぷるっ
ぶるる・ぷるる
ぶるり・ぷるり
ぶるん・ぷるん

	―(と)したゼリー	怖くて―(と)する	顔を―(と)洗う
ふるふる	△	△	―
ぶるぶる	―	○	○
ぷるぷる	○	△	△
ぶるっ	―	△	○
ぷるっ	○	△	○
ぶるん	○	―	○
ぷるん	○	―	○

［表現］

現代日本人の好む食感の代表は「もちもち」と「ぷるぷる」だろう。この二つの表現を昨今では雑誌や商品のパッケージで頻繁に見かける。

「ぷるぷる」は、ゆるやかな弾力がもたらす心地よい食感の表現で、ゼリーなどの商品名にも用いられている。また、調理の専門家を対象に調査したところ、ゼリー、プリン、こんにゃくなどによく使われていた。

これだけよく見る表現なのに、辞書類には、食感表現としてほとんど説明されていない。そもそも、「ぷるぷる」が記載されていないことも多い。二〇〇三年にアンケートで食感の表現を収集したところ、多くの人が「ぷるぷる」を食感表現として挙げていたが、一九六〇年代に行われた同じような調査では、「ぷるぷる」を挙げた人は誰もいなかった。つまり、食感表現としての「ぷるぷる」は新しいことばといえそうだ。

近年、分子レベルでの多糖類の研究がすすみ、微妙な弾力や口中での溶け方がコントロールできるようになった。研究成果を受けて新しい食感のデザートも次々に登場している。たとえば、杏仁豆腐も、ぷるぷるタイプ、とろとろタイプ、つるつるタイプと多彩で、消費者は自分の好みによって、さまざまな食感を選択できる。

新しい食感は新しい表現を作る。それが心地よい食感であれば、ことばが広まるのは早い。「ぷるぷる」はその代表例ではないだろうか。

（早川文代）

ふるへるので、拳銃がうまく銃嚢に入らなかった」〈日の果て・梅崎春生〉「与三の腕は満身の怪力にブルブルと打ち震へた」〈良人の自白・木下尚江〉 ⬇使い分け「がくがく」

ぷるぷる ❶さま こまかくふるえるさま。「下唇が**ぷるぷる**震へて来て、涙が眼からあふれて落ちた」〈斜陽・太宰治〉 ❷さま 弾力があって、こきざみにゆれ動くさま。「不思議というのは、頭を除く体全体がゼリー状の**プルプル**するもので包まれていることだ」〈憂楽帳・ゲンゲ・毎日新聞・93・2・18〉

ぶるり ❶さま 急にふるえ動くさま。「**慄然**《ぶるり》と身顫ひして立ち上ったが」〈恋慕ながし・小栗風葉〉 ❷さま 顔を一度強くなで回したり、ぬぐったりするさま。「顔一杯に流れた汗を小汚い手拭で**ブルリ**と拭った」〈鳥影・石川啄木〉

ぶるる ❶音 エンジンなどの稼動音。「電気砲は**ブルルル**と呻りながら、火星のロケット艦めがけて重い砲弾を発射しつづけた」〈十八時の音楽浴・海野十三〉 ❷さま 強くふるえ動くさま。「大烏は息もつかずに三分ばかり咽喉を鳴らして呑んでから〈略〉それから**ブルルッ**と頭をふって水を払ひました」〈双子の星・宮沢賢治〉

ぷるる ❶音 電話の着信を示す電子音。❷さま かすかにゆれ動くさま。『小皿の中でプリンが**プルル**とゆれた』

ぶるん ❶音 エンジンなどの始動音。『朝方、**ブルン**と走り出すバイクの音がした』 ❷さま 一瞬強くふるえ動くさま。「津田夫人は**ぶるん**と咽喉元を顫わすと、視線を窓外へそらした」〈死霊・埴谷雄高〉 ❸さま 顔を強くなで回したり、ぬぐったりするさま。「その顔を、**ブルン**と掌の平で撫でて」〈今年竹・里見弴〉 ❹さま 強く振り動かすさま。「さて、メロスは、**ぶるん**と両腕を大きく振って、雨中、矢の如く走り出た」〈走れメロス・太宰治〉

ぷるん さま 一瞬弾いたようにゆれるさま。「**プルン**とぬれたようにみせたり、光沢を出したりと、唇の質感を演出するのが今のトレンドになっている」〈ものの話・口紅・毎日新聞・05・2・26〉

ぶるんこ さま 顔などを弾くようになでたりぬぐったりするさま。「顔をひとつ、右手で**ぶるんこ**してみせて、『なんでもいい』」〈巷談本牧亭・安藤鶴夫〉

ぶるんぶるん ❶さま 何度もふるえ動くさま。寒さなどで体のふるえるさま。「女の子のモモが私の鼻の先で**ブルンブルン**波うち、ふるえるのである」〈安吾巷談・坂口安吾〉「蟇が両足を持ってぶる下げられてゐる。**ぶるんぶるん**ともがくと振動が女中の両腕に伝はるのである」〈顔を洗ふ・中川一政〉 ❷音・さま エンジンなどの稼働音。また、そのさま。『モーターボートの船外機が**ブルンブルン**と快調な音をたて続けた』 ❸さま 大きく強く振り動かすさま。「片手で出席簿を**ブルンブルン**ふりまはしながら」〈若い人・石坂洋次郎〉

ぷるんぷるん ❶さま こまかくふるえ動くさま。『肉が**ぷるんぷるん**する二の腕』 ❷さま 顔を洗うさま。幼児語。『朝起きたら、ごはんの前に**ぷるんぷるん**していらっしゃい』

ふぁーふぁー さま 方言 熱でほてるさま。「ちら**ふぁーふぁー**そーん（顔がほてっている）」〈沖縄県〉

ふわさわ さま 古 落ち着きのないさま。そわそわ。「**ふはさは**と好きの通りの果報也」〈雑俳・扇の的〉

ふわっ ❶さま やわらかくて軽やかなさま。ふわり。「一口食べる。**ふわっ**とした卵の味が口中にひろがってくる」〈言わなきゃいいのに……・林真理子〉 ❷さま 身のこなしが軽やかでやわらかいさま。ひらり。「彼は両手を水平にさしのべ、それから**ふわっ**と宙に浮び」〈水中都市・

安部公房〉

❸さま 軽率に行動するさま。軽はずみなさま。「二晩も銀子と部屋に閉籠《とぢこも》ってゐたが、それは酒のうへの事であり、銀子もふわっと話に乗りながら」〈縮図・徳田秋声〉

ふわふわ ❶さま やわらかくふくらんでいるさま。ふんわり。「頭髪も亦非常に多量で真綿の如く柔く**ふわふわ**してゐた手は華車《きゃしゃ》で」〈春琴抄・谷崎潤一郎〉「空際には**ふわふわ**とした綿のやうな白い雲がほっかりと」〈土・長塚節〉

❷さま あてどもなく浮きただようさま。軽く静かにゆれ動くさま。「海へ捨てますと、白い紙玉《かみだま》は魂ででもあるやうに**ふわふわ**と夕闇の中を流れ去りまして」〈幻談・幸田露伴〉「あたりに綿毛を舞い立たせながら、はばたいて、**ふわふわ**と飛んでゆくのです」〈ビルマの竪琴・竹山道雄〉

❸さま 心や動作が軽々しく落ち着かないさま。軽薄なさま。「三十三といふ年齢《とし》さへも忘れたやうに、唯**ふわふわ**と日を送ることが出来るのであった」〈ひかげの花・永井荷風〉

ぶわぶわ さま 締まりがなくふくらんでいるさま。だらしなく広がっているさま。「**ぶわぶわ**した脂肪の重さがあちらこちらにあらわれ」〈夏の闇・開高健〉「とんびのやうな外套を**ぶわぶわ**に着てゐた」〈硝子戸の中・夏目漱石〉

ふわり ❶さま 軽やかに浮きあがったり降りたりするさま。動作が非常に身軽であるさま。「空には唯一片の雲が**ふわり**と長閑に浮いてゐた」〈竹沢先生と云ふ人・長与善郎〉

❷さま 重みを感じさせずに何かの上をおおうさま。「糸織の大温袍《どてら》**フワリ**被りて」〈火の柱・木下尚江〉

⬇使い分け「ふわり」

ふわりふわり ❶さま 軽やかに空中や水中を漂うさま。「絹の如き浅黄の幕は**ふわりふわり**と幾枚も空を離れて」〈虞美人草・夏目漱石〉

❷さま やわらかく漂ったり、包まれたりするさま。「生温い磯から、塩気のある春風が**ふわりふわり**と来て、親方の暖簾を眠たさうに煽る」〈草枕・夏目漱石〉「新わらに**ふはりふはり**と寝楽かな」〈七番日記・一茶〉

❸さま 落ち着きなく動き回るさま。ふわふわ。「乾枯らびし魂の紙風船懐に物さへ這入れば**ふわりふわり**と飛廻りて、息のぬけるとひとしく」〈おぼろ夜・斎藤緑雨〉

ふん 音・さま 意味や価値がないという、ばかにした態度を示して、鼻から出す息の音。また、そのさま。『鼻の先で**ふん**とあしらわれた』「アヤはそれを素朴になつかしむ前に、**ふん**、という気分になるのだった」〈がらくた博物館・大庭みな子〉

ぶん ❶古音 放屁《ひほう》の音。「せんぎするうちに、かの遊女もとりはづし、**ぶん**とやりにけり」〈咄本―宇喜蔵主古今咄揃〉

❷音 ハチやカ(蚊)などの羽音。「何処かで蜂の**ぶん**と唸る声」〈野の花・田山花袋〉

❸音・さま 重く鋭く風を切る音。また、そのさま。「思ひも寄らぬ太い棍棒が**ブン**と

使い分け

【共通の意味】においがするようす。

ぷん **ぷんぷん／つん／むっ**

❶**ぷん**は、瞬間的ににおいが強くするようすで、いいにおいにも、いやなにおいにも使う。「部屋に入ると、ユリの花のにおいが**ぷん**とにおった」。**ぷんぷん**は、においが強くするようす。「腐ったごみのにおいが**ぷんぷん**する」「香水を**ぷんぷん**させていた」 ❷**つん**は、「酢のにおいが**ツン**とする」のように、刺激的なにおいが鼻にくるようす。**むっ**は、いやなにおいが強くするため、息が詰まる感じ。「汗のにおいが**ムッ**として、思わず顔をそむけた」

ふ

風を截って来て」〈平凡・二葉亭四迷〉「来るなら来てみろ赤とんぼ　ブンブン荒鷲《あらわし》ブンと飛ぶぞ」〈軍歌—荒鷲の歌・東辰三〉

ぷん ❶ さま 臭気や香気などが急に強くにおってくるさま。「とたんに、シャネルだか、ゲランだか、高価な香水の匂いが、**プン**と彼女の鼻を打って」〈青春怪談・獅子文六〉「沢庵と汗の臭いをまぜたような臭気が**プン**とにおい」〈口笛をふく時・遠藤周作〉 ⬇使い分け「ぷん」

❷ さま ふくれっ面をして黙ってしまうさま。「『別にお話を聴く必要も無いが…』と三百は**プン**とした顔して呟きながら、渋々に入って来た」〈子をつれて・葛西善蔵〉

ぶんちゃっちゃ 名 三拍子のワルツ。ずんちゃっちゃ。ずんたった。「待機していた踊り子が、ビートのきいた新リズム『**ブンチャッチャ**』にのって登場」〈ブンとフン・井上ひさし〉

ふんふん ❶ 音・さま においをかぐときの鼻息の音。また、そのさま。くんくん。「指頭《ゆびさき》を鼻の先へ持って来て**ふんふん**と二三度嗅いだ」〈虞美人草・夏目漱石〉

❷ さま 他人の言うことに気軽に同意してうなずくさま。上の空のようすや鼻歌を歌うさま。「をばさんも只感心して**ふんふん**と聴いてゐる」〈俳諧師・高浜虚子〉「何いふても、**ふんふん**云ふだけで」〈大阪の宿・水上滝太郎〉

ふんぷん ⬇漢語編①「ふんぷん（芬芬）」②「ふんぷん（紛紛）」

ぶんぶん ❶ 音 昆虫類の力強い羽音。「足長蜂《あしながばち》が巣を醸《かも》して**ブンブン**飛んで居た」〈田舎教師・田山花袋〉

❷ 音・さま 鋭く風を切り続ける音。機械などの回転する音。ものを勢いよく振り回したりするさま。「凧のうなりが**ブンブン**と聞えて居る」〈枯菊の影・寺田寅彦〉「湯島天神に行ってみた。お爺さんが車を**ぶんぶん**まはして、桃色の綿菓子をつくってゐた」〈放浪記・林芙美子〉

❸ 名 コガネムシ。「町子は白木の四方盆の端縁《へり》に実物大の**ぶんぶん**を一匹とまらせた」〈畜生塚・秦恒平〉 ✹羽音から。

ぷんぷん ❶ さま あまり好もしくないにおいのたちこめるさま。妙な気配がたちこめるさま。『怪しげな様子が**ぷんぷん**する』「振り返ると熟柿みたいな臭ひを**ぷんぷん**させたN子です」〈オリンポスの果実・田中英光〉 ⬇使い分け「ぷん」

❷ さま ひどく腹を立てて機嫌のわるいさま。「**憤々《ぷんぷん》**しながら晩餐を喫して」〈浮雲・二葉亭四迷〉 ⬇使い分け「つんけん」

ふんわか さま 軽くてやわらかいさま。やわらかいものに包まれたような、気分のいいさま。「**ふんわか**と内巻きカールにチューリップスカートのお嬢さん風」〈われら戦友たち・柴田翔〉

ふんわり ❶ さま やわらかく、ゆるやかなさま。弾力のあるさま。「重ね花びら、**ふんはり**してる」〈童謡—薔薇・北原白秋〉

❷ さま ものが浮き上がったり、舞いただようさま。「俺は生きているんだなという喜びのようなものに、自分が**ふんわり**とりかこまれているのを感じて」〈巷談本牧亭・安藤鶴夫〉

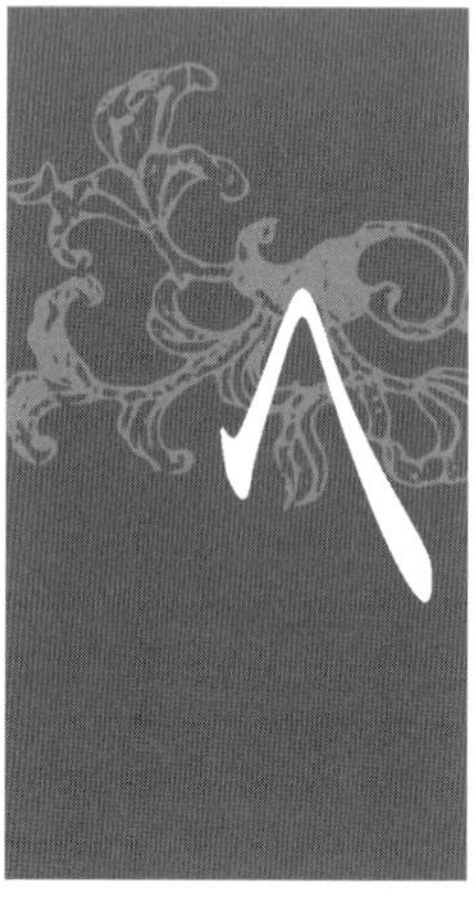

へーこら さま 言いなりになったり、卑屈に機嫌をとったりするさま。「寿司屋や天ぷら屋の客は、その店が高級になればなるほど、職人に**へいこら**する」〈変痴気論・山本夏彦〉

へーつく さま 言いなりになったり、頭を下げて機嫌をとったりするさま。「手前は

浪人でも士民なぞに**へえつく**する事はない」〈真景累ケ淵・三遊亭円朝〉

へーつくもーつく さま ひたすら、機嫌をとるさま。「何んだって彼奴に**へえつくもうつく**するのだよ」〈真景累ケ淵・三遊亭円朝〉

へーへー さま 人にへつらったり、ひたすら頭を下げて言いなりになったりするさま。「貴方は名主だから**ヘエヘエ**あやまってるし、初めてですから三両もお遣んなさいよ」〈真景累ケ淵・三遊亭円朝〉「あんな女に**へいへい**して居られるもんか」〈生・田山花袋〉

べーべー 声 ウシやヤギなどの鳴く声。

ぺーぺー 名 地位の低い者や技量の劣っている者をあざけっていう語。自分を卑下していう語。「留津にやってきた頃には、誰一人洟もひっかけない**ぺいぺい**だった野郎がな」〈われら戦友たち・柴田翔〉

へかへか ❶ さま 薄っぺらでたわみやすいさま。

❷ さま 方言 息切れするさま。動悸がして苦しいさま。「へこへこ」ともいう。「のどぁ**へかへかへか**って、空咳ぁ出でわがねぁ(たまらない)」〈岩手県〉「少す歩ぐづーど**へこへこ**どなって歩がれねぁ」〈岩手県〉

へがへが さま 方言 たよりなく弱々しいさま。「針金が**へがへが**にまがっとる」〈福井県〉「病気あがりでなーもしぇんと(何もしないで)**へがへが**してるわ」〈福井県〉

べかべか ❶ 音・さま 薄くかたい板などがへこむ音。また、そのさま。「トタンの庇が**ベカベカ**云うと、猫なりや泥棒なりやと」〈獄中への手紙・宮本百合子〉

❷ さま よく目立つほど照り光るさま。「スターがえぇカッコするケバケバの**ベカベカ**の華麗さが、時代劇の世界ではないんです」〈加藤泰、映画を語る・北海道新聞・94・12・18〉「風呂上り新酒**へかへか**皃へ出る」〈雑俳ー太箸集〉

ぺかぺか さま 薄く、たわみやすいさま。薄っぺらで安っぽいさま。ぺこぺこ。「それは〒と大書したブリキの箱だという。〈略〉あれは**ペカペカ**してやっぱり手が切れそうである」〈変痴気論・山本夏彦〉「上から釣るされてゐる大洋燈の灯に、蝶々の簪《かんざし》が**ペカペカ**した」〈旧聞日本橋・長谷川時雨〉

べきべき ❶ 音・さま 次々と折れたり亀裂がはいったり、強くはがされるような音。また、そのさま。「**ベキベキ**と木の折れる音や、ガラスの割れる音がまじった」〈日本沈没・小松左京〉

❷ 音 エレキギターの、迫力とめりはりのある音。『**ベキベキ**のサウンド』

❸ ➡漢語編「べきべき(冪冪)」

ぺきぺき 音・さま きしんだり割れたりするときのかわいた高い音。また、そのさま。「夏、海辺で不思議な音を聞いた。『キュルキュル、**ペキペキ**』。薄いガラス板状の氷が岸に打ち上げられて割れていく」〈変幻、氷の世界・朝日新聞・04・6・28〉

へこたこ さま でたらめなさま。道理に合わないさま。「自慢らしういふことが皆**へこたこ**じゃ」〈浮世風呂・式亭三馬〉

べこっ さま ものがひどくへこんだりゆがんだりするさま。「ウミガメのおしりから、ぽとん、ぽとんと白い卵が落ちた。〈略〉殻は指でつまむと**べこっ**とへこむ」〈南の島々の物語・朝日新聞・00・1・31・夕刊〉

ぺこっ さま 頭をすばやく下げてあいさつするさま。ものなどがたやすくくぼむさま。「若いころは照れくさいんで、**ぺこっ**とおじぎするだけだと」〈石原語録・産経新聞・05・4・14〉

へこへこ ❶ さま 卑屈に頭をしきりに下げるさま。人にへつらうさま。ぺこぺこ。「看護婦は勿論、小使にだって**ヘコヘコ**してゐる」〈故旧忘れ得べき・高見順〉

❷ さま たやすくたわむさま。「小エビの甲のように、**ヘコヘコ**弾力がある」〈海のいきもの・朝日新聞・95・10・1〉「**へこへこ** 小児の戯言にをばへこへこと云板片木などのしなふ意」〈俚言集覧〉

❸ さま 使いこんで、弱々しくなったさま。疲労しきったさま。「去年の夏買ひしと見ゆる、**へこへこ**になりたる麦藁帽子を」〈当世書生気質・坪内逍遙〉
❹ さま 古 ひどく腹のへったさま。ぺこぺこ。「はやく給《べた》させてくんな。何だか腹が**へこへこ**して力がなくッて」〈英対暖語・為永春水〉

べこべこ ❶ 音 下手な三味線の音。『べこべこさみせん』（＝三味線を下手に弾くこと）
❷ 音・さま 薄くかたい板などがへこむ音。また、そのさま。不規則な凹凸《おうとつ》のあるさま。「テーブルはアルマイトが張ってあり、やや**べこべこ**している」〈地を潤すもの・曾野綾子〉
❸ さま 卑屈に頭を何度もはげしく下げるさま。人にへつらうさま。へこへこ。「少し強い口調で何か言葉をかけられでもしたら、誰にでも**ベコベコ**頭を下げて了ひさうなイヂケタ気持になってゐるのだ」〈イボタの虫・中戸川吉二〉

ぺこぺこ ❶ 音 下手な、よくひびかない三味線の音。「今、京都で流行るといふフイトサ節を**ペコペコ**と弾き出した」〈名張少女・田山花袋〉
❷ 音・さま 薄く弾力のある板などが何度もへこんだり、曲がるときのかわいた高い音。また、そのさま。『**ぺこぺこ**いわせながら、缶のふたを押し続けた』
❸ さま ものがゆがみ、へこむさま。古くなって、やわらかく弱々しくなるさま。「台湾パナマだか何だか**ペコペコ**になった帽子を被ってゐる」〈満韓ところどころ・夏目漱石〉
❹ さま 卑屈に頭をしきりに下げるさま。人にへつらうさま。へこへこ。「彼奴等に頭を下げて**ぺこぺこ**と頼み回るなんちうことは」〈富岡先生・国木田独歩〉「借金の言訳に、**ぺこぺこ**してゐる男を見ると」〈あらくれ・徳田秋声〉
❺ さま ひどく腹のへったさま。へこへこ。「腹が**ぺこぺこ**して目が廻りそうになってきた」〈西洋道中膝栗毛・仮名垣魯文〉「江戸の米価は兎も角一時下落した。市民等**ペコペコ**の腹をしながら」〈江戸から東京へ・矢田挿雲〉

ぺこり さま すばやく頭を下げてあいさつするさま。ぺこん。「かういって酔ふと蒼くなる顔で、**ぺこり**と頭をさげて帰るのが、大体のきまりだった」〈ある女・中村光夫〉

べこん 音・さま あるものなどの一部分が大きくへこむときの太くひびく音。また、そのさま。ぺこん。「骸骨のやうに其処が**べこん**と凹んでゐるのだった」〈いのちの初夜・北条民雄〉

ぺこん ❶ 音・さま あるものなどの一部分がへこむときの高い音。また、そのさま。ぺこり。「まるい背中のまんなかが**ぺこん**と凹んでいる感じ」〈月暈・島尾敏雄〉
❷ さま すばやく頭を下げてあいさつするさま。ぺこり。「定吉は又も**ペコン**と叩頭して」〈神経病時代・広津和郎〉「『どうもお粗末さま』斯う云って**ペコン**と一つ頭をさげ」〈湖畔手記・葛西善蔵〉

ぺこんぺこん ❶ 音・さま 繰り返しへこんだり、もどったりするときの高い音。また、そのさま。「先方次第で安値《あんちょく》に裏へも表へも**ペコンペコン**と反ッくり返る」〈今年竹・里見弴〉
❷ さま 頼りなげに何度も頭をさげるさま。「型無しに**ペコンペコン**頭を下げて、なにか弁解めいたことを呟きながら」〈若い人・石坂洋次郎〉

べしゃっ 音・さま やわらかいものが、はげしくつぶれるさま。水けを多く含んでくずれるさま。「かき揚げは軽い仕上がりで、〈略〉衣がほとんどないため、時間がたっても**べしゃっ**としない」〈年越しそば・読売新聞・00・12・29〉

ぺしゃっ 音・さま ものがたやすくつぶれる音。また、そのさま。「ある程度家が壊れても、簡易補強をすれば**ペシャッ**とつぶ

れた下敷きにならず、逃げ道を確保できる」〈TOKYO発・地震から命守れ・東京新聞・07・2・9〉

べしゃべしゃ 音・さま 水分を含んで形のくずれているさま。『**べしゃべしゃ**のご飯』

ぺしゃぺしゃ さま 今にも泣きだしそうなさま。元気を失ってしまうさま。「志村の奴、さぞ**ペシャペシャ**に悄気返ってやがるこったらう」〈今年竹・里見弴〉

べしゃり 音・さま やわらかいものが、平たくつぶれるさま。水けを多く含んで、くずれるさま。『ケーキが箱の中で、**べしゃり**となっていた』

ぺしゃり 音・さま ものが簡単につぶれる音。また、そのさま。「車の窓から眼下に**ぺしゃり**とひしゃげたような灰色の町並みが広がった」〈アルメニア被災地現地ルポ・読売新聞・88・12・16〉

べしゃん 音・さま ものが勢いよくつぶれる音。また、そのさま。『手からすべり落ちたスイカが**べしゃん**と割れた』

ぺしゃん 音・さま ものが簡単に平らにつぶれる音。また、そのさま。「髪の毛、とくに頭部の上のほうにボリュームがなくなり、**ペシャン**となってしまう」〈快適生活学・産経新聞・05・11・25〉

ぺしゃんこ ❶ さま 平らなさま。押しつぶされて平たくなるさま。「妻の**ペシャンコ**な腹のうえに分厚い金属のバックルが」〈月は東に・安岡章太郎〉「**ぺしゃんこ**のカステラなんか食べられたもんじゃない」〈面影・芝木好子〉

❷ さま ひどく打撃をうけるさま。完全に言い負かされるさま。「文壇評論家の舌頭に掛ったら電車に轢かれた蝦蟇のやうに**ペシャンコ**に潰されて了う」〈読書放浪・内田魯庵〉

べしょっ さま 勢いよく平らにつぶれるさま。「大隈侯よりも貧乏な癖に食客《ゐそうろう》は大隈侯に譲らなかった。そんな豪快な生活も大警動で**ベショッ**となった」〈江戸から東京へ・矢田挿雲〉

べしょべしょ さま 水や涙にひどくぬれるさま。「男のくせに**ベショベショ**泣き出してしまったでしょう」〈石中先生行状記・石坂洋次郎〉

ぺしょり さま まったく元気を失って沈みこんでいるさま。「大阪屋は**ぺしょり**となって黙ってしまった」〈天国の記録・下村千秋〉

ぺそっ ❶ さま しぼんだように急に元気がなくなるさま。「猟銃があれば威張り、なきゃ**ぺそっ**となるつうのは」〈吉里吉里人・井上ひさし〉

方言 衰弱するさま。「やっつけられて**ぺそっ**となった」〈宮城県〉「あいつ**ぺそっ**として居るぞ」〈福島県〉

❷ さま 方言 量が目だって減るさま。体積が減るさま。ごっそり。げっそり。東北地方。「べそっ」ともいう。「**ぺそっ**とやせて帰って来た」〈宮城県〉「菜っぱはゆでると**べそっ**となる」〈青森県〉

❸ さま 方言 平気なさま。「何をされても**ぺそっ**としている」〈山形県〉

へそへそ さま 古 ものが細ったり、減ったりするさま。「出立して出ぬる時は大原のはや**へそへそ**とやせわたるかな」〈職人歌仙〉

べそべそ さま ぐずりながら泣くさま。べそりべそり。「一人で**ベソベソ**泣いてゐるのを奴が見つけた」〈彼女とゴミ箱・一瀬直行〉

べそりべそり さま ぐずりながら泣いては止むのを繰り返すさま。「物の怪の**べそりべそり**と泣て居て」〈雑俳・俳諧觽〉

へた ⇩コラム「へた・べた・ぺた」

へた ❶ 音 古 平手などで軽く打つ音。「たこ、うしろより、**へた**とこしをたたき、ヨヨここな、いのちとりめとほめた」〈咄本・軽口へそ順礼〉

❷ さま 力なく倒れたり、すわりこんだりするさま。へたり。「哀れな母親は、**へた**と泣きくづれた」〈寡婦とその子達・細田源吉〉

❸ さま 古 思いがけなく出会うさま。「うれしやな柿ぬす人に**へた**とあふ」〈雑俳・和歌み

どり〉

へたくさ ［さま］むやみに繰り返すさま。「お礼に上りましたと**ヘタクサ**お辞儀をすれば」〈当世商人気質・饗庭篁村〉

べたくさ ［さま］むやみやたらに繰り返すさま。必要以上であるさま。「休日などに**べたくさ**造りちらかすのはおらア大嫌ひ」〈隣の嫁・伊藤左千夫〉「**べたくさ**とかきよごしぬる悪筆は山の名におふ是も黒紙」〈卜養狂歌集拾遺〉

へたくた ［さま］むやみに軽々しく行うさま。「最う是れからは今迄のやうに**ヘタクタ**二階へ往ッてはならないと」〈浮雲・二葉亭四迷〉

へたっ ❶［さま］支えや張りのないさま。力なく倒れたり、すわりこんだりするさま。「ワカメは水で完全に戻してしまうと腰の抜けた、**へたっ**とした食感になってしまいます」〈日本料理で晩ごはん・朝日新聞・00・4・30〉❷→へた。

べたっ ❶［さま］粘液状のものがかたまりになって、気持ちわるくはりつくさま。ねばりつくさま。『南国の**べたっ**とした空気』「きめの細かい光沢のある上品な顔は、〈略〉さはると**べたッ**とひっ付く脂のやうな生理的嫌悪さを感じた」〈欅の芽立・橋本英吉〉❷［さま］強く密着したり、はりつけるさま。『シールを**べたっ**とはる』❸［さま］だらしないほど力が抜けて平らになるさま。「佐藤は酔ってくると柔かく搗きすぎた餅のように**べたっ**と座高が低くなり」〈吉里吉里人・井上ひさし〉「一日中畳の上へ**べたっ**とねたきりでな、おきられへんのや」〈真空地帯・野間宏〉❹［さま］色濃く絵の具などをぬりつけたり、印判を押すさま。『口紅を**ベタッ**とぬる』

ぺたっ ❶［さま］平らに全面的に密着するさま。「いきなり背後から生温かい腕が**ぺたっ**と頸のまはりに巻きつきました」〈オリンポスの果実・田中英光〉「こっちの無言の敵意を感ずると、尾を**ぺたっ**と尻の間にはさんで、よろけるやうに逃げてゆく」〈黒猫・島木健作〉❷［さま］軽い調子で、絵の具などをぬりつけたり、印判を押すさま。『ゴム印を**ペタッ**と押した』

へたへた ［さま］急に力が抜けて弱々しく倒れこむさま。「シマッタと思ふと全然手ごたへなく**ヘタヘタ**だらしなく負けるやうになった」〈青鬼の褌を洗ふ女・坂口安吾〉「**へたへた**に成行雲のあつさかな〈青猪〉」〈俳諧―青筵〉

べたべた ❶［さま］ものが不快な感じでくっつくさま。ねばりつくさま。「『何でせう、**べたべた**するのね』『さあ、油でも塗ってあるかな』」〈暗夜行路・志賀直哉〉➡使い分け「べっとり」❷［さま］必要以上にまつわりついて甘えるさま。男女がまわりを気にせずくっつき合うさま。「伯母と克巳の**べたべたし**ながら芝居じみてもゐる愛情を見せつけられたり」〈ある女・中村光夫〉「今頃は復た二階で**べたべたし**てヱるンだらう」〈くれの廿八日・内田魯庵〉➡使い分け「いちゃいちゃ」❸［さま］絵の具、ペンキなどを不快なほど濃くぬりつけるさま。厚化粧のさま。「真黒な面へ**ベタベタ**白粉を附けて、丸で妖怪《けおば》の様だ」〈雪中梅・末広鉄腸〉❹［さま］いやになるほどいたるところにものをはりつけるさま。やたらに印判、スタンプなどを押すさま。「胸に処せまきほど**べたべた**と勲章をつけたその将軍」〈竹沢先生と云ふ人・長与善郎〉「二三段石段をあがって千社ふだの**べたべた**貼りついた赤門をくぐれば」〈銀の匙・中勘助〉「字幕、キャスト、キャスト、なぜこんな風に皆の名前を**べたべた**と書き並べるのか」〈火の鳥・伊藤整〉❺［さま］急に力が抜けてはげしく倒れこむさま。「再び布団の上に**ベタベタ**と崩れる様に倒れてしまった」〈女工哀史・細井和喜蔵〉

ぺたぺた ❶［音・さま］平らな面などで続けざまに軽く打つ音。また、そのさま。「杓

コラム オノマトペのもと

へた・べた・ぺた

「へた」「べた」「ぺた」は、平べったくへばりつくニュアンスを持ったオノマトペである。このうち「へた」は、もともと「ひれ伏す」の意味を持った「へたばる」と同根であり、気が抜けて座りこんだりするようすを表す。

「べた」「ぺた」も座りこむようすや倒れこむようすを表すが、「へた」と異なるのは、「ポスターをべたべた(ぺたぺた)貼る」のように粘着性を表す点である。「べた」と「ぺた」の間にも、若干のニュアンスの違いが見られる。たとえば「べたべたと付きまとう」が言えるのに対して「ぺたぺたと付きまとう」とは言わない。

また、「廊下をぺたぺた走る」といった例から窺えるように、「ぺた」には「ぴた」や「ぱた」に似た、平らなものなどが軽く打ち当たるときの音を表す性格もある。

【へたの語群】

へたへた・べたべた・ぺたぺた
へたっ・べたっ・ぺたっ
へたり・べたり・ぺたり
べったら・ぺったら・ぺったらこ
へったり・べったり・ぺったり
へたん・べたん・ぺたん
べったん・ぺったん・ぺったんこ

	―と倒れこむ	―と座る	―と貼る
へたっ	○	○	―
へたり	○	○	―
ぺたっ	△	○	○
ぺたん	△	○	○
べたっ	△	○	○
べたん	△	○	○

	―(と)気が抜ける	―(と)走る	―(と)貼る	―(と)甘やかす
へたへた	○	―	―	―
ぺたぺた	―	○	○	―
べたべた	―	△	○	○

【表現】

粘りつくようすや密着するさまを表すとき、「ぺた」よりも「べた」のほうがその度合いが強い。また、「べた」には「塗りつぶす」「一面に及ぶ」「すっかりそうなる」などの意味もあり、「べた塗り」「べた書き」「べた褒め」「べた惚れ」など、数多くの派生語が見られる。「べた」を含む表現には、専門用語や職人ことばが多い。着物などで、紺一色の無地を「べた紺」、工芸品などで、表面をすっかり金で覆ったものを「べた金」という。また、漫画で絵の一部を黒色に塗りつぶす作業のことを「ベタ」という。

一方、「ぺた」は、軽い語感を持つことから、「ぺたんと判子を押す」のように、軽く小さな動作や様態を表しやすい。床に足跡がつくようすを表すにも、「べたべた」だと泥だらけの武骨な足が想像されるが、「ぺたぺた」からは小さな子どもの足などが思い浮かぶ。

NHKの子ども向け番組『おかあさんといっしょ』には、「でこぼこフレンズ」という仲間に「ペッタン」という愛きょう者が登場する。どこからともなく「ぺったん、ぺったん」と足跡をつけてやってくる、何とも愛らしいキャラクターである。

（那須昭夫）

子でぺたぺたと飯を叩いてはこね返し」〈俳諧師・高浜虚子〉「腐り馬と嗤《わら》はれてゐた馬が見習騎手の鞭にぺたぺた尻をしばかれながら」〈競馬・織田作之助〉
❷さま ものが軽くねばりつくさま。「どうしたことか外の空気は、部屋のなかより蒸暑く、蜘蛛の巣のやうな何かが顔へぺたぺたした」〈父―その死・幸田文〉
❸さま いたるところに小うるさいほどものをはりつけるさま。「すすけた壁や襖にぺたぺた貼りつけた古びた田舎廻りの芝居の似顔絵や」〈足摺岬・田宮虎彦〉
❹さま 急に力が抜けて弱々しくくずれ落ちたり、すわりこむさま。「一角の息が止ると、二人共がっかりしてペタペタと坐って暫らくは口が利けません」〈真景累ケ淵・三遊亭円朝〉

へたり ❶さま 急に力が抜けて弱々しく倒れこんだり、すわるさま。「私の家の玄関にヘタリと座り、『もう疲れた。アカンわ』と肩を落としました」〈地鳴り・北國新聞・06・4・22〉
❷さま 古 思いがけず出会うさま。ばったり。「むかしのなじみにへたりとあふ」〈浮世草子―当世乙女織〉

べたり ❶さま 粘液状のものがかたまりになって、はりつくさま。「煎餅が湿ってべたりとなって了ってゐる」〈烏物語・鈴木三重吉〉
❷さま なれ合うように、尻をつけてすわるさま。「彼は何処へでもべたりと坐るので」〈土・長塚節〉「二ケ月前昏倒した玄関にべたりと尻餅つゐた」〈思出の記・徳冨蘆花〉
❸さま 印判などを力をこめて濃く押すさま。「黒い判がべたりと捺してあった」〈道草・夏目漱石〉

ぺたり ❶さま 薄いものを平らにすきまなくはるさま。髪や毛などを平らになでつけるさま。「髪をペタリとチックで撫でつけて居て」〈菊池君・石川啄木〉
❷さま はりついたようにすわるさま。「ぺたりと唐紙の傍へ尻を片づけて仕舞った」〈吾輩は猫である・夏目漱石〉
❸音・さま 印判などをすきまなく押す音。また、そのさま。「印をぺたりと衝いた」〈不思議な鏡・森鷗外〉

べたりべたり ❶音・さま 強くねばりつくようにたたいたり、はりつけたり、歩き続ける音。また、そのさま。『妖怪が廊下をべたりべたりと通り過ぎる』
❷さま ねばついていてしつこいさま。「ひとりで口をきき長口上をべたりべたりといふばあさま」〈浮世床・式亭三馬〉

ぺたりぺたり ❶音・さま 平らに何度も軽くたたく音。また、そのさま。「源次郎の頬の辺りを、血に染《し》みた鎗の穂先にてペタリペタリと叩きながら」〈怪談牡丹燈籠・三遊亭円朝〉
❷さま 急に力が抜けて弱々しく倒れこむさま。また、そのような状態。「腰のつがひががっくりと寛んで些も立れねば、ぺたりぺたりと尻餅つき」〈七偏人・梅亭金鵞〉

べたん 音・さま 強く密着させる音。力を込めて印判を押す音。また、そのさま。「べたんと、坐ったまま、肩をすこし前へ落し、行儀よく両手を膝にかさねている」〈宮本武蔵・吉川英治〉

ぺたん ❶音・さま ものを平らにはりつける音。また、そのさま。ぽん。「『わたしの持ち物』が迷子にならないように、自分の名前をペタンとはって自己主張」〈ポシェット・読売新聞・92・2・19〉「平坦《ぺたん》となった木綿更紗の座蒲団に」〈二人女房・尾崎紅葉〉
❷さま はりついたようにすわるさま。「急にそこにペタンとなって」〈銀二郎の片腕・里見弴〉
❸音・さま はずみをつけて印判を押す音。また、そのさま。『ぺたんと受領印をついた』

ぺたんこ さま 薄くて平たく、ふくらみのないさま。「ぺたんこのスニーカーではなく、ハイヒールを合わせただけで今風に見せている」〈流行のへそ・毎日新聞・00・12・13〉

べちゃくちゃ さま 文句や悪口などを

うるさくしゃべり続けるさま。「文明君の食客なれば、大方鍍金物でござらふと、飽くまで喋々《ペチャクチャ》罵れば」〈開化のはなし・辻弘想〉

ぺちゃくちゃ さま 世間話やうわさなどを口数多くうるさくしゃべるさま。「清さんはお袋と小声で**ぺちゃくちゃ**話して居る」〈隣の嫁・伊藤左千夫〉 ⬇**使い分け**「ぺらぺら」

へちゃっ さま 力なくつぶれて平らになるさま。「第一ボタンを外しても襟が**へちゃっ**とならず、きっちり立つようなシャツを選んでください」〈ズーム！店&棚・京都新聞・05・6・22〉

べちゃっ 音・さま やわらかいものが、勢いよくつぶれる音。また、そのさま。水分を含んでいるものが、くずれるさま。「甘みは出るが水分を含みすぎて**べちゃっ**とした食感になる」〈食・毎日新聞・02・12・10〉

ぺちゃっ 音・さま ものがあっけなくつぶれる音。また、そのさま。「パンジーは手がけない。〈略〉雨に当たると花が**ぺちゃっ**となるからだ」〈天声人語・朝日新聞・97・4・21〉

へちゃへちゃ さま 急に弱々しくくずれ落ちるさま。押しつぶされるさま。「精霊はその下に**へちゃへちゃ**と倒れた。その結果、精霊はその全身を消火器の中に包まれてしまった」〈クリスマス・カロル・森田草平訳〉

べちゃべちゃ ❶ 音・さま 舌や唇で品のない音をたててものを食べるさま。「赤ん坊が辛がって渋面を作るのを、頰ずりして、**べちゃべちゃ**吸ったり嘗めたりしてやった」〈北の人・金田一京助〉

❷ さま うるさくしゃべり続けるさま。「何か**べちゃべちゃ**饒舌《しゃべ》ってゐる女生徒もあれば」〈田舎教師・田山花袋〉

❸ さま ものが水けを含んでやわらかになっているさま。水けでよごれているさま。『**べちゃべちゃ**な御飯』「そら、そら、そら、今畳へ水が零《こぼ》れた上をこの子は**べちゃべちゃ**踏んで」〈どぜう地獄・岡本一平〉 ⬇**使い分け**「びしょびしょ」

ぺちゃぺちゃ ❶ 音・さま ものを飲み食いするときにたてる舌や唇の音。唇を舌でなめるときの音。また、そのさま。「それから薄い唇を**ぺちゃぺちゃ**と舐めてみんなを見まはした」〈白い壁・本庄陸男〉「一人ポッチで狭い所にゐる関係上、絶へず**ペチャペチャ**、間喰《あひだぐひ》をしてゐる商売ですから」〈まんだん読本・大辻司郎〉 ⬇**使い分け**「もぐもぐ」

❷ 声・さま 世間話やうわさなどをにぎやかにしゃべり続ける声。また、そのさま。「ラーメン屋がよくはやるとか〈略〉**ペチャペチャ**話しつづけているのだ」〈弱い結婚・小島信夫〉

❸ 音・さま 手のひらを打ったり、水などがぶつかったりしてたてる軽く高い音。また、そのさま。「隅の屏風のところから**ぺちゃぺちゃ**と手を叩くと」〈石川五右衛門の生立・上司小剣〉「表の泥濘を草鞋をはいて**ペチャペチャ**と通る足音が聞えた」〈防雪林・小林多喜二〉

❹ さま 押しつぶされたり、しなびたりして平らになるさま。「代用教員の時からの詰襟の服を着て、黒の**ぺちゃぺちゃ**のソフトを被って」〈手袋のかたっぽ・永井龍男〉

ぺちゃらくちゃら さま あれこれ小うるさく口数多くしゃべるさま。「女はわてら二人の先に立って歩きながら**ペチャラクチャラ**そんなことしゃべって行きよった」〈羽なければ・小田実〉

べちゃり 音・さま 平たいものが当たって水のはねる音。水を多く含んでいるさま。「**ベチャリ**と草履がタイル敷の窪みに水をはねた」〈法廷・富沢有為男〉

べちゃりくちゃり ❶ 音・さま 舌や唇で品のない音をたててものを食べるさま。「おめしを**べちゃりくちゃり**とたべながら」〈洒落本・取組手鑑〉

❷ さま あれこれやかましく口数多くしゃ

べるさま。べちゃくちゃ。「口やかましきお三どんや、お上《かみ》さんの自ら相集まりて、**喃々喋々**《ベチャリクチャリ》と迭《かた》みに評し、迭みに誹《そし》るさまを云ふなり」〈東京風俗志・平出鏗二郎〉

ぺちゃん ❶さま 尻餅をつくように急にすわりこむさま。尻を下につけて低くすわっているさま。「笑ひこけるやうに**ぺちゃん**とそこに坐り込んだ」〈或る女・有島武郎〉

❷さま ものがあっけなくつぶれるさま。「グヮラグヮラッと来て〈略〉ふと後をふり返った刹那、二階建の茅葺きの棟が**ペチャン**となってゐた」〈蠢く者・葛西善蔵〉

ぺちゃんこ ❶さま 押しつぶされて平たくなっているさま。薄くて平たく、ふくらみのないさま。「髪が**ぺちゃんこ**で、着物がお古」〈生・田山花袋〉

❷さま やりこめられて、まったく手も足も出ないさま。言いこめられて屈服させられるさま。「福江ではこのように高飛車に出られると、人民はたいてい**ペチャンコ**になるのが常であった」〈ノリソダ騒動記・杉浦明平〉

べちょっ ❶音・さま 水分を多く含んでいるものが広がりながらつぶれる音。泥などのかたまりをぶつけたときのにぶい音。また、そのさま。「土をふむと**べちょっ**という音がし、足をぬくとボッという音がしておどろいた」〈都会と自然 小網代の春・読売新聞・90・4・10〉

❷さま 多めの泥や塗料などを無造作にぬりつけるさま。『ペンキを**べちょっ**と塗っただけの垣根』

ぺちょっ 音・さま 軽い調子ではりつけたり、塗りつけるさま。『シールを**ぺちょっ**とはりつけたランドセル』

べちょべちょ さま 不快なほど水分を多く含んでいるさま。「雨上りだろう、空気が**べちょべちょ**なんだよ」〈箱男・安部公房〉

べっ 音・さま 勢いよく、つばや口中のものをはき出すきたならしい音。また、そのさま。「妙に肩を窄《すぼ》め、頭を一つ振ってから、俯向いて地上に**べっ**と唾を吐くと」〈都会・生田葵山〉

ぺっ 音・さま つばや口中のものを鋭くはき出す音。また、そのさま。「食ひかいた柿の一片を**ぺっ**と吐いた」〈永日小品・夏目漱石〉「唇にひっかかった茶かすを**ペッ**と吐き出した」〈上海・横光利一〉

へっくしょん 音 大きなくしゃみの音。

✹「へっくしょい」「へっくしゃん」「ひっくしょん」「ひっくしょい」など、さまざまな変異形がある。

へっこらへっこら さま 必要以上に低姿勢で相手に対してへつらうさま。「私はあんなものに**へっこらへっこら**してなんかいられやしないんだよ」〈あらくれ・徳田秋声〉

へっこり さま 古 空気が抜けたようにしぼむさま。「朝飯と昼飯をくはねへもんだから、洗湯《おぶう》へはいって帰て来ると、忽地《たちまち》腹は**へっこり**サ」〈七偏人・梅亭金鵞〉

へっそり さま 方言 落ちこむさま。落胆するさま。「試験に落ちたので、**へっそり**している」〈京都府〉

ぺっそり さま 弱々しく精力が感じられないさま。「情なく**ペッソリ**とした身体が」〈法廷・富沢有為男〉

ぺったらこ 音・さま 平たくするためにたたく音。また、そのさま。平たくなったさま。『お餅は**ぺったらこ**』

へったり さま 力なくくずれたり、平らにつぶれるさま。「尻餅を**へったり**突」〈七偏人・梅亭金鵞〉「抜身を杖と立からだ、足はげんなり膝かっくり、**へったり**すわりて這ひ廻る」〈浄瑠璃―後三年奥州軍記〉

べったり ❶さま ねばりけのあるもの、水を含んだものなどが、きたならしくぶつかったり、広くねばりついたりするさま。「十吉は舌一面にこけらの溜った苦い口から、歯磨粉の泡を**べったり**吐き出して」〈小鳥の巣・鈴木三重吉〉「髪も**べったり**と首筋にくっついて」〈動物の葬礼・富岡多恵子〉

❷さま 同じ状態が一面に広がるさま。色

へ

濃く、また、強く太く書かれたりぬってあるさま。「等級を現す数字が、青いゴム印で**べったり**捺してある」〈生活の探求・島木健作〉「甘えるという自己顕示の底には、**べったり**と虚栄心が横たわっているらしい」〈男の遠吠え・藤本義一〉

❸さま 人に頼りきったり、まつわりついたりするさま。非常に仲むつまじいさま。「わざと**べったり**しつこくいふ」〈春色辰巳園・為永春水〉

❹さま 平らに強く密着するさま。尻をつけてすわって動かないさま。べっとり。「干柿のやうな**べったり**した薄い蟇口《がまぐち》」〈蟹工船・小林多喜二〉「こちらをむいて**べったり**と尻を下ろして」〈われら戦友たち・柴田翔〉

❺さま ある制度や考え方に完全にすり寄って頼りきるさま。「曾我さんはあれで、民青**べったり**だというから面白いというのよ」〈遊魂・円地文子〉
＊多く名詞の下に付けていう。

ぺったり ❶さま 力なくすわりこんだり、軽く一面にはりついたり、おしつけたりするさま。「頬を**ぺったり**馬の首につけた」〈招魂祭一景・川端康成〉

❷さま 古 偶然に出会うさま。ぱったり。「向から吉原の若い者、**ぺったり**行合、せんちゃう様と声を掛られ」〈咄本―金財布〉

ぺったん ❶音・さま 軽い調子で印判を押したり、ものをはりつけたりする音。また、そのさま。「紙や布、陶器に**ペッタン**と押せばオリジナル雑貨の出来上がり」〈はやってます・毎日新聞・06・10・7・大阪〉

❷音・さま ものを平たくたたく音。餅をつく音。また、そのさま。平べったいさま。『**ぺったん**とした靴をはく』

ぺったんこ ❶音・さま 印判を押したり、ものを平らにはりつける音。餅をつく音。また、そのさま。『大きなスタンプを**ぺったんこ**と押した』

❷さま 押しつぶされて平たくなっているさま。薄くて平たく、ふくらみのないさま。ぺたんこ。「柿江は腹を**ぺったんこ**に二つに折って、胡坐の膝で貧乏ゆすりをしながら」〈星座・有島武郎〉

ぺったんぺったん 音・さま 連続して平たくたたく軽快な音。平らなものがはりついたりはなれたりする音。また、そのさま。『スリッパを**ぺったんぺったん**させて歩く』

べっちゃり さま 水分の多いねばりけのあるものが、うすぎたなく付着するさま。「レースのきんちゃくが、汗に**べっちゃり**よれよれになってゐた」〈初年兵江木の死・細田民樹〉

使い分け

［共通の意味］表面がねばついて、くっつきやすいようす。

べっとり

べとべと／べたべた

❶**べっとり**は、ねばりけのあるものが広い範囲についているようす。「知らずにベンチに座ったら、ズボンに**べっとり**とペンキがついた」「壁に**ベットリ**血糊がついている」 ❷**べとべと**、**べたべた**は、「蜂蜜が手について**べとべと**する」「子どもたちが糊を使ったので机が**べたべた**する」など、表面がねばつくようすを表す。 ❸**べたべた**は、転じて男女間や肉親間、友人間で非常に仲がよく、第三者が見て不快感をおぼえるほどであるようす。「**べたべた**したカップルでいっぱいのデート・スポット」

ぺっちゃんこ さま 薄くて平たく、まったくふくらみのないさま。救いようのないほど押しひしがれたさま。「実際的に**ペッチャンコ**な懐中時計がある」〈Ambarvalia・西脇順三郎〉

へっとり さま くたびれて張りのないさま。「あんたもなんだか**ヘットリ**してゐるわね」

〈大道無門・里見弴〉

べっとり ❶ さま ねばりけのある不快なものが広い範囲につくさま。「未だ乾かぬ生の絵具を**べっとり**盛り上げたやうな気がして」〈自画像・寺田寅彦〉 ⇒使い分け「べっとり」
❷ さま みっともないほど長い間すわり続けるさま。「よく今迄**べっとり**坐って居られたものだと思ふ」〈三四郎・夏目漱石〉

ぺっとり さま ねばりけの少しある液状のものが軽くつくさま。また、そう感じさせるさま。「獣の舌の様な**ぺっとり**した大きな牛肉の片《きれ》」〈地に頬つけて・谷崎精二〉

へっへっ 声・さま 人にへつらって笑う声。また、そのさま。照れたり、得意になって笑うさま。「**へっへっへっ**と卑しい追従笑ひするかの如く、その様子のいやらしいったら無かった」〈畜犬談・太宰治〉

べっべっ 音・さま つばや痰《たん》などをきたなくはき散らす音。また、そのさま。「仏像の手のように大きな節くれ立った両手に、**べっ、べっ**と音の出ない乾いた唾を吐いて」〈矢の津峠・金達寿〉

ぺっぺっ 音・さま つばや痰《たん》などをはき散らす音。また、そのさま。「他の一人は、『**ぺっ、ぺっ**』と辛いのを吐き出してゐたが」〈招魂祭一景・川端康成〉

へっぽこ 名 技量の劣っているもの。役に立たないもの。「あの**へっぽこ**めヱ、大かたそんなことをぬかすだらう」〈浮世床・式亭三馬〉

へっほつ さま 古 左右にゆれるさま。「あのノ乀《ヘッポッ》たる注連《しめ》を切はらへは、龍神飛去り」〈浄瑠璃―久米仙人吉野桜〉

べとっ さま ねばりつくようなさま。ひどく湿っているさま。「湿って**ベトッ**と濡れた感じの天麩羅」〈不味い！・小泉武夫〉

ぺとっ さま 軽くぬりつけたり、はったりするさま。ぴとっ。『カレンダーに、メモを**ぺとっ**とはりつけた』

へとへと さま 疲れがひどく、体にほとんど力がなくなってしまうさま。「私も昨日迄で殆んど**へとへと**に降参させられました」〈門・夏目漱石〉 ⇒使い分け「へとへと」

べとべと さま 液体が気持ちわるくねばりつくさま。また、そう感じられるさま。「身体を動かさないでも、汗がにじみ、**べとべと**として気味悪い」〈蝗・田村泰次郎〉 ⇒使い分け「べっとり」

ぺとぺと さま 軽くねばりけのあるさま。「液状に近いほど**ペトペト**の緩《ゆる》さにまでなっているのだが」〈不味い！・小泉武夫〉

へどもど さま 要領をえない応対をするさま。うろたえまごつくさま。「私は**へどもど**となにか答えながら」〈青べか物語・山本周五郎〉「無我夢中の**へどもど**の挨拶でも、どうやら出来るくらゐの『伎倆』を」〈人間失格・太宰治〉

べとり さま きたなくねばりつくさま。「純白の色さへ他の色と練り合はされずに、そのまま**べとり**となすり附けてあったりしたが」〈生れ出づる悩み・有島武郎〉

使い分け

［共通の意味］疲れはてるようす。

へとへと／**くたくた**／**ぐったり**／**ばてばて**

❶**へとへと**は、疲れてこれ以上体を動かせないようす。「朝早くから十時間も歩いて**へとへと**だ」。**くたくた**は、疲れて体をきちんと保てないようす。「**くたくた**でベッドに倒れこんだ」。また、「**くたくた**の背広」のように、品物がくたびれて形を保てないようすにも使う。❷**ぐったり**は、動いて疲れた後だけではなく、病気などで元気がないときにも使う。「夏の暑さで、動物園のシロクマが**ぐったり**としている」❸**ばてばて**は、疲れはてたようすの俗な言い方。「校庭を十周も走って**バテバテ**だ」

コラム　オノマトペのもと

へら・べら・ぺら

「へら」は、布などの薄いものがゆれたり翻ったりするようすを表し、安っぽい感じを含む。追従や自嘲などによる軽い笑いも表し、「へらへら」と繰り返すと、軽々しくよくしゃべるようすや、相手にへつらう感じ、軽薄さなどを含意する。

「べら」「ぺら」も紙や布などが薄くて弱いことを表すが、より安っぽさ、粗悪感が強くなる。おしゃべりのようすを表す「べらべら」「ぺらぺら」も、「へらへら」より程度が強調され、よどみなく際限なく話すようすを表す。「べら」のほうが声が大きくうるさい感じ、「ぺら」のほうが軽薄な印象がある。「ぺらぺら」は、特に外国語を流暢に話すようすを表すこともある。

【へらの語群】
へらへら・べらべら・ぺらぺら
へらっ・べらっ・ぺらっ
へらり・べらり・ぺらり

	―(と)笑う	―(と)しゃべる	―(と)めくる	―とした着物
へらへら	○	○	―	○
へらっ	○	―	―	―
へらり	○	―	―	―
べらべら	―	○	―	○
べらっ	―	―	―	―
べらり	―	―	―	―
ぺらぺら	―	○	○	○
ぺらっ	―	△	○	○
ぺらり	―	―	○	―

【表現】

「へらへら」（および「べらべら」）には、古くは炎をあげて燃える音やようすを表す用法があり、一七世紀の文献に「べらべら、へらへら、めらめらは皆等しかるべし。火などの付て焼侍る音なるべし」（『かた言』）という記述が見える。「ひしひし」が中世以前は現代語の「みしみし」と同義で用いられたのと同じように、唇音としての共通性があったのかもしれない。

「べらべら」は、近世には、長々と悠長だとか、だらだらしたようすを表すことがあった。派生語の「べらつく」にも、動作が遅い・のろのろする、の意がある。近世に生まれた「べらぼう」（ばかげているさま、またはかな人をさす）は、このようなてきぱきしていない、愚鈍につながる感じを表す意も含めて、「べら」のもつ軽薄さ・安っぽさ・うるささなどのマイナスイメージを背景にもっているように感じられる。

「へらへら」「ぺらぺら」は、直接名詞についてそのような感じのするものを表す語を作るが、「へらへら笑い」「へらへら調」などは軽薄で相手に迎合するようなようすを、「ぺらぺら紙」「ぺらぺら物」は薄くて弱い、安っぽいもの、「へらへら太刀」「へらへら武士」「へらへら武者」では、いかにも力のない、弱々しいようすを表している。

なお、「ぺら」は折られていない紙や印刷物、お札などをさす名詞として使われることもある。（四百字詰め原稿用紙の半分という意味で、二百字詰め原稿用紙を「半ぺら」と言うことも。）「薄っぺら」「紙っぺら」の「ぺら」も同語であろう。「薄っぺらい」と形容詞化した語もあるが、最近では「ぺらい」（意味は「薄っぺらい」に同じ。物理的・内容的に「薄い・軽い」ということらしい）という語も見かける。

（宮武利江）

へなちょこ 名 未熟な者。弱小な者。取るに足りない者。「あんな奴に、あんな左近みたいな**ヘナチョコ**にあの女をむざむざ奪られて…」〈今ひとたびの・高見順〉

へなへな ❶ さま 頼りなくしないたわむさま。弱々しく形のくずれるさま。「十吉は**へなへな**した渡板の上を渡るのが、気味が悪いので」〈小鳥の巣・鈴木三重吉〉「赤茶けた**へなへな**した皮の、割れば茶色のうす皮に包まれた実がほんの申しわけばかりはいっているような」〈おあんさま・大原富枝〉 ❷ さま 力が抜けて弱々しくくずれおちるさま。「とうとう石松は**へなへな**っとくずれ落ちる」〈裸の日本人・佐藤忠男〉 ❸ さま 人の態度が頼りなげで弱々しく、腰くだけのさま。「私はあんな**へなへな**した男は大嫌ひです」〈あらくれ・徳田秋声〉

へねごね さま 方言 あれこれ文句をつけるさま。ぐずぐず。「ろくったま聞きもせずに人のする事に対して**へねごね**いうな」〈山口県〉

へへへ 声・さま 人をばかにしてせせら笑う声。また、そのさま。照れたり、人にへつらったりして笑うさま。「日本堤といふ所を知ってるかと聞いたら、車夫は**へへへ**と笑った」〈吾輩は猫である・夏目漱石〉

へべれけ さま ひどく酒に酔って正体のないさま。「嬉し紛《ぎま》れに**へべれけ**に酔って仕舞《まし》ひました」〈落語―お若伊之助・春風亭柳枝〉 ⇩使い分け「ぐでんぐでん」

べべんべべん 音 琵琶や三味線の太い音。「**ベベンベベン**。日本情緒たっぷりに三味線が鳴り響き、幕が開く」〈新探見劇場 みる・朝日新聞・98・10・23・大阪夕刊〉

へら ⇩コラム「へら・べら・ぺら」

へらっ さま 軽々しいそぶりを見せるさま。「彼は、少し**へらっ**と笑いましたが、後は何も言いませんでした」〈タレントえっSAY・読売新聞・97・2・10・東京夕刊〉

べらっ ❶ さま 薄いものが勢いよくめくれたり、たれ下がるさま。「信吾は受け取る気もなく片手を出したので、濡れた新聞が**べらっ**とさがった」〈山の音・川端康成〉 ❷ さま 残らずしつくすさま。「あげん干魚ば**べらっ**と食うけんさったもんな」〈沈黙・遠藤周作〉

ぺらっ ❶ さま 紙や布などの薄くて弱いさま。紙などが軽くめくれるさま。『**ペラッ**とした紙切れでも、大事な証拠だ』 ❷ さま 抵抗や困難をおぼえずにしゃべるさま。『つい**ペラッ**と口をすべらせた』

へらへら ❶ さま 相手に迎合し、へつらうさま。軽々しくよくしゃべるさま。「お前が**ヘラヘラ**すると猶増長すらアね」〈真景累ケ淵・三遊亭円朝〉 ❷ さま 軽蔑や自嘲からあいまいに軽々しい感じで笑うさま。「岡部は**ヘラヘラ**苦笑

使い分け

【共通の意味】ことばがよどみなく出るようす。

ぺらぺら
すらすら／滔滔／ぺちゃくちゃ／喋喋

❶**ぺらぺら**は、「中国語がペラペラだ」のように、外国語を流暢に話す場合と、「秘密をぺらぺらしゃべってしまう」のように、軽々しくしゃべる場合に使う。**すらすら**は、「むずかしい質問に**すらすら**答える」「漢文を**スラスラ**読む」のように、間違えずによどみなくことばが出るようす。**滔滔**は大勢の前などで臆することなく述べ立てるようす。「政治改革について持論を**滔々**と述べる」 ❷**ぺちゃくちゃ**、**喋喋**は、おもに複数の人がしゃべり続けているようす。「あのグループは喫茶店でずっと**ぺちゃくちゃ**しゃべっている」。**喋喋**はしきりにしゃべる意味の漢語。「楽しげに**喋々**と話している人々」「**喋々喃々**《ちょうちょうなんなん》」は、男女が仲良くしゃべっているようす。

をしながら」〈花間鶯・末広鉄腸〉 ⬇使い分け「くすくす」

❸さま 頼りなげにゆれ動くさま。「悪しき沼の上にヘラヘラと漂ふ鬼火の如く」〈竹沢先生と云ふ人・長与善郎〉「腰高障子などはもう所々ヘラヘラに吹き破られてゐる」〈俄あれ・里見弴〉

❹さま 古 炎をあげてよく燃えるさま。べらべら。「手早く取って、あたりの火鉢へ打込む。へらへらと燃えあがる」〈歌舞伎―伊勢平氏梅英幣〉

べらべら ❶さま とどまるところなくうるさいほどよくしゃべるさま。ぺらぺら。「べらべらと奇警な冗談を止め度なく喋り出す」〈幇間・谷崎潤一郎〉「柄《え》のねえ所へ柄《え》をすげて油っ紙へ火がつくやうに**べらべら**御託《ごたく》をぬかしゃアがりゃア」〈歌舞伎―梅雨小袖昔八丈（髪結新三）・河竹黙阿彌〉 ⬇使い分け「くだくだ」

❷さま 外国語などをよどみなく話すさま。「而《しか》も、英仏独伊土希と何語でも**ベラベラ**、家庭では、自国語のルーマニア語は使はずに、仏語を家族は使ってゐる」〈蚤の市・石黒敬七〉

❸さま つかまえどころがなくあいまいなさま。「あいつは**べらべら**した奴で、右左のはっきりしない油断のならぬ男だから」〈或る女・有島武郎〉

❹さま 炎をあげてよく燃えるさま。へらへら。「絵姿**べらべら**と燃え立つ」〈裙模様沖津白浪・鶴屋南北〉

❺さま 紙や布などがあまり上等でなく薄くて弱いさま。「田舎の塩煎餅は薄っぺらで軽くて**べらべら**して居りまする」〈真景累ケ淵・三遊亭円朝〉

ぺらぺら ❶さま 軽薄な調子でよくしゃべるさま。「『へえ、文科の方で。それはおなつかしい〈略〉』と**ペラペラ**早口にいった」〈若き日・広津和郎〉 ⬇使い分け「ぺらぺら」

❷さま 外国語などをよどみなく話すさま。「だれでも二週間で英語が**ペラペラ**しゃべれる方法が書いてあります」〈日本人のへそ・井上ひさし〉

❸さま 紙や布などの薄くて弱いさま。「その店にあった**ペラペラ**の小さい広州市内地図を買った」〈赤い国の旅人・火野葦平〉「**ペラペラ**な黒紋附を着た若い男」〈哀しき父・葛西善蔵〉

❹さま 薄いものがこきざみにゆれたり、ひるがえったりするさま。「何を読むともなく**ペラペラ**と引返して」〈風流線・泉鏡花〉

べらり ❶さま 特に何をするということもなく過ごすさま。「餅くふて**べらり**と遊ぶ三ケ日」〈雑俳―西国船〉

❷さま 締まりがなくだらしないさま。「男と云ふものは〈略〉弱く出れば強くなり、強く出れば**べらり**となる動物」〈黒潮・徳冨蘆花〉

ぺらり ❶さま 紙などが軽くめくれるさま。紙などの薄くて弱いさま。「幻想的な色彩をかもし出すライトだって、色付きのセロハンが**ぺらり**と張られているにすぎない」〈特撮・手作りファンタジー・読売新聞・92・6・14〉

❷さま 表面がなめらかなさま。「彌門の脳味噌は襞《ひだ》などはなく、**ペラリ**と丸いのが入ってゐるのではあるまいか」〈天皇の帽子・今日出海〉

べりっ 音・さま 紙や板などを一気に破ったり、はがしたりするときの大きな音。また、そのさま。『古い床板を**ベリッ**と踏みぬいた』

ぺりっ 音・さま 紙などを軽く破ったり、はがしたりする音。また、そのさま。『壁の小さなはり紙を**ペリッ**とはがす』

べりべり ❶音・さま 布地や紙などのはげしく破れる音。薄い板や紙などをはがす音。また、そのさま。「不思議に思って傘を少し傾けようとすると、その途端に傘が**べりべり**と裂けた」〈半七捕物帳・岡本綺堂〉「店台を**べりべり**引き剝がしにかかった」〈青べか物語・山本周五郎〉 ⬇使い分け「べりべ

り」
❷さま・名 古 よくしゃべるさま。べらべら。また、よくしゃべる人。多弁家。「エエ、べりべりと嘘を吐《ぬ》かせ」〈歌舞伎—樓雑石尊贐・鶴屋南北〉「べりべり奴《め》、追込《こすっ》んでけつかれ」〈浄瑠璃—大内裏大友真鳥・竹田出雲〉

ぺりぺり 音・さま 布地や紙などの軽やかに破れる音。また、そのさま。「新聞包をぺりぺりと引き裂いた」〈百鬼園随筆・内田百閒〉

べれつく 音・さま 古 三味線を弾く音。また、そのさま。ぺんぺん。「今日もかうじ町の三味せんの師匠どんで、べれつくべれつくとひっぴいたあ」〈咄本—喜美賀楽寿〉

へろ ⬇コラム「へろ・べろ・ぺろ」

べろっ ❶さま 一瞬大きく舌を出すさま。「さんざてこずらしておいてから不意に顔をあげてべろっと舌をだして」〈銀の匙・中勘助〉
❷さま 大きくむけたり、はがれたりするさま。『ひどいやけどで皮がべろっとむけた』
❸さま 方言 むき出しにするさま。締まりがなく、不作法なさま。東北地方。「何時までもべろっとすている(長居している)」〈宮城県〉「べろっとして見てんでねぇ馬鹿みでぇに」〈福島県〉
❹さま 方言 残らずしつくすさま。何もかも全部。すっかり。「あの火事でべろっと丸焼げさ」〈北海道〉
❺さま 方言 突然なさま。「そごさべろっと先生はてきた(入って来た)」〈青森県〉

ぺろっ ❶さま 軽く舌を出すさま。「自分と顔を見合はせると、ペロッと赤い舌を出した」〈父の婚礼・上司小剣〉「『痛いといふのは嚇しだったんですか』若い看護婦は、ペロッと舌を出し」〈白く塗りたる墓・高橋和巳〉
✿人を揶揄《やゆ》するときや、照れたときのしぐさをいう。
❷さま すばやく舌でなめるさま。ぺろり。「春隆の瞼を眼医者のやうにくるりとむくと、いきなり顔を寄せて、舌の先でペロッと一嘗めした。煤が取れた」〈土曜夫人・織田作之助〉
❸さま 短い時間に残らず食べてしまうさま。あっけなく炎がものを焼きつくしてしまうさま。「一升ほど持って帰っても、ぢきにぺろっと失くなるのやさうで」〈城のある町にて・梶井基次郎〉「あの角から、右へ二十間ばかり、去年の暮れに、ペロッと焼けたもんですから」〈風・永井龍男〉
❹さま 薄いものがあっけなくはがれるさま。「自分も顔の皮がぺろっと剝げるごと怪我さしたときいとったけど」〈地の群れ・井上光晴〉

へろへろ ❶さま 力や威力がなく、取るに足りないさま。「薄っぺらな、へろへろの寄木細工を組立てているに過ぎん」〈死霊・埴谷雄高〉
❷さま 力なく、倒れこむさま。かなり酒に酔って、立っていられないさま。「若い男は柳の樹の下へヘロヘロと仆《たお》れた」〈宮本武蔵・吉川英治〉「今日も、朝まで飲んでて、へろへろよ」〈超人探偵・小林信彦〉
❸さま 古 いい加減なさま。「人の子じゃと

使い分け

【共通の意味】ものが裂けたり、はがれたりするようす。

べりべり
びりびり／ばりばり／めりめり

❶**べりべり**は、薄い板や紙などをはがす音やようす。「ふるい壁紙をベリベリはがす」❷**びりびり**は、紙や布を破く音やようす。「別れた恋人の手紙をビリビリと破って捨てた」❸**ばりばり**は、木材や板が割れたり裂けたりする大きな音やようす。「解体作業のブルドーザーがバリバリと家を壊している」❹**めりめり**は、板や木材などがたわみながら裂けるときにたてる音。「台風に、木の枝がメリメリと音をたてて折れた」

コラム オノマトペのもと

へろ・べろ・ぺろ

「へろ」「べろ」「ぺろ」は、薄いものがしなるようすを表す。「へろ」は弱々しい感じがあるが、「ぺろ」は、しなって動く速度がはやい印象があるため、勢いや滑稽さが感じられる。「べろ」はさらに力強さがあるが、やや粗雑、下品な印象が感じられる。

「へろへろ」は、弱々しく頼りないようすや無気力なようすを表す。ここから、「へろへろ武士」「へろへろ太刀」「へろへろ矢」「へろへろ客」「へろへろ腰」など、力のないものを表すことばが多くできた。現在も、「へろへろに酔う」、「徹夜で働いてへろへろになる」などのように、酔いや疲労のようすを表現する際に使われる。

これが、「ぺろぺろ」や「ぺろり」となると、印象が大きく異なり、何かをなめたり、あっという間に食べたりするようすを表現する。今ではあまり使われないが、ぺろりと食べ終わって平気なようすを表す「ぺろり山椒味噌」という言い回しもあった。

【へろの語群】
へろへろ・べろべろ・ぺろぺろ
へろっ・べろっ・ぺろっ
へろり・べろり・ぺろり
へろん・べろん・ぺろん
べろんべろん・ぺろんぺろん

	―(と)なめる	―(に・と)酔う	―(と)食べる
へろへろ	―	○	―
べろべろ	○	○	△
ぺろぺろ	○	―	○
へろっ	―	△	―
べろっ	○	―	△
ぺろっ	○	―	○
べろり	○	―	△
ぺろり	○	―	○
べろんべろん	○	○	―
ぺろんぺろん	○	―	―

【表現】

「ぺろりと食べる」は、豪快な食欲を表現する。しかし、ときには、その勢いに気味わるさが伴うこともある。たとえば、太宰治は『お伽草紙』の「カチカチ山」で、薄汚い狸が「大きな蜘蛛を素早くぺろりと食べ」、菊池寛は『アラビヤンナイト』で、大きな蛇が人を「ぺろりとのみこんでしまいました」と用いている。

動物や化け物でなくても、ぺろりと食べることには、驚きやあきれを伴って使われることが多い。獅子文六は『好食つれづれ草』で強烈に甘いあんみつをぺろりと平らげる女性に、池波正太郎は『食卓の情景』で大好物の鮨をあっという間に食べる母親に、玉村豊男は『玉村豊男の食客旅行』で小山のように大きいパイを食べる自分に使っている。

「べろべろ」は、イヌなどの動物が、何かをなめたり、舌をたらしたりするようすの表現である。人間の舌よりも大きく厚い舌の動きを描写することが多い。

「べろべろ」が人間に使われるのは、酔って正体をなくしているようすの描写である。「二人ともベロベロの酔態」(『故旧忘れ得べき』高見順)などと使われる。かつては、「べろ酔い」などともいった。いずれにしても、「べろべろ」は、清潔感や品のよさを感じる状態ではないようである。

(早川文代)

てとろくへろへろにはしておかぬ筈」〈浄瑠璃―平仮名盛衰記〉

べろべろ ❶音古琵琶の音。べろんべろん。「家ざくらには琵琶をべろべろ」〈雑俳―俳諧觽〉

❷音声・さま古赤ん坊の泣きわめく声。赤ん坊をあやすのに、すぼめた口の中で舌をはじいて音をたてるさま。れろれろ。「乳べしさがいて、**べろべろ**とほへおるがいげちない」〈田舎草紙・十返舎一九〉「合の手に**べろべろ**をする手斧打」〈雑俳―誹風柳多留〉

❸さま品のないほど舌で強くものをなめるさま。「神様の恵みを無駄にしないやうに、みんな一せいに、自分のお皿を**べろべろ**舐《な》めてきれいにしちゃふんだ」〈午後の曳航・三島由紀夫〉

❹さま湯水で、顔などを強く洗うさま。「汚い湯で顔を**べろべろ**やりながら」〈足袋の底・徳田秋声〉

❺さまはげしく炎が出たり、火が燃え広がったりするさま。「蛇の舌のごとく**べろべろ**と焔が吐き出された」〈土・長塚節〉

❻さまとどまるところなくよくしゃべるさま。べらべら。「**べろべろ**饒舌《べしゃ》ります」〈落語―お祭佐七・禽語楼小さん〉

❼さま張りがなくやわらかいさま。重みがなくて薄っぺらなさま。はでに目立つだけで中身がないさま。「お前は今日からそんな袖の長い**べろべろ**した衣服は脱いで、木綿着物でシャンシャン働くんだよ」〈泥人形・正宗白鳥〉「兄から貰った**べろべろ**の薄羽織を着て」〈道草・夏目漱石〉

❽さま肉厚で弾力があるさま。「フォークを入れて**べろべろ**したものをひきあげて皿にとってみると、胃袋だった」〈夏の闇・開高健〉

❾さま酔っぱらって状況判断ができなくなるさま。「二人とも**べろべろ**の酔態であるが」〈故旧忘れ得べき・高見順〉⬇使い分け「ぐでんぐでん」

❿さま方言動作や態度に締まりがないさま。東北地方・北関東地方。「えつまで**べろべろ**してんでねぇ」〈福島県〉

⓫さま方言溶けてやわらかくなったさま。「水かぶったから稲が**べろべろ**になっちゃった」〈埼玉県〉「このきのこは**べろべろ**になっちゃった」〈栃木県〉

ぺろぺろ ❶さま力を入れずにものをなめ回すさま。「新聞紙をひろげると赤砂糖の小さな山のなかに顔をつっこみ、**ぺろぺろ**と舐めはじめた」〈青い月曜日・開高健〉

❷さま舌のよく回るさま。ぺらぺら。「**ペロペロ**と読んで聞かせました」〈千曲川のスケッチ・島崎藤村〉

❸さま調子よく短い時間で食べつくすさま。「新吉は刺身を**ペロペロ**と食って」〈新世帯・徳田秋声〉

❹さま小さな炎をあげながら燃えるさま。ちろちろ。「お品は竈の火の**ぺろぺろ**と燃え上るのを見た」〈土・長塚節〉

❺さま薄っぺらなさま。布地などの薄く安っぽいさま。ぺらぺら。「あの**ペロペロ**のスフの国民服をさむそうに風に動かしていた男たち」〈真空地帯・野間宏〉

べろり ❶さま一回強く長く舌を出すさま。「いきなり立ち上ると、**べろり**と舌を出したなり、丁度蛙の跳ねるやうに飛びかかる気色さへ示しました」〈河童・芥川龍之介〉「下世話によく申す、『後ろに向いて舌を**べろり**』」〈出家とその弟子・倉田百三〉

❷さま一回大きくなでるさま。「片手で**べろり**と顔を撫でる」〈隣の女・尾崎紅葉〉

❸さま舌で大きくなめたり、一口でたいらげるさま。「最《も》う一と箸**ベロリ**と喰《や》って、『此奴は美味《まう》い〈略〉』」〈社会百面相・内田魯庵〉

❹さま大きくむけたり、だらしなくたれさがるさま。『浴衣の帯を**べろり**とたらしているのに気づかず歩く』

ぺろり ❶さま一回軽く舌でなめるさま。また、手で顔をなでたり、ぬぐったりする

さま。「亭主はやうやう**ぺろり**と唇をなめて納まり」〈風流線・泉鏡花〉

❷さま 照れたり、相手をからかって、一回軽く舌を出すさま。「二、三間行くと、紀代子はいきなり振り向いて、**ペロリ**と赤い舌を出した。豹一の自尊心は簡単に傷ついた」〈青春の逆説・織田作之助〉

❸さま ほんの短い時間で食べ尽くしてしまうさま。「本当においしいところだけ選んで、差し上げてゐるのに、**ペロリ**と一飲みにして、これは腹の足しにならぬ」〈如是我聞・太宰治〉

❹さま 薄いものなどが大きくはがれたり、むけたりするさま。「皮膚が灰白色に**ぺろり**と剝げて」〈黒い雨・井伏鱒二〉

べろん ❶さま 舌で勢いよくなめるさま。手で顔をなでるようにふくさま。「いかにも睡《ねむ》さうな顔を(**ベロン**)して、遂にばたりと横になる」〈二人女房・尾崎紅葉〉

❷さま 気味がわるくなるほど大きくむけてたれさがるさま。勢いよく飛び出すさま。「栄養失調で、アミノ酸が不足して、皮膚が紫色に変わり、胸から股にかけて、皮が**べろん**とめくれていた」〈アフリカの飢餓・AERA・91・5・14〉

ぺろん ❶さま 舌を軽く出すさま。舌で軽くなめるさま。軽くなでたり、ふいたりするさま。「木曾は、赤い舌を**ぺろん**と出して、風間をからかった」〈大宇宙遠征隊・海野十三〉

❷さま あっけないほど軽くめくれたり、飛び出すさま。「人間の目に見えない機微を、かさぶたをはがすように**ぺろん**とめくって、観客に突きつけてくる」〈週末映画館・読売新聞・05・9・16〉

べろんこ 名 顔をふくことをいう幼児語。「『何故御主は泣きなます』と花魁が肩へ手を懸けて顔を**ベロンコ**を為て呉れた」〈落語―無間の臼・禽語楼小さん〉

べろんべろん ❶音・名 ひびき続ける琵琶の音。また、琵琶そのもの。「六神は**べろんべろん**をお楽み」〈雑俳―収月評万句合〉

❷さま 舌で強く何度もなめ回すさま。『とけそうなソフトクリームを**ベロンベロン**となめる』

❸さま 正体がなくなるほど酒に酔っぱらって、だらしない姿を見せるさま。「でも、**べろんべろん**になったやつは、ひとりもいなかった」〈結婚・三浦哲郎〉「これを、しこたま食いの、ホワイトホースを飲みの、**ベロンベロン**」〈悲食記・古川緑波〉

ぺろんぺろん ❶さま 酒などに酔っぱらって気持ちよくなり、体に力のはいらないさま。「とにかく**ぺろんぺろん**になって家へたどり着いて」〈私的生活・後藤明生〉

❷さま 軽く舌で何度もなめるさま。『猫が舌の先で手を**ぺろんぺろん**なめてきた』

べん ❶さま 古 あわてるようすもなく大きく構えるさま。「**ベンベン**トシテ、または、bento(**ベント**)シテ〈訳〉ゆっくりと、または、悠然と」〈日葡辞書〉

❷さま 古 腹が張ってふくらんでいるさま。「ものを大ぐらいして腹**べん**とふくれて」〈玉塵抄〉

ぺんぺこぺん 音・名 三味線の音。また、三味線のこと。ぺんぺこ。「**へんへこへん**旅ねとなれば物うきにただしのばるる宿のお若衆」〈狂歌―大団〉

べんべら 名 くたびれた絹の衣服。くたびれた粗末な衣服。べんべら。「**べんべら**を一枚着たる寒さかな〈漱石〉」〈春夏秋冬〉

方言 薄っぺらなさま。薄くてひらひらするようなさま。「この時計の金側は**べんべら**や」〈和歌山県〉

べんべらべん さま 方言 絹の着物などを着ているさま。「**べんべらべん**とよい着物着て歩く」〈和歌山県〉

へんぺん ⬇漢語編「へんぺん(翩翩)」

べんべん ❶音 三味線や太鼓などのたてる、張りやひびきのある音。「私が指で**べんべん**と太鼓を叩くと小鳥が飛び立った」

〈伊豆の踊子・川端康成〉 ❷➡漢語編「べんべん（便便）」 ➡使い分け「くだくだ」

ぺんぺん ❶〔音・名〕三味線の音。また、三味線のこと。「もっぱら三味線だけをペンペン、ツンツン弾いて」〈いろは交友録・徳川夢声〉「わたしの美音を聞かせるから、ぺんぺんを持って来なせえ」〈歌舞伎—夢物語盧生容画・河竹默阿彌〉 ❷〔音〕尻を軽くたたく音。『お尻ぺんぺんしますよ』

べんべんだらだら 〔さま〕気長すぎて、いたずらに時間を費やすさま。「後人の発明と云ふものがなく、**べんべんだらだら**と今日に至ったでござるが」〈百一新論・西周〉「**べんべんだらだら**晩飯はばんめしにたべや」〈雑俳—玉の光〉

べんべんだらり 〔さま〕締まりのないさま。いたずらに時間を費やすさま。「**べんべんだらり**と長居して、日のたけたのが見へぬか」〈浄瑠璃—十二段・近松門左衛門〉

ぺんぽこ 〔音・名〕三味線の音。また、三味線のこと。「茶屋町と申すものは、太鼓や又は**三絃**《ぺんぽこ》をひき立てて、賑やかな事でござります」〈歌舞伎—伊賀越乗掛合羽〉

へんぽん ➡漢語編「へんぽん（翩翻）」 ➡使い分け「ひらひら」

ほ

ぽい ❶〔さま〕軽く無造作にものごとをするさま。無造作にものを投げ出したり、捨てるさま。「さげすんだ心持で、犬にでもするやうに**ぽい**とそれを床の上に抛《ふは》りなげた」〈或る女・有島武郎〉「それきり**ポイ**する男も多いだろうが」〈女のことわざ辞典・林真理子〉 ❷〔さま〕〔古〕急に立ち去るさま。ぷい。「こなたを引ッ浚って、江戸へ**ポイ**と行くつもりだ」〈歌舞伎—霊験曾我籬・鶴屋南北〉

ほいほい ❶〔さま〕軽い気持ちで相手のすることを受けたり、応答したりするさま。軽々しく調子のよいさま。「あたしだって、マコがいなけりゃ、気楽に**ホイホイ**でやって行けるんだ」〈三ちゃんも三ちゃんや・古山高麗雄〉「**ホイホイ**云って何でも云ふなり次第になる」〈破垣・内田魯庵〉 ➡使い分け「ほいほい」 ❷〔さま〕調子よく機嫌をそこなわないように扱うさま。ちやほや。「**ホイホイ**と下にも置かぬ款待振《もてなしぶり》。—勤は変な不思議な奥歯に物の挿《はさま》ったやうな心地がした」〈妻・田山花袋〉

使い分け

［共通の意味］ ものごとが簡単に進むようす。

ほいほい

あっさり／すんなり／かるがる／やすやす／らくらく

❶**ほいほい**は、気楽で調子のよいようすを表す俗な言い方。「おもしろい話だとすぐ**ほいほい**乗ってくる」「二つ返事で**ほいほい**と引き受ける」 ❷**あっさり**は、「数学の難問を**あっさり**解いてしまった」のように、無造作にすぐできるようす。また、「**あっさり**断る」のように、ものごとを決めるときに深くこだわらず気楽であるようすにも使う。 ❸**すんなり**は、障害などもなくものごとが進むようす。「難関の大学に**すんなり**合格した」 ❹**かるがる**は軽そうに、**やすやす**は易しそうに、**らくらく**は楽そうに、はたから見ていていかにも簡単そうに見えるようす。「重い荷物を**軽々**と持ち上げる」「三か国語を**やすやす**と操る」「四二・一九五キロを**ラクラク**と完走する」

❸さま方言当てもなく出歩くさま。「朝出かげったきり、どこほいほい歩ってるんだがよ」〈栃木県〉

ぼいぼい ❶さま古こごと、不平不満などをつぶやくさま。「悪態ばかりぼいぼいぼやきくさって、性根がないはいの」〈浮世床・式亭三馬〉

❷さま古はげしく泣くさま。おいおい。「『花岡は弱い。ボイボイ泣いた』といふ評判が現場を見てゐなかったものにまで伝はった」〈苦心の学友・佐々木邦〉

❸さま方言乳幼児がのびやかに太るさま。「乳が足《た》らいでぼいぼいと太れん」〈富山県〉

ぽいぽい さま軽い手つきで次々に投げるようす。「抜ぎ取った早苗を籠に入れて田へ運ぶと、畦の上から、ポイポイと澄んだ田の中へ投げた」〈綿・須井一〉

ほいやり ❶さま古いかにもやさしく、またはうれしそうにほほえむさま。「母ほいやりと笑顔して」〈浄瑠璃―心中宵庚申・近松門左衛門〉

❷さま古ものやわらかでなめらかなさま。「ほいやりと麦飯受のよい隠居」〈雑俳―手ひきぐさ〉

ぼいやり ❶さまぼけていて明瞭でないさま。ぼんやり。「塵とも霞とも分かぬ曇りのぼいやりと立迷ひ」〈思出の記・徳冨蘆花〉「見れば見るほど憎てらしい、其のぼいやりした貌持はーオオ古狸の面を其のまま」〈沓手鳥孤城落月・坪内逍遙〉

❷さま方言人やもの、色などについて、角がなく、やわらかみのあるさま。「楽茶碗は口当りがぼいやりして好い」〈大阪府〉

ぼいん ❶音・さま弾みをつけて勢いよくなぐったり、投げとばしたりするさま。『ぼいんとなぐる』

❷さま弾むように大きくふくらむさま。「四十―五十歳になって乗る車といえば、『レンジ・ローバー』(英ローバー)しかない。〈略〉中高年になって腹がボインと出たら、口ヒゲ生やして乗りたい」〈トレンディー倶楽部・産経新聞・95・7・3〉

❸名迫力のある大きな乳房。「実際よりかなりボインに書いてあったからこの際ゆるしてしまったりして」〈にんげん動物園・中島梓〉

ぽいん さま軽い調子でなぐったり、投げとばしたりするさま。「そんなことというやつ、一丁ぽいんと行ってやったらわかるんや」〈神の道化師・椎名麟三〉

ぼうだ ⇩漢語編「ぼうだ(滂沱)」

ほーっ ❶音・さま汽笛の音。湯気や火が上がる音。また、そのさま。「ほうっと白く蒸気の立つ鍋の中をお玉杓子で二三度掻き立てておつぎは又蓋をした」〈土・長塚節〉

❷音・さま深く息をはく音。困ったり、安心して、息をつくさま。「若桐のやうに足のよく伸びた白い裸身を眺めて、私は心に清水を感じ、ほうっと深い息を吐いてから、ことこと笑った」〈伊豆の踊子・川端康成〉

❸さまほのかに明るくなったり、顔に赤みがさしたりするさま。「茶の香に染んでほうっと火色《ほいろ》さえ映った紙でも」〈閨秀・秦恒平〉「小窓の外の屋根瓦には月光のやうな霜が置いてゐる。それを見るときにだけ彼の心はほうっと明るむのだった」〈冬の日・梶井基次郎〉

ぼーっ ❶音低くひびく汽笛などの音。「すると、雨靄むこうから、ボウッと汽笛がひびいてくる」〈有尾人・小栗虫太郎〉

❷さまはげしく火の手が上がるさま。急に明るくなったり、顔に赤みがさしたりするさま。「あかり障子がぼうっと燃へ」〈浄瑠璃―八百屋お七・紀海音〉「常には蒼《あを》きまで白き顔色の、今ぼうっと桜色に匂ひて」〈不如帰・徳冨蘆花〉

❸さま意識が抜けたりとんだりしているさま。ものの形が不明瞭に見えるさま。「自分の心も何もぼうっとして物思ひのない処へ行かれるであらう」〈にごりえ・樋口一葉〉「アスファルトの広い国道は、ぼおっとし

た、夕暮の河のように心細い眺めだった」〈うず潮・林芙美子〉 ↓使い分け「ぽかん」

ぽーっ ❶音 蒸気による汽笛、警笛などの高く鳴りひびく音。「国電の始発が、ポーッと、向岸で気笛を鳴らす頃には」〈自由学校・獅子文六〉 ❷さま ほのかに明るくなったり、あたたまるさま。顔に赤みがさすさま。「お岸は羞恥《きまりわ》るさうに**ポウッ**と顔を染めて」〈社会百面相・内田魯庵〉「蒲団をまくると、敷布の下になにかもうひとつ敷いてあった。さわると、**ぽおっ**とあったかかった。電気敷布である」〈巷談本牧亭・安藤鶴夫〉 ❸さま 意識が落ち着いていないさま。才気や活気が感じられないさま。何も考えなしに過ごすさま。「いくら考へてもわけがわからないやうな気がした。一切が**ポーッ**と心の前で、ぼやけきって」〈美しき月夜・宮本百合子〉「家出したチマ子への心配が銀造を**ぽうっ**とさせ」〈土曜夫人・織田作之助〉

ほーほー ❶音・声 ハトやフクロウなどの鳴く声。鳩時計の音。「象牙細工の角時計 いまは戸を開き、鳩出でて **ほう、ほう**と啼く、十二ころ」〈五足の靴・与謝野鉄幹ら〉 ❷さま 勢いよく息を吹きかけたり、水蒸気が立ちのぼったりするさま。「**ほうほう**と威勢よく立って居る水蒸気《ゆげ》が」〈土・長塚節〉「口を**ホウホウ**言はせながら、甘さうに汗を流して食った」〈家・島崎藤村〉 ❸音・さま 古 ものを続けて投げたりたたいたりする音。また、そのさま。ぽんぽん。「いきすぐるままに、かく立てるはなぞ。居侍れとて、かさを**ほうほう**と打てば」〈落窪物語〉 ❹さま 方言 悦に入って大事にするさま。ちやほや。「あまり**ほーほー**するな」〈岡山県〉「初孫が生まれたので家内一同**ほーほー**して育てよる」〈高知県〉 ❺↓漢語編「ほうほう（蓬蓬）」 ❻さま はうような格好で進むさま。やっとのことで逃げ出すさま。「二人の若い侍たちは、三匹の犬に追ひまはされて、**はふはふ**御館の外へ逃げ出してしまひました」〈犬と笛・芥川龍之介〉「縄を切られ、**ほうほう**と逃げてぞ帰りける」〈仮名草子―伊曾保物語〉 ✺⑥は動詞「這《は》う」が重なってできた語。今にもはい出さんばかりに、あわてて逃げ出すさまを「**ほうほう**の体《てい》」という。

ぼーぼー ❶音・さま はげしく火の燃えさかる音。また、そのさま。「油煙のやうな真黒な煙を立てて、**ボウボウ**燃えた」〈焚火・志賀直哉〉 ↓使い分け「めらめら」 ❷音・さま 汽笛などが鳴りひびいたり、風などが吹きつける低い音。また、そのさま。「**ぼうぼう**といふほら貝が鳴る」〈定本青猫・萩原朔太郎〉「気持の悪いぬるい風が、**ボー、ボー**と両頬に当って」〈不在地主・小林多喜二〉「受信器を耳に着けた。〈略〉雑音が**ぼうぼう**と鼓膜に響くのみであった」〈思ひ出す事など・夏目漱石〉 ❸↓漢語編「ぼうぼう（茫茫・芒芒）」 ↓使い分け「ぼさぼさ」

ぽーぽー ❶音 小笛や汽笛などが鳴りひびくかん高い音。「土笛を取り出して、口に当てる。**ポーポー**と、素朴な鳥の声が響き渡る」〈音を見にゆく・産経新聞・00・11・8〉 ❷声 ハトやフクロウなどの鳴く声。↓鳴き声編

ほーほけきょ 声 ウグイスの鳴く声。↓鳴き声編

ぼーん ❶音 鐘の低く鳴りひびく音。時計の時刻を知らせる音。「『何時ですヨ』折柄店の方で**ボーン**。上野の鐘の音もゴーン」〈内地雑居未来之夢・坪内逍遙〉 ❷音・さま 突然、爆発的に火の燃えあがる音。また、そのさま。「活動のフィルムから、**ぼうん**といっぺんに燃えついて、火の廻りが早いや」〈雪国・川端康成〉 ❸さま 弾みをつけて勢いよく蹴ったり、はね飛ばしたりするさま。はね返るさま。

『ボーンとボールを蹴ってよこした』

ぽーん ❶音・さま 何かを軽くたたく音。軽く破裂する音。また、そのさま。「何処かの壁から時計の音が、さも眠気に一つポウンと遠く響いて来た」〈良人の自白・木下尚江〉
❷さま 軽々と勢いよく打ったり蹴ったり放ったりするさま。惜しげなく金やものをさし出すさま。「二人は腰のあたりをくわえられると、**ぽーん**と海の向うへなげられた」〈恐竜島・海野十三〉
❸さま 軽くはじき飛ばすように拒否するさま。「『マア何うも出来ねへ、御断わりしやす』**ポーン**と一ッ刎ねられた」〈落語―情死の情死・橘家円喬〉「『ふられました』『**ポーン**と』」〈日本橋・泉鏡花〉

ほか ❶さま古 口などを大きくあけるさま。大口で食いつくさま。「人くらひ犬〈略〉**ほか**と喰うたり」〈咄本―醒睡笑〉
❷さま古 はげしく急に何かをするさま。力強く打ち倒したり蹴ったりするさま。「趙州を万仞崖より**ほか**とけて落す動きを成さば」〈禅林類聚鈔〉
❸さま古 急であるさま。突然ある状態が出現するさま。「酌をする者、酒を**ほか**とこぼしたれば」〈咄本―醒睡笑〉

ぽか ❶音・さま 力強く打ち倒したり蹴ったりするさま。→ぽかっ。「主人はそれ見たかと云はぬ許《ばか》りに、膝の上に乗った吾輩の頭を**ぽか**と叩く」〈吾輩は猫である・夏目漱石〉
❷名 不注意や思いこみからの失敗。ミス。「**ぽか**を連発する」
✿もとは囲碁や将棋の不注意や思いこみからのとんでもない悪手。

ぼかすか さま はげしくなぐったり、乱暴に勢いよく行うさま。『ジャガイモを**ぼかすか**なべにほうりこむ』

ぽかすか ❶さま 立て続けに軽い調子でなぐったり、打ったりするさま。「『初リングで**ポカスカ**めった打ちにあう』
❷さま まわりのことを考えずに思ったままを次から次へと行うさま。「吉田内閣当時にわれわれはこの公約以外を**ポカスカ**やられて困《こう》じ果てたのであり」〈傷はまだ癒えていない・中野好夫〉

ぼかっ ❶音・さま 一回強く頭などをたたく音。また、そのさま。『壁を一発**ぼかっ**となぐった』
❷さま 大きく抜けていたりうつろなさま。「新しい歌というよりも、何かしら**ボカッ**とあいた空洞を埋めていく仕事も大事かなと思う」〈時代の空洞埋めたい・朝日新聞・98・4・16〉

ぽかっ ❶音・さま 頭などを軽くたたく音。軽くぶったり、突いたりするさま。「頬のあたりを**ポカッ**と突かれた」〈落語―橋弁慶・禽語楼小さん〉
❷さま 抜けていたりうつろなさま。「**ぽかっ**と天井を見てゐる」〈父―その死・幸田文〉「牢獄のような石の部屋の前面に**ぽかっ**と空いている暗い空洞に」〈白く塗りたる墓・高橋和巳〉
❸さま 軽く浮かび上がるさま。急にある思いや記憶などが生じるさま。「**ぽかっ**

使い分け

【共通の意味】温度が適度にあたたかいようす。

ほかほか

ほくほく／ほこほこ／ぬくぬく

❶**ほかほか**は、「炊きたての**ほかほか**したご飯」や「日に干したばかりの布団が**ほかほか**とあたたかい」のように、食べ物や体に触れる布団などに使う。**ほくほく**、**ほこほこ**は、「焼き芋が**ホクホク**しておいしい」「里芋の**ホコホコ**した舌ざわり」のように、イモなどの水分が、熱で適度に減って、歯ざわりがよく、おいしくなったようす。
❷**ぬくぬく**は、ほどよい暖かさで体が温まり、眠くなりそうなようす。「こたつに入ると、冷えた体が**ぬくぬく**してきた」

と、古沼に浮きあがった水泡のやうに、思ひがけなく塚原義夫が立ちあがった」〈白い壁・本庄陸男〉「なぜ私はかあさんに叱られることを、**ぽかっ**と思いだしてしまったのだろう」〈地の群れ・井上光晴〉

ほかほか ❶【さま】心地よいあたたかさを感じたり、適度にあたたかいさま。おだやかに湯気などのたつさま。「体中が**ほかほか**して、行介はオンドルの上に寝てゐるやうな気持だった」〈波・山本有三〉「湿ってゐた樹木の皮から**ほかほか**と水蒸気がたち上った」〈田舎医師の子・相馬泰三〉⇒使い分け「ほかほか」

❷【さま】【古】力強く、または一途にものごとをするさま。「Focafocato（ホカホカト）ツキトヲス〈訳〉刀、槍などで激しく貫通する」〈日葡辞書〉

❸【さま】【古】前後のことを深く考えずに事を行うさま。「恋しい懐しい逢たい見たい心ばかりに、つひ**ほかほか**と爰《ここ》へ来て」〈浄瑠璃—将門冠合戦〉

ほがほが ❶【さま】動きのゆるやかなさま。あわてずに気長なさま。「そこには、まだ氷が張ってゐた。牛が、**ほがほが**その上を歩いてゐた」〈渦巻ける烏の群・黒島伝治〉

【方言】動きがのろいさま。対応が遅いさま。「なにを**ほがほが**しているのだ、早くこい」〈鳥取県〉「**ほがほが**して埒《らち》があかん」〈島根県〉

❷【さま】【方言】じゅうぶんであるさま。「**ほがほが**と食べないうちに、なくなった」〈新潟県〉

ぼかぼか ❶【音・さま】ものを乱暴に何度もなぐる音。また、そのさま。「たばこいれの火はたきをきせるで**ボカボカ**たたきながら」〈西洋道中膝栗毛・仮名垣魯文〉

❷【さま】【古】勢いの盛んなさま。急であるさま。「高尾**ぼかぼか**と来て、我より先へは寝させじと世之介を引起し」〈好色一代男・井原西鶴〉

❸【さま】気持ちわるいほどあたたかいさま。「二三日昼から夜へ掛けて**ぼかぼか**と暖かい空っ風が思ひ切り吹いた」〈土・長塚節〉

❹【さま】衣類などを使い古して、布目がゆるんだり、布地が薄くなっているさま。「それは**ボカボカ**になったメリンスの羽織と着物で、膝のあたり、地がすけて見えてゐた」〈天国の記録・下村千秋〉

ぽかぽか ❶【音・さま】軽く続けざまにたたく音。また、そのさま。「『貴様の様な奸物はなぐらなくっちゃ答へないんだ』と**ぽかぽか**なぐる」〈坊っちゃん・夏目漱石〉

❷【音】ウマのひづめの音。ぱかぱか。「馬の蹄《ひづめ》が**ぽかぽか**鳴るので」〈茶話・薄田泣菫〉

❸【さま】おだやかにあたたかなさま。「**ぽかぽか**と射す秋の日の光を頭から浴びながら」〈或る女・有島武郎〉⇒使い分け「うらうら」

❹【さま】タバコの煙などがあがったり、ものなどが水面などに浮かぶさま。ぷかぷか。「海女たちは焚火を離れて、波の上に**ぽかぽか**浮いていた」〈面影・芝木好子〉「向端の海獣の家族が、ボートの音が消えて了《まし》ふと再び**ぽかぽか**と匍上《はひあが》り」〈密猟者・寒川光太郎〉

❺【さま】次から次へと事を行うさま。ばかばか。「銭遣れば五月蝿《うるさへ》のが少しも脱《のが》れると思って**ポカポカ**銭呉れますが」〈落語—雛鍔・三代目柳家小さん〉

❻【さま】大きな穴が次から次へとあるさま。「あの辺へ行ってみると、直径が十メートルから二十メートルもの大穴が**ポカポカ**あいているんだぜ」〈空襲下の日本・海野十三〉

ほがらほがら 【さま】【古】明るく晴れるさま。夜が次第に明るく明けて行くさま。「しののめの**ほがらほがら**と明けゆけばおのがきぬぎぬなるぞかなしき〈よみ人しらず〉」〈古今和歌集〉

ぼかり 【さま】濃く煙をたてるさま。「爺は**ボカリ**と烟を吹かすと一所に大きな欠呻を泄《も》らした」〈良人の自白・木下尚江〉

ぽかり ❶〔音・さま〕かたいものを軽く打って出るかわいた音。かたいもの同士が軽くぶつかるさま。「擦《す》れ違ひざまに他人《ひと》の隙《すき》を見ては**ぽかり**と擲《なぐ》りつけたものだ」〈茶話・薄田泣菫〉 ❷〔さま〕口や目を大きくあけるさま。ものの切り口が大きく開くさま。「それがおれの頭の上で、**ぽかり**と割れて、青い煙が傘の骨のように開いて」〈坊っちゃん・夏目漱石〉「Y先生は潤ひの無い二重瞼の大きな眼を**ポカリ**と瞬かせ」〈若い人・石坂洋次郎〉 ❸〔さま〕穴があいたり、うつろな感じが生じたりするさま。ぽかん。「歯がぬけたやうに、**ぽかり**とあき地になってゐた」〈桐畑・里見弴〉 ❹〔さま〕不意に光るさま。「石燈籠へ枝垂れた柳の間で**ポカリ**と光った」〈青春・小栗風葉〉「すると傘のない電燈が一つ、丁度彼の頭の上に突然**ぽかり**と火をともした」〈或阿呆の一生・芥川龍之介〉 ❺〔さま〕空中や水面に浮かぶさま。ぷかり。「**ポカリ**煙草を喫しつ」〈火の柱・木下尚江〉 ⬇使い分け「ふわり」

ぼかりぼかり 〔さま〕日ざしがあって暖かいさま。「今日は冬ながら**ぼかりぼかり**と日ざし和らかに」〈思出の記・徳冨蘆花〉

ぽかりぽかり ❶〔音・さま〕何度か軽くたたく音。また、そのさま。「毎日毎日、**ぽかりぽかり**と殴りつけた」〈ロマネスク・太宰治〉 ❷〔さま〕のびやかにあたたかなさま。「春日のやうに**煦々**《ぽかりぼかり》と暖いのに」〈多情多恨・尾崎紅葉〉 ❸〔さま〕タバコの煙などがあがったり、ものなどが水面などに浮かぶさま。ぷかりぷかり。「海月《くらげ》に似た烏帽子の様なものが**ポカリポカリ**と浜辺へ浮いて来る。これが即ち鰹の烏帽子と云ふもので」〈東京年中行事・若月紫蘭〉

ぼかん ❶〔音・さま〕かたいものを強く打ってひびく重い音。一瞬はげしく爆発する音。また、そのさま。「医師も呼吸器病ぐらいに考えて呑気に構えているうちに〈略〉やがて**ボカン**と破裂する」〈冥土行進曲・夢野久作〉 ❷〔さま〕とらえどころがなく、大らかなさま。「気もつかないうちに、春はすでに締め切った硝子窓のうちへも音づれて来て、何か**ぼかん**とした明りが差してゐた」〈仮装人物・徳田秋声〉「硝子一重すぐ鼻の前に、一羽可愛いのが真正面に、**ぼかん**と留まって残って居る」〈二三羽―十二三羽・泉鏡花〉

ぽかん ❶〔音・さま〕かたいものを軽く打ってひびく明るい音。軽く一度たたくさま。「大概は**ポカン**と大きな音を立てて弾ね返る」〈吾輩は猫である・夏目漱石〉

使い分け

【共通の意味】
頭のはたらきが一時的ににぶるようす。

ぽかん **きょとん／ぼんやり／うっとり／ぼーっ**

❶**ぽかん**、**きょとん**は、状況が理解できずにあっけに取られているようす。**ぽかん**は、驚いて口が開いたままのようす。「突然解雇を言い渡され、あまりのことに**ぽかん**としてしまった」。**きょとん**は、不思議そうにみつめているようす。「新一年生たちは、『着席』と言われても意味がわからず、**キョトン**としている」 ❷**ぼんやり**は、眠かったり頭を打ったりして、頭の働きがにぶいようす。**ぼーっ**を同じように使う場合もある。「強く殴られ、しばらく頭が**ぼんやり**していた」「何もしないで一日中**ぼうっ**と外をながめている」 ❸**うっとり**、**ぼーっ**は、美しいものやあこがれの対象に心を奪われて我を忘れているようす。「オペラのクライマックスのテノールの独唱を、**うっとり**と聴く」「憧れのタレントに握手をしてもらい、夢見ごこちで**ボーッ**としている」

❷さま 口を締まりなくあけるさま。切り口が開くさま。まわりに何にも注意を払わずにいるさま。ぼんやり。「一同が固唾をのんでゐた口を**ポカン**とあげて、このおかしな新入者をみたのも無理もない」〈浅草・サトウハチロー〉「ただ**ぽかん**と海面を見てゐると、もう海の小波《さざなみ》のちらつきも段々と見えなくなって」〈幻談・幸田露伴〉 **使い分け**「ぽかん」↓

❸さま 大きな穴やすきまがあいているさま。急にうつろな感じが生じるさま。ぽかり。「屋根の形をした三角の、大きなすきまが**ぽかん**とできていて」〈巷談本牧亭・安藤鶴夫〉

❹さま 大きくものがふくらむさま。空中や水面に浮かぶさま。「稼ぐ精力に渋団扇の氏子を離れ毎年細く引伸した飴細工**ポカン**と脹た狸の腹、女房の産の紐穏に」〈当世商人気質・饗庭篁村〉「白いまんまるな月が**ポカン**と一つ、青空の中に浮んでいるのに気がついた」〈月は東に・安岡章太郎〉

❺さま 無造作であっけないさま。「やっと結婚して、一緒になったかと思ふ間もなく、**ポカン**と僕を捨てて逃げ出して了った」〈恋を恋する人・国木田独歩〉「**ポカン**と抜けぬから燈《とも》し油《あぶら》を塗ったから、スポリと抜けて」〈落語―素人茶道・三代目春風亭柳枝〉

ぼきっ

音・さま 太くて丈夫なものが瞬間的に折れ曲がる音。また、そのさま。『腰の骨が**ボキッ**と鳴った』「門柱が**ボキッ**と折れるかもしれない」〈ニッポンの忘れもの・朝日新聞・88・1・13〉

ぼぎっ

音・さま 太く丈夫なものがはげしく折れる音。また、そのさま。ぼきり。「怪我人の手は**ぼぎっ**と恐ろしい音を立た」〈土・長塚節〉

ぽきっ

音・さま 細いものがたやすく折れたり、薄くてかたいものが割れたりするかわいた音。また、そのさま。「**ぽきっ**と木の枝を折ったやうに無愛想な答へ方で」〈いのちの初夜・北条民雄〉「父の鼻眼鏡をこっそりいぢくって、**ぽきっ**とその硝子《ガラス》を割ってしまったときには」〈思ひ出・太宰治〉

ほきほき

❶音・さま 古 長いものが次々に折れる音。また、そのさま。「Foqifoqi（**ホキホキ**）〈訳〉乾いた木などが折れる時に出すあの音」〈日葡辞書〉

❷さま 古 陽気に酔いのまわるさま。ほぎほぎ。「されども半盞飲で**ほきほき**と酔たが」〈四河入海〉

方言 ほろ酔い加減や気分が浮かれてくるさま。「踊ったあとで**ほきほき**と行ったところあ」〈石川県〉「ちっと一杯やったら**ほきほき**してきたよ」〈静岡県〉

❸さま 古 色彩が美しく映えるさま。「御襟は衣装の飾り、いか程も**ほきほき**とうつくしう召し候へ」〈めのとのさうし〉

ほぎほぎ

❶さま 古 めでたく、はなやかなさま。「よいといはれぬやくしゃは、江戸・大坂の舞台も、一あたりは**ほぎほぎ**とするやうでも、又おりおりは名をおとす事おほし」〈浮世草子―猿源氏色芝居〉

❷さま 古 陽気に酔いのまわるさま。ほきほき。「はやもて出るおさかづき〈略〉ほしてはさし、さはりてはおさへ、たがひにかほも**ほぎほぎ**と成けり」〈浮世草子―好色美人角力〉

ぼきぼき

❶音・さま かたくて太いものが続けざまに折れ曲がる低い音。また、そのさま。「指の節を**ぼきぼき**鳴しながら」〈茶話・薄田泣菫〉

❷さま うるおいがなくおもむきがないさま。味気ないさま。「**ボキボキ**した戦争記事に、詩と生命を吹きこんだのは、多分、Kが、いちばん早かったのではあるまいか」〈鉛筆ぐらし・扇谷正造〉

ぽきぽき

❶音・さま 細いものが次々に折れ曲がるかわいた音。また、そのさま。『威嚇するように、指を**ポキポキ**と鳴らしてみせた』「**ポキポキ**と枯枝を折っては集め、折っては集めして居ると」〈少年行・中村星湖〉

❷さま 話し方や身のこなしが角張っているさま。「一語一語**ぽきぽき**と区切って発音する倉田の口調をまねて」〈人間の病気・後藤明生〉「江戸の女が如何になよやかで如何に美しかったかと云ふ事を、百十余年後の現代東京婦人が如何に**ポキポキ**して如何に物凄いかと云ふ事とようく対照して見せて」〈江戸から東京へ・矢田挿雲〉

ほぎゃーほぎゃー 声 赤ん坊の泣き声。おぎゃーおぎゃー。「見にはしる夜更て辻に**ほぎゃあほぎゃあ**」〈雑俳―削かけ〉

ぼきり 音・さま 太くて丈夫なものが瞬間的に折れ曲がる低い音。また、そのさま。「僕の主我の角が**ぼきり**折れて」〈忘れえぬ人々・国木田独歩〉

ぽきり 音・さま 細長いものが、瞬間的にもろく折れ曲がる高くかわいた音。また、そのさま。「前髪から抜いて鬢を掻かうとした櫛が、脆くも**ぽきり**と折れた」〈或る女・有島武郎〉

ぼきん 音・さま かたくて丈夫なものが瞬間的に折れ曲がる低い音。また、そのさま。「家では座いすが**ボキン**と折れて体重が増えたかと驚き」〈売れてる本・朝日新聞・07・4・15〉

ぽきん 音・さま 細くてかたいもの、また細く続いているものが突然折れ曲がる音。また、そのさま。「突っ込んで行った言葉の先が、そこで**ポキン**と折れた」〈大道無門・里見弴〉

ほく ⇩コラム「ほく・ぼく・ぽく」

ぼくしゃく さま 見すぼらしく動作が洗練されていないさま。「尻切草履で**ボクシャク**と紙屑を買ひし者が」〈当世商人気質・饗庭篁村〉

ほくっ さま 水けやねばりけなどが少なく、口の中でふくらむさま。ほっくり。「水分が少なく、クリに近い**ホクッ**とした口あたり」〈句を追う・読売新聞・92・6・21〉

ぼくっ 音 強くたたいたり、折れ曲がる音。「肋骨が胸の中で折れる**ボクッ**とこもった音をきいて」〈蟹工船・小林多喜二〉

ほくほく ❶さま 満足しきって、うれしさを隠しきれないさま。「ご酒を召しあがると先生は冴えない顔色も赧らみ、陽気になられて、意味もなく始終**ほくほく**と笑み崩れ」〈婉という女・大原富枝〉「よう戻って来てくれましたぞ、と相好にわだかまりを無くして**ほくほく**悦び」〈新浦島・幸田露伴〉

❷さま 水けやねばりけなどが少なく、口の中でふくらむさま。「**ホクホク**するやうな白い里芋の子が」〈夜明け前・島崎藤村〉⇩使い分け「ほかほか」

❸音・さま 古 杖をつく音。時間をかけて歩くさま。「政治は馬上提灯の覚束《おぼつか》ないあかりに**ほくほく**瘠馬《やせうま》を歩ませて行くといふのが古来の通則である」〈謀叛論・徳冨蘆花〉「**ほくほく** 杖などの声 ホクホク親父など云 又ホクホク行など云」〈俚言集覧〉

❹さま 古 頭を上下させてうなずくさま。いねむりをするさま。こくこく。「さしもの輝虎理に服し、**ほくほく**うなづき」〈浄瑠璃―信州川中島合戦・近松門左衛門〉「常にあをき竹などあいし、竹をあいする業もつきぬれば**ほくほく**とねむりなどして」〈慶長見聞集〉

ぼくぼく ❶音・さま やわらかい地面を時間をかけて歩くときの重い足音。また、そのさま。「濡れ手拭を下げて、砂の中を**ぼくぼく**橋の傍迄帰って来ると」〈満韓ところどころ・夏目漱石〉「馬**ぼくぼく**我をゑに見る夏野哉〈芭蕉〉」〈俳諧―水の友〉

❷音・さま 水中から次々に大きな泡などが浮き上がる音。また、そのさま。「此の島から八町許りの沖にワクといふ所があって、其の海底から温泉が**ぼくぼく**と出てゐる」〈厲人厲語・杉村楚人冠〉

❸さま やわらかな張りやふくらみのあるさま。「**ぼくぼく**して皮の厚さうな、指の短い手」〈我等の一団と彼・石川啄木〉「海村の砂地、**ボクボク**して居るので、陰湿の気は少しも無い」〈閑耳目・渋川玄耳〉「**ボクボク**と木質を腐らせてしまっている電柱、電線

の張力でわづかに突っ立ってゐる電柱が」〈メサの使徒・武田泰淳〉

❹さま 古 頭を上下してうなずくさま。また、いねむりをするさま。「縫物するにもボクボク居睡り、折々目覚し」〈踊之著幕駒連〉

ぽくぽく ❶音 木魚などをたたき続けるかわいた音。「なむあみだぶ。ポクポクポクポクポク」〈浮世風呂・式亭三馬〉

❷音・さま 規則正しく時間をかけて歩く足音。また、そのさま。ウマのひづめや下駄などの音。「まだ蟬の声も聞えぬ静まった中を、尾田は**ぽくぽく**と歩きながら」〈いのちの初夜・北条民雄〉「**ポクポク**と快よく響く蹄の音が聞えると思ふと、黒鴨仕立の別当が馬車より一二間先を走って人払ひをして過ぎた」〈明治大正見聞史・生方敏郎〉

❸さま やわらかくて、歯ざわりが軽いさま。水けやねばりけなどが少ないさま。ぼくぼく。「眼玉がうまい。うはつらは**ぽくぽく**しながら、しんは柔靭でいくら嚙んでも嚙みきれない」〈銀の匙・中勘助〉「**ぽくぽく**した味が何かの木の実に似てゐるので考へてゐるうちに、胡桃だと思ひ当った」〈舌鼓ところどころ・吉田健一〉

❹さま 古 いねむりをするさま。「さすがの此蔵げんなりし、**ぽくぽく**眠れば」〈洒落本—雑文穿袋〉

❺さま 小さな穴やくぼみがたくさんあるさま。「猫の長い尻尾の毛が段々抜けて来た。始めは所々が**ぽくぽく**穴の様に落ち込んで見えたが」〈永日小品・夏目漱石〉「彼らの頭髪は引けば茹だった芋毛のやうに**ぽくぽく**と捞れて来た」〈碑文・横光利一〉

❻さま 砂地などが、よくかわいているさま。「砂道が毎日の照りで**ぽくぽく**に乾いて、下駄を吸ひ込んだ」〈父—その死・幸田文〉

ほくり さま 古 あまり意識しないさま。ひょっこり。「夢に孕と見て、寤《めさ》て**ほくり**と生程に」〈四河入海〉

ぽくり さま ものがもろく、折れたりとれたりするさま。元気だった人が突然死ぬさま。「石地蔵の前に連れて行くと、石の首が**ぽくり**と欠けて」〈彼岸過迄・夏目漱石〉「苦しみはりましたか、と訊ねてみても、そんなことあらしまへん、**ポクリ**といきよりましたんや」〈羽なければ・小田実〉

ぼくりぼくり ❶音・さま 高下駄の音。高下駄で一足ずつ歩くさま。「山路を分くる高足駄、九折《つづらをり》なる山阪を、**ぼくりぼくり**と立帰へる」〈浄瑠璃—諸葛孔明鼎軍談・竹田出雲〉「**ぼくりぼくり**と静なるは雪降の朝にして、下駄下駄といそがしきは村雨の夕べなるべし」〈俳諧—鶉衣〉

❷さま 平らでない道や、やわらかくへこむところなどを時間をかけて歩くさま。「何だか足の下が馬鹿に柔かになって、歩く度び毎に**ぼくりぼくり**と凹むやうな心地がする」〈母を恋ふる記・谷崎潤一郎〉

ぽくりぽくり さま 規則正しく時間をかけて歩くさま。「牛乳馬車が**ぽくりぽくり**と過ぎてゆく位だ」〈一家・寺崎浩〉

ぼけっ さま 何もしないで、力をゆるめて過ごすさま。ぼんやり。「私はよくTBS会館の地下のトップスってレストランで**ボケーッ**としているが」〈にんげん動物園・中島梓〉

ぽけっ さま 何もしないで、まったく注意力をなくしているさま。あっけにとられているさま。「伴的が**ポケっ**としていった」〈初稿・エロ事師たち・野坂昭如〉

ほげほげ ❶さま 方言 豊かにものがあるさま。余裕があって思う存分できるさま。「**ほげほげ**食べらっしょ(腹いっぱい食べてください)」〈茨城県〉「こんな孫そばにいちゃ**ほげほげ**できやしねえ」〈栃木県〉「このごらーあしこはうちまが良うて**ほげほげ**ひとるわい(＝このごろあの家は家運隆盛でなんでもござれの豊かなもんだ)」〈愛媛県〉

❷さま 方言 ほおが桃色で健康的にふくらんでいるさま。「**ほげほげ**としている」〈山形県〉

コラム オノマトペのもと

ほく・ぼく・ぽく

「ほく」は、内部に空気や温かさを含んで、やわらかく、簡単にくずれるようすを描写する。「ぽく」は割れるようにくずれるようすを表す。「ほく」に比べると、割れるときの衝撃が大きい。また、ゆっくりと歩く足音や、馬のひづめの音、木魚の音などを描写する擬音語としても使われる。

［ほくの語群］
ほくほく・ぼくぼく・ぽくぽく
ほくり・ぼくり・ぽくり
ほっくり・ぼっくり・ぽっくり

	―（と）した芋	―（と）歩く	―（と）死ぬ
ほくほく	○	△	―
ぼくぼく	―	○	―
ぽくぽく	○	○	―
ほっくり	○	―	―
ぽっくり	○	○	○

［表現］

「ほくほく」は、水分や粘りけが少なくてくずれるような食感や、心地よい温かさを表現している。調理の専門家に調査したところ、焼き芋、ふかし芋、甘栗、ベークドポテトなどの芋や栗の料理によく使われる表現であることがわかった。

二〇〇四年に首都圏で一般の人を対象にした調査の結果、ほとんどの人が「ほくほく」を食の表現と認識していた。「サクサク」や「こりこり」などもそうであるが、食表現としてよく使われることばには、「ある食べ物との結びつきが強い」「食感としてとても心地よい」などの共通点がある。

昭和に活躍した俳人太田鴻村は、「栗飯のほくりほくりと食まれけり」と詠んでいる。季節を感じて心が温かくなる一句である。また、島崎藤村は『夜明け前』で「ホクホクするような白い里芋」と使っている。温かくて口あたりがよさそうで、おいしそうな感じがする。「ほくほく」は、季節と温度と食感を感じさせる表現である。

「ぽくぽく」も、水けや粘りけが少なく、ほのかに甘いデンプン質の食べ物に使われることが多い。「ほくほく」は口の中でくずれるようなやわらかさがあるが、「ぽくぽく」はもう少しかたく、口の中で割れるような感じがある。

「ぽくぽく」はごく最近できたユニークなことばのような印象があるが、意外にも古く、明治初期には使われた記録がある。たとえば、三代目春風亭柳枝の落語で「芋がポクポク為《し》て」などと使われている（落語『素人茶道』）。

辺見庸は小説『ゆで卵』で、ゆで卵を静かに何個も「ポクポクと食っている」と書いている。卵の白身の割れる感じ、固ゆでの黄身の食感が、ユニークかつ見事に表現されている。また、北大路魯山人は、昭和五年一二月の会誌「星岡」で、おいしさには舌上の味覚だけでなく、シャキシャキ、シコシコ、カリカリ、ポクポクなど、触覚と聴覚が関係するものがあることを強調している。

ポクポクは、美食家の魯山人をも唸らせた、心地よい食感の表現だといえる。

（早川文代）

ぼけぼけ [さま][古]色合いがほのかであるさま。薄紅色であるさま。「花顔とは、花のうす紅に**ぼけぼけ**としたるやうなるを云」〈長恨歌琵琶行和解〉

ほこ ⬇コラム「ほこ・ぼこ・ぽこ」

ほこっ [さま]あたたかくて、心が救われるさま。「人生の崖っぷちを乗り越えて誕生した強さが、聞き手を元気にする曲。心の底が**ほこっ**とするな」〈見て聴いて・朝日新聞・99・2・2〉

ぼこっ ❶[音]ものが他のものに打ち当たったり、水中に沈んだりするときの、にぶい音。「**ぼこっ**、という鈍い音がした。〈略〉ビール瓶を叩きつけたのだった」〈文学部唯野教授・筒井康隆〉
❷[音・さま]大きな泡が浮かび出る音。また、そのさま。「川藻にびっしりついた水泡の滴が日を受けてキラキラッと輝き、大きくなると**ボコッ**と泡になって上がる」〈夏・海抜10M・読売新聞・93・8・11・西部夕刊〉
❸[さま]ものが急にはげしくへこんだり、穴があいたり、また、隆起したりするさま。「世界の拡がりの一点に、**ぼこっ**と穴があいてしまった感じをどうすることもできない」〈見知らぬ山・高橋たか子〉

ぽこっ [さま]ものごとがたやすく急に生じたり消えたりするさま。急にへこんだり、隆起したり、穴があいたりするさま。「自分の店がある角に地下鉄の駅が**ポコッ**とできれば」〈日本の設計・都留重人〉

ぼこでこ [さま]ものの表面が目立つほどへこんだりとび出したりしているさま。「頭は**凹凸**《ボコデコ》だが、口丈は達者なもんだ」〈草枕・夏目漱石〉

ほこほこ ❶[さま]水けやねばりけなどが少なく、口の中でふくらむさま。ぼくぼく。「きのこ飯**ほこほこ**として盛られたる」〈花氷・日野草城〉「すぢのない栗のやうな**ホコホコ**とした味で、実にうまかった」〈雲の墓標・阿川弘之〉 ⬇使い分け「ほかほか」
❷[さま]暖かくて、気持ちのよいさま。ぽかぽか。「ぬるんだ水のあはぢ嶋山　天のさか**ほこほこ**春の日はさして〈梅盛〉」〈俳諧―口真似草〉

ぼこぼこ ❶[音・さま]水中から大きな泡などが急激に次々と浮き上がる音。また、そのさま。『鍋のお湯が**ぼこぼこ**と沸いている』「土左衛門が**ボコボコ**浮上り」〈落語―阿七・三代目三遊亭円遊〉
❷[音・さま]中空のものを続けてはげしくたたく音。また、そのさま。「ガン人は、三根夫のかぶりものの上から、**ぼこぼこ**とたたいた」〈怪星ガン・海野十三〉
❸[音・さま]時間をかけて規則正しく歩く音。また、そのさま。「馬車は**ぼこぼこ**と落葉の上を駛《はし》った」〈熊の出る開墾地・佐左木俊郎〉「暑い日中被る物もなしに、村道を**ボコボコ**歩いてゐるのを見ると、ほんたうに気の毒になった」〈貧しき人々の群・宮本百合子〉
❹[音・さま]せきをする音。つっかえながらはき出されるさま。「絵を描きながら**ぼこぼこ**咳をしていたが」〈面影・芝木好子〉「**ぼこぼこ**煙を吐き出してゐる苦しげな機関車が道化た老人じみて面白かった」〈旅愁・横光利一〉
❺[さま]くぼみや穴がたくさんあるさま。土、地面、木などがやわらかくて、へこみやすいさま。「自転車は這裏《こっち》へ置いといて上げませう、那辺《そっち》は**ボコボコ**の土だから」〈青春・小栗風葉〉「見るからに安もので、**ボコボコ**した生地で」〈故旧忘れ得べき・高見順〉
❻[さま]調子がよすぎるぐらいに次々に現れるさま。「足の裏にニチャニチャと油がでて、それに**ボコボコ**舞ひ込む、砂埃が吸ひ取られて」〈まんだん読本・徳川夢声〉

ぽこぽこ ❶[音・さま]泡が生じる音。水が泡立って流れる音。また、そのさま。「お隣りの博士さんとこの風呂の水が、〈略〉**ポコポコ**と下水溝に流れる弾力のある音を聴いては」〈秋立つまで・嘉村礒多〉

コラム オノマトペのもと

ほこ・ぼこ・ぽこ

「ぼこ」「ぽこ」が擬音語となる場合、たとえば「ぼこっと泡が立つ」は、大きい泡が勢いよくできるときの大きく重い音を表し、「ぽこっと泡立つ」は、小さな泡ができるときの軽くて高い音を表す。また、「ぼこっと」「ぽこっと」は泡が一回できるようすを表すのに対して、「ぼこぼこ」「ぽこぽこ」は泡がいくつも連続してできるようすを表す。「ぼこん」「ぽこん」も一回の音やようすを表すが、「ぼこっ」「ぽこっ」のほうには瞬間的なイメージがある。

擬態語の場合、「ぼこ」も「ぽこ」も、ものがへこみ穴が開いているようすにも、ものがふくらみ盛り上がっているようすにも使う。擬音語と同様に「ぼこ」のほうがより程度が大きく重い場合に、「ぽこ」はより程度が小さく軽い場合に使う。「ほこ」は、「ほっこりあたたかい」のように擬態語としてしか使われず、意味上は「ぼこ」「ぽこ」と対応しない。「ほこ」と対応するのは、あたたかさを表す「ほかほか」「ほくほく」などである。「あたたかくてほかほかする」に対して「あたたかくてほこほこする」のほうが、幸せな気分など心情的な意味がこめられている。

【ほこの語群】

ほこっ・ぼこっ・ぽこっ
ほこほこ・ぼこぼこ・ぽこぽこ
ほこり・ぼこり・ぽこり
ほっこり・ぼっこり・ぽっこり
ぼこん・ぽこん・ぼっこん・ぽっこん

	ー(と)あたたかい	ー(と)泡が浮かぶ	ー(と)した下腹
ほこほこ	○	ー	ー
ぼこぼこ	ー	○	ー
ぽこぽこ	ー	○	○
ほっこり	○	ー	ー
ぼっこり	ー	○	○
ぽっこり	ー	○	○
ぼこっ	ー	○	○
ぽこっ	ー	○	○

【表現】

「ほっこり」は、近世にあたたかいようす、ふくよかなようす、色つやの明るいようすなどの意味で使われ、現在では、地域の方言の中で「ほっこり温まる」のように使われている。また、「ほっこり」を「ふかし芋」や「焼き芋」の意味で使う地域もある。「ほっこりいやになった（＝実にいやになった）」「ほっこりした（＝疲れた）」などの意味でも使われている。

「でこぼこ」は漢字で書くと「凸凹」となる（「おうとつ」は「凹凸」で、漢字が逆になる）。「ぼこ」と「ぼこぼこ」の関連は不明だが、「でこぼこ」の「ぼこ」は陥没した状態を表す。

「ぽっこり」には「ぽっこりおなか」という語があり、少しふくらんだようすを、イメージをあまりくずさずに表せるが、「ぼっこりおなか」となると、ふくらみの程度が大きくなり、マイナスのイメージが伴う。

「ぼこぼこ」は、何度も殴るようすや、殴った結果、顔などが腫れ上がるようすから、「ぼこぼこになぐる」「ぼこぼこにする」という言い方がある。若者語ではこれを縮約して「ぼこる」「ぼこす」と言う。

（中里理子）

❷【音・さま】中空のものを続けてたたく高くかわいた音。また、そのさま。薄い板状のものがへこんだりたわんだりしてたてる音。「まるっきり骨を見せない団扇、〈略〉煽ぐ時、**ぼこぼこ**といふやうな音を立てるのは」〈団扇と浴衣・鏑木清方〉

❸【音・さま】軽やかに歩いたり、足を上げたりする音。また、そのさま。「士官と歩調を合せるために、半玉は胸を張って、馬の華麗な足並みのやうに膝を**ぼこぼこ**あげて兵隊式に歩いてゐた」〈童謡・川端康成〉「沓《くつ》をはいて**ポコポコ**と早足で歩行ので」〈西洋道中膝栗毛・仮名垣魯文〉

❹【音・さま】ものが続けて軽くぶつかる音。また、そのさま。『ピンポン玉が**ぼこぼこ**と壁に当たった』

❺【さま】小さいくぼみや穴が多くあるさま。ぼくぼく。『穴が庭に**ぼこぼこ**とあいていた』

❻【さま】軽い感じで続けざまにものや事が生じたり、押し寄せて来たりするさま。「可愛いキノコが野山に**ポコポコ**生えておる」〈くさびら譚・加賀乙彦〉

ぼこり【音・さま】大きな泡などが浮かびあがるときのにぶい音。はげしく急にへこんだり、隆起したり、穴があいたりするさま。『歩くたびに**ボコリ**とへこむ床』

ぽこり【さま】ものごとが急に生じたり消えたりするさま。軽い感じで急にへこんだり、穴があいたりするさま。ぽこっ。「山の両側から掘って行く隧道が段々互に近づいて最後の鶴嘴の一撃で**ぽこり**と相通ずるやうな日が何時来るか」〈春六題・寺田寅彦〉

ぼこん ❶【音・さま】液体が大きく泡立つときなどに出るにぶい音。また、そのさま。『配管内で**ボコン**と大きな音がした』

❷【音・さま】ものをたたいたり、何かを投げつけたりしたときに出るにぶい音。また、そのさま。「**ボコン**と部屋の前へ靴をたたきつけて」〈倫敦消息・夏目漱石〉

❸【さま】ものが大きく急にくぼんだり、隆起したり、穴があくさま。「揺《ごう》いてゐた歯がぬけた。**ボコン**と穴があいて、血がいくらでも出る」〈旧聞日本橋・長谷川時雨〉

ぽこん ❶【音・さま】中空のものをたたいたときの軽く明るい音。そのように軽くたたくさま。「やがて、**ぽこん**と短い響きがしたと思うと」〈雁の寺・水上勉〉

❷【さま】軽い調子で穴があいたり、くぼんだり、隆起するさま。「脹脛《ふくらはぎ》がだるく、指頭で圧すと向脛が**ぽこん**と凹むだ」〈黒い眼と茶色の目・徳富蘆花〉「首をひねられた鶏のやうに、首をガクリ胸に落し込んで、背筋の先端に大きな関節を一つ**ポコン**と露はに見せてゐた」〈蟹工船・小林多喜二〉

❸【さま】ものが軽い感じで急に現れるさま。あっけなくことが起きるさま。「若者もどうかすると水の上には見えなくなりました。さうかと思ふと、**ぽこん**と跳ね上るやうに高く水の上に現はれ出ました」〈溺れかけた兄妹・有島武郎〉「その機《はずみ》に黒の山高帽を**ぽこん**と地面《ぢべた》に落した」〈魔風恋風・小杉天外〉

ぼさっ【さま】何もしないでたるんだ感じで

使い分け

【共通の意味】たくさんの毛があるようす。

ぼさぼさ
もじゃもじゃ／ふさふさ／茫茫

❶**ぼさぼさ**は、「夕べ髪を洗ってすぐ寝たので、頭が**ボサボサ**だ」のように、髪に油気がなく整っていないようす。**もじゃもじゃ**は、たくさん髪が乱れて生えているようす。「**モジャモジャ**の毛で、なかなかクシが通らない」❷**ふさふさ**は髪や毛が長くたくさん生えているようす。「**ふさふさ**した毛並みの犬」❸**茫茫**は、髪や草などが伸び放題であるようす。「雑草が**茫々**の庭」「**ぼうぼう**に伸びたひげ」

いるさま。無愛想なさま。ぼそっ。「お前ら、**ぼさっと**たってるのが能やあらへん」〈真空地帯・野間宏〉「『ああ――名前は聞いたことがあります』小野寺は、**ボサッと**答えた」〈日本沈没・小松左京〉

ぼさぼさ ❶さま 何もしないで鈍重な感じでいるさま。ぼんやり。「何を**ボサボサ**してんだよ、ふんとに。いまどんな時だと思ってんだい」〈砧をうつ女・李恢成〉

❷さま 髪の毛などがみっともなく伸びて乱れているさま。『**ぼさぼさ**頭』「**ぼさぼさ**のグレーの髪、緑を含んだグレーの皺くちゃなワンピース」〈小さな貴婦人・吉行理恵〉

⬇使い分け「ぼさぼさ」

❸さま 紙などが乱雑に毛羽立っているさま。表面がやわらかくざらついているさま。「一枚の春画が**ボサボサ**に紙に毛が立つほど、何度も何度もグルグル廻された」〈蟹工船・小林多喜二〉「窓外の庭は、**ぼさぼさ**した赤土であって、夜毎に霜柱が立ち、日毎に溶けているのであろう」〈遠いあし音・小林勇〉

ぽさぽさ ❶さま 何ごとにも気乗りのしないさま。ぼさぼさ。「酷《ひど》くおめえ近ごろ**ぽさぽさ**しちゃってんだな」〈土・長塚節〉

❷さま 食べ物にねばりけのないさま。ぱさぱさ。「**ぽさぽさ**した口あたりながら妙においしく感じたのは」〈食在遠近・朝日新聞・06・4・4〉

ぼさり 音 紙束や服など一定のかさはあるが、重くないものが、落ちたときの音。「ポケットから一束香水紙を出して、**ボサリ**と卓子《テエブル》のはしへはふった」〈放浪時代・龍胆寺雄〉「その時、彼女のふくよかな肩に、**ぼさり**と落ちたものがあった」〈真理の春・細田民樹〉

ほしほし ❶さま古 少しずつ時間をかけて行うさま。ぼちぼち。ぽしぽし。「語説と云は読誦と云に、読は**ほしほし**と読む義なり。誦と云は高声にうちあけてそらによむ事ぞ」〈史記抄〉

❷さま古 静かに、ひとり物思いにふけるさま。しんみり。ほちほち。「その僧が**ほしほし**と銭をみてしばらくして僧が火ばしを以て故不得の三字を灰にかいてしばらくして云たぞ」〈玉塵抄〉

❸さま古 飯などが生煮えで、しんのあるさま。ほちほち。「メシガホシメク、または foxifoxito（**ホシホシト**）スル〈訳〉歯の間で飯が音をたて、飯が中までよくたけていないと感ずる」〈日葡辞書〉

❹さま古 目をしばたたくさま。「目を、**ほしほし**とたたく如何。ほほせり、ほのせりの反」〈名語記〉

ぽしぽし さま 少しずつ時間をかけて行うさま。ぼちぼち。「**ぽしぽし**始めようか」〈太政官・上司小剣〉

ぼしゃっ 音・さま 水の中へものや人が落ちたときに瞬間的に重く水のはねる音。また、そのさま。「突きおとされた豆腐屋の末っ子は〈略〉**ぼしゃっ**と水面へ落ちた」〈ロマネスク・太宰治〉

ほじゃほじゃ さま古 長い髪の乱れ垂れてゆれるさま。「ねみだれがみをゆりさげて、**ほじゃほじゃ**と、いつにわすれうぞ、おもかげ」〈狂言―花子〉

ぼじゃぼじゃ ❶声・さま よく聞きとれない声で、とりとめのないことを続けていうさま。「なんだか**ぼじゃぼじゃ**言はれたが、一向分らぬ」〈十六歳の日記・川端康成〉

❷さま古 顔や肢体がやわらかくふくらんでかわいらしいさま。ぼちゃぼちゃ。「うつぶく顔の**ぼじゃぼじゃ**と目元けふげに品深し」〈浄瑠璃―日本西王母〉

❸さま古 ゆとりのあるさま。ゆったり。「いしゃうの事〈略〉小袖のき様下の小袖のえりを出し、中の小袖のえりもすこし出し上をば**ぼじゃぼじゃ**となるやうに」〈仮名草子―催情記〉

ぼじゃり さま古 明るく笑うさま。→ぼんじゃり。「その内に、かのきみ、いかにも、

ほしゃりとさせられ」〈仮名草子―露殿物語〉

ぽしゃり ❶〔音・さま〕水の中へものや人が落ちたときに瞬間的に軽快に水のはねる音。また、そのさま。「川面で大きな魚がはねた。『ポシャリ』。波紋とともに余韻が広がった」〈旅・読売新聞・93・7・29〉

❷〔音・さま〕ふくらんでいたものがつぶれる音。また、そのさま。計画していたものがつぶれるさま。『昨年来の計画が上司のひとことで**ポシャリ**とつぶれた』

ぼせぼせ 〔さま〕〔古〕低い声で話をするさま。ぼそぼそ。「こなた衆を追いのけて奥で**ぼせぼせ**」〈浄瑠璃―田村麿鈴鹿合戦〉

ぼそっ ❶〔声・さま〕小声でひとことつぶやくように話すさま。ぼそり。「『ここに、ゐるよ』と、二階を見上げて、**ボソッ**とした口調で云った」〈春風駘蕩・源氏鶏太〉

❷〔さま〕注意の足りないさま。気乗りのしないさま。ぼんやり。ぼそり。「通りに出てよく**ぼそっ**とした顔付で眺めてゐるのも」〈続女ひと・室生犀星〉

❸〔さま〕わずかな抵抗で、紙や壁などがもろく破れたり穴があいたりするさま。「火炎をひとところに集めたらそこんとこだけ**ボソッ**とまるくへっこみおった」〈雪の下の蟹・古井由吉〉

❹〔さま〕食べ物の水分やねばりけが少なかったり、干からびてつやのないさま。「繊維が壊れているから水を吸い過ぎ、硬く**ボソッ**としてまずくなる。とにかく新鮮な生肉を」〈ソーセージを作る・朝日新聞・93・9・4〉

ぽそっ ❶〔さま〕ひとこと小声でつぶやくように、ことば少なに話すさま。ぼそり。「学者のうるさいおしゃべりを黙らすにはこれが効く。**ぽそっ**と『でもやっぱり、ひばりはいいなあ』と言えばいい、と」〈竹中労の「ひばり本」復活・朝日新聞・05・7・12〉

❷〔さま〕水分が少なかったり、干からびてつやのないさま。『紙粘土が**ポソッ**となって、扱いにくい』

ほそほそ 〔声・さま〕ささやくような小さい声。また、そのさま。ひそひそ。「そこでは近所のおなご衆が**ほそほそ**と、『〈略〉見とるがよい。ろくなことにはならんから』と話し合っておりました」〈蕗のとう・山代巴〉

ぼそぼそ ❶〔声・さま〕よく聞きとれない低く小さな声で話し続けるさま。張りのない沈んだ声で話すさま。ぽそぽそ。「**ボソボソ**二人の噂をして居る声がする」〈世間師・小栗風葉〉 ⬇使い分け「ぼそぼそ」

❷〔音〕沈んだ低い音。「営内靴を**ぼそぼそ**といわせてゆっくりと歩いて行った」〈真空地帯・野間宏〉「静脈瘤の浮んだふくらはぎを**ボソボソ**掻いた」〈半チョッパリ・李恢成〉

使い分け

【共通の意味】
話し方がぎこちなく、わかりにくいようす。

ぼそぼそ
ぽつぽつ／ごにょごにょ／訥訥

❶**ぼそぼそ**は、低く小さい声で聞き取りにくく話すようす。「保健室の先生に、学校を休んでいた理由を**ぼそぼそ**と話す」

❷**ぽつぽつ**は、少しずつ断片的に話すようす。「最近になって、昔のつらかった体験について**ポツポツ**と話すようになった」

❸**ごにょごにょ**は、内緒話を耳もとでしたり、口の中で、聞き取りにくくつぶやくようす。「幼い子どもが、親の耳もとで何やら**ごにょごにょ**言っている」「うまく発音できなくて、**ゴニョゴニョ**とごまかす」

❹**訥訥**は、口ごもりながら、つかえつかえ話すようす。「**トツトツ**とした話ながら、説得力がある」のように、口下手でも好感の持てる場合に使うことが多い。

❸〔さま〕飯やパンなどの水分がなくなるなど干からびてつやのないさま。ぱさぱさ。「**ぼそぼそ**した、ほそ長い米を皿によそるたびに」〈白毛・北杜夫〉

❹〔さま〕張りがなく、陰気なさま。「秋声

は、『どうせ自分のものは読者受けはしない』と諦めて、ボソボソと書いてゐたのに反し」〈我が生涯と文学・正宗白鳥〉「**ぼそぼそ**と生きるにいいだけのことをして、内輪に内輪にと暮してゐる」〈星座・有島武郎〉

ぽそぽそ ❶【声・さま】低く小さな声で話し続けるさま。張りのない沈んだ声で話し続けるさま。「唄が遏《や》むと、**ぽそぽそ**話声が聞えだした」〈足袋の底・徳田秋声〉❷【さま】飯やパンなどの水分がなくなるなど干からびてつやのないさま。「サンドイッチはパンが**ポソポソ**になりやすい」〈山への誘い・黒田初子〉❸【さま】貧弱で陰気なさま。「髪の仰山な飾にそぐわない**ポソポソ**とした装《なり》の娘が」〈善心悪心・里見弴〉

ぼそり ❶【さま】ひとことつぶやくように小声で話すさま。ぼそっ。「高之は**ぼそり**とした弱った声で云った」〈家族会議・横光利一〉❷【さま】気力を失って何もしないでいるさま。ぼんやり。ぼそっ。「彼は気《け》おされたまま**ぼそり**とたっている今井上等兵に」〈真空地帯・野間宏〉❸【さま】わずかな力で、紙や壁などがもろく破れたり穴があいたりするさま。「隣室との壁の厚さ一寸以内で、指で一寸押せば**ボソリ**と穴が開く」〈夢声半代記・徳川夢声〉

ぽそり【さま】ひとことつぶやくように小声で話すさま。ぽそっ。「『代表作はこれからだねえ』と**ぽそり**という」〈ズームアップ・朝日新聞・04・12・21〉

ぼそん【さま】低い声でひとこと大事なことだけ話すさま。ぼそり。ぼそっ。「頼りにした伊助も、じょ、じょ、浄瑠璃にようある話やと**ぼそん**と云ふだけで、あとぽかんと見送ってゐた」〈蛍・織田作之助〉「やがて『夢だ』とひとことしゃがれた声で**ぼそん**というと」〈足摺岬・田宮虎彦〉

ほぞんかけたか【声】ホトトギスの鳴く声。➡鳴き声編

ぼたっ【音・さま】水滴や水分を含んだもののかたまりなどが、にぶく一つ落ちる音。やわらかいものが落ちたときにたてるにぶい音。また、そのさま。「原稿紙がぼうっとして**ぼたっ**と涙が落ちた」〈おとうと・幸田文〉「なにかの果実が熟れに熟れて、**ボタッ**と厭な音を立てて地上に落ち」〈春風駘蕩・源氏鶏太〉

ぽたっ【音・さま】水滴や水分を含んだもののかたまりなどが、軽く一つ落ちる音。小さなものが落ちたときにたてるかすかな音。また、そのさま。ぽとっ。「楢の葉はパチパチ鳴り雫の音も**ポタッ**ポタッと聞えて来たのです」〈谷・宮沢賢治〉

ほたほた ❶【さま】機嫌よく、いかにもうれしそうなさま。笑みを浮かべながら愛敬をふりまくさま。「彼《ぁ》の子も替らず勉強で御座んすかと問へば、母親は**ほたほた**として茶を進めながら」〈十三夜・樋口一葉〉【方言】うれしそうに笑みを浮かべるさま。「ほめられて**ほたほた**して帰ってったよ」〈静岡県〉「この子お母さんにだっこされて、**ほたほた**じゃ」〈岡山県〉❷【さま】水滴や涙などが連続して落ちるさま。やわらかなものなどが続いて落ちるさま。「**ほたほた**と雫がたれるのを」〈銀の匙・中勘助〉❸【音】戸やものなどを軽くたたく音。ほとほと。とんとん。「やがて中川宮の屋敷にいくと、**ほたほた**と門をたたいた」〈王城の護衛者・司馬遼太郎〉

ぼたぼた ❶【音・さま】小さなものがはげしく次々に落ちるときにたてる重たげな音。かたまりとなって、はげしく次々に落ちるさま。「息休めもしないで一気に登ったので、二人の額からは汗が**ぼたぼた**落ちた」〈入江のほとり・正宗白鳥〉「**ぼたぼた**と地に咲揃ふ椿かな〈呉郷〉」〈俳諧新選〉。❷【さま】重くまつわりついて、ものの動きをもたつかせるさま。「大きな藁《わら》草履は固めたやうに霜解《しもどけ》の泥がくっついて、

それがぼたぼたと足の運びを鈍くして居る」〈土・長塚節〉

ぽたぽた ❶ 音・さま 水滴や木の実のような小さいものや、やわらかいものが、次々と落ちる軽い音。また、そのさま。「彼は突然**ぽたぽた**と涙を落し始めた」〈明暗・夏目漱石〉 ⬇使い分け「たらたら」
❷ 音・さま 続けて軽くたたく音。また、そのさま。「お春は、少年の首にそっと手を廻して、頤《ごぁ》を指先で**ぽたぽた**叩いてやりながら」〈浅草紅団・川端康成〉「**ポタポタ**と音を立てるゴム草履《ざうり》のやうな音が聞えて」〈都会の憂鬱・佐藤春夫〉

ぼたり ❶ 音・さま 水滴ややわらかいもののかたまりなどが、重さや存在感を伴って一つ落ちる音。また、そのさま。「おもいきって大輪の赤に、**ぼたり**と真白く、まったく糊をこぼしたように斑が入っている」〈第3ブラリひょうたん・高田保〉「今掃いた迹から煤が**ぼたり**哉」〈文政句帖・一茶〉
❷ さま 古 太っていていかにも動作のにぶいさま。「なる程、つきのわろき女なり。みかけ、**ぼたり**として、とりなり扨々あしし」〈評判記―満散利久佐〉

ぽたり 音・さま 水滴や水分を含んだもののかたまりなどが、軽く一つ落ちるさま。小さなものが落ちたときにたてるかすかな音。「一雫の涙が**ぽたり**と膝の上に落ちた」〈虞美人草・夏目漱石〉 ⬇使い分け「ほろり」

ぼたん 音・さま 水滴ややわらかいものなどが重たげに落下する音。また、そのさま。「諏訪の殿さま　牡丹餅好きで　宵に九つ　朝七つ　二つ残して　袋に入れて　馬に乗るとて　**ぼたん**と落し」〈童謡―諏訪の殿様・島木赤彦〉

ぽたん 音・さま 水滴ややわらかいものなどが軽く落下する音。また、そのさま。「向ふの藪には赤い椿が咲いて、春の日は流れに**ポタン**と花がおちる」〈旧聞日本橋・長谷川時雨〉

ぽちっ ❶ さま 点や穴などが一つだけあいているさま。「最初**ポチッ**とした只の点のやうであったその不安は、忽ちの内にその大きな黒い翼を拡げて」〈怒れる高村軍曹・新井紀一〉
❷ 音・さま 小さなものや突起などを押す音。また、そのさま。「中国のプロが彫る篆《てん》書体で〈略〉どこかに赤く**ぽちっ**と押してあるだけで味があり」〈コレあげよっと・毎日新聞・99・11・26〉

ほちほち ❶ さま 古 おぼつかないようすで少しずつ時間をかけて行うさま。一つずつ順を追ってするさま。「或人なにはの中の物語仕るを、かたへにて**ほちほち**書きつくれば」〈浮世草子―好色万金丹〉
❷ さま 古 静かに、ひとり物思いにふけるさま。しんみり。「むすこ、部屋持、あとへ残り、**ほちほち**はなしをしてゐる」〈洒落本―遊子方言〉
❸ 音 古 軽くものをはじく音。また、小さいものが落ちたり、こわれたりするときにたてる音。「算《そろ》盤《ばん》の玉を**ホチホチ**物思ひ」〈雑俳―若の浦〉
❹ さま 古 飯が生煮えで、しんのあるさま。「米釜中に在て半生半熟す〈略〉再び煮るに、上半分ほどは、**ほちほち**として、ついに半生の味をなす」〈随筆―孔雀楼筆記〉

ぼちぼち ❶ さま ある行為を時間をかけて行うさま。ある事態や水準になるかならないかの微妙なさま。ぼつぼつ。「さらには阿彌陀経、観経、大経など**ぼちぼち**と進みましても」〈蝶の皿・秦恒平〉「儲かりまっか。まあ、**ボチボチ**でんな」〈羽なければ・小田実〉
❷ さま 小さなものが散らばってあるさま。ぼつぼつ。「ここの所に、**ぼちぼち**ぼちと斑《ふ》があるのさ」〈浮世風呂・式亭三馬〉
❸ 音・さま 古 水滴などが続いて落ちる音。また、そのさま。「Bochibochi（**ボチボ**チ）〈訳〉たとえば雨漏りのように上から水

の垂れる音、あるいは鼠が何かをかじる際になす音、あるいはそのさま」〈日葡辞書〉❹[さま][古]小声で話すさま。男女が仲むつまじく語り合うさま。「内からすだれをすこしまきあげて〈略〉何やら**ぼちぼち**とはなす」〈洒落本—取組手鑑〉

ぽちぽち ❶[さま]今にもとりかかろうとしているさま。おぼつかないようすで少しずつ順を追ってするさま。「長っ尻《ちり》するきっかけがもうなくなっているんだ。もう**ぽちぽち**帰りかけているとこだ」〈暗黒公使・夢野久作〉「**ぽちぽち**とひろゐよみする梅ごよみ」〈春色梅児誉美・為永春水〉❷[さま]小さなものが、散らばってあちこちにあるさま。「白い小さい花が**ポチポチ**咲いて」〈田舎教師・田山花袋〉⬇使い分け「ぽちぽち」❸[音・さま]雨や水滴などの落ちる軽い音。また、そのさま。「エエ、鬼の目にも涙のやうな、雨が**ポチポチ**落ちて来た」〈歌舞伎—桜姫東文章・鶴屋南北〉❹[音]枯れた小枝などが次々に折れるときのかわいた音。ぱちぱち。「落ちて居る竹の枝が足の下に**ぽちぽち**と折れて鳴った」〈土・長塚節〉❺[さま][古]まばたきをするさま。ぱちぱち。しばしば。「目を**ぽちぽち**としてうごめくさま」〈昔話稲妻表紙・山東京伝〉❻[名]いくつもある小さな斑点。「黒い**ぽちぽち**が出鱈目に出来る」〈坑夫・夏目漱石〉

ぽちゃっ ❶[音・さま]ものが水に落ちるときの軽い音。水けの多いものが落ちてたてる軽い音。また、そのさま。『湯船に**ポチャッ**と石けんを落とした』『熟した柿が一つ**ぽちゃっ**と落ちた』❷[さま]顔や体つきが、愛らしいほどふくよかなさま。「小柄で、**ぽちゃっ**としており、胴のくびれた男好きのするタイプで」〈雁の寺・水上勉〉

ほちゃほちゃ ❶[さま][古]顔や体つきが、ふくよかで愛らしいさま。「としは四十にふたつ過れど、みめかたちうるはしく、**ほちゃほちゃ**とし付て」〈浮世草子—好色美人角力〉❷[さま][古]愛想のよいさま。仲よくするさま。『**ほちゃほちゃ**話』(＝男女のむつごと)[方言]男女が仲よくするさま。「初めのうちは**ほちゃほちゃ**しよったけんどな」〈徳島県〉❸[さま][方言]しつこく催促するさま。やいのやいの。「**ほちゃほちゃ**する」〈神奈川県〉❹[さま][方言]悦にいるさま。「大金が入って**ほちゃほちゃ**」〈東京都〉

ぼちゃぼちゃ ❶[音・さま]水をかき乱す音。ひとつところだけで動き回っているさま。「水の中に足を入れて**ぼちゃぼちゃ**歩きながら」〈忘却の河・福永武彦〉「子供等が丸裸の背や胸に泥を塗っては小川へ入って**ボチャボチャ**やって居る」〈花物語・寺田寅彦〉❷[さま]顔や体つきが、肥え太っていても愛らしく感じられるさま。「**ボチャボチャ**した色白の顔で、愛嬌のある口元から金歯の光が洩《も》れてゐた」〈新世帯・徳田秋声〉❸[さま][古]小声でつぶやくさま。ぼじゃぼ

使い分け

【共通の意味】小さい粒状のものがたくさんあるようす。

ぽちぽち

つぶつぶ／ぶつぶつ／ぼつぼつ

❶**ぽちぽち**は小さくてまるいものや粒のようなものがあちこちにあるようす。「白に黒い**ぽちぽち**のある子犬」「小さい真珠が**ぽちぽち**ついているブローチ」❷**つぶつぶ**は、粒が表面や中にたくさんあるようす。「こしあんより、小豆の**粒々**《つぶつぶ》が残っているあんのほうが好きだ」❸**ぶつぶつ**、**ぼつぼつ**は、皮膚などの表面に粒のようなものがたくさんあるようす。**ぼつぼつ**のほうがまばらな感じ。「薬を飲んだら、体中に赤い**ブツブツ**が出た」「顔にニキビのあとが、**ボツボツ**と残っている」

じゃ。「ボチャボチャイフ。つぶやく」〈詞葉新雅〉

❹さま古 愛想よくねんごろであるさま。「吉田に閑居を嬉しく思ひ侍りてまかれば、いかにも**ぼぢゃぼぢゃ**とあひしらはれしなり。さすが又慇懃也。妙也」〈耳底記〉

❺名古 風呂。また、風呂にはいることをいう幼児語。「**ぼちゃぼちゃ**をするとだぶだぶがはねます」〈浮世風呂・式亭三馬〉

ぽちゃぽちゃ ❶音・さま 水がものに当たってたてる明るい音。水を小さくかき乱す音。また、そのさま。「**ぽちゃぽちゃ**水の音をさせて洗ひ物をして居るのである」〈春の潮・伊藤左千夫〉

❷さま 少し太りぎみのさま。顔や体つきが、みずみずしく肥えているさま。「三人の**ぽちゃぽちゃ**太った可愛らしい写真と共に」〈思出の記・徳冨蘆花〉

❸名 風呂、または風呂にはいることをいう幼児語。『**ポチャポチャ**の前に歯みがきしましょうね』

ぼちゃり 音 水面にものがぶつかって瞬間的にたてる大きな音。「手に持て居た吸物椀の中へ雪踏《せった》が**ボチャリ**と入ったから驚いて面《ほか》を上げ」〈菊模様皿山奇談・三遊亭圓朝〉

ぽちゃり 音 水面にものがぶつかってたてる軽い音。魚のはねる音。「水際から上げるとき、**ぽちゃり**と跳ねたから」〈坊っちゃん・夏目漱石〉

ぼちゃん 音 大きなものが水に落ちたときの音。「それは落ちてから水溜りでもあったのでせう、**ボチャン**といふ、微かな音がしました」〈オリンポスの果実・田中英光〉

ぽちゃん 音 小さなものが水中に落ちる音。「ところが、**ぽちゃん**ともどぶんとも音がしない」〈時計屋敷の秘密・海野十三〉

ぽちり さま 涙や水滴などが一滴したたり落ちるさま。ぽつり。「『それは何卒、お玉さぁ、言はねへで下だせへよ』と**ボチリ**と老婆は涙を落した」〈良人の自白・木下尚江〉

ぽちんぽちん 音・さま 雨や水滴などが少し間をおきながらしたたり落ちる音。また、そのさま。「雨が降り出して青葉の雫の**ポチンポチン**と音するのが心の底へ響くのである」〈良人の自白・木下尚江〉

ほっ ❶さま 安心したり、緊張などから解放されて太く息をつくさま。ため息をつくさま。「ようやく見つけた空席に身を落ち着けて、**ほっ**と安堵したような気分になった」〈砂漠の駅・森村誠一〉

❷さま古 持てあまして困るさま。同じ状態が続いたりして、いやけのさすさま。「勿体ない事じゃが、此商売も**ほっ**と厭いたわい」〈歌舞伎―幼稚子敵討・並木正三〉

❸さま古 もの、人、状態、においなどが急に現れるさま。急に酔うことなどにもいう。「幸崎の亡霊、以前の子を抱き、**ほっ**と現はれ」〈歌舞伎―彩入御伽草・鶴屋南北〉

ぼっ ❶音・さま 火が強く燃え立つ音。また、そのさま。「カチカチと燧《しい》を打って**ぼっ**と行燈《あんどん》へ火を移した」〈大鵬のゆくえ・国枝史郎〉

❷さま 急にはげしく顔が赤くなるさま。「お作は薄化粧した顔を**ボッ**と紅《あか》くして、俛《うつむ》いてゐた」〈新世帯・徳田秋声〉

❸さま 暗い中に、小さく、また、不明瞭に火やあかりの見えるさま。ものの輪郭が不明瞭なさま。「お部屋へはひると、**ぼっ**と電燈が、ともってゐる」〈女生徒・太宰治〉「晴れ渡った天空の藍のもとに、馬上の人は黒く地に投影し、すすきの**ぼっ**とした穂は近く遠くかさなり合って」〈断橋・岩野泡鳴〉

❹さま 意識が抜けていたり、漠然と知覚されるさま。ぼんやり。「傍へ行きゃ、**ぼっ**と佳い香のするばかりで」〈日本橋・泉鏡花〉「二桐は**ボッ**として病人のプルスを診る手を忘れてゐた」〈木石・舟橋聖一〉

ぽっ ❶さま 軽い調子で急に現れるさま。『田舎から**ぽっ**と出てくる』「**ぽっ**と大柄なはすっぱな調子が出ていてすっとおかしかった」〈終電車・島尾敏雄〉

ほ

❷さま急に日がさしたり、光がさすさま。「俺は、心の奥に何かがポッと点火されたやうなほの温かさを感じて来た」〈悟浄歎異・中島敦〉
❸さま顔や体がほてったり、赤くなったりするさま。「礼子は少し上気《のぼ》せて**ぽっ**と紅味《あかみ》を帯びた美しい顔を暫時傾《かしげ》て居たが」〈暴風・国木田独歩〉
❹さま自分を失うさま。異性にのぼせて気をうばわれるさま。「あついなみだをほろりとこぼし、かた気の男も**ぽっ**として」〈端唄—大津ゑかへうた〉
❺さま生活の苦労もなく、あまり気が回らないさま。「母親に甘やかされて**ぽっ**と育ったる世間知らずの上に」〈いさなとり・幸田露伴〉

ほっか さま古急激なさま。あっけないさま。「**ほっか**と折るる木もあれども藤なんどはをしたをめてねづれども難折間縦横にねづるやうなり」〈三体詩幻雲抄〉

ほっかり ❶さま包みこむようなあたたかみを感じるさま。息や湯気があたたかくかかるさま。「手に持ってゐる毛糸が急に**ほっかり**暖かく」〈斜陽・太宰治〉
❷さまやわらかい日ざしや弱い光が、ほのかにさすさま。「**ほっかり**とした長閑な日射しが、柔かに輝いて」〈金・宮嶋資夫〉
❸さま事態が急に変わるさま。ある範囲全体が変貌するさま。すっかり。「照らされた部分は明るい灰色の断片となって暗い中に**ほっかり**落ちた。さうして二人の影が動くに伴れて動いた」〈門・夏目漱石〉
❹さま古うかつであったり、唐突であったりして、ある事態に至るさま。うっかり。「何が御遊興の最中なれば**ほっかり**とも行かれず」〈浄瑠璃—夏祭浪花鑑〉
❺さま古口や穴が大きくあいているさま。口を大きくあけてかぶりつくさま。ぱっくり。「白狐とびいで、彼さふらひの腕くひ、**ほっかり**とくらひついて」〈咄本—軽口蓬莱山〉
❻さま方言落ち着き、安堵《あんど》するさま。「いそがしい客事がすんで**ほっかりした**」〈山口県〉「子どもが全部学校をおりた(卒業した)ので**ほっかりした**」〈山口県〉

ぼっかり ❶さま口や穴が迫力をもって大きくあいているさま。口を大きくあけて力強くかぶりつくさま。『道に**ボッカリ**と大きな穴が空いていた』「下地がにやこい旦那様、小じたたるふ仕かけたら**ぼっかり**と喰いついて」〈浄瑠璃—夕霧阿波鳴渡・近松門左衛門〉
❷さま古うかつなさま。急なさま。「首尾よふ其お姫様連まして戻ったら、わたしが女房に下さりませと、**ぼっかり**いへば」〈浄瑠璃—源頼家源実朝鎌倉三代記〉

ぽっかり ❶さま口や目、あるいは穴などが大きくあいているさま。「丁度十二時と云ふに、伯父は**ぽっかり**と眼を見開き」〈思出の記・徳冨蘆花〉
❷さま何の考えもなしに即座にするさま。唐突なさま。「直にそれがほしいといって、百両といふ大金を**ぽっかり**とお渡しなさる」〈歌舞伎—曾我綉侠御所染(御所五郎蔵)・河竹默阿彌〉「そいつがだしぬけに**ぽっかり**と姿をあらわした」〈河口にて・北杜夫〉
❸さま気持ちのよいあたたかさを感じるさま。息や湯気があたたかくかかるさま。「車の中は**ぽっかり**と暖かだった」〈金・宮嶋資夫〉
❹さま水面や空に、軽々と浮かんでいるさま。「ジャンヌ・ダルクの出現を**ぽっかり**宙に浮き出た荒唐無稽の幻と眺め去ることなく」〈普賢・石川淳〉

ほっき ❶声古ホトトギスの鳴く声。⬇鳴き声編
❷音・さま古かたくて弾力性のないものが折れる音。また、そのさま。「譬へばあっちからついてくるもののさきを**ほっき**と折やうにぞ」〈漢書列伝竺桃抄〉
❸音・さま古かたいものが別のかたいもの

に当たる音。また、そのさま。「かむりの板にをしあてて、二打三打**ほっき**丁々《ちょうちょう》とうちければ」〈狂言記―文蔵〉

ぼっき 音・さま 古 かたいものが別のかたいものにはげしくぶつかる音。また、そのさま。「丹二が刃忽地鍔際より、**発毀**《ぼっき》と打るれば心忙て」〈占夢南柯後記・曲亭馬琴〉

ぽっき 音・さま かたいものがあっけなく簡単に折れる音。また、そのさま。「盗人の**ぽっき**と折れし初一念」〈雑俳―俳諧觽〉

ぼっきり 音・さま かたくてじょうぶなものがはげしく折れる音。また、そのさま。『庭の梅の古木の枝が台風で**ぼっきり**と折れてしまった』

ぽっきり ❶ 音・さま かたいものがあっけなくきれいに折れる音。また、そのさま。「もとの茎は爆風で根元から**ぽっきり**折れ、あとかたも無くなって」〈黒い雨・井伏鱒二〉
❷ さま 長いもの、または継続する事柄が、きれいに切れたり中断するさま。「春の草のやうに萌え出した元気は、**ぽっきり**と心《しん》を留められてしまった」〈或る女・有島武郎〉
❸ さま ちょうどそれだけであるさま。「五十銭に値切って五十銭**ポッキリ**寄越すってえのは」〈まんだん読本・松浦翠波〉
✻③は、数量を表す名詞に付く。

ほっく 音・さま 古 かたいものが折れる音。また、そのさま。ぽっきり。ほっき。「ぬけはせで此刀、目貫ぎわより**ほっく**とおれ、波打ぎわにさっと入」〈狂言―文蔵〉

ほっくり ❶ さま やわらかく、みずみずしくふくらんでいるさま。性質のおだやかで円満なさま。ほっこり。「湯気をたてているお饅頭である。白く**ほっくり**と、いかにも手づくり風だ」〈ウフフのお話・林真理子〉「其の余の人は、嗚呼**ほっくり**として、よい人ぢゃまでそ」〈史記抄〉
❷ さま 古 ものが折れるさま。うなずいたり軽く礼をしたりするさま。「**ほっくり**と遠州すかし欠けにけり」〈雑俳―俳諧觽〉
❸ 名 古 うなずくこと。軽く礼をすること。「こっちから手まねぎをしれば、あっちからは**ほっくり**を仕懸て」〈田舎芝居・万象亭〉

ぼっくり ❶ 音 中が空洞のものを打ったり、たたくときのにぶい音。『**ぼっくり**下駄』
❷ さま 古 棒や出っ張ったものがものを突くさま。「鮫肌、突く様で、刺す様で、しっくり、**ぼっくり**、がっくり」〈浄瑠璃―日本振袖始・近松門左衛門〉
❸ さま 目立つほどにふくらんでいるさま。「ああ、春は遠くからけぶって来る、**ぼっくり**ふくらんだ柳の芽のしたに、やさしいくちびるをさしよせ」〈月に吠える・萩原朔太郎〉

ぽっくり ❶ さま ものがあっけなく折れるさま。元気だった人が突然死ぬさま。「私は最後に、**ポックリ**折れ曲った楓の側を踏越えて出て行った」〈夏の花・原民喜〉「これで**ポックリ**逝って了はないものでもない、とも思はれた」〈河豚・里見弴〉
❷ さま 突然消え失せたり現れ出たりするさま。「そんな心の状態のなかへ、**ぽっくり**とひとつの記憶が浮びあがる」〈感情旅行・中村真一郎〉
❸ さま 一度軽くうなずいたり、礼をしたりするさま。「平素《つね》には似ず、大袈裟に一つ**ぽっくり**と礼をばする」〈五重塔・幸田露伴〉
❹ さま やわらかくふくらんでいるさま。「反対に『金時』は大ぶりで、黄金色に**ぽっくり**して」〈父の詫び状・向田邦子〉

ほっくりほっくり さま 古 少しずつ時間をかけて進むさま。「としよりの坂をあがるごとくに、**ほっくりほっくり**と一字ずつおしへさせられひ」〈狂言―伊呂波〉

ぼっくりぼっくり 音・さま 少しずつ時間をかけて踏みしめながら歩く音。また、そのさま。ぼくりぼくり。「小六**ぼっくりぼっくり**、ついたる竹の杖ころく」〈歌謡―松の葉〉

ぽっくりぽっくり 音・さま 少しずつ時間をかけてウマなどが規則的に歩く足音。また、そのさま。「おうまのおやこはなかよしこよしいつでもいっしょに**ぽっくりぽっくり**あるく」〈文部省唱歌—おうま・林柳波〉

ほっこり ❶ さま 快適であたたかいさま。「**ほっこり**と冬の日向に蠅の居て」〈雑俳—俳諧觿〉 ❷ さま やわらかく、みずみずしくふくらんでいるさま。「いかにも五百目は五百めじゃが、薩摩芋の**ほっこり**じゃ有った」〈咄本—軽口大黒柱〉 ❸ さま 色つやがよく明るいさま。心が満ち足りてあたたかいさま。「奥様の御機嫌よく、**ほっこり**としたお顔の色」〈浄瑠璃—信田小太郎〉 ❹ さま 古 状態が極まっているさま。ほとほと。「お通めが道草で、**ほっこり**と困り果てた」〈歌舞伎—台頭霞彩幕(三勝半七)〉 ❺ さま 方言 非常に疲れたさま。やり遂げてほっとするさま。北陸・近畿地方・三重県。「平日も洗濯をして**ほっこり**した」〈福井県〉「やらんなんこと(しなければならないこと)がすんで、**ほっこり**しますなー」〈京都府〉「一日中本読んでて**ほっこり**したわ」〈滋賀県〉

ぼっこり ❶ さま 見苦しいほどに、ふくらんでいるさま。『**ボッコリ**したおなかを引き締める体操』「裳《すそ》の折り曲げた角がまだ**ぼっこり**ふくらんでゐて」〈判任官の子・十和田操〉 ❷ さま すべての重みをかけているさま。「枕辺近くよせた肘掛椅子(アーム・チェヤア)に、**ボッコリ**と腰を沈め」〈大道無門・里見弴〉 ❸ 名 世事にうとく、うぶな人。『**ぼっこり**息子』(=まだ世事になれず人にすれていない息子)「**ぼっこり**の寝言で母がおどろひた」〈雑俳—狐の茶袋〉

ぽっこり ❶ さま 軽い調子で急に現れるさま。「天井をめくると、運転台から、上に**ぽっこり**青空が見える」〈ぽんこつ・阿川弘之〉 ❷ さま 小さいくぼみなどのあるさま。小さな出っ張りのあるさま。「姉の背中は、右半分、**ぽっこり**くぼんでいた。子供の時の、肋膜の手術跡だった」〈岬・中上健次〉 ⬇使い分け「こんもり」

ぼっさり ❶ さま 何もしないで、周囲に関心を抱かずにいるさま。「寮の内に**笨然**《ぼっさり》として居る卯平を見出して」〈土・長塚節〉 ❷ さま 草木などの乱れ茂るさま。「笹は**ぼっさり**と水の上に覆ひかぶさって、山芋の蔓がびっしりと絆って居る」〈才丸行き・長塚節〉「低い築地とその際にたった一本だけかなりに大きな無花果の樹が**ぼっさり**と茂ってゐた」〈医師高間房一氏・田畑修一郎〉

ほっしり ❶ 音・さま 古 ものがつぶれる音。矢などが的を射抜く音。また、そのさま。「**ほっしり**は、的などに矢の当りたる音歟」〈かた言〉 ❷ さま 古 もの静かにたたずむさま。「欄干に立ちつくしてそなたの空を**ほっしり**と、打ちはぶきて面やせて、医者の手を置く物思ひ」〈浄瑠璃—用明天皇職人鑑・近松門左衛門〉

ぽっしり 音・さま 古 ものがつぶれる音。矢などが的を射抜く音。また、そのさま。「**ぽっしり**〈略〉物をつぶす声、又ポッチリとも云」〈俚言集覧〉

ほっすら さま 細く見ばえのよいさま。ほっそり。「子供らしく反れた**ほっすら**した鼻すぢの辺の緻密な皮膚が」〈アパアトの女たちと僕と・龍胆寺雄〉

ほっそり さま 細くて流れるような姿をしているさま。「外国映画の貴婦人が〈略〉**ほっそり**した、匂やかな手をさし出すあのスタイルを以て」〈青年の環・野間宏〉「梅が皃桜色にて**ほっそり**と柳腰にもあらせてし哉」〈狂歌—後撰夷曲集〉 ⬇使い分け「ひょろひょろ」

ほっそりすらり さま 細くて美しいさま。「面躰うつくしくはなすぢとをってとりな

りよく、**ほっそりすらり**の柳ごしなれば万けたかくみゆ」〈評判記―野良立役舞台大鏡〉

ほっそりすわり [さま][古]細くすずやかな感じを与えるさま。「全体ゆうれいといふものは、**ほっそり**、**すうわり**と凄《すご》い程、器量がようなけにゃ、うつらぬ物じゃ」〈咄本―軽口大黒柱〉

ほったほった [さま][方言]用もないのに忙しそうに歩き回るさま。「**ほったほった**しゃーるく」〈愛媛県〉

ほったり [音・さま]水滴ややわらかいものが一つゆるやかに落ちる音。また、そのさま。「生けるが如く接吻をすると、涙が**ほったり**と写真の横顔を霑《ぬら》した」〈多情多恨・尾崎紅葉〉

ぼったり ❶[音・さま]やわらかなものが重たげに落ちる音。また、そのさま。「嘘《うそ》ついた者地獄の釜《かま》へ**ぼったり**と落て舌をば抜かるるとや」〈浮世草子―熊谷女編笠〉 ❷[さま]いかにも重そうにふくらんでいるさま。「シャツもたちまち濡れて**ぼったり**と重くなった」〈夏の闇・開高健〉 ❸[さま][方言]残るところのないさま。まるごと全部。すっかり。「**ぼったり**ぬれてしもた」〈徳島県〉「今日はさかなを一匹残らず、**ぼったり**売ってしもーた」〈高知県〉

ぽったり ❶[音・さま]水滴ややわらかいもの、小さなものなどが落ちる軽い音。また、そのさま。「燕が飛んで来て土《どろ》を**ぽったり**と竹次郎の手の上へ落す」〈人情本―恋の若竹〉 ❷[さま]きれいにあとかたもないさま。「大きな楓の幹が中途から**ポッタリ**折られて、梢を手水鉢の上に投出してゐる」〈夏の花・原民喜〉

ぽっちぽっち [さま][古]小声で話すさま。男女が仲むつまじく語り合うさま。ぼちぼち。「跡は**ポッチポッチ**の閨話《はなし》にて一向に聞とれず」〈人情本―廓宇久為寿〉

ぼっちゃり [さま]まるく肥えて愛嬌のあるさま。「旦那なんざア瓜実顔より、少々円くって**ぼっちゃり**と、した方がお好だ」〈春色淀の曙・松亭金水〉

ぽっちゃり [さま]まるく肥えてかわいらしいさま。ぼっちゃり。「色の白い**ぽっちゃり**とした初々しい娘だった」〈都会の憂鬱・佐藤春夫〉 ⇩使い分け「ぽっちゃり」

ほっちり ❶[さま][古]大きく目を見開くさま。ぱっちり。「目を**ほっちり**とあいて南無阿彌陀仏南無阿彌陀仏と」〈浄瑠璃―傾城反魂香・近松門左衛門〉 ❷[さま]量や程度の極めて少ないさま。わずかに。「肉体の孰《いづ》れの部分かに失はれんとして**ほっちり**と其俤《おもかげ》を止めて居た青春の血液の一滴が」〈土・長塚節〉 ❸[名][古]小さい点。ぽっち。「額口の**ほっちり**は灸点屋の看板か」〈船頭深話・式亭三馬〉

ぼっちり [さま][方言]ちょうど具合のよいさま。「ぽっちり」ともいう。「**ぼっちり**ええところへ来たもんねや」〈高知県〉「この柄《がら》はおまさんに**ぽっちり**ぢゃいか」〈高知県〉

ぽっちり ❶[さま]量や程度の極めて少ないさま。「こんな**ぽっちり**した俸給では、定

使い分け

【共通の意味】肉づきの豊かなようす。

ぽっちゃり

ぶくぶく／ぶよぶよ／ぼってり

❶**ぽっちゃり**は、ほおや体つきがふくよかで、かわいらしいようす。「えくぼのある**ぽっちゃり**したほっぺた」 ❷**ぶくぶく**、**ぶよぶよ**は、太って醜いようす。**ぶくぶく**は、体全体に肉がついているのに対し、**ぶよぶよ**は体全体や体の一部がたるんでいるようす。「中年になって**ぶくぶく**太ってきた」「二の腕が**ぶよぶよ**とたるんでいる」 ❸**ぼってり**は、体の一部に肉がついて厚みのあるようす。「腰に**ぼってり**と肉がついた」

めし生活も難しからうといふ訳でもあるまいが」〈茶話・薄田泣菫〉「映写技師さんには、一ヶ月にポッチリでも公休がなかったかと私は不思議でならなかった」〈漫談集・大辻司郎〉 ➡使い分け「ちょっぴり」

❷ さま 小さく浮き上がってきわだっているさま。「ヨチヨチと這ひ寄って、ポッチリと黒い鼻面でお腹を探り廻り」〈平凡・二葉亭四迷〉「線香の火がポッチリ赤く、二分心のランプの薄暗い一間に仏臭い煙が漂って居る」〈青春・小栗風葉〉

❸ 音・さま 古 ものがつぶれる音。矢などが的を射抜く音。また、そのさま。「ぽっしり〈略〉物をつぶす声、又ポッチリとも云」〈俚言集覧〉

❹ さま 古 目を大きく見開いたさま。目を開くさま。ぱっちり。「眠りし眼をポッチリとひらき」〈春色梅美婦禰・為永春水〉

❺ さま 古 しずくなどがしたたり落ちるさま。「ツユガ potchirito（ポッチリト）オチタ」〈和英語林集成－初版〉

ぼつっ さま 何か小さなものが、強くものに当たるさま。小さいものが目に強く印象を及ぼすさま。低い小声で短くつぶやくさま。『障子にぼつっと穴があいた』

ぽつっ ❶ さま 何か小さなものが、ものに当たるさま。小さく目に見えるさま。「右のほおにポツッと赤い小さな発疹が出た」〈明日に願いを・読売新聞・94・7・13〉

❷ さま 小さく孤立しているさま。小さな声で短くつぶやくさま。『壁ぎわにぽつっと一人立っている』

ほっつり さま 明るいものや軽いものが小さく孤立しているさま。「果しない雪原の彼方にほっつり、ひとつの燈を見たやうに」〈漫才読本・横山エンタツ〉「天鵞絨《ビロード》の襞《ひだ》の多い服が桜色の頬に唇のほっつり紅い中高の顔によく似合って」〈女坂・円地文子〉

ぼっつり さま 暗く感じさせるものが小さく孤立しているさま。「ぼっつり道路に面してさびしく立ってゐる農家などもあった」〈一兵卒の銃殺・田山花袋〉

ぽっつり ❶ さま 水滴などがひとつ落ちるさま。「雨はぽッつりと白糸の面を打てり」〈義血侠血・泉鏡花〉

❷ さま へこんだりものが抜けたりして、穴などが小さく一か所だけあくさま。「身をもがくはづみに入髪がぽっつりぬけ出て」〈西洋道中膝栗毛・総生寛〉

❸ さま あるものだけが孤立しているさま。ほんのわずかであるさま。「寺の貸地面にぽっつり立った一戸建ての小家が乳母の住む所だ」〈或る女・有島武郎〉

❹ さま 他からきわだって小さく浮き上がり、鮮明に見えるさま。「くはへ烟管《ぎせる》の火をぽっつり紅く見せながら」〈田舎教師・田山花袋〉

ぽっつりぽっつり さま 小さくまとまったものが、間をおきながら生じたり、行われたりするさま。「お手手ひきひきぽっつりぽっつりかへる」〈童謡－かへろかへろと・北原白秋〉

ほってり ❶ さま 体の中からあたたかくなるさま。「胸がほってりと温まったと思ふたれば」〈歌舞伎－鳴神〉

❷ さま 肉づきが豊かであたたかみを感じさせるさま。「ほってりした肉附の好い女が、かれと一緒に其処にゐて」〈一兵卒の銃殺・田山花袋〉

ぼってり ❶ さま 肉づきが重たげに豊かなさま。「B子はぼってりとした自慢の半裸体を彼の上体にもたせかけ」〈空気頭・藤枝静男〉 ➡使い分け「ぽっちゃり」

❷ さま 余分なほど厚みと重みのあるさま。「彼の外套は北国風にぼってりと厚いので」〈結婚・三浦哲郎〉「新聞を取り上げて、引っ繰り返して見た。〈略〉印刷インクがぼってりとにじんでゐて」〈青年・森鷗外〉

ぽってり ❶ さま ふくよかに肥えていて愛らしいさま。腹の出っぱるさま。「ぽってりした右手を囚人の肩に、静かに置い

た」〈夏の流れ・丸山健二〉

❷さま ものがふくらんでいるさま。厚みとふくよかさのあるさま。「枇杷の葉が一枚一枚ゴム細工のようなぽってりした重量で」〈夢の中での日常・島尾敏雄〉

❸さま 顔が赤く熱をもつさま。「すわりこんで、火酒でぽってり火照りつつ太って、頭から腐っていく」〈夏の闇・開高健〉「顔をぽってり熱てらせながら」〈上海・横光利一〉

ほっとり ❶さま 古 あたたかく、くつろいだ気分になるさま。「局達と奥へ行って、マアほっとりと暖め酒」〈歌舞伎―名歌徳三舛玉垣〉

方言 あたたかいさま。「ほっとり寝た」〈新潟県佐渡〉

❷さま 古 完全にその状態になるさま。すっかり。「親父殿に隠してやろ。是でほっとり根性直せと」〈浄瑠璃―義経千本桜〉

❸さま 古 同じ状態が続いて限界になるさま。「イヤ、ほっとりと退屈した」〈歌舞伎―高台橋諍勝負附〉「日がな一日阿房どもを相人《あひて》にほっとりと草臥《くたぶ》れる」〈浄瑠璃―彦山権現誓助剣〉

方言 山場を越えてほっとするさま。軽く疲れを覚えるさま。近畿地方・三重県。「これ貰うのにほっとりしたげ（難儀したよ）」〈三重県〉「峠もここまで来たらほっとりする（疲れる）な」〈京都府〉

ぼっとり ❶さま ものが静かに重たげに落ちるさま。『軒の雪がぼっとりと落ちる』

❷さま 盛りあがって厚みのあるさま。「睫毛の長い眼が昼寝でも為てゐた様にぼっとりと腫れてゐた」〈木乃伊の口紅・田村俊子〉

❸さま 顔や姿が重たげに肥えて愛敬のあるさま。「色白のぼっとりした豊下《しもぶくれ》の愛嬌ある容貌《おもざし》で」〈くれの廿八日・内田魯庵〉

❹さま 古 立ち居振る舞いが、世なれずかわいいさま。ういういしいさま。「すがた風体ぼっとりとして、少もだて成所なし」〈評判記―満散利久佐〉

ぽっとり さま とろみとやわらかさの感じられるさま。「烏賊《かい》のわたの魚くさいぽっとりとしたクリームのような味は」〈父のいる食卓・本間千枝子〉

ぽつねん さま ひとりだけで何もせずにさびしくいるさま。つくねん。「コニャックのグラスを置き、ぽつねんとひとりで味はってゐた」〈帰郷・大仏次郎〉 ➡使い分け「がっかり」

ぽっぽ ❶声・名 ハトの鳴く声。ハトのことをいう幼児語。『ハトぽっぽ』 ➡鳴き声編

❷音・名 汽車の汽笛の音。汽車のことをいう幼児語。『汽車ぽっぽ』「俺はポッポ（汽車）で下関へ行った」〈いやな感じ・高見順〉

❸さま 煙や湯気、においなどが盛んに立ちのぼるさま。火の燃えさかるさま。「江戸前《めへ》の樺焼は、ぽっぽと湯気の立つのを皿へならべて出す」〈浮世風呂・式亭三馬〉

❹さま 少しずつ温かく熱をもってくるさま。「私は寝床へ入ると直ぐ、足の先までぽっぽして来るの」〈雪国・川端康成〉

ほっほっ ❶声・さま 大きな声で区切るように笑うさま。「蒸汽機関の煙突から噴き出す様な沸々《ほっほっ》と云ふ江見さんの腹から出る笑声」〈黒い眼と茶色の目・徳冨蘆花〉

❷さま 続けて太い息をするさま。「草臥《くたびれ》ますから主《しぬ》もおまへさんネ、ほっほっと云てでございます」〈浮世床・式亭三馬〉「ホッホッと頬返しに困じながらも、がつがつと喰ふ様の慇然《いぢらし》さ」〈小按摩・二葉亭四迷〉

ほつほつ ❶さま 古 ものごとを少しずつ進めるさま。とぎれとぎれにするさま。事態がまれであるさま。のんびり。「秋の夜ながくみじかき一生を寝られぬままに膝を談合相手にしてほつほつと思へば」〈浮世草子―好色染下地〉

❷さま 点や粒状のものが散在するさま。「唐辛子の赤いのがほつほつと見えて」〈三畳と四畳半・高浜虚子〉

ぼつぼつ ❶さま 小さい点や粒がいやな

感じで散在するさま。ぽつぽつ。「上の二三段は虫に食はれて**ぼつぼつ**と穴があいて居た」〈暗夜行路・志賀直哉〉 ⬇使い分け「ぽちぽち」

❷さま 大粒の雨が降るさま。「外へ出てみたが、秋の天気は変わりやすく、雨も**ボツボツ**降り、風も出ている」〈幽霊塔・黒岩涙香訳〉

❸さま ものごとを少しずつ進めたり、しはじめるさま。なんとかやってゆけるさま。ぼちぼち。「『どうだね、景気は？』〈略〉『はあ、どうやら、お蔭さまで、**ぼつぼつ**です』」〈真贋の森・松本清張〉

❹さま それをする時刻、また、時期になりつつあるさま。そろそろ。「もう**ボツボツ**やっこさん歩いてくる頃だな」〈ハッピネス・小島信夫〉 ⬇使い分け「ゆっくり」

❺名 いくつか並ぶみにくく小さな点、または粒状のもの。できもの。「精神的にも肉体的にも疲れてくると、目の下に必ず赤い**ボツボツ**が出てくるんです」〈はつらつトーク・読売新聞・88・7・31〉

❻⬇漢語編「ぼつぼつ（勃勃）」

ぽっぽっ ❶音・声 時報の音。ハトの鳴く声。「**ポッポッ**と規則正しい電子音が聞こえた」

❷さま 湯気が立ちのぼるさま。火が燃えて炎が立つさま。汽車が煙を出して走るさま。「八兵へといふ男、あたまから**ぽッぽッ**とゆげをたてて」〈浮世風呂・式亭三馬〉

❸さま 体の中からあつくなるさま。少しずつ温かく熱をもつなるさま。「雪のなかに晒《さら》してゐる面や耳が**ポッポッ**とほてってくる」〈火事の夜まで・今野賢三〉

ぽつぽつ ❶さま 同類のものが散らばってあるさま。「池のまわりに古い松が**ぽつぽつ**立っている」〈見知らぬ山・高橋たか子〉 ⬇使い分け「ちらほら」

❷さま 雨などが小さな粒で降りはじめるさま。「**ポツポツ**雨の落ちて来た頃」〈千曲川のスケッチ・島崎藤村〉 ⬇使い分け「しょぼしょぼ」

❸さま ものごとがゆるやかに、少しずつ行われるさま。「日本でも**ポツポツ**其の機運が見えて来た」〈火の柱・木下尚江〉

❹音・さま ものをいくつにも切る音。また、そのさま。連続するものを何回か中断するさま。「これで針金を**ぽつぽつ**やりますね」〈吾輩は猫である・夏目漱石〉 ⬇使い分け「ぼそぼそ」

❺名 散在する斑点。「いくら撫でても、さすっても**ぽつぽつ**がとれない」〈吾輩は猫である・夏目漱石〉

❻名 同じであること。同類であること。「はははは、矢張し、お政様も**ぽつぽつ**の組だね」〈魔風恋風・小杉天外〉

✿前と同じであるときに「〻」と書くところから。

ほつやり さま 古 もの静かに笑うさま。「座する迄詞なくして、まづ**ほつやり**とわらい出し」〈傾城色三味線・江島其磧〉

ほつり さま ものが急に音もなく落ちるさま。「一輪の椿、床の花瓶を**ほつり**と落ちた」〈湯島詣・泉鏡花〉

ぼつり ❶さま 暗い雰囲気で孤立しているさま。「来ても何か面白くない…沈んだ、曇った調子で**ぼつり**として居た」〈微温・水野葉舟〉

❷さま 雨や水滴などが一滴落ちるさま。「時々、一粒ぐらい**ぼつり**と落ちるのを、洋傘の用意もないに、気にもしないで」〈妖術・泉鏡花〉

❸さま 短く低くひとこと言うさま。「この人は一言何か**ぼつり**と口を開くと、同じことばかりを繰り返した」〈夜の靴・横光利一〉

ぽつり ❶さま 雨や水滴などが小さく一滴落ちるさま。「今一呼吸と思ふ時、**ぽつり**と大粒の雨が顔に中り」〈山の力・国木田独歩〉 ⬇使い分け「ぽろり」

❷さま 小さな点や穴などが急にできたり、存在するさま。考えなどが急に浮かぶさ

ま。「眼の下へ**ポツリ**と訝《をか》しな腫物《できもの》が出来て」〈真景累ケ淵・三遊亭円朝〉❸ さま 短いことばをひとことだけ言うさま。「『さうだ。箱の中にゐるやうなものだ。』**ぽつり**と、から云ってから」〈帰郷・大仏次郎〉❹ さま さびしげに孤立しているさま。「寒い野中の夕暮に、母子二個《ふたり》が**ポツリ**と棄てられでもしたような心がして」〈良人の自白・木下尚江〉❺ さま ものが突然、途中で切れるさま。連続する事柄が中断されるさま。「彼の突き詰めた空想の糸が、そこで**ぽつり**と切れて了ひ」〈橋・池谷信三郎〉

ほつりほつり さま 古 とぎれとぎれに存在したり、行われるさま。「長老となるなりの長閑さ　舎利弗の**ほつりほつり**と春を経て」〈俳諧－望一後千句〉

ぼつりぼつり さま とぎれとぎれに強い印象で存在したり、行われるさま。「比羅紙の〈略〉真中に**ぼつりぼつり**と筆太に、南無阿彌陀仏、と書いたのが」〈日本橋・泉鏡花〉

ぽつりぽつり さま 小さな同類のものが散らばってあるさま。とぎれとぎれに少しずつ存在したり、行われるさま。「彼女は光森の問いに**ぽつりぽつり**答えたが」〈傷ついた葦・曾野綾子〉「処々**ぽつりぽつり**と秋蕎麦《あきそば》の花が白く見えて居る」〈土・長塚節〉

ぽつりん さま さびしげに他からきわだって孤立しているさま。ぽつり。「お高は**ポツリン**と座って、茫然《ぼんやり》と考へて居る」〈良人の自白・木下尚江〉「盃は一つ**ぽつりん**と猫板の上に置いてある」〈俳諧師・高浜虚子〉

ぼつん さま 短いことばをひとことだけ言うさま。点や穴などが一つ、目立った感じで存在したり、できたりするさま。「細かい眼を利かすことのなかった啓作が、何に感じてこんなことを**ぼつん**と言出したものか」〈妖・円地文子〉

ぽつん ❶ 音 一回ひびく、比較的高い音。三味線の音など。「**ぽつん**とわってビスケット」〈童謡－ビスケット・サトウ・ハチロー〉❷ さま 何か小さなものが、ものに当たるさま。小さく目に見えるさま。「掘返されるなかに、蟻の穴が**ポツン**と見えた」〈通学物語・渋沢秀雄〉❸ さま 小さく孤立しているさま。ひとつだけあるさま。「筋道の通ったことも間で**ぽつん**と云うのです」〈道・庄野潤三〉「畠の中に、村から離れて**ポツン**と一軒立った家で、ひどく荒れた、おまけのないあばら家だった」〈津軽の野づら・深田久彌〉

ぼつんぼつん ❶ 音 三味線などをつまびいて、低くひびく音。「雨の如く**ボツンボツン**と鳴る地歌の三味線等において」〈めでたき風景・小出楢重〉❷ さま 断ち切られたように散在するさま。同類のものが散らばってあるさま。「**ボツンボツン**と軒燈が泥濘《ぬかるみ》の上に灯影を落してゐるきりだった」〈コップ酒・浅見淵〉

ぽつんぽつん ❶ 音 とぎれとぎれに、また、継続的にひびく三味線などの音。「何処かで、**ポツンポツン**と意気な音《ね》がする」〈平凡・二葉亭四迷〉❷ さま 小さな点が散在するさま。同類のものが小さな状態で散らばってあるさま。「**ポツンポツン**と立って居る白樺の幹に」〈千曲川のスケッチ・島崎藤村〉

ぽてちん 名 義太夫節の三味線で、一と二と三の絃をトン、テン、チンと弾いた途端に余韻を消し、はなやかに聞かせる手法。

ぼてっ さま 見苦しいぐらいに厚みと重みのあるさま。「腹が**ぼてっ**と膨らんで、湿っぽくて生臭い」〈暗室・吉行淳之介〉

ぽてっ ❶ さま 顔や体つきが、たれるように肥えているさま。「手足がやせ衰え、棒のように細い。腹が**ポテッ**と出ている。丸い胴体に棒の手足が突き出ているよう」〈白血病入院日記・東京新聞・05・2・6〉❷ さま 不用意にとり落とすさま。「ことご

とく内野ゴロに仕留められ、スクイズを試みたら、前に転がらず、**ポテッ**と落ちただけ」〈プロ野球・秋山登氏死去・スポーツニッポン・00・8・13〉

ぼてぼて ❶さま 粒状のものが重たげに続けて落ちるさま。「夏になれば此処も彼処も白粉を吐いた紫玉紅玉累々、**ぼてぼて**と落ちて」〈思出の記・徳冨蘆花〉 ❷さま 軽快さがなく、もたついたさま。厚ぼったく重たいさま。肉づきのよいさま。『セカンドへ**ぼてぼて**のゴロを放った』「日頃は厚手の下着やセーターで、**ぼてぼて**と着ぶくれていたのが」〈父の詫び状・向田邦子〉

ぽてぽて さま 肉づきがよく、張りの感じられるさま。「**ぽてぽて**と娘らしく肥りだした膝をひろげるやうにしゃがんで不貞腐れた顔つきをすると」〈須崎屋・大谷藤子〉

ぼてれん ❶さま 腹がふくれているさま。妊娠して腹がふくれていること。「波子の腹がだんだんせり出してきた。冬になると、誰にもひと目で**ボテレン**と分るふくれ方になった」〈いやな感じ・高見順〉 ❷さま 大きくふくらんでいるさま。「水がようけ入って**ボテレン**と大きなったんやからな」〈冷え物・小田実〉 ❋「ぽてれん」とも。

ぽてん さま 周りがから空きの中に、小さなものがひとつ存在するさま。「ファウルフライに、捕手が飛びついた。しかし、ボールは1メートルほど先に**ポテン**と落下」〈一人ひとりにドラマ・朝日新聞・88・7・20〉

ぼとっ 音・さま 重みやねばりけを感じさせながら、ものや液体が落ちる音。また、そのさま。「枯れ葉のにおいとかクワガタが**ぼとっ**と落ちるあの音」〈ひと図鑑・読売新聞・93・2・10〉

ぽとっ 音・さま 軽さやあっけなさを感じさせながら、ものや液体がしたたり落ちる音。また、そのさま。「眼の前へ**ぽとっ**と毛虫が一つ落ちた」〈廬山・秦恒平〉

ほとほと ❶音 戸やものなどを軽くたたく音。とんとん。「君はくすんだ硝子板に指先を持って行って**ほとほと**と敲く」〈生れ出づる悩み・有島武郎〉「漸く睡気萌してとろとろとなる時、**ほとほと**と門敲くものあり。水鶏《くひな》にしては時節違ひなり」〈新浦島・幸田露伴〉 ❷音 古 斧で木を切る音。こんこん。「宮造る飛騨のたくみのてをのおと**ほとほと**しかるめをもみしかな」〈藤原国用〉〈拾遺和歌集〉 ❸さま 少しずつ伝わってくるあたたかみの感じられるさま。「**ほとほと**する湯婆《ゆたんぽ》に温められながら」〈足袋の底・徳田秋声〉 ❹さま 水滴が続けてしたたり落ちるさま。「涙、その人の足を**ほとほと**とぬらす」〈侍・遠藤周作〉 ❺さま 同じ状態が続いて限界になるさま。「あんまりどこへ行っても絶景だらけで、**ほとほと**感心に疲れてうんざりしちまった」〈竹沢先生と云ふ人・長与善郎〉

ぼとぼと ❶音・さま 液体が重たげに、続けざまにしたたり落ちる音。また、そのさま。ぼたぼた。「源ちゃんの足平から、血が**ボトボト**出てゐた」〈虎ちゃんの日記・千葉省三〉 ❷音・さま ものをたたいて発するにごった太い音。また、そのさま。「私は臆病に、**ボトボト**下士室の戸を叩いた」〈軍隊病・立野信之〉「只今我らが此つづみをしらべしに、御存の折居《ゐおり》の胴、打て見れば**ぼとぼと**と桶のそこたたく様也」〈浄瑠璃―傾城酒呑童子・近松門左衛門〉 ❸さま ふくらみがあってはなやかなさま。重々しく華美なさま。ぼってり。「お今はふっくらした肌理《きめ》のいい体に、**ぼとぼと**するやうな友禅縮緬の長襦袢などを着て」〈爛・徳田秋声〉「大白の菊の、つゆおもげに、枝もたわわに、咲みだれたるがごとく、**ぼとぼと**として、うつくしく」〈評判記―吉原呼子鳥〉 ❹さま 服があちこちいたんで貧しい感じであるさま。「Botoboto（**ボトボト**）シタ

ナリヂャ〈訳〉ぼろをまとった貧乏人などの身なり格好である」〈日葡辞書〉

❺ さま 方言 おだやかに行うさま。ゆっくり。「ぼとぼと運べゃーえー」〈岡山県〉

❻ さま 方言 とり乱すさま。おろおろ。「思いがけない災難にあって、ぼとぼととして何も手につかない」〈新潟県〉

❼ さま 方言 つぶやくさま。「ぼとぼと言うな」〈石川県〉

ぽとぽと 音・さま 少量の液体や粒状のものが続けざまに落ちる音。また、そのさま。「ポトポトとせんのゆるい炊事場の水道の口から落ちる水の音と共に」〈メサの使徒・武田泰淳〉 ⬇使い分け「たらたら」

ぼとらぼとら 音 琵琶を間をとりながら、つまびく音。「びわをば時々、ぼとらぼとらいはせけれどもてうしもあはず」〈東海道名所記・浅井了意〉

ぼとり 音・さま ものや液体が重たげに落ちる音。また、そのさま。「ふとその時彼女の顔からボトリと大きな泪が黒い盤の上に落ちたと思った」〈残夢・井上友一郎〉

ぽとり 音・さま ものや水滴などが軽く落ちる音。また、そのさま。「われしらず泣き顔になって涙がぽとりと膝かけのうへにおちるのを」〈銀の匙・中勘助〉

ぽとりぽとり 音・さま ものや液体が間をおいて、軽く一つずつ落ちたり、降りたりする音。また、そのさま。「夢の実がぽとりぽとりと落ちるまで」〈童謡―夢の木・水谷まさる〉「ほかの姉たちも結婚して、ポトリ、ポトリと家を出た」〈父が消えた・尾辻克彦〉

ぼとん 音・さま ものや液体が重たげに落ちる音。また、そのさま。「モレロ、フランソア、ラルサンの身体は、三匹の恐竜の口から、ぼとん、ぼとんと海の中にすてられた」〈恐竜島・海野十三〉

ぽとん 音・さま ものや液体が軽く落ちる音。また、そのさま。「同じく草原にぽとんと腰を下して」〈春興倫敦子・福原麟太郎〉「三四尺の幅、上手から下手まで、ぽとんと切り落した溝である」〈春興倫敦子・福原麟太郎〉

ほのぼの ❶ さま 夜がわずかずつ明けていくさま。光がわずかでうす暗いさま。ものが明瞭に見分けられないさま。「夜はすでにほのぼのとあけゆけど、河霧ふかく立こめて、馬の毛も鎧の毛もさだかならず」〈平家物語〉「朝浪のかすむ渚をほのぼのと亡き子に似たるをとめ来たるも」〈林泉集・中村憲吉〉

❷ さま おだやかなあたたかみの感じられるさま。心の明るさ、やさしさなどが感じられるさま。「間接照明はほのぼのと心の隅々まで優しい光が照らしてくれる」〈砂漠の駅・森村誠一〉「善意というほのぼのとした電気毛布の上で、仔犬よろしくじゃれ合ったりというような場面は」〈他人の顔・安部公房〉

❸ さま 古 わずかに見たり聞いたり知ったりするさま。「一笑と云ものは、此道にすける名の、ほのぼの聞えて」〈俳諧―奥の細道〉

ぽぴん 名 薄いガラスでできた玩具。首が長い管になったフラスコ形のもので、底のガラスを薄くし、息の出入りによって「ぽぴんぽぴん」と鳴るようにしたもの。→ぴんぽん③。「ぽひんのおとちゃるめろのしらべ」〈談義本―つれづれ睟か川〉

ほほほ 声・さま 口を手で覆いながら控えめに軽く笑う声。また、そのさま。「ほほほ、御免下さいまし。ですが―私が然う申しては何で御座いますけれど」〈青春・小栗風葉〉「一度《ひとたび》十度《とたび》ほほと笑ふ」〈宇津保物語〉

✵主として女性の笑い声にいう。

ぼやっ ❶ さま ものの形や色、また、記憶などがあいまいにかすむさま。「きまって易者が一人、妖しい提灯を、ボヤッとさしてゐた」〈夢声半代記・徳川夢声〉

❷ さま 注意が散漫で、気の抜けたように見えるさま。「ボヤッとしとるからだ。今に生命までがかっぱらわれてしまうぞ」〈武

装せる市街・黒島伝治〉

ほやほや ❶さま できて間もないさま。ある状態になって間もないさま。「たった今出来たてのほやほやだから」〈浮世床・式亭三馬〉「いわばホヤホヤの時期であったことも考えておく必要があろう」〈もはや「戦後」ではない・中野好夫〉

❷さま 湯気などがあたたかく立ちのぼるさま。「ちいさなどんぶりに、やきたまごのほやほやといきのでるやつをいれて」〈洒落本―後編遊冶郎〉「茶釜ほやほや焼朝朗今日は昔恋しき仏の日〈松意〉」〈俳諧―談林三百韻〉

❸さま やわらかくふくらんでいるさま。肌にやわらかく感じるさま。「あの生れたての、玄米パンよりもホヤホヤな赤ン坊達に」〈放浪記・林芙美子〉「中からの禿で、四囲《まはり》にほやほやと残った猫っ毛が」〈多情仏心・里見弴〉

❹さま 古 顔をほころばせるさま。いかにもうれしそうに笑うさま。「としごろ成にうぼう、下女壱人めしつれきたるとて、此男をみてほやほやとわらひにより」〈咄本―軽口露がはなし〉

ぼやぼや ❶さま 気がきかないさま。対応が遅いさま。「こいつ、ぼやぼやしてカマキリに喰いつかれやがった」〈悪い夏・吉行淳之介〉「その妹が、今頃内地でボヤボヤしてることあれへん」〈細雪・谷崎潤一郎〉

❷さま よく聞きとれないことを話し続けるさま。「彼《かの》女のそばへ寄、何やらぼやぼやと云と、又はしごきしぎしとなり」〈咄本―軽口片頬笑〉

❸さま 形や色彩の輪郭があいまいな状態が続くさま。「私の記憶もモヤモヤしてゐるが、画面も相当ボヤボヤしてゐたやうだ」〈通学物語・渋沢秀雄〉

❹さま 炎や湯気などが盛んに立ちのぼるさま。「草木の香気《にほひ》が、此の暑い日光《ひかげ》に蒸されてぼやぼやと立騰ってるが」〈はやり唄・小杉天外〉

❺さま 髪、毛、ひげ、草などがまばらに生えているさま。「街道の向ふ側にはやはりぼやぼやと草の生えた地面があり」〈木椅子の上で・田畑修一郎〉「丸い、煤けた壁土色になってゐる彼の顔には、秋を思はせるやうな髭が、ぼやぼやと伸びてゐた」〈死刑囚と其裁判長・中西伊之助〉

❻名 小範囲の火災。ぼや。「火事だてエやがるから、本統かと云ふと微笑《わらつ》てやアがって、ボヤボヤが燃え出したてエから」〈落語―船徳・三代目三遊亭円遊〉

❼さま 方言 何となくゆとりのあるさま。「ぼやぼやとしたえー人（好い人）」〈島根県〉

ぽやぽや ❶さま 肥えて血色のよいさま。「向ひ側の腰掛の下に浮いてゐる彼女のぽやぽやした桃色のフエルト草履をつっかけた足首を見た」〈芽の出ぬ男・十一谷義三郎〉

❷さま 草や髪の毛がやわらかく生えているさま。「空き地のままの区画には丈の高い雑草がぽやぽやと生えている」〈ふるさとの人物に見る20世紀・熊本日日新聞・99・7・13〉

ほやり さま 古 やさしくほほえむさま。ものやわらかでなめらかなさま。ほいやり。「空のかんばせにこやかふくやかにっこりほやりの笑顔は誰だア」〈浄瑠璃―雪女五枚羽子板・近松門左衛門〉

ぼやり さま 形や色彩の輪郭が、あいまいなさま。「角店《かどみせ》の硝子窓の前に、六個の影が、ぼやりとして」〈日本橋・泉鏡花〉

ほやりほやり ❶さま 古 ときおり顔をほころばせて笑い続けるさま。「何悦びて機嫌よく、ほやりほやりと笑ふ事」〈浄瑠璃―弁慶京土産〉

❷さま 炎・湯気などがやわらかにゆれ続けるさま。「川面も薄紅を流して、ほやりほやり水蒸気が見へて来た」〈自然と人生・徳冨蘆花〉

ぽよぽよ さま こまかくふるえるようにゆれるさま。「カイコは〈略〉さなぎの状態のまま尻尾《しっぽ》の方を（もしかしたら頭かも知れ

ないが)ポヨポヨとくねらし」〈わたし流・読売新聞・斉藤由貴・97・10・30〉

ほらほら ❶さま古歩くとき着物の裾などがまくれてひるがえるさま。「裾はほらほらと腰帯緩みて」〈三人妻・尾崎紅葉〉「腰元共に聞かれじと、そろりそろりの抜き足や差し足の裙《そす》ほらほらと、たくし上たる小夜寝巻」〈浄瑠璃—本領曾我・近松門左衛門〉

❷さま古炎や湯気などがかすかにゆれ続けるさま。「闇の中を燈影のほらほらと覚束なくも漂ひつつ」〈不言不語・尾崎紅葉〉

❸さま古かすかに少しずつ現れるさま。「塢《てど》の桜もほらほらと咲初たるよし」〈人情本—清談若緑〉

ほらり さま古内に何もないさま。がらん。「夫竹と云者は〈略〉中は空虚にしてほらりとして、其節はあるべき処にありて」〈四河入海〉

ほり ⬇コラム「ほり・ぼり・ぽり」

ぼりっ 音・さまかたいものを音をたててかじったり、ひっかいたりするさま。「休憩所の縁側に座って、旅人がボリッと豪快に『加賀太《とふ》キュウリ』をかじる。そしてビールの栓を勢いよくシュポッ——」〈加賀野菜、素朴さ人気・産経新聞・05・6・5〉

ほりほり さま古かたまったものがたやすくくずれるさま。「長崎壺わりといふ菓子を仕出し、唐人姿でほりほり歯もろふてあまいと」〈洒落本—聖遊廓〉

ぼりぼり ❶音・さまかたいものをかみ砕く音。また、そのさま。「かき餅などを焼いて貰ってぼりぼり噛んだ」〈こゝろ・夏目漱石〉

❷音・さま強く爪や指でかき続ける音。また、そのさま。「ぼりぼりと背中を掻いてゐたが、今まで着てゐた衣物を前から羽織って」〈星座・有島武郎〉

ぽりぽり ❶音・さま軽やかにものをかみ砕く音。また、そのさま。「沢庵をぽりぽり云はせて噛んでゐる音が」〈煤煙の臭ひ・宮地嘉六〉

❷音・さま軽く爪や指でかき続ける音。また、そのさま。「とても堪らないと云ふ風に、ぽりぽりと掻く」〈百鬼園随筆・内田百閒〉

ぼりりぼりり 音・さまかたいものを間をおきながら、かみ砕き続ける音。また、そのさま。「謹で両手に煎餅を頂載して、ボリリボリリと行《や》り始めた」〈良人の自白・木下尚江〉「ぼりりぼりりと云ふ歯ぎれのいい音がすぐ聞こえ出した」〈カインの末裔・有島武郎〉

ほろっ ❶さま涙などが一滴こぼれ落ちるさま。もらい泣きをするさま。『身の上ばなしについほろっとする』「眦《まじり》にほろっと零《こぼ》るるは、露かあらぬか初梅の」〈浄瑠璃—傾城無間鐘・紀海音〉

❷さま酒の酔いが気持ちよい程度に、まわるさま。「ほろっと、酒がまわったとみえて」〈巷談本牧亭・安藤鶴夫〉

ぼろっ さまもろくくずれたり、欠け落ちたりするさま。「やっと繕って居る花が手拭の端に触れてぼろっと落ちた」〈土・長塚節〉

ぽろっ さま涙や水滴などの粒状のものが一つこぼれ落ちるさま。ものを不注意やはずみで取りこぼしたり、ものの一部が取れて落ちたりするさま。『ポロッと口をすべらせた』「ベランダの奥まで入ってきてさ、棒で追っぱらったら卵を一コポロッと落としていくの」〈言わなきゃいいのに……・林真理子〉

ほろほろ ❶声キジ・ヤマドリなどの鳴く声。⬇鳴き声編

❷音尺八や琵琶の音。砧《きぬた》を打つ音。「尺八のほろほろと行く悲し音《ね》はこの世の涯《はて》に遠ざかりなむ」〈赤光・斎藤茂吉〉「引《ひ》く琵琶の音ほろほろと手になりて」〈竹林抄〉「衣々の、砧の音が、枕にほろほろほろほろとか、それをしたふは、涙よなふ」〈閑吟集〉

❸さま葉や花などが軽やかに散ったり落ち続けるさま。涙や水滴などがあとからあとからこぼれ落ちるさま。「椎なり栗なり、親《おや》木《き》が有て実を結んで、ほろほろと落た実が、又芽を出して成木して実を結ぶ」

ほ

コラム　オノマトペのもと

ほり・ぼり・ぽり

「ほり」は、かむときの音を模してできたと考えられる。今ではほとんど使われないが、かつては、「ほりほり」ということばもあった。少しかたいけれど、かむと容易に砕けるような軽い食感を表現することばだ。

ちなみに女房詞で「ほりほり」といえば、干し瓜のことを意味した。

「ぽり」は、ややかたい食感を表現する。「ぼり」になると、さらにかたい食感を表す。いずれも、小さなものや細長いものなどをかじるときの心地よい食感である。

【ほりの語群】

（ほりほり）・ぼりぼり・ぽりぽり
ぼりっ・ぽりっ
ぼりり・ぽりり

	―（と）一口かじる	―（と）食べ続ける	―（と）背中を掻く
ぼりぼり	―	○	○
ぽりぽり	―	○	○
ぼりっ	○	―	○
ぽりっ	○	―	○
ぼりり	○	―	○

【表現】

調理の専門家に調査したところ、「ぽりぽり」は食感と音をあわせて表現し、たくあん、せんべい、煎り豆などに使われることばであった。二〇〇四年に首都圏で一般の人を対象とした調査結果では、八五％の人が食表現だと認知していた。高い認知度と好ましい食感覚によるせいか、菓子類の商品名に使われたり、宣伝文句に使われたりすることもある。

昭和の初めから半ばにかけて活躍した政治評論家の唐島基智三は、とにかく豆が大好物だった。煮豆だけでなく、煎った豆をいつもポリポリ食べているとエッセイに書いていた。確かに、ポリポリと食べる豆はおいしく、食べ始めたらなかなか止められない。

「ぽりぽり」は、硬くて小さいものを連続してかじるときの表現である。これが、「ぼりぼり」となると、もっとかたいものを大きな音をたてて、遠慮なくかじる表現だ。たとえば、夏目漱石は『こゝろ』で、「かき餅などを（中略）ぼりぼり噛んだ」と使っている。また、書誌学者で作家の林望は、『音の晩餐』の中で、眠気覚ましには、「堅くて容易には噛み砕き難い」ようなせんべいを、バリッ、ボリボリッとかじるのが効果的だと書いている。

似たような表現に「パリパリ」や「バリバリ」があるが、これらはもっと薄いものをかじるときに使われる。「ポリポリ」「ボリボリ」「パリパリ」「バリバリ」など、私たちは無意識のうちに、食感に応じてことばを使い分けている。日本には食感と音を味わう文化があるから、このような微妙なことばの使い分けがあるのではないだろうか。

いずれの表現も、かたいものをかじるときの心地よい食感表現だ。現代は、やわらかい食べ物が好まれる傾向にあるが、私たちには、力をこめて何かをかじる楽しみも依然として残っているようである。

（早川文代）

〈文明開化・加藤祐一〉「町子の無事な顔を見て、**ほろほろッ**と涙を流したことを」〈春風駘蕩・源氏鶏太〉

❹ さま 集まっていた人々が別れ散るさま。「修法の壇こぼちて、**ほろほろ**と出づるに」〈源氏物語・夕霧〉

❺ さま ものが砕け破れるさま。こなごなになるさま。「また**ほろほろ**になった苔が霜どけに潤って朝の日に照らさるる時、大地の色彩の美は殆ど頂点に達するのである」〈新生・島崎藤村〉「二人して、栗やなどやうの物にや、**ほろほろ**と食ふも」〈源氏物語・宿木〉

❻ さま 炎のゆらめくさま。「燭台の焰が**ほろほろ**と輝き大勢の人が集り」〈めでたき風景・小出楢重〉

ぼろぼろ

❶ 音・さま 砕けたものや粒状のものが次々に大量にこぼれ落ちるさま。大粒の涙を流すさま。「見ればお増はもう**ぼろぼろ**涙をこぼしてゐる」〈野菊の墓・伊藤左千夫〉

❷ さま 水分が不足でねばりけがなく、もろいさま。「畠の土は**ボロボロ**に爛れて」〈千曲川のスケッチ・島崎藤村〉

❸ さま ものがひどくこわれているさま。衣服などがひどく破れているさま。心身が疲れきっているさま。「毒ガスにおかされた肺のように、心までも**ぼろぼろ**になり」〈堕落・高橋和巳〉

ぽろぽろ

❶ さま 小さい粒状のものが次々にこぼれるさま。涙がこぼれ続けるさま。「たまに**ぽろぽろ**と涙を落す事もありました」〈こゝろ・夏目漱石〉 ⬇使い分け「たらたら」

❷ さま 水けとねばりけがなくもろいさま。「麦ばかりの**ぽろぽろ**した飯」〈土・長塚節〉

❸ さま かたいものがもろく砕けるさま。水分がなくなってくだけるさま。「下の歯が一二本**ポロポロ**に欠け崩れて」〈湖畔手記・葛西善蔵〉

ほろり

❶ さま ものがもろく散り落ちるさま。「薔薇が**ほろり**とその花弁を落すやうに、私もまた、私の薔薇色の頰を永久に失ったまでのことだ」〈燃ゆる頰・堀辰雄〉

❷ さま 涙が一滴落ちるさま。「突然《だしぬけ》に涙が**ほろり**。と思ふと僕は」〈思出の記・徳冨蘆花〉

⬇使い分け「しくしく」「ほろり」

❸ さま 何かに感じいって心が動くさま。相手に同情するさま。「手のひびから生《なま》新しい血がにじみ出て来るのを見ると、いつしか**ホロリ**とします」〈二人の幸福・川端康成〉「無智無学の床右衛門、一言にだまされ**ほろり**となり」〈浄瑠璃－堀川波鼓・近松門左衛門〉

使い分け

【共通の意味】
液体がひとしずく落ちるようす。

ほろり

ぽろり／ぽつり／ぽたり

❶**ほろり**は、涙がひとしずく流れるようす。「**ほろり**と真珠のような涙がこぼれた」❷**ぽろり**は、涙などの水滴や、小さくまるいものがこぼれ落ちるようす。「財布から百円玉が**ポロリ**と落ちた」。何かがもろく取れたり落ちたりするときにも使う。「椿の花が**ポロリ**と落ちた」❸**ぽつり**は、「**ポツリ**と雨のしずくが落ちてきた」のように、雨の降り始めなどに使う。**ぽたり**は、液体のしずくが落ちるようすだが、重たい感じがある。「傷口からあふれた血が**ポタリ**と床に落ちた」❹**ほろり**、**ぽろり**は、液体の流れる出発点のようすを表すのに対し、**ぽつり**、**ぽたり**は、こぼれ落ちた液体が何かに当たったときの到達点のようすを表す。

❹ さま いい気持ちになる程度に酒に酔うさま。『ビール一杯ですぐに**ほろり**となる』 ⬇使い分け「ぐでんぐでん」

❺ さま 口の中でもろくくずれるさま。「た

まに母親がサケ缶を一つ出してくれた。口の中で骨が**ほろり**と溶ける水煮の缶詰」〈荒俣宏さんのお品書き・読売新聞・02・1・7〉

❻ さま 古 ゆるやかに足を踏むさま。軽やかに身をこなすさま。「砕動風などには、**ほろり**と、ふり解きふり解きせられし也」〈申楽談儀〉

ぼろり ❶ さま 重たげに何かをとり落としたり、何かの一部が欠け落ちるさま。『**ぼろり**と口走ってしまった』「**ぼろり**と歯が欠けましたよ」〈吾輩は猫である・夏目漱石〉

❷ さま 古 人がまばらで静かなさま。「**ぼろり**としたるわらいの、茶がはりのなきぞかなしき」〈狂言―通円〉

ぽろり ❶ さま 涙や液体、粒状のものが一つこぼれ落ちるさま。「秋子の頬に**ポロリ**と大粒の涙が伝はった」〈故旧忘れ得べき・高見順〉⬇使い分け「ほろり」

❷ さま 簡単に何かをとり落としたり、何かの一部が欠け落ちるさま。「その時に、**ポロリ**と、木の根ッコのようなものを、とり落したが」〈自由学校・獅子文六〉「**ぽろり**と乾いた鱗のように落ちて」〈人形愛・高橋たか子〉

ほろりほろり ❶ さま 涙が間をおいてこぼれ続けるさま。葉、花などが軽く続けて落ちるさま。「**ほろりほろり**と涙のこぼれるを、見せじとうつ向きたる肩のあたり」〈大つごもり・樋口一葉〉「風は遠慮なく花は時に応じて頓《やが》て**ほろりほろり**と落散るであらうものを」〈毒朱唇・幸田露伴〉

❷ さま 古 ものが裂け破れるさま。こなごなになるさま。「Fororifororito（**ホロリホロリト**）〈訳〉ある物がこわれたり、粉になるさま」〈日葡辞書〉

ぽろりぽろり ❶ さま 涙や液体、粒状のものが、間をおいてこぼれ続けるさま。「お波も急に萎れたが、大きな涙を**ぽろりぽろり**と落しながら」〈魔風恋風・小杉天外〉

❷ さま 間をおいて少しずつ出てくるさま。何かの一部が少しずつとれるさま。『受賞者は喜びの気持ちを**ぽろりぽろり**と語った』

ほろろ 声 キジの鳴く声。ほろほろ。⬇鳴き声編

ぼろん ❶ 音 ピアノや弦楽器を弾いたときに出る低い音。「**ボロン**ボロンボロンと三重音のリフレインをつけるわけなのだが」〈伸子・宮本百合子〉

❷ さま 何かを勢いよくとり落としたり、あるものの一部が大きく欠け落ちたり、勢いよくとび出すさま。「悪魔の弟子はさっそく大きな雀の形になって**ぼろん**と飛んで行きました」〈ひのきとひなげし・宮沢賢治〉

ぽろん ❶ 音 ピアノや弦楽器を弾いたときに出る高い音。「返事がなくて **ぽろん**と一音ハープが鳴る」〈疾中・宮沢賢治〉「二年程たつと千代田館のボックスの中で、**ポロンポロン**とピアノを弾いてゐる彼を見出したのである」〈浅草・サトウハチロー〉

❷ さま 何かをあっけなく落としたり、飛び出させるさま。粒状のものが落ちるさま。何かの一部がたやすくとれたり欠けたりするさま。『本心を**ぽろん**と見せてしまう』

ほわっ さま やわらかさやあたたかみがおおいかぶさってくるさま。なごんで、気持ちのよいさま。「雪は暖かく柔かく**ほわっ**と包んでくるのに、風だけがつめたく寒く、刺して、斬りつけて、いやなものなのだ」〈流れる・幸田文〉

ぼわっ ❶ さま ものの形や色などの輪郭があいまいなさま。ぼんやり。「駅舎のミニチュアに点灯するライトが**ボワッ**と浮かびあがるさまは神秘的だ」〈趣味を肴に同士と一杯・産経新聞・06・10・21〉

❷ さま 熱気でおおわれるさま。『ビルの外へ出たとたんに真夏の**ぼわっ**とした風に包まれた』

ぼわぼわ さま 事態が把握しづらくとりとめのないさま。実体が定かでなく頼りないさま。「時間は**ぼわぼわ**と無際限に拡が

り、何もかもあやふやでいい加減に思われるのでした〈無明長夜・吉田知子〉

ぽわぽわ さま やわらかく頼りないさま。「しっとりとしてて、**ポワポワ**やわらかくて、それでいてズシッと実《み》のつまった体重がこちらの腕にくるのよ」〈夏の闇・開高健〉

ぽわりぽわり さま 無気力にものを動かすさま。「お関は頬膨らして、詮方無しに**ポワリポワリ**と煽いで居た」〈良人の自白・木下尚江〉

ぽわん ❶ 音・さま 手ごたえのないさま。実体が定かでなく頼りないさま。音が弱々しく反響するさま。『クラクションが**ポワン**と響く』

❷ さま 酒の酔いなどで思考力がなくなってしまうさま。「朝から試飲を重ねたり。『夕方には**ポワン**としちゃって、同僚にからかわれることも……。〈略〉』」〈私の仕事着・読売新聞・95・8・2〉

ぼん ❶ 音 時を告げる鐘や、柱時計の音。「今朝六つが**ボン**と鳴る」〈浮世床・式亭三馬〉

❷ 音・さま 栓などが勢いよく抜けるにぶい音。また、そのさま。「**ぼん**とぬけたる池の蓮の実　咲花にかき出す椽のかたぶきて〈芭蕉〉」〈俳諧―去来抄〉

❸ 音・さま はげしく爆発したり燃え上がったりするときの大きく、にぶい音。また、そのさま。『ガス管が**ボン**と破裂した』

❹ 音・さま 強くたたいたり、投げ出したり、勢いよくぶつかるときのにぶい音。また、そのさま。「それは蒲団を棒でなぐるやうな、**ボン**と鈍い、ソフトな音だった」〈ちちははの記・上林暁〉「兵隊たちは次から次へと戸板やトタン板で死体を運んで来て、顔を背けて**ぼん**と穴のなかに放りこむ」〈黒い雨・井伏鱒二〉

❺ さま 何も考えられないでいるさま。「あっけにとられ、**空然**《ぼん》として立て居る」〈七偏人・梅亭金鵞〉

ぽん ❶ 音・さま ものが破裂したり、勢いよく抜けたりするときの高い音。また、そのさま。「壜の口を**ポン**と抜いたら」〈真景累ケ淵・三遊亭円朝〉「爰なりと息づむひゃうしに、大き成屁を一つ**ぽん**とこきたり」〈咄本―軽口露がはなし〉

❷ 音・さま ものをたたく軽い高い音。また、そのさま。「雁首を奇麗に拭いて一服すって**ポン**とはたき」〈にごりえ・樋口一葉〉「車の横の三角窓を、**ポン**と叩き割ってドアを開け、針金か煙草の銀紙でエンジンとバッテリーを直結させて」〈ぽんこつ・阿川弘之〉「急に何か思ひ出したと見えて、母親は**ポン**と膝を打った」〈桐畑・里見弴〉

❸ さま 軽く投げ出したり飛び出したり、弾んだりするさま。惜しげもなく金やものをさし出すさま。「丸めて**ぽん**と屑籠の中へ抛り込んだ」〈吾輩は猫である・夏目漱石〉「パン焼き器だって、パンが焼けると**ぽん**と飛び出す拍子に」〈山の音・川端康成〉「チップもけちけちしないで百円紙幣を**ぽん**と投げ出す」〈漫才読本・横山エンタツ〉

❹ さま 瞬間的に応じるさま。「母は〈略〉父が何か言えばそれに答えて伝法《でんぽう》に**ぽん**と言い返しをやりかねない風情に見えた」〈夢の中での日常・島尾敏雄〉「両方で**ポン**と呼吸《いき》が合って往くてエと我々共は到底《どうせ》及ぶべき訳では有りませんが」〈落語―つよがり・三代目三遊亭円遊〉

❺ さま 何も考えられないでいるさま。ぽかん。「何故其様に**ぽん**として居る」〈いさなとり・幸田露伴〉

ほんがり さま 古 中がからであるさま。締まりなく口を開いているさま。「此人の胸中は**ほんがり**として何も無ぞ」〈山谷抄〉

ぼんきゅっぼん さま スタイルにめりはりがあって格好がよいさま。胸が張り出すように大きく、ウエストが細く締まり、ヒップが大きいさま。ぼんきゅっぽん。「**ボンキュッボン**のナイスバディを強調するようなファッションで一躍、ファッションカリスマへ上りつめた」〈新カラダ主義・**AERA**・01・

ほ

1・22〉

ぼんじゃり ❶［さま］［古］鷹揚《おうよう》で、柔和なさま。おっとり。「内心はやわやわむくむく**ぼんじゃり**として、慈悲の心が、肚の裏《ちう》に、道明寺袋のやうに張きってある」〈談義本―当風辻談義〉「**ぼんじゃり**としてきっとして花たちばなの袖のかに、むかし男のなり平づくり」〈浄瑠璃―五十年忌歌念仏・近松門左衛門〉 ❷［さま］［古］女性の肉づきがよく美しいさま。ぽってり。「此**ぼんじゃり**やはやは、ぼじゃぼじゃした此の手の内」〈浄瑠璃―難波丸金鶏〉

ほんぞんかけたか ［声］ホトトギスの鳴く声。⬇鳴き声編

ぽんちゃん ［さま］明確に異なる二種以上のものをいっしょにするさま。ちゃんぽん。「時代と流行と**ポンチャン**の仕組み聊かも申し分なし」〈横浜毎日新聞―明治八年・五月二二日〉

ほんのり ❶［さま］形、色、香りなどがかすかに現れるさま。「**ほんのり**白粉の香《にほひ》がする」〈婦系図・泉鏡花〉「可愛い目元を**ほんのり**酒に染めた女が高くさし掛けた傘の下に入って」〈何処へ・正宗白鳥〉 ⬇使い分け「ほんのり」
❷［さま］明るくやわらかいさま。夜が明けはじめて、かすかに光がさすさま。「薄肉色《うすにくいろ》の紗に包まれて、電灯が**ほんのり**と点ってゐる」〈あきらめ・田村俊子〉「かたぶきにける庭のいけ垣　**ほんのり**と有明の月の筑山に〈季吟〉」〈俳諧―誹諧独吟集〉

ぽんぱかぽんぱか ［音］［古］ウマにつける障泥《あおり》がぶつかって鳴る音。「兵具の金物、錚々《さうさう》として金鉄皆鳴る、障泥の音は**ぽんぱかぽんぱか**、はねかへさんとかつしと当る」〈浄瑠璃―南蛮鉄後藤目貫〉

ぼんばくぼんばく ［音］［古］ウマにつける障泥《あおり》が強くぶつかって鳴る音。「あをりの音か、**ぼんはくぼんはく**ぼんはくどんばかどんばかどんばかと、乗りかへし」〈浄瑠璃―綱金時最後〉

ぽんぽこ ❶［音］鼓《つづみ》などを軽く、明るく打つ音。「大勢打寄てハアハワ**ぽんぽこ**ぽんぽこよヤアアワ」〈続歌舞妓年代記〉
❷［さま］腹がタヌキのようにいっぱいにふくれるさま。「紅茶二杯の朝食は、腹が**ポンポコ**になって困るんだが、朝の餓えはこれによるより仕方がない」〈夢声戦争日記・徳川夢声〉

ぽんぽこぽん ［音］鼓《つづみ》などを調子よく打つ音。特にタヌキの腹鼓。「己等《おいら》の友達ァ、**ぽんぽこぽん**のぽん」〈童謡―証城寺の狸囃子・野口雨情〉

使い分け

［共通の意味］
感じられる変化がわずかなようす。

ほんのり
うっすら／ちらっ／ぼんやり

❶**ほんのり**、**うっすら**は、色や明かりなどがかすかに現れるようす。「**ほんのり**とほおを桜色に染めた」「遠くの山が**うっすら**と明るくなってきた」。**ほんのり**は、「**ほんのり**と梅の香がする」のように、香りにも使う。❷**ちらっ**は、瞬間的に見えたり、変化が感じられたりするようす。「戸のすきまから着物が**チラッ**と見えた」❸**ぼんやり**は、色や形がはっきりしないが、それとなく感じられるようす。「曇りガラスの向こうに、人影が**ぼんやり**映った」

ぼんぼり ❶［さま］［古］薄くすけて見えるさま。ほんのり。「**ぼんぼり**と思の外な暖さ」〈雑俳―替狂言〉
❷［名］毛糸や羽毛などで作った丸い房。丸い房状のもの。ポンポン。「黒い草むらのなかに小さな円い**ぼんぼり**のやうな白いつめくさの花があっちにもこっちにもならび」〈ポラーノの広場・宮沢賢治〉

ぼんぼん ❶［音］鐘や三味線などを強く打

ち鳴らすときのにぶくこもった音。鉄砲を打ち続ける音。『**ボンボン**時計』「船は**ボンボン**と銅羅を鳴らした」〈竹沢先生と云ふ人・長与善郎〉「あの**ぼんぼん**といふ京風の三味線よりは」〈蓼喰ふ虫・谷崎潤一郎〉

❷ さま 次々に勢ぃよく行われるさま。「右に、左に、**ぼんぼん**と新聞を投《はふ》り込みながらおれは駈ける」〈火事の夜まで・今野賢三〉「子供なんざあ、二階から**ぼんぼん**投げおろしてるんだってさ」〈雪国・川端康成〉

❸ さま 方言 水などが満ちあふれているさま。「かーぬ　みじぇー　ちゃーが（井戸の水はどんなか）」「**ぼんぼん**しょーん（いっぱいある）」〈沖縄県〉

ぽんぽん

❶ 音・さま 続けざまに打ったり破裂する高い音。また、軽くたたくさま。「花火の上る音が**ポンポン**聞える」〈旧主人・島崎藤村〉

❷ さま 次から次に出てくるさま。矢継ぎ早に、あるいは無造作に行われるさま。「相馬屋の二階から火が**ぽんぽん**ふき出してゐる」〈一兵卒の銃殺・田山花袋〉「夫婦で**ぽんぽん**お互いにいいたいことをいい合って」〈私的生活・後藤明生〉 ⬇使い分け「やいやい」

❸ さま 身軽にはね回ったり飛び回ったりするさま。「六人の同勢は、羽根のやぅに、**ぽんぽん**と発奮《はず》んで出て行く」〈日本橋・泉鏡花〉

❹ さま 破れそぅになるほどふくれているさま。腹がいっぱいでふくれているさま。ぱんぱん。『**ぽんぽん**花』「腹がいたくて仕様がない。**ぽんぽん**に張っている」〈弱い結婚・小島信夫〉

❺ 名 腹をぃぅ幼児語。「**ぽんぽん**がなるぞと子もりわらいこみ」〈雑俳－誹風柳多留〉

ぼんやり

❶ さま 形や色彩が、ぼけていてよく見えないさま。「野の中に名も知れぬ寒駅が**ぼんやり**と横たはってゐた」〈頭ならびに腹・横光利一〉「ぼくはどうも**ぼんやり**した中間色が好きじゃない」〈がらくた博物館・大庭みな子〉 ⬇使い分け「ほんのり」

❷ さま 事柄があいまいで明瞭でないさま。「なんだか**ボンヤリ**した御話になって」〈若い人・石坂洋次郎〉「私は何分おきかにきっと**ぼんやり**目をさますものと見えて」〈苦の世界・宇野浩二〉

❸ さま 元気のないさま。気持ちが集中していないさま。『**ぼんやり**顔』「良一は階段のあがりはなのところで、**ぼんやり**つっ立っていた」〈抱擁家族・小島信夫〉「いっ時の間も**ぼんやり**してゐることを許されない女中が」〈父親・里見弴〉 ⬇使い分け「ぽかん」

❹ さま・名 ものごとを明確に考えられないさま。また、そのような人。気のきかない人。「**ぼんやり**から覚めて見れば、自分はいつか娑婆の人間になってゐる」〈坑夫・夏目漱石〉「この**ぼんやり**が自分の味噌っかすにされてるのに気がつくのは容易なことではなかった」〈銀の匙・中勘助〉

ほんわか

さま なごんで、気持ちのよいさま。「帰路ビールを失敬して**ホンワカ**した気分でいると」〈二十歳の原点・高野悦子〉

✹ 一九五〇年代前半の流行語。トニー谷の造語。

ほんわり

さま やわらかさやあたたかみの感じられるさま。なごんで、気分のよいさま。「マグロのトロの刺し身は、口に入れると**ホンワリ**とろけてくる」〈あじな市場・読売新聞・90・8・26〉

ま

まごまご さま どうしてよいかわからないで、目的やあてのない動作を繰り返すさま。「**まごまご**していると、飢死ぬか、殺されるだろう」〈敦煌・井上靖〉「こっちはとちり切《き》って**まごまご**狼狽《うろたへ》る」〈浮世床・式亭三馬〉「かめの子泳ぎに手をひろげ、くびを上たりさげたりして**まごまご**するに」〈西洋道中膝栗毛・仮名垣魯文〉「あれかこれかと指を箸にした手を菓子の上で**まごまご**さす見よくない癖があった」〈赤西蠣太・志賀直哉〉
⇓使い分け「たじたじ」「まごまご」

まざまざ ❶ さま 目の前に見えるようなさま。「旅の詳細は今も脳裡に**まざまざ**と思ひうかべることができる」〈金閣寺・三島由紀夫〉「**まざまざ**といいますがごとしたままつり」〈俳諧—独こと〉 ⇓使い分け「くっきり」
❷ さま 曲げられない事実として見せつけられるさま。はっきり。「市枝は夫のうその、眼の前で**まざまざ**と暴露することに、多少の気の毒笑ひを交へながら」〈真理の春・細田民樹〉「初めて**まざまざ**と見る同病者だったので、恐る怖るではあるが好奇心を動かせながら幾度も横目で眺めた」〈いのちの初夜・北条民雄〉
❸ さま 古 明らかにわかっていることを、まことしやかにするさま。ぬけぬけ。「今年廿六なるを三十一になりますと、知れて有年を**まざまざ**と五つ隠されし」〈本朝二十不孝・井原西鶴〉「**まざまざ**とうそばっかりを言なさる」〈狂歌—徳和歌後万載集〉

まじくさ さま 古 生まじめな表情でいるさま。「むざとしたたはぶれも云はず、**ましくさ**して居らるるうちに」〈浮世草子—世間旦那気質〉

まじくじ さま 古 しきりにまばたきをしたり目を動かしたりするさま。「療治も叶ませず、のらりくらり、目を**まじくじ**、つい臨終いたしました」〈談義本—化物判取牒〉「『もふきそふなもんだ』とひとり**まじくじ**して、まてどもまてども音もなし」〈東海道中膝栗毛・十返舎一九〉

ましくしゃ さま 古 しきりにまばたきをするさま。まじくじ。「まだ足もぬくもらず目も合はず、**ましくしゃ**として居るに」〈浮世草子—好色小柴垣〉

まじまじ ❶ さま 目をすえて見続けるさま。「彼は短い首をひいて**まじまじ**と三輪与志を凝視めつづけた」〈死霊・埴谷雄高〉「阿鼻焦熱の苦しみを**まじまじ**と見て居られ

使い分け

【共通の意味】
うろたえるようす。戸惑っている気持ちが体の動きに表れるようす。

まごまご
うろうろ／おろおろ／どぎまぎ／おたおた

❶**まごまご**は、「新しい空港があまり広くて、**まごまごした**」のように、勝手がわからず困っているようす。**うろうろ**は「切符売り場をさがして、**うろうろした**」のようにあちこち歩き回るようす。**おろおろ**は、気持ちが動揺してどうしていいかわからないようす。「大声で泣く赤ん坊を抱いて、若い親は**おろおろ**と会場を出て行った」
❷**どぎまぎ**は、「ひそかに好きだった人から、いきなり話しかけられて**ドギマギ**した」のように、不意をつかれて動悸が急に高まるようす。**おたおた**は、「初めての赤ん坊の出産を前に、夫は**おたおた**するばかりだ」のように、慣れないことに直面してあわてて何もできないようす。

ふか」〈浄瑠璃―八百屋お七・紀海音〉 ➡使い分け「じろじろ」

❷さま しきりにまばたきをするさま。まじりまじり。「楽阿彌は、目うちしばたたきて、**まじまじ**として舟ばたによりかかり居る」〈東海道名所記・浅井了意〉

❸さま 古 ものごとに動じないさま。平気でいるさま。しゃーしゃー。いけまじまじ。「そのうつくしいしゃッ面で**まじまじ**と虚《そう》をぬかすか」〈春色梅児誉美・為永春水〉

❹さま ただ見ているだけで決断できず手をこまねいているさま。何も手につかずにいるさま。ぼんやり。「お島と云ふ例の他人が傍《そば》に居るので、気屈《きづまり》さうに柳之助は**墨々**《まじまじ》してゐる」〈多情多恨・尾崎紅葉〉

まじらまじら ❶さま 方言 目をそらさずに見つめるさま。「兄が菓子を食っていて傍で弟が**まじらまじら**と見ている」〈新潟県〉

❷さま 方言 眠れないさま。「ゆんべ **まじらまじら**って眠れなかった」〈岩手県〉

まじり さま 古 わずかの間、目を閉じるさま。「長の夜に**まじり**ともせぬ山家哉」〈文政句帖・一茶〉

まじりまじり ❶さま 古 しきりにまばたきなどをして眠れないさま。まじいりまじいり。「馬やの隅に菰をきせて寐させて置ましたれば、**まじりまじり**と致いておりまする」〈狂言―骨皮〉

❷さま 古 目をそらさずに確認するように見続けるさま。「山伏も祈り草臥、〈略〉煙草ぱくぱく、病人を**まぢりまぢり**見て居らるれば」〈滑稽本―古朽木〉

❸さま ただ見ているだけで何の手も打てないさま。「つい起《たち》そそくれて潮合《しほあひ》を失ひ、**まじりまじり**思慮の無い顔をして」〈浮雲・二葉亭四迷〉「あれほど好きで間がな暇がな読んでゐた人が、その楽しみを投げて、**まじりまじり**としてゐた」〈父―その死・幸田文〉

まだまだ さま 古 時間ばかりかかって散漫に長引くさま。のんべんだらり。だらだら。「覚ない云訳を**まだまだ**としてゐられぬ」〈浄瑠璃―義経千本桜〉

まだらまだら さま 古 動作が長々と続いて締まりのないさま。だらだら。「ゐんきょの婆《ば》さまの苧屑《おくず》そろやるやうに、**まだらまだら**と銀《かね》をほそながう遣ふ人の心が知たし」〈傾城色三味線・江島其磧〉

まったり ❶さま 奥があり、落ち着きがあるさま。やわらかい中にこくのあるさま。「男の友人は西洋のお酒のやうに、月日がたてばたつ程**まったり**とした味の出てくるものである」〈もめん随筆・森田たま〉「唇に触れて**まったり**と流れる口中のかすかな重み」〈青井戸・秦恒平〉

方言 味にこくのあるさま。近畿地方。「この白味噌のおみおつけ**まったり**してるなあ」〈京都府〉「この酒は、ほんまに**まったり**しておいしいなあ」〈滋賀県〉

❷さま 力を抜いてくつろいでいるさま。「友だちとくっちゃべり、**マッタリ**する所がないから中学生はみんなストレスがたまり、ゲーセンに集まり」〈学校は・朝日新聞・98・2・15〉

❸さま 方言 動きや進み方が遅いさま。ゆっくり。「どんぼ（魚名）は奥の方にひそんで**まったり**してりまんね」〈京都府〉「工事やさかい、車の進みが**まったり**しているなー」〈滋賀県〉

❹さま 方言 人柄がおだやかなさま。心地よいさま。「**まったり**したお人やさかい、会長さんにはよろしおす」〈京都府〉「風呂かげん、**まったり**して気持ちがよい」〈奈良県〉

まやまや さま こうるさくうろつき回るさま。「監督が何時でも自分の眼の前で、**マヤマヤ**邪魔をしてゐるやうで」〈蟹工船・小林多喜二〉

まりまり さま つややかなさま。まるまる。「其の**マリマリ**と肥った美しい頬へ、俊三は接吻した」〈良人の自白・木下尚江〉

まろまろ ❶さま 丸やかなさま。まるま

る。「筆を取事〈略〉筆をよくとりて、手つきは**まろまろ**としてよく候也」〈入木抄〉

❷ さま ものの性質がやわらかい感じであるさま。人柄が円満であるさま。「角あれば物のかかりてむつかしや心よこころ**まろまろ**とせよ」〈狂歌―古今夷曲集〉「その人の**まろまろ**した声のまへにはただもう気おくれがして」〈銀の匙・中勘助〉

まんさん ⬇漢語編「まんさん(蹣跚)」

まんじり ❶ さま ほんの少し眠るさま。「胸は躍り、頭は冴へて、固より**まんじり**ともせず」〈思出の記・徳冨蘆花〉

✽普通「まんじりともしない」などの形で打ち消しを伴って用い、少しも眠らないことを強調する。

❷ さま ある行為を思う存分に時間をかけて行うさま。じっくり。まじまじ。じっ。「はずんだ葉子の声にひかされて、**まんじり**とその顔を見守った」〈或る女・有島武郎〉「どうで**まんじり**と泣かしては下さるまい」〈歌舞伎―桑名屋徳蔵入船物語・並木正三〉

❸ さま 落ち着きがなく何も手につかないでいるさま。「もう帰るか、もう帰るか、と待つ間を独**兀然**《まんじり》としてゐると」〈多情多恨・尾崎紅葉〉

まんまん ⬇漢語編①「まんまん(満満)」②「まんまん(漫漫・曼曼)」

みーみー 声 ネコの鳴く声。

みーんみーん 声 ミンミンゼミの鳴く声。⬇鳴き声編

みきみき 音 大きなもの、重いものなどがきしんだり、動いたりする音。みしみし。「忽ち裏手の山上高く天地も震ふばかり**ミキミキミキッ**と凄しい音がして」〈良人の自白・木下尚江〉

みさみさ さま 古 ひどく水にぬれたさま。ぐしゃぐしゃ。びしょびしょ。「せなかは紅の練単衣を水にぬらして着せたるやうに、**みさみさ**となりてありけるを」〈宇治拾遺物語〉

みし ❶ 音・さま 木や板などが一度きしむ音。ものがこわれたりつぶれたりする音。また、そのさま。「真夜中に、**みしっ**と微かに廊下の鳴る音がする」〈菩提樹・丹羽文雄〉「横岳の下りで、新雪の急斜面を横切る時、**ミシッ**と云って大きな割目が出来たので」〈単独行・加藤文太郎〉

❷ さま 古 力を入れて何かをするさま。力いっぱい。ひし。「立ちながら衣ごしに**みし**と抱きて」〈古今著聞集〉「**みし**と矢を放された処で、一矢で射て取たぞ」〈毛詩抄〉

みしみし ❶ 音・さま 木や板で組んだものの、骨組みなどが続けてきしむ音。また、そのさま。みしりみしり。「**みしみし**いふ狭い梯子段を登ると」〈暗夜行路・志賀直哉〉「今日は稲が刈れるかしらと思ふほど五体が**みしみし**するけれど」〈隣の嫁・伊藤左千夫〉

❷ 音・さま 荒々しくものを動かしたり、踏みつけたりする音。きしみながらもののこわれる音。また、そのさま。「**みしみし**と吾児《あこ》に蹠《あしうら》を蹈ませけり朝起きしなの懈《ゆた》さ堪へなくに」〈川のほとり・古泉千樫〉「がたがた、めりめり、**みしみし**と、物を打ち毀す音がする。〈略〉障子襖だと云ふことが分かった」〈大塩平八郎・森鷗外〉

❸ さま 一つのことをじゅうぶんに行うさま。みっちり。びしびし。「生徒取扱ひの法は塾の規則に従ひ不法の者があれば会釈なく**ミシミシ**遣付けて寸毫も仮《か》さず」〈福翁自伝・福沢諭吉〉

❹ さま 非常に多くのものがあるさま。混雑しているさま。びっしり。「来た、来た。ハタハタが**ミシミシ**やってきた」〈ハタハ

夕・吉村昭〉

みじみじ ❶〔さま〕〔古〕虫がはうようなむずがゆさを感じるさま。むずむず。「先程より、襟元が**みじみじ**致すゆゑ〈略〉コレ虱を見附けました」〈歌舞伎―花菖蒲佐野八橋〉 ❷〔さま〕〔古〕徐々にこわれていくさま。少しずつだめになっていくさま。「しかれば位詰になって**みぢみぢ**果てたまはんより」〈浮世草子―真実伊勢物語〉

みしゃみしゃ〔音・さま〕〔古〕ひしがれてつぶれる音。また、そのさま。元気や意気地がなくなるさま。「手間も隙もいらずみしゃみしゃとうちひしぎ」〈浮世草子―好色染下地〉

みしり〔音・さま〕柱や板材などが重圧のために一瞬きしむ音。また、そのさま。「鉄格子へ掴まって、腕の脱けるほどゆすぶった。からだをぶら下げた。が格子は**ミシリ**ともしなかった」〈天国の記録・下村千秋〉

みしりみしり〔音・さま〕木や板で組んだもの、骨組みなどが続けてきしむ音。また、そのさま。みしみし。「寝静まった家の中は森閑としてゐた。すると、**みしりみしり**と忍ぶ足音が縁の方から伝はってきた」〈家族会議・横光利一〉

みずみず ❶〔さま〕つやがあって、新鮮なさま。若々しいさま。みんずり。「ぼたん杏《きょう》の花が蒼白く散ったあとに豆ほどの実が〈略〉**みづみづ**と黄味を帯び、頬みたいに赤みをきざし」〈銀の匙・中勘助〉「お年も寄らず、**みづみづ**と若やいで」〈浄瑠璃―日本振袖始・近松門左衛門〉 ❷〔さま〕〔古〕しつこくないさま。あっさり。みんずり。「甘節《あまぶし》とは、あまきふしなれば、あまかるべきなれども、さのみあまければ濃き味はいにてわろし。さるほどに、**みづみづ**といひなせば、幽玄におもしろく聞ゆる也」〈五音三曲集〉

みそみそ ❶〔さま〕〔古〕ものがこまかくくずれるさま。「あらゆる虵《み》へ、一口づつかみて、**みそみそ**とかみなして山の方へかくれて後」〈沙石集〉 ❷〔さま〕〔古〕ものごとの勢いなどが弱まって静かになるさま。弱々しくくずおれるようなさま。「**みそみそ**としてさてやみにけり」〈愚管抄〉

みちみち〔音・さま〕木や板で組んだもの、骨組みなどがこまかくきしむ音。また、そのさま。みしみし。「弓のようにまがった背骨を**ミチミチ**と音をたててのばし」〈流亡記・開高健〉

みちり〔音・さま〕細い木や竹など、たわみのあるものがきしんだり割れる音。また、そのさま。「竿は二本継の、普通の上物でしたが、継手の元際が**ミチリ**と小さな音がして、そして糸は敵へなく断れてしまひました」〈幻談・幸田露伴〉

みちりみちり〔音〕木や板で組んだもの、骨組みなどが続けてきしむ音。みしりみしり。「**ミチリミチリ**と椽側を伝って近づいて来る」〈吾輩は猫である・夏目漱石〉

使い分け

みっちり

こってり／じっくり／とっくり

【共通の意味】じゅうぶんに行われるようす。

❶**みっちり**は、ものごとを休んだり怠けたりしないで、しっかりとじゅうぶんに行うようす。「いまから**みっちり**勉強すれば国家試験に間に合う」「ベテランの板前が、見習いに**みっちり**料理を仕込む」 ❷**こってり**は、いやになるほどじゅうぶんに何かをするようす。「スピード違反で警官に**こってり**絞られた」 ❸**じっくり**は、長い時間をかけるようす。「**じっくり**考える」「**じっくり**熟成させたチーズ」 ❹**じっくり**、**とっくり**は、相手と時間をかけて話し合うようすだが、**とっくり**は、「**とっくり**と言い聞かせた」のように、相手が納得するように話すようす。

みっしみっし 音・さま 木や板でつくったものが続けて強くきしむ音。また、そのさま。「誰か来る**みっしみっし**と雪の門」〈川端茅舎句集〉

みっしり ❶ さま 一つのことをじゅうぶんに行うさま。みっちり。「今年は是非上海か瓜哇《じゃわ》あたりまで航海して**みっしり**ともうけるつもりサ」〈安愚楽鍋・仮名垣魯文〉

❷ さま すきまなくじゅうぶんにつまったり、肉づきがよくなるさま。「親達から**みっしり**と頭の内へ塡《は》め込まれた考へが、今彼を腹立しくするのである」〈Wee・細田源吉〉

❸ さま すきまなく密着するさま。ぴったり。「たがいにたへにし下ひもをうちとき、**みっしり**とだきあふほどこそあれ」〈浮世草子―好色ひともと薄〉

みっちり さま 一つのことをじゅうぶんに行うさま。あることが中断することなく続くさま。みっしり。「是で明日も**ミッチリ**雪と来た日にゃア商売には出られねエな」〈落語―鰍沢雪の酒宴・三遊亭円生〉「その上、**ミッチリ**油を取ってやらうと思って」〈家鴨飼・真山青果〉 ⬇使い分け「みっちり」

みゃー 声 ネコの鳴く声。

みゃくみゃく ⬇漢語編「みゃくみゃく〈脈脈〉」

みりみり 音・さま 木や板で組んだもの、骨組みなどが、きしんだり、ひび割れてこわれたりする音。また、そのさま。「あくる日も**みりみり**と骨が痛んでいる」〈流れる・幸田文〉「家の破風《はふ》**みりみり**と鳴ければ、即ち家の内光渡り大入道二人来て」〈仮名草子―片仮名本因果物語〉

みりり 音・さま 氷や木などがひび割れる音。また、そのさま。みりみり。「寒声や**みりり**踏込む溜り水」〈雑俳―歌羅衣〉

みるみる さま 古 色つやなどのみずみずしいさま。生気にあふれているさま。「だんじきをしてこもるとおしゃったが、やつれもあそばさず、一段**みるみる**として」〈狂言―川上〉

みるり さま 古 みずみずしく、颯爽《さっそう》としているさま。「板木にしおこす源氏のうつくしさ〈安静〉 **みるり**と見ゆるうし若の影〈友仙〉」〈俳諧―紅梅千句〉

みろみろ さま 古 涙ぐむさま。「若公此有様を見給て、浅増げにぞ覚して、**みろみろ**とかいを造り給ふぞ糸惜き」〈源平盛衰記〉

みんずり ❶ さま 若くてみずみずしいさま。「**みんづり**と見ゆる若木やはたち花〈可頼〉 五月雨ふるき松は何歳〈貞徳〉」〈俳諧―紅梅千句〉

❷ さま しつこくないさま。あっさりとした風味であるさま。「Minzurito〈ミンズリト〉シタアヂワイ〈訳〉食べ物などの味について、あっさりしたうす味」〈日葡辞書〉

❸ さま すなおで無邪気なさま。「Minzurito〈ミンズリト〉シタヒト〈訳〉純朴で悪意のない人」〈日葡辞書〉

みんみん 声 セミの鳴く声。 ⬇鳴き声編「ミンミンゼミ」

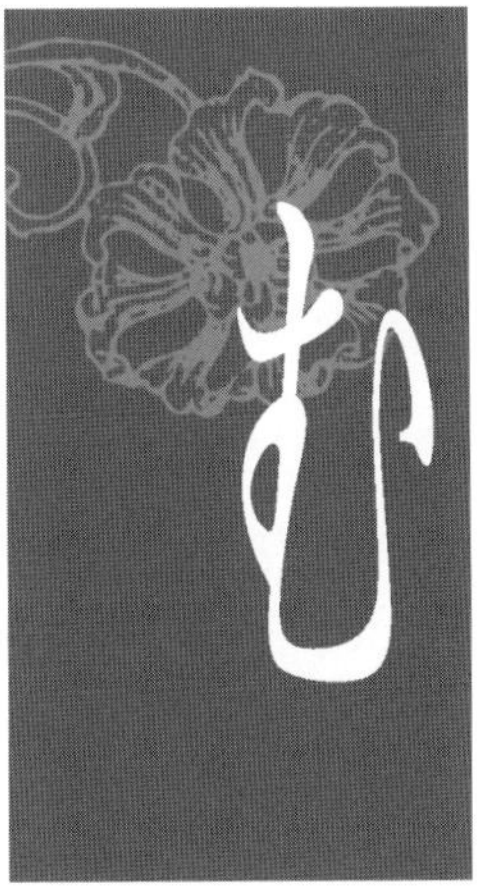

むーっ ❶ さま 煙などが時間をかけて少しずつ吹き出るさま。「烟草《たばこ》の烟が陰気に**むうっ**と鼻から出る」〈虞美人草・夏目漱石〉

❷ さま 怒りや不機嫌さなどを感ずるさま。その表情を顔に出すさま。「**むうっ**と口を結んで、常より少し怒らせた肩を振るやうに、気負って廊下を歩く」〈名人・川端康成〉

❸ さま 熱気やにおいなどが強く迫ってくるさま。「しめ切って寝てゐたまま昼過ぎに及んだので、**むうっ**と人臭いにほひが鼻を打った」〈大阪の宿・水上滝太郎〉

むーん さま 強烈な熱気や臭気が迫ってくるさま。むっ。むん。「安い白粉と、女の汗臭い匂ひが**ムーン**と鼻に来た」〈防雪林・小林多喜二〉

むかっ ❶ さま 強い怒りが瞬間的にこみ上げてくるさま。「客間のはうからお母さんたちの笑ひ声が、どっと起って、私は、なんだか、**むかっ**となった」〈女生徒・太宰治〉「旦那も**勃然**《むかっ》として何とか言ひなすったのが気に障って」〈二人女房・尾崎紅葉〉 ⇩使い分け「つんけん」
❷ さま 急に、はきけをもよおすさま。『車に酔って、時折**むかっ**とこみ上げてくるので困った』

むかむか ❶ さま 怒りがわきあがるようにこみ上げてくるさま。「腹わたが燃え返り、胸の虫が**むかむか**と、こらへかねて候へ共」〈浄瑠璃―百日曾我・近松門左衛門〉
❷ さま わきあがるように、はきけをもよおすさま。「甘酸っぱい粘着性の腐敗臭に胸が**むかむか**したことも事実だけど」〈黄金の街・金井美恵子〉「昼の大酒に心持わるく胸も**むかむか**と酒の匂ひもいやなれば」〈洒落本―酔姿夢中〉
❸ さま 古 感情や考えがわきあがるように高まるさま。むくむく。「何だか急に**ムカムカ**と釣が好きに成たヨ」〈怪談牡丹燈籠・三遊亭円朝〉

むきむき さま 筋肉がきわめて厚くついて、力強いさま。「一般的な女性は筋量が少なく、どんなにトレーニングしても**ムキムキ**になることはない」〈腹筋、つけたい・つかない・毎日新聞・02・8・2〉 ⇩使い分け「もりもり」

むぎゅっ さま 大きくやわらかいものを強く押しつけるさま。「閉まる寸前のドアに**ムギュッ**と、足を踏ん張ると、たまらず、ドアは再オープン」〈編集部から・週刊エコノミスト・99・9・14〉

むく ⇩コラム「むく」

むくっ さま 突然立ちあがったり、わきあがったりするさま。むっく。むっくり。「なんと思ったか、突然**むくっ**と片肘立てて首を上げると」〈雪国・川端康成〉「春吉君の心の底から、正義感が**むくっ**と起きてきた」〈屁・新美南吉〉

むくむく ❶ さま 煙や雲、波などがわき立ってふくらむさま。「南京綿のやうな夕立雲が、**ムクムク**と覆ひ広がって来てゐた」〈大道無門・里見弴〉「すぐ別な波が**むくむく**と起き上ってきて、ドシンと船の横腹と体当りをする」〈蟹工船・小林多喜二〉
❷ さま 感情や考えが、急激にふくれあがるさま。「この滑稽作家が持前の悪戯《いたづら》っ気《け》は**むくむく**と頭をもちあげかかった」〈茶話・薄田泣菫〉
❸ さま 厚くやわらかくふくらんでいるさま。態度や物腰などがやわらかであるさま。「M・さんは綺麗に剃刀《かみそり》をあてた、**むくむく**した桃色の大きな頤《あご》を、柔らかさうな手のひらで撫でて」〈アパアトの女たちと僕と・龍胆寺雄〉「貝原先生の『大和俗訓』、『家道訓』は、**むくむく**和和《やわやわ》として極上々の能化談義」〈談義本―当世下手談義〉
❹ さま 毛などが多く重なり合って生えているさま。「毛**むくむく**とある物、さしころされてあり。みれば狸なりけり」〈古今著聞集〉
❺ さま うごめいたり、うごめいて起き上がったりするさま。「熱茶一杯に酒の残り香を払ふ折しも、**むくむく**と起き上った る清吉」〈五重塔・幸田露伴〉「春園のホース**むくむく**水通る」〈今日・西東三鬼〉「力を籠める度毎に肩の肉が**ムクムク**と動いて」〈家鴨飼・真山青果〉
❻ さま 口をこきざみに動かすさま。もぐもぐ。「綴ぢつけた糸を切る如く、**むくむく**と唇を震はしながら」〈風流線・泉鏡花〉

むぐむぐ さま 口をあけないで、ものをかむさま。口をしきりに小さく動かすさま。もぐもぐ。「口を**むぐむぐ**為《す》るばかりで、一言半句も出ざりしが」〈七偏人・梅亭金鵞〉

む

むく

「むく」は、何かが盛り上がるようすを表す。「むくむく」と繰り返すと、「雲がむくむくと湧き起こる」のように、次々と湧き上がるようすや、いくつもの固まりが盛り上がるようすにいう。また、「興味がむくむくとわいた」のように、ある感情が心の中に勢いよく湧き上がる場合にも使う。江戸時代の仮名草子には、「長井が青茶むくむくと、たてて出だすをのみながら」(『尤双紙《もっとものそうし》』)のように、抹茶がじゅうぶんに泡立つようすにも用いられている。

「むくっ(と)」「むっくり」は、起き上がるようすを表す。「むくむくと起き上がる」は寝ていたものが起き上がる過程をイメージさせ、「むくっと」は突然勢いよく起き上がるようすを、「むっくり」は「むくっ(と)」ほどの勢いはないが急に一度で起き上がるようすを表す。

「むくむく」は、「むくむくと太ったイヌ」のように、肉づきがよく、まるまるとしているようすも表す。「むっくり」も「むっくりした体」のように、肉づきのよさ、丸みを帯びたようすを表すときにいう。

「むくむく」「むくりむくり」は、古くは、毛深いようすも表した。

【むくの語群】

むくむく
むくっ・むっく
むくり・むっくり
むくりむくり

	雲が―(と)湧き上がる	意欲が―(と)湧く	―(と)起き上がる	―(と)太ったイヌ
むくむく	○	○	○	○
むくっ	―	―	○	―
むっくり	―	―	○	○
むくりむくり	○	―	△	―

【表現】

「むく」は、古くは毛がふさふさと生えたようすにいい、「むく毛」「むく犬」などの語がある。「むくひげ」は「むくむくとはえているひげ」のこと、「むく羊」は羊の異名であるという。また、毛深いようすを「毛むくじゃら」という。

古語の「むくめく(むぐめく)」は、虫などがむくむくと気味わるく動くようすを表しているが、形容詞の「むくつけし」「むくむくし」(どちらも、気味がわるく恐ろしい、の意)の「むく」も同じところからきている。

肉づきがいいという意味の「むっくり」に似た語に、「ずんぐり」がある。「ずんぐり」は背丈が短く太いようすを、「むっくり」は丸みがあって太いようすを表す。二語を合わせた「ずんぐりむっくり」という表現もあり、強調された意味を表す。同様の語に「むっちり」があるが、「むっちり」は肉づきがよく、はちきれそうな感じをいう。

起きるようすを表す「むっくり」から「むっくり起き」(起きてすぐであることの意味)という語ができた。「むっくり起きからずっと客づめだ」(『今年竹』里見弴)などの例が見える。地域によって、「むく起き」「むっくら起き」という。

(中里理子)

むくり さま 急に起き上がるさま。むっくり。「つかつかと机の前に坐ったが、また**むくり**立上って」〈魔風恋風・小杉天外〉

むくりむくり ❶さま古 毛などが多く重なり合って生えているさま。「踵に髭が**むくりむくり**と生たるなり」〈狂言―井礑〉
❷さま 少しずつふくらむようにわき上がったり、起き上がるさま。「大空に何も無ければ入道雲**むくりむくり**と湧きにけるかも」〈雲母集・北原白秋〉「目も覚ず、むくむくとしてゐられたれば、**むくりむくり**とあたまもたぐる〈幽斎〉」〈寒川入道筆記〉

むごむご さま 不規則に、こきざみにうごめくさま。「**むごむご**と猫の産巣《うみす》の破れ簑 入時見えぬ機のへをもり〈之道〉」〈俳諧―江鮭子〉「買出《かいだ》しに見せても、事触と外《ほか》見へぬ親仁《おやぢ》口を**むごむご**して、届たりしが」〈談義本―教訓乗合船〉

むざ ❶さま古 無造作にものごとを行うさま。「薄紅の一枚を**むざ**と許りに肩より投げ懸けて、白き二の腕さへ明らさまなるに」〈薤露行・夏目漱石〉
❷さま古 とるべき態度や守るべき節度をわきまえないさま。無分別、不注意なさま。うっかり。「やいやい**むさ**と傍《そば》へな寄りおっそ」〈狂言―蟹山伏〉
❸さま古 いい加減に事を行うさま。みだりに。むやみに。やたらに。「何時ぞや頂戴いた御羽織御衣服、其後**むざ**とも用ゐませず大切に取って置いてござりますれば」〈椀久物語・幸田露伴〉
❹さま古 由来が明確でないさま。「我らがやうな尊き知識などが、何とて、**むさ**としたる所へ寄るものか」〈咄本―昨日は今日の物語〉
※近世初期までは「むさ(と)」と清音。「みずからを省みて恥じないこと」を表す「無慙《むざん》」との意味の重なりから、「むざ(と)」や「むざむざ」の語形が生じたと考えられる。現代では「むざ(と)」はほとんど使われなくなり、「むざむざ」のみが残る。

むさくさ ❶さま古 毛などが多く乱れているさま。むさくるしいさま。むしゃくしゃ。「いかにしても**むさくさ**としたお髭」〈男色大鑑・井原西鶴〉
❷さま古 気持ちが沈んで晴れないさま。また、その気持ち。むしゃくしゃ。「**むさくさ**とせし迷ひを晴れなん」〈浮世草子―世間長者形気〉
❸さま古 秩序なくやたらにしゃべったり行ったりするさま。無謀であるさま。「哥のとりなしは、おかしけれども、**むさくさ**なり」〈仮名草子―悔草〉

むさっ さま方言 うんざりするさま。むっさり。「あんなやつ 顔見たばっかりで(見ただけで)**むさっ**としてしまう」〈愛知県〉

むさむさ ❶さま 乱雑で、きたならしいさま。「詞もつたなく、風情もなくて、ことごとしく具足おほく、**むさむさ**と俗なる連歌が付にくき也」〈九州問答〉
❷さま 毛などが多くて、乱れて不ぞろいなさま。「髪、ひげ**むさむさ**とはへさせ、かみ頭巾を目の上迄かぶり」〈慶長見聞集〉
❸さま古 心が満たされないさま。気持ちが乱れたり、腹を立てたりするさま。むしゃくしゃ。「五臓心肝乱て、**むさむさ**と、したる心也」〈論語抄〉
❹さま とりとめもなく、むだに時間を過ごすさま。ぐずぐず。「もう、家に用事はない。**むさむさ**している暇もない」〈オキナワの少年・東峰夫〉

むざむざ ❶さま 価値あるものが不用意に、あるいは無造作に失われることなどを、無念に思い惜しむさま。「わたくしたちの努力が足りませんでしたので、**むざむざ**と焼いてしまいました」〈記念碑・堀田善衛〉
❷さま 節度をわきまえず、無分別、不注意であるさま。うっかり。「いはでものこといひすべらせ、**むざむざ**殺せし我が過ち」〈桐一葉・坪内逍遙〉
❸さま 確たる理由もなく事を行うさま。いい加減にするさま。「いくら日本人が堕

落をしていたって〈略〉そうむざむざ敵国の云うことをきくわけはないじゃありませんか」〈国際殺人団の崩壊・海野十三〉「我身を賢女よ貞女よといはれんためむざむざと二条の后を殺し」〈浄瑠璃—井筒業平河内通・近松門左衛門〉⬇使い分け「むざむざ」

❹さまとりとめもなく、無為に過ごすさま。「大枚一月と云ふ光陰、縦令暑中休暇であろうとも、ムザムザ遊んで費すは勿体ないと」〈暑中休暇・巖谷小波〉「はいと承知して、床屋に昼休《ひるやすみ》をむざむざと過ごし」〈露小袖・大橋乙羽〉

✹古くは「むさむさ」。

むしくし ❶さま古何ということもなく気持ちが乱れたり腹立たしい気持ちであるさま。むしゃくしゃ。「何をいふ。身共はましくしして居れば。**むしくし**と腹が立」〈浄瑠璃—染模様妹背門松〉

方言腹が立つさま。「あいつのすること見てると**むしくし**するわ」〈大阪府〉

❷さま方言腹が痛むさま。ちくちく。大阪府・中国地方。「腹が**むしくし**する」〈大阪府〉

むしっ さま不機嫌で口をきかないさま。むすっ。「大きく安坐をかいて、両手をはすかひに股に差しこんで**ムシッ**としてゐるのや」〈蟹工船・小林多喜二〉

むしむし ❶さま暑くて湿気が多いさま。「まるで颱風前のように**蒸し蒸し**と暑苦しくて」〈硝酸銀・藤枝静男〉「空気は重たく沈滞して、**ムシムシ**と全身の皮膚の汗腺《かんせん》を圧しつけた」〈コサビネ艦隊の抜錨・龍胆寺雄〉⬇使い分け「むんむん」

❷さま古不安や怒りなどで気分が晴れないさま。不平・不満などを言動に出すさま。「かくとはいひ出ねとも、**むしむし**としてうきたたぬか、いかさまに座敷わさりめかぬ時など」〈評判記—色道大鏡〉

むじむじ ❶さま古思いきって動けず、もどかしく思ったり、いじけたりしているさま。もぞもぞ。「大力に踏み付られ、只**むぢむぢ**とする所に」〈浄瑠璃—平安城〉

❷さま古もみ手をするさま。「**むぢむぢ**手を揉みて」〈浄瑠璃—平仮名太平記〉

むしゃくしゃ ❶さま気持ちが乱れたり、腹が立ったりするさま。「不快なしこりを感じ始めた。〈略〉そうすると気持も身体も**むしゃくしゃ**して来て」〈格子の眼・島尾敏雄〉⬇使い分け「かりかり」

❷さま毛や草などが乱雑に生えているさま。「あたまはさかやきぼうぼう、ひげ**むしゃくしゃ**として、じじむさき事いはんかたなし」〈浮世床・式亭三馬〉

❸さま乱れてきたならしいさま。ひどく乱れるさま。「漢土の人は、とかく**むしゃくしゃ**した、ぶせうらしい事を好むもの故」〈文明開化・加藤祐一〉

❹さまあたりかまわず勢いこんで食べるさま。むしゃむしゃ。「『ここにカステイラがあるワ』〈略〉女生徒らはたがひに**むしゃくしゃ**たべながら」〈藪の鶯・三宅花圃〉

むしゃむしゃ ❶さまあたりを気にし

> **使い分け**
>
> 【共通の意味】見過ごしてしまうようす。
>
> **むざむざ** **みすみす／ついつい**
>
> ❶**むざむざ**は、そのままにしておけばわるい結果になることが分かっていながら、何もすることができないで見過ごしてしまうようす。「親から受け継いだ家を**むざむざ**手放すことになってしまった」❷**みすみす**は、実際に見ていてどうなるかが分かっていながら、どうにもできずに悔しい気持ちでいるようす。「泥棒を**みすみす**逃がした」❸**ついつい**は、頭では理解していながら、無意識に行動をとってしまうようす。「子どもの自主性を重んじると言いながら、**ついつい**口を出してしまう」

む

ないで品なく勢いこんで食べるさま。「他人の買った菓子を、遠慮なく**ムシャムシャ**と取り喰へるは」〈当世書生気質・坪内逍遙〉
⇩使い分け「ぱくぱく」
❷さま 毛などが乱雑に密生しているさま。「髭**むしゃむしゃ**とはへた仏頂面のおとこ、取次に出て」〈咄本―鹿の子餅〉
❸さま 気持ちが乱れたり腹が立ったりするさま。「ある男、友達と将棋を指し、何番さしても負けるので腹を立て、友達を殴って飛び出したが、まだ**むしゃむしゃ**するので死ぬ気になり」〈話の屑籠・菊池寛〉

むじゃむじゃ さま 毛などが乱雑に密生しているさま。もじゃもじゃ。「白い髯が**むじゃむじゃ**と伸び、何年も着尽くしたやうな衣服も老い疲れてゐるらしく見られた」〈人間嫌ひ・正宗白鳥〉

むしゃらくしゃら さま ものごとをむやみやたらにするさま。むちゃくちゃ。「一紙半銭《いっしはんせん》の手の内には、**むしゃらくしゃら**の大明神」〈根無草・天竺浪人(平賀源内)〉

むしゃり さま 勢いよく一口食べるさま。「片手で饅頭を色気なく**むしゃり**と遣って」〈婦系図・泉鏡花〉

むしゃりむしゃり ❶さま 続けざまに大口をあけて食べるさま。「大福餅や大ぶかしを**むしゃりむしゃり**で居ながら」〈浮世風呂・式亭三馬〉
❷さま ものごとをむやみやたらにするさま。「彼様の珍ぶつを、心なく**むしゃりむしゃり**と下司ばるやからも有やすが」〈七偏人・梅亭金鵞〉

むず ❶さま 荒々しい力で行うさま。むんず。「一時に掛る二人の首元**むず**と摑《つか》むで左右に振れば、宙に成りて呻き苦しむ」〈今弁慶・江見水蔭〉
❷さま はばかるところなく堂々と、ひたすらに何かをするさま。むんず。「忠信思ふ座敷に**むず**と居直り、菓子ども引寄せて、思ふ様にしたためて居たるところに」〈義経記〉
❸さま 疑いなく明確であるさま。「師出―もろもろ大ぜいも云へども此は**むず**といくさ合戦を云そ」〈周易抄〉

むすっ さま 機嫌のわるいさま。愛想のないさま。ぶすっ。「何をいっても返事をせず**むすっ**と黙り込んでいたタクシーの運転手」〈吉里吉里人・井上ひさし〉 ⇩使い分け「むっつり」

むずむず ❶さま あることを今にもしたくてたまらないさま。うずうず。『腕が**むずむず**する』「あたしもさきから、帰りたくって**むずむず**して来てたところなの」〈旅愁・横光利一〉「その一声に、何かいひたがって**ムズムズ**してゐた他の悪太郎共の口は一時に開かれた」〈貧しき人々の群・宮本百合子〉
⇩使い分け「やきもき」
❷さま 虫などがはい回るようにこまかく動くさま。そういう感触を肌や心に受けるさま。「ナマコが肩を這ったような感触―あの風呂屋の記憶は、〈略〉まだ、その辺が**ムズムズ**してるのである」〈自由学校・獅子文六〉「先生と呼ぶのと、呼ばれるのは雲泥の差だ。何だか足の裏が**むずむず**する」〈坊っちゃん・夏目漱石〉 ⇩使い分け「ちかちか」
❸さま 古 力を込めるさま。「かぶと引よせ打着て、緒を**むずむず**とゆひ、鞭のさきにてちりうちはらひ」〈平治物語〉
❹さま はばかるところなく、ひたすらに何かをするさま。「三十すぢばかり、**むずむず**と折り食ふ」〈宇治拾遺物語〉

むずりむずり さま ものぐさそうに少しずつ動くさま。虫などが肌の上を少しずつはうようなさま。「或柔かい物が、柔かいなりに、**むづりむづり**と、食道を上へせり上って来る」〈酒虫・芥川龍之介〉

むたむた ❶さま 方言 猛然と勢いのよいさま。「このごろァ息子も**むたむた**ど働くよねなりましたおん」〈青森県〉「だれさでも**むったむた**かかっていく」〈北海道〉
❷さま 方言 動作が緩慢なさま。むだでい

む

い加減なさま。「**むたむた**ーと五万円使うてしもた」〈富山県〉「**むたむた**として日を送った」〈富山県〉「**むたむた**しとるとおいていく」〈岐阜県〉

❸ さま 方言 乱雑なさま。ごちゃごちゃ。北陸地方。「この**むたむた**の部屋、掃除しまっし」〈石川県〉「部屋の中が**むたむた**になっている」〈福井県〉

むだむだ さま 古 秩序もなくやたらに、または無分別に事を行うさま。「あれより見事につかはしけるを、**むだむだ**とうつべき子細なし」〈武家義理物語・井原西鶴〉

むちっ ❶ さま 肉づきのよい肌にやわらかい張りがあるさま。むっちり。「英国女優、ケイト・ウィンスレットも存在感に**ムチッ**とした弾力感が滲み出ている」〈女性の体形進化の現在・AERA・98・9・21〉

❷ さま 食べ物などの、身がよく詰まったさま。「ゆで時間が長いと水っぽくなり、枝豆の**むちっ**とした感触が失われるという」〈旬を食べる・毎日新聞・95・7・1〉

むちむち ❶ 音 古 家などのきしむ高い音。みちみち。「其執心で夜々は屋鳴り震動雷電し、天井板が**むちむち**むち、梯子がぐはたぐはたぐはた」〈浄瑠璃―八百屋お七・紀海音〉

❷ さま 肉づきがよく、ふるえるような弾力があるさま。むっちり。「**むちむち**した身体の色気がおもしろいな」〈面影・芝木好子〉「肉の**むちむち**詰ったような新鮮な蟹を連想させた」〈ハイネの月・井上友一郎〉

❸ さま ある感情などが、勢いよく、力強くわき出るさま。「渡は自分でも分る程『新鮮な』階級的憎悪が**ムチムチ**と湧くのを意識した」〈一九二八・三・一五・小林多喜二〉

❹ さま 古 無為に過ごすさま。「異郷の客となりて難波に遊び洛に停《とどま》りて、**むちむち**と京に十歳を降くらしたる独吟あり」〈俳諧―夜半亭発句帖〉

むちゃくちゃ ❶ さま まったく筋道のたたないさま。道理をかえりみないさま。「女ってヒスを起して、**むちゃくちゃ**買物をしてしまうこともあるけど」〈白く塗りたる墓・高橋和巳〉

❷ さま 乱暴に扱ったり乱雑にしたりするさま。どうにもならない状態になるさま。「鴆毒《ちんどく》？ 持って来い。嘗めて此一生を**むちゃくちゃ**にして見せやう」〈浮雲・二葉亭四迷〉

❸ さま 程度が並みはずれてはなはだしいさま。「汽車の時間表は空襲のため**むちゃくちゃ**に乱れているので」〈青い月曜日・開高健〉

✱「無茶苦茶」はあて字。「むちゃ」を強めていう語。

むちゃらくちゃら さま 古 気分がわるくなるさま。「いらざる左平次ばって世話やくさかい、**むちゃらくちゃら**と、互ひに気持が悪うなって」〈大師めぐり・十返舎一九〉

むちり さま 肌に張りのあるさま。「顔たち、おほかたうつくし、**むちり**と肥て、またよし」〈評判記―満散利久佐〉

むっ ❶ さま 怒ったり、不機嫌さなどを感じるさま。その表情を顔に出すさま。「文三は**ムッ**としてゐて莞爾《にっこり》ともしない」〈浮雲・二葉亭四迷〉

❷ さま 熱気や悪臭などが突然強く迫ってくるさま。「立籠めた生暖い空気が**ムッ**と面を打って」〈青春・小栗風葉〉 ⬇使い分け「ぷん」「むんむん」

❸ さま 唇を、力を込めて閉じるさま。むん。「三千歳は可愛ゆい口を**むっ**と閉じて一座を見る」〈風流懺法・高浜虚子〉

むっかり さま 方言 憤然とするさま。むかっ。「彼らのふるまいに思わず**むっかり**した」〈静岡県〉

むっく さま 勢いよく起きあがるさま。むくっ。「武田さん。と呼ぶ一声に男は**ムックと**跳ね起き」〈花間鶯・末広鉄腸〉

むっくり ❶ さま 丸々と程よく太っているさま。丸く盛り上がっているさま。「寝衣《ねまき》の袖がまくれて其下から差覗《さしのぞい》て居

む

るむっくりとした小さな手の可愛らしさと言ては」〈姉と弟・嵯峨之屋御室〉「**むっくり**と牛乳色の皮膚に包まれた地蔵肩」〈或る女・有島武郎〉「白酒が銚子の口から棒みたいにたれて**むっくり**と盛りあがるのを」〈銀の匙・中勘助〉

❷さま 古 洗練されていて、ものやわらかなさま。滋味のあるさま。「げいぶり心だてなに事も**むっくり**としとやかなり」〈評判記―難野郎古たたみ〉

❸さま 緩慢に起き上がったり、ものが生えてきたりするさま。「寝惚《ねぼけ》面《づら》で承ると**むっくり**と立ち、おっと合点お茶の子で飛出した」〈葛飾砂子・泉鏡花〉「すると、鞭のやうにすんなりと撓《わた》んだ一匹のグレイファンドが、**むっくり**と庭石の影から起き上った」〈寝園・横光利一〉

❹さま おし黙っているさま。むっつり。「再度《ふたたび》三度かきくどけど、**黙々**《むっくり》として猶言はざりしが」〈五重塔・幸田露伴〉

むっさり ❶さま 古 樹木の生い茂っているさま。「名所の松原多けれど〈略〉**むっさり**と生へ茂ったが忝《かたじけな》い」〈浄瑠璃―浦島年代記・近松門左衛門〉

❷さま 方言 あまりの多さに、それ以上はがまんできないという気分になるさま。むさっ。「机の上の書類の山を見ると**むっさり**する」〈愛知県〉

むっしむし ❶さま 古 かたっぱしから食うさま。「ふのやきを山椒みそで**むっしむし**」〈雑俳―蓬莱山〉

❷さま 古 立腹するさま。「目があはぬふまれて戻って**むっしむし**」〈雑俳―長ふくべ〉

むっしり ❶さま 方言 立腹するさま。「あんな事言われて**むっしり**したけれど黙っていた」〈和歌山県〉

❷さま 方言 程度がたくさんであるさま。「アメリカで**むっしり**儲けてきた」〈和歌山県〉

むったり ❶さま 方言 勢いのよいさま。一心不乱に行うさま。北海道・東北地方。→むたむた①。「わき目もふらずに**むったり**一日働いた」〈岩手県〉

❷さま 方言 同じ状態が続くさま。始終。「あれは**むったり**本ばかり読んでいる」〈北海道〉「**むったり**あの家に行っている」〈北海道〉

むっちゃらくっちゃら さま 古 気分のわるいさま。むちゃらくちゃら。「給銀くれず**むっちゃらくっちゃら**」〈浮世草子―世間化物気質〉

むっちゃり さま 形にならないさま。「男づくで頼れた事は何もかも**むっちゃり**に成て有」〈歌舞伎―大坂神事揃〉

方言 勢いよく踏みつけるさま。「馬糞に**むっちゃり**あがった」〈山形県〉

むっちり ❶さま 肉づきのよい肌にやわらかい弾力があるさま。「女の子は、男の顔の前で**むっちり**した足をばたばたさせ」〈羽蟻のいる丘・北杜夫〉

❷さま おし黙って、愛想のないさま。むっつり。むっすり。「千登世は**むっちり**と黙りこくって凝乎と俯向いて膝のあたりを見詰めていた」〈崖の下・嘉村礒多〉

むつっ さま おし黙って、愛想のないさま。むっつり。「蓬亭さんは本当に**むつッ**とした人ね。宅のもぶっきら棒だけど、蓬亭さんよりはあれでもまだ愛嬌があるわ」〈俳諧師・高浜虚子〉

むっつり ❶さま・名 おし黙って自分の考えや気持ちを言わず、愛想のないさま。また、そのような人。『**むっつり**すけべ』」「万寿がかう言って、冗談の一つも駆《か》り出しにかかったけれど、志村は**むっつり**黙り込んでゐた」〈今年竹・里見弴〉「それに、お嫁さんも、少し**むッつり**の方だからね」〈妻・田山花袋〉 ⬇使い分け「むっつり」

❷さま 肉づきのよい肌にやわらかい弾力があるさま。むっちり。「ふっくりとした乳、**むっつり**した肩や股、其は奈何に美しい肉付であったらう」〈解剖室・三島霜川〉

むつむつ ❶さま おし黙って、愛想のない

さま。「六十許の道心の僧、おもしろげもおかしげもあらず、ただ**むつむつ**としたるが」〈俳諧―更科紀行〉
方言 明朗でなく、晴れやかでないさま。「**むつむつ**て喧嘩する（無言で争う）」〈岩手県〉「あの人は善人ぢゃけんど、**むつむつ**しておるきに、家庭が朗でない」〈高知県〉
❷さま 黙って小さく口を動かし続けたり、ものをかんだりするさま。「タマヨさんは蛸を**むつむつ**噛んだ」〈いまだ覚めず・川上弘美〉
❸さま 古 肌に張りがあって肉づきのよいさま。むちむち。「少人の**むつむつ**とこえたるにゑくほのあるはあいらし」〈俳諧―類船集〉

むにゃむにゃ ❶さま わけのわからないことを口の中でつぶやくさま。不平不満などをあいまいに言うさま。「患者は目を覚したらしく、口の中で**むにゃむにゃ**と唸くのが聞えた」〈魔風恋風・小杉天外〉「彼等の祖先は〈略〉、国家試験に答案を提出するのをきらって、はたで**ムニャムニャ**言う路をえらんだが」〈小説家とは何か・武田泰淳〉
❷さま 何を言っているかわからない寝言を言うさま。「ゆり起せども正体なくねがへりながら何か**むにゃむにゃ**寝ごとをいふ様子ゆゑ」〈西洋道中膝栗毛・総生寛〉
❸さま 少しずつ時間をかけて口を動かし、ものをかむさま。「牛はげぶっとなにか吐きだしては、**むにゃむにゃ**と噛む」〈銀の匙・中勘助〉

むにゅむにゅ さま やわらかい弾力やぬめりの感じられるさま。「**ムニュムニュ**、ニュルニュル、いつまでたっても口の中で細片にならず」〈鯛ヤキの丸かじり・東海林さだお〉

むやくや さま 気持ちが乱れたり、腹が立ったりするさま。「胸も**むやくや**しませうから。其八ツ当りと思はれますが」〈人情本―清談若緑〉

むやむや ❶さま 古 群れをなして勢いよく移動したり、集まったりするさま。「そこで**むやむや**と、人が多になったほどにぞ」〈漢書列伝景徐抄〉
❷さま 古 怒りや嫉《しっ》妬《と》の気持ちでもだえるさま。「この心で妬くのは一番毒で、**むやむや**修羅を燃して胸に燃《たく》火の絶える間がございませんから」〈真景累ケ淵・三遊亭円朝〉

むよむよ さま こまかくうごめくさま。「その腫れ上った足の指は**むよむよ**土を掻いてゐた」〈日蝕・石上玄一郎〉

むらっ さま 突如として、おさえきれない感情や思いなどがわきあがるさま。「食べている人を見ると**むらっ**ときて、衝動が抑えられなくなる」〈人が食べてると食べたくなる訳・AERA・06・12・11〉

使い分け

【共通の意味】
押しだまっているようす。

むっつり／だんまり／むすっ／黙黙

❶**むっつり**は、愛想がなく、不機嫌な表情で黙っているようす。「いつも**ムッツリ**とした顔をしているので、声もかけられない」 ❷**だんまり**は自分に都合のわるいことを隠したりして、一言も言わないこと。「容疑者は何を聞かれても**だんまり**を押し通している」 ❸**むすっ**は、機嫌がわるくなり不快そうに黙るようす。「得意そうに話していたが、矛盾をつかれたとたん、**ムスッ**としてしまった」 ❹**黙黙**は、黙って一生懸命に何かをするようす。「**黙々**と研究に励んでいる」「**黙々**と食べるだけ」

むらむら ❶さま 突如としておさえきれない感情や思いがわきあがってやまないさま。「いまでは**むらむら**と湧きあがる憎悪の気持と以前の怖さとが、すりかはってゐるさうである」〈遙拝隊長・井伏鱒二〉
❷さま あちこちにむらがっているさま。まだらなさま。「上野公園の秋景色、彼方此方《かなたこなた》に**むらむら**と立駢《たちなら》ぶ老松奇檜

《うきくわい》は」〈浮雲・二葉亭四迷〉「松**むらむら**としげき後道《うしろみち》よりまはりければ」〈好色五人女・井原西鶴〉

❸〔さま〕群れをなして勢いよく移動したり、集まったりするさま。むやむや。「雉子鳩が、神代に島の湧いたやうに、**むらむら**と寄せて来るので」〈婦系図・泉鏡花〉「かなたの森蔭より、**むらむら**と打出でたる猟兵の勇ましさ見むとて」〈文づかひ・森鷗外〉

❹〔さま〕雲や煙などの立ちのぼるさま。「空の際には濁浪を浴びてる断岩のやうな雲が**むらむら**と湧いてくる」〈あきらめ・田村俊子〉「湯気が**むらむら**と舞ひ騰《のぼ》り」〈父の婚礼・上司小剣〉

むらむらぱっ 〔さま〕〔古〕集まっているものが、急に四方に散るさま。「なぎたてきりふせ残党ども**むらむらぱっ**と追っちらし」〈浄瑠璃—蘆屋道満大内鑑・竹田出雲〉

むらりむらり 〔さま〕雲や煙などが時間をかけて立ちのぼるさま。「にたにた山のかずの多さよ　みかの原**むらりむらり**と雲わきて〈次重〉」〈俳諧—鷹筑波〉

むりむり 〔音・さま〕ものが裂けたり砕けたりする音。はげしくきしむ音。また、そのさま。めりめり。「乾魚《ひもの》なら、首《あたま》から骨まで、**むりむり**と咬みくだいて見しょ」〈浮世風呂・式亭三馬〉「Murimuri（ムリムリ）〈訳〉人が屋根板などの上を歩く時のように、歩いた時出る音の形容、または、やかましい足音の形容」〈日葡辞書〉

むりりむりり 〔音・さま〕ものがきしんだり砕ける音。また、そのさま。「爺さまは彼こはだを**むりりむりり**とあたまからしてやりながら」〈浮世風呂・式亭三馬〉

むるむる 〔音・さま〕〔古〕ものの壊れたり破れたりする音。また、そのさま。みりみり。「もののやぶるをとの**むるむる**如何。答、もつれる、もつらくの反」〈名語記〉

むわっ 〔さま〕熱気などが一面に立ちのぼるさま。もわっ。「那覇空港に降り立つと亜熱帯の島の熱気が**ムワッ**と全身を包んでくる」〈地ビール紀行・朝日新聞・96・8・22〉

むん 〔さま〕たちこめた熱気や悪臭が迫ってくるさま。「意地のきたねえやうだけれど、飯の匂と汁の匂とが、湯気や火《くわ》っ気と一つになって、**むん**と鼻へ来やがった」〈鼠小僧次郎吉・芥川龍之介〉

むんず ❶〔さま〕荒々しく乱暴なさま。「寝床の上に丸くなって寝てゐる猫を**むんず**と摑まへた」〈のんきな患者・梶井基次郎〉

❷〔さま〕〔古〕堂々として、遠慮のないさま。「ははこはわがこのけさなれば、なんのしさいのあるべきとて、**むんす**とおこしあれば」〈説経節—説経苅萱〉

使い分け

【共通の意味】
湿気や熱気がこもるようす。

むんむん
むしむし／もわっ／むっ

❶**むんむん**は、「会場は、真剣な討論の熱気で**むんむん**している」のように、熱気や湿気、また臭気などがあたりにたちこめているようす。**むしむし**は、気候などで、暑苦しく湿度が高い状態が持続するようす。「夜になっても**むしむし**して、寝苦しい」

❷**もわっ**は、熱気や生あたたかさが急に感じられるようす。「温泉の大浴場に入ったとたん、**もわっ**とした熱気に包まれた」。**むっ**は、熱気、湿気、臭気などが急に感じられて、息がつまるようなようす。「温室の中は、湿気と強い花の香りで**ムッ**とした」

むんずり 〔さま〕ずっと黙ったままでいるさま。「警戒しなくともいいのに、急にくらい方を向いて**むんづり**して了ふのである」〈女ひと・室生犀星〉「従姉と、私はだんまりで〈略〉おなじやうに**ムンヅリ**してゐたが、子供心にも思ふことは違ってゐたのかもしれない」〈旧聞日本橋・長谷川時雨〉

むんむ 〔さま〕熱気や人いきれ、においなどが強くたちこめるさま。「エネルギッシュな気魄《きはく》が、竹さんの身辺に**ムンム**とまといついて」〈石中先生行状記・石坂洋次郎〉「如斯《かく》ギッシリ詰められると**むんむ**として閉口する」〈社会百面相・内田魯庵〉

むんむん ❶〔さま〕熱気や人いきれ、においなどが強くたちこめているさま。むんむ。「手術中は二十度の温度を保っていなければならないので、部屋は既に**むんむん**としている」〈海と毒薬・遠藤周作〉「日が、燻《すく》べられたやうな色の雨戸の隙間から流れ入って、室の中は**むんむん**してゐた」〈哀しき父・葛西善蔵〉「血気旺んな青年ばかりが**ムンムン**と押しかけ、悽愴の空気がいよいよ濃く立ち籠めた」〈故旧忘れ得べき・高見順〉⇩使い分け「むんむん」
❷〔さま〕女性の色香が強く発散しているさま。「お色気が**ムンムン**している」〈伊豆・熱海特命捜査官・島田一男〉
❸〔さま〕〔古〕不快感で、はきけをもよおすさま。「Mun-mun **ムンムン** 兀兀〈訳〉胃に不快を感じる」〈和英語林集成―再版〉

めいめい ⇩漢語編「めいめい（冥冥・瞑瞑）」

めー 〔声〕ヤギやウシなどの鳴く声。⇩鳴き声編

めーめー ❶〔声・名〕ヤギの鳴く声。また、ヤギをいう幼児語。「**めえめえ**森の児山羊」〈童謡―めえめえ児山羊・藤森秀夫〉⇩鳴き声編
❷〔さま〕〔古〕幼児が意気地なく泣くさま。「朝晩**めえめえ**とないて、かかちゃん行かう行かうとうるさくてなりやせん」〈人間万事虚誕計・式亭三馬〉

めき ❶〔音・さま〕〔古〕木や板などが割れたり、こわれたりする音。また、そのさま。めりっ。「箱のふたちりてありしが、膝をひらきしりぞかんとせしに、此ふたを**めき**とひてしきわる」〈評判記―色道大鏡〉
❷〔さま〕〔古〕ある状態の程度が進行して極まったさま。めっきり。「腹黒の妾に大分搔《つか》さらはれ、さしもの身代も**めき**と弱った所へ」〈思出の記・徳冨蘆花〉

めきしゃき 〔さま〕〔古〕強く明確にものを言うさま。「何じゃあろとここへいて、**めきしゃき**と、せりふせにゃおかんわいの」〈東海道中膝栗毛・十返舎一九〉

めきめき ❶〔音・さま〕ものがこわれたり、きしんだりする音。また、そのさま。めりめり。「風で小屋が**メキメキ**軋むのを」〈福寿草・大鹿卓〉「**めきめき**と桑の葉くふて綿をこく」〈雑俳―うき世笠〉
❷〔さま〕ものごとの程度が目に見えて進んでいくさま。めっきり。「おれの英語は**めきめき**物をいひ出して来た。〈略〉じつにぺらぺらなんだ」〈善財・石川淳〉「沼崎君は、当時、**メキメキ**と売り出していた、東宝自慢の新時代二枚目俳優であった」〈いろは交友録・徳川夢声〉

めきりめきり 〔さま〕ものごとの程度が段階的に確実に進むさま。「何してもひき臼芸のまにあひは**めきりめきり**とはかどらぬなり」〈狂歌―徳和歌後万載集〉

めそめそ ❶〔さま〕声を立てないで静かに泣くさま。気弱で、何かというとすぐ泣き悲しんだりするさま。「其泣顔をきれいに拭《ふ》いて、檀那にお目にかかったとき、**メソメソ**してはなりませぬぞ」〈当世書生気質・坪内逍遙〉⇩使い分け「しくしく」

❷さま 勢いが衰えたり、小さくなったりするさま。「日は**めそめそ**くれる、人通りはなし」〈咄本—聞上手〉「妻を迎へて、始て交りせんとする時、棒を立たるやうなるもの、ただちに**めそめそ**と小さく」〈おらが春・一茶〉

❸さま 名 方言 うす暗くなるさま。また、朝夕の薄明かりの時間をいう。「**めそめそ**まで畑の草をとっていた」〈長野県〉「そろそろ**めそめそ**してきたんで家に帰らざー」〈静岡県〉「**めそめそ**時分にゃー戻っておいで」〈静岡県〉

めそりめそり さま 古 声をあげずにしきりに泣き続けるさま。「ねこに鼠っ子を取られたとって**めそりめそり**泣いてゐゐした」〈傾城買談客物語・式亭三馬〉

めためた さま ものごとが急激に大きな動きをみせるさま。「名医に替てみしに、**めためた**と悪敷《あしく》なり死病に極る時」〈日本永代蔵・井原西鶴〉「渋川が立ち止ると、糸を手繰るのも間に合わず、**メタメタ**と雪の上に落ちてしまった」〈石中先生行状記・石坂洋次郎〉

めちゃくちゃ ❶さま まったく筋道のたたないさま。前後を考えずに事を行うさま。度はずれたさま。めちゃめちゃ。「拳の痛くなるほど**滅茶苦茶**に撲った」〈重右衛門の最後・田山花袋〉「**滅茶苦茶**にあるき廻る」〈吾輩は猫である・夏目漱石〉

❷さま どうにもならないほどひどい状態になるさま。「親類の人達はそれを見ると一人帰り二人帰りして、相談も何も**目茶苦茶**になったんですって」〈或る女・有島武郎〉

❋「くちゃ」は語調を整えるために添えたもの。「滅茶苦茶」「目茶苦茶」はあて字。

めちゃめちゃ ❶さま 順序や道理のまったくないさま。あとさきを考えずに事を行うさま。「巡査を**メチャメチャ**に擲りつければ」〈内地雑居未来之夢・坪内逍遙〉

❷さま どうにもならないほどひどい状態になるさま。「檻の鉄棒が一本でも抜けたら—世は**滅茶々々**になる」〈草枕・夏目漱石〉

めっき さま 古 ある状態が誰でもわかるほど確定するさま。「今は**めっき**と通になられた」〈洒落本—客者評判記〉

めっきめっき ❶音・さま 古 ものがこわれたり、きしんだりする音。また、そのさま。「家鳴り、地震が**めっきめっき**、壁の崩れへ犬は這ひこむ」〈歌舞伎—絵本合法衢・鶴屋南北〉

❷さま 古 ものごとの程度が目に見えて進んでいくさま。めっきり。「雪に水をかくるがごとくに、**めっきめっき**とめっきゃくいたす」〈狂言—栗田口〉

めっきり ❶音・さま 古 木や板などが、こわれたりきしんだりする音。また、そのさま。「其敵の仮名実名妾がいふて聞さふと、**めっきり**切戸引ぱづしつつと入る姉」〈浄瑠璃—平仮名盛衰記〉

❷さま きわだって事態が変化したり、きわめて目立つ状態になるさま。「多年培っ

使い分け

【共通の意味】火が燃えるようす。

めらめら ぼーぼー／かっか／炎炎

❶**めらめら**は炎が上がって燃えたり、簡単に燃え広がるようす。「古い書類の束に火をつけると**めらめら**と燃え上がった」❷**ぼーぼー**は、はげしい勢いで炎が上がって燃える音やようす。「いくら消防団が水をかけても山火事は**ぼーぼー**と燃えている」❸**かっか**は炭やまきなどの火が赤々と盛んにおこっているようす。「火鉢の炭が、**カッカ**とおこってきた」❹**炎炎**は、盛んに燃え上がるようすを表す文章語。「一軒の民家から出た火は**炎々**と燃え広がった」❺比喩的に、**めらめら**は嫉妬を、**かっか**は怒りや興奮しているようすを表す。「**めらめら**と嫉妬の炎を燃やす」「締め切りに間に合わず**カッカ**している」

て居た自分の声望が**めっきり**落ちたのを知った」〈入れ札・菊池寛〉「此頃は朝晩**めっきり**冷《やひ》つきますから」〈火の柱・木下尚江〉「代議士高浪崩は近頃**メッキリ**売出した名士である」〈社会百面相・内田魯庵〉❸ さま 古 量や程度があふれるほどじゅうぶんであるさま。「追付安産せば、**めっきり**と祝儀をとらせ」〈傾城歌三味線・江島其磧〉「秋淋しい時分に紅葉見がてら、**めっきり**と人が来て、にぎにぎしうならふとぞんずるが」〈咲顔福の門・江島其磧〉

めつめつ ⬇漢語編「いんいんめつめつ〈陰陰滅滅〉」

めらめら ❶ さま 炎を上げてたやすく燃えたり光ってゆれたりするさま。嫉妬や怒りなどの強い感情が生じるさま。「石油に火が移って**めらめら**と燃えて無くなるであらうとまで思った」〈湯島詣・泉鏡花〉「時々竈の火で、顔の半分だけが**メラメラ**と光って、消えた」〈防雪林・小林多喜二〉「火の中にうちくべてやかせ給ふに、**めらめら**とやけぬ」〈竹取物語〉 ⬇使い分け「めらめら」
❷ さま 軽いものなどが抵抗なくなめらかに移動するさま。「すると綿の種はローラアに食《は》み出されて手前に落ち、綿だけが道具の向ふへ**めらめら**と抜け出て溜った」〈綿・須井一〉
❸ 音 古 布などの破れる音。びりびり。「衣裳などの破るる**めらめら**、如何。ムケラカの反」〈名語記〉

めりっ 音・さま ものが瞬間的に破れたり、砕けたりする音。また、そのさま。「生木の枝は、刃《やいば》を当てられると共に、城太郎の重量《めかた》を加えて、**めりッ**と大きな響きを発し」〈宮本武蔵・吉川英治〉

めりめり ❶ 音・さま ものが強い力で破れたり、砕けたりする音。また、そのさま。「錨が浪と衝突して少しでも緩みが来ると、今にもサイドを押し割りさうに、**メリメリッ**と鳴った」〈海に生くる人々・葉山嘉樹〉「枕もとにあった例の原稿を取り上げるとそれを**めりめり**破いてしまった」〈都会の憂鬱・佐藤春夫〉 ⬇使い分け「べりべり」
❷ さま 古 きわだって状態の変わるさま。めきめき。「雨交りの雪**めりめり**と日が暮る也」〈雑俳—太箸集〉

めりりめりり 音・さま 木や板がきしみ続ける音。また、そのさま。「葭垣〈略〉是を引めくらう。〈略〉**めりりめりり**めりりめりりめりり。鳴たり鳴たり」〈狂言—連歌盗人〉

めろめろ ❶ さま 締まりがなく、まったくだめになるさま。完全に力なく打ちのめされるさま。『酔って**めろめろ**になる』「おやじが、あんなに**メロメロ**になったのをはじめて見たよ」〈ぼくらの七日間戦争・宗田理〉
❷ さま 古 いくじなく、たやすく泣くさま。めそめそ。「**めろめろ**泣く所ではないといへば、おその涙をおしのごひ」〈風流曲三味線・江島其磧〉
❸ さま 古 炎を上げてたやすく燃えるさま。めらめら。「僅の隈より火起りて、世に知られたる伽藍も**めろめろ**と燃へて」〈文化句帖—補遺・一茶〉
❹ さま 古 塗り物などがたやすく剝げるさま。「ぬり物などの**めろめろ**とはぐる」〈名語記〉
方言 表面がたやすく剝げたり、落ちたりするさま。「垢**めろめろ**おちて気持ちいくなりした」〈宮城県〉「(皮膚などが)**めろめろ**むげる」〈山形県〉

めんめん ⬇漢語編「めんめん〈綿綿〉」

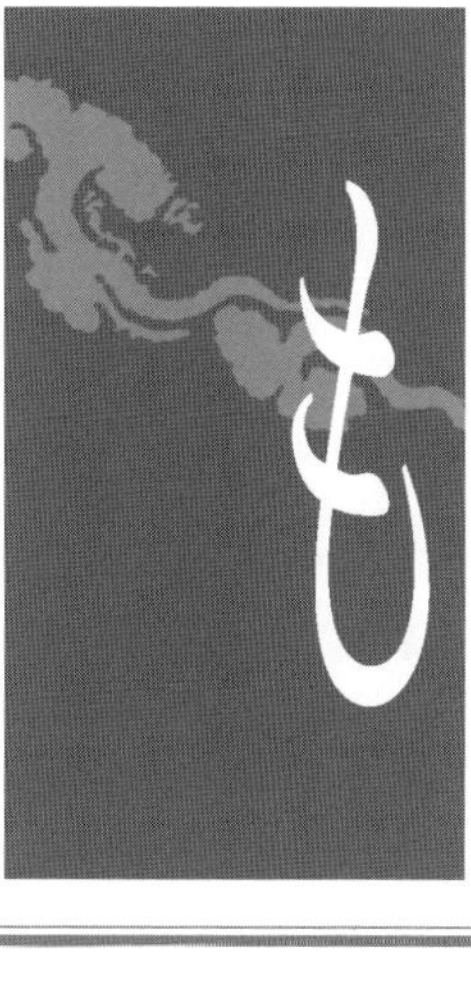

もー ❶ 声 ウシの鳴く声。 ⬇鳴き声編
❷ さま 土ぼこり、湯気などが大きく舞い

上がり、あたり一面いっぱいになってぼやけるさま。「砂が**もうっ**と背中を包む」〈山彦・鈴木三重吉〉

もーもー ❶声名 ウシの鳴く声。転じて、ウシをさす幼児語。⬇鳴き声編
❷⬇漢語編「もうもう（濛濛・朦朦）」

もうろう ⬇漢語編「もうろう（朦朧）」

もかもか ❶さま やわらかくおぼろげなさま。「やまなしは横になって木の枝にひっかかってとまり、その上には月光の虹が**もかもか**集まりました」〈やまなし・宮沢賢治〉
❷さま 方言 育ちゆくのが目だつさま。「**もかもか**どおがる（育つ）」〈岩手県〉

もがもが ❶さま ものを口にほおばったり、口をじゅうぶんあけずにものを言ったり、動かしたりするさま。「乾いた上下の歯茎を湿すために口を**もがもが**させた」〈小鳥の巣・鈴木三重吉〉
❷さま 秩序なくこまかくうごめかすさま。「白い手足を**もがもが**と、黒髪を煽《あお》って悶《もだ》えるのを見て」〈吉原新話・泉鏡花〉

もく ⬇コラム「もく・もぐ」

もくもく ❶さま 煙・雲などが、重なり合うように盛んにわきおこるさま。「ドライアイスを放りこんだ大きな壺の中からは白い煙が**もくもく**と吹き出ていてね」〈がらくた博物館・大庭みな子〉
❷さま 一部分が盛り上がったり、うごめいたりするさま。「毛布の中で蹴り合ひを始めた。**もくもく**と其処が持上った」〈暗夜行路・志賀直哉〉
❸さま やわらかくふくらんでいるさま。肥えふとっているさま。「ちっとも**モクモク**した所の無い、鑿で一ゑぐりして出来たかのやうな滑らかなしまった頰」〈若い人・石坂洋次郎〉「頭の毛は**もくもく**してゐてね、顔も額も頰も、だぶだぶしてて」〈恋人たちの森・森茉莉〉
❹さま やわらかく、あたたかい感じに包みこまれるようなさま。「自分は**もくもく**と日のさした障子を見つめて」〈千鳥・鈴木三重吉〉
❺さま ものをほおばって口を動かすさま。もぐもぐ。「母は**もくもく**と淡紅色の御所柿の一片を前歯で嚙んでゐた」〈石川五右衛門の生立・上司小剣〉「列を成して泳いで来たさよりの稚魚を、まとめて五六尾、**もくもく**と食いこんだ」〈鱸とおこぜ・阿川弘之〉
方言 大口をあけてものを食べるさま。勢いよく食べるさま。ぱくぱく。「あの老人が**もくもく**物を食う」〈長野県〉
❻⬇漢語編「もくもく（黙黙）」 ⬇使い分け「むっつり」

もぐもぐ ❶さま ものを口にほおばり、何度もかむさま。「僕らは箸をとり、卓の粉胡椒《こなこせう》をやけくそな勢ひでふりかけ、**もぐもぐ**と食べ始めました」〈ボロ家の春秋・梅崎春生〉 ⬇使い分け「もぐもぐ」
❷さま 声をじゅうぶん出さずにものを言ったり、口を動かしたりするさま。もがも

使い分け

【共通の意味】
食事などで口を動かすようす。

もぐもぐ
ぺちゃぺちゃ／もごもご／もそもそ

❶**もぐもぐ**は、食べ物をほおばって、かんでいるようす。「パンをほおばって、**モグモグ**と口を動かしている」 ❷**ぺちゃぺちゃ**は、舌を鳴らして食べるあまり好ましくない音。「行儀わるく**ペチャペチャ**音をたてて食べている」 ❸**もごもご**、**もそもそ**は、食べ物に水分が少なかったり歯がわるかったりして、うまく食べられないようす。また食べるのが遅いようす。「祖父は入れ歯が合わないのか、**もごもご**と口を動かしている」「給食をまずそうに**モソモソ**食べる」。**もそもそ**は、水分が少なくて飲みこみにくいときの食感にも使う。「このパンは**モソモソ**する」

コラム　オノマトペのもと

もく・もぐ

「もく」は、煙などが重なり合って立ち昇るようすや何かが盛り上がるようすなどを表す。現在ではあまり使われないが、ふんわりふくらんでいるようす、やわらかくて暖かそうなようすも表すことがある。たとえば、「もくもくと日のさした障子」(『千鳥』鈴木三重吉)などと使用されている。

「もくもく」も「もぐもぐ」も、やわらかい食べ物を口にほおばってかむようすをいう。「もぐもぐ」は、口をじゅうぶん開けずに話をするようすも表す。

「もく」に比べて、「もぐ」は重い印象がある。「もく」が気体の軽さをイメージさせるのに対して、「もぐ」は流動体や半固形状のやわらかさをイメージさせる。

【もくの語群】
もくもく・もぐもぐ
もくっ・もぐっ・もくり
もくりもくり

	―(と)食べる	―(と)煙が上がる	―(と)つぶやく
もくもく	○	○	―
もぐもぐ	○	―	○
もくっ	△	○	―
もぐっ	○	―	△
もくり	○	△	―

【表現】

「もぐもぐ」は、唇を閉じたまま、何度もかむようすを表す。遅くても江戸末期には使われていたと考えられる。かつては、「もごもご」や「もがもが」とも言い、夏目漱石の『吾輩は猫である』には、菓子をほおばってもごもごするという場面がある。

奈良時代の仮名遣いでは、「も」には「やわらか」や「まがる」の意味があったという。確かに、「もぐもぐ」はやわらかめの食べ物を食べるときによく使われる表現である。実際、聖徳大学教授の鈴木みゆきらが行った調査によると、「もぐもぐ」という表現からは、バナナやイモ類など、やわらかい食品が連想されていた。

吉本ばななの小説には登場人物が「クッキーをもぐもぐ食べ」(『SLY』)、「(パンを)雄一は受けとって、もぐもぐ食べた」(『満月―キッチン2』)、「うららはドーナッツをもぐもぐ食べながら」(『ムーンライト・シャドウ』)という場面がある。クッキー、パン、ドーナツなど、いずれもやわらかい食品を食べているときに使われている。

「もぐもぐ」は、黙々と食べるようすによく用いられる。これは、おいしさのあまりひたすら食べるという場合もあれば、ただ機械的にかむという場合もあるが、いずれもそこに会話はない。何人かでのにぎやかな食事というよりは、一人で食べるように使われることが多い。食事には人間関係を円滑にする働きがあるが、「もぐもぐ」は、やや社交性に欠ける感がある。

「もくもく」も、かつては口に食べ物をほおばってかむようすにも使われていたが、現在は、「煙がもくもく」や「雲がもくもく」などの表現が主である。煙にしろ、雲にしろ、やわらかくて軽い感じを表すとともに、静かさが感じられ、「もぐもぐ」に通じるものがある。現在、「もくもく」と「もぐもぐ」は、描写する対象は異なるものの、やはり共通点があるようだ。

(早川文代)

が。もごもご。「恥かしがり屋のぼくは、口のなかで、**もぐもぐ**、姓と名前を云ったら、もうお終ひでした」〈オリンポスの果実・田中英光〉「云ふ前に能く口のあたりを**もぐもぐ**させる癖がありました」〈こゝろ・夏目漱石〉

❸さま せまいところなどで、こきざみにうごめくさま。もごもご。もぞもぞ。「寝床で**もぐもぐ**してゐても詰らないから、久振りに大磯の朝景色を見ようと思って」〈人生の幸福・正宗白鳥〉「手桶で何杯かずつ計ってはタライにほりこんで、**もぐもぐ**とかきまわしてブレンディングは終った」〈青い月曜日・開高健〉

もくり さま 口を少しだけ開いてものをほおばるさま。「『何を言ふだね、爺さん』と媼《ばば》は一箸**もくり**と頬張って」〈良人の自白・木下尚江〉

もくりもくり ❶さま ものをほおばってこまかく口を動かし続けるさま。「四五人の看守等が**モクリモクリ**冷飯を頬張りながらの無駄話」〈良人の自白・木下尚江〉

❷さま 一部分が盛り上がったり、うごめいたりするさま。むくりむくり。「赤味の差した楠の若葉が**もくりもくり**八坂の塔や清水の塔の後ろに浮き上がって眺められる頃になると」〈暗夜行路・志賀直哉〉

もこっ さま 丸く目立つように盛り上がるさま。「落下傘の白い布の中心が**もこっ**と盛り上って」〈アメリカひじき・野坂昭如〉

もこもこ ❶さま やわらかくふくらんで厚みがあるさま。「店には、丁度適齢前の次男坊と言った若いのが、**もこもこ**の羽織を着て、のっそりと立って居た」〈小春の狐・泉鏡花〉

❷さま 次から次に生じるさま。小さくやわらかくうごめくさま。「そうすると木だけじゃ物足りなくなって、**モコモコ**、モコモコふえたのがみーんな人間の家とか紙とか食べはじめるわけよ」〈にんげん動物園・中島梓〉

もごもご ❶さま ことばにならずにただ口を動かすさま。口をじゅうぶんに動かさずくぐもった声で話すさま。「**モゴモゴ**口の中で訂正して」〈竹沢先生と云ふ人・長与善郎〉「おこぜは口を**もごもご**させて、返事をしなかった」〈鱸とおこぜ・阿川弘之〉

❷さま あごをこまかく動かしてものを食べるさま。もぐもぐ。「何も云はずに空也餅を頬張って口を**もごもご**云はして居る」〈吾輩は猫である・夏目漱石〉 ➡使い分け「もぐもぐ」

❸さま こまかくうごめくような動きを続けるさま。「鎌倉の別荘番の爺やが、着肥るほど着込んで、円《まる》まっちくなって、**モゴモゴ**と駈けよって来た」〈大道無門・里見弴〉

もさくさ ❶さま 行動などがにぶくのろいさま。何ということもなしにためらっているさま。「省作もそろそろ起きねばならんで猶夜具の中で**もさくさ**して居る」〈隣の嫁・伊藤左千夫〉

❷名 もめごと。騒動。「九段目お石と本蔵との取合に、長押に掛たる鑓おっとり突かからんず其勢ひ、戸なせも小浪も取さへる大騒動、此**もさくさ**」〈忠臣蔵穴さがし〉

❸さま 方言 気分のすぐれないさま。気持ちのわるいさま。「一日中**もさくさ**した」〈福井県〉

もさっ さま 注意がにぶく散漫で気がきかないさま。洗練されていなくて、やぼったいさま。「『〈略〉崔家庄という部落の払暁攻撃で負傷したのです』『**もさっ**と、しとったんだろ』」〈春婦伝・田村泰次郎〉

もさもさ ❶さま 毛や草などが乱雑に密生しているさま。「水の中に**もさもさ**したものがあって、其処に網を打つことも困難であり、釣鉤《つりばり》を入れることも困難なやうな」〈幻談・幸田露伴〉「眉が芋虫のやうに濃く**モサモサ**し」〈故旧忘れ得べき・高見順〉

❷さま 動作がのろく、意気があがらないさま。「さびしさうにして**もさもさ**と飯を食ってゐた」〈一兵卒の銃殺・田山花袋〉

❸さま 方言 量がたくさんあるさま。「雪がもさもさ降る」〈新潟県〉「もさもさ食う」〈新潟県〉

もさり さま 動きのにぶいさま。「羆《ひぐま》の筒袖の前脚めいた奴を、**もさり**と支っいて、土下座して」〈日本橋・泉鏡花〉

もじかわ さま 古 恥ずかしそうに身をもむさま。「三人ながら此中の元手、すっぱり負て仕舞ました。面目もなき仕合と、**もぢかはすれば**」〈浄瑠璃―神霊矢口渡・福内鬼外〈平賀源内〉〉

✷「かわ」はようすを表す接尾語。

もじもじ さま 遠慮したり恥ずかしがったり、決心がつかなかったりして、身をもむさま。もじかわ。「三枚の千円札をつまんだ指先を、もう一度、**もじもじ**とその穴の明いた箱の方へ、のばした」〈われら戦友たち・柴田翔〉 ⇒使い分け「たじたじ」

もしゃ ⇒コラム「もしゃ・もじゃ」

もしゃくしゃ ❶さま 何とはなしに気分が晴れなかったり腹が立ったりするさま。むしゃくしゃ。いらいら。「生憎胸の中が**もしゃくしゃして**」〈異端者の悲しみ・谷崎潤一郎〉

❷さま 髪の毛が乱れたり、不ぞろいに密生しているさま。もじゃもじゃ。『**もしゃくしゃ頭**』「毛を**モシャクシャ**にして、ガリガリ音がするほど頭の地肌を掻き廻した」〈多情仏心・里見弴〉

もじゃくじゃ さま もつれるさま。紛糾するさま。「奥様お呼びなさるる時の**もじゃくじゃ**も如何と、暇を乞ひましたれば」〈浄瑠璃―淀鯉出世滝徳・近松門左衛門〉

もしゃもしゃ ❶さま 毛や草木などが、不ぞろいに密生しているさま。「西北の地平線から西へかけて低い処に**もしゃもしゃ**と生へてる楢林《ならばやし》」〈郊外・国木田独歩〉

❷さま 古 気分がいらだったり、腹が立ったりするさま。もしゃくしゃ。「怨みとも憤とも区別のつかないやうに**もしゃもしゃ**した心持ちが蘇返って来て」〈禰宜様宮田・宮本百合子〉

❸さま さえないようすでひたすら食べるさま。「事務長の黒猫が**もしゃもしゃ**パンを喰べながら笑って云ひました」〈猫の事務所・宮沢賢治〉

もじゃもじゃ ❶さま 毛や草木などが、不ぞろいに密生しているさま。不ぞろいになったり毛羽立つさま。「髪が**もじゃもじゃ**とたれているところも気に入らなかったが」〈羽蟻のいる丘・北杜夫〉「夏季の間に裏返したらしい畳の**モジャモジャ**を見て」〈別れた妻に送る手紙・近松秋江〉 ⇒使い分け「ぼさぼさ」

❷さま ものごとが入りくんで混乱するさま。「後を振り向いては何か**モジャモジャ**と頻りに喋って」〈銃後・桜井忠温〉

もじりもじり さま どうしていいかわからず身をもみ続けるさま。「立たうにも立たれず、居るのは快くないし、進退維《これ》谷《きはま》って**容且**《もじりもじり》してゐる」〈二人女房・尾崎紅葉〉

もずもず さま 動作や態度がこまかくのろいさま。もぞもぞ。「桃色の口元を**モヅモヅ**動かしてゐた可愛らしい小動物が」〈通学物語・渋沢秀雄〉

もぞくさ さま のろくこまかく動き回るさま。「お前は三度々々無駄飯を食って、毎日**モゾクサ**してる許《ばかし》ぢゃねえか」〈新世帯・徳田秋声〉

もそっ さま 洗練されていなくて、やぼったいさま。小さい声でひとことつぶやくさま。『おいどんがお引きうけ申した。』とかなんとか、**もそっ**とつぶやいてこそ、はじめて人気が出るのである」〈裸の日本人・佐藤忠男〉

もそもそ ❶さま 小さな虫などがはい回るさま。そのように感じるさま。むずむず。「小さな蟹がはい出して来て、股をはい昇り、尻の上を**もそもそ**動きまわる」〈自然の子供・金井美恵子〉

❷さま 動作や態度がにぶく、落ち着かないさま。「男は**もそもそ**と、少女のあとを

不決断に追っていったが」〈青べか物語・山本周五郎〉「このもそもそした同室生がかうも簡単について来ようとは思ひも及ばなかったから」〈故旧忘れ得べき・高見順〉❸さま食べ物に水けが少ないさま。「冷めた大根と肉の煮つけで、もそもそ飯を頰張りながら」〈春の城・阿川弘之〉⬇使い分け「もぐもぐ」

もぞもぞ ❶さま小さな虫などがはい回っているさま。そのように感じるさま。むずむず。「腰のあたりがもぞもぞとしてぢっと坐ってゐられない気がした」〈肉体の門・田村泰次郎〉❷さま動作や態度が落ち着かず、あいまいなさま。「『でも今夜は遅いから』とモゾモゾして居る」〈茗荷畠・真山青果〉「飯なんぞもぞもぞと食ってる奴があるかい」〈星座・有島武郎〉

もそり さま動きがゆるやかなさま。「支考に続いて惟然坊が、墨染の法衣の裾をもそりと畳へひきながら、小さく這ひ出した時分には」〈枯野抄・芥川龍之介〉

もそろもそろ さま古少しずつ、静かにゆるやかにするさま。そろりそろり。しずしず。「河船のもそろもそろに、国来《くにこ》国来《くにこ》と引き来縫へる国は」〈出雲風土記〉

もたくた さま方言整然とせずにもたついたり、心が落ち着かないさま。「今日は気がもたくたしてならぬ」〈宮城県〉「もたくたと、だらしのない様子だった」〈宮城県〉

もだくだ さま古身もだえするさま。もだえなやむさま。心が乱れて、のぼせあがるさま。「これこれ痞《つかへ》がのぼるはと、自脈《じみやく》取やら、もだくだと居姿崩れてわけもなし」〈浄瑠璃—十二段・近松門左衛門〉

もたもた ❶さま行動や態度の決定がにぶく遅いさま。「飛行機代さえあったなら何もこんなところでもたもたしてません」〈明日への楽園・丸山健二〉「もたもたしてて、向うの気が変ると困る」〈息をひそめて・小林信彦〉⬇使い分け「のっそり」❷名決定がにぶく遅い行動や態度。滞ること。「案の定今のもたもた、エエ業腹な、どうしてくりょ」〈桐一葉・坪内逍遙〉

もだもだ ❶さま身もだえするさま。もだえなやむさま。心が乱れてのぼせあがるさまなど。もだくだ。「我方から身をよせ、白く油づきたる、ふとももを見せかけ、もだもだして戯れかかれど」〈傾城色三味線・江島其磧〉「柳之助は到底空腹を癒しかねて悶々《もだもだ》してゐると」〈多情多恨・尾崎紅葉〉❷名心のわだかまり。身もだえするような苦しいものごと。「頭の腐るやうな男女のもだもだも、たった一日だけ我慢すれば後は新聞に出るやうなこともないし」〈女ひと・室生犀星〉

もちっ さま食べ物にやわらかいねばりけと弾力が感じられるさま。「数種の小麦粉を秘伝の配合で作った皮は、もちっとして軟らかい」〈あれこれランキング・東京新聞・07・4・7・夕刊〉

もちもち ❶さま食べ物に快いねばりけと弾力が感じられるさま。「ボイルドした秋田産のシギ鱈は季末になって、かなり脂づき、フォークで一へぎ一へぎする身の肉の間にも何だかもちもちした粘りが出来てゐます」〈生々流転・岡本かの子〉❷さま肉づきのふくよかなさま。むちむち。「お銀は餅々した其腿のあたりを撫でながら、ばさばさした襁褓を配ってやった」〈黴・徳田秋声〉⬇使い分け「ぷよぷよ」

もちゃくちゃ ❶さま古不平を言うさま。小声であれこれと文句を言うさま。「其場は夫で済だれ共、もちゃくちゃいふて居られます」〈浄瑠璃—菅原伝授手習鑑〉❷さま古ひどく乱雑なさま。めちゃくちゃ。「手早に縄切り、後でもちゃくちゃひん握り」〈浄瑠璃—一谷嫩軍記〉❸さま古心の中で気がかりなことがうずまくさま。「此卦の女郎は、〈略〉内しゃうに金のいる事ありて、心もちゃくちゃしお

もしゃ・もじゃ

「もしゃ」「もじゃ」は、毛や草木などが不ぞろいに密生していたり、毛足の長いものが毛羽立っていたりするさまを表す。転じて、ものごとが複雑に入り組んで混乱するさまを表すこともある。

このオノマトペは「もしゃもしゃ」「もじゃもじゃ」のように繰り返しの形で使われることがほとんどで、髪やひげが整えられずに乱れていたり、不精に伸びていたりするようすを表す。

類似のオノマトペに「もさもさ」があるが、それよりも混乱した感じを伝える。拗音節を含むオノマトペには、落ち着きのなさや秩序のなさを表すものが目立つが（「めちゃくちゃ」など）、「もしゃ」「もじゃ」に含まれる「しゃ」「じゃ」も、収拾のつかない混乱したさまをよく表している。さらに、摩擦音の「しゃ」が破擦音の「ちゃ」と交替した形の「もちゃもちゃ」も、もめごとを意味する語である。

なお、「もしゃもしゃ」には、「むしゃむしゃ」に似て、さかんに何かを食べるようすを表す用法もある。

【もしゃの語群】

もしゃもしゃ　もじゃもじゃ
もしゃくしゃ・もじゃくじゃ

	—（と・に）伸びた髪	—（と）食べる	気分が—する
もしゃもしゃ	○	○	○
もじゃもじゃ	○	—	—
もしゃくしゃ	○	—	○
もじゃくじゃ	○	—	—

【表現】

「ひげもじゃ」「ひげもしゃ」「ひげもじゃら（ひげむじゃら）」など、ひげのようすを表す派生語には「もしゃ」「もじゃ」を含むものが目立つ。また、「もしゃ」「もじゃ」の類には、「もしゃくしゃ」「もじゃくじゃ」のように、異なる形の語根を組み合わせた並列オノマトペも見られる。やはりものごとが密生・混乱・紛糾するさまを表すが、「もしゃくしゃ」は気分の苛立ちを表す点で、「むしゃくしゃ」に似る。

「もしゃ」「もじゃ」は総じて、何かがうっとうしく無秩序な状態にあることを表すオノマトペだといえるが、あまりパッとしないうっとうしさを表すうえで、「も」の拍の音象徴効果は大きい。

「もそもそ」「もぞもぞ」「もたもた」「もじもじ」「もくもく」「もごもご」など、「も」を語頭に含むオノマトペには、清涼感や爽快感とはほど遠い、こもったニュアンスを表すものが多い。

音韻の面で興味深いのは濁音の位置である。オノマトペでは通常、清濁の対立が語根の最初の拍において生じる。たとえば「きら」—「ぎら」のように。その中にあって「もしゃ」—「もじゃ」は、語根の二番目の拍で清濁が対立する珍しい例である。これは、語根の最初の「も」が、濁点のつけられない共鳴音拍であるからにほかならない。このようなとき、清濁による音象徴効果の違いは、その次の拍「しゃ」「じゃ」に持ち越される。類似の例としては「もそ」「もぞ」があるが、これもまた同じ音韻的条件を含んだオノマトペである。

（那須昭夫）

ちつかず」〈洒落本—擲銭青楼占〉

もちゃもちゃ ❶さま 古 わかりにくくややこしいさま。「近付でもない人のそばへ寄、何やらもちゃもちゃと、合点の行ぬ身ぶり計」〈浄瑠璃—小夜中山鐘由来〉 ❷名 古 一筋縄ではいかないややこしい事件。多く、男女間の状態にいう。「伊東が娘とのもちゃもちゃは後の災」〈浄瑠璃—蛭小島武勇問答〉

もっこり さま 丸い弾力のあるものが高く盛りあがっているさま。「もぐらの作った土饅頭が、もっこりと椀を伏せたようにもちあがっている」〈路・藤枝静男〉 ⬇使い分け「こんもり」

もっさり ❶さま 世情にうとく気がきかないさま。あか抜けしないさま。見ばえがしないさま。「スタイルかて、もっさりずん胴でふんわりとおいどのあたりがふくれているというようなんが」〈羽なければ・小田実〉 ❷さま 注意がにぶく散漫で気がきかないさま。『もっさりとつっ立っている』「ベッドの真中のほうへもっさり這い出て来て」〈弟・古井由吉〉 ❸さま 毛や草が深々と生えて、盛り上がっているさま。『もっさりした髪の毛』「頭上にもっさりと蔽いかかった木の茂みの下の、凸凹の煉瓦道を」〈記念碑・堀田善衛〉

もったらもったら さま 話しぶりや態度がにぶく滞りがちなさま。「モッタラモッタラした云ひ振りの中に仲々コクのある面白い話をされる人であるが」〈蚤の市・石黒敬七〉

もったり さま ねばりつくような重みやよどみの感じられるさま。『もったりとなるまで卵白を泡立てます』「太い声がモッタリといって、こっちを振りかへった」〈旧聞日本橋・長谷川時雨〉「爪立ちを止めた女の体がもったりと凭れて来た」〈黒雨集・田中貢太郎〉

もっちゃり さま 少しも距離をおかず、まつわりつくさま。「ニッチャリ、モッチャリ、湿って温かい皮と、アンコの口中の勝負を楽しむ」〈鯛ヤキの丸かじり・東海林さだお〉「『でんねん』『まんねん』という言い方は、昔ながらの大阪弁らしい、いかにももっちゃりしたものの言い方として」〈日本語を歩く・朝日新聞・97・5・25〉

もっちり さま 食べ物に快いねばりけと弾力が感じられるさま。『もっちりした嚙みごたえの讃岐うどん』「弾力があって、モッチリしていて、嚙んでいると、上の歯と下の歯で餅を搗いているような気分になる」〈鯛ヤキの丸かじり・東海林さだお〉

もってり さま 人柄、態度などが、大らかでこまかいことを気にしないさま。「急に平生のもってりした調子にかへって、『大変な人ね—退却しますわ』」〈若い人・石坂洋次郎〉

もにゃもにゃ さま 口の中で小さく何かよく聞きとれないことをつぶやき続けるさま。むにゃむにゃ。にゃもにゃも。「一生けん命口の中で何かもにゃもにゃ云ってゐました」〈祭の晩・宮沢賢治〉

もみくさ さま 古 しわになるさま。もみくちゃ。「それはこぼれ次第に取ておさへて赤まへだれのもみくさになるもおかしく」〈色里三所世帯・井原西鶴〉

もみくしゃ さま もまれてしわになるさま。他の動きにまきこまれて自分の意思では動けなくなるさま。もみくちゃ。「もみくしゃの十円札を奥さんに返して呉れと云って置いて行った」〈北東の風・久板栄二郎〉

もみくちゃ さま もまれてひどいしわになるさま。はげしい動きや流れにのみこまれて、押し流されるだけしかなくなるさま。「善意と心づくしで揉みくちゃにされてしまう」〈あくる朝の蟬・井上ひさし〉

もみもみ さま 古 和歌や能楽の演技などで、こまやかに修辞をくふうし、委曲を尽くして表現するさま。「為定大納言は極てけだかくゆるゆるとたけ有て、しかもま

たも**みもみ**と有方も出来しけるにや」〈近来風体抄〉「舞より曲舞に至るまでも、**もみもみ**とあるべし」〈三道〉

ももくちゃ さま 不ぞろいで乱れているさま。くちゃくちゃ。「頭は五分刈がそのまま伸る丈のびて、**ももくちゃ**になって」〈窮死・国木田独歩〉

もやくや ❶ さま・名 言い争ってもめるさま。また、もめごと。「何か**もやくや**する中へ、ちょっとお邪魔と出かけたが」〈歌舞伎—御国入曾我中村〉

❷ さま・名 自分でおさまりをつけられない思いがわき起こったり、広がったりするさま。また、そうした心の煩悶。「今より胸の中**もやくや**として自ら気もふさぐべき種なり」〈ゆく雲・樋口一葉〉

もやっ さま 視界や思考などがかすんで見通しがつかないさま。ぼんやり。「自分の中に**モヤッ**としたものを抱えてるんです。『こうだよね、そう思わない?』とだれかに理解してほしい」〈当世川柳事情とは・毎日新聞・94・10・20〉

もやもや ❶ さま 煙、湯気などがたちこめて、見通しがよくつかないさま。ぼんやり。「男の白い顔が、湯気の**もやもや**した広い浴槽のなかに見られた」〈あらくれ・徳田秋声〉

❷ さま・名 考えや記憶、ものごとなどがあいまいなさま。割り切れない感情や気分でいること。『**もやもや**病《やまい》』「私の記憶も**モヤモヤ**してゐるが、画面も相当ボヤしてゐたやうだ」〈通学物語・渋沢秀雄〉「ふた月海を見ないと、頭が**もやもや**して目が霞んで来るんだ」〈抱擁・瀬戸内晴美〉「それが戦争なのだ、と伊丹は自分の心のなかの割りきれない**もやもや**をごまかした」〈失われた男・田村泰次郎〉

❸ さま 毛、草などが不ぞろいにやわらかく群がり生いしげるさま。「小チンマリした頭部に飴色の軟らかい毛が**モヤモヤ**と粗生《そせい》してゐる」〈漫談集・徳川夢声〉

❹ さま 古 のぼせたり、欲情が起こったりするさま。「しどけなく帯とき掛て、**もやもや**の風情見せければ、あるじたまり兼て」〈好色一代女・井原西鶴〉

❺ さま 言い争ったりしてもめるさま。ごたつくさま。もやくや。「ちっとの間みせいといふ。イヤならぬというて、**もやもや**いふ」〈松翁道話〉

もゆら 音 古 玉がゆれ動き、ふれ合って鳴る音。ゆら。「即ち御頸珠《みくびたま》の玉の緒**もゆら**に取りゆらかして」〈古事記〉

もよもよ さま 方言 虫などが多くうごめくさま。むずむず。「何か体が**もよもよ**するようにあると思うて見たら、虫が這《は》うて居った」〈長崎県対馬〉

もりもり ❶ さま 口中にものを含んでかむさま。量の多いものなどを、よく食べるさま。旺盛な食欲で食べ進むさま。「ナマコを食うなどとは甚しく凡庸ならざる所業で、〈略〉志摩人は原始時代から海の物を**モリモリ**食っていたのであろう」〈安吾新日本地理・坂口安吾〉 ⬇使い分け「ぱくぱく」

❷ さま 勢いよく事を進めるさま。ものごとを積極的に、意欲的におし進めるさま。ばりばり。「明日からまた**もりもり**精を出して商売にはげむ」〈妻隠・古井由吉〉

❸ さま 勢いよく盛り上がったり、ふくら

使い分け

【共通の意味】

筋肉が盛り上がって丈夫そうなようす。

もりもり

むきむき／隆隆

❶**もりもり**は、「筋肉**もりもり**で強そうだ」のように、力強さを表す。**むきむき**には盛り上がった筋肉を冷やかすような俗な感じがある。「**ムキムキ**の筋肉を自慢する」

❷**隆隆**は文章語。「**隆々**たる筋肉の重量挙げの選手」

んだり、わき上がったりするさま。『元気もりもり』「間崎は、**モリモリ**湧き上る嬉しさを咽喉の口でクッと塞いだが、それでも身体が弾んで仕方がなかった」〈若い人・石坂洋次郎〉 ⇩使い分け「もりもり」

❹さま ものが多くあるさま。もり上がるほど多くあるさま。「中学校を見ると又、館へ引返す。二回目も、**モリモリ**の満員」〈苦笑風呂・古川緑波〉

もろもろ ❶さま 自信なげで物言いの明確でないさま。「ナニを**モロモロ**云ってやアがる。モロモット見たやうな面らっをして」〈落語—三都三人絵師・禽語楼小さん〉

❷さま まだらになって見えるさま。「葉越しの太陽の光りが、彼等の白い皮膚の上に、**もろもろ**とした斑点を写してゐるので」〈青草・十一谷義三郎〉

❸さま 今にもくずれそうに、弱くもろいさま。やわらかいさま。『柱が腐って**もろもろ**になっている』「豆腐屋のように重石でしめていないぶんだけ、**もろもろ**と柔らかい」〈日本の朝ごはん・向笠千恵子〉

もわっ ❶さま 熱気やにおいなどが瞬間的に迫ってくるさま。むわっ。「エアコン室外機の前を通った時に、**モワッ**とした熱気を浴び」〈あっと5・毎日新聞・94・7・8〉 ⇩使い分け「むんむん」

❷さま 手がかりやとらえどころのないさま。「『**モワッ**としたものをクリアにしていく努力が必要』などと述べ〈略〉市民のすっきりとしない気持ちを整理し」〈住民に割り切れぬ思い・読売新聞・00・3・16〉

もわもわ さま 湯気、もや、霧などが一面にひろがるさま。形や動きなどが明確に見えないさま。「雪片が**もわもわ**と蠢めきあって落ちてくる」〈雪の下の蟹・古井由吉〉

もんもん ❶さま 方言 盛んに煙の出るさま。草木が茂るさま。「煙が**もんもん**する」〈山形県〉「あそこの林、**もんもん**ている」〈山形県〉

❷さま 方言 頭のさえないさま。「頭あ**もんもん**て重たい」〈山形県〉

❸⇩漢語編「もんもん（悶悶・懣懣）」

も

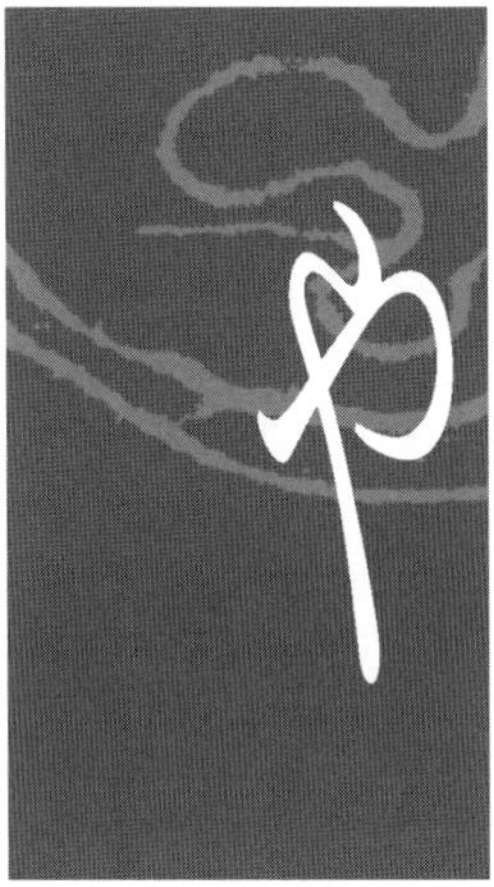

やいのやいの ❶さま 一つのことをしつこく懇請したり、厳しく催促したりするさま。「やいのやいのという上からの催促で、毎日書く申報《しんぽう》の種に困ったことも再三再四であった」〈記念碑・堀田善衛〉 ❷さま 感情を込めてはげしく相手に迫るさま。「女の方が夢中になって〈略〉切れるの切れないの、死ぬの生きるの、**やいのやいの**という沙汰《さた》になると」〈大菩薩峠・中里介山〉

やいほい さま 世話をやいたり機嫌をとったりするさま。「此様なに**やいほい**するから、可《い》い気に成って威張腐るんだ」〈はやり唄・小杉天外〉

やいやい ❶さま ぞんざいに、また、尊大な態度でものをせがんだり、催促したりするさま。「あまえた強請《ねだ》るような眼つきで顔をのぞかれ、**やいやい**とせがまれて」〈浮雲・二葉亭四迷〉 ➡使い分け「やいやい」 ❷さま あれこれと落ち着きのないさま。「お蔦さへ、憂慮《きづか》ふより寧ろ口惜がって、**ヤイヤイ**騒ぐから」〈婦系図・泉鏡花〉

やきもき さま あれこれ思って気をもむさま。「彼は寐ながら御常の**やきもき**する顔を見てひそかに喜こんだ」〈道草・夏目漱石〉 ➡使い分け「やきもき」

やきやき さま いろいろ考えて気をもむさま。「銭のないほど気楽なものはない、盗人がはひる気遣ひなし、たれが一つ無心いふ者もない、**ヤキヤキ**いふ世話がいらん」〈滑稽本・大わらい臍の西国〉「お前さんがあんまりおそいんで**やきやき**してゐたところへ」〈今年竹・里見弴〉

やしやし ❶さま 方言 熱のために体が熱いさま。「体が**やしやし**する」〈兵庫県〉 ❷さま 方言 一心不乱に打ちこむさま。急ぐさま。どんどん。岩手県・千葉県・香川県。「みんなさ負けないど(みんなに負けまいと)、**やしやし**鎌もって草刈るした」〈岩手県〉「**やしやし**食べて早く行け」〈千葉県〉

やちゃくちゃ さま 方言 うるさくやかましいさま。「やちくちゃ」ともいう。「**やちゃくちゃ**ちゅー音がする」〈山形県〉「**やちくちゃ**物をゆーもんじゃない」〈高知県〉

やっきもっき さま あれこれと気づかうさま。「権十一人が**やっきもっき**世話ア為るは」〈狂言田舎操・式亭三馬・楽亭馬笑〉

やっきやっき さま あれこれうるさくするさま。「朝早う起きて奉公人をいぢりまはして、**やっきやっき**いふが楽しみかい」〈金持貧乏人せりあい問答〉

やっきりやっきり ❶さま 古 あれこれと

使い分け

【共通の意味】口やかましく文句をつけるようす。

やいやい がみがみ/がんがん/ぽんぽん

❶**やいやい**は、周りの者が口うるさく催促するようす。「本人は医者になる気がないのに、親が**やいやい**言って医学部を受験させた」 ❷**がみがみ**は、大きい声で口やかましく叱るようす。「大工の親方は、道具の扱いがわるいと弟子を**ガミガミ**叱った」 ❸**がんがん**は、強い口調で一方的に言い立てたり、怒鳴ったりするようす。「部長は、顧客リストを紛失した部下を**ガンガン**責めた」 ❹**ぽんぽん**は、言いにくいことを遠慮や気遣いもなく相手に言うようす。「若い評論家が、大臣たちを**ポンポン**批判するのが小気味よい」

気をもんで、いらだつさま。「まだ目もさめぬに茶を飲めと。茶碗取る手に**やっきりやっきり**とな飯をくへ」〈歌謡―新編歌祭文集〉

❷ さま 古 執念ぶかく責めつけて、いびるさま。「エエコレ、おつまを尋ねあてて是非に今宵のその内に、**やっきりやっきり**なぶり殺し」〈歌舞伎―彩入御伽草〈おつま八郎兵衛〉・鶴屋南北〉

やっさもっさ さま 名 大勢が寄ってきて騒がしく何かをし合うさま。大騒ぎ。もめごと。やっちゃもっちゃ。「約五分**やっさもっさ**もめかへした後、僕は漸く曾根君を介抱して」〈思出の記・徳冨蘆花〉

やっさわっさ さま にぎやかに大騒ぎをしているさま。「恵比寿講とて**ヤッサワッサ**賑ふ中」〈当世商人気質・饗庭篁村〉

やっしゃり さま 古 かぼそいさま。きゃしゃなさま。優しくなよやかなさま。「色の白い**やっしゃり**とした弱々しい男はないが」〈咄本―諺臍の宿替〉

やっちゃもっちゃ さま あれこれと騒ぎたてるさま。「**やっちゃもっちゃ**の末は拳も下卑て」〈五重塔・幸田露伴〉

やっとこ ❶ さま かろうじてものごとをするさま。やっとこさっとこ。「大学を出てよ、**やっとこ**勤め口をみつけ」〈花冷え・久保田万太郎〉

❷ さま たどたどしく動き出すさま。「**やっとこやっとこ**　くりだした　おもちゃのマーチが　らったった」〈童謡―おもちゃのマーチ・海野厚〉

やっとこどっこい さま 何とか限度いっぱいのところでものごとをするさま。「カフェ一杯飲むんでさへ**ヤットコドッコイ**で此頃はパンさへもくうやくはずなんだよ」〈蚤の市・石黒敬七〉

やっとん さま 名 舞踊で足拍子をとるさま。また、舞踊のこと。「太郎冠者の足拍子の『**やっとんやっとん**とん』が印象に残り」〈舞台・毎日新聞・06・11・8〉

やらやら さま 方言 ほてって痛んだり辛みを感じたりするさま。ひりひり。「やらーやら」ともいう。「ショウガを食いすぎて、口の中が**やらやら**する」〈高知県〉「のどの**やらーやら**すッ」〈佐賀県〉

やりやり さま 古 体の痛みや腹立たしさなどで我慢できないさま。「けさよりくりをむき候へば、おいどが**やりやり**としていたく候」〈御伽草子―猿の草子〉

やわやわ ❶ さま 外見や感触がやわらかであったり、しなやかなさま。「芯はほっこら真っ白、周縁部は半透明の薄鼠色をした、**やわやわ**とした米粒が炊き上がる」〈粥・AERA・01・9・24〉

❷ さま 物腰がものやわらかなさま。たおやかなさま。なよなよ。「酒を三盃飲めば**やわやわ**として むっくりとして其楽心飽満して足ぞ」〈四河入海〉

❸ さま 手加減をして、あまり力をいれず、時間をかけてものごとをするさま。「初は叔母も自分ながらけぶさうな貌《ほか》をして、**やはやは**吹付けてゐたからまづ宜《かよ》ッたが」

使い分け

［共通の意味］
気持ちがあせって、もどかしいようす。

やきもき／むずむず／うずうず

❶**やきもき**は、状況がわからないために気をもんだり心配したりするようす。「飛行機の時間に遅れるのではないかと、渋滞にはまったタクシーの中で**やきもき**している」❷**むずむず**は、何かをしたくてたまらず、体がむずがゆいように感じるようす。「『内緒だよ』と言われた話を、だれかに話したくて**むずむず**する」。**うずうず**は、早く行動を起こしたいという気分全体をいう。「まだ怪我は完全に治っていないが、早く練習したくて**うずうず**する」

〈浮雲・二葉亭四迷〉

やんさもんさ さま 大勢が寄ってきて、騒がしく何かをし合うさま。「城のさむらいども怒って雪蹊寺を十重廿重に取まき、**やんさもんさ**五十日をも費した」〈おあんさま・大原富枝〉

やんや ❶ さま 称賛に値するさま。ほめそやすさま。「**やんや**と喝采されれば、いよいよ調子を出し、羽目を外してしまふ」〈鴨長明・唐木順三〉

❷ さま たて続けにためらわずに行動するさま。「少しも速く宜ひ客人を取り当て座敷でも持せて貰って**やんや**と売出して見たがいひ」〈春の若草・為永春水〉

やんわり さま 丁寧で遠まわしなさま。静かでものやわらかなさま。『**やんわり**と断ったが通じなかった』『風が**やんわり**と頬をなでる』「かりにもお客だ。もうちっと**やんはり**口を利くもんだ」〈息子・小山内薫〉

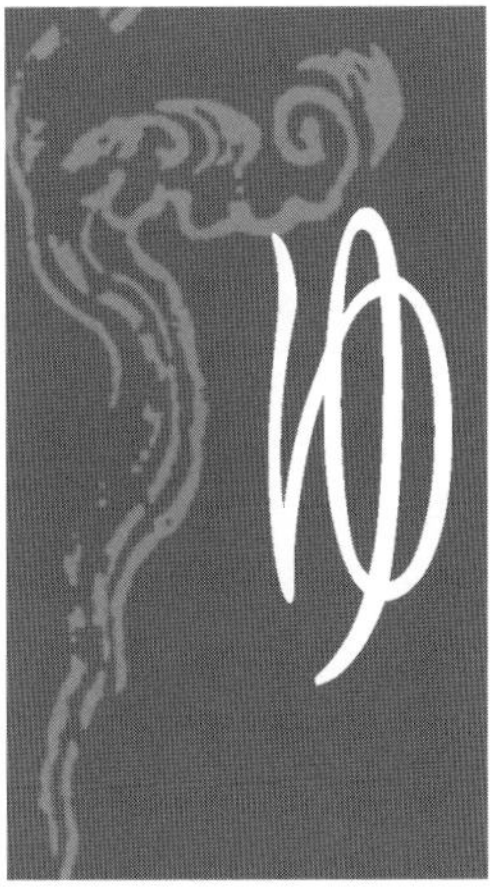

ゆーゆー ❶ さま 古 湿っているさま。水けを含んで、やわらかくふくらんでいるさま。ゆぶゆぶ。「顔は青鈍なる練衣に水を裹《つつみ》ったる様にて、一身**ゆふゆふ**と腫たる者」〈今昔物語集〉

❷➡漢語編「ゆうゆう(悠悠)」 ➡使い分け「しゃーしゃー」「のんべんだらり」

ゆきゆき さま ものがきしんでゆれ動くさま。ゆらゆら。「湯桶のやうな煙突が**ユキユキ**と揺れてゐた」〈蟹工船・小林多喜二〉「耳も頭もグヮングヮンして、身体が**ユキユキ**し、新聞一枚読めなかったものだ」〈不在地主・小林多喜二〉

方言 ゆれ動くさま。ゆらゆら。「ゆっきゆっき」ともいう。「地震終わった後も、**ゆきゆき**って体ゆれでらんた(ゆれているようだ)」〈青森県〉「魚を煮たおつゆが(固まって)**ゆっきゆっき**となった」〈青森県〉

ゆさゆさ 音・さま ものが重みを感じさせながら大きくゆれ動く音。また、そのさま。ゆすゆす。「二三度試みに引張って見ると、ぼってりと青葉を着けた枝が**ゆさゆさ**と涼しい音をたてた」〈いのちの初夜・北条民雄〉「さっき**ゆさゆさ**板んこの大地がゆれていた時に」〈月暈・島尾敏雄〉 ➡使い分け「ゆらゆら」

ゆさり さま 大きなものが一度ゆれ動くさま。ゆさゆさ。「今日は又一段と暑いやうぢゃ。あの松ケ枝の藤の花さへ、**ゆさり**とさせる程の風も吹かぬ」〈龍・芥川龍之介〉

ゆさりゆさり さま 大きなものが何度もゆれ動くさま。「川向うの芝の森が、雲の低い汚れた空に喰ひ込んだなり、**ゆさりゆさり**と揺れてゐる」〈百鬼園随筆・内田百閒〉

ゆすゆす さま 古 重みを感じさせながら、ものがゆれ動くさま。「此の家**ゆすゆす**と動きて遂に柱の根抜けぬ」〈発心集〉「一里山松を時雨の露ちりて　榎木**ゆすゆす**風さはぐなり」〈如貞〉〈俳諧一物種集〉

ゆたゆた ❶ さま 古 豊かで落ち着いたさま。「詞に**ゆたゆた**といへる、ゆた如何。答、ゆるつなの反。緩綱也。ゆたむ義これ也。又ゆたかの義也」〈名語記〉

❷ さま 古 ものがゆるやかにゆれるさま。あわてずに時間をかけるさま。「渋川もぜひなき面つき**ゆたゆた**と、入より国俊声

ゆ

をかけ」〈浄瑠璃―新うすゆき物語〉「絃を引張らず、**ゆたゆた**とゆるやかにのべて、無名指《むみゃうし》にてひくやうにかけたり」〈評判記―色道大鏡〉

ゆたり さま 落ち着いてゆとりのあるさま。ゆったり。「人ずれたる気しきは無く目ざしも口つきも**ゆたり**として言語《ものごし》も物静かにゆるやかなる只の嫗《ばば》なり」〈春酒屋漫筆・坪内逍遙〉

ゆたりゆたり さま 何度もゆるやかに動くさま。「象の尻が、**ゆたりゆたり**と竹林の日向を揺れて行った」〈春景色・川端康成〉

ゆっくらり さま 古 気を楽にして、じゅうぶんに体を休ませるさま。「あげるものはござんないが、**ゆっくらり**とござらせへてくださりまし」〈続膝栗毛・十返舎一九〉

ゆっくり ❶ さま 動作が遅いさま。急がず、じゅうぶん時間をかけるさま。「早過ぎるなら、**ゆっくり**云ってやるが」〈坊っちゃん・夏目漱石〉 ⬇使い分け「ゆっくり」
❷ さま 動作や気持ちにゆとりがあって、くつろいでいるさま。のんびり。「昼飯の給仕にお梅どんが来て**ゆっくり**と腰を据ゑて話し込む」〈大内旅宿・高浜虚子〉「何だか故郷《くに》へでも帰った様で、大変に**悠然**《ゆっくり》しましたの」〈魔風恋風・小杉天外〉
❸ さま 余裕がじゅうぶんにあるさま。状態などにゆとりのあるさま。「座談会は六時からださうでまだ時間は**ゆっくり**ありま す」〈帰郷・大仏次郎〉「その腕で、人一人を容れられる**ゆっくり**した弧形をつくって江波の方に差しのべ」〈若い人・石坂洋次郎〉 ⬇使い分け「のんべんだらり」
❹ さま 動きがにぶいさま。「ちょっと頭の**ゆっくり**した娘であったらしい」〈父の詫び状・向田邦子〉

ゆっさゆっさ さま 大きくて重そうなものがゆれ動くさま。「今、見つけられたら、えらい目に会わされる、こいつは大事に歩かんといかんと思って、**ゆっさ**、**ゆっさ**と廊下を歩いて、やっと出口まで来た」〈幽霊の自筆・田中貢太郎〉 ⬇使い分け「ゆらゆら」

ゆっさり さま 重そうにゆるやかに動くさま。「卯平は懶《ものう》さ相《そう》な身体を**ゆっさり**と起して」〈土・長塚節〉「制服の上着だけ脱いだまま、**ゆっさり**とたくさんの物を抱へながら〈略〉嬉しさうに笑ひかけるのを見ると」〈一つの芽生・宮本百合子〉

ゆっす さま 古 一瞬ゆれ動くさま。「徳山臨済がよって引ても**ゆっす**ともすまい」〈大淵代抄〉「風も吹かぬに、一ゆるぎ二ゆるぎ、**ゆっす**ゆっすと動いたが、これが不思議に候」〈説経節―さんせう太夫〈与七郎正本〉〉

ゆっすり さま 古 ものがゆれ動いたり心が

使い分け

【共通の意味】
少しずつ動いたり始めたりするようす。

ゆっくり

ゆるゆる／そろそろ／ぼつぼつ

❶**ゆっくり**、**ゆるゆる**、**そろそろ**は、行動が静かでゆるやかであるようす。「美術館の絵を**ゆっくり**見て回る」。**ゆるゆる**は、のんびり行動するようす。「時間はたっぷりありますから、**ゆるゆる**ご観覧ください」。**そろそろ**は、体をいたわりながら、静かに行動するようす。「手術したばかりで、**そろそろ**と病院内を歩く」 ❷**そろそろ**、**ぼつぼつ**は、一緒に出かける人に声をかける場合に、「**そろそろ**行きましょう」「**ぼつぼつ**出かけようか」のように使う。いとまごいの場合にも使う。「**そろそろ**失礼します」

動揺するさま。ゆっす。「是ほどゑんまわうがひじゅつをつくひてせむるに、**ゆっすり**共せぬが、汝は何者ぞ」〈狂言―朝比奈〉
✹多く下に打ち消しの語を伴って用いる。

ゆったり ❶ さま じゅうぶんなゆとりのあるさま。ゆるやかなさま。たっぷり。「グリーン車の**ゆったり**したシートに浅く

腰をかけて」〈半チョッパリ・李恢成〉「春たてる霞の衣も**ゆったり**とたけはば広く見ゆるむさしの」〈狂歌―後撰夷曲集〉

❷さま 落ち着いてくつろいださま。「腰を下ろしてから**ゆったり**した調子でさう言った」〈都会の憂鬱・佐藤春夫〉「もはや日没ちかく、残光を浴びて山の峯々が幽かに明るく、線の起伏も、こだはらず**ゆったり**流れて」〈八十八夜・太宰治〉➡使い分け「のんべんだらり」

ゆぶゆぶ さま やわらかみのある、ふくらんだものがゆれるさま。水分が多く、ふくれ上がっているさま。ぶよぶよ。「心太《ところてん》のように**ゆぶゆぶ**したもの」〈金色の朝・三浦哲郎〉

ゆぶらゆぶら さま 古 左右に大きくゆれるさま。ゆらゆら。「**ゆぶらゆぶら**筒入大菊修羅な姿」〈雑俳―後の栞〉

ゆら 音 古 玉や鈴などがふれ合って鳴る音。かたいものがぶつかり合って鳴る音。もゆら。ゆらら。「調結んで胴かけて手の中しめて肩に上げ、手品も**ゆら**に打ならす」〈浄瑠璃―義経千本桜〉

ゆらっ さま 大きく一度、ゆれ動くさま。「水面に映った木の影が突然、**ユラッ**と動いたような気がした。目を向けると、〝影〟の一部がゆっくりこちらに向かってくる」〈世界の街から・東京新聞・00・11・2・夕刊〉

ゆらゆら ❶さま やわらかく何度もゆれ動くさま。ゆり動かすさま。「坐って居る時でもからだが**ゆらゆら**して居た」〈鼠と猫・寺田寅彦〉「洋館の窓は音なく、左右に開かれて、オリーブ色のカーテンが、**ゆらゆら**とさゆらぐと見る間に」〈花物語・吉屋信子〉「海は**ゆらゆら**として空と一つに融け〈略〉漁舟《ぎょしゅう》鷗よりも小なり」〈自然と人生・徳冨蘆花〉➡使い分け「ゆらゆら」

❷さま 間のびするほど急がずにものごとを行うさま。気持ちなどに余裕のあるさま。ゆるゆる。「残ったうどんの汁に、湯を**ゆらゆら**ついで長いこと乳のやうに吸った」〈風琴と魚の町・林芙美子〉「打解けて、**ゆらゆら**とお寝ょれのうさ、まだ夜は夜中よ」〈歌謡―松の葉〉

ゆらら ❶音 古 鈴や玉がふれ合って鳴る音。「白塗《しらぬり》の鈴も**ゆらら**にいはせ野は合はせてぞ見るましらふの鷹〈藤原顕季〉」〈堀河百首〉

❷さま 古 やわらかくゆれ動くさま。「せんだんのほとけほのてるともし火の**ゆららゆらら**にまつのかぜふく」〈南京新唱・会津八一〉

❸さま 古 ゆとりがあるさま。「神ならば**ゆららさらら**と降りたまへ、いかなる神か物恥《ものはぢ》はする」〈梁塵秘抄〉

ゆらり ❶さま やわらかく一度ゆれ動くさま。落ち着くことのないさま。「白い大きな牛が一頭**ゆらり**と出て来た」〈平地の匂い・小川国夫〉

❷さま 動作や気持ちなどにゆとりがあるさま。ゆったり。「すると猿がもう一匹、いつか同じ枝の上に**ゆらり**と腰をおろしてゐる」〈誘惑・芥川龍之介〉「向日葵は金の油を身にあびて**ゆらり**と高し日のちひささよ」〈生くる日に・前田夕暮〉

❸さま やわらかくすばやく体を一度動かすさま。ふわり。ひらり。「あらびや馬の、太くたくましきに**ゆらり**と股がり」〈西洋道中膝栗毛・仮名垣魯文〉

ゆらりくらり さま やわらかく前後左右にゆれ動くさま。ためらってなかなか動かないさま。「是ほどの一大事にむかひて、なにのこころばせひとつもなく、**ゆらりくらり**としたるは日本一みれんのやつばらなり」〈御伽草子―鴉鷺合戦物語〉

ゆらりさらり さま 古 ゆるやかに気負いなく動くさま。「**ゆらりさらり**となみのうへのさかもり」〈狂言―若菜〉

ゆらりゆらり さま 何度もやわらかくゆれ動くさま。「屋形船などを**ゆらりゆらり**と流れにまかする風流子《ふうりうし》の偶《たま》にはないでもない」〈東京年中行事・若月紫蘭〉「大蛍

ゆ

ゆらりゆらりと通りけり」〈おらが春・一茶〉

ゆりゆり ［さま］［古］水などがやわらかくゆれ続けるさま。「かづいた水が、**ゆりゆり**たぶつき、こぼるるげなものを、うつつなや、殿は都に」〈歌謡—松の葉〉

ゆるっ ［さま］［方言］ゆるやかなさま。ゆっくり。のんびり。「**ゆるっ**と休まえん(ゆっくりお休みなさい)」〈宮城県〉「**ゆるっ**としてえらっしゃえ」〈山形県〉「**ゆるっ**と一日はかかりすぺ(たっぷり一日はかかるでしょう)」〈宮城県〉「**ゆるっ**としていきなっせ(ゆっくりして行きなさい)」〈熊本県〉「そぎゃん急がんちゃよかたい、**ゆるーっ**と行きなっせ」〈熊本県〉

ゆるゆる ❶［さま］動作や気持ちにゆとりがあってくつろいださま。「あてら平生は**ゆるゆる**お月さんを見ることもあらへんが」〈大阪の宿・水上滝太郎〉「昨夜は**ゆるゆる**御目もじ致し数々嬉しき御言の葉賜はり」〈社会百面相・内田魯庵〉

❷［さま］動作が遅く落ち着いているさま。ゆっくり。そろそろ。「風車が、青空に白い羽根を**ゆるゆる**動かしながら、かったんこっとんと呑気らしく音を立て廻ってゐた」〈或る女・有島武郎〉 ⬇使い分け「ゆっくり」

❸［さま］ほどけたり、ゆるんだりして、締まりのないさま。しばられた状態から解き放たれるさま。「水ばき下駄、前鼻緒の**ゆるゆる**になりて」〈大つごもり・樋口一葉〉「身体が酔いに**ゆるゆる**と溶けてゆくような充実した時間が流れてゆく」〈香り立つ「生」の喜び・読売新聞・01・8・5〉

❹［さま］小さく遅くゆれ動くさま。ゆらゆら。「一寸程の裸虫が其割に大い尻をもたげて**ゆるゆる**と振って居た」〈焚火・志賀直哉〉「此の家**ゆるゆる**とゆるぎて、つひにはしらの根ぬけぬ」〈発心集〉

❺［さま］［古］しだいに伸びひろがるさま。「庭のまま**ゆるゆる**生ふる夏草を分けてばかりにこむ人も哉」〈和泉式部集〉

ゆるり ❶［さま］心おきなく、くつろいでいるさま。心にゆとりがあるさま。のんびり。「どうぞ白い湯へ出たり這入ったりして、**ゆるり**と御あったまり下さい」〈吾輩は猫である・夏目漱石〉

❷［さま］余裕がじゅうぶんにあるさま。「夫婦ながら継のあたらぬ物着て、以上五六人口**ゆるり**と暮し」〈好色一代女・井原西鶴〉

❸［さま］時間がかかるさま。「後《ぁと》の馬車はまだ来ねへか、でへぶ**ゆるり**してゐるの」〈西洋道中膝栗毛・仮名垣魯文〉

ゆるりかん ［さま］楽に落ち着いて、くつろいださま。「さりとは**ゆるりくゎん**とした る坊主かな」〈浮世草子—好色万金丹〉

✤「ゆるり」に同じ意味の漢字「寛」または「緩」をつけて意を強めたもの。「かん」を、「鑵子《かんす》(=湯釜)」「関白」「観音」などにかけて、「ゆるりかんす」「ゆるりかんぱく」などとしゃれて用いることもある。「不死の薬の酒くむやうに、**ゆるりくはんす**と座《とど》をして」〈俳諧—山の井〉

使い分け

【共通の意味】ものがゆれるようす。

ゆらゆら

ぶらぶら／ゆさゆさ／ゆっさゆっさ

❶**ゆらゆら**は、ゆるやかにゆれるようす。「だれも乗っていないブランコが風に**ゆらゆら**ゆれている」「水中で藻が**ゆらゆら**している」 ❷**ぶらぶら**は、上から吊り下がっているものがゆれるようす。「首から提げた懐中時計が**ブラブラ**している」「腕を**ぶらぶら**させる」 ❸**ゆさゆさ**は、束になったものが、大きく上下左右にゆれるようす。「走ると馬の尾が**ユサユサ**ゆれる」「たんぼ一面の稲穂が風に**ゆさゆさ**と動く」。**ゆっさゆっさ**は、**ゆさゆさ**よりもさらに量の多いものが大きくゆれるようす。「大風で林の樹木の枝が**ゆっさゆっさ**とゆれている」

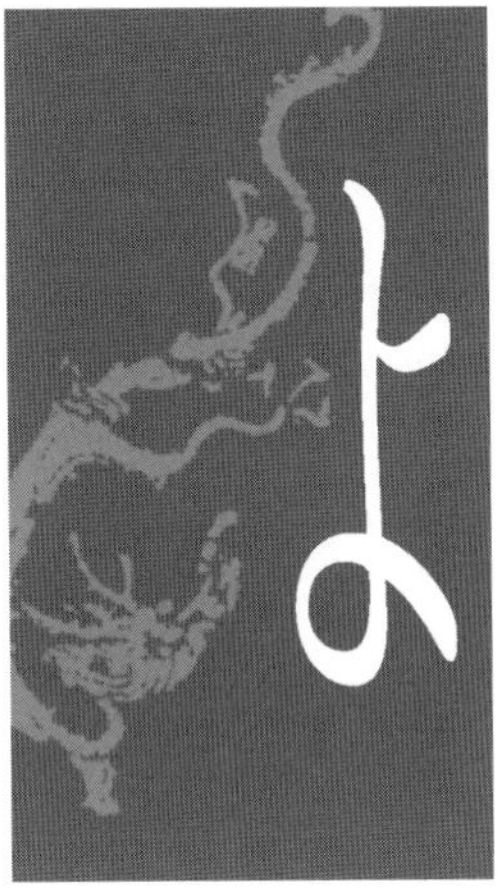

ようびょう ⬇漢語編「ようびょう（杳渺・杳眇）」

ようよう ⬇漢語編①「ようよう（洋洋）」②「ようよう（揚揚）」③「ようよう（溶溶）」④「ようよう（漾漾）」

よくよく ⬇漢語編「よくよく（翼翼）」

よじよじ ❶さま あぶなっかしくよろけながら歩くさま。「中には客間へ入るか入らないに室の隅の碁盤を**ヨジヨジ**と抱へて来て」〈珍太郎日記・佐々木邦〉

❷さま 曲がりくねったさま。よじれたさま。「無造作に手をくれし、牽牛花《あさがほ》の蔓**蜿々**《よぢよぢ》とからみつきし影に」〈露小袖・大橋乙羽〉

よたよた ❶さま 歩き方や進み方に、力がこもらず、頼りなく小さくゆれ動くさま。よれよれ。「『おい与ひょう、見や、鶴だ…』『**よたよた**と飛んで行きよる』」〈夕鶴・木下順二〉「どうやら**よたよた**乗れることになり、桜田門まで遠征、〈略〉いやはや初期のサイクリストあんまり自慢にならぬ」〈明治世相百話・山本笑月〉「ファーストが上手いと思うと、セカンドの小父さんが**ヨタヨタ**で」〈おんなのひと・永井龍男〉⬇使い分け「よちよち」

❷さま ひどい打撃をうけてふらつくさま。古びたり疲れたりしてほとんど力のないさま。「アメリカが、十年ほど前に、レイムダックといわれた**ヨタヨタ**の経済から立ち直ったのは」〈正論・産経新聞・98・8・28〉「以前から、買ってもらった**よたよた**の中古車を乗りまわしている」〈ぽんこつ・阿川弘之〉

よたりよたり さま 足どりがふらつくさま。よたよた。「**よたりよたり**為《し》ながらざくろ口にいたり、入口につかまってかがみながら」〈浮世風呂・式亭三馬〉

よちよち さま 幼児、老人、重いものを背負った人などが、小さな歩幅でたどたどしく歩くさま。『**よちよち**歩き』「爺さんが細い急な坂路を**よちよち**と登って来るのが見えた」〈暗夜行路・志賀直哉〉⬇使い分け「よちよち」

よったりよったり さま 休み休みしながら、わずかずつ動くさま。「よぼよぼな馬は幌《ほろ》のここかしこと破れた古馬車を曳いて**よったりよったり**と歩いてゐた」〈煙管・新田潤〉

よっちょいよっちょい さま 幼い者があぶなっかしいようすで重いものを運ぶさま。よちよち。「太吉は何時しか台より飯櫃取おろして、**よっちょいよっちょい**と担ぎ出す」〈にごりえ・樋口一葉〉

よっちらよっちら さま 動きのにぶいものが少しずつ精一杯に動いているさま。えっちらおっちら。「婆さんはそれを**よっちらよっちら**と両手で持って上り口に踞《やしが》む」〈俳諧師・高浜虚子〉

よっぱよっぱ さま 方言 今にも折れそうなさま。「よっぱよっぱ」ともいう。「**よっぱよっぱ**ず竿で、頼りぁねぁ」〈岩手県〉「この長木ぁ**よっぱよっぱ**で、使い物になんねぁ」〈岩手県〉

よぼよぼ さま 年老いて気力・体力ともに衰えてしまったさま。「でも、**よぼよぼ**にならないうちに、日本へ帰って、さんざ見たいものを見て」〈ある日本宿・正宗白鳥〉「該艦隊の艦数は多いが何れも古い船で、仲には**ヨボヨボ**のものもあり」〈明治大正見聞史・生方敏郎〉

よよ ❶さま しゃくり上げて泣くさま。声をあげてはげしく泣くさま。おいおい。「**よよ**と計《ばか》りに泣給ふ」〈武州公秘話・谷崎潤一郎〉「見たてまつる人も、いとかなしくて、おのれも**よよ**となきぬ」〈源氏物語・夕顔〉

↓使い分け「わんわん」

❷さま古よだれや、水などのしたたり落ちるさま。「たかうな(筍)をつとにぎりもちて、しづくも**よよ**とくひぬらし給へば」〈源氏物語・横笛〉

❸さま古酒などを、しずくをたらしながら勢いよく飲むさま。ぐいぐい。「酒を出したれば、さしうけさしうけ**よよ**と飲みぬ」〈徒然草〉「入道の**よよ**とまいりぬ納豆汁」〈蕪村句集〉

よらよら さま 足がもつれて、よろめくさま。ゆらゆら。「慌しく汽笛が鳴って、ガタリと列車が動き出すと、智恵子は**ヨラヨラ**と足場を失って、思はず吉野に凭掛《よりかか》った」〈鳥影・石川啄木〉

よれっ さま 着物や紙などが、古くなったり、しわが寄ったりして張りがないさま。「その濃紺のコートは**よれっ**として、くたびれている。中国の序列第3位、温家宝首相はそれを着続ける」〈発信箱・毎日新聞・07・1・11〉

よれよれ ❶さま 着物や紙などが、古くなったり、しわが寄ったりして張りがなくなっているさま。「机の引出しから**よれよれ**になった葉書を出してきた」〈真空地帯・野間宏〉「**よれよれ**の国民服からバリッとした背広に着かえて」〈解体の日暮れ・杉浦明平〉

❷さま 力がはいらず弱りきっているさま。「その中を、海底の藻草のやうに**よれよれ**と声もなくうろついてゐる幾千の漁色亡者」〈天国の記録・下村千秋〉

よろっ さま 足もとが瞬間的に不安定になって、今にも倒れそうになるさま。魅力を感じて気持ちが傾くさま。『立ちくらみがして、**よろっ**となる』『見事な柄の帯につい**よろっ**となった』

よろよろ ❶さま 足どりが確かでなく、体が安定しないさま。体がゆれて倒れそうになるさま。「夢中に**よろよろ**と歩いてゐる彼の姿は宛《さなが》ら夢遊病者のやうであった」〈青銅の基督・長与善郎〉「袖つけから半分ばかりぴりりと綻が切れ、三田もはずみをくって**よろよろ**と膝をついた」〈大阪の宿・水上滝太郎〉

❷さま 動きや態度などが迷ったり不安定なさま。「これが不公平な戦争だから日本人が反対していると聞かされても**よろよろ**することはあるまい」〈輝ける闇・開高健〉↓使い分け「ふらふら」

❸さま 弱々しいさま。「ボロボロに腐れ切った**ヨロヨロ**の藁小屋で」〈不在地主・小林多喜二〉「自分の声は威嚇《おどか》される度に**よろよろ**する。さうして小さくなる」〈永日小品・夏目漱石〉

よろりよろり さま 足をもつれさせながら、ゆれ動くさま。よろよろ。「かまのまへを**よろりよろり**とめぐる程に」〈狂言―横座〉「又立ちあがって太刀を杖、**よろりよろり**とよろめく姿」〈浄瑠璃―平家女護島・近松門左衛門〉

使い分け

【共通の意味】足取りが弱々しく、不安定なようす。

よちよち　**えっちらおっちら／よたよた**

❶**よちよち**は、小さい子どもなどがおぼつかない足取りで歩くようす。「歩きはじめた子どもが、初めてくつをはいて**よちよち**歩く」「カルガモの親子が池まで**よちよち**歩く」❷**えっちらおっちら**は、疲れたり力がなかったりして、一生懸命にやっと歩くようす。「重いリュックを背負って、けわしい山道を、**えっちらおっちら**登る」❸**よたよた**は、歩き方が危なっかしく、左右によろめきながら歩くようす。「酔っ払いが、**よたよた**歩いている」

よ

らいらい ⬇漢語編①「らいらい（磊磊・礧礧）」②「らいらい（籟籟）」

らくえき ⬇漢語編「らくえき（絡繹・駱駅）」

らくばく ⬇漢語編「らくばく（落莫）」

らくらく ⬇漢語編「らくらく（楽楽）」⬇使い分け「ほいほい」

らっくり さま 緊張がとけて、楽な気持ちになるさま。「みんな全然《すっかり》、**楽《ら》っくり**して悦こんだ」〈田舎医師の子・相馬泰三〉

らったった さま 規則正しく元気に行進するさま。「キューピもぽっぽも**らったった**」〈童謡―おもちゃのマーチ・海野厚〉

らら ⬇漢語編「らら（裸裸）」

らんかん ⬇漢語編「らんかん（闌干・欄干）」

らんさん ⬇漢語編「らんさん（爛燦・爛粲）」

らんまん ⬇漢語編「らんまん（爛漫）」

らんらん ❶ さま 気分が浮き立って、はずみのつくさま。『子どもが**ランラン**とスキップしている』

❷⬇漢語編「らんらん（爛爛）」

りーりー 声 虫などの鳴く声。「おかめ蟋蟀の『**りいりい**。』〈略〉草ひばりの『すえりひ、りひ、りひ。』」〈人と鳥虫・薄田泣菫〉

りーん ❶ 音 鈴やベル、電話などの鳴る音。「**リーン**とすんだ自転車のベルが駛《か》けぬけてゆく」〈播州平野・宮本百合子〉

❷ さま 音が鋭く反響するさま。りん。「斬りやアがったなア此野郎。と云ふ声が**りーん**と谺《こだま》がして川に響きました」〈真景累ケ淵・三遊亭円朝〉

りくり ⬇漢語編「りくり（陸離）」

りつりつ ⬇漢語編「りつりつ（慄慄）」

りゃんりゃん さま 方言 強くゆるみのないさま。大阪府・九州地方。「りゅんりゅん」ともいう。「此糸は**りゃんりゃん**張て居る」〈大分県〉

りゅー ❶ 音 古 陶器などの割れる音。「もののをとの**りう**となる、如何。茶垸のもののわるるおとの実義とひとつすぢにて、**りう**となるか」〈名語記〉

❷ さま 服装や態度などが立派で、きわだっているさま。「服装《なり》だけは塩瀬の五紋《いつつもん》羽織《はをり》に風通の小袖といふ**リウ**としたものだ」〈落紅・内田魯庵〉

❸ さま 古 ものごとの程度がはなはだしいさま。非常にすぐれているさま。「爰もとの茶はいつでも**りう**と、うまいこんでや」〈続膝栗毛・十返舎一九〉

❹ さま 富んでいて、羽振りのよいさま。「いやに**りゅう**とした三つ揃いを着こんだ、一見シロシ（紳士）風の、そのくせ言葉使いは下品な男だった」〈いやな感じ・高見順〉

✸②③④は「隆と」の漢字を当てることがある。

りゅーりゅー ❶ 音 刀・槍・矢などが勢いよく風を切る音。「刀の背打《むねうち》**りうりう**はっしとぶちのめせば」〈浄瑠璃―平仮名盛衰記〉「三間柄の大身の槍を**リュウリュウ**と扱《しご》いて」〈忠直卿行状記・菊池寛〉

❷ 音 金属を打ったり、陶器などの割れるときの、高くひびく音。「ねずみとりは、思はず、はり金を**りうりう**と鳴らす位、怒ってしまひました」〈ツェねずみ・宮沢賢治〉「鐘の**りうりう**と末のひびきある内に鈴《りん》をうたれ候は早く候」〈実悟記〉

❸⬇漢語編「りゅうりゅう（隆隆）」⬇使い分け「もりもり」

りゅうりょう ⬇漢語編「りゅうりょう（瀏喨・瀏亮）」

りょうりょう ⬇漢語編①「りょうりょう

(喨喨)」②「りょうりょう(稜稜)」③「りょうりょう(寥寥)」

りり ↓漢語編「りり(離離)」

りりん 音 金属が互いにふれ合って鳴る音。鈴やベルなどの鳴る音。「轡《くつわ》の音は**りりんりりん**」〈浄瑠璃―夕霧阿波鳴渡・近松門左衛門〉

りん ❶音 金属などがものに当たって発する澄み切った鋭くひびく音。鈴やベルなどの鳴る音。「その隙間から体を斜めにして這入ると、**りん**、と一つ風鈴のやうな音がしただけで」〈色ざんげ・宇野千代〉 ❷音 口三味線で、三の糸をばちですくった音。 ❸さま 寒気がきびしいさま。気分がきびしく引き締まっているさま。「治れる気や**凜**とたつ御代の春〈正式〉」〈俳諧―玉海集〉 ❹さま 人の態度や姿、声などに張りがあって引き締まっているさま。「少女はもう形をおびて**凜**とした足どりで前方を見上げている」〈面影・芝木好子〉 ❺さま 計量がきわめて厳密であるさま。ものごとの処理が厳格で間違いのないさま。「秤の上目にて壱匁弐分、**りん**とある事をよろこび」〈日本永代蔵・井原西鶴〉

りんり ↓漢語編「りんり(淋漓)」

りんりん ❶音 何度も金属が互いにふれ合う音。鈴やベルなどの鳴る音。「鐸《すず》の音が、**りんりん**と響いたので」〈日本橋・泉鏡花〉「夜夜中でも電話**りんりん**かかって来ます」〈卍・谷崎潤一郎〉 ❷音 古 湯が沸騰して釜や鉄瓶などが続けざまに鳴る音。「ちゃのゆ所に、わか水しかけ、**りんりん**とたぎれば」〈咄本―戯言養気集〉 ❸声 スズムシやマツムシなどの鳴く声。「もとは**りんりん**となくはまつにて、ちんちろりとなくは鈴なるを」〈随筆―花月草紙〉 ❹さま ものの音や人の声などが、よく通って鋭くひびくさま。「はんなりとした、余情に富んだ、それでゐて**りんりん**とひびきわたるやうなこゑでござりました」〈蘆刈・谷崎潤一郎〉「谷川の声**りんりん**と響きけるは」〈御伽草子―花みつ〉 ❺↓漢語編①「りんりん(凜凜)」 ↓使い分け「ひんやり」 ②「りんりん(轔轔)」 ③「りんりん(鱗鱗)」

る れ

るいるい ↓漢語編「るいるい(累累)」

るる ↓漢語編「るる(縷縷)」

るるる 音・声 電話などの電子的な呼び出し音。虫などの鳴き声。『会話に割りこむように電話が**ルルル**と鳴った』

るんるん さま 気分が解放されて浮き立ち、自然に鼻歌の一つも出るようなさま。「さっそく会話の終わりには、『やっちゃった、**ルンルン**』などと商売に精を出している今日この頃です」〈ルンルン気分の絶体絶命・林真理子〉

れいれい ↓漢語編①「れいれい(玲玲)」②「れいれい(麗麗)」

れいろう ↓漢語編「れいろう(玲瓏)」

れきれき ↓漢語編「れきれき(歴歴)」

れきろく ↓漢語編「れきろく(轣轆)」

れつれつ ↓漢語編「れつれつ(烈烈)」

れろれろ ❶さま 酒の酔いや麻痺などで、舌がもつれて何を言っているのかよく

わからないさま。「舌が一寸ほどの厚さもあるかと思はれるやうな重くるしい調子で、**レロレロ**とわけのわからぬことを呟く舅に」〈銀二郎の片腕・里見弴〉

❷音・さま 幼児の舌のよく回らないさま。幼児をあやすときに、舌をふるわせて出す音。また、そのさま。「たるるよたれの糸の長日　青やきのみとり子おもふ**れろれろ**に〈季吟〉」〈俳諧―新続犬筑波集〉

❸名古 うがいをすること。「ぬけにけり**れろれろ**をする葱《ねぶか》汁」〈雑俳―田みの笠〉

れんえん ➡漢語編「れんえん（瀲灩・瀲灔）」

れんめん ➡漢語編「れんめん（連綿）」

れんれん ➡漢語編①「れんれん（恋恋）」②「れんれん（漣漣）」

ろうそう ➡漢語編「ろうそう（踉蹌）」

ろうろう ➡漢語編①「ろうろう（浪浪）」②「ろうろう（朗朗）」③「ろうろう（踉踉）」④「ろうろう（朧朧）」

ろくろく ➡漢語編①「ろくろく（碌碌）」②「ろくろく（轆轆）」

ろりろり ❶さま 恐怖などのために落ち着かず、うろたえ歩くさま。「Rorirori（ロリロリ）〈訳〉副詞。不安のあまり落ちつかず、うろたえるさま」〈日葡辞書〉

❷さま方言 落ち着きを失っているさま。「ろいろい」ともいう。「女房の初産で、婿は**ろりろり**しよる」〈高知県〉「急いで出かけにゃいかんに、なんぼ待っても来んきに、**ろいろい**しよる」〈高知県〉

ろれろれ さま 舌がよく回らず、何をしゃべっているかよくわからないさま。「歯が抜けて文句**ろれろれ**わからぬに長う語って聞き手いなして」〈浄瑠璃稽古穴捜伊呂波歌〉

✺近世の歌舞伎俳優の社会では「ろれ」といったが、これは「ろれつが回らぬ」を略した語ともいう。

わ

わーっ ❶ 声・さま 突然泣いたり、笑ったり、驚いたりするときの声。また、そのさま。「馬の上の三平を見ると、つい、『ワァーッ』と声をあげた」〈風の中の子供・坪田譲治〉❷ 声・さま 大勢がいっせいに行動をおこすときに出す声。また、そのさま。ものが勢いよく動いたり、変化するさま。「仙人に縁の無いやつらまで、**わーっ**と横町に駆け出して行って」〈おとしばなし李白・石川淳〉「**わあっ**と四囲いちめん水っぽい秋の夜風が吹きまくるやうで」〈晩菊・林芙美子〉

わーわー ❶ 声・さま 大きな声をあげてはげしく泣く声。また、そのさま。「婆やは**わあわあ**泣く八《や》っちゃんの背中を、抱いたまま平手でそっとたたきながら」〈碁石を呑んだ八っちゃん・有島武郎〉❷ 声・さま やかましく騒ぎ立てる声。また、そのさま。わいわい。「下の方では**ワアアワア**と云ふ人声」〈真景累ケ淵・三遊亭円朝〉↓使い分け「ざわざわ」

わーん ❶ 音・さま 小さな虫が、たくさん群がり飛ぶときの羽音。また、そのさま。「顔に一杯蠅がたかってゐるんだ。側を通ったとき、一度に**ワアーン**と飛び上るんでないか！」〈蟹工船・小林多喜二〉❷ 音・声・さま 大声で泣く声。大きくひびく声や音。また、そのさま。「部屋へはひるなり、**わあん**と、叱られた子供のやうな甘えた泣き声を挙げた」〈リイズ・太宰治〉

わいやくや さま 古 乱れて秩序のないさま。めちゃくちゃ。わやくや。「上から下袴ねぢれたなりに**わいやくや**、屋敷をさしていそぎ行」〈浄瑠璃―木下蔭狭間合戦〉

わいやわいや さま 古 うるさく騒ぐさま。「たためたためと立騒、**わいやわいや**は大入の、木戸口見るがごとくなり」〈浄瑠璃―難波丸金鶏〉

わいやわや さま 古 騒々しく言い騒ぐさま。わいやわいや。「小みつを引立**わいやわや**、打つれてこそ立帰る」〈浄瑠璃―物ぐさ太郎〉

わいわい ❶ 声・さま 大声をあげて泣き叫ぶ声。また、そのさま。「母親がだらしのない、大きな声で**わいわい**と泣きかけたが」〈異端者の悲しみ・谷崎潤一郎〉❷ 声 古 キツネの鳴く声。↓鳴き声編 ❸ 声・さま 大勢の人が一緒になってにぎやかに騒ぐ声。また、そのさま。わーわー。「この間から、**わいわい**相談してゐるスキーのプランの続きなのだ」〈弔花・豊田三郎〉↓使い分け「ざわざわ」❹ 声・さま 口やかましく言いたてる声。また、そのさま。「人に事を頼む時は**わいわい**言って騒ぐ癖に」〈疲労・国木田独歩〉

わぐ さま 口を大きくあけてかぶりつくさま。わんぐり。「口惜まぎれに、僕は口もと近くにあった彼の肉（腕であったか、股であったか）を**わぐ**と嚙む」〈思出の記・徳冨蘆花〉

わぐり さま 口を大きくあけて、かぶりつくさま。がぶり。「まっくろに蠅のたかったムスビを一つとって、蠅もろともに**わぐり**と嚙みついた」〈焼跡のイエス・石川淳〉

わくわく ❶ さま 喜びや期待で胸が高鳴るさま。「章の胸に、幼かったころの**わくわく**するようなときめきが蘇った」〈一家団欒・藤枝静男〉「小十郎はこのころはもううれしくて**わくわく**してゐる」〈なめとこ山の熊・宮沢賢治〉↓使い分け「わくわく」❷ さま 興奮や不安で心がゆれて落ち着かないさま。「**わくわく**悋気の焔は絶える間は無く」〈真景累ケ淵・三遊亭円朝〉「橋の上での放心から覚めたのち、私は寂しさに**わくわく**した」〈津軽・太宰治〉

❸ **さま** こきざみに、増えたり広がっていくさま。「頭の中が**わくわく**と口でも開いて呼吸でもするかのやうに、そしてそれに伴った重苦しい鈍痛が襲って来た」〈業苦・嘉村礒多〉「**わくわく**と流れ出る涙が見る見る眼から溢れて」〈或る女・有島武郎〉
方言 頭痛がするさま。「わっくわっく」ともいう。「頭が**わくわくする**」〈山口県〉「今日はどうも頭が**わっくわっく**して何もできん」〈島根県〉

わこわこ **さま** **古** 目を細くするさま。「**わこわこ**と目をみなして、よめる形にて、かかる也」〈名語記〉

わさ ⬇コラム「わさ」

わさくさ ❶ **さま** **方言** 数が多くわずらわしいさま。うじゃうじゃ。「庭に草が**わさくさ**生えて取んのまにゃね(取るのが間に合わない)」〈千葉県〉「子どもが**わさくさ**している」〈新潟県〉
❷ **さま** **方言** 動作が緩慢でにぶいさま。ぐずぐず。「何しるづ(何をすると)わけでもなくて、**わさくさ**ってるばんでがんす(ぐずぐずしているばかりです)」〈岩手県〉「**わさくさ**ってねえで、早く行くすぺ(行きましょう)」〈宮城県〉

わさわさ ❶ **さま** 他に気が散って、心の落ち着かないさま。うろつくさま。「何だか**ワサワサ**と気ばっかりソハ付いて」〈青春・小栗風葉〉 ⬇使い分け「そそくさ」
❷ **さま** 草や木の葉を大きくゆらして風が吹くさま。ものを大きくゆらすさま。「鳩は〈略〉いきなり部屋中の空気を**わさわさ**と揺って天井に舞い上がり」〈雪の下の蟹・古井由吉〉
❸ **さま** 気持ちわるくなるほどたくさんあるさま。「びっしりゴキブリがはりついていて、まるで壁全体が**わさわさ**しよるようにみえた」〈エロ事師たち・野坂昭如〉
❹ **さま** **古** 軽快でよどみないさま。明るく晴れやかなさま。うきうき。「悲しい顔を見せまいと、わざとにこにこ**わさわさ**と」〈浄瑠璃―淀鯉出世滝徳・近松門左衛門〉
方言 人柄が気さくなさま。「あの人は**わさわさ**したよい方だ」〈新潟県佐渡〉「隣の奥さんは**わさわさ**した人だ」〈香川県〉

わしわし ❶ **声** セミの鳴く声。⬇鳴き声編
❷ **声・さま** **古** 大勢がしゃべりたてている声。また、そのさま。わいわい。「くちぐちに物いふ、**わしわし**」〈名語記〉
❸ **さま** 荒々しく動作をするさま。勢いよく食べるさま。「ぬか床をかきまわす。両手で**ワシワシ**と混ぜる。全身を使う重労働だ」〈誰も知らないとっておきの物語・AERA・05・5・25〉

使い分け

【共通の意味】うれしさで落ち着かないようす。

わくわく
うきうき／ぞくぞく／いそいそ／うはうは

❶**わくわく**は、「アイドルの登場を**ワクワク**しながら待つ」のように、実現してほしいことを目前にして気持ちが落ち着かないようす。**うきうき**は、「華やかなパーティーで**ウキウキする**」「初めての海外旅行を前に、**ウキウキしている**」のように、いいことを経験したり期待したりして楽しい気持ちであるようす。**ぞくぞく**は、感動して心が浮き立つようす。「すばらしい演奏を聴いて**ゾクゾクした**」 ❷**いそいそ**は、うれしさが動作に現れているようす。「留学中の娘が帰ってくるので、父親は**いそいそ**と空港に出迎えに行った」 ❸**うはうは**は、喜びをあからさまに態度や表情に出すようす。俗な言い方。「宝くじで大金を手にして、**ウハウハ**喜んでいる」

❹ **さま** **方言** つめなどで体を掻くさま。「背中を**わしわし**掻く」〈新潟県佐渡〉

わじわじ **さま** **古** 寒さや恐怖などのために

ふるえるさま。わなわな。「冠者丸顔色さっとあをく成、**わぢわぢ**ふるひ」〈浄瑠璃―嫗山姥・近松門左衛門〉

〔方言〕体がこきざみにふるえるさま。ぶるぶる。「わしわし」ともいう。「お天気わるくて水泳ぎのわらはど(子どもたちは)、**わしわし**どふるえでら(ふるえていた)」〈青森県〉

わたわた ❶〔さま〕迷いあわてて、落ち着きなく歩き回るさま。「どうしてくれよう、と、その手段を考へ出さうとするかのやうに、部屋の中を**わたわた**と歩き廻った」〈天国の記録・下村千秋〉
❷〔さま〕〔方言〕勢いがよいさま。どんどん。一生懸命なさま。「**わたわた**ど壊してまれ(壊してしまえ)」〈青森県〉「**わたわた**どやらねぁば(やらねば)日暮れる」〈秋田県〉

わだわだ 〔さま〕〔古〕恐れわななくさま。恐ろしくてふるえるさま。わなわな。「**わだわだ**と戦《わなな》かれて、頓《とみ》にも動かれ給はざりけり」〈狭衣物語〉
〔方言〕寒さのためにふるえているさま。「あのわらし、薄着して**わだわだ**ていだね」〈青森県〉

わちゃくちゃ 〔さま〕とめどもなくよくしゃべるさま。ぺちゃくちゃ。わっちゃくちゃ。「物読に邪魔の衣を擣《うち》すさむ〈宗旦〉 千声万声**わちゃくちゃ**わちゃくちゃ〈鉄幽〉」

わちゃわちゃ 〔さま〕何人かで盛んに言い合うさま。「十歳《とを》ばかりの男子《をとこのこ》が五六人連《づれ》で、**わちゃわちゃ**言ひながらやって来る」〈厲人厲語・杉村楚人冠〉

わっ ❶〔声・さま〕急にはげしく泣き出すときの声。また、そのさま。「一時に悲しさがこみあげて**わっ**と手ばなしに泣きだした」〈銀の匙・中勘助〉
❷〔声・さま〕大勢がいっせいに騒ぎたてる声。また、そのさま。大勢でとりかかるさま。「運動場の方から、何やらワッといふ賑かな笑声や拍手の音」〈青春・小栗風葉〉
❸〔さま〕ものごとが不意に起こったり、突然勢いよく行動しはじめたりするさま。「**わっ**と食らひつく不潔な皿の上で、一口に勝負のきまるケダモノ取引」〈焼跡のイエス・石川淳〉

わっくわっく →わくわく。

わっさもっさ 〔さま〕混み合ったり、騒いだりするさま。「お絹を出せ出さないの**わっさもっさ**のうちに、客として二枚目風のナゾの浪人〈略〉が飲みに来ます」〈演劇・読売新聞・02・10・18〉

わっさり ❶〔さま〕こだわりや思惑などを含んだところや、飾ったところがなく、気軽にものごとをなすさま。「何《どう》か汝《きさま》と**わっさり**飲んで互いの胸を和熟させ」〈五重塔・幸田露伴〉
❷〔さま〕〔古〕明るく陽気なさま。にぎやかで威勢のよいさまなど。「わしも一緒に、あのいつもの田楽で、**わっさり**とやりませうか」〈歌舞伎―絵本合法衢・鶴屋南北〉

わっさわっさ 〔さま〕多くの人がいっせいにかけ声を出して騒ぐさま。「大喝采のうちに、人形は**わっさ**、**わっさ**と辻の中央に運ばれた」〈伸子・宮本百合子〉

わったり 〔さま〕〔古〕落ち着いているさま。ゆったり。「そこかしこく、**わったり**として、たのもしく、あいらしう」〈評判記―吉原すずめ〉

わっちゃくちゃ 〔さま〕〔古〕とめどなく、無秩序によくしゃべるさま。わちゃくちゃ。「**わっちゃくちゃ**ありゃ椀箱の市兵衛じゃ」〈雑俳―たん生日〉

わっぱ 〔さま〕〔古〕大声をあげてわめきたてるさま。「田舎者と見えて、何やら**わっぱ**と申程に、ちとこれにたださわってみう、なふなふ」〈狂言―仏師〉

わっぱさっぱ 〔さま〕〔古〕大声でわめきちらすさま。口やかましく大声でどなるさま。「出入りの肴屋を捕へて、何をワッパサッパ云ふのだ」〈歌舞伎―五大力恋緘〉

わなわな 〔さま〕寒さや恐怖、怒り、興奮

コラム オノマトペのもと

わさ

「わさ」は、量が多いようすを表す。「わさわさ」と繰り返すと、「人がわさわさと集まってくる」「草がわさわさと生えている」「虫がわさわさといる」のように、多くのものが密集しているようすや動きのあるようすを表し、うるさい感じをイメージさせる。

「わさくさ」は、「わさわさ」のくだけた言い方で、わずらわしさの印象がさらに強くなる表現である。

「わんさ」の場合は、「人がわんさと集まる」「宿題がわんさと出た」のように、単に量が多いようすを表す。「わんさか」は、「わんさ」よりもくだけた言い方で、「宿題がわんさか出た」のように「と」をつけずに用いる。

「わっさり」は、量の多さを表す場合、ものが密集している状態を想起させ、「わっさりとしたひげ」「若葉がわっさりと繁る」のように用いられる。

「わさわさ」は、「朝からわさわさと落ち着かない」「草むらをわさわさと掻き分ける」のように、落ち着きがないようすや、ものをゆさぶる意味にも用いるが、古くは、こだわりなく軽快なようすや、明るく陽気なようすを表し、よい意味で使われていた。

「わっさわっさ」は、祭りなどで大勢の人がいっせいにかけ声を出して騒いだり、押しかけてきたり、混み合っているようすなどを表す語だが、「わっさわっさと虫が出てくる」「草木がわっさわっさとゆれる」のように、「わさわさ」を強調した言い方でも用いられる。

【わさの語群】

わさわさ・わさくさ
わんさ・わんさわんさ・わんさか
わっさわっさ・わっさもっさ
わっさり

	人が―(と)集う	宿題が―(と)出た	―(と)したひげ
わさわさ	○	―	△
わんさ	○	○	―
わんさか	○	○	―
わっさり	―	―	○
わっさわっさ	○	△	△

【表現】

「わっさり」は、古くは「あっさり」「さっぱり」と同じように、こだわりがなく気軽なようすを表し、「唯今のごとく、わっさりと仰せ付けらるるに依て」（狂言『末広がり』）のように使われた。また、陽気で明るいようすにも言い、「わしも一緒に、あのいつもの田楽で、わっさりとやりませうか」（歌舞伎『絵本合法衢《えほんがっぽうがつじ》』）のように使われた。

「わっさりした人」というのは、憂いや心配ごとがなく、陽気な性格の人をいい、「わっさり者」という語もあった。

「わさわさ」も、古くは現代とは異なった意味があり、『日葡辞書』には「あることがいきいきと、敏速で愉快である」と解説されている。また、「悲しい顔を見せまいと、わざとにこにこわさわさと」（浄瑠璃『淀鯉出世滝徳《よどごいしゅっせのたきのぼり》』）のように明るく陽気なようすにもいった。「わさわさとした人」というと、落ち着きがなかったり、大ざっぱな人という意味合いにとられがちだが、地域によっては陽気で明るい性格を表す語として生きている。

（中里理子）

などで体がこきざみにはげしくふるえるさま。「互に顔が蒼白になって軀が**わなわな**震えてくるような諍いの種は」〈結婚・三浦哲郎〉「充血した唇は恐ろしい笑ひを湛へて**わなわな**と震へてゐた」〈或る女・有島武郎〉

わはは 声・さま 明るく豪快に大声をたてて笑う声。また、そのさま。「それまでいっぱいになってゐた胸がからりとして思はず顔を見あはせ**わははははは**と笑ふ」〈銀の匙・中勘助〉 ⬇使い分け「えへへ」

⬇使い分け「がくがく」

わやくちゃ さま 秩序や筋道のまったくないさま。むちゃくちゃ。めちゃくちゃ。「お前等なんぼ画いたかってモデル**わやくちゃ**にするだけや。モデルの方がずっと綺麗やないか」〈卍・谷崎潤一郎〉

わやくや さま 大勢が声高に騒々しく話すさま。秩序を失って乱れた状態になるさま。「台所口より入見れば、何か大勢**わやくや**と混雑の様子なれど」〈続膝栗毛・十返舎一九〉

わやわや ❶声・さま 多くの人の何を言っているのか聞きとれない騒がしい声。また、そのさま。わいわい。「**わやわや**と騒がしい家の中は薄暗い」〈奈々子・伊藤左千夫〉 ❷さま 古 怒りや悩みなどが胸の奥底からこみあげてくるさま。むらむら。「**わやわや**と腹を立」〈浄瑠璃—信田小太郎〉「互に心のうちにのみもやくや**わやわや**としてかなしければ」〈浮世草子—紅白源氏物語〉

わらわら ❶さま 余裕なく急いで行動するさま。統制がとれていないさま。ばらばら。「種族を判別しがたい人間どもがどこからともなく**わらわら**と集まって来て」〈焼跡のイエス・石川淳〉 方言 急いで行うさま。忙しく動きまわるさま。「その仕事**わらわら**どやってしめぇ」〈岩手県〉「**わらわら**走って行ってこい」〈山形県〉「**わらわら**来ちゃった」〈神奈川県〉「葬式があるで、朝っから大勢で**わらわら**してーたよ」〈山梨県〉「呼び出されて**わらわら**飛んできただよ」〈静岡県〉 ❷さま 見る間に燃え広がっていくさま。「野火は恐ろしいもんだで〈略〉そこらに燃える物があるうちは、**ワラワラ**燃えるだ」〈まんだん読本・徳川夢声〉 ❸さま 古 ひどく乱れたさま。破れ乱れたさま。「紙ぎぬのきたなきが、**わらわら**とやれたるが上に」〈平家物語〉 ❹さま 古 陽気なさま。にこやかなさま。「おとどには殿あひ給ひたるに、さばかり心地よげに**わらわら**とおもふ事なげなる御けしきに」〈苔の衣〉

わりわり ❶音・さま 力まかせに押したり引いたりする音。また、そのさま。「その間に吾輩は巨大な真鍮張《しんちゅうば》りの扉《ドア》に両手をかけて**ワリワリワリ**ドカンと押し開《あ》けた」〈超人鬚野博士・夢野久作〉 方言 声や動作がはげしいさま。「**わりわり**

使い分け

わんわん

【共通の意味】

声をあげて泣くようす。

おいおい／おんおん／おーおー／よよ

❶**わんわん**は、おもに子どもが大声で泣くときの声。「おもちゃを取り上げられた子どもは、**わんわん**泣きわめいた」 ❷**おいおい**は大人がはげしく泣くようす。「愛する妻を失った夫は、**おいおい**と人目もはばからずに泣いた」。**おんおん**は、男性や老人が腹の底から声を上げて泣くときなどに使う。「戦場で仲間を失った兵士は**おんおん**と声をあげて泣いた」。**おーおー**は、何かを求めて泣き叫ぶようす。「地震で一瞬にして家族を失った老人は、**おうおう**と声をあげて泣いた」 ❸**よよ**は、女性が泣き崩れるようすを表す雅語。「舞台のヒロインは、自害した恋人の前に**よよ**と泣き崩れた」

大根を噛む」〈長崎県〉「**わりわり**泣きおった」〈長崎県壱岐〉

❷さま 芝居などが好評で大入りのさま。「ここのうちでも『**わりわり**』(評ばんよく大入の事也)いわせて、壱人でばり附て居ながら」〈船頭深話・式亭三馬〉「其いにしへは旦那旦那とよばれて、**わりわり**とばりついたやつが」〈古今百馬鹿・式亭三馬〉

❸さま 方言 元気で盛んなさま。威勢のよいさま。勢いのよいさま。「大木が**わりわり**と倒れる音がした」〈青森県〉「**わりわり**ども言う(発言する)」〈秋田県〉「近頃**わりわり**している(威勢がよい)」〈新潟県佐渡〉「二人で**わりわり**働きゃ面白えもん」〈長崎県壱岐〉

わわ 声・さま 人などの大声で泣きわめく声。また、そのさま。「馬は〈略〉くるひもだへてはねめぐれば、**わわ**たるなき声かまびすしく」〈洒落本―淫女皮肉論〉

わん ❶声 イヌのほえる声。「犬は続け様に**わん**と云ふ」〈虞美人草・夏目漱石〉

❷声・さま 古 急に声をあげてはげしく泣く声。また、そのさま。「男の膝にくらひ付き、**わん**とばかりに泣《なき》しづむ」〈浮世床・式亭三馬〉

❸さま 古 口を大きく開くさま。あん。「肴をはさんで『長さん**わん**と開《あ》きねェ』口を開《あ》いて『一口くへばせんぞうくやう』」〈洒落本―通人三国師〉

❹さま いっせいに飛び出したり、襲いかかるさま。「つり鐘の中より**わん**と出る蚊かな」〈文政句帖・一茶〉

わんぐり ❶さま 古 口を大きく開くさま。大きく口をあけて、かみつき、もしくは飲みこもうとするさま。あんぐり。「**わんぐり**と耳まで裂《さけ》た口あけに、大な眼の玉恐怖《こはあい》お噺しを申し上ますから」〈七偏人・梅亭金鵞〉「**わんぐり**やられた奴を袖ん中へしまって帰られるかい」〈玄武朱雀・泉鏡花〉

❷さま 古 大きく盛りあがるさま。「しりつきが**わんぐり**と成るひとへ帯」〈雑俳―誹風柳多留〉

方言 地形が湾曲しているさまや椀《わん》状にくぼんでいるさま。「わんごり」ともいう。「**わんぐり**と曲り込んでいる」〈長野県〉「(穴が)**わんぐり**掘れてる」〈静岡県〉「道が**わんごり**左へ曲っとる」〈兵庫県〉

わんさ ❶さま 驚くほど人が大勢押しかけるさま。「全国から入隊志願者が**わんさ**と集まったもんさ」〈青べか物語・山本周五郎〉

❷さま いやになるぐらいたくさんあるさま。たっぷり。「門前に大八車がとまってゐて、荷物が**わんさ**と積んであります」〈ボ口家の春秋・梅崎春生〉 ↓使い分け「どっさり」

❸名 映画やレビューなどのその他大勢に属する女優。「レヴュウ劇団の**ワンサ**たちを載せて」〈闘牛・井上靖〉

✵その程度の女優ならわんさといる、という意味の「わんさガール」を略したもの。

わんさか さま 人が一度に大勢押しかけたり、ものがあり余るほどあるさま。「つまらない免状を**わんさか**持っていたりして勲章にしている傾向がある」〈男の遠吠え・藤本義一〉

わんさわんさ さま 大勢の人が次々に押し寄せるさま。大勢が混み合っているさま。「今日はマチネー。**ワンサワンサ**の客である」〈古川ロッパ日記・古川緑波〉

わんにり さま 丸みを帯びてふくらんでいるさま。「赧濁《あかにごり》のした剣相な目、**わんにり**した肉厚の唇などが、亡霊のやうに執念づよく心に絡《まつ》はりついてゐた」〈足袋の底・徳田秋声〉

わんわ ❶声・さま やかましく騒ぐ声。また、そのさま。「そのうちほろ酔ひ機嫌の男たちも仲間に入って来て、**わんわ**といふ騒ぎになります」〈生々流転・岡本かの子〉

❷名 イヌをいう幼児語。わんこ。わんわん。「おんもには**ワンワ**も通るし」〈弱い結婚・小島信夫〉

わんわん ❶（声・名）イヌのほえる声。また、イヌをいう幼児語。「犬は猛《けた》ッて**ワンワン**と天窓《あたま》を目懸齧付かかるに」〈七偏人・梅亭金鵞〉 ⬇鳴き声編

❷（声・さま）人があたりを気にせず大きな声をあげて泣くときの声。また、そのさま。「女や子供に、**ワンワン**泣かれると、沢はすっかりオロオロして」〈防雪林・小林多喜二〉「炎ゆる海**わんわん**と児が泣き喚き」〈七曜・山口誓子〉 ⬇使い分け「わんわん」

❸（音・声・さま）騒がしい音や声。また、声や音がうるさく反響するさま。「**わんわん**と何だか鼓膜へ答へる程の響がしたので」〈吾輩は猫である・夏目漱石〉「酒盛りの声が**わんわん**と内にこもっている」〈妻隠・古井由吉〉

付録

漢語オノマトペ編

漢語に由来するオノマトペ

日本語のオノマトペ（擬音語・擬態語）には、漢字の音読みが用いられているもの、つまり、漢語由来のものが数多くある。

たとえば、「こんこん」という語は、ドアをノックする音や、せきをする声、キツネの鳴き声などを表す擬音語であるが、漢字を用いると、「昏々《こんこん》と眠り続ける」「泉が滾々《こんこん》とわき出る」「懇々《こんこん》とさとす」などといった表現があり、「こんこん」は、状態を表す擬態語でもある。また、「嵐の音が、夜通しごうごうと聞こえる」などと表現するとき、「ごうごう」は風雨のはげしい音やようすを写した日本語のオノマトペと言えるであろうが、一方で漢語にも、「列車が轟々《ごうごう》と行き過ぎる」「新しい案は非難囂々《ごうごう》で取り下げられた」のような、「轟々」「囂々」という語があり、この場合、「ごうごう」の語が、固有の日本語であるか漢語なのか、また、擬音語なのか擬態語なのか、明確な境界線を引くことはむずかしい。

西洋から入ってきた語（洋語）においても、「時計がチクタク（ticktuck）動く」や「バン（bang）という銃声」というように、原語を意識しないほど日本語に馴染んだり、音の表現がそもそもよく似ていたりするオノマトペを探すことはできるが、長い年月にわたる中国古典からの影響を考えても、日本語のなかの漢語由来のオノマトペは、洋語由来のものに比べてはるかに多い。

また、漢詩や漢文の表現から、日本語に取り入れられた漢語オノマトペのほかに、和製の漢語オノマトペというものも考えられる。たとえば、「喧喧諤諤《けんけんがくがく》」は、さまざまな意見が出て、口やかましいようすを表す語だが、もともとは「侃侃《かんかん》諤諤」と「喧喧囂囂《ごうごう》」を混同して用いられるようになった語といわれる。この「喧喧諤諤」などは、言い換えれば、漢字の音と、その音から想起される意味がいかにも感じを表している和製の漢語オノマトペといえよう。

近年ではひらがなで書き表すことが一般的になり、漢語由来かどうかが強く意識されなくなった語もある。「土煙がもうもう（濛々）とあがる」「かくしゃく（矍鑠）としている」「あくせく（齷齪）働く」「日がさんさん（燦々）とふりそそぐ」などである。

［凡 例］

日本語のオノマトペには、畳語の型をとるものが多いことから、ここでは、漢語の修飾表現のうち、主として「哀哀」「靄靄」のような畳語を選んで、五十音順に並べた。

また、「潑剌《はつらつ》」「朦朧《もうろう》」のような畳韻語（尾韻をそろえた語）や、「玲瓏《れいろう》」のような双声語（頭韻をそろえた語）なども若干含めたが、「（卒）然」「（忽）焉」「（凜）乎」「（莞）爾」「（突）如」「（自）若」など、修飾語を作る接尾辞を含む語は除外した。

用例中の用字は原典を尊重し、異体字などで示してあるため、見出し語の漢字と異なる場合もある。

[類]……類似の意味をもつ語を紹介した。

⬇使い分け「せっせ」……本編に収載している使い分けコラムの「せっせ」の欄に、関連の記述があることを示す。

→れんれん（恋恋）。……この付録の「漢語オノマトペ編」に「れんれん」の見出しがあることを示す。

▼……用法上の注記などを記した。

📖……漢字の意味や漢詩・漢文表現などを紹介した。

あいあい【哀哀】（―と・―たる）
嘆き悲しむさま。悲しく哀れなさま。類しんみり。「咽《むせ》ぶがやうな歌声が、月の光を水と見て、水の底から**哀々**と空に向かって澄み通る」〈名人地獄・国枝史郎〉「『郎《ぬし》は切れても、儂《わし》ア切れエーぬ』歌ふ声**哀々**として野づらに散りぬ」〈不如帰・徳冨蘆花〉『詩経』小雅・蓼莪《りくが》「**哀哀**たる父母、我を生みて劬労《くろう》す」

あいあい【藹藹】（―と・―たる）
おだやかで、ものやわらかなさま。気持ち、表情などが、なごんでいるさま。「あの先生の**靄々**たる顔を想ふ時」〈竹沢先生と云ふ人・長与善郎〉「この木枯らし吹きすさぶがごとき荒涼の世界も春霞**藹々**たる和楽の天地に化する」〈火の柱・木下尚江〉『菅家文草』一・重陽侍宴、賦景美秋稼「**靄靄**たるは皆《みな》和気《わき》、離離たるは半ば旅生《りょせい》」
▼多く「和気靄靄」の形で。
【和気藹藹《わき》―】なごやかな雰囲気にあふれているさま。「**和気あいあい**たる空気の中でその年の契約を結んでしまう」〈ノリソダ騒動記・杉浦明平〉

あいたい【靉靆】（―と・―たる）
①雲がたなびくさま。雲などが厚く空をおおっているさま。「真直に立ち上る香の烟、**靉靆**と棚引き燻《くん》じて、障子白々と夜は何時しか明けはなれた」〈良人の自白・木下尚江〉『懐風藻』望雪「浮雲《ふうん》**靉靆**巌岫《がんしう》を縈《めぐ》り、燭驚飈《きゃうへう》蕭瑟《せうしつ》庭林《ていりん》に響く〈紀古麻呂〉」
②気持ち、表情などが暗いさま。あいまいですっきりしないさま。「主人側の男たちは**靉靆**として笑った」〈河明り・岡本かの子〉

あくせく【齷齪】（―する・―と）
心にゆとりがなく、目先にだけ気をとられてせわしく事を行うさま。「僕は、年が年ぢう金を目当に**あくせく**してゐるやうな俗人だけれど」〈大道無門・里見弴〉「この命なにを**齷齪**　明日をのみ思ひわづらふ」〈落梅集・島崎藤村〉▼「あくさく」の変化した語。⬇使い分け「せっせ」

あんあん【暗暗】（―と・―たる）
奥深く暗いさま。類暗澹《あんたん》。「**暗々**とした気持ちになった」
【暗暗裏《り》―】人の知らないうちに。ひそかな状態。類内内《ないない》。こっそり。「何時でも**暗々裡**に事務長の為《た》めにされてゐるのを意識しない訳には行かなかった」〈或る女・有島武郎〉
【黒暗暗《こく》―】墨を流したように黒いさま。まっ暗なさま。「一間と離れた先は**黒暗暗**として而も怒濤と狂風は忽ち人の声を奪って」〈地獄の花・永井荷風〉

いい【依依】（―と・―たる）
離れるに忍びないさま。恋い慕うさま。「アリスに別れ愁心**依依**として鬱情を漏らすに由なかりしも」〈花柳春話・織田純一郎訳〉
▼多く「依依恋恋」の形で。
【依依恋恋《れんれん》―】恋い慕うあまり、離れがたいさま。→**れんれん**（恋恋）。「土手一里**依々恋々**と柳哉」〈寒山落木・正岡子規〉
『楚辞』九思・悼乱の「顧二章華一兮太息、志恋恋兮依依」の例によった語かと思われる。

いい【易易】（―と・―たる）
たやすいさま。類やすやす。「此の時分、

女工の募集は**易々**として少しの骨も折れなかった」〈女工哀史・細井和喜蔵〉

いい【唯唯】（—と・—たる）
他人のことばに少しもさからわずに従うさま。「**唯々**として自分は此命令を奉じて居た」〈酒中日記・国木田独歩〉 ▼多く「唯唯諾諾」の形で。

【唯唯諾諾 だくだく**—】** 少しもさからわずに、言いなりになるさま。「全く**唯々諾々**として命令に服してゐるんだ」〈二百十日・夏目漱石〉

いきようよう〈意気揚揚〉→**ようよう**〈揚揚〉

いふうどうどう〈威風堂堂〉→**どうどう**〈堂堂〉

いんいん【殷殷】（—と・—たる）
雷、鐘、車、大砲などの音が大きく鳴りひびくさま。「凄じい雷の響！〈略〉其余声は**殷々**と四方に轟き渡った」〈春潮・田山花袋〉 ▼「殷」は雷の鳴りひびく音を表す字。

いんいん【陰陰】（—と・—たる）
くもったり、かげになったりして、あたりがうす暗いさま。また、ものさびしく陰気なさま。「博多節の文句か、知らず、**陰陰**として物寂しい」〈歌行燈・泉鏡花〉

【陰陰滅滅 めつめつ**—】** 雰囲気や気分が非常に暗く、気がめいるようであるさま。「軒端に落ちる雨滴の音が耳について、謝恩デーの景気はまことに**陰々滅々**」〈浮世酒場・獅子文六〉

うつうつ【鬱鬱】（—と・—たる）
①草木のおい茂っているさま。また、雲や霧がたれこめているさま。類鬱蒼。「一山の**鬱々**と茂りたるあり」〈入郷記・国木田独歩〉
②気がめいって晴れ晴れしないさま。類悶悶《もんもん》。「文三の**鬱々**として楽まぬのを余所《よそ》に見て」〈浮雲・二葉亭四迷〉 →**おうおう**〈快快〉。

えいえい【曳曳】（—と・—たる）
風のまにまにたなびくさま。また、声や音がのびやかなさま。「驟雨《ゆふだち》！ 想ふに渠《かれ》は其反響の**曳々**として空林遠く消えゆくを耳聳《そばだ》てて聞たであらう」〈驟雨・国木田独歩〉 ▼「洩洩《えいえい》」とも書く。

えいえい【盈盈】（—と・—たる）
水の満ちるさま。また、ものが非常に多量にあるさま。「楮を浸すために**盈々**と湛えられた水が生暖かくぬるんでいた」〈あらくれ・徳田秋声〉 「**盈盈**たる一水の間、脈脈として語るを得ず」〈古詩十九首〉

えいえい【営営】（—と・—たる）
一心に励んだり働いたりするさま。せっせ。あくせく。「信ずる状態に向って**営々**と努力奮闘する事」〈竹沢先生と云ふ人・長与善郎〉 ⬇使い分け「せっせ」

えきえき【奕奕】（—と・—たる）
光り輝くさま。「猶一つの匣《こは》を披《ひら》けば中なるは玉手筥とは問はでも著《しる》く、霞光万道**奕奕**と閃めき出でて屋の内は明るくなりし」〈新浦島・幸田露伴〉

えんえん【奄奄】（—と・—たる）
息がふさがって絶えそうなさま。生気のないさま。「吐っく気息《きい》さへも**奄々**として、今にも断なんと思ふばかり」〈狐の裁判・井上勤訳〉 ▼多く「気息奄奄」の形で。

【気息奄奄 きそく**—】** 息が今にも絶えそうなさま。比喩的に、今にも滅びそうなさま。「我邦の文明は三十年前**気息奄々**として前途甚だ覚束なきの旅行をなしたるにも係はらず」〈将来之日本・徳富蘇峰〉

えんえん【延延】（—と・—たる）
いつまでも続くさま。「彼等幾多の犠牲的

青年によって、遂に成功するに至った**延々**何百哩の鉄道は」〈蟹工船・小林多喜二〉

えんえん【炎炎】（―と・―たる）火の盛んに燃え上がるさま。↓**えんえん**（焰焰）。「**炎々**と立ち上る焰の間に」〈思出の記・徳富蘆花〉 ⬇使い分け「めらめら」

えんえん【焰焰】（―と・―たる）火が燃え始めて、火力がまだ盛んでないさま。↓**えんえん**（炎炎）。「池の色溶々として藍水を染む、花の光**焰々**として火春を焼く」〈和漢朗詠集・花・白居易〉

【焰焰に滅《めっ》せずんば炎炎を若何《いかん》せん】燃え始めたときに消さないと、火は、盛んに燃え上がってからでは、どうしようもなくなる。災いは小さいうちに防がないと、手の施しようがなくなるという戒め。『孔子家語』観周の「焰焰不レ滅、炎炎若何。涓涓に壅《ふさ》がずんば、終《つい》に江河と為《な》る」による。

えんえん【蜿蜒】（―と・―たる）うねうねと長いさま。うねって続いているさま。「二条の長壁は**蜒蜿**として長蛇の如く」〈経国美談・矢野龍渓〉 ▼「蜿」は龍や蛇が動くさま、「蜒」はうねうねとして長いさまを表す。「蜿蜿」「蜒蜒」とも書く。

【蜿蜒長蛇《ちょうだ》―】うねうねと長く続いていること。「夜遅くなると、ここに**延々長蛇**の列ができるんだ」〈三ちゃんも三ちゃんや・古山高麗雄〉 ▼「延延長蛇」とも書く。

お

おうおう【汪汪】（―と・―たる）水が広くおおって深いさま。転じて、人の度量の広いさま。「其のタップコップ（石狩）の山上、瀰茫六十里、石狩の大江**汪々**として其間に曲折し」〈日本風景論・志賀重昂〉

おうおう【怏怏】（―と・―たる）楽しまないさま。不平なさま。不愉快そうなさま。「心中**怏々**として楽まず」〈花柳春話・織田純一郎訳〉

【怏怏鬱鬱《うつうつ》―】楽しくなく、心がふさぎこんでいるさま。不平不満なさま。「些細な褒貶《ほうへん》を意に介して、**怏々鬱々**として居るから、僕ア自烈《じれっ》たくて笑止でたまらず」〈当世書生気質・坪内逍遙〉

おんとろうろう（音吐朗朗）↓**ろうろう**（朗朗）

か

かいかい【恢恢】（―と・―たる）ひろびろとして大きなさま。広大なさま。

【天網《てんもう》恢恢疎《そ》にして漏《も》らさず】天の網はひろく、その目はあらいようだが、悪人を漏らすことなく捕える。すなわち、天道は厳正で、悪事をなしたものは早晩必ず天罰を受けるの意。「どこへ逃げたって、ちゃあんと分かるんだから。**天網恢々、ソニシテモラサズだ**」〈風・壺井栄〉 『老子』七三の「天網は恢恢、疎にして失わず」による。「天網恢恢」とだけでも用いる。

がいがい【皚皚】（―と・―たる）霜や雪が一面に白く見えるさま。「早や地上にも二三寸積り**皚々**として人の眼を射り」〈花間鶯・末広鉄腸〉

【白皚皚《はく》―】霜や雪などのきわめて白いさま。「背景は**白皚々**の雪景色」〈シベリヤ物語・長谷川四郎〉

かか【呵呵】大声で笑うさま。「**呵呵**と笑て曰く、先生戯言を吐く勿れ」〈花柳春話・

織田純一郎訳〉

【呵呵大笑―《たいしょう》】からからと大声をあげて笑うこと。「ああ氷獄の中に白骨を負うて**呵々大笑**するを　面白しとは思さぬか」〈煤煙・森田草平〉 ▼古くは「かかだいしょう」。

がが【峨峨】（―と・―たる）

山、岩などが、高く角だってそびえているさま。「水遠くして山ながく、根ざさ茅原《かやはら》槇檜原《まきひばら》、**峨々**とそびへし崔嵬《さいくわい》の山路に」〈浄瑠璃―国性爺合戦〉

かくかく【赫赫】（―と・―たる）

①光り輝くさま。赤く照り輝くさま。「**赫々**たる日輪、明々たる月輪のごとく」〈日蓮遺文―開目抄〉

②勢威、功績、声望などがりっぱで目立つさま。「前途を見ると功名**赫々**として五色の雲が自分を迎へに来るやうな気がして」〈社会百面相・内田魯庵〉 ▼「かっかく」ともいう。

がくがく【諤諤】（―と・―たる）

正しいと思うことを遠慮せずに主張するさま。 ▼多く「侃侃《かんかん》諤諤」の形で。→かんかん（侃侃）。「**諤々**たる讜《とう》議《ぎ》、万衆に処世の大道を教ふるは、皆是れ学者の任務ではないか」〈法窓夜話・穂積陳重〉「日星河嶽の大文章彬々《ひんぴん》日に益々衰へず闡幽《せんいう》顕微《けんび》の大議論**諤々**日に愈々《いよいよ》盛んに」〈如是放語・内田魯庵〉

かくしゃく【赫灼】（―と・―たる）

光り輝くこと。また、輝いて明るいさま。「赤裸々の五体は光明**赫灼**として妙香何処ともなく燻《くん》ずるのである」〈良人の自白・木下尚江〉「光明**赫灼**として輝く」〈うもれ木・樋口一葉〉 ▼「かくやく」ともいう。

かくしゃく【矍鑠】（―と・―たる）

老年になっても、心身ともに元気のいいさま。年をとってもまだ元気で、からだが達者なさま。「今年既に七十を越して、尚ほ**矍鑠**としては居りますが」〈火の柱・木下尚江〉「**矍鑠**たる父も在して蚕時〈碧梧桐〉」〈春夏秋冬〉

かくやく（赫灼）→**かくしゃく**（赫灼）

かっかく（赫赫）→**かくかく**（赫赫）

かつかつ【戛戛】（―と・―たる）

かたいもの同士がふれ合う音。「下駄の爪頭《つまさき》に**戛々**と礫《こいし》を蹴遣りつつ」〈義血侠血・泉鏡花〉「武器《えもの》武器が相触れては、**戛々**と鳴り鏘鏗《さうかう》と響く」〈内地雑居未来之夢・坪内逍遙〉

かんかん【侃侃】（―と・―たる）

気性が強く正直なさま。剛直。「故に彼が人に悪まれたのは、**侃々**たる正義の唱道以外、何にか他に原因がなくてはならない」〈イエスは何故に人に憎まれし乎・内村鑑三〉「諾々《だくだく》は**侃々**に如かずとか申しますから、一生の勇気をふるって申上げますが」〈露団々・幸田露伴〉「然れども議論**侃々**泰山も移すべし」〈麭菴十種・栗本鋤雲〉 ▼多く「侃侃諤諤《がくがく》」の形で。

【侃侃諤諤―《がくがく》】「侃侃」は強く正直、「諤諤」はありのままに正しく言う意。遠慮なく直言すること。大いに議論すること。また、そのさま。「十年前二十年前には、まだ**かんかんがくがく**の議論が、きかれた。今は、新聞などでも、みんな顧みて他を云ってゐる感じしかしない」〈話の屑籠・菊池寛〉「由来侯の幕下には才多くして**侃々諤々**の士無し」〈松蘿玉液・正岡子規〉

かんかん【閑閑】（―と・―たる）

心静かに落ち着いているさま。「彼はいつの間にか静まり返って**閑々**としてゐるプラットを見ると」〈頭ならびに腹・横光利一〉「**閑閑**たる渓谷に、思ひ嘆きに沈めども、青嵐峰にそよいで、皓月のみづ冷《すさま》じき」〈源平

盛衰記〉類のんびり。→ゆうゆう（悠悠）。
▼「緩緩」とも書く。

かんかん【煥煥】（—と・—たる）
「煥」はあきらかの意。光り輝くさま。類煌煌《こうこう》。「日の**煥々**と射す山門を出て来たが」〈はやり唄・小杉天外〉「枕頭の洋燈《らんぷ》が**煥々**と光を一室に擅《ほしいまま》にして」〈薄衣・永井荷風〉

がんがん【巌巌】（—と・—たる）
山や岩などが高くけわしくそばだつさま。「此大山**巌々**として物に動ぜぬ大器量の将軍をば」〈不如帰・徳冨蘆花〉

がんこうけいけい（眼光炯炯）→**けいけい**（炯炯）

き

きき【嬉嬉】（—と・—たる）
笑い楽しむさま。喜びうれしがるさま。「**嬉々**として戯れていた原地人の娘を見た」〈雲のゆき来・中村真一郎〉「可愛らしい洋服姿の子供を三四人伴《っ》れて其処から出て来て、**嬉々**として馬車に乗ると」〈田舎教師・田山花袋〉

ぎぎ【巍巍】（—と・—たる）
高く大きいさま。雄大でおごそかなさま。「其菊花《きくくわ》香しき頃**巍々**として千秋に聳へ」〈基督信徒の慰・内村鑑三〉「**巍々**たる官獄に人を禁錮し、数年の久しきを経れども捨て問はず」〈西洋事情・福沢諭吉〉
【巍巍蕩蕩《とうとう》—】姿が堂々としていていかめしく立派なさま。▼「巍巍堂堂《—どうどう》」ともいう。「**巍々堂々**と論じ詰めて見たところが、つまりは、何かに縋りついて泣くより外無いと云ふのである」〈内村鑑三・正宗白鳥〉

きく【崎嶇】（—と・—たる）
山路などがけわしいこと。凹凸がはなはだしいさま。「綾川の流れの中央に大巌**奇嶇**として清潭ひろき鮎滝といふ勝景地があって」〈面白半分・宮武外骨〉

きくしゅうしゅう（鬼哭啾啾）→**しゅうしゅう**（啾啾）

きこどうどう（旗鼓堂堂）→**どうどう**（堂堂）

きそくえんえん（気息奄奄）→**えんえん**（奄奄）

きつきつ【吃吃】（—と・—たる）
声を出して笑うさま。「聞訖《ききをはり》たる貫一は**吃々**として窃笑《せっせう》せり」〈金色夜叉・尾崎紅葉〉

きつきつ【屹屹】（—と・—たる）
山などが高くそびえているさま。転じて、ものごとのいかめしいさま。「或る築地の塀にはめづらしい彼岸桜の返り咲きが、**屹々**として」〈山吹・室生犀星〉

きつきつ【拮拮】（—と・—たる）
一生懸命によく働くさま。「彼は、只一人**拮々**として掘り進んだ」〈恩讐の彼方に・菊池寛〉

きゅうきゅう【汲汲】（—と・—たる）
小事に心をとらわれて、あくせくするさま。「自己の勢力を扶植するに**汲汲**たるを知って居たので」〈思出の記・徳冨蘆花〉「**汲々**として一生を終《おふ》るもあり」〈雨月物語・上田秋成〉→**しし**（孜孜）。

きょうきょう【恟恟】（—と・—たる）
おそれおののくさま。類どきどき。びくびく。「大御所の烈しい叱責がどんな効果を及ぼすかを、彼等は**恟々**として考へねばならなかった」〈忠直卿行状記・菊池寛〉
【人心恟恟《じんしん》—】人の心がおそれおののくさま。人々がびくびくするさま。「続いて十一日にも十二日にも火事がある。物価の高いのに、災難が引き続いてあるので、江戸中**人心恟々**としてゐる」〈護持院原の敵討・森鷗外〉

きょうきょう【兢兢】（—と・—たる）おそれつつしむさま。安んじないさま。類びくびく。「朕、即位以来、夙夜**兢々**として常に紹述を思ひしに」〈国民精神作興に関する詔書—大正一二年一一月一〇日〉▼多く「戦戦兢兢」の形で。→**せんせん**（戦戦）。

きょうみしんしん（興味津津）→**しんしん**（津津）

きんきん【欣欣】（—と・—たる）よろこぶさま。よろこばしいさま。「面《かほ》は兎に角、内心はいつも**欣々**たる哲也で」〈其面影・二葉亭四迷〉「細君は悪澄《わるすまし》に澄してゐるのに、夫は独**欣々**として話をしかけてゐるのである」〈多情多恨・尾崎紅葉〉「皆**欣々**として非常の望を後醍醐の政府に属してぞ居たりける」〈日本開化小史・田口卯吉〉

【欣欣然《ぜん》—】いかにも喜ばしそうなさま。「父の隠居と打連れて、**欣々然**と告別《いとまごひ》かたがた立寄った」〈思出の記・徳冨蘆花〉「夫婦とおぼしき者、相合傘で、しかも**欣々然**として通る」〈浮世風呂・式亭三馬〉

きんきん【金金】（—する）①ぴかぴかと輝いていること。きらびやかで豪華なさま。はでなさま。「日が暮れかかると、**キンキン**した金精大明神にあかしが点火《とも》り」〈唐人お吉・十一谷義三郎〉「夜目には唯青い葉、赤い花、**金々**した額縁が」〈青春・小栗風葉〉②今風でしゃれていること。また、身なりを立派に飾り、得意になるさま。明和～安永（一七六四～八一）ごろの江戸の流行語。「欣欣」という漢語から出た語といわれる。「うぬらはよい武士のいましめだ。あんまり日ごろ**きんきん**が過ぎたからだぞ」〈黄表紙—高漫斉行脚日記〉

【金金者《もの》—】身なりを当世風に派手に飾り、得意にふるまう者。「てうざんは**きんきんもの**で、御出なんしたかと云ながら、つんとすわる」〈咄本—座笑産〉

ぎんぎん【狺狺】（—と）イヌの吠えるさま。▼「きんきん」とも。「狂ってゐた犬の群は、悉相呼び相答へて、一度に**狺狺**の声をあげながら」〈偸盗・芥川龍之介〉「**狺々**として犬の吠ゆる声のみ物凄く」〈銃後・桜井忠温〉

け

けいけい【炯炯】（—と・—たる）目が鋭く光るさま。「さう云ふ時は翁の**炯々**たる目が大きく睜《みは》られて、遠い遠い海と空とに注がれてゐる」〈妄想・森鷗外〉▼多く「眼光炯炯」の形で。

【眼光炯炯《がんこう》—】目が鋭く光り輝くさま。洞察力、観察力のするどいさま。「**眼光炯々**として、いつかの日のおめもじとはちがったきびしいお人に見える」〈婉という女・大原富枝〉「**眼光炯々**たる機敏な掏摸《すり》共が到る処に跋扈して居る今日」〈面白半分・宮武外骨〉

けいけい【煢煢】（—と・—たる）孤独なさま。孤独な気持ちでいるさま。「遠近の木間隠れに立つ山茶花の一本は、枝一杯に花を持ってはゐれど、**煢煢**として友欲し気に見える」〈浮雲・二葉亭四迷〉「二人は**煢々**として無人の境を行く」〈二百十日・夏目漱石〉

けいけい【熒熒】（—と・—たる）光り輝くさま。▼「熒」は光の意。「日はいよいよ明らかに、**瑩々**として宇宙は一の璧《たま》となりぬ」〈自然と人生・徳冨蘆花〉

けんけん【涓涓】（—と・—たる）水が細く流れるさま。小川などの水がちょろちょろと流れるさま。「**涓々**と流るる

水に毛虫哉」〈妻木・松瀬青々〉

【涓涓塞《さふ》がざれば終《つい》に江河《こうが》となる】「江河」は、揚子江と黄河で、大河の意。小さな流れも小さい間にせきとめなければ大河となる。『孔子家語』観周「涓涓不ㇾ壅、終為二江河一」による。

けんけん【眷眷・睠睠】（—と・—たる）ものごとを恋い慕うさま。また、ひたすらに執着するさま。「恒に平和に**眷眷**たるを以てして、而かも竟《ひっ》に戦を宣するの已《や》むを得ざるに至る」〈独逸国に対する宣戦の詔書・大正三年八月二三日〉「**眷々**として慕える念をば」〈小説神髄・坪内逍遙〉

けんけん【喧喧】（—と・—たる）騒々しいさま。やかましいさま。「池蛙《あち》**喧喧**として」〈花柳春話・織田純一郎訳〉▼多く「喧喧囂囂《ごうごう》」の形で。

【喧喧諤諤《がくがく》—】「悲憤慷慨、熱狂協力、**ケンケンガクガク**、力《りき》みかへって大変な騒ぎだけれども」〈青鬼の褌を洗ふ女・坂口安吾〉

【喧喧囂囂《ごうごう》—】やかましく騒がしいさま。多くの人が口やかましく騒ぎたてるさま。「洋燈カンカンと輝く下《もと》には、八九才より十二三才に至る少年少女二十余名打ち集《つど》いて**喧々囂々**」〈火の柱・木下尚江〉「斯くして**喧々囂々**の間に、名物の各学校選手競争は行はるるので有って」〈東京年中行事・若月紫蘭〉▼「侃侃諤諤」と混同して「喧喧諤諤」と用いられることもある。

こ

こうこう【杲杲】（—と・—たる）明るく光りかがやくさま。「**杲々**と百合にさす日や朝掃除」〈妻木・松瀬青々〉「朝日は**杲々**として今息栖の宮の森の梢を離れたのである」〈自然と人生・徳冨蘆花〉▼「杲」は日光が明るいさまを表す字。

こうこう【耿耿】（—と・—たる）光の明るいさま。きらきら光っているさま。「未だ洋燈《ランプ》が**耿々**と輝いて居る」〈忘れえぬ人々・国木田独歩〉📖「遅々たる鐘漏の初めて長き夜　**耿々**たる星河の曙けなんとする天」〈和漢朗詠集・秋夜・白居易〉

こうこう【皓皓・皎皎】（—と・—たる）白々と光り輝くさま。「澄みきった天心に、**皎々**たる銀盤が一つ、ぽかっと浮び」〈オリンポスの果実・田中英光〉「**皎々**たる燈明の輝き初めるのを認めた」〈あめりか物語・永井荷風〉「**皎々**たる望月、黄金の船の如く、藍碧なる青雲の海に泛びて」〈即興詩人・森鷗外訳〉「のぼれば白雲**皓々**として聳え、くだれば青山峨々として岸高し」〈平家物語〉▼「皓」も「皎」も白い意を表す字。

こうこう【煌煌・晃晃】（—と・—たる）（反射して）光り輝くさま。きらきら光るさま。「晃」は日が照ってあかるいという意。「火事…しかし、火は見えない。そこには月に似た光の、これは**晃晃**と照ってゐたが」〈鷹・石川淳〉「ただ、脳脊髄膜炎の研究室が、まだ明るいのに、**煌々**と電気をつけて」〈木石・舟橋聖一〉「五星**煌煌**として赤き事火の如く」〈源平盛衰記〉

こうこう【鏗鏗・鎬鎬】（—と・—たる）鐘がひびきをたてるさま。「入あひのかね**こうこう**と物すごく」〈浄瑠璃—嫗山姥〉「耳近う**鎬々**と響く鐘の音に夕日を西へ叩きこむやうにて、見る見る遠きあたり昏うなりゆく」〈内地雑居未来之夢・坪内逍遙〉▼「鎬」

は食物を温める容器を表す字。鐘の音に用いたのは「鏗」の字などの代用か。

ごうごう【嗷嗷・囂囂】（—と・—たる）

口やかましいさま。特に、不満・批判などの声のさわがしいさま。「我等も席を避け礼拝せねばならぬとは何たる事だ、と**嗷嗷**として嫌厭《けんを》瞋忿《しんふん》の声があがった」〈プラクリチ・幸田露伴〉「故に彼れ偽君子の徒**嗷々**其非を唱へ官又深く察せず、所謂自由廃業の事起りたるも、竟に廃絶す可らず」〈一年有半・中江兆民〉「不敬事件なる**囂々**の声は如何に定見なき人をして屛息《へいそく》せしむる！」〈勅語濫用の弊衝破せざる可らず・柏木義円〉「僕嘗て一白髯翁の唱歌を聞けり。其声**囂々**として大鐘を撞くが如し」〈花柳春話・織田純一郎訳〉→**けんけん**（喧喧）。

ごうごう【轟轟・輷輷】（—と・—たる）

①多くの車の音がとどろきわたるさま。「戦車は**轟々**とカタピラの音を響かせながら」〈ルネタの市民兵・梅崎春生〉「城の馬車が**轟々**の音を先に立てつつ」〈小公子・若松賤子訳〉「四面に波浪のただよふを見て、始て車は船中にあるを知り、愕然四顧する間もなくて、新約克《ニューヨーク》の渡頭に着船し、輪響**輷輷**として馬車を輾《めぐ》り出す」〈米欧回覧実記・久米邦武〉

②→ごーごー（本編117ページ）。

こうそう【鏗鏘】（—と・—たる）

金や石の音が鳴りひびくさま。また、琴など、楽器が美しくひびくさま。こうしょう。「晩年の鷗外の文章スタイルが金石の**鏗鏘**たる響きを持っているとすれば」〈森鷗外・高橋義孝〉「室の一隅を顧れば、シサリニ**鏗鏘**として琴を弾じ、数十の少女団欒之を囲んで坐して」〈花柳春話・織田純一郎訳〉

こうひょうさくさく（好評嘖嘖）→**さくさく**（嘖嘖）

こくあんあん（黒暗暗）→**あんあん**（暗暗）

こくとうとう（黒洞洞）→**とうとう**（洞洞）

ここ【呱呱】

乳児の泣き声を表す語。「左ればとて又之れを神となし天地宇内の創造主が五尺の躰軀に宿り来て、初声高く**呱々**と泣き」〈信仰之道・松村介石〉

【呱呱の声《こえ》をあげる】 赤ん坊が産声をあげる。転じて、子どもなどが誕生する。「自分が**呱々の声**をあげて以来二十一年」〈雲は天才である・石川啄木〉

こしたんたん（虎視眈眈）→**たんたん**（眈眈）

こつこつ【兀兀・矻矻】（—と・—たる・—なり）

①ものごとに専心するさま。絶えずつとめるさま。また、じっと動かないさま。「その**矻々**として年を閲する間には、心頭姑く用と無用とを度外に置いてゐる」〈渋江抽斎・森鷗外〉「面白くもない仕事に追はれて、〈略〉**兀々**として月日を送らねばならぬかと思に」〈ゆく雲・樋口一葉〉「たれか**兀兀**なりと検挙《こけん》するあらん」〈正法眼蔵〉→**しし**（孜孜）。⬇使い分け「せっせ」

②→こつこつ（本編127ページ）。

こんこん【昏昏・惛惛】（—と・—たる）

①暗いさま。また、道理にくらいさま。おろかなさま。「くるしさにもがけばもがくほど白昼の靄《もや》は**昏々**と深く」〈普賢・石川淳〉「**昏々**濛々としてアミーバの様な生活を送ります」〈文芸の哲学的基礎・夏目漱石〉

②意識のはっきりしないさま。ぼんやりしているさま。「茫然自失の気味で、平生《ふだん》は唯**惛々**として居る」〈思出の記徳冨蘆花〉

③よく眠るさま。深く眠っているさま。「どこでもいいから**こんこん**とセブリ（眠

り)たかったのだ」〈いやな感じ・高見順〉「さめる時のない眠りの底に、**昏々**として沈んで行った」〈偸盗・芥川龍之介〉「庄兵衛何も彼も知らず**昏々**と睡りに睡りて」〈いさなとり・幸田露伴〉 ▼「昏」も「惛」も暗いの意を表す字。

こんこん【滾滾】(ーと・ーたる)

水など液体が盛んに流れて尽きないさま。泉が尽きることなく湧き出るさま。「こんこんと湧き上る生水《きみづ》を汲めよ」〈道程・高村光太郎〉「新しい泉が**滾々**として湧いて居るやうにも思はれた」〈田舎教師・田山花袋〉 ▼「渾渾」「混混」とも書く。

こんこん【懇懇】(ーと・ーたる)

心を込めたさま。また、親切に繰り返し言うさま。「当村百姓与作後家篠と申す者、私宅へ参り、同人娘里(当年九歳)大病に付き、検脈致し呉れ候様、**懇々**頼入り候」〈尾形了斎覚え書・芥川龍之介〉「勿論、校長から**懇々**と説かれたこともあった」〈田舎教師・田山花袋〉

さ

さいさい(済済)→**せいせい**(済済)

さくさく【索索】(ーと・ーたる)

風や琴などの音のひびくさま。また、かさかさとかわいた音のするさま。「清見が関うちすぎて、富士のすそ野になりぬれば、北には青山峨々として、松吹風**索々**たり」〈平家物語〉 📖「第一第二の絃は索々たり秋の風松を払って疎韻落つ」〈和漢朗詠集・管絃・白居易〉

さくさく【嘖嘖】(ーと・ーたる)

「嘖」は大声で呼ぶの意。口々に言いはやすさま。また、盛んにほめたてること。「私のやうな悪評**嘖々**たる人間が」〈可能性の文学・織田作之助〉「その世評は**嘖々**としてきこえてゐたが」〈東京の三十年・田山花袋〉 ▼多く「好評嘖嘖」の形で。

【好評嘖嘖こうひょう―**】** 人が口々にほめはやすさま。「翻訳劇をやらせては比類なき女優として、一般世間からも**好評嘖々**だったのだが」〈明治大正見聞史・生方敏郎〉

さっさつ【颯颯】(ーと・ーたる)

風の吹く音や雨の降る音、鈴の音などを表す語。「風は**颯々**と冷く吹いて」〈註文帳・泉鏡花〉「**颯颯**たる海風松を梳って、翠香動き、紫影戦ぎ、若し此処に結んだら夢も亦香しからふと思はれた」〈思出の記・徳冨蘆花〉 ▼「札札」とも書く。

さんさん【珊珊】(ーと・ーたる)

①身につけた佩玉《はいぎょく》などが鳴る音。「霊台の下を過ぎる孔子の車の玉鑾《ぎょくらん》が**珊珊**と鳴った」〈麒麟・谷崎潤一郎〉「口切や翁が腰の玉**珊珊**」〈妻木・松瀬青々〉

②きらきらと輝いて美しいさま。燦燦。「水晶の珠数が暁の露のやうに**珊珊**と輝いて居た」〈二人の稚児・谷崎潤一郎〉

さんさん【毿毿】(ーと・ーたる)

①毛などのふさふさとして長いさま。「刈り込まない**毿毿**たる髪の毛と共に」〈明暗・夏目漱石〉「富める髭髯は、下には乳の辺まで**毿毿**と垂れて」〈金色夜叉・尾崎紅葉〉

②細い枝などの垂れ下がるさま。「須田町の突当りは楊柳などの**毿々**とした広い火除地《ひよけち》で」〈東京の三十年・田山花袋〉

さんさん【潸潸・滲滲】(ーと・ーたる)

涙の流れるさま。さめざめ。「孤独の涙が**滲々**と流れ落ちる」〈水彩画家・島崎藤村〉

さんさん【燦燦・粲粲・璨璨】(ーと・ーたる)

あざやかで美しいさま。きらきらと輝いて美しいさま。「日光の**燦々**と降りそそぐ世

界は、ただ私を苦しませるだけのものだということにも気がついた」〈水の葬列・吉村昭〉「ただたくさんのくるみの木が葉を**さんさん**と光らして」〈銀河鉄道の夜・宮沢賢治〉

さんらん【燦爛】（—と・—たる）
光り輝くさま。きらびやかなさま。まばゆくはなやかなさま。↓**らんさん**（爛燦）。「**燦爛**たるカペラ・シスチナの壁画は人間神性の銀河系」〈つゆの夜ふけに・高村光太郎〉「金光**燦爛**としてあさまのだけを照す」〈随筆—孔雀楼筆記〉📖「これを水と謂はんとすれば　すなはち漢女粉を施す鏡清瑩たり　これを花と謂はんとすれば　また蜀人文を濯《すす》ぐ錦**粲爛**たり」〈和漢朗詠集・花・源順〉

し

しし【孜孜】（—と・—たる）
学問、仕事などに一生懸命励み努力してやすまないさま。なまけないで熱心につとめるさま。「人生**孜々**として独立の生計を営む、甚だ善し」〈福翁百話・福沢諭吉〉
▼多く「孜孜汲汲」「孜孜兀兀」の形で。
【孜孜汲汲きゅうきゅう**—】**怠らず一心につとめるさま。「富貴豪家にでも成らうと云ふ事にばかり、**孜々汲々**として働きやまず」〈志都の岩屋講本〉
【孜孜兀兀こつこつ**—】**一心不乱につとめ励むさま。「何十年の間**孜々兀々**として続けられたその仕事は」〈書物・柴田宵曲〉

しゃくしゃく【灼灼・灼爍・爍爍】（—と・—たる）
明るく照り輝くさま。光のほか、花が照り映えるさまにもいう。類灼然。「其籬内に入り、漸く深く進ば黒暗中、双眼**灼々**として明星の如なるを見る」〈漂荒紀事〉

しゃくしゃく【綽綽】（—と・—たる）
ゆったりとして、ゆとりのあるさま。落ち着いてあせらないさま。「鮓つけて**綽々**として余裕有」〈妻木・松瀬青々〉
▼多く「余裕綽綽」の形で。
【余裕綽綽よゆう**—】**あせらないさま。落ち着きはらっているさま。類ゆったり。「あんたは、**余裕綽々**ぢゃないですか。つまり強いんだ」〈芳兵衛物語・尾崎一雄〉「火急の裡に**余裕綽々**と遊ぶ事によって先生はきっといい仕事の効果を獲」〈竹沢先生と云ふ人・長与善郎〉

じゃくじゃく【寂寂】（—と・—たる）
ひっそりとして、さびしいさま。類寂然《せきぜん》。「淵変じて瀬となるの声、**寂々**として口を閉ず」〈洒落本—廓宇久為寿・目録〉

しゃしゃ【洒洒】（—する・—と・—たる）
愛想なく、つんとしているさま。けろりとしてすましたさま。↓**しゃーしゃー**（本編173ページ）。「此間も門口へ平助入るべからずと云ふ札を貼って置きましたら、自分で剝して持って来まして、私は此紙を二十枚貯めて取替紙にするって。本統に彼奴《あいつ》は**シャシャ**為《し》てエますヨ」〈落語—王子の幇間・三代目三遊亭円遊〉

しゃしゃらくらく【洒洒落落】（—と・—たる）
ものごとにこだわらないさま。性質や言動などがさっぱりしていて執着しないさま。「**洒々落々**として裏に、火の如き理想、鉄の如き意志を蔵して居られる」〈思出の記・徳冨蘆花〉

しゅうしゅう【啾啾】（—と・—たる）
小声で力なく泣くさま。ものがなしく泣くさま。「大笑の奥には熱涙が潜んで居る。雑談《じゃうだん》の底には**啾々**たる鬼哭《きこく》が聞える」〈趣味の遺伝・夏目漱石〉「丘上に至らんとするとき遙に**啾々**たる婦人の哭声あり」

〈経国美談・矢野龍渓〉

【鬼哭啾啾—《きこく》】浮かばれない霊魂の泣き声がもの哀しく凄い感じであるさま。「何千何百人か知れぬ無告の霊が**鬼哭啾々**として寄辺無きを弔はんものと」〈江戸から東京へ・矢田挿雲〉

しゅうしゅう【颼颼】（—と・—たる）風が木などに当たって音をたてるさま。「庭木の梢を**颼々**と吹きならし」〈読本—双蝶記〉

しゅくしゅく【粛粛】（—と・—たる）①静かでひっそりしたさま。ものさびしいさま。寂寂《せきせき》。蕭蕭《しょうしょう》。「わが血潮は、**粛々**と動くにも拘はらず音なくして寂定裏に形骸を土木視して」〈虞美人草・夏目漱石〉「鞭声**粛粛**夜河を過たる　暁に見る千兵の大牙を擁するを」〈山陽詩鈔・題不識庵撃機山図〉②おごそかなさま。厳粛なさま。「師範学校の方は**粛粛**として進行を始めた」〈坊っちゃん・夏目漱石〉「来賓はみな夫婦手を提へ、或は子女相提へ、**粛々**として席にすすみ、手を握り遍く挨拶をなし、従て互に款晤をなす」〈米欧回覧実記・久米邦武〉

しゅんしゅん【蠢蠢】（—と・—たる）①虫などのうごめくさま。また、動き乱れるさま。▼「蠢」はうごめく意を表す字。「**蠢蠢**として御玉杓子の如く動いて居たものは」〈趣味の遺伝・夏目漱石〉②おろかで取るに足りないもののさま。無知な人が分別もなく動きまわるさま。「自分は**蠢蠢**として虫けらの如く生きて行く貧民の間に伍して」〈異端者の悲しみ・谷崎潤一郎〉

じゅんじゅん【恂恂】（—と・—たる）まじめなさま。「其の家居するや**恂恂**として儒者の如く」〈運命・幸田露伴〉

じゅんじゅん【諄諄】（—と・—たる）よくわかるように、繰り返し話して聞かせるさま。懇切丁寧に教えいましめるさま。「直ぐ又句調を柔げて**諄諄**と説き諭した」〈異端者の悲しみ・谷崎潤一郎〉

しょうしょう【晶晶】（—と・—たる）きらきらと光りかがやくさま。「日色**晶晶**として到らぬ限なし」〈自然と人生・徳冨蘆花〉

しょうしょう【蕭蕭】（—と・—たる）①ものさびしいさま。「**蕭々**として独り春山を行く吾の、いかに美しきかは猶更に解せぬ」〈草枕・夏目漱石〉②雨や風や川の流れの音、また鳴き声などのさびしいさま。「**蕭々**と降りしきり、また降りつのる黒い雨の白い雨脚に」〈笹まくら・丸谷才一〉「車蓋の上に**蕭々**たる夜雨の音を聞きつつ、新富座を去る事甚遠からずして」〈開化の殺人・芥川龍之介〉「東をさすに、春雨**蕭々**とふり来たりて」〈随筆—胆大小心録〉

しょうじょう【蕭条】（—と・—たる）ものさびしいこと。ひっそりしていること。また、そのさま。「北海道の**蕭条**とした秋の山野の果てに」〈北の岬・辻邦生〉「九月の終りから**蕭条**落莫たる野分が日に何回となく、山脈の斜面を吹き上げて来て、凄まじい風道を作って美作から伯耆へと吹き抜けて行き」〈ある偽作家の生涯・井上靖〉
📖「風荷の老葉は**蕭条**として緑なり、水蓼の残花は寂寞として紅なり」〈和漢朗詠集・白居易〉

じょうじょう【畳畳】（—と・—たる）何重にも重なり合うさま。たたみ重なるさま。「大小の峯巒《ほうらん》**畳々**として相重り」〈浮城物語・矢野龍渓〉「不思議やなここは高山**畳畳**として、人倫通はぬ所なり」〈謡曲—一角仙人〉

じょうじょう【嫋嫋】（—と・—たる）①風のそよそよと吹くさま。「薫風**嫋々**として」〈花柳春話・織田純一郎訳〉「**嫋々**たる秋

の風に　山蟬鳴いて宮樹紅なり」〈和漢朗詠集・蟬・白居易〉
②音や声が細く長く続くさま。「嫋嫋たる琴声《きんせい》の余韻の漂ひ行く其方から」〈青春・小栗風葉〉「笛は小さき者なれど、声嚠々といと高く、韵《ひびき》嫋々といと妙に」〈露団々・幸田露伴〉▼多く「余韻嫋嫋」の形で。
【余韻嫋嫋《よいん》—】余韻が長くひびいて絶えないさま。「ぷつりと、甲高い音のままとぎれてしまう。余韻嫋々というのではない。唐突に吹き止んでしまう」〈二つの町・荒正人〉「余韻嫋々たる悲しさがありましたが」〈オリンポスの果実・田中英光〉

じょうじょう【擾擾】(—と・—たる)
乱れるさま。乱れて落ち着かないさま。「擾々たる浮世の煩累を絶ち」〈別天地・国木田独歩〉「他の紛々《ふんぷん》擾々の徒は其好悪を云ふべきも決して其真価及び性質を評定し得るものにあらず」〈社会百面相・内田魯庵〉

しょうしんよくよく(小心翼翼)↓**よくよく**(翼翼)

しょくしょく【喞喞】(—と・—たる)
虫がしきりに鳴くさま。「虫声草間に喞々たるところ、秋月冷かに天に懸るところ」〈銃後・桜井忠温〉「両担の籠内、幾種の虫声、喞々として韻を送る」〈江戸繁昌記〉

じょじょ【絮絮】(—と・—たる)
長く続いて絶えないさま。くどくどとしゃべり続けるさま。「我は寧ろ大全盛大繁昌を極めて絮々叨々《たうたう》喃々喋々の頗る煩はしきに堪へずといふ」〈如是放語・内田魯庵〉「伍て彼等の声は又低うなりぬ。然れど益す絮々として飽かず語れるなり」〈金色夜叉・尾崎紅葉〉

しょせつふんぷん(諸説紛紛)↓**ふんぷん**(紛紛)

しんいんひょうびょう(神韻縹渺)↓**ひょうびょう**(縹渺)

しんかん【森閑・深閑】(—と・—たる)
物音ひとつせず、ひっそりと静まりかえっているさま。「筒から投げられる骰子《さい》ころの音が、森閑とした大理石の間に木魂を響かせつつ」〈上海・横光利一〉「右京左京の区別なく、何処も森閑と音を絶って」〈偸盗・芥川龍之介〉「相変らず家の内はシンカンとして居た」〈家・島崎藤村〉⬇使い分け「ひっそり」

しんしん【岑岑】(—と・—たる)
ひどく痛むさま。ずきずき。「岑々たる頭を抑へて未来永劫に試験制度を呪詛する事を記憶せよ」〈三四郎・夏目漱石〉「蹴られた左の手首は折るるばかり岑々と痛む」〈黒潮・徳冨蘆花〉

しんしん【津津】(—と・—たる)
あふれ出るさま。絶えずわき出るさま。「之だけ纏まったものは初めて紹介されたので、仔細に点検する時は歴史的興味が津々として湧く」〈読書放浪・内田魯庵〉「頗る凝った茶味津々たるもの」〈東京年中行事・若月紫蘭〉▼多く「興味津津」の形で。
【興味津津《きょうみ》—】非常に興味が感じられるさま。興味がつきないさま。「『まじめな話』とは何だったのかと、興味津津で、いろんな可能性を考えめぐらしてみたんですわ」〈夢の浮橋・倉橋由美子〉

しんしん【深深・沈沈】(—と・—たる)
奥深く静寂なさま。ひっそりと静まりかえっているさま。「雪、しんしんとふりしきる」〈ゆく年・久保田万太郎〉「満目の山沈々として声なく、人を嚇するの静寂《せいせき》山谷に満ちたりき」〈自然と人生・徳冨蘆花〉「四方《あたり》は沈々として田舎道の事とて人声も何も聞えず」〈雨の日ぐらし・山田美妙〉▼「森森」

とも書く。

しんしん【森森】（—と・—たる）
①樹木の高く深く生い茂ったさま。また、樹木のように、高く並びそびえているさま。[類]こんもり。「しんしんと生ひ茂った杉木立に囲まれて」〈葬列・石川啄木〉「公園内の老木は**森々**として物凄いでせう」〈吾輩は猫である・夏目漱石〉「四辺《あたり》は**森々**と樹木が茂って居り」〈真景累ケ淵・三遊亭円朝〉▼「蓁蓁」とも書く。
②奥深く静寂なさま。「寝静まった感じで四辺《あたり》は**森々**としてゐた」〈暗夜行路・志賀直哉〉▼「深深」「沈沈」とも書く。

しんしん【駸駸】（—と・—たる）
ものごとがはやく進むさま。進歩のはやいさま。「第一の愉快は〈略〉息災にして**駸々**と繁栄に向ひつつある事であった」〈思出の記・徳冨蘆花〉▼もとはウマが速く走る意を表す。

じんしんきょうきょう（人心恟恟）→**きょうきょう**（恟恟）

せ・す

すいがんもうろう（酔眼朦朧）→**もうろう**（朦朧）

せいせい【正正】（—と・—たる）
正しく整っているさま。また、勢いの盛んなさま。「其弁舌滔々として断続なく容色**正々**として屈撓せず」〈花柳春話・織田純一郎訳〉▼多く「正正堂堂」の形で。

【正正堂堂—《どうどう》】①軍隊などの、陣容が整っていて意気盛んなさま。「まあ**正々堂々**と北京へ駐在する事にするよ」〈虞美人草・夏目漱石〉②態度が正しく立派なさま。公明正大で卑怯な手段をとらないさま。「日僑管理処の役人を泣き落すやうな文句をえらび、**正々堂々**の議論まで並べた」〈蝮のすゑ・武田泰淳〉「あたしをまるでスパイだとでも思っているのね。**正々堂々**としてもらいたいわ。あたしはあなたの妻だったのよ」〈後裔の街・金達寿〉

【正正の旗《はた》堂堂《どうどう》の陣《じん》】旗なみがよく整い、意気盛んな陣列。『孫子』軍争の「無レ邀二正正之旗一、無レ撃二堂堂之陣一」による。

せいせい【済済】（—と・—たる）
多く盛んなさま。数が多いさま。「維新之際、群英**済々**奮て身を王事に致し、以て今日之偉業を見を得たり」〈開化評林・華頂宮願書・岡部啓五郎編〉「一如坊阿闍梨真海と云ふ者あり。太政入道祈りの師也。同宿**済々**と引き具して僉議して云はく」〈源平盛衰記〉▼多く「多士済済」の形で。

【多士済済—《たし》】すぐれた人が多くいるさま。「**多士済々**のお役所には」〈不思議な鏡・森鷗外〉

せいせい【清清・晴晴】（—する・—と・—たる）
すがすがしいさま。きわめて清らかなさま、また、心に何のわだかまりもなく快いさま。「小説ごときブルジョアの玩弄品を僕の家から叩き出して、僕は実に**せいせい**したよ」〈故旧忘れ得べき・高見順〉「**晴々**した好い心持を湯上《ゆあがり》の光沢《つや》しい皮膚に包みながら帰って来ると」〈明暗・夏目漱石〉「腹に在るだけのことをいはして畢《まし》えば彼等はそれだけ心が**晴々**として」〈土・長塚節〉「噫、心地が**霽々**して来たです」〈多情多恨・尾

崎紅葉〉 ▼「霽《せい》」は晴れる意を表す字。⬇使い分け「すかっ」

せきせき【寂寂】（―と・―たる）ひっそりとして、さびしいさま。→**じゃくじゃく**（寂寂）。「暗き石、曇れる空、鳩の声。**寂々**たる此の周囲に対照して、若き女の美しく、哀れ深きは」〈ふらんす物語・永井荷風〉

せきせき【戚戚】（―と・―たる）心配し、悲しむさま。「己の敬愛せる荒尾譲介の窮して**戚々**たらず、天命を楽むと言ひしは」〈金色夜叉・尾崎紅葉〉「希臘全土を戦慄せしめたる猛勢に引き換へ今は**戚々**として引き退きしが」〈経国美談・矢野龍渓〉

せきらら（赤裸裸）→**らら**（裸裸）

せきれき【淅瀝】（―と・―たる）あわれにさびしいさま。また、風雨・落葉などの音のものさびしいさま。「**淅瀝**と降り頻った霖雨が霽れ」〈秋立つまで・嘉村礒多〉「大風雨は**淅瀝**として落し来りて亜鉛屋根《とたんやね》に響き」〈風俗画報―二七五号〉

せつせつ【切切】（―と・―たる）①思いや情が強く心に迫るさま。心がこもっているさま。「一言一句肺腑から突出る如く**切々**として聞く者を打つ」〈青春・小栗風葉〉

②音や声の調子がものさびしく心に迫るさま。「噴水のほとばしり**切々**として囁きたり」〈珊瑚集・永井荷風訳〉

せんえん（潺湲）→**せんかん**（潺湲）

せんかん【潺湲】（―と・―たる）①水が清く、流れるさま。また、その音。類さらさら。潺潺。「銀盤の上を玉あられの走るやうな、渓間の清水が**潺湲**と苔の上にしたたるやうな不思議な響きは」〈少年・谷崎潤一郎〉「**潺湲**と谿水の音聞ゆるにぞ」〈経国美談・矢野龍渓〉

②涙がしきりに流れるさま。類はらはら。「**潺湲**と咽び泣いているのです」〈魔術師・谷崎潤一郎〉

せんせん【閃閃】（―と・―たる）①ひらめき動くさま。類ひらひら。「銀杏は〈略〉枝葉繁茂し**閃々**と風に戦《そよ》いで」〈江戸から東京へ・矢田挿雲〉「臥蚕《ぐゎさん》の太眉**閃々**と動きて」〈滝口入道・高山樗牛〉

②輝くさま。きらめくさま。類きらきら。「崖下の薄暗い深い谷を、白蛇の鱗の光るやうに水が**閃々**と流れて居る」〈少年行・中村星湖〉

せんせん【戦戦】（―と・―たる）おそれおののくさま。おそれつつしむさま。「戦」は、「戦慄」などの語で用いる、おののく、ふるえるの意。「頭から爪先まで一刷《ひとめ》に父を見て、道子は**戦々**と慄へた」〈黒潮・徳冨蘆花〉「已に**戦々**たる列国の委員を睨み廻はし」〈経国美談・矢野龍渓〉
▼多く「戦戦兢兢」の形で。
【戦戦兢兢《きょうきょう》―】おそれてびくびくするさま。「心の中では、**戦々兢々**としているのよ」〈どちらでも・小島信夫〉「僕は其沈黙が却って気味悪く、**戦々兢々**として居たが、其夜は別に何事もない」〈思出の記・徳冨蘆花〉 ▼「戦戦恐恐」は「戦戦兢兢」の書き換え。

せんせん【潺潺】（―と・―たる）浅い水がよどみなく流れるさま。また、その音。類さらさら。潺湲《せんかん》。「**潺々**たる戸外の水音に、居士はそとの明かるいおおらかな風光を思い出して慄然とした」〈冥府山水図・三浦朱門〉「店前《てんぜん》に井欄《ゐげた》を据ゑ、飛泉**潺潺**として」〈雪中梅・末広鉄腸〉

ぜんとようよう（前途洋洋）→**ようよう**（洋洋）

そ

そうそう【淙淙】（—と・—たる）
水のさらさらと流れる音。また、そのさま。「清麗な水が**淙淙**たる音を立てて」〈無名作家の日記・菊池寛〉

そうそう【蒼蒼】（—と・—たる）
あおあおとしたさま。まっさおなさま。また、天のあおいさま。「**蒼々**無際限《むさいげん》の大空が見える」〈都の友へ、B生より・国木田独歩〉「河流を透視するに底に**蒼々**の色あるは水草其中に繁茂するなり」〈植物小学・松村任三訳〉「顔色**蒼々**として土の如し」〈花柳春話・織田純一郎訳〉

そうそう【層層】（—と・—たる）
いくえにも重なっているさま。▼「ぞうぞう」とも。類層累。層畳。「**層層**と畳まるように繋っている針葉樹の集りは」〈続生活の探求・島木健作〉「空は彼らの頭の上で、夜を胎んだ雲のやうに**層々**として暗みを増した」〈碑文・横光利一〉「其の向ふ側の山へ上る所は**層々**と樺の黄葉《きば》が段々に重なり合って」〈永日小品・夏目漱石〉

そうそう【錚錚】（—と・—たる）
①金属や楽器の音のさえてひびくさま。「唯警邏剣履の響**琤琤**たるを聞くのみ」〈佳人之奇遇・東海散士〉②多くのもののなかで、特にすぐれているさま。傑出しているさま。「とにかく**錚々**たるメンバーを集めて音楽パーティのようなものをやった」〈方丈記私記・堀田善衛〉「何れも級《クラス》の**錚々**たる豪傑でストライキの領袖株《れうしうかぶ》である」〈社会百面相・内田魯庵〉

そうそう【簇簇】（—と・—たる）
むらがり集まるさま。→**ぞくぞく**（簇簇）。「天下に尊攘の志士が**簇々**と出てきて世を騒がし」〈王城の護衛者・司馬遼太郎〉「新しい希望が**簇々**と集って来るやうに覚えられて」〈春潮・田山花袋〉

そうそう（蹌蹌）→**そうそうろうろう**（蹌蹌踉踉）

そうそう【鏘鏘】（—と・—たる）
①玉や金属などがふれ合って高く鳴りひびくさま。とくに、天子の乗り物の鈴の鳴る音のさま。また、音、声の高く美しいさま。類鏘然。「橋は腹に響くような容赦のない一枚岩で、**鏘々**と渓流が鳴っているが」〈廬山・秦恒平〉「絃を執て撥を加ふれば**鏘々**琅々《らうらう》、緩急抑揚、其声音殆んど人腸を断たしむ」〈花柳春話・織田純一郎訳〉②盛んなさま。「学生相撲の大関となった大村一蔵の如き、**鏘々**たる運動家が輩出した」〈明治大正見聞史・生方敏郎〉「服装から何から、誰が見ても硬派中の**鏘々**たるものである」〈ヰタ・セクスアリス・森鷗外〉

そうそうろうろう【蹌蹌踉踉】（—と・—たる）
よろめくさま。酒などに酔って歩くさま。→**そうろう**（蹌踉）。「小野さんは**蹌々踉々**として来た」〈虞美人草・夏目漱石〉「酔歩蹣跚《まんさん》、**蹌々踉々**として及ぶべからず」〈花柳春話・織田純一郎訳〉

そうろう【蹌踉】（—と・—たる）
足もとの確かでないこと。また、そのさま。ふらふらとよろめくさま。→**そうそうろうろう**（蹌蹌踉踉）・**ろうそう**（踉蹌）。「ぐったりと首垂れて、**蹌踉**として力なく歩いて行く」〈金・宮嶋資夫〉「**蹌踉**と街をあゆめば大ぞらの闇のそこひに春の月出づ」〈路上・若山牧水〉

そくそく【惻惻】（—と・—たる）
あわれみ悲しむさま。身にしみて感じるさま。「十年前臨終の床で自分の手をとり泣

いて遺命した父の**惻々**たる言葉は、今尚耳底にある」〈李陵・中島敦〉「其言**惻々**として人を動かす」〈長塚節歌集〉

ぞくぞく【続続】（―と・―たる）あとからあとからと、ひき続いて絶えないさま。類つぎつぎ。ぞろぞろ。「右前方の橋からは、自由労働者のデモ隊が**続々**と入ってきます」〈されどわれらが日々・柴田翔〉「彼の許には絵図面を持った地所の売込屋《うりこみや》、創立趣意書を抱へ込んだ会社屋が、**続々**としてつめかけて来た」〈金・宮嶋資夫〉「その人々が**続々**と見舞にくる」〈河霧・国木田独歩〉

ぞくぞく【簇簇】（―と・―たる）むらがり集まるさま。→**そうそう**（簇簇）。▼「ぞく」は「簇」の慣用音。「見物は相不変《あいかわらず》、日傘の陰にも、平張の下にも、或は又桟敷の欄干の後にも、**簇々**と重なり重なって、朝から午へ、午から夕へ日影が移るのも忘れたやうに」〈龍・芥川龍之介〉

そそ【楚楚】（―と・―たる）清らかで美しいさま。女性について、清らかで控え目な美しさを感じさせるさまにもいう。「幾分蓮葉なところさへ感じられた景子とは別人のやうに**楚々**として見えた」〈黯い潮・井上靖〉「風姿**楚々**眉目清秀宛《さ》ながら好女の如き小柄の美丈夫」〈思出の記・徳冨蘆花〉

た

たしせいせい（多士済済）→**せいせい**（済済）

だくだく（諾諾）→**いいだくだく**（唯唯諾諾）

たんたん【坦坦】（―と・―たる）①道や土地など、でこぼこがなく平らなさま。「何処まで往ってもセメントした大道**坦々**としてそれこそ真に砥の如く」〈紐育・原田棟一郎〉「凸凹の石逕《いしみち》は、今**坦々**たる砥《と》の如き県道となって居る」〈思出の記・徳冨蘆花〉②転じて、かわったことがなくふつうと同じように行われるさま。平凡なさま。「面白いのはそれまでで、後は**坦々**たる事務的措置に移され」〈自由と規律・池田潔〉「而も表面は甚だ平穏にして**坦々**たる生活である」〈竹沢先生と云ふ人・長与善郎〉

たんたん【眈眈】（―と・―たる）目を鋭く光らせてものを狙うさま。転じて、野心をもって何かをじっと狙っているさま。「けれど彼（結核菌）はじっと息を潜めて、勢力挽回の日を**眈々**とうかがっていたのでしょう」〈ストマイつんぼ・大原富枝〉▼多く「虎視眈眈」の形で。

【虎視眈眈〔と〕】トラが獲物をねらって身がまえ、鋭く見つめるさま。転じて、じっと機会をねらい、すきがあればつけ入ろうとうかがうさま。「**虎視眈々**と獲物の到来を待ち受けていたのである」〈他人の顔・安部公房〉

たんたん【淡淡】（―と・―たる）ものの色・味・感じなどが淡泊なさま。ものにこだわらないさま。類あっさり。「祖父母や父母から伝えきいた話を、そのときの苦労はあずかり知らぬ若者は、**淡々**とわたくしに話してきかせる」〈婉という女・大原富枝〉「それによってその**淡淡**とした物語に或る物悲しい陰影《ニュアンス》を与へる」〈美しい村・堀辰雄〉⬇使い分け「すかっ」

たんたん【湛湛】（―と・―たる）水などが深く満ちたたえられているさま。「垂虹橋下には水が**湛々**とたたへて」〈中華若木詩抄〉▼「潭潭」とも書く。

だんだん【団団】（―と・―たる）形のまるまるとしたさま。月などのまるい

さま。「やがて枯れ草は**団々**たる火災となり、城門を包みはじめたが」〈戈壁の匈奴・司馬遼太郎〉「上杉氏の兵は**団々**として中堅を目懸けて進入し」〈日本開化小史・田口卯吉〉

ち

ちくちく【矗矗】（ーと・ーたる）
長くてまっすぐなさま。直立して伸びるさま。また、そびえ立つさま。「春水や**矗々**として菖蒲の芽」〈五百句・大正六年・高浜虚子〉「太古紀層の堅緻なる岩柱、**矗々**として幾個となく海上に森立し」〈日本風景論・志賀重昂〉

ちち【遅遅】（ーと・ーたる）
ものごとの進み方がおそいさま。また、のどかな春の日のさまにもいう。類ゆったり。のろのろ。『**遅々**として進まない』『春日**遅々**』「反枢軸軍の進撃が**遅遅**として進捗していないのに焦慮した反枢軸軍は」〈真空地帯・野間宏〉「予は歌歴いたづらに長く、歩みの**遅々**たること牛の如しだ」〈鶯・川田順〉📖「**遅々**たる春の日　玉《たま》の甃《いしだたみ》暖かにして温泉溢《み》てり　嫋々《でうでう》たる秋の風に　山蝉鳴いて宮《きゅう》樹《じゅ》紅《くれなゐ》なり」〈和漢朗詠集・蝉・白居易〉

ちょうちょう【丁丁・打打】（ーと・ーたる）
金属などがぶつかり合うかん高い音が、続いてひびくさま。また、勢いよく打ち続けたり、切り続けたりするさま。「切っ立った山の遙かの上に、鉈《なた》の音が**丁々**とする」〈虞美人草・夏目漱石〉「勝敗を盤上に争ふ鵜飼子と原子が鳴らす碁石の響のみ**丁々**と響いて居る」〈黒潮・徳冨蘆花〉

【打打発止《はっし》】①はげしい音をたてて、互いに打ち合うさま。「鉄砲の音はげしく聞えて、**丁々発矢**と打あふたる」〈当世書生気質・坪内逍遙〉②はげしく議論をたたかわせるさま。『党首討論で**打々発止**とわたりあう』

ちょうちょう【喋喋・諜諜】（ーする・ーと・ーたる）
しきりにしゃべるさま。多弁なさま。「教育学の思想の毛微塵もない先生達が、しきりに国語教育の事を**喋々**されましても」〈国語のため・上田万年〉「なにしても昇は絶えず口角《くちもと》に微笑を含んで、折節に手真似をしながら、何事をか**喋々**と饒舌《しゃべ》り立ててゐた」〈浮雲・二葉亭四迷〉「君は**喋々**と辨じるけれども、兎角独断の議論で不可よ」〈当世書生気質・坪内逍遙〉▼多く「喋喋喃喃」の形で。⬇使い分け「ぺらぺら」

【喋喋喃喃《なんなん》】「喃喃」は小声でささやくさま。小声で親しげに話しあうさま。また、男女がむつまじげに語り合うさま。「これじゃまるで、御二人の**喋々喃々**じゃないの。我々は毎回、それを聴かされてるだけじゃないの」〈風媒花・武田泰淳〉「錦絵の団扇を〈略〉いつしか指先の翫弄物《もてあそび》にして、**喋々喃々**と説いづるを聞けば」〈内地雑居未来之夢・坪内逍遙〉

ちんちん【沈沈】（ーと・ーたる）
静まりかえったさま。また、夜がふけてひっそりしたさま。→しんしん（沈沈）。「全体の気韻は峻烈で**沈々**たる大気が画幅を掩って」〈冥府山水図・三浦朱門〉「蛍火燦たるを見るが如く、夜色**沈々**として」〈当世書生気質・坪内逍遙〉「雲海**沈々**として、青天既にくれなんとす」〈平家物語〉📖「月寒天清夜**沈沈**、美人一笑千黄金」〈李白―白紵辞〉

ていてい【亭亭】（―と・―たる）
高くそびえ立つさま。「木々のむれは、すべて**亭々**として聳え立ち」〈変形譚・花田清輝〉「天を封ずる老幹《らうかん》の**亭々**と行儀よく並ぶ隙間に」〈虞美人草・夏目漱石〉

てきてき【滴滴】（―と・―たる）
水のしずくなどが、したたり落ちるさま。水滴などが短い間隔をおいて続けて落ちるさま。類ぽたぽた。「奥は**滴々**として水の滴るのを聞くばかりです」〈山の力・国木田独歩〉

てんしんらんまん（天真爛漫）→**らんまん**（爛漫）

てんてん【点点】（―と・―たる）
①点をうったように、あちこちに散在するさま。「刈藁を積んだ堆《ほに》が**点々**と、蹲る獣のやうな形に置かれてゐた」〈雪の涯の風葬・高井有一〉「陸軍が接収して高級将校の宿舎に充てている赤屋根の家々が、**点々**と見える」〈春の城・阿川弘之〉「秋の夜の燈火が所々に**点々**と少量の暖かみを滴らした」〈明暗・夏目漱石〉 ➡使い分け「ちらほら」
②しずくのしたたるさま。類ぽたぽた。「罪悪の結晶が血のやうに痙攣《つりかが》んだ五つの指の間から**点々**と滲み出る」〈桐の花・北原白秋〉

てんてん【転転】（―と・―たる）
①それからそれへと移り動くさま。「群小広告代理店のコピーライター、〈略〉紙、金属、自動車などの業界新聞記者などを**転々**として」〈人間の病気・後藤明生〉「**転々**と宿り先を換へて」〈放浪時代・龍胆寺雄〉
②車などが回るさま。また、あちこちところがるさま。「人生の明暗喜怒哀楽をのせて**転々**ところぶ人生双六の骰子はかくて感激にふるへる両君の手で振られて」〈アド・バルーン・織田作之助〉「業火《ごふくわ》に焼かれて、**転転**と苦しんで居ります罪人も」〈地獄変・芥川龍之介〉「車**転々**として轍のあと遠く地に印されぬ」〈別れ霜・樋口一葉〉

てんもうかいかい（天網恢恢）→**かいかい**（恢恢）

とうとう【丁丁】（―と・―たる）
材木や杭などを連続して打つ音のひびきわたるさま。「**丁々**と白檀を伐《う》つ斧の音」〈蟻・北原白秋〉

とうとう【洞洞】（―と・―たる）
穴などがぽっかりとあくさま。また、奥深く黒いさま。「薄紫にけぶる野末に大きな月が**洞々**と顔を出す」〈思出の記・徳冨蘆花〉
▼「黒洞洞」の形でも。**【黒洞洞―《こく》】**ほら穴のなかのように、あたり一面まっくらで見分けのつかないさま。「黒**洞洞**たる夜があるばかりである」〈羅生門・芥川龍之介〉

とうとう【滔滔・濤濤】（―と・―たる）
①水が盛んに流れるさま。多量の水を悠然とたたえているさま。「何様《どう》しても阪東太郎の支流《わかれ》だけに**滔々**として居るやうで嬉しい」〈付焼刃・幸田露伴〉「『ツルキー』河水、日夜**滔々**として注げども、依然として溢るるなく」〈米欧回覧実記・久米邦武〉

▼「洶洶」とも書く。

②弁舌のよどみのないさま。次々とよどみなく話すさま。「書生は才力に誇ってゐたと見え、**滔滔**と古今の学芸を論じた」〈侏儒の言葉・芥川龍之介〉「今度は遊食罪悪説を持出して**滔々**と巻席立《まくした》てて見た」〈二老人・国木田独歩〉 ▼「蕩蕩」とも書く。 ⬇使い分け「ぺらぺら」

③おしなべて一様であるさま。また、世の風潮などが一つの方向に勢いよく移るさま。「**滔々**たる世間が金銭の奴隷になってゐる中」〈社会百面相・内田魯庵〉「一の道徳無し、現金主義は**滔々**として底止する所なからんとす。現金主義は即ち今日主義也。現在主義也」〈嗚呼売淫国・正岡芸陽〉

とうとう【蕩蕩】（─と・─たる）

広大なさま。広々としているさま。強大なさま。「実はさういふ恍惚も美しさも、その反対なものさへも全く無い任運《にんうん》蕩々の時間と空間なのです」〈生々流転・岡本かの子〉「直に無限の闇の底深く身を躍らせば、飄々**蕩々**として窮まるところを知らず」〈悪魔・国木田独歩〉「**蕩々**たる天下の大勢は上古より流れて今世に及び」〈文明論之概略・福沢諭吉〉 →**ぎぎ**（巍巍）。

とうとう【鼕鼕・鏜鏜・鞺鞳】（─と・─たる）

①鼓《つづみ》などが鳴りわたるさま。足音高く踏みならすさま。「初午の太鼓**鼕々**たり」〈自然と人生・徳冨蘆花〉「身の丈十丈の大男が**鼕々**と踏鳴らしつ」〈社会百面相・内田魯庵〉

②水が波や滝となって勢いよく音をたてるさま。「背戸山から裏の大きな溜池に引いた懸樋の水の落ち込むのが**鼕々**といった音を立ててゐた」〈牡丹雪・嘉村礒多〉「大波小波**鞺鞳**と響き絶えせぬ海の音」〈唱歌─美しき天然・武島羽衣〉

どうどう【堂堂】（─と・─たる）

①態度、容姿などが立派で気品があり、いかめしいさま。「津田は大柄の、**堂々**とした、耳の厚くて大きい、ぎょろ眼の四十恰好の男だった」〈安土往還記・辻邦生〉「極めて**堂々**たる広壮な寺である」〈雲のゆき来・中村真一郎〉「各隊伍を整へ**堂々**として」〈経国美談・矢野龍渓〉

②少しもかくすところのないさま。公然としたさま。「鉄斎の画には、計画的に贋作展覧会が**堂々**と開催された事もあった程で、贋作が夥しく横行してゐる事は」〈真贋・小林秀雄〉「戦争をはじめて鎬《しのぎ》を削ってゐる真中へ**堂々**とおれの肩を持つべきだ」〈坊っちゃん・夏目漱石〉 →**せいせい**（正正）。

【威風堂堂─《いふう》】 威厳あるようすが立派なさま。気勢が大いに盛んなさま。「血が退いて肉が落ちた孤堂先生の顔に比べると**威風堂々**たるものである」〈虞美人草・夏目漱石〉「年歯《ねんし》疾《と》くに六十を越へたれども、**威風堂々**として」〈火の柱・木下尚江〉

【旗鼓堂堂─《きこ》】「旗鼓」は軍旗と太鼓。軍隊が整然としていて勢いの強いさま。「恰も支那の将軍が**旗鼓堂々**戦場に出でて平生講説する孫呉の兵法を持余しつつあるが如くならずや」〈政治小説を作るべき好時機・内田魯庵〉

とくとく【得得】（─と・─たる）

得意なさま。意にかなうさま。満足するさま。したり顔なさま。「而も、お互に相手の表情なぞ読み合っては**得々**としてゐる。滑稽な果無い話である」〈当麻・小林秀雄〉「無頓着な色を帯びてゐたうちにも、何処となく**得々**とした所が見透されて」〈あひゞき・二葉亭四迷訳〉「山に桟《かけはし》し海を航《ふなはた》し**得々**として来る」〈太平記〉

とっこつ【突兀】（─と・─たる）

高く突き出るさま。「まわりの円味がかっ

た平凡な地形に対して天柱山と吐月峰は**突兀**として秀でている」〈東海道五十三次・岡本かの子〉「南画そのままの透き通るやうな蒼黒さに、**突兀**と聳え立った会稽山の風姿を」〈城外・小田嶽夫〉

とつとつ【訥訥・吶吶】（―と・―たる）
口ごもりながら話すさま。「話題がなかったので、無口な新治が**訥々**と喋りだした」〈潮騒・三島由紀夫〉 ⬇使い分け「ぼそぼそ」

なんなん【喃喃】（―と・―たる）
しゃべり続けること。小声でいつまでもしゃべっているさま。「又は痴語《ごち》**喃々**の文句を語らうとする場合には、四十面五十面をさげた大男が、見るも忌はしき醜声にて痴態を演ずる」〈面白半分・宮武外骨〉「何か**喃々**と話してゐるものもある」〈田舎教師・田山花袋〉 →**ちょうちょう**（喋喋）。

はくがいがい（白皚皚）→**がいがい**（皚皚）

ばくばく【漠漠】（―と・―たる）
①広々としてはてしのないさま。遠く遙かなさま。遙かに続くさま。「**漠々**たるゴビの砂漠の絶望」〈美貌の皇后・亀井勝一郎〉
②とりとめのないさま。ぼんやりとしたさま。ぅす暗いさま。「これからの、生きることについての期待と不安が、わたくしのなかで**漠々**と拡がってゆくのであった」〈婉という女・大原富枝〉「『はあ、さぅかい。そりゃあ』と**漠々**たる挨拶をした」〈虞美人草・夏目漱石〉

はちめんれいろう（八面玲瓏）→**れいろう**（玲瓏）

はつらつ【潑剌】（―と・―たる）
魚が元気よくとびはねるさま。また、活動的で元気のよいさま。いきいきとしているさま。類 ぴちぴち。いきいき。「生々**潑剌**、とでも言ったらいいのでせぅか。なんとまあ、楽しさぅな行進なのでせぅ」〈トカトントン・太宰治〉「益軒の知らぬ新時代の精神は年少の書生の放論の中にも如何に**潑剌**と鼓動してゐたか!」〈侏儒の言葉・芥川龍之介〉「御贄の錦鱗徒らに湖水の浪に**撥辣**たり」〈太平記〉 ⬇使い分け「ぴちぴち」

ひひ【霏霏】（―と・―たる）
雨や雪などが、しきりに降るさま。「誘蛾灯に、**霏々**と舞ぅ雪片のやぅなおびただしい昆虫がむらがっている」〈休暇・吉村昭〉「雪はますます**霏々**と降りしきって、笠を傾けても面を撲つ飛屑《ひせつ》紛々、衣は濡れ透り」〈思出の記・徳冨蘆花〉

びび【娓娓】（―と・―たる）
飽きないさま。ぅまず休まずいつまでも続けるさま。また、くどくどしいさま。「私は冗長と瑣末とをあえて虞れず〈略〉反措定提出の筆を**娓々**としてすすめてきたのである」〈続々金色夜叉・尾崎紅葉〉「**娓々**として絶えず枕に打響きて」〈島崎藤村・平野謙〉

ひょうひょう【飄飄】（―と・―たる）
①風が吹く音。また、そのさま。「長風**飆飆**と吹き来りて水やや騒ぐ途端」〈いさなとり・幸田露伴〉 ▼「飆飆」とも書く。
②世事にとらわれないさま。世間ばなれがしてつかまえどころのないさま。「**飄々**として途呆けた可笑しさをもつ先生の話

し方」〈婉という女・大原富枝〉「**飄々**としてわが行末を覚束ない風に任せて平気なのは」〈野分・夏目漱石〉 ⬇使い分け「しゃーしゃー」

ひょうびょう【縹渺・縹緲・瞟眇】（―と・―たる）

ほんのりかすかであるさま。遠くかすかではっきりしないさま。「見わけのつかぬ所に余韻が**縹緲**と存するから含蓄の趣を百世の後に伝ふるのであらう」〈草枕・夏目漱石〉「やがてその二つの河が相合して流れ落つる南のかたには、**縹渺**として限りのない日向洋《ひゅうがなだ》が、太平洋がうち開けてゐるのです」〈金比羅参り・若山牧水〉

【神韻縹渺《しんいん》―】 芸術作品などのきわめてすぐれているさま。「神韻」は芸術作品あるいは人格などに感じられる、すぐれた趣。「『伊勢物語』の斎宮との逢う瀬に似て、**神韻縹渺**とした書きざまであり」〈古典と現代文学・山本健吉〉「牧渓が瀟湘の図を見る。淡墨《たんぼく》を以て遠山遠水を描きし**神韻縹緲**として佇立久しきを覚へざりき」〈詩文の感応力・内田魯庵〉

びょうびょう【渺渺】（―と・―たる）

広くはてしないさま。遠くはるかなさま。「此地は静閑なる一村落にて阿都を距ること七里許り前には広原**渺々**として小丘処々に起伏し」〈経国美談・矢野龍渓〉「是は**渺々**とした広い野へ出たが、是は何と云野じゃ知らぬ」〈狂言―神鳴〉 ▼「眇眇」とも書く。

びょうぼう【渺茫】（―と・―たる）

遠くはるかなさま。広くはてしないさま。渺渺。「私は知らず識らずの間に、殆んど不意に林の中から**渺茫**たる海の前景のほとりに立たされてしまった」〈母を恋ふる記・谷崎潤一郎〉「而して中央亜細亜の平原大野は**渺茫**として限りなく」〈将来之日本・徳富蘇峰〉

ひんぴん【彬彬・斌斌】（―と・―たる）

文化がよく発達し、あまねくいきわたっているさま。「日星河嶽の大文章**彬々**日に益々衰へず闡《せん》幽《いう》顕微の大議論諤々日に愈々盛んに」〈如是放語・内田魯庵〉「是れ古穴居野処の民にして、今の文質**彬々**たるを用ふるのゆゑにあらざる也」〈山鹿語類〉

ひんぴん【頻頻】（―と・―たる）

相互に関連のあることが引き続いて、しきりに起こるさま。「今月に入り空襲**頻頻**となりて午後洗湯に行く時の外殆ど門を出でず」〈断腸亭日乗・永井荷風〉「見る蔭もなく零落する者**頻々**と相ついで」〈思出の記・徳冨蘆花〉

ふ

ふくいく【馥郁】（―と・―たる）

香気の盛んにかおるさま。よいかおりのいっぱいに漂っているさま。「トルコの香料の匂いを**馥郁**と撒き散らしながら」〈ナポレオンと田虫・横光利一〉

ふつふつ【沸沸】（―と・―たる）

①ものが煮えたぎるさま。「大鍋の中の油汁《けんちん》は**沸々**と煮立って来て〈略〉主婦《かみさん》は其を小丼《こどんぶり》に盛って出し」〈破戒・島崎藤村〉「火の勢盛んに**沸々**と湧く油を煮取る」〈いさなとり・幸田露伴〉

②水などがわき出るさま。「大旱や泥泉地獄**ふつふつ**と」〈凍港・山口誓子〉「流れは**ふつふつ**と白く泡立ってゐる」〈断橋・岩野泡鳴〉

③ある感情や考えがわき起こるさま。「**沸々**と胸に浮ぶ考へ事は、どれも独立して外に飛び出す気力を欠き、振り切らうとすれば飴のやうに粘りついて」〈若い人・石坂洋次郎〉

ふんぷん【芬芬】（―と・―たる）
芳気の高くかおるさま。また、広く悪臭の漂うさまをもいう。「キリストだって孔子だって、その生涯の言行をこのトルストイ伝くらゐに細かに書かれて、白日の下に曝し出されたなら、人臭**芬々**として、神らしさ聖人らしさの尊さを失ったであらう」〈トルストイについて・正宗白鳥〉「夜遅く酒気**芬々**として帰って来て」〈俳諧師・高浜虚子〉

ふんぷん【紛紛】（―と・―たる）
意見や説などが多く飛びかうさま。「『流通分』が〈略〉或は題目だといひ、或は四箇格言だといふの類、**紛々**として決着しない」〈本化摂折論・田中智学〉「異説が**紛々**として不定ぞ」〈史記抄・孝文本紀〉▼多く「諸説紛紛」の形で。

【諸説紛紛《しょせつ》――】いろいろの説がいり乱れているさま。「我等の生命に関しては**諸説紛々**として信ずべからず」〈河童・芥川龍之介〉

べきべき【冪冪】（―と・―たる）
雲、塵などが物をおおうさま。「**冪々**たる雲を貫いて恐しい神の声がした」〈趣味の遺伝・夏目漱石〉「雲**冪々**として東西に覆ひ偏《ひとへ》に暗夜のごとく」〈浮世草子・新御伽婢子〉

へんぺん【翩翩】（―と・―たる）
ひるがえるさま。軽く飛びあがるさま。軽やかなさま。「衣を**翩翩**と翻して」〈魔術師・谷崎潤一郎〉

べんべん【便便】（―と・―たる）
①腹部の肥満したさま。太って腹の出ているさま。「婦人の傍へ其の**便々**たる腹を持って来たが」〈高野聖・泉鏡花〉②ものごとがむやみに長びくさま。特に、いたずらに時間の経過するさま。「苛烈なるこの国の警察網が**便々**とわたしを見逃しておく筈はあるまい」〈普賢・石川淳〉「さうさう何時迄も、宙ぶらりんの空中に、**便々**としてゐたくはないのだけれど」〈百鬼園随筆・内田百閒〉「誰を便りに**べんべん**と生きながらへて居られませう」〈春雨文庫・松村春輔〉「べんべんと長き文章を書いてやらるる」〈浮世草子―傾城禁短気〉▼②は、「べんべんだらだら」「べんべんだらり」とも。↓べんべん（本編429ページ）。⇩使い分け「くだくだ」

へんぽん【翩翻】（―する・―と・―たる）
旗または鳥などがひるがえるさま。「団子坂の景況は、〈略〉植木屋は家々の招きの旗幟《はた》を**翩翻**と金風《あきかぜ》に飄《ひるがへ》し」〈浮雲・二葉亭四迷〉「『青空に日章旗が**翩翻**と翻る』」⇩使い分け「ひらひら」

ほ

ぼうだ【滂沱】（―と・―たる）
雨がはげしく降るさま。涙がとめどなく流れるさま。「涕《なみだ》**滂沱**として流れたり」〈心のたどり・綱島梁川〉「唯だ猛雨の**滂沱**たるを聞くのみ」〈花柳春話・織田純一郎訳〉

ほうほう【蓬蓬】（―と・―たる）
①草が生い茂るさま、また、髪やひげがのびて乱れているさま。「**蓬々**と延びた髪」〈野火・大岡昇平〉②煙や蒸気が盛んに立ちのぼるさま。「燈火で尻をあぶられた徳利の口から、**蓬々**として蒸気が立ち升って来る」〈安井夫人・森鷗外〉

ぼうぼう【茫茫・芒芒】（―と・―たる）
①見たようすがぼんやりとしていてはっきりとしないさま。かすかなさま。「**茫々**たる色は即ち蘆花の雪なり」〈自然と人生・徳冨蘆花〉

②草や髪などが多く乱雑に生えているさま。「雑草**茫々**と生へ繁って五位鷺の鳴く蘆原へ急に土を搬んで地上げをし、煉瓦とセメントを持って来て」〈女工哀史・細井和喜蔵〉「只此髯**茫々**として、むさくるしき事乞食を去る遠からざる紀念《きねん》物《ぶつ》のみはなくて叶はぬ」〈趣味の遺伝・夏目漱石〉「草**茫々**として、露深々と古塚の」〈謡曲―井筒〉

ぼつぼつ【勃勃】（―と・―たる）ものごとが盛んに起こるさま。「妻の『どうぞ成可《なるべ》く早く帰して下さい』で**勃々**たる遊心《いうしん》も挫かれて了った」〈嫂の死・里見弴〉「腕はうなる、肉はふるへる、英気**勃々**として」〈初恋・嵯峨之屋御室〉

【雄心勃勃《ゆうしん―》】おおしい心の盛んに起こるさま。盛んに気負いたつさま。「賤の小田巻を読んで見い。今の柔弱な恋愛小説と違って**雄心勃々**として禁ずる能はずだ」〈社会百面相・内田魯庵〉

ま・み

まんさん【蹣跚】（―と・―たる）よろめいて歩くさま。「そろひの手拭ひを襟に、花見簪をさした女が二、三、いい色の男達と風に吹かれ吹かれ**蹣跚**と降りて来る」〈竹沢先生と云ふ人・長与善郎〉「心は**蹣跚**としてこの景色のうちを行くに」〈落梅集・島崎藤村〉

まんまん【満満】（―と・―たる）みちあふれているさま。「自信**満々**」「水は、**満々**と川幅いっぱいに拡がり」〈地を潤すもの・曾野綾子〉「この谷間には短時日のうちに**満々**とした水が貯水されてしまうだろう」〈水の葬列・吉村昭〉「僕は半ば、胸をおどらせ、〈略〉ひとかどの自由主義者らしい反骨を**満々**とたたえて、そのお巡りさんの堰と波を切って社へ進入したことを思い出す」〈鉛筆ぐらし・扇谷正造〉

まんまん【漫漫・曼曼】（―と・―たる）遠くひろびろとしたさま。広くはてしないさま。「白帆を浮べた相模灘の**漫々**たる青海原も」〈思出の記・徳冨蘆花〉「南には蒼海**漫々**として、岸うつ浪も茫々たり」〈平家物語〉

みゃくみゃく【脈脈】（―と・―たる）長く続いて、とだえないさま。また、絶えず力強く感じられるさま。「淋しい思いが**脈々**として胸に上った」〈田舎教師・田山花袋〉「**脈々**と伝え来たこの技術で」〈畜生塚・秦恒平〉

め・も

めいめい【冥冥・瞑瞑】（―と・―たる）暗いこと。ほの暗いさま。うす暗くて、事物がはっきりと見えないさま。暗暗。「我は**冥々**の裡に、一の凶音の来り迫るを覚えながら」〈即興詩人・森鷗外訳〉「其外形は散文らしく見ゆるも、**瞑々**の中必ず節あり、調あり、詠歎ありて」〈末路抒情詩・国木田独歩〉「鴛鴦の衾の下に枕を並て遊び戯る中なれども、彼冥途の旅には伴なふ事もなし。**冥冥**として独り行」〈日蓮遺文―松野殿御返事〉

めつめつ〈滅滅〉→**いんいんめつめつ**〈陰陰滅滅〉

めんめん【綿綿】（―と・―たる）長く続いて、絶えないさま。どこまでも続いているさま。「十年も前のその日記帳には、女が若かった日々に、恋人への追慕の想いを**綿々**と記してあった」〈壁紙を貼る

女・大原富枝〉「彼は**綿々**切々としてうったえた」〈国籍・竹山道雄〉「十年以来夢うつつに心を悩ませるユカリの面影をこの遠き世の少女に透き写して彩色おぼつかぬ絵姿を前に**綿々**とかきくどかうとした」〈普賢・石川淳〉「をばさまは、江戸のお屋敷への、例の**綿々**とした手紙を〈略〉飛脚に託させた。それと引き違へに、見舞ひの金と米がついた」〈唐人お吉・十一谷義三郎〉

もうもう【濛濛・朦朦】（―と・―たる）

①霧や小雨、水しぶきなどであたりが薄暗いさま。暗く閉ざされた感じであるさま。また、煙や塵埃などのたちこめるさま。「若いバーテンはニッケル色に磨きたてたエスプレッソの長い腕を下にさげた。湯気が**もうもう**とその腕の下から湧きあがった」〈見知らぬ町にて・辻邦生〉「ひと度、**濛々**たる戦塵《せんじん》が小田原街道を覆った後は」〈雲のゆき来・中村真一郎〉「二の丸あたりから、黒けむりが**もうもう**と立ちのぼっており」〈坂崎出羽守・山本有三〉

②意識のはっきりしないさま。類ぼんやり。「昏々**濛々**としてアミーバの様な生活を送ります」〈文芸の哲学的基礎・夏目漱石〉「夢の覚たる心地して、大内の旧跡大庭の椋の木の本に、**朦朦**としてぞ立たりける」〈太平記〉

もうろう【朦朧】（―と・―たる）

①おぼろなさま。かすんで暗いさま。「望むかぎりは狭霧が**朦朧**と立込めて」〈武蔵野・山田美妙〉「四辺が**朦朧**と薄暗いので、はっきり見ることは出来なかった」〈天守閣の音・国枝史郎〉

②ものごとのはっきりしないさま。特に意識の確かでないさま。「浜辺のキャンパーたちの起きぬけの顔のように**朦朧**として」〈傷ついた葦・曾野綾子〉「意識が**朦朧**としてきて、抛り出された手鞴《てぶいご》のようにしぼんで行こうとした」〈太陽のない街・徳永直〉「今迄昂奮して**朦朧**として居た意識が漸く落着くと、彼は自分が主殺しの大罪を犯したことに、気が付いて」〈恩讐の彼方に・菊池寛〉「黄金時代の記念として、**朦朧**とした記憶の中に、今なお燦然として光っているのである」〈三郎爺・宮本百合子〉▼「蒙籠」とも書く。

【酔眼朦朧《すいがん》―】酒に酔って目つきが定まらず、物がはっきり見えないさま。「**酔眼朦朧**としてゐるので、女の顔は、濃い眉毛のほかには定かでなかったが」〈古風・上林暁〉「**酔眼朦朧**として子爵は良《やや》久しく二人を見て居たが」〈黒潮・徳冨蘆花〉

もくもく【黙黙】（―と・―たる）

黙っているさま。黙って仕事に励むさま。「だがおやじは**黙々**と僧帽筋《そうぼうきん》を切っている。血圧を調べている看護婦も何も言わない」〈海と毒薬・遠藤周作〉「彼等が俯向いて**黙々**と働く様子は、米兵の自由闊達な態度と著しい対照を示してゐた」〈合本俘虜記・大岡昇平〉「兵隊たちの縦列の黒い影が、眼の前を**黙々**と動いて行く」〈蝗・田村泰次郎〉

⬇使い分け「むっつり」

もんもん【悶悶・懣懣】（―する・―と・―たる）

うれえもだえること。心配し悩むさま。心の晴れないさま。「咽喉いっぱいに拡がる獣の呻きに**悶々**と扼殺されつつ」〈普賢・石川淳〉「眼に映る物の全てに意味があって、疑が出て来て、気が**悶々**としてならぬ」〈解剖室・三島霜川〉

ゆうきりんりん〈勇気凜凜〉→りんりん〈凜凜〉

ゆうしんぼつぼつ〈雄心勃勃〉→ぼつぼつ〈勃勃〉

ゆうゆう【悠悠】〈―と・―たる〉

ゆったりと落ち着いたさま。「その小さい背広の背後姿《うしろすがた》は〈略〉津上の知らなかった全く新しい量感をもって、**悠々**と群衆の間を游泳してゐるのであった」〈闘牛・井上靖〉「長崎煙草か何かの匂ひの高い煙りを必ず**悠々**とくゆらせてゐる」〈煙管・芥川龍之介〉「蟇は棒を見ても畏れず、大声を聞きても驚かず、無理に追はるるに至り**悠悠**として去る」〈日本読本・新保磐次〉「馬は群る蝿と虻との中に**優々**と水飲み」〈義血侠血・泉鏡花〉

▼「優優」とも書く。「悠悠閑閑」の形でも。

⇒使い分け「しゃーしゃー」「のんべんだらり」

【悠悠閑閑《かんかん》―】気長にかまえているさま。ゆとりのあるさま。「**悠々閑々**と澄み渡った水の隣りに、薄紙一重《ひとへ》の界も置かず、たぎり返って渦巻き流れる水がある」〈或る女・有島武郎〉「中々詩を作って**悠々閑々**と此世の中を送って行くやうな気楽な事は出来ない」〈寧馨児・石橋思案〉

よいんじょうじょう〈余韻嫋嫋〉→じょうじょう〈嫋嫋〉

ようびょう【杳渺・杳眇】〈―と・―たる〉

はるかに遠いさま。「目も夐《はる》に、心も遠く**杳渺**として無限に連なる海の行方、行方も知らに見て居る内に」〈青春・小栗風葉〉「鬼界が島といへるは、〈略〉南はうるまの国かとよ、北**杳渺**として跡もなし」〈歌舞伎―上総綿小紋単地〉

ようよう【洋洋】〈―と・―たる〉

①水が満ちあふれるさま。また、ひろびろとしたさま。限りないさま。「月下白光三千里の長江、**洋々**と東北方に流れて、魚容は酔えるが如く」〈竹青・太宰治〉「やれ自然《ネーチュル》が何《ど》うだの、石狩川は**洋々**とした流れだの」〈牛肉と馬鈴薯・国木田独歩〉

▼「瀁瀁」とも書く。

②希望に満ちているさま。「**洋々**たる前途の希望を暫し一外国船に載せて走りつつあるのだ」〈良人の自白・木下尚江〉

▼「前途洋洋」の形で。

【前途洋洋《ぜんと》―】将来が希望に満ちているさま。「**前途洋々**たる軍人生活のとばくちで待ちかまえていた不運の正体が」〈司令の休暇・阿部昭〉「指導員江家琢馬、頂上よりの直滑降に成功、数多の観衆を瞠目せしむ。吾倶楽部の**前途洋々**たり。終って祝宴を張る」〈雪の涯の風葬・高井有一〉

ようよう【揚揚】〈―と・―たる〉

得意なさま。誇らしげなさま。「あの門中から請願巡査を尻目にかけて**揚々**と出てくるにちがひあるまい」〈人生劇場・尾崎士郎〉「**揚々**たるは誰が子、戚々たるは誰が子」〈鉄幹子・与謝野鉄幹〉

【意気揚揚《いき》―】得意そうなさま。いかにも誇らしげにふるまうさま。「白の洒金巾《さらしガナキン》に朱く大紋を摺込んだ上着へ、裁着袴《たっつけばかま》を穿き茶筌髷《ちゃせんまげ》を天に沖し**意気揚々**と練り歩いたさうで」〈江戸から東京へ・矢田挿雲〉「金紋付の車を走らして、**意気揚々**と帰って来られるは必定」〈黒潮・徳冨蘆花〉

ようよう【溶溶】〈―と・―たる〉

水のひろびろとして静かに流れるさま。

「明らかなりし水の面**溶々**と紫を流し」〈自然と人生・徳冨蘆花〉 📖「池の色**溶々**として藍水を染む、花の光焔々として火春を焼く」〈和漢朗詠集・花・白居易〉

ようよう【漾漾】（―と・―たる）
①水のゆれ動くさま。また、ただよい流れるさま。「その薄明の**漾々**と動いてゐる中を、真紅の旗が燃えてゐる有様を」〈トカトントン・太宰治〉 ▼「漾」はただようの意。
②水が満ちあふれるさま。また、ひろびろとしたさま。限りないさま。「利根は**漾々**として平野の間を流るる大河なれば」〈落梅集・島崎藤村〉 ▼「洋洋」とも書く。

よくよく【翼翼】（―と・―たる）
敬いつつしむさま。また、びくびくするさま。「**翼々**たる小心に翻弄されつづけなければならぬ自分を変えたいからだった」〈林檎の下の顔・真継伸彦〉
【小心翼翼しょうしん―】 小さなことにまで気をくばり、慎しみ深くするさま。転じて、気が小さくてびくびくしているさま。「父は**小心翼々**とした生真面目な人間ですから」〈傷ついた葦・曾野綾子〉「**小心翼々**と怖れてゐるのは寧ろ隠岐達三なのだ」〈帰郷・大仏次郎〉

よゆうしゃくしゃく（余裕綽綽）→しゃくしゃく（綽綽）

ら

らいらい【磊磊・礧礧】（―と・―たる）
石が多く積み重なって集まっているさま。「霧島の古宮あとは山たかみ**磊々**として焼石まろぶ」〈鷲・川田順〉

らいらい【籟籟】（―と・―たる）
かすかに物音がひびくさま。「跫音《あしおと》の**籟々**たるを聞き、始めて賊の入るを知る」〈花柳春話・織田純一郎訳〉

らくえき【絡繹・駱駅】（―と・―たる）
絶え間なく続くさま。人馬や車の往来が絶え間なく続くさま。「わが観るところの演劇は、緑肥えたる葡萄圃、行人**絡繹**たるサレルノ街道」〈即興詩人・森鷗外訳〉「門前日々に市のごとく、**絡繹**として絶ざりけり」〈近世説美少年録〉

らくばく【落莫】（―と・―たる）
ものさびしいさま。「九月の終りから蕭条**落莫**たる野分が日に何回となく、山脈の斜面を吹き上げて来て、凄さまじい風道を作って美作から伯耆へと吹き抜けて行き」〈ある偽作家の生涯・井上靖〉「尾越の家には艶があって、彼れの家のやうに、**落莫**としてゐないやうに思はれた」〈人さまざま・正宗白鳥〉「駒井先生去って**落莫**たる学舎の窓の下に読むでは」〈思出の記・徳冨蘆花〉

らくらく【楽楽】（―と・―たる）
①苦労がなく気楽であるさま、特に、経済的に豊かであるさま。類泰然。「さうと知ったら、もっと安心して、**らくらく**と寝てゐたものを」〈正義と微笑・太宰治〉「一のくひをりゃうじておひたらば、ししそんそんまで**らくらく**といたす事で御ざる」〈狂言―牛馬〉
②たやすくものごとをすることができるさま。「スキップは軽やかに、ほとんど、**楽々**と飛ぶことができるけれど」〈自然の子供・金井美恵子〉「シクラメンの実生なんか、専門家だってさう**楽々**ぢゃあないのさ」〈伸子・宮本百合子〉 ⇩使い分け「ほいほい」

らら【裸裸】（―と・―たる）
むきだしであるさま。包みおおうもののない寒々としたさま。「その**裸々**とした幹の

根元から、芽も籠る枝のわかれ」〈破戒・島崎藤村〉〈多く「赤裸裸」の形で〉

【赤裸裸《せき》―】 まったくのはだかの意から、つつみかくしのないさま。あからさま。「裁判というものは公平無私に**赤裸々**な事実を明らかにするものであるから」〈伊藤整氏の生活と意見・伊藤整〉「人間が懺悔して**赤裸々**として立つ時」〈謀叛論・徳冨蘆花〉

らんかん【闌干・欄干】（―と・―たる）

①涙の盛んに流れ出るさま。「涙**欄干**として、魂飛揚すと見えてあはれなりし有様なり」〈保元物語〉②月・星などの光のあざやかなさま。「**欄干**たる星斗を戴いて心を安めたこともあり」〈青年修養法・新渡戸稲造〉

らんさん【爛燦・爛粲】（―と・―たる）

光り輝くさま。まばゆくはなやかなさま。→さんらん（燦爛）。「部屋《ルーム》客座を飾りたる華毯《カーペット》美榻《チェア》、**爛燦**として目を眩し、未だ光沢を失はず」〈米欧回覧実記・久米邦武〉

らんまん【爛漫】（―と・―たる）

①花の咲き乱れているさま。「真向ひの桜山では、今年も桜が**らんまん**と咲くであらう」〈人間嫌ひ・正宗白鳥〉「舞台は一面、**爛漫**たる桜花の吉野山、遠見には青草の萌えたつ山をあらはし」〈青草・近松秋江〉「百花**爛漫**として、厳冬猶ほ陽春の色を絶さず」〈ふらんす物語・永井荷風〉「**らんまん**と花開け、匂ひ四方に芬々たる」〈浄瑠璃―天神記〉②光り輝くさま。明らかに輝きあらわれるさま。「文華の**爛熳**、発明の光彩」〈東京新繁昌記・服部誠一〉③うわべをかざったところが少しもなく、ありのままであるさま。無邪気で屈託のないさま。「朝鮮にもこんな**らんまん**な女学生がいたのかと〈略〉心の弾むのをおぼえないではいられなかった」〈後裔の街・金達寿〉

▼多く「天真爛漫」の形で。

【天真爛漫《てんしん》―】 無邪気で屈託のないさま。「粗野なものには**天真爛漫**の妙味がある。いはば特異児童の貼紙芸術だ」〈通学物語・渋沢秀雄〉「松村が妹の敏ちゃんが、**天真爛熳**として、寸分の修飾なく」〈思出の記・徳冨蘆花〉

らんらん【爛爛】（―と・―たる）

光り輝くさま。また、鋭く光るさま。「**らんらん**と落日もゆる穭《ひっぢ》かな」〈古稀春風・富安風生〉「**爛々**と眼を光らせた虎が一匹、忽然と岩の上に躍り上って、杜子春の姿を睨みながら」〈杜子春・芥川龍之介〉

り

りくり【陸離】（―と・―たる）

光が分散し、入り乱れて美しいさま。光のまばゆく美しいさま。「光彩**陸離**たる矢鱈に奇麗なものだ」〈趣味の遺伝・夏目漱石〉「急にサット霽《は》れて、目の前に麗しい七色が**陸離**と染出される」〈青春・小栗風葉〉

りつりつ【慄慄】（―と・―たる）

①おそれおののくさま。類慄然。「武の楽は征伐より出づる故に、其の美の実、**慄々**として厳なる方に勝れたり」〈駿台雑話〉②寒さにふるえるさま。「身体**栗々**として厳寒に歩するが如し」〈報徳記〉

りゅうりゅう【隆隆】（―と・―たる）

①勢いが盛んであるさま。「大正十二、三年の思想界は、無政府主義との抗争に打ち克った科学的社会主義が**隆々**として思想界を席捲した時であった」〈学生と教養・鈴木利貞編〉「その名声も**隆々**として世に鳴ってゐたのであった」〈東京の三十年・田山花袋〉

②筋肉などがたくましく盛り上がるさま。「打ち手は、双肌《もろはだ》を脱いで**隆々**とした逞しい腕に太いバチを握り」〈稲熱病・岩倉政治〉「彼は意気軒昂たる肩をはり、筋骨**隆々**たる腕をふりまはして」〈故旧忘れ得べき・高見順〉

⬇使い分け「もりもり」

りゅうりょう【嚠喨・瀏亮】（—と・—たる）器の音などが清くさえわたって明るくひびくさま。清く明らかなさま。「京都の一画には**嚠喨**と鳴るような風雅の松韻を楽しむ茶人が潜んでいた」〈青井戸・秦恒平〉「塔上の聖火に立った七人の喇叭手が、厳かに吹奏する**嚠喨**たる喇叭の音」〈オリンポスの果実・田中英光〉「此日日暖に風軟に楽声**瀏湸**として、海上に響き」〈米欧回覧実記・久米邦武〉

りょうりょう【喨喨】（—と・—たる）音の明るく澄んで鳴りひびくさま。「秋は**喨喨**と空に鳴り空は水色」〈道程・高村光太郎〉

りょうりょう【稜稜】（—と・—たる）①かど立つさま。鋭く厳しいさま。「弘前の城下の人たちには何が何やらわからぬ**稜々**たる反骨があるやうだ」〈津軽・太宰治〉②寒気のきびしいさま。寒さが肌にしみるさま。「月影**稜々**として白きこと氷の如く」〈花間鶯・末広鉄腸〉

りょうりょう【寥寥】（—と・—たる）①ものさびしいさま。空虚なさま。むなしいさま。類ひっそり。寂莫。「この**寥々**として静粛かつ荘厳なる秋の夜の光景が」〈酒中日記・国木田独歩〉②数量の少ないさま。「名編輯者と云はれたTの葬儀の折なんかは、参会者は**寥々**たるものであった」〈人間嫌ひ・正宗白鳥〉「大都府には学校の設けありと雖ども、其数**寥々**たり」〈西洋学校軌範・小幡甚三郎訳〉

りり【離離】（—と・—たる）①穀物の穂がみのって垂れ下がるさま。また、草木の繁茂するさま。「尺もある雑草が**離々**として生ひ乱れて居る」〈葬列・石川啄木〉②散らばるさま。「是亦彰義隊の兵燹に焼けて断草《だんそう》**離々**たる荒原と変じたが」〈江戸から東京へ・矢田挿雲〉「羽毛**離々**として、鮮血淋漓たり」〈造化妙々奇談・宮崎柳条〉

りんり【淋漓】（—と・—たる）①水・汗・血などがしたたり落ちるさま。「汗は**淋漓**として満面にしたたるも」〈不如帰・徳冨蘆花〉②勢いがあふれているさま。元気いっぱいなさま。「わが感じたる物象を、わが感じたる儘の趣を添へて、画布の上に**淋漓**として生動させる」〈草枕・夏目漱石〉

りんりん【凜凜】（—と・—たる）①寒さなどが身にしみるさま。類凜然。「その乾からびた声が、霜に響くせゐか、**凜々**として凩のやうに、一語づつ五位の骨に、応へるやうな気さへする」〈芋粥・芥川龍之介〉②勇ましいさま。りりしいさま。また、いかめしいさま。「写真が一枚残ってゐるが、淋しい瓜実の娘顔に、大きな眼が**凜々**として、美しく撮れてゐる」〈母・大岡昇平〉「早稲田大学慶応義塾対校野球仕合〈略〉当日の武者振定めて**凜々**たるものあらん」〈毎日新聞—明治三七年六月二日〉「勇武を重んじ威儀**凜々**として」〈福翁百話・福沢諭吉〉

▼多く「勇気凜凜」などの形で。

【勇気《ゆうき》凜凜—】りりしいさま。「其千軍万馬の間に駆突するや、**勇気凜々**として或は壮馬を高嶺の雲に駆り、或は長鎗を曠原の風に揮ひ、以て敵軍の耳目を驚かせり」〈日本開化小史・田口卯吉〉

りんりん【轔轔】（—と・—たる）車が走って、きしんだ音をたてたり地面

を轟かしたりするさま。「人力車の輪が**轔々**と轟く」〈煤煙・森田草平〉📖「車**轔轔**、馬蕭蕭、行人の弓箭《きゅうせん》各々《おのおの》腰に在り」〈兵車行・杜甫〉

りんりん【鱗鱗】（—と・—たる）
波や雲などが魚のうろこのように相連なるさま。また、鱗のように鮮やかで美しいさま。「海の面**鱗々**と皺立ちぬ」〈自然と人生・徳冨蘆花〉

るいるい【累累】（—と・—たる）
同じ種類のものがいくつも重なり合うさま。また、つらなり続くさま。▼「塁塁」とも書く。「被害は莫大で死屍《しし》**累累**たるさまであった」〈徳山道助の帰郷・柏原兵三〉「あの広島の惨劇のなかに横はる**塁々**たる重傷者の、そのか弱い声の、それらの声が、等しく天にむかって訴へてゐることが何であるかといふことだ」〈原爆と作家の自殺・佐々木基一〉「ワッチを譲ってプロムナアドデッキから西を見ると**累々**と盛れては砕ける波の三角形の間に陸地らしい黒影が見えた」〈ガトフ・フセグダア・岩藤雪夫〉「戸は行路に横て**累々**たる郊原の如し」〈太平記〉「戦場の跡なれば〈略〉**塁々**たる白骨縦横沙土に埋もれて」〈新語園〉

るる【縷縷】（—と・—たる）
①途切れることなく長く続くさま。「モンマルトルあたりのなつかしい記憶が**縷々**として呼返され」〈ふらんす物語・永井荷風〉
②こと細かく話すさま。「愚痴にはじまり、以下**縷々**と心労を述べたあと」〈ぼらのへそ・中野好夫〉

れんれん（恋恋）→**いいれんれん**（依依恋恋）

れいれい【玲玲】（—と・—たる）
音がすがすがしくひびきわたるさま。「**玲々**たる鈴の声は」〈太平記〉

れいれい【麗麗】（—と・—たる）
うるわしくきわ立っているさま。また、人目に立つさま。派手なさま。飾りたてたさま。「新聞にまであゝ**麗々**と出てしまったいまとなっちゃア」〈春泥・久保田万太郎〉

れいろう【玲瓏】（—と・—たる）
①玉などが透きとおっているさま。また、明るく光り輝くさま。「神の声と共に渾沌は消え、闇の中に隠れた自然の奥底は其帷帳を開かれて、**玲瓏**たる天界が目前に現はれた様なものであったらう」〈科学者と芸術家・寺田寅彦〉「数脚の胡榻《ことう》を聯《つら》ね**玲瓏**たる硝盃《コップ》を並べて人をして飲まずして腸《はらわた》先づ寒からしむるものは」〈風俗画報—九九号〉「露の外の水を見るに、**玲瓏**として四方八面何《いず》れの方より見んも曇なからむが如し」〈連歌比況集〉
②金属や玉などがふれ合って、冴えた音で鳴るさま。また、音声の澄んでひびきわたるさま。「其声の**玲瓏**たる、細なるは切切、縷なるは嘈嘈」〈米欧回覧実記・久米邦武〉
【八面玲瓏《はちめん》—】どの方面から見ても美しく鮮明であるさま。「東方、降三世明王も、この鏡に映り、または南西、北方を映せば、**八面玲瓏**と明きらかに」〈謡曲—野守〉

れきれき【歴歴】（—と・—たる）
①あきらかなさま。はっきりとわかるさま。類歴然。「上人の精神の働きが**歴々**とうかがわれる日記である」〈雲のゆき来・中村真一郎〉「家庭人森林太郎の人しれぬ苦衷は**歴々**として紙背にうかんでいる」〈女房的文学論・平野謙〉
②身分や家柄の高いさま。格式が高く、由緒のあるさま。また、その道においてす

ぐれているさま。一流であるさま。「お**歴々**」（＝身分や社会的地位、家柄などが高い人）「あのおえらがたとか、お**歴歴**とか称せられてゐる人たちも」〈斜陽・太宰治〉「是ほと皆**歴々**としてよき人たちのわたるは」〈史記抄〉

れきろく【轣轆】（—と・—たる）
車のとどろくさま。「予をのせた馬車は人影ない通りを**轣轆**と走った」〈啾々吟・松本清張〉

れつれつ【烈烈】（—と・—たる）
はげしいさま。勢いがはげしく盛んなさま。「柔弱豆腐の如き得恋《とくれん》よりは、寧ろ僕は**烈々**火の如き失恋をとるんだ」〈桐畑・里見弴〉「赤いのは、**烈々**と燃え上る釜の下の焔ばかり」〈芋粥・芥川龍之介〉

れんえん【瀲灩・瀲灔】（—と・—たる）
さざなみが立ち、光りきらめくさま。また、水が満ちあふれて静かにゆれ動くさま。「蒲郡の海が**瀲灔**とかがやき」〈人生劇場・尾崎士郎〉「只一刷《ひとはけ》に抹《なす》り付《つ》けた、**瀲灔**たる春色が」〈虞美人草・夏目漱石〉

れんめん【連綿】（—と・—たる）
ものごとが長くつらなるさま。長く続いて絶えないさま。「**連綿**としてつづいてゐる和魂洋才といふ意識は」〈近代日本の思想文化・唐木順三〉「十九世紀から**連綿**と今日迄生き延びて居るんだがね」〈吾輩は猫である・夏目漱石〉「然りしより以来皇統**連綿**として動かず」〈小学読本・若林虎三郎〉

れんれん【恋恋】（—する・—と・—たる）
心がひかれるさま。思い切りがわるくて、未練がましいさま。執着するさま。「**恋々**たるわれを、つれなく見捨て去る当時《そのかみ》に未練《みれん》があればあるほど」〈虞美人草・夏目漱石〉「一切万事不如意なるにも拘はらず**恋々**去ることを知らず」〈福翁百話・福沢諭吉〉「**恋々**として柳遠のく舟路哉〈几董〉離々として又蝶を待艸〈蕪村〉」〈俳諧—此ほとり〉→いい（依依）。

れんれん【漣漣】（—と・—たる）
涙がとめどなく流れるさま。「**漣々**たる涙を止めもあへず」〈連環記・幸田露伴〉

ろ

ろうそう【踉蹌】（—と・—たる）
歩きぶりが確かでないさま。よろめくさま。ふらふら。蹣跚《まんさん》。→**そうろう**〈蹌踉〉。「大路の事であるから、貴き人も行き、賤《ひく》き者も行き、職人も行き、物売りも行き、老人も行けば婦人も行き、小児も行けば壮夫も行く、亢々然《かうかうぜん》と行くものもあれば、**踉蹌**として行くものもある」〈連環記・幸田露伴〉「心地死ぬべく**踉蹌**として近き見れば」〈金色夜叉・尾崎紅葉〉

ろうろう【浪浪】（—と・—たる）
さまよい歩くさま。浪人であること。また、よろよろするさま。「パブリック・スクールを閉め出され**浪々**として後、イギリス地方都市の近世式大学に進むもの」〈自由と規律・池田潔〉

ろうろう【朗朗】（—と・—たる）
音声の明るく澄んでいるさま。「長詩を例の御自慢の美しい声で**朗々**と吟じたりした」〈或る女・有島武郎〉「其声**朗々**として湖水に響き」〈花柳春話・織田純一郎訳〉
▼「音吐朗朗」の形で。
【音吐朗朗《おんと》—】音声がゆたかでさわやかなこと。「なかなか**音吐朗々**たる声で、なみいる者は皆すっかり感服したらしい」〈Sの背中・梅崎春生〉「御経の文句を〈略〉**音吐朗々**と誦み上げる」〈良人の自白・木下尚江〉

ろうろう【踉踉】（—と・—たる）よろめくさま。→**そうろう**（蹌踉）・**ろうそう**（踉蹌）。「只蹌々として**踉々**といふ形ちで吾妻橋へきかかったのです」〈吾輩は猫である・夏目漱石〉 ▼「踉踉蹌蹌」の形でも。

【**踉踉蹌蹌**—《そうそう》】よろめきながら歩くさま。「漸々に酔を発し、**踉々蹌々**と歩みゆきけるが」〈読本—本朝酔菩提全伝〉

ろうろう【朧朧】（—と・—たる）おぼろにかすんでいるさま。うす明るいさま。類ぼんやり。「少し引き入りし二階立てに掛行燈《かけあんどん》の光り**朧々**として主はありやなしや」〈別れ霜・樋口一葉〉「弥生も末の七日、明ぼのの空**朧々**として」〈俳諧—奥の細道〉 「明《てりも》せず、暗《くもりも》せず、**朧々**たる月暖に非ず寒に非ず、漫々たる風」〈新撰朗詠集・春夜・白居易〉

ろくろく【碌碌】（—と・—たる）平凡なさま。たいして役に立たないさま。また、自主性のないさま。▼「碌」は石の多いさまを表す字。「小生如きは既に起《た》たざるべからざるの齢に達しながら**碌々**として何事をも為し得ざること」〈星座・有島武郎〉「最近の一二年はヒステリイのをんなのためにほとんどなんにもしないで**ろくろく**と送ったことだが」〈苦の世界・宇野浩二〉 ▼「祿祿」「録録」とも書く。

ろくろく【轆轆】（—と・—たる）①ウマのいななくさま。「嘶《ばい》ふる声は**ろくろく**として、一鞭を当つれば万丈を越へ」〈浄瑠璃—大磯虎稚物語〉 ②車が走って音を立てるさま。「風鈴の音勇ましく轍の響**轆々**と高し」〈風俗画報—一五号〉

わ

わきあいあい（和気藹藹）→**あいあい**（藹藹）

付録

鳴き声オノマトペ編

鳥の鳴き声オノマトペ

〈鳥のさくいん〉

全長は、体をまっすぐ伸ばして、くちばしの先から尾羽の先までの長さをいう。尾羽の長い鳥は、見かけよりも大きい場合がある。

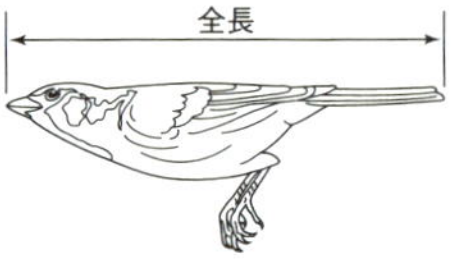

うたう鳥と鳴らす鳥

鳥の美しいさえずりは古来、人々に親しまれ、愛されてきた。英語でsongbirdsといわれるウグイス、ツバメ、ヒバリなどの鳴禽《めいきん》類は、発声器官が発達していて、よい声でさえずるものがとくに多い。

鳥のなかには、体の一部を使って音を出すものもいる。くちばしをカタカタ打ち鳴らすクラッタリングを行うコウノトリや、くちばしで木の幹を小刻みに叩くドラミングで知られるキツツキ類、体に翼を打ちつけてドラミングを行うキジ類である。

さえずりと地鳴き

同じ鳥でも、鳴き声の音色は季節や状況などで変わる。「さえずり」はおもに春から夏にかけての繁殖期によく聞かれ、縄張り（テリトリー）の防衛や異性への求愛であることから、もっぱら雄に多いが、雌がさえずる場合もある。

さえずり以外に、一年を通じて聞かれる「地鳴き」は、ピィとかチィといった短く地味な声が多い。地鳴きには、存在の確認や外敵に対する警戒・威嚇など、いろいろな意味と役割があり、雄だけでなく雌も鳴く。

先述のクラッタリングやドラミングは小鳥のさえずりにあたるが、それらの鳥でも地鳴きや、ときにさえずりに相当する鳴き声を出す。ただし、コウノトリには鳴管筋（鳥類の発音器）がないので、鳴き声はほとんど聞かれない。

オノマトペと聞きなし

スズメはチュンチュン、カラスはカーというように、言語の音の体系で鳴き声を聞き取り、ことばに表すのが「オノマトペ」である。そのほかに、鳥のさえずりはしばしば既にある人間のことばに置き換えて聞かれ、ことばに表されてきた。これを「聞きなし」といい、よく知られているものに、ホトトギスの「テッペンカケタカ（天辺かけたか）」や「トッキョキョカキョク（特許許可局）」、ウグイスの「ホーホケキョ（法華経）」などがある。

このように、実際の音よりもことばのもつ意味を優先させるのが、聞きなしの特徴である。

アヒル【家鴨・鶩】

カモ科
全長…六〇～七〇センチほど
分布…日本各地

[すがた] 脚が短く、飛べない。マガモを改良して、肉や卵をとるために家禽化したものだが、ペット用の小形のものもいる。ふつうにみられるのは、アオクビアヒルと色の白いペキンアヒルなど。水田の除草に使われることもある。

[鳴き声] 一般に**ガーガー**とか**ギャーギャー**と表され、濁った鳴き声で、にぎやかさや騒がしさのたとえにされる。

❖

ガーガー 「家鴨は**があがあ**と鳴いて川の中迄出て来る」〈草枕・夏目漱石〉「かあさんあひるが　よち　よち　よち　あとから　ひよこが　よち　よち　よち　いけまで　よち　よち　**ガァ**　**ガァ**　**ガァ**」〈童謡―あひるの行列・小林純一〉

ギャーギャー 「町と村との境を劃《ぎか》った川には〈略〉家鴨が五六羽**ギャアギャア**鳴いて、番傘と蛇目傘とが其岸に並べて干されてあった」〈田舎教師・田山花袋〉

ガチョウ【鵝鳥・鵞鳥】

カモ科
全長…約八〇センチ
分布…日本各地

[すがた] ガンの飼育変種で、くびが長く、アヒルより大きい。原種はヨーロッパ系はハイイロガン、中国系はサカツラガン。羽の色は白、灰褐色、淡褐色など。日本には中国系のシナ種が多い。食肉用や愛玩用。

[鳴き声] **ガッガッ**と濁った声でけたたましく鳴く。『孟子』では「鵙鵙《ぎつぎつ》」と書き表した例がみられる。

❖

ガーガー 「ショーウィンドウの鎧戸が引き上げられる、その音のガーガーと鵞鳥の**ガーガー**が交錯する」〈映画雑感・寺田寅彦〉

ガワガワ 「鵞鳥が〈略〉恵比寿様の冠みたいな頭をのしあげて**がわがわ**追ってくる」〈銀の匙・中勘助〉

ギッギッ 「或ひは、水を飲み、或は、**鵙鵙《ぎつぎつ》**の声を発せり」〈西国立志編・中村正直訳〉

ガン【雁・鴈】

カモ科
全長…五八～八五センチほど
季節…冬鳥、北海道では旅鳥
分布…本州、九州
環境…湖沼、湿原、水田、海岸

[すがた] カモに似た大形の水鳥の総称。羽色は種類によって異なり、越冬中は家族群が大きな群れをつくって過ごす。飛ぶときはV字形や斜め一列の編隊になる。日本に渡来する種はマガンがもっとも多く、宮城県伊豆沼や蕪栗《かぶくり》沼が最大の越冬地。マガンとともに天然記念物に指定されているヒシクイやコクガンのほか、ハクガン、サカツラガン、カリガネなど数種類が渡来する。

[別の名] かり・雁金《かりがね》・川雁《かわがり》・二季鳥《にきどり・ふたきどり》

[鳴き声] ガンの声は『万葉集』に「かりがね(雁音)」と表され、寂しいもの、聞くと悲しく感じるものと考えられた。「かりがね」がガンの異名となり、長いことカリの名で呼ばれたのは、**カリカリ**という鳴き声が特徴あるものだったからであろう。また、ガンの名称も、マガンの**グワワン**という声や、ヒシクイの声を**ガン**と聞いたことによ

るといわれる。

カリカリ「往還《ゆきかへり》ここもかしこも旅なれやくる秋ごとに**かりかり**と鳴く〈よみ人しらず〉」〈後撰和歌集・秋下〉

カイカイ「声するや**かいかい**友たちかへる雁」〈俳諧発句帳・春〉

ガンガンガン「**がんがんがん**、かりがねさん　わたる月夜の、かりがねさん」〈童謡—かりがね・吉田一穂〉

❖

トビ【鳶・鴟・鵄】

タカ科
全長…雄約五九センチ、雌約六九センチ
季節…留鳥または漂鳥
分布…日本各地
環境…海岸、市街地、村落付近から山地まで

【すがた】カラスより大きく、体は暗褐色で翼の先の中ほどに大きな白い斑点があるのが特徴。森林の高い木の上に巣をつくり、空中で輪をえがいて飛ぶ姿がよくみられる。腐肉を好み、おもにネズミや魚などの死体を餌にするので、生きている鳥獣を襲うことは少ない。

【別の名】とんび・磯鷲《いそわし》

【鳴き声】鳴き声は通年聞けるが、一般的には春によく聞かれる。ゆっくりと飛びながら**ピィーヒョロロロ**と、よく響く高い声で鳴く。その鳴き声はのどかな印象だが、「鳶朝に鳴けば降雨」という言い伝えがあり、天気が悪くなるのを知らせてくれるとされた。

❖

ピーヒョロロ「それはとんびの**ピーヒョロロ**　ピーヒョロロはまるをかくそらのうえのそらに」〈童謡—とんびのピーヒョロロ・谷川俊太郎〉

ピーヒョロヒョロ「上空を鳶がゆったりと舞い、長閑な**ピーヒョロヒョロ**という声をあげる」〈避暑地のくらし・本間千枝子〉

ヒヨロ・ヒーヨロ「但し鵄の音が**ひよろ**と云といひける時」〈雑談集〉「三熱の**ひよろひよろ**と鳶鳴て鼠の知恵ははかられもせず〈悦春〉」〈俳諧—大坂独吟集〉「羽をのして鳴かずばなるまい。**ひいよろ**ひいよろひいよろ」〈狂言—柿山伏〉

ピンヨロー「なけ　なけ　とんび、青空に。**ピンヨロー**、ピンヨロー」〈童謡—とんび・葛原茲〉

ピョロピョロ「青空には鳶が一羽ぴょろぴょろ鳴きながら舞ってゐて」〈ロマネスク・太宰治〉

キジ【雉・雉子】

キジ科
全長…雄約八〇センチ、雌約六〇センチ
季節…留鳥
分布…本州以南、屋久島まで
環境…平地から丘陵地の草原、農耕地など

【すがた】尾が長く、雄はくびから腹にかけて暗緑色で背中にうろこ模様があり、翼は青みがかった灰色。目の周囲は赤色の皮膚が露出している。雌は全体に黄褐色で、黒褐色の斑紋が点在し、目の下に白い部分がある。日本の国鳥。

【別の名】きぎす・きぎし・うつはり・菅根鳥《すがねどり》・妻恋鳥《つまこいどり》

【鳴き声】四〜七月の繁殖期に、雄は小高い所で**ケンケーン**と二声続けて大きな声で鳴き、その後、体に翼を打ちつけて「**ドドド**」という音を出す。その鳴き声から、方

言で、「けんけん」の名で呼ばれている地域もある。

雌はあまり鳴くことはないが、低い声で**チョッチョッ**と鳴く。

❖

ケンケン 「雨がふります。雨がふる。**けんけん**小雉子が今啼いた」〈童謡―雨・北原白秋〉「時々林の間から**唱々**《けんけん》と雉子が啼く」〈厲人厲語・杉村楚人冠〉

ケイケイ 「山野に、**けいけい**となき、ほろろとはねうちせり」〈名語記〉「雉といふ鳥の**けいけい**ほろろとなく」〈名語記〉

クイクイ 「**くいくい** 小雉《こきぎす》 こもって啼くのは、かわいよ」〈童謡―小雉・巽聖歌〉

ホロホロ 「御狩野に朝たつきじの**ほろほろ**と鳴きつつぞふる身を恨みつつ」〈源賢集〉「若くさのいと青う見えたる、うつはりの声**ほろほろ**ときこえて」〈滑稽本―旅眼石〉

ホロロ キジの鳴く声を表し、羽を打つ音にもあてられた。「春の野のしげき草葉のつまごひにとび立つきじの**ほろろ**とぞなく〈平貞文〉」〈古今和歌集・雑体〉「**ほろろ**とは、はねうつをとなり」〈名語記〉

ホロロケンケン キジが激しく鳴いたり羽ばたいたりする音をいう。「あさる雉子《きぎす》のぱっと立ってはほ**ろろけんけん**ほろろうつ」〈浄瑠璃―義経千本桜〉

ヤマドリ【山鳥】

キジ科
全長…雄約一二五センチ、雌約五五センチ
季節…留鳥
分布…本州以南
環境…平地から山地の林

［すがた］ 雄は、全長の半分以上にもなる長く美しい尾羽をもち、背は光沢のある赤銅色で、目の周囲には赤い色の皮膚が露出している。雌は雄より地味で、尾羽も短い。日本のみに生息するキジの仲間。

［別の名］ 山鶏《さんけい》・遠山鳥《とおやまどり》

［鳴き声］ 雄が体に翼を打ちつけて「ドドド」という音を出すドラミングが、さえずりにあたる。キジの仲間に限ってこれを「母衣《ほろ》打ち」といい、**ホロホロ**という音に聞こえたことに由来するといわれる。古来、ヤマドリが「ほろほろと鳴く」と歌に詠まれたのは、この母衣打ちの音のことであろう。

❖

ホロ・ホロホロ 「山鳥の**ほろ**と鳴くを聞きても」〈方丈記・鴨長明〉「山鳥の**ほろほろ**と鳴く声きけばちちかとぞ思ふははかとぞ思ふ〈行基〉」〈玉葉集〉

ウズラ【鶉】

キジ科
全長…約二〇センチ
季節…留鳥または漂鳥
分布…繁殖は北海道から九州、越冬は本州から九州
環境…河川敷の草原、山地や丘陵地の草地、農耕地など

［すがた］ 頭が小さく、体は丸みを帯び、尾は短い。羽の色は地味で、茶褐色、黄褐色、黒色などが細かくまざり合っている。雄はのどに赤みの強い茶色がある。肉、卵ともに美味。家禽化されたものは年間に百個以上の卵を産む。

［別の名］ 小花鳥《こばなどり》

［鳴き声］ 春から夏にかけて、雄は**グワー**とか**ゴワー**という大きな声で鳴き続ける。繁殖期の鳴き声を「ひひ鳴き」という。

❖

ヒュヒュ 「鶉は人の通る物音に驚いて、時々草の中から飛立つ。『**ヒュヒュ**、ヒュヒュ』と鳴く声を聞いては、思わず源も立

留りました」〈藁草履・島崎藤村〉

［聞きなし］

チチカイ・チチッカイ「なんと**ちちくゎい**といふ」〈狂言―佐渡狐〉「犬に立鶏辞世のチチックハイ」〈俳諧―新身〉

チッカラケー「子鶏はとりわけ美い声でそれが『**チックヮラケー**。』と鳴きますと、本当に深くかかってゐる霧もすっかり晴れて」〈孝行鶏の話・宮原晃一郎〉

江戸時代、ウズラを飼育して鳴き声を競う「鶉合わせ」が流行し、「御吉兆《ごきっちょう》」と聞こえるものが珍重されたという。「知地快《ちちかい》」「吉幾利快《ききりかい》」などとも表された。

ニワトリ【鶏・雞】

キジ科
全長…白色レグホンは五〇〜七〇センチほど
分布…日本各地

［すがた］翼は小さくてあまり飛べないが、脚が強く、くちばしは太くて短い。頭頂にある鶏冠《とさか》は、雌雄や品種の区別に役立つ。古くからもっとも広く飼育されている家禽で、卵用のレグホ

ンが主流だが、食肉用の地鶏も各地で飼育されている。日本原産のニワトリでは、長い飾り羽を珍重する特別天然記念物のオナガドリ（尾長鶏）や、鳴き声に特徴のある長鳴き鶏のトウテンコウ（東天紅）とトウマル（唐丸）など、多くは観賞用として天然記念物に指定されている。

［別の名］とり・かけ・鶏鳥《くたかけどり》・庭鳥《にわっとり》・家鳥《いえつとり》・長鳴鳥《ながなきどり》・明告鳥《あけつげどり》・時告鳥《ときつげどり》・木綿付鳥《ゆうつけどり》・寝覚鳥《ねざめどり》

［鳴き声］ニワトリの鳴き声は、古くは**カケロ**とカ行音で写されていた。その後、**トッテコー**や**トーテンコー**が一般的になったらしく、近世にはタ行音で写す傾向がみられる。カ行音系統の語も、**コッカコー**などが江戸時代にみられるが、タ行音系をしのぐほどの勢力ではなかった。だが、明治時代に、ふたたびカ行音で写すことが一般的になったと思われる。**コケコッコー**は、とくに雄鶏の鳴き声とされる。雛のヒヨコは、活発にせわしく鳴く声が、**ピヨピヨ**、**ピーピー**と表される。

❖

コケコッコー「をんどりは〈略〉はばたきをして、**こけこっこー**と、なきました」〈尋常小学読本・明治三六年〉「すると真闇な道の傍で、忽ち**こけこっこう**と云ふ鶏の声がした」〈夢十夜・夏目漱石〉

ピヨピヨ「ひよこも、**ぴよぴよ**と、ないて」〈尋常小学読本・明治三六年〉

カケロ「鶏は**かけろ**と鳴きぬなり。起きよ起きよ」〈神楽歌―明星・酒殿歌〉

カゲンロ「**可見路**　カゲンロ　鶏鳴音」〈運歩色葉集〉

コケロ「鶏のなくこゑの**こけろ**如何、これはかけろとなく也」〈名語記〉

カイカイ「雛が**かいかい**となくぞ」〈古活字本毛詩抄〉

トッテコー「鶏ははね音をばたばたとして、**とってかう**と鳴くといふは」〈咄本―醒睡笑〉

トッケコー・トッケッコー「ドロドロドロドロ、**トッケッコウ**トッケッコウ」〈鳴呼奇々羅金鶏・山東京伝〉

コキャコー「鶏の蹶合《けぁう》まねをせい〈略〉**こきゃあこうこう**」〈狂言―二人大名〉

コケコケ「には鳥はいくらの稲をもるやらむ暁ごとに**こけこけ**といふ」〈和歌肝要〉

コケッコッコ「雄が太い声で**こけっこっこ**と云ふと、雌が細い声でけけっこっこと云ふ」〈草枕・夏目漱石〉

コッコッ「一旦塒《やと》に就いた鶏が餌料《さえ》を見てはみんな籃からばさばさと飛びおりて**こっこっ**と鳴きながら」〈土・長塚節〉

ツル【鶴】

ツル科の鳥の総称
全長…九〇～一五〇センチほど
季節…タンチョウは留鳥、マナヅル、ナベヅルは冬鳥
分布…タンチョウは北海道東部、マナヅル、ナベヅルは鹿児島県出水（ナベヅルは山口県八代にも）
環境…湿原、中州、干拓地、水田など

［すがた］ツル類はみな大形で、くび、脚、くちばしが長く美しい体形をしている。羽色は一般に白か灰色を主色とし、多くの種では頭頂部が露出し、その一部が赤い。日本で繁殖しているタンチョウ、冬鳥として渡来するナベヅルやマナヅルは、ともに特別天然記念物に指定されている。古来、その端正な姿態から神秘的な鳥とされ、カメとともに長寿の象徴となり、吉祥の鳥ともされる。

［別の名］たず・葦田鶴《あしたず》・君子《くんし》・仙客《せんかく》・千年《せんねん》・鳥仙《ちょうせん》

［鳴き声］タンチョウの雌雄が並んで鳴き交わすときは、**クォーンカゥカゥ**とか**コーカッカッ**というひとつの鳴き声となって聞こえ、続けて何度も鳴き合う。ナベヅルは**コーワッカ**とか**クーカッカッ**、マナヅルは**クルルコッコッコッコ**など。「ツルのひと声」といわれるが、実際は連続して鳴く。

❖

ヒュー 「ヒューと笛のような鶴の声。塒を求める群鴉の啼音が、水田や木蔭や夕栄の空から物寂しく聞えて来て人恋しい時刻となりました」〈天草四郎の妖術・国枝史郎〉

コロンコロン 「『鶴はたくさんいますか』『いますとも、さっきから鳴いてまさあ〈略〉』すすきの風との間から、**ころんころん**と水の湧くような音が聞こえて来るのでした」〈銀河鉄道の夜・宮沢賢治〉

クイナ【水鶏・秧鶏】

クイナ科の鳥の総称だが、ふつうヒクイナをさす
全長…ヒクイナは約二三センチ
季節…夏鳥
分布…日本各地
環境…平地から山地の水田、湿原

［すがた］ヒクイナ（一名ナツクイナ）は、緋色のクイナという意味の名で、頭から胸、腹は赤褐色、脚も赤い。背中と翼は暗緑褐色。くちばしは長く鋭く、尾が短い。

［別の名］鉦打鳥《かねうちどり》・かんかん鳥

［鳴き声］繁殖期には高い声で**キョッキョッ**と鳴く。鳴きはじめに**クヒクヒ**と聞こえることから、クイナの名がついたともいう。また、**ホトホト**などと門の戸を叩く音に聞きなされ、古くから詩歌に鳴くことを「たたく」と表現されてきた。

チドリ【千鳥】

チドリ科の鳥の総称
全長…一五～二〇センチほど
季節…シロチドリ、イカルチドリは留鳥または漂鳥、コチドリは夏鳥
分布…日本各地
環境…河川、河口、干潟

［すがた］くちばしは比較的短く、先端がふくれている。足指は三本だけで後ろ指はない。体の下面が白く、背は灰褐色で、胸と頭部に黒斑のあるものが多い。海岸や河原などにすみ、小動物を捕食。多くは渡り鳥で、日本で繁殖する種類にシロチドリ、コチドリ、イカルチドリなどがある。古来、詩歌などに詠まれて親しまれている。

［別の名］ちりちり鳥・

磯鳥《いそなどり》・河原走《かわらはしり》・霜夜鳥《しもよどり》

[鳴き声] **ピュル**、**ピュイ**、**ピピ**などと表される。古くは、秋から冬にかけて鳴くチドリの声は物悲しいものとされたが、鳴き声をチの音で聞き、**チチ**、**チヨ**から祝賀の意をもたせることがある。

❖

チンチン「沖の**ちんちん**千鳥が、羽うちたがへの恋衣、さてよい仲」〈歌謡―松の葉〉

カイカイ「つれたちて飛や**かいかい**友千鳥　親子なからも春の旅たち」〈俳諧―鷹筑波〉

[聞きなし]

チヨ・チヨチヨ「千代」にかけて用いることが多い。「しほの山さしでの磯に住む千鳥君がみ代をばや**ちよ**とぞ鳴く」〈よみ人しらず〉〈古今和歌集・賀歌〉「我君をかそへあげてや浜千鳥**千世千世**といふ声のみのする」〈言継集〉

ハト【鳩・鴿】

ハト科の鳥の総称
全長…三二〜四〇センチほど
季節…留鳥または漂鳥
分布…日本各地
環境…山林、平地、農耕地、住宅地、公園など

[すがた] 中形の鳥で、頭が小さくて丸く、くちばしは短い。羽色は一般に地味。日本にすむ野生種として、天然記念物のシラコバト（ジュズカケバト）、狩猟鳥のキジバト、日本特産で羽毛が緑色のアオバトなどがある。野生のカワラバトの飼育品種がドバト（イエバト）で、世界各地で家禽として飼育される。一般に、ハトというときはドバトをさすことが多い。古くから人によく知られ、寓話に登場し、平和の象徴ともされる。

[別の名] 家鶴《いえたず》・二声鳥《ふたこえどり》

[鳴き声] **グーグー**、**クク**という地鳴きと、**ポーポー**、**ポッポ**などのさえずりに表される。キジバトは、多くの方言で**テテッポー**、**テテッポッポ**、**デデッポッポ**などの表現が使われている。

❖

アオーアオー アオバトの鳴き声。

クク・クークー「同時に闇の中に『**クク**』と云う囁やきを聞いた。『あ、鳩だ』余はまたウトウトとなった」〈みみずのたはこと・徳冨蘆花〉「送られて、庫裏を出ると、鳩が**くううくうう**と鳴く」〈草枕・夏目漱石〉

テテッポー「順の舞ひ**ててっほう**にて御ゆふめん（隠し芸大会で芸無しがハトの鳴き声のまねをして大目にみられること）」〈雑俳―川柳評万句合〉

テテポッポカカポッポ「山鳩が鳴くと大喜びで私を呼んで『あの声聞きますか、面白いですね』自分でも、**テテポッポ**、**カカポッポ**と真似して、これでよいかなどと申しました」〈思ひ出の記・小泉節子〉

ポッポ「鳩ぽっぽ　鳩ぽっぽ　ポッポポッポと　飛んで来い」〈唱歌―鳩ぽっぽ・東くめ〉「ぽっ　ぽっ　ぽ、鳩ぽっぽ、豆がほしいか、そらやるぞ」〈文部省唱歌―鳩〉

ホーホー「山の林で山ばとが、山の子どもを呼んでいる。**ホー　ホー**　ホー　ホー」〈唱歌―山の子ども・高橋掬太郎〉

[聞きなし]

トシヨリコイ「年寄り来い」の意味。「くび筋に珠数かけて行堂鳩（イエバトのこと）の**年よりこひ**と友やよぶらん」〈狂歌―吾吟我集〉「八幡鳩（珠数カケ鳩）が『**トシヨリコイ**』と鳴くのである」〈病牀六尺・正岡子規〉

カッコウ【郭公】

カッコウ科
全長…約三五センチ
季節…夏鳥
分布…日本各地
環境…平地から山地の草原や森林

［すがた］ 背は濃い灰色で、腹には白地に黒い横縞が不規則に並ぶ。まれに全身赤みを帯びた赤色のものがいる。日本には五月ごろ渡来し、八月ごろ去り始める。自分で巣をつくらず、モズやオオヨシキリなどの巣に産卵し、それらの鳥を仮親として育てさせる。

［別の名］ 郭公鳥《かっこうどり》《かっこどり》・閑古(子)鳥《かんこどり》・豆蒔鳥《まめまきどり》・種蒔鳥《たねまきどり》・かっぽう鳥など多数。ところで日本では古くは、「郭公」と書いてホトトギスと読んでいた。カッコウを「郭公」と表記するようになるのは、近代に入ってからである。

［鳴き声］ カッコウと聞こえるところから、その名があるように、**カッコーカッコー**と大きく響く声で、六～七月によく鳴く。カッコウの鳴き声は春を告げるものとされ、日本では豆蒔鳥とか種蒔鳥と呼んで、声を聞くと豆(種)を蒔くという農事の目安にもなっていた。

❖

カッコ・カッコー 「山で **カッコ** カッコ カッコ鳥啼いた」〈童謡—カッコ鳥・野口雨情〉「森のかっこ鳥、**かっこ**と鳴いた」〈文部省唱歌—麦刈〉「これに似たものに郭公がある。これは『**カッコウ、カッコウ**』と二聯の韻を持つて啼きつゞける」〈若葉の山に啼く鳥・若山牧水〉「もう おきちゃ いかがと カッコウが なく **カッコウ** カッコウ」〈童謡—静かな湖畔の・山北多喜彦〉

ホーホー 「いづこかもほのに聞えて 閑古鳥《かんこどり》谷の彼方に **ほう、ほう**と鳴く音もうるむ」〈廃園・三木露風〉

ホトトギス
【杜鵑・時鳥・子規・不如帰】

カッコウ科
全長…約二八センチ
季節…夏鳥
分布…北海道南部以南
環境…山地の森林

［すがた］ 背は灰褐色で、腹は白地に黒い横縞模様がある。尾羽が長く、白斑がまじる。カッコウやツツドリに似ているが、もっとも小形で、腹の横縞は幅が広い。日本には五月に渡来し、八～九月に南方へ去る。山林に単独ですみ、自分で巣はつくらず、ウグイスなどの巣に五～八月ごろ托卵し、仮親に育てさせる。古来、春のウグイス、秋のカリ(ガン)とともに、夏の鳥として親しまれ、文学にもよく登場する。

［別の名］ 菖蒲鳥《あやめどり》・歌鳥《うたいどり》・卯月鳥《うづきどり》・橘鳥《たちばなどり》・早苗鳥《さなえどり》・うない鳥・空也上人鳥《くうやしょうにんどり》・賤鳥《しずとり》・死出田長《しでのたおさ》・黄昏鳥《たそがれどり》・魂迎鳥《たまむかえどり》・涙鳥《なみだどり》・射干玉鳥《ぬばたまどり》・冥途(土)鳥《めいどのとり》など、異名はすこぶる多い。あてられる文字も、ほかに郭公・杜宇・田鵑・沓乞・催帰・蜀魂・帝魂など多種類にのぼる。種々の伝説や口碑も多い。

［鳴き声］ 古来、初音が親しまれてきたが、五月下旬には渡りの途中で鳴く声を夜間でも聞くことがある。六～七月の繁殖期に、**キョッキョッ、キョキョキョキョ**と、大きくはっきりした声でさかんに鳴く。鳴き続けたあとに、**ピピピピ**……と聞こえる高い連続音がつくことがある。地鳴きと思われ、雌の鳴き声も同様。

❖

フジョキキョ 「郭公〈略〉**不如帰去**《ふしょききょ》格物論に出」〈俳諧新式・青木鷺水編〉

ホッキ 「啼ㇾ月杜鵑が**ほっき**と啼いたと

聞こう迄よ」〈大淵和尚再吟〉

【聞きなし】

トッキョキョカキョク 「特許許可局」の意で、出典は不明だが、現代でもっとも有名な聞きなし。

テッペンカケタカ・テンペンカケタカ これは、モズがホトトギスに何らかの借りがあり、ホトトギスが「餌を木のてっぺん(天辺)にかけたか」と催促する声だといわれる。モズがホトトギスに借りがあるという話は、源平時代以前からあったといわれる〈野鳥雑記・柳田国男〉。『アノほととぎすのなきやふをしってか』『しらぬわいの』『マヅ雄鳥のなくのは、**テッペンカケタカ**』」〈咄本―御伽話〉「**天辺かけたか** 子規の声、関東にてかくの如くに聞く」〈俚言集覧〉「はっと此方は押戴く、途端の拍子、雲間より**てっぺん掛けたか**、去々去々」〈恩愛二葉草・東里山人〉

『古今要覧稿』では江戸での聞かれ方とあるが、大分・島根県の方言に、トッタンカケタカ、トッツァンカケタカなど同系列の聞きなしが多くある。

アチャトテタ・アチャトンデタ 「あちらへ飛んでった」の意。青森、岩手、秋田県などでいわれる。

タンタンタケジョ 大分県に多い聞きなしで、ほかに**タンタンタケシロー**や**オトトガカワイヤ**、**ツルクビクータカ**というのもある。

ホゾンカケタカ・ホンゾンカケタカ ホトトギスの鳴き声として、室町時代後期から江戸時代にかけて、テッペンカケタカと同様に広まった表現。『古今要覧稿』では、江戸で「天辺かけたか」といい、京都で「本尊かけたか」というとしている。「ぶつだんに**本尊かけたか**ほととぎす」〈俳諧―大筑波集・夏〉「賓頭盧《びんずる》も**本尊懸た**と鳴鳥の 後堂からはれて村雨」〈俳諧―西鶴大矢数〉「当世は鳩鵴のたぐひ、此声を鳴もしらず。ただ**本尊かけた**となけば、是非共此鳥にするもおぼつかなし」〈俳諧―本朝文選〉

ブッキョカケタカ、ホッソンカケタカ、ホンドーカケタカなど、同系列の聞きなしが各地にある。

ツツドリ【筒鳥】

カッコウ科
全長…約三三センチ
季節…夏鳥
分布…日本各地
環境…山地の森林

【すがた】 カッコウによく似ているが、やや小さく、腹の黒い横縞の幅が広い。背は灰色で、雌では赤褐色を帯びることもある。日本には四～五月ごろに渡来し、各地の低山地で繁殖。冬は南方へ渡る。センダイムシクイ、オオルリなどの巣に産卵し、育てさせる。

【別の名】 澄田鳥《すみたどり》・ぽんぽん鳥

【鳴き声】 **ポンポン**と竹筒を打つような音で鳴くといわれる。鳴き始める前に、**クワックワッ**と声を出してから、**ポーポー、ポーポー**と二声ずつ鳴くのがふつう。五～六月にかけて盛んに鳴き、七月上旬にはやむ。

❖

ホッホッホー 「筒鳥は〈略〉、**ホツホツホツホツホホウ**と幾つも続いて釣瓶打に啼きつづけるのである」〈鳳来寺紀行・若山牧水〉

フクロウ【梟】

フクロウ科
全長…四八～五二センチほど
季節…留鳥
分布…日本各地
環境…平地から山地の森林

【すがた】 頭部はきわめて大きく、顔はほぼ円形。頭に耳状の羽はない。くちばしは

短くて太い。顔は灰白色、背と腹はともに灰白色の地に褐色の縦縞模様がある。額と背の上方は褐色を帯びる。夜行性の猛禽類の代表で、昼は森林の木のこずえで眠り、夜にノネズミ、ウサギ、小鳥などを捕食する。

［別の名］母食鳥《ははくいどり》・不孝鳥《ふこうどり》・ほうほう鳥・みなせ鳥・夜鳥《よとり》

［鳴き声］おもに夜に、**グルックホーホー**、**ゴッホウォーウォー**という鳴き声が聞かれることが多い。雌は巣の中で、**ギャッ**、**ジャー**などと濁った声で短く鳴いて、雄に雛のための餌をねだる。日本産のフクロウのなかでもっとも小さいコノハズクは、黄昏どきから深夜にかけて、**ブキョッホー**とか**ウッコッコー**とかん高い声で鳴く。この三音からなる鳴き声は、**ブッポーソー**（仏法僧）と聞きなされ、別の鳥の名前となっている。

❖

ホーホー・ポーポー「ふくろうの、そむあみだぶつを、ばうずに、たのみまいらせ、御としよらせたまへば、こすそふきのくらいにて、**ほうほう**と、したまひける」〈御伽草子—雀の発心〉「梟の雄は**ぽう、ぽう**と鳴き、其の雌はぎゃあ、ぎゃあと鳴く」〈幼学読本・西邨貞〉

ホッホー「おやすみなさいと　ふくろうなく　**ホッホウ**　ホッホウ」〈童謡—静かな湖畔の・山北多喜彦〉

［聞きなし］

ノリスリオケ「ふくろう、〈略〉あすの雨をしりては**のりすりをけ**と鳴」〈御伽草子—鴉鷺合戦物語〉「ほほん、**のりすりおけ**」〈狂言—ふくろう〉

フクロウは天候を予知するとされ、翌日が雨天になるときは、前もって糊づけものをしておくようにという意で、「糊擂《す》り置け」と鳴くといわれた。その反対に、「ふくろうの宵鳴き糊擒《す》って待て」のように、宵に梟が鳴くと翌日は晴天だから、洗濯物に使う糊をつくって洗濯の用意をしろという意にもとられる。

この系列の聞きなしには、東北から九州まで各地に、**ノリツケホーセ**、**ノリツケホーソー**などというのがある。また、晴天になるときには**ノリスリオケ**と鳴き、雨天になるときには**ノリトリオケ**と鳴くともいわれる。

ボロキテホーコー「ふくろは老いぼれ　いくじなし　お山にかくれて　夜はなく　『**ぼろ着て奉公**』　おらイヤだ」〈童謡—梟と燕と鶏・槇本楠郎〉

この系列の聞きなしには、**デレスケホーホー**、**ダラスケデアホー**などというのもある。

フクロウ類の聞きなしには、ほかにも、「夜明なば巣つくらう」「五郎七ほうこう」「此月とつくわう」〈物類称呼〉、雄が「方伊方伊《ほいほい》」、雌が「久伊久伊《くいくい》」〈和漢三才図会〉など、さまざまなものがある。

ブッポウソウ【仏法僧】

ブッポウソウ科
全長…約三〇センチ
季節…夏鳥
分布…本州以南
環境…山地の森林

［すがた］ハトよりやや小さい。頭、風切り羽、尾羽の大半が黒いほかは美しい青緑色で、脚とくちばしは赤い。日本には五月ごろ渡来し、スギ、ヒノキなどの高木からなる山地にすんで繁殖。九月ごろ南方へ去る。古来、

霊鳥として名高く、ブッポウソウと鳴くと思われて、この名があったが、実際にその鳴き声をもつのはコノハズクであることが、一九三五年に判明したため、「姿のブッポウソウ」ともいわれる。

【別の名】三宝鳥《さんぽうちょう・みつのたからのとり》

【鳴き声】繁殖期に**ゲェーゲゲゲ、ゲェッゴゴゴ**などと、濁った声で鳴き続ける。繁殖が終わると、**ゲゲゲゲ、グェグェ**という地鳴きにかわる。

ヒバリ【雲雀】

ヒバリ科
全長…約一七センチ
季節…留鳥または漂鳥
分布…日本各地
環境…平地から山地の河原や農耕地

【すがた】スズメよりやや大きい。羽色は地味で、背は褐色に黒っぽい褐色の縦《たて》斑《ふ》があり、羽縁は黄褐色。頭頂の羽毛はやや長くて、羽冠を形成する。各地の草原、畑、川原などにすみ、四～七月、地上に枯草で椀形の巣をつくる。鳴き声がよいので古くから飼い鳥にされる。

【別の名】告天子《こうてんし》・姫雛鳥《ひめひなとり》・天鷚《てんりょう》・楽天《らくてん》

【鳴き声】ヒバリはそのさえずりで里に春を告げる鳥で、早春から鳴き始める。**ピィーチプ、チュルル**という鳴き声を繰り返しつつ、**チィーチィー、リュリュ**などをまじえ、飛翔しながら変化に富んださえずりを聞かせる。地鳴きは**ピルッピルッ**とか**ピルル**と聞こえる。

❖

ピヨピヨ「**ぴよ、ぴよ**、ぴよ、ぴよ、ぴよ、ぴよ、ぴよ、ぴよと空では雲雀の親が鳴いてゐる。なまぐさい春のにほひがする」〈月に吠える・萩原朔太郎〉

ピーピーピー「ぴいぴいぴいと囀る雲雀、囀りながら何処まであがる」〈文部省唱歌―雲雀〉

チヨチヨ「揚がる雲雀　声落ちて　**チヨチヨ**　チヨ　チヨ」〈唱歌―雲雀〉

ピーチク「まわす　えひがさ　はなふぶき　ひばりも　**ぴいちく**　きてあそぶ」〈童謡―絵日傘・大村主計〉

【聞きなし】**ヒイチブヒイチブ**　空へ舞い上がっていくときには「日一歩、日一歩」と鳴き、降りてくるときには「月二ぃ朱ぅ」と鳴く。

ツバメ【燕】

ツバメ科
全長…約一七センチ
季節…夏鳥。まれに日本で越冬するものもいる
分布…北海道南部以南
環境…平地の水辺や住宅地

【すがた】尾羽は長く、燕尾形で二またに分かれる。背は青く光る黒色で、腹側は白く、コントラストがあざやか。飛行が巧みで、飛びながら昆虫を捕食する。人家の軒などに土や藁くずで椀形の巣をつくり、三～七個の卵を産む。日本には三月上旬から五月上旬にかけて渡来し、秋に南方へ渡る。「めづらしくつばめ軒ばにきなるれば霞かくれに雁かへるなり〈藤原公継〉」〈千五百番歌合〉のように、古来、秋のカリ（ガン）に対して、春の代表的な渡り鳥として親しまれている。

【別の名】つばくら・つばくらめ・つばくろ・乙鳥《いっちょう・おっちょう・おつどり》・玄鳥《げんちょう》・烏衣《いう》・紫燕《しえん》

【鳴き声】電線にとまって、**チョチョチョビチョチョビ**と二～四回繰り返したのち、**ピリ**

リリと低い声を続けるさえずりが何回も繰り返される。地鳴きは**チュピ、チュビ**などの短い声を、間をおいて繰り返す。雛は親に餌をねだるときに、**ジャジャジャ**とか**ジィッジィッジィッ**という鳴き声をいっせいにあげるので、かなりにぎやか。

［聞きなし］ **ツチクッテムシクッテシブーイ**「土食って虫食って渋ーい」の意。語呂はよくないが、巣づくりや餌などの生態に即しているといわれる。「つばめはハイカラえんび服『**土くって虫くって　口しいぶい**』もんどりうっては　空でなく」〈童謡―梟と燕と鶏・槇本楠郎〉

サンショウクイ【山椒食】

サンショウクイ科
全長…約二〇センチ
季節…夏鳥。沖縄地方の別亜種は留鳥
分布…本州以南
環境…平地から山地の森林

［すがた］ 尾が長い。雄は、後頭部から背と羽の黒あるいは少し青みを帯びた灰色と、額と腹側の白のコントラストがはっきりしている。雌は、頭から背が灰色。日本では本州以南で繁殖し、冬は南方へ渡る。五～七月に森林の樹上に巣をつくる。

［鳴き声］ 四月下旬から六月ごろまで、上空を飛びながら、また高い木の上にとまって、**ヒリリヒリリリィ**とさえずる。この鳴き声は、サンショウ（山椒）を食べてヒリヒリ辛いからとされ、「山椒食」の名があるという。

ヒヨドリ【鵯】

ヒヨドリ科
全長…約二七センチ
季節…留鳥または漂鳥
分布…日本各地
環境…平地から山地の林

［すがた］ 背は灰褐色で、腹は淡く、胸は灰色で白いまだら模様がある。頭頂の羽毛は灰色でやや羽冠状。頬のあたりに栗色の斑点がある。多くは留鳥で、四～七月に山地で繁殖し、秋冬には市街地にも来る。近年は市街地で繁殖するものも多い。

［別の名］ ひよ・ひえどり

［鳴き声］ **ピィーヨピィーヨ**とかん高い声で、やかましく鳴く。鳴き声には、**ピィッ、ピョッ**という短いものや、**ヒィーヨヒィーヨ、ピィーピィー**と伸ばすものなど、バリエーションが多い。

❖

ヒヨヒヨ「ひよひよと鳴くは鵯、小池に住むは鴛鴦《おしどり》、をしどりのしかも寡《やもめ》に、おふやの留守もり、さらばえひやとなな、えいさらえいえいえい」〈歌謡―松の葉〉「京へのぼればむろのはやしにな、なくひよどりよ、たれをこひになくやろ、**ひよひよと**なくはひよ鳥」〈歌謡―田植草紙〉

モズ【百舌・鵙・百舌鳥】

モズ科
全長…約二〇センチ
季節…留鳥または漂鳥
分布…日本各地。北海道では夏のみ
環境…山地から平地の開けたところ

［すがた］ 赤褐色の丸く大きい頭部と、太めの体に長い尾をもつ。雄は目に黒い線が走り、背は灰色で、翼の黒い部分に白斑がある。雌は胸から腹にこまかい波状の横縞がある。くちばしは鉤状に曲がり、昆虫、トカゲ、カエルなどを捕食する。木の枝などに獲物を突き刺す習性を「モズの速贄《はやにえ》」という。

[別の名] きちきち百舌《もず》・ささらおと鳥・伯労《はくろう》・反舌《はんぜつ》・百舌《ひゃくぜつ》・百千鳥《ももちどり》

[鳴き声] 「モズの高鳴き」と呼ばれるかん高い鳴き声で、平地に秋の訪れを知らせる。高いところにとまって、**キィーキィー**と鋭く鳴き始め、**ギチギチ**とか**ジュンジュン**という声が続く。高鳴きは、秋から冬に縄張りを確保し、春の繁殖につなげるためにさえずるもの。長野県では「モズの高鳴き七五日」という言い伝えがあり、高鳴きを聞いてから二か月半で霜が降りるとされた。繁殖期には、ほかのさまざまな鳥の声を真似て鳴くところから、「百舌」と書かれたという。

キチキチ 「もずといふ鳥の**きちきち**となく、心ありや」〈名語記〉

❖

ジョウビタキ【尉鶲】

ツグミ科
全長…約一四センチ
季節…冬鳥
分布…日本各地
環境…山地から平地の開けたところ、雑木林、畑、庭園など

[すがた] スズメよりやや小さい。雄は、黒色で頭上から後頭にかけて灰白色、腹面は橙色。雌は、全体に淡い褐色。雌雄とも羽に白斑があるところから、俗に「紋付鳥《もんつきどり》」ともいう。アジア大陸東部で繁殖し、日本には冬鳥として渡来。

[別の名] 団子背負《だんごしょい》・火焼鳥《ひたきどり》

[鳴き声] 渡来直後の一〇月から一一月にかけて、**ヒッヒッ**とか**クワックワッ**という地鳴きがよく聞かれる。このヒッヒッという声が、火打ち石を叩く音と聞かれ、「火叩き」がヒタキの語源になったという説もある。

ウグイス【鶯】

ウグイス科
全長…雄は約一六センチ、雌は約一四センチ
季節…留鳥または漂鳥
分布…日本各地
環境…平地から山地の森林

[すがた] 雌雄とも、背は褐色を帯びた緑色で、腹は白っぽい。尾が細くて長く、目の上に眉のような細い線がある。四季を通じて昆虫やクモ類を食べ、冬には熟したカキなど植物質のものも多少とる。「梅に鶯」の取り合わせは、八世紀以降、日本の伝統的な詩歌や絵画などによくみられ、また物事の組み合わせが適切なことのたとえにも使われる。なお、ウグイスの糞は美顔用として江戸時代から用いられてきた。

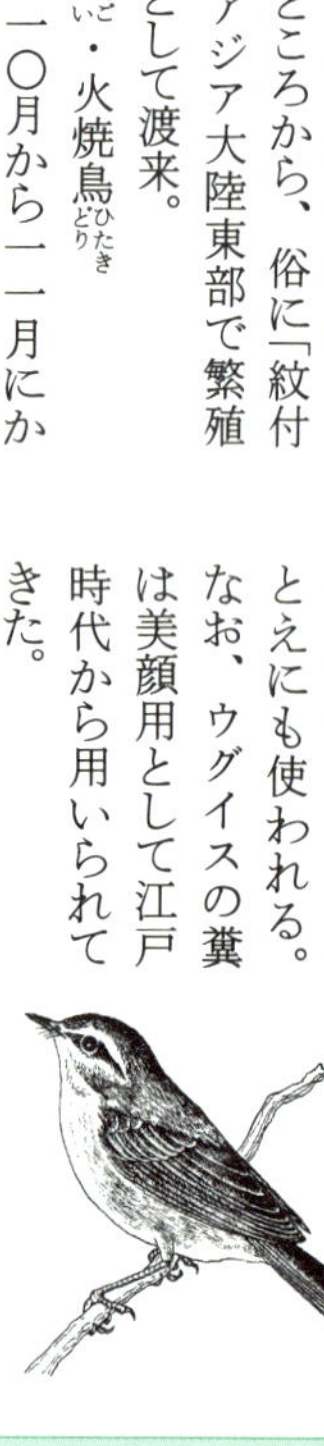

[別の名] 春告鳥《はるつげどり》・歌詠鳥《うたよみどり》・経読鳥《きょうよみどり》・花見鳥《はなみどり》・人来鳥《ひとくどり》・黄粉鳥《きなこどり》・金衣公子《きんいこうし》・金衣鳥《きんいちょう・こがねのころもどり》・匂鳥《においどり》・百千鳥《ももちどり》・愛宕鳥《あたごどり》

[鳴き声] 早春に**ホーホケキョ**とか**ヒィーホケキョ**と美声でさえずり、春の訪れを告げるところから、気象庁では毎年、各地の初鳴日を観測。二月中旬～下旬から四月下旬まで、ほぼ二か月かけて、九州から北海道まで日本列島を北上する。さえずりとは別に、警戒したときに**ケキョケキョケキョ**とけたたましく鳴き、これを「谷渡り」と呼ぶ。地鳴きは、笹籔の中で鳴くところから「笹鳴き」と呼ばれ、**チャッチャッ**という舌打ちのような声で鳴く。江戸時代には、鳴き声を楽しむために飼われ、夜間も照明をあててさえずりの始まる時期を早めたり、特別の擂《す》り餌《え》を与えたりして、鳴き声を競わせることも広く行われていた。

❖

ジュッジュッ　「ジュッジュッという啼声がしてかなむぐらの垣の蔭に笹鳴の鶯が見え隠れするのが見えた」〈冬の日・梶井基次郎〉

［聞きなし］

ホーホケキョ・ホーホケキョー　ウグイスの春を告げる澄んだ美しい鳴き声が、「法華経」という聞きなしにつながったと思われる。経読鳥の別名はここから。『毛吹草』に見える「鶯の声にや誰も**ほれげ経**」の句は、「妙法蓮華経」に「惚れ」を掛けたもので、法華経との深い関係がうかがえる。「鳥類とはいひながら経読鳥といふなれば、**ほうほけきやう**が一期の別れ」〈歌舞伎—吹雪花小町於静（お静礼三）〉「うぐひすが、けさ、うめのきで、**ホーホケキョー**と、なきました」〈尋常小学読本・明治三六年〉「鳴くうぐいすも　心して　人の夢をぞ　覚ましける　**ホーホケキョ**　ホーホケキョ」〈唱歌—花さく春・井沢修二〉「垣根の梅が咲いてから、毎朝来ては鶯が　かわいい声で**ホウホケキョウ**」〈文部省唱歌—梅に鶯〉「ウメノ小枝デ、ウグイスハ　春ガ　来タヨトウタイマス。**ホウ　ホウ　ホケキョ**、ホウホケキョ」〈文部省唱歌—ウグイス・林柳波〉「藪には鶯鳴いてゐた、**ホウ、ホホホッ、ケッ、キョ**、ケキョ、ケキョ、キョー」〈童謡—鶯・北原白秋〉

ゴキフショー　江戸時代に言われ始めた表現。「御器伏しょう」と聞こえるところから、よくない鳴き声とされる。御器は食器の意。「日月ほしとなくと、**ごきふせう**と鳴くは、同じうぐひすなれば、ならはしからにてよくも悪しくもなること也」〈かた言〉

シュクシャカムクシャカ　ウグイスなどの小鳥の鳴き声。「おちょぼちょぼ様の態《なり》は椋鳥じゃ、こゑは鶯じゃ、**しゅくしゃか、むくしゃか**、さんはかしんはか」〈歌謡—松の葉〉

ヒトクヒトク　「人来」の意をかけて用いる。人来鳥の別名はここから。「むめの花みにこそきつれ鶯の**ひとくひとく**といとひしもをる〈よみ人しらず〉」〈古今和歌集・雑体〉

サンコウチョウ【三光鳥】

カササギヒタキ科
全長…雄は約四五センチ、雌は約一八センチ
季節…夏鳥
分布…東北地方南部以南
環境…平地から低山の森林

［すがた］　雄は頭とくびが紫黒色、背は赤紫色で腹は白い。頭には冠羽があり、目の周囲は美しい青色。尾羽が著しく長く三〇センチにも達する。雌はやや地味で、尾も短い。五～七月ごろ、木の枝にコケや樹皮をクモの糸でつづった円錐形の巣をつくる。

［鳴き声］　さえずりは巣づくりの期間によく聞かれ、**フィチィーヒーチィー**と長い音を繰り返したあとに、**ホイホイホイ**と短い音を連続して出す。雌も雄のさえずりにこたえて同じように鳴く。地鳴きは濁った声で、**ギィーギィー**と聞こえる。

［聞きなし］

ヒッキホシ　はじめの長い音が「**日月星**」と聞こえ、三つの光を歌う鳥という意から「三光鳥」の名がある。このことは、江戸時代の文献などにも「三光鳥〈略〉其声清越円囀如ㇾ言二日**日月星**《ひつきほし》一。故俚俗号二三光鳥一」〈本朝食鑑〉と記されている。

メジロ【目白・眼白・仏眼児】

メジロ科
全長…約一一・五センチ
季節…留鳥または漂鳥
分布…日本各地。冬季は東北地方南部以南
環境…平地から山地の森林

［すがた］背は黄緑色で腹は白く、のどは黄色を帯びる。目のまわりが白い輪状にふちどられているのが特徴。一年中、市街地の公園などにいる。果実や昆虫のほか、ツバキなどの花の蜜を好む。繁殖期は五～七月で、低い枝に椀形の巣をつりさげる。鳴き声がよいので昔から飼い鳥とされる。

［鳴き声］ふつうは三月から鳴き始め、五～六月によく聞かれる。早朝から**チィチィチュチィーチィーチィー**と高く大きな声でさえずる。地鳴きは鋭い声で**チーッ**と鳴き、警戒しているときは**チリチリチリ**とか**キリキリキリ**ときつい声で連続して鳴く。

❖

エキエキエキ「私のところの目白は、茶の間の隅から、頻りに**エキエキエキ**と鳴いてゐる」〈続百鬼園随筆・内田百閒〉

ツィーツィー「目白鳥としては駄鳥かどうかは知らないが〈略〉**ツィーツィー**と梢を低く坂下りに樹を伝って慕い寄る声を聞いて、ほろりとして」〈二、三羽・泉鏡花〉

［聞きなし］出典は不明だが、「長兵衛、忠兵衛、長忠兵衛」とか、「千代田の城は千代八千代」というのが知られている。

ホオジロ【頬白・黄道眉・画眉鳥】

ホオジロ科
全長…約一六・五センチ
季節…留鳥または漂鳥
分布…屋久島以北の日本各地
環境…平地から山地の森林、農耕地、河川敷、公園

［すがた］よく見かける小鳥で、スズメよりやや大きい。背は栗色で黒い縦縞があり、腰と腹は淡赤褐色。目の上と、くちばしから頬にかけて走る白斑が目立つところから、この名がある。雌の羽色は全体に雄より地味。雑木林や農耕地などにすみ、雑草の種子や昆虫を食べる。

［鳴き声］三月中旬から七月ごろまで、高い木の枝や電線などにとまって、盛んにさえずる。**チョッチーチョッ**、**チュチュ**、**チリリ**と聞こえる数種類の違った音を繰返しながら鳴く。ホオジロのさえずりは、地方や個体によってさまざまなバリエーションがあり、**チッチピーツツ**、**ピッピッペイリューツ**、**ツンピピチュー**などいろいろとある。地鳴きは、**チチン**とか**チッチッ**と聞こえる二音を出すのが特徴。

［聞きなし］**イッピツケージョー・イッピツケージョーツカマツリソロ**「一筆啓上仕候」の意で、江戸時代に刊行された、日本初の方言辞典である『物類称呼』にみえる有名な聞きなし。

ほかに「源平ツツジ白ツツジ」「ちんちろ弁慶」などや、新しいものでは「札幌ラーメン、味噌ラーメン」というのもある。

イカル【斑鳩・鵤】

アトリ科
全長…約二三センチ
季節…留鳥または漂鳥
分布…日本各地。越冬は本州以南
環境…平地から山地の森林とその周辺

［すがた］体は灰色で、頭、翼、尾は光沢のある黒色。くちばしは太い円錐形で黄色。飛ぶと羽の先に白い大きな斑点がみえる。東アジアの特産種で、主食は木の実。

［別の名］斑鳩《いかるが》・朝鳴鳥《あさなきどり》・豆回《まめまわし》・豆甘《まめうまし》・豆鳥《まめどり》・三光鳥《さんこうちょう》

［鳴き声］春から夏の繁殖期に、スギやヒノキなどの木の上で、**キィーコーキィー**、

キョコキィー、**キキキィーコキコキコキィー**と、伸びやかな声でさえずる。地鳴きは一年を通して聞かれ、短く強めの声で、**ケッケッ**、**キヨッキヨッ**と鳴く。

［聞きなし］

ツキヒホシ「桑鳫《いかる》〈略〉声高し。**月日星**と云ふ如く聞ゆ。故に三光鳥の名あり」〈大和本草批正〉

ヒシリコキリ 江戸時代の『和漢三才図会』に「**比志利古木利**」とある聞きなし。

キシリコキリ「いづこにか薄日さし、**きしりこきり**斑鳩なげく」〈邪宗門・北原白秋〉

ジジコケクエー 飛驒（岐阜県）地方南部でいわれる。コケはキノコのことで、「爺さん、キノコ食べろ」の意。

アケベコキー、**ミノカサキー** 長野県軽井沢地方では、「赤い衣《べ》こ着い」と鳴くと晴天、「蓑笠着い」と鳴くと雨天という言い伝えがある。

スズメ【雀】

ハタオリドリ科
全長…約一四・五センチ
季節…留鳥または漂鳥
分布…日本各地
環境…平地から山地の住宅地、集落、農耕地

［すがた］丸みを帯びた頭は茶褐色。ふっくらした体の背面は褐色で、黒っぽい模様がある。顔と腹面は灰白色で、頬とのどの黒い斑点が目立つ。くちばしは短めで太く、歩くときは両脚を揃えてぴょんぴょんするホッピング。群れをなすことが多く、秋にイネなどの穀物に害を与えるが、繁殖期には害虫を捕食する。日本各地でもっともふつうにみられる鳥で、昔から多くの物語に登場し、親しまれている。

［別の名］佳賓・嘉賓《かひん》・たはたつ

［鳴き声］二月になると、地鳴きと同じ声を基調にして、**チュンチュン**、**チョンチョン**などと頻繁にさえずる。また、警戒しているときは**ジュジュジュジュ**、縄張りに入ったものを威嚇するときは**ジュクジュクジュク**とはげしく鳴き合う。

❖

チュチュ・チューチュー「あるひは雀は**ちゅちゅ**で烏はかあかあとも云ふ」〈虞美人草・夏目漱石〉「さよなら皆さん **ちゅうちゅうちゅう**」〈唱歌—すずめ 雀・佐佐木信綱〉「雀が**チューチュー**鴉がカアカア。チイチイパアパアが幼稚園の先生ぐれえの事しか知らねえ江戸ッ子一流の世間見ずでゲス」〈人間腸詰・夢野久作〉

チュンチュン「燕くらゐの大きさの雀の影が飛んで別なところで**チュンチュン**と啼き声が聞えてゐる」〈判任官の子・十和田操〉「すずめが **ちゅんちゅん**、朝の歌 歌う」〈唱歌—朝の歌〉「**ちゅん ちゅん ちゅん** すずめだよ」〈童謡—動物遊び・相田敬治〉

チューチュク「庭の珊瑚樹の雀は**ちゅうちゅくちゅうちゅく**いふ」〈銀の匙・中勘助〉

チュンチュク「雀も**ちゅんちゅく**鳴いている」〈童謡—朝・北原白秋〉「青空あんまり青すぎる 雀が**ちゅんちゅく** 鳴きすぎる」〈童謡—白熊・サトウハチロー〉

チャチャ「午後の日影に雀が**チャチャ**と鳴き頻った」〈田舎教師・田山花袋〉

チチ「すずめが**ちちちち**と申た」〈狂言—ぬらぬら〉

チッチッチ「すずめ、すずめ、おやどは、どこだ、**ちっちっち**、**ちっちっち**、こちらでござる」〈唱歌—すずめのおやど〉

チーチーパッパ「**ちいちいぱっぱ** ちいぱっぱ 雀の学校の 先生は むちを振り振り ちいぱっぱ」〈童謡—雀の学校・清水かつら〉

ジュク・ジュクジュク「ジュ、ジュクと雀の啼声が樋《とゆ》にしていた」〈ある心の風景・梶井基次郎〉「日光がチカチカ桜の青葉に降りそそいで、雀の子が**ヂュクヂュク**啼きくさってゐた」〈哀しき父・葛西善蔵〉

カラス【烏・鴉】

カラス科
全長…五〇〜六〇センチほど
季節…留鳥
分布…日本各地
環境…平地から山地の森林、農地、市街地など

［すがた］ 全身黒い大形の陸鳥で、雌雄とも光沢がある。日本でふつうにみられるのは、くちばしが太いハシブトガラスと、細いハシボソガラス。人家の近くにすむことが多く、雑食性でネズミ、カエル、昆虫、穀物、果実などを食べる。知能は高く、鳥類中もっとも進化した類とされる。

［別の名］ ひもす鳥・囂鳥《かしましどり》・慈烏《じう》・孝鳥《こうちょう》

［鳴き声］ **カーカー**、**カアーカアー**という鳴き声を、一年中よく聞くことができる。とくに朝早くから鳴く鳥で、日の出の三〇〜四〇分前から鳴き始める。夜中に鳴くこともある。危険や警戒のときには、ガーガーと濁った声で短いピッチで鳴く。古くは**コロク**と聞きなされたこともあるが、『枕草子』には「**かかと鳴く**」とあり、また、中世には**コカコカ**〈狂言─花子〉、**コカーコカー**などの形もある。現代、一般的な**カーカー**は、江戸時代からみられる。

❖

カー・カーカー 「鳥居を出しなに**かあ**と啼く」〈山彦・鈴木三重吉〉 「木綿付鶏《ゆふつけどり》（ニワトリ）の我身も阿房烏の**カアカア**と黄昏に我家へ帰らず」〈洒落本─禁現大福帳〉 「**カアカア** 烏ガ　啼イテ行ク」〈文部省唱歌─カラス〉 「山では烏が**かあか**と笑う」〈文部省唱歌─案山子〉 「あかいおくつも　ほしいよと　**かあか**あなくのね」〈童謡─からすのあかちゃん・海沼実〉

ガーガー 「まちっと寝よふと思ふまに、あほうがらすの**があがあ**は、何時しらずよ」〈浄瑠璃─用明天皇職人鑑・近松門左衛門〉

カウ 「烏のいと近く**かう**と鳴くに、うち見あげたれば、昼になりたる、いとあさまし」〈枕草子・あさましきもの〉

カヤカヤ 「秋の霜みちぬる雲のおひたたし**かやかや**として鴉なく声」〈俳諧─望一後千句〉

コカーコカー 「あれは烏じゃ〈略〉烏というものはなく物じゃが〈略〉鳴ずは成まい。**こかあこかあ**こかあ」〈狂言─柿山伏〉

［聞きなし］
コロク 「子等《ころ》来《く》」にかけていう。「烏とふ大をそ烏のまさでにも来まさぬ君を**ころく**とそなく」〈万葉集・東歌〉

カワイカワイ 兵庫・広島県の聞きなし。「**可愛　可愛**と　烏は啼くの、**可愛可愛**と　啼くんだよ」〈童謡─七つの子・野口雨情〉

カササギ【鵲】

カラス科
全長…約四五センチ
季節…留鳥
分布…九州北部
環境…平野部の農耕地、集落など

［すがた］ 腹と肩羽は白色で、ほかは金属のような光沢を帯びた黒色。カラスより小さいが、尾羽は二六センチにも達する。雑食性で、樹上に大きな巣をつくる。佐賀平野を中心に局地的に分布し、天然記念物に指定されている。七夕説話で星の仲立ちをする鳥として知られる。

［別の名］ 烏鵲《うじゃく》・喜鵲《きじゃく》・唐烏《とうがらす》・客人烏《まろうどがらす》

［鳴き声］ **カシャカシャカシャカシャ**とか、**カッカッカッカッ**と聞こえる大きな連続音で鳴く。九州北部では、**カシャカシャ**という声をカチカチと聞いて、カチガラスとも呼んでいる。

虫の鳴き声オノマトペ

〈虫のさくいん〉

体長は、頭部の先から腹部の先までの長さをいう。はね、触角や産卵管は含まない。

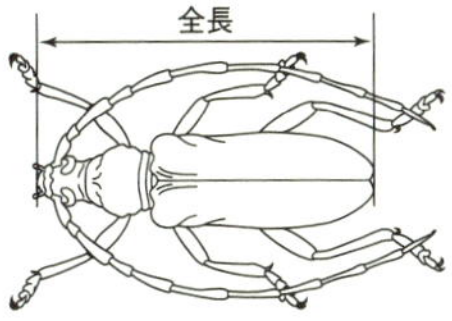

「秋鳴く虫」とセミ

一般に「秋鳴く虫」として親しまれているのは、スズムシ、マツムシ、クサヒバリ、カンタンなど、多くはコオロギとキリギリスの仲間（直翅目〈バッタ目〉コオロギ亜目）である。バッタの仲間（直翅目バッタ亜目）にも鳴くものはいるが、これらは「秋鳴く虫」には入れない。

もうひとつの大きなグループはセミの仲間（半翅目〈カメムシ目〉）で、その鳴き声は夏の風物詩になっているが、春や秋に出現するものもある。

虫が鳴くしくみ

鳴く虫はふつう、左右の前ばねをこすり合わせ、翅脈にある刻み目（やすり）や顆粒列《かりゅう》の摩擦によって音を出し、膜部に共鳴させる。セミは、腹の基部内にあるV字形の発音筋を伸縮させて発音膜を振動させ、腹腔や腹弁を共鳴させる。鳴く虫には入れないが、ハエやカ、ハチなど飛びまわる虫は、はねの振動によって音を出す。

虫が鳴くのは種族を維持するための重要な手段で、鳴き声にひかれて雌が近くに来ると交尾が行われる。したがって、鳴くのは雄がほとんどだが、まれに雌が鳴くものもある。

虫が鳴くのには、求愛のほかに、仲間を呼び寄せて集団をつくる、仲間と距離をとる、雄同士のけんかで相手を威嚇するなど、いろいろな意味があると考えられている。

ウマオイ【馬追】

キリギリス科
体長…二・六〜三・六センチほど
季節…八〜一〇月
分布…本州以南
環境…ハヤシノウマオイは林の草地や低木、ハタケノウマオイは平野部の草地

【すがた】全身が明るい緑色だが、頭部と前胸部は褐色を帯びる。前ばねは、雄は幅広く、雌は細め。雄は前ばねの基部に発音器があり、雌は尾部に幅の広い剣状の産卵管をもつ。一年に一回発生し、成虫は夏から秋にかけてみられる。夜行性で、幼虫も肉食性。

【別の名】馬追虫《うまおいむし》・すいっちょ

【鳴き声】雄は澄んだ張りのある音で、ハタケノウマオイは**スイッチョ**、ハヤシノウマオイは**スイーッチョン**とやや長く鳴く。この鳴き声が、馬子《まご》がウマを追う声に似て聞こえるところから、ウマオイと名づけられた。鳴き声はそのまま別名にもなっている。

❖

スイッチョ・スイッチョン　「ちんちろりん、ちんちろりん、**すいっちょ**、すいっちょ」〈唱歌—虫の楽隊・桑田春風〉　「スイッチ

ヨと先づ啼きそめぬ庭の虫〈高浜虚子〉」〈虚子句集・秋〉「あとから馬おい　おいついて　ちょんちょんちょんちょん　**すいっちょん**」〈文部省唱歌―虫のこえ〉

ヤブキリ【藪螽蟖】

キリギリス科
体長…三・〇～三・七センチほど
季節…六～八月
分布…北海道南部以南
環境…成虫は樹上

［すがた］体色はふつう、明るい緑色。前脚と中脚には長いとげがある。雌の産卵管は長く剣状。成虫は初夏から出現し、夏のあいだみられる。夜行性が強いが、日中鳴いていることもある。食性は肉食性。

［鳴き声］雄は初夏から夏にかけて、おもに樹上で**シュルルル……**と連続音で長く鳴く。鳴き方にいくつかの型があり、**シュリ、シュリ、シュリ、シュリ**と区切って鳴くものもある。

キリギリス【螽蟖】

キリギリス科
体長…四センチ前後
季節…六～九月
分布…本州以南
環境…草原

［すがた］草緑色に褐色を帯び、前胸部の背や脚は褐色で、上ばねは緑色の地に褐色の小斑紋が並ぶ。触角は体長より長く、バッタ類と区別できる。夏から秋にかけて野原の草むらにすみ、長い後脚でよく跳躍する。雌には剣状の産卵管がある。コオロギの古名。

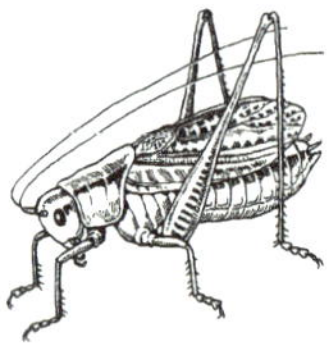

［別の名］ぎっちょ虫・機織虫《はたおりむし》・油螽蟖《あぶらぎっちょう》

［鳴き声］雄は日中、草むらで**チョンギース**とやや間隔をおいて鳴く。鳴く虫としてなじみ深い種で、季節になると虫屋で売られた。家々の軒下につるされた虫籠から**チョンギース**と聞こえる風情は、夏の風物詩であった。また、キリギリスの古名であるハタオリは、鳴き声が機織りの音に似ているところからついた名といわれる。

［聞きなし］

ギッコンバッタン　ハタオリ（キリギリス）の鳴き声を表す語。岩手県上閉伊郡の方言では**キッコンパタン**ともいう。

キリハタリチョー「面白や、千種にすだく虫の音も、はた織音の**きりはたりちゃう**、きりはたりちゃう」〈謡曲―松虫〉「まくらにすだくきりぎりす、をのがわざとて、はたおりのこゑのあやをと、**きりはたりてう**」〈浄瑠璃―天狗羽討〉「閉《さ》いたる門をたたけども、内に答ふる虫の音の、思ひきろやれ恋の道、**きりはたりちゃう**、きりはたりちゃう」〈歌謡―松の葉〉

キリハタリ「**きりはたり**てふど織切るくれの笑み」〈雑俳―豊の蟬〉「穿舎の身虫の音つらし**きりはたり**」〈俳諧―瀬とり舟〉

クサキリ【草螽蟖】

キリギリス科
体長…二・五～三・五センチほど
季節…八～一〇月
分布…関東以西
環境…水田の土手、草原

［すがた］全体が緑色と褐色の二タイプがある。はねの先端までは四～五センチほど。雄の前ばね基部の発音器は小さく、雌の産卵管は剣状で長く突き出している。あまり活発な虫ではない。

［鳴き声］雄はジィーと続けて鳴く。

クツワムシ【轡虫】

クツワムシ科
体長…雄約三・三センチ、雌約三・六センチ
季節…八〜一〇月
分布…関東以西
環境…林の下草

【すがた】体色は一般に緑色型と褐色型とがあり、その濃淡には種々の変化がある。キリギリスに似ているが、はねが長く幅広い。はねの先端までは五〜六センチ。触角は糸状で長く、後脚は長大で跳躍に適する。

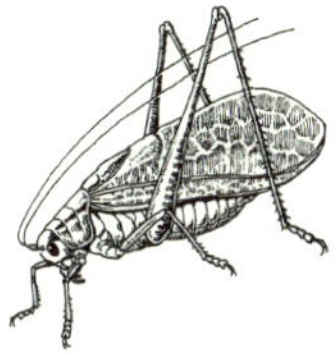

【別の名】糸繰《いとくり》・がちゃがちゃ虫

【鳴き声】林下の草むらで、夕刻ごろから**ガチャガチャ**（**ガシャガシャ**）とにぎやかに鳴く。鳴き声が馬の轡《くつわ》が鳴るように聞こえることからこの名がある。一匹でもかなりうるさいが、多数が鳴き立てるときわめて騒々しい。

❖

ガチャガチャ「**がちゃがちゃ**がちゃがちゃがちゃくつわ虫」〈文部省唱歌—虫のこえ〉

ガシャガシャ「土地で其れが一般にがしゃがしゃといふ名称を与へられて居るだけ喧しく只**がしゃがしゃ**と鳴く」〈土・長塚節〉「すいっちょ、すいっちょ、**がしゃがしゃ**、がしゃがしゃ、がしゃがしゃ、がしゃがしゃ」〈唱歌—虫の楽隊・桑田春風〉

ガジャガジャ「桐の葉にとまった轡虫が髭を動かしながら**がぢゃがぢゃ**と太十の心を乱した」〈太十と其犬・長塚節〉

カネタタキ【鉦叩】

カネタタキ科
体長…一・〇センチほど
季節…八〜一一月
分布…関東以西
環境…生け垣や小低木の上

【すがた】コオロギの一種で、小形で扁平な虫。頭と胸は褐色、腹は黒褐色だが、全身を灰褐色の鱗片《りんぺん》が覆うので淡褐色にみえる。頭部に一対の長い触角がある。雌にははねがないが、雄には一対の黒褐色の短い前ばねだけがある。

【別の名】鐘撞虫《かねつききむし》

【鳴き声】秋に鳴く虫のひとつで、雄ははねをこすって**チン**、**チン**、**チン**と澄んだ音を出す。この音が小さい鉦を叩いているように聞こえるところから、この名がある。

コオロギ【蟋蟀】

コオロギ科に属する昆虫の総称
体長…エンマコオロギは二・六〜三・二センチ、ツヅレサセコオロギは一・七〜二・〇センチ、ミツカドコオロギは一・六〜二・〇センチほど
季節…八〜一一月
分布…本州以南
環境…畑や草原、河原、庭など

【すがた】体は一般に円筒形で、黒褐色または褐色。古くは「古保呂岐」と書かれたが、これは黒い木の意とされ、黒褐色の体の色からその名がついたという説もある。触角は体より長い。後脚は長く、跳躍に適する。草地などに多く、物の陰に隠れ、雄は夏から秋にかけて鳴く。種類は多いが、顔が閻魔《えんま》大王を連想させるエンマコオロギ、鳴き方から冬支度が連想されたツヅレサセコオロギ、雄の頭部の左右に出っ張りが目だつミツカドコオロギなどは、ふつうによくみられる。「コオロギ」は、一〇世紀ごろまでは秋鳴く虫の総称で、古くはキリギリスといった。

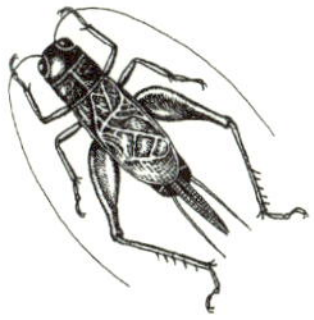

【別の名】ころろん・ちちろ虫・筆津虫《ふでつむし》・歌螽蟖《うたきりぎりす》

【鳴き声】エンマコオロギの雄は、縄張りの主張をするときは**コロコロコロコロリリリ**、雌を呼ぶ声は**コロコロコロリー**で、交尾や雄同士のけんかの際にはまた別の声に変わる。ツヅレサセコオロギの雄は、夜間**リーリーリーリー**とよく鳴く。晩秋にわびしく鳴く声を、古人は「肩刺せ、裾刺せ、綴《つづ》れ刺せ」と聞き、寒さに備えて着物の冬支度をするよう教えているとした俗言から、この名があるという。

ミツカドコオロギの雄は**ジジジ**と鋭い声で鳴く。

❖

コロコロリン「こおろぎ　ちろちろりん　こおろぎ　**ころころりん**」〈童謡―こおろぎ・関根栄一〉

リリリリー「家の玄関で一匹のコオロギが夏の間中、**リリリー**リリリーと夜になると鳴いていた」〈散文散歩・大貫妙子〉

【聞きなし】

カタサセ　冬の用意に衣の「肩を刺せ」の意から。「床《ゆか》のもとの竈馬《こほろぎ》**かたさせ**と鳴いて、都大路に秋見ゆる八月の末」〈うもれ木・樋口一葉〉

ツヅリサセ・ツヅレサセ　冬を迎える準備に、衣を「綴り刺せ」といって鳴くところから。「秋風にほころびぬらし藤袴**つづりさせて**ふきりぎりす鳴く」〈在原棟梁〉〈古今和歌集・雑体〉「『壁のくづれを**つゞりさせ**』となく蟋蟀の音にわび」〈俳諧―山の井・虫〉

同系列のものに、富山県の方言で**ツーヅレサーセチョットサーセ**、奈良県の方言で**ツヅラサセカンコサセ**などというのがある。

クサヒバリ【草雲雀】

ヒバリモドキ科
体長…〇・七〜〇・八センチほど
季節…八〜一〇月
分布…本州以南
環境…生け垣、庭木や草の上など

【すがた】コオロギに似た体形だが、それより小さく、淡い黄褐色で、触角が長い。雄では黒褐色の不規則な斑紋、雌では縦脈がある。古来、鳴く虫のひとつとして愛玩され、珍重されてきた。

【別の名】朝鈴《あさすず》

【鳴き声】クサヒバリとは、草の間にすむ虫ながら、その鳴き声が鳥のヒバリに匹敵するというところからついた名。昼間から**フィリリリリ**という美しい声で鳴く。

スズムシ【鈴虫】

マツムシ科
体長…一・五〜二・〇センチほど
季節…八〜一〇月
分布…東北以南
環境…低木のまじる草むら

【すがた】体は卵形で扁平。全体に暗褐色または黒褐色で、触角や脚の一部などは白い。はねは雌雄で異なり、雄の上ばねは幅広いが、雌は狭い。触角は糸状で、きわめて長い。秋に鳴く虫の代表として愛玩される。

【別の名】金鐘児《きんしょうじ》

【鳴き声】雄は発音器がよく発達しているので、**リーンリーン**と鈴を振るような、澄んだ美しい声で鳴く。このリーンリーンと鳴くのをマツムシと、チンチロリンと鳴くのをスズムシと、鳴き声によって区別するようになるのは近世になってから。現在では、中古の文学作品に登場するスズムシをマツムシ、マツムシをスズムシと解している。

リンリン・リーンリーン「あれ、鈴虫も鳴き出した。**りんりんりんりん、りいんりん**」〈文部省唱歌―虫のこえ〉「おなかがすいても　**リーン　リーン**　じぶんの　うたを　うたってる」〈童謡―すずむしのうた・宮沢章二〉

❖

マツムシ【松虫】

マツムシ科
体長…一・八〜二・四センチほど
季節…八〜一〇月
分布…東北以南
環境…河原、林縁の草原など

【すがた】　枯れ草のような淡褐色。体形は細長い舟形で、後脚が長い。頭部は小さく、触角は細い。雄の前ばねは発音器が発達するため、雌のそれよりやや幅広い。昔から、秋に鳴く虫として、よく飼育されている。

【鳴き声】　雄は夕刻から美しい澄んだ声で、**チンチロリン、チンチロリン**と鳴く。

チンチロ「**ちんちろ**　松虫、虫の声　庭の畠で　鳴きました」〈文部省唱歌―秋・井上赳〉

チンチロリ「秋は虫を聞や時雨の**ちんちろり**」〈貞徳〉〈俳諧―犬子集・虫〉

チンチロリン「松むしのねもつきすまじいつまでも**ちんちろりん**の御酒をたぶれば」〈狂歌―大団〉「松虫や素湯《さゆ》も**ちんちんちろりん**と」〈一茶〉〈俳諧―文政句帖〉「鈴虫の発句もあまた見えたれども、一ツも**ちんちろり**などいふはなし、是にて**ちんちろりん**と鳴は松むしなる事証すべし」〈随筆―嬉遊笑覧〉「あれ、松虫が鳴いている。**ちんちろちんちろ、ちんちろりん**」〈文部省唱歌―虫のこえ〉

チンチリリン「長々としゃっきとしたる髭をなと**ちんちりりん**とひねる松虫」〈雄長老狂歌集〉「野辺はさいさい秋風ぞふく露霜も**ちんちりりん**と虫鳴て」〈俳諧―犬子集・秋〉

❖

カンタン【邯鄲】

マツムシ科
体長…一・五〜一・七センチほど
季節…八〜一一月
分布…日本各地
環境…マメ科植物やヨモギなどの葉の上

【すがた】　淡い黄緑色または黄褐色を帯びた、平たい中形のコオロギ。体は扁平で細長く、頭は小さく前胸部は台形。はねの先端までは二センチ前後。前ばねは透明で、後ろばねは細長く、たたむと尾状になる。触角は糸状で体長と同じくらいある。夏から秋に、クズなどのマメ科植物の上などにみられる。

【鳴き声】　雄は昼間から前ばねを立て、左右をこすり合わせて、**ルルルル**という音で続けて鳴く。秋に鳴く虫の代表として珍重される。

ケラ【螻蛄】

ケラ科
体長…三・〇〜三・五センチほど
季節…四〜九月
分布…日本各地
環境…地表に近い地中の穴

【すがた】　黄褐色または暗褐色。ややコオロギに似ているが細長い。前脚はモグラの手に似て太く平たいので、土を掘るの

に適する。地中にトンネルを掘り、ミミズなどを捕食するほか、農作物の根を食べるので、野菜畑や苗代などでは害虫。前ばねは短いが、雌雄ともに発音器を備えている。つかまえたケラの脚の開き具合で大小をはかる遊びが、各地で広く行われている。

【別の名】 おけら・畔抉《あぜくじり》・聖霊虫《しょうらいむし》・石鼠《せきそ》

【鳴き声】 発音器はとくに雄に発達し、成虫は春と秋に土中で低い調子のブーと長く続ける声で鳴き、俗に「ミミズが鳴く」といわれる。

❖

コオ ケラの鳴き声を表す奈良県の方言。

コロコロ・コロロ 「下行くと穴穿りいゆき。**ころころ**に螻蛄ははやす。けらだにもしかこそはやせ」〈長塚節歌集〉 「穴ごもりくろ行く螻蛄の夕されば**ころゝころろ**になくがすゞしさ」〈長塚節歌集〉

セミ【蟬】

セミ科に属する昆虫の総称

【すがた】 体はやや紡錘形で、頭部が太い。体長ははねの先端まで含めると二〜七センチ。はねは二対、脚は三対。複眼は頭部の左右にはなれ、その間に三個の単眼をそなえる。雄は腹部基部にある発音器で鳴く。古来、鳴き声は夏の風物詩の代表とされ、アブラゼミやヒグラシの初鳴日（その年初めて鳴いた日）が観測される。幼虫は土中で木の根の養分を吸って生活し、ふつう六〜七年かけて成虫になる。ハルゼミ、ニイニイゼミ、アブラゼミ、ミンミンゼミ、クマゼミ、ヒグラシ、ツクツクボウシなど、日本には約三二種が分布する。

【別の名】 せび

【鳴き声】

ギンギン 「松の樹にはいつでも蟬が**ギンギン**鳴いてゐた」〈子をつれて・葛西善蔵〉

ジー 「じいと云ふやうな蟬の声がどこかでする」〈灰燼・森鷗外〉

シャンシャン セミなどが盛んに鳴く声。「藪や山では**しゃんしゃん**蟬が勇ましく鳴き出した」〈帰去来・国木田独歩〉

ジヤジヤ セミなどの虫がやかましく鳴く声を表す語。「ムシガ **jiyajiya to**（ジヤジヤト）ナク」〈ロドリゲス日本大文典〉

ワシワシ 大きなセミの鳴き声。宮崎県日向地方の方言。

アブラゼミ【油蟬】

セミ科
体長…三・六〜三・八センチほど
季節…七〜九月
分布…日本各地
環境…ナシ・リンゴなどの果樹園に多い

【すがた】 もっともふつうにみられるセミで、全体に黒く、腹部は白粉で覆われる。はねは赤褐色で不透明、濃淡のまだらがある。

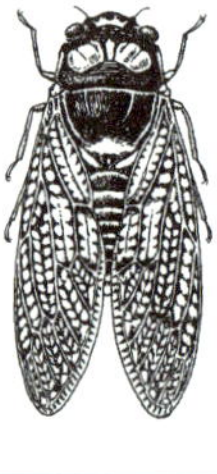

七月の初めごろ羽化し、成虫は樹皮を通して樹液を吸う。また、果実の汁を吸うので、害虫とされることがある。成虫の寿命は一〜二週間。

【別の名】 赤蟬《あかぜみ》・秋蟬《あきぜみ》・大蟬《おおぜみ》・蚱蜩《さくちょう》

【鳴き声】 ジージジリジリリと、連続して鳴く。

❖

ジージー 「ぢいぢいと聞ゆるものはこの辺の孫ひこさんの蟬の声哉」〈類字名所狂歌集〉 「最うジイジイと油蟬の声――今日も亦暑さうである」〈青春・小栗風葉〉

クマゼミ【熊蟬】

セミ科
体長…四・〇～四・八センチほど
季節…六～八月
分布…関東以南の本州。近年は北限が東進、北上している
環境…センダンやカキの木などに多い

［すがた］日本産のセミ類でもっとも大きく、はねの先端まで七センチ近い。体は黒く光沢がある。はねは透明で黄緑色または黒褐色の翅脈がはしる。ミンミンゼミに似ているが、体に斑紋がなく頭部が大きい。

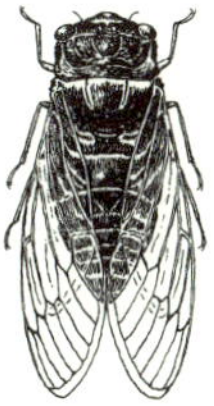

［別の名］馬蟬《うまぜみ》・山蟬《やまぜみ》・帷子蟬《かたびらせみ》

［鳴き声］盛夏のころシャーシャーと続けて鳴く。

ツクツクボウシ【つくつく法師】

セミ科
体長…二・九～三・一センチほど
季節…七月下旬～一〇月初旬ごろ。八月下旬にもっとも多い　分布…日本各地

［すがた］中形で、体は細長く、暗黄緑色で黒斑《こくはん》がある。はねは透明。「つくつくほうし」ともいう。

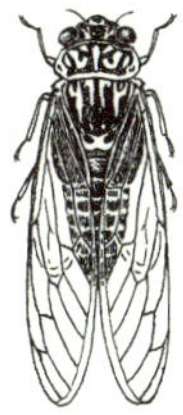

［別の名］つくつくし・ほっちょう蟬・法師蟬《ほうしぜみ》・寒蟬《かんせん》

［鳴き声］ツクツクオーシと繰り返し鳴く。現代ではその鳴き声をオーシーツクツクと聞くこともある。

［聞きなし］

ウックシヨシ　平安時代には、和歌の世界でウックシの名で好んで詠まれ、ウックシヨシという雅びやかな鳴き声の表現をも生み出した。

「女郎花なまめきたてる姿をや**うつくしよし**とせみの鳴くらん」〈散木奇歌集〉

オーシーツクツク　「**おうしいつくつく**、ねんねしな」〈童謡―蟬の子守唄・島崎藤村〉

ツクシヨシ　平安時代にクックツホウシ（ボウシ）と呼ばれていたようであるが、室町時代にツクツクボウシが主流になると現れた聞きなし。これは「筑紫良し」ともとられ、さらに**ツクシコイシ**「筑紫恋し」という強いイメージの聞きなしまで生み出された。「蛁蟟《つくつくほおし》〈略〉此蟬夏は不レ鳴。八九月晩景になく。俗に**つくしよし**となくと云もの也」〈大和本草〉

ツクヅクオシ　「つくづく惜し」の意。「入相の鐘より暮て秋行を**つくづくをし**と蟬の鳴らん」〈俳諧―文政句帖・一茶〉

ヒグラシ【日暮・蜩】

セミ科
体長…雄二・九～三・八センチ、雌二・一～二・五センチほど
季節…六月下旬から九月上旬
分布…北海道南部以南
環境…丘陵地の林間に多い

［すがた］体は赤褐色または栗色で、緑と黒の斑紋がある。はねは透明。雄の腹部には小さなイボ状突起が二対ある。古くから歌などによく詠まれる。一般的に夏、秋いずれにもみられるが、勅撰集ではおおむね秋の景物とされている。

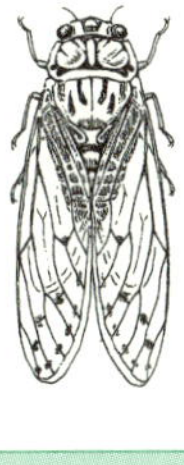

［別の名］かなかな蟬・茅蜩《ぼうちょう》

［鳴き声］早朝、夕方および曇天時に、カナカナと高い金属音をたてて鳴く。

❖

カナカナ　「カナカナカナと鳴く蜩が、ひときわ涼やかな高音を響かせている」〈わが愛の譜・郷原宏〉

ミンミンゼミ【みんみん蝉】

セミ科
体長…三・三～三・六センチほど
季節…七月中下旬～九月。八月にとくに多い
分布…北海道南部以南
環境…ケヤキなどの木

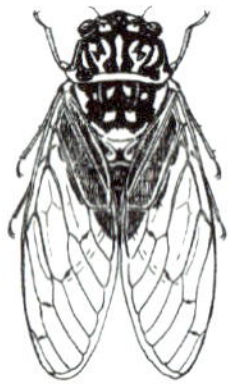

【すがた】大形のセミに属し、はねの先端までは約六センチある。体は黒色で緑色の斑紋があり、はねは透明で黄緑色の翅脈がはしる。日本全土に分布するが、北海道には少なく、屈斜路湖畔の和琴半島では北限のセミとして天然記念物に指定されている。

【別の名】みんみん・蛁蟟《ちょうりょう》・深山蟬《みやませみ》

【鳴き声】**ミーンミンミン**と繰り返し、大きな声で鳴く。

❖

ミンミン・ミーンミーン「せみが、うめの木のえだで、**みんみん**と、なきました」〈尋常小学読本・明治三六年〉「**みいんみいん**と二声三声鳴いて」〈灰燼・森鷗外〉「『こんないい木は　はじめてだ　**みーん　みーん　みんみんみーん**』せみは　のんきになきだした」〈童謡—むぎわらぼうし・佐藤義美〉

〈動物のさくいん〉

体長は頭部の先から尾のつけねまでの長さ、体高は地面から前脚の肩までの高さをいう。

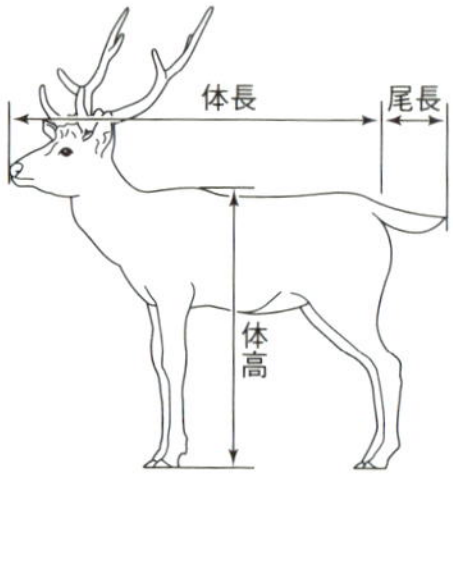

動物の鳴き声オノマトペ

身近な動物の鳴き声

ここで「動物の鳴き声」として取り上げるのは、おもに哺乳類で、愛玩動物のイヌ・ネコと、家畜のヤギ、ヒツジ、ウシ、ウマ、ブタのように、人間の生活に密着したものを選んだ。さらに、家畜ではないが、文化・民俗的に日本人に身近な動物としてサル、キツネ、シカ、ネズミを、そして両生類のカエルを含めた。

発声のしくみ

哺乳類の動物は、雄も雌も声帯を使って発音する。両生類のカエルでは、ふつう鳴くのは雄だけで、肺と鳴嚢《めいのう》の間に空気を往復させて発音する。

鳴き声の役割

動物にとって、集団の形成と存続にコミュニケーションは必要不可欠である。哺乳類の場合、その方法としては、表情や動きなど視覚に訴える、排泄物を残したり皮脂腺からの分泌物をこすりつける、また毛づくろいや抱くといった行為があるが、人間におけることば同様、鳴き声が果たす役割は大きい。

鳴き声は、同種間のコミュニケーションのほか、外敵に対する威嚇など、いろいろな情報伝達の手段として利用される。

日本では、動物の鳴き声を写したオノマトペが、幼児語でそのまま動物の名前として定着しているものが多い。

イヌ【犬・狗】

イヌ科
体高…秋田犬五七・六〜七〇センチ、柴犬三五・五〜四一・五センチほど

［すがた］ 形態は品種によってかなり異なるが、一般に四肢は長く、口はとがり、犬歯がよく発達している。耳は立ち耳と垂れ耳があり、尾は巻き尾とそうでないものがある。イヌは家畜となった最初の動物とされ、人によくなつく。嗅覚・聴覚がきわめて鋭く、狩猟用、警察用、労役用、愛玩用などにされる。世界にはおよそ四〇〇品種いるが、秋田犬、北海道犬（アイヌ犬）、紀州犬、四国犬、甲斐犬、柴犬は日本土着の「日本犬」で、天然記念物に指定されている。

［鳴き声］ **ワンワン**と鳴き声が写される。文献にみられるもっとも古い例は、「いぬ**わんわん**といふてかみつかふとする」〈狂言―犬山伏〉で、以降、江戸時代の噺本・滑稽本などにみられる。また、遠吠えの声として、**ベウベウ**（**ビョービョー**）というのが江戸時代の俳諧や浄瑠璃などにある。

❖

キャンキャン イヌが打たれたときなどにたてる鳴き声を表す。また、子犬のかん高い鳴き声などにもいう。「消魂《けたたま》しく唁々《きゃんきゃん》と啼き立てる」〈平凡・二葉亭四迷〉「キャンキャン吠えるより外能が無い」〈社会百面相・内田魯庵〉

ギンギン イヌの吠えるさま。「狂ってゐた犬の群は、悉相呼び相答へて、一度に狺狺《ぎんぎん》の声をあげながら」〈偸盗・芥川龍之介〉

クーン・クンクン イヌが甘えるときなどの鼻をならすような声。また、においをかいだり、甘えたりするさま。「さしもいかれる犬なれど、やきめし一目見てしより、くんくんくんとて尾をふりて来りければ」〈咄本―一休咄〉「裏の狭い庭に繋がれてゐる二疋の犬も〈略〉**クンクン**と鼻を鳴らせたりするのに対して」〈都会の憂鬱・佐藤春夫〉

ケンケン 「**ケンケン**または、ケンケント〈訳〉犬の吠える様」〈日葡辞書〉

ビョービョー 「さ夜ふけと夜の更けにける暗黒に**びょうびょう**と犬は鳴くにあらずや」〈赤光・斎藤茂吉〉

ワンワン 「いぬのおまわりさん　こまってしまって　**ワンワン**ワンワワーン」〈童謡―いぬのおまわりさん・佐藤義美〉

キツネ【狐】

イヌ科
体長…約七〇センチ

［すがた］ 体は細く、口が突き出ており、耳は大きく三角形で先がとがる。尾は太くて長く、房状をしている。毛色はふつう橙褐色《とうかっしょく》だが、赤、黒、銀、十字（肩に十文字形の黒い斑紋があるもの）の四色相がある。古くから狐火や狐つきなど説話や迷信が多く、稲荷神の使いなど霊獣ともされる。また、ずる賢い性質で、人をだますなどともいわれる。皮は毛が厚く美しいので、えり巻きや敷物などにされる。日本では各地の低山や草原に、単独かつがい（番）または家族ですむ。

［別の名］ きつ・くつね・こん吉・こんこんちき・専女《とうめ》・迷鳥《まよわしどり》

［鳴き声］ 声は多様で三八種類が区別されている。交尾期には雌は**コンコン**、雄は**ギャーギャー**と鳴く。ふつうは**コン**、**コンコン**と表され、そこから「こんこん様」とも呼ばれる。

❖

カイカイ 「きつねのなくまねをして、**くわいくわい**と云」〈狂言―釣狐〉

ガイガイ 福島県南会津郡の方言で、コ

ンコンに対して、不吉な鳴き声。

カンカン 鹿児島県肝属郡の方言で、キツネの機嫌の悪いときの鳴き声。

コー・コーコー 「きつねのなくこゑのこうときこゆる、如何。答、こうは輿の字の音をとなふる也」〈名語記〉「其の妻忽に狐に成て〈略〉**こうこう**と鳴て逃《にげ》去《さり》にけり」〈今昔物語集〉

コン・コンコン 「夕べさみしい 村はずれ **こん**ときつねが なきゃせぬか」〈童謡―叱られて・清水かつら〉「『けむたくは、**こんとおしゃれ**』『こんこんこん』『こんこん』『ないたわ、ないたわ』」〈狂言―狐塚〉「やがて**こんこん**といひ散らし、狐のゐなかは帰りけり」〈御伽草子―のせ猿草紙〉「小ぎつね**コンコン**、山の中」〈文部省唱歌―小ぎつね・勝承夫〉

スコンスコン 「きつねがかかったと云て引こむ時、**すこんすこん**とないて手を合ておがむ」〈狂言―釣狐〉

ワイワイ 「其儘の次郎冠者なれども、己れが身のずつなさに**わいわい**」〈狂言―狐塚〉

ネコ【猫】

ネコ科
体長…約六五センチ

［すがた］ 体はしなやかで、鋭い歯と鈎《かぎ》づめが特徴。足指の裏には毛の生えていない柔らかな肉球があり、クッションの働きをするので音をたてずに歩く。ひげ（触毛）は暗所の活動に役立ち、瞳孔《どうこう》は明暗に応じて素早く開閉する。日本でネコを飼うようになったのは、奈良時代に中国から渡来してから。一説によると、仏教伝来の際に、経典をネズミの害から守るために船に乗せたという。皮は三味線の胴張りに用いる。

［別の名］ ねこま・あさくままぬ・烏円《うえん》・於菟《おと》・家狸《かり》

［鳴き声］ 一般に**ニャー**、**ニャーニャー**、**ニャーニャ**、**ニャオニャオ**などと表し、ネコをいう幼児語にもなっている。また、のどを鳴らす音を**グルグル**、**ゴロゴロ**と表し、甘えたり喜んでいるさまを**ゴロニャー**、**ゴロニャン**などと表すこともある。

❖

ゴロニャー 「**ごろにゃあ**といいわぬ斗《ばか》りの下女が色」〈雑俳―川柳評万句合〉

ゴロニャン 「芸者に浮かれて皆様御愉快。〈略〉三味線枕で**ゴロニャン**ゴロニャン」〈俗曲―すててこ〉

ニャー・ニャーニャー 「ニャアとなく。なんだ**ニャア**だ。古風に泣くぜ」〈浮世床・式亭三馬〉「犬をわんわん、猫を**にゃあにゃあ**とてをしゆるは、その鳴音をいふのみ」〈随筆―燕石雑志〉「何でも薄暗いじめじめした所で**ニャーニャー**泣いて居た」〈吾輩は猫である・夏目漱石〉

ニャウ・ニャーウ 「猫、ニャアウと鳴く」〈咄本―都鄙談語・飼猫〉「『いやこの程大いなる猫がありく』といふに、かの男肝をけし『**にゃう**』といふべきを、うちわすれ」〈咄本―醒睡笑〉

ニャーゴ・ニャゴニャゴ 「『**ニヤアゴ**、ニヤアゴ。』猫は物欲しげに其処《そこ》等《ら》鬚を立て見廻したが」〈どぜう地獄・岡本一平〉「寄宿舎で飼って居る斑の猫が〈略〉私を見かけると赤い口をあけて人懐しげに**ニャアゴ**と鳴きましたの」〈若い人・石坂洋次郎〉「今度は**にゃごにゃご**とやって見た」〈吾輩は猫である・夏目漱石〉

ニャグニャグ 「から鮭の尾上にちかき台所〈卜尺〉 猫の**にゃぐにゃぐ**いつれ山ひこ〈松臼〉」〈俳諧―談林十百韻〉

ニャーオ・ニャオニャオ 「丁度其時、小さきこゑにて**ニャーヲ**となきたり」〈尋常小学読本・明治二〇年〉「かたちは人でありながら、猫のまねして**にゃをにゃをと**」〈浮世草子―元禄大平記〉「あがり目まわり目ニャンコの目 **ニャーオ**オオーニャーオ」〈童謡―ニャニュニョの天気予報・小黒恵子〉「ドラネコ

ソラキター　**ニャーオ**　ドシタラヨカンベー　ニャーオ」〈童謡―ドラネコそらきた・吉岡治〉

ニャーン・ニャン「ねられぬ上に、いぢわるひ鼠がさわぐ。猫は居ず。あんまりあたけ廻るゆへ、寐所《ねどこ》から、**ニャアン**といふと」〈咄本―御伽噺・こは色〉「起つと猫が足へ絡んだが、〈略〉一ト声尾を曳いて『**にゃあん**』と啼いた」〈流れる・幸田文〉「アアイヤ、猫だはへといふに、彼おとこまた、**ニャアン**ニャアン」〈咄本―大御世話・夜ばい〉「猫を紙袋へへし込んで〈押し込んで、つめ込んで〉、ポンと蹴りゃ**ニャン**と鳴く」〈わらべうた―山寺の和尚さん〉「天井を鼠のあれければ〈略〉鼻をつまんで、**にゃん**といふた」〈咄本―宇喜蔵主古今咄慝〉「呼猫の萩のうらから**にゃん**にゃん哉」〈俳諧―一茶八番日記〉「むし気な子をばよくだひてねよ**にゃん**にゃんと月に鳴ぬる声はして〈貞徳〉」〈誹諧独吟集〉「**ニャン**　ニャン　ニャンと鳴きゃ」「**ニャン**ニャンニャンニャーン　ないてばかりいる　こねこちゃん」〈童謡―いぬのおまわりさん・佐藤義美〉

ニョー・ニョーニョー「**ねうねう**、といとらうたげに鳴けば」〈源氏物語・若菜〉「ねことといへる獣のなく音の**ねう**となく、如何。答、ねえむを反せば、ねう也。ねはねずみ也。鼠也。えむは得也。ねがふ心也。ねうはねずみをえむとなきゐたる也」〈名語記〉

フーフー　ネコが怒ったり、さかったりしたときに毛を逆立ててする鳴き声。「風よりもぞっとすごきは**ふうふう**と吹てかかれるのべののらねこ」〈堀河百首題狂歌集・雑〉

シカ【鹿】

シカ科
体高…ニホンジカは五八～一〇〇センチほど

[すがた]　体はほっそりとして均整がとれ、四肢が細長く走るのが速い。ふつう、雄の頭部には枝分かれした角があって、毎年生え変わり、年をとるごとに大きくなる。

『古今和歌集』の有名な歌「奥山に紅葉ふみわけ鳴く鹿のこゑきく時ぞ秋はかなしき〈よみ人しらず〉」にも見られるように、和歌の世界では秋の交尾期の雄の声が情趣あるものとされ、萩や紅葉などの景物とも組み合わせて多く詠まれた。俳句では、「鹿鳴く」が秋の季語になっている。奈良市の春日大社や広島県の厳島神社などで、神使《つかわしめ》とされて神聖視された。

[別の名]　かせぎ・かのしし・錦馬《きんば》・花夫《はなづま》・斑龍《はんりょう》・紅葉鳥《もみじどり》

[鳴き声]　山では、警戒しているときには**ピッ**とか**ビッ**といぅ鳴き声が、繁殖期には**ウィー**と長く伸ばす鳴き声が聞かれる。

❖

ビー「びいと啼尻声悲し夜の鹿」〈杉風宛芭蕉書簡〉

[聞きなし]

カイロ・カイロー「帰ろう」の意をかけて用いることが多い。「暮れぬあひだにふるさとへ、**かいろ**かいろと呼ぶ鹿の声もはるかの山びこにつれて、曾我へぞ帰りける」〈浄瑠璃―曾我五人兄弟〉「ふしとへや**かいらふ**と鳴鹿の声〈元徳〉」〈俳諧―犬子集〉

カエロ「さを鹿が〈略〉さて里へおり紅葉ふみ分け**かへろ**とさ」〈歌謡―若みどり〉

カイヨ・カイヨー「秋の野に妻なき鹿の年をへてなぞわが恋の**かひよ**とぞ鳴く〈紀淑人〉」〈古今和歌集・雑体〉。雄鹿の鳴き声を表す。

ブタ【豚・豕】

イノシシ科
体長…五五～二〇〇センチほど

【すがた】体はよく肥え、鼻と耳が大きく、尾は細くて小さい。巻くこともある。脚は体の割に短く、動作はのろい。イノシシを改良した、肉用の家畜。日本では沖縄・奄美地方を別にして、明治時代に至るまでほとんど飼育されていなかった。だが、野生のイノシシは古くから食用その他に利用され、獣肉の食用が禁止された時代にも、「山鯨」と称して食された。

【別の名】猪子《いのこ》

【鳴き声】ふつうは**ブーブー**、**ブヒブヒ**と表される。

❖

グー・グーグー グーグーは沖縄県首里あたりの方言。「豚は**ぐう**と云ひながら、ころりと引つ繰り返つて、〈略〉豚はぐうと鳴いて又真逆様に」〈夢十夜・夏目漱石〉

ブーブー 「ちがうよ　ほめるときは　**ぶうぶう**でね　しかるときは　ぶうぶうだよ」〈童謡―ぶう　ぶう　ぶう・こわせたまみ〉

ウシ【牛】

ウシ科

体高…一・一〜一・五メートルほど

【すがた】頭部に角が二本あり、体は黒、白、褐色などで、よく肥え、脚は比較的短い。胃が四つに分かれていて、一度飲み込んだものを、もう一度口へ戻して嚙みなおす反芻をする。機敏ではないが、力が強く、古くから有用な家畜として運搬や耕作などに使われたり、平安時代には貴人の乗り物である牛車《ぎっしゃ》に用いられた。肉や乳は食用に、皮、角なども利用される。

【別の名】ぼっこ・いの字・黒牡丹《くろぼたん》

【鳴き声】鳴き声はマ行音で表されることが多い。平安時代には雄の鳴き声を**ムモ**、雌はヒツジの鳴き声と同じ**メイ**〈悉曇要集記〉と記した。これは、中世・近世にも引き継がれ、「牝牛は**うんめ**となき、牡牛は**うんもとなくなり**」〈醒睡笑〉などの表現がみられる。「べ」が、ウシの鳴き声の**メー**に由来すると思われる「べこ」は、西日本の方言では子ウシ、東北ではウシ（子ウシはべこっこ、こっこべこ）を意味する。

❖

ボーボー 「憶ふに春夏の際は、青艸野に満て、**牟《ぼう》牟《ぼう》**の声をきくなるべし」〈米欧回覧実記・久米邦武〉

メー 「隣の乳牛が埒のうへから頸をのばして　**めえ**といふ」〈銀の匙・中勘助〉

モー 「いらゑてくれひ（答えてくれ）。よこ座よ。（**もふ**とうしがいふ）」〈狂言―横座〉「吽《もう》と鳴て犢《こうし》の斑《ぶち》も」〈破戒・島崎藤村〉

モーモー 「牟々**モウモウ**　牛鳴声」〈運歩色葉集〉

ヒツジ【羊】

ウシ科

体高…四五〜八〇センチほど

【すがた】ヤギに似ているが、ヤギのようなあごひげはない。うず巻き状の角をもつが、角のないのもいる。柔らかくて長い巻き毛が密生し、毛織物の原料になる。日本でも明治以後に飼育が始まり、現在は北海道と東北地方を中心に飼われている。

【別の名】綿羊《めんよう》・さいのこま・尨羊《むくひつじ》・羅紗綿《らしゃめん》

【鳴き声】ヤギと同じく、**メー**と表すのが一般的。

❖

メーメー 「メリーさんのひつじ　**メエメエ**ひつじ」〈童謡―メリーさんのひつじ・高田三九三訳詩〉

ヤギ【山羊・野羊】

ウシ科

体高…四〇〜一〇〇センチほど

［すがた］ヒツジに近いが、ヒツジと違って尾が短く、雄はあごひげをもつ。雌雄ともに弓形の角をもつものが多い。ヒツジは草を食べるが、ヤギは樹葉を好み、自然条件の厳しい山岳地や不毛の地でも生存できる。乳や肉は食用となり、日本では沖縄にヤギ料理が伝わっている。

［別の名］野牛《やぎゅう》

［鳴き声］**メー**とか**メーメー**と表すのが一般的。

❖

メー・メーメー「**めえめえ**　森の児《こ》山羊　児山羊　走れば　小石にあたる　あたりゃ　あんよが　あ痛い　そこで児山羊は　**めえと鳴く**」〈童謡―めえめえ児山羊・藤森秀夫〉「**めえめえ**やぎさん　なぜなくの」〈童謡―からすの赤ちゃん・海沼実〉

ウマ【馬】

ウマ科

体高…〇・七～一・八メートルほど

［すがた］くびと顔が長く、まえがみとたてがみがあり、尾は長毛で覆われ、草食性。体色は褐色、黒色、赤褐色、白色などで、それぞれ鹿毛《かげ》、青毛、栗毛、葦毛《あしげ》などと古くから呼ばれる。日本ではかつて軍馬として重用されたが、荷車を引く輓馬《ばんば》、荷を乗せる荷駄馬、農耕馬、狩猟・競馬用と、それぞれの用途に適した体形と体格に改良されてきた。肉は食用、皮は革製品にされる。

［別の名］駒《こま》・山子《さんし》・むらさきの燕《つばめ》

［鳴き声］ウマのいななく声は、**イーン**、**ヒーン**、**ヒヒーン**、**ヒン**、**ヒンヒン**などと表される。

❖

イーンホホ　山形県飽海郡と東田川郡の方言。

エエホホン　青森県三戸郡、岩手県気仙郡の方言。

ヒンヒン「ひんひん犬わん猫にゃアちう」〈七偏人・梅亭金鵞〉「うまは、いつも、**ひんひん**と、なきます」〈尋常小学読本・明治三六年〉

サル【猿】

霊長目のうちヒト科を除いた哺乳類の総称。ニホンザルはオナガザル科

体長…ニホンザルの雄は五三～七〇センチほど

［すがた］大脳のほか視覚と聴覚が発達し、知能の高いものが多い。日本にはニホンザル一種だけで、屋久島以北の日本列島に分布し、群れで生活する。茶褐色の毛で覆われ、皮膚の裸出した顔と臀部は赤みを帯びている。体格はがっしりとし、雄は体重一〇～一八キロになるが、雌は小形。尾は短く一〇センチ程度。

［別の名］ましら・猨《えんこう》・王孫《おうそん》・胡孫《こそん》・磯袂舞《いそのたもとまい》・木実鳥《このみどり》

［鳴き声］ニホンザルは、合計三十数種類という多様な音声をもつことが知られ、その多くは、怒りや恐怖の表現、あるいは遠くの仲間に対して発せられるものである。**キーキー**というかん高く鋭い叫び声や、歯をむきだして鳴く**キッキッ**、**キャッキャッ**などがこれにあたる。

❖

キャー・キャーキャー「**キャアキャア**キャアといふてしきりにかきつくゆゑ、なうかなしや。女共に毛がはへて猿に成た」〈狂言―猿座頭〉

キャキャ・キャッキャッ「物をいはぬ斗、**きゃきゃ**とあひさつ斗なり」〈狂言―猿聟〉「是りゃ鳴かずは成まいきゃあきゃあ**きゃっきゃっ**」〈狂言―柿山伏〉

ネズミ【鼠】

ネズミ科
体長…日本のネズミは五〜三三センチほど

【すがた】尾は細長く、一生伸び続ける。大きな門歯があり、物をかじるのに適する。日本には二〇種類が生息し、俗に人家にすむイエネズミと、野外にすむノネズミとに分けられる。愛玩用や実験用にされる種もある。農作物や器物などを食い荒らしたり、病原菌を媒介するなど、害獣のイメージが強いが、繁殖力の旺盛なところから、豊作や子孫繁栄をもたらすものとして大事にされることもあった。

【別の名】ねら・みえひきくま・家兎《とか》・家鹿《かろく》・社君《しゃくん》・よめの子

【鳴き声】一般に**チューチュー**と表される。東北、中部、四国地方などでは**キーキー**、**キーキ**と表す方言も多く、そこからネズミをいう幼児語にもなっている。

❖

ジジ「じじといへば聞耳たつる猫殿の眼《まなこ》のうちの光恐ろし」〈御伽草子―猫の草紙〉

チュー・チューチュー「俵の鼠が米食ってチュウ　チュウ　チュウ　チュウ　チュウ」〈わらべうた―ずいずいずっころばし〉「鼠が二三匹〈略〉**ちうちう**と苦しげな声を立て鳴いた」〈土・長塚節〉「あながちに恋をする身は**ちうちう**と鼠鳴《ねずなき》して呼ぶもことはり」〈狂歌―後撰夷曲集〉

カエル【蛙・蛤・蝦】

両生類
体長…一〜二〇センチほど

【すがた】口は大きく、目は頭の上側部にとび出ている。後脚は長く、跳躍や遊泳に向く。幼生のおたまじゃくしのときは、多く水中にいるが、成体は水から離れるものもいる。水田や沼などによくみられ、トノサマガエル、アマガエル、ヒキガエル、ウシガエルなど種類が多い。

【別の名】蟇《ひき》・かえら・かえろ・おんびき・かわず・川雉《かわきぎす》

【鳴き声】ふつう、鳴くのは雄だけで繁殖期などに、大きな声でよく鳴く。鳴き声は多様だが、**ケロケロ**、**コロコロ**、**ゲッゲッ**など、カ行やガ行の音で表されることが多い。アオガエル科のカジカガエルは、鳴き声が**ヒュルルル**と笛を吹くように聞こえ、古くから美声で知られている。

❖

ギヨギヨ「ほっと息をすひこむ蛙、ぎよ、ぎよ、ぎよ、と鳴く蛙」〈月に吠える・萩原朔太郎〉

クイクイ「かへるの物にへされてなく音のクイクイときこゆる、如何。クイはくちあきの反。不慮に口のあきたるよりいづるひびきの自然にクイクイときこえける也」〈名語記〉

カイカイ「**かいかい**と五月青野に鳴きいづる昼蛙こそあはれなりしか」〈あらたま・斎藤茂吉〉

ゲラゲラ「疾から鳴かなく成って居た蛙がふわりと浮いてはこそっぽい稲の穂に捉りながら**げらげら**と鳴いた」〈土・長塚節〉

コロコロ「何処からともなく蛙の**コロコロ**と咽喉を鳴らす声が聞えて来ると」〈崖の下・嘉村礒多〉「月夜の田圃《たんぼ》で　コロロ　コロロ　コロロ　**コロコロ**　鳴る笛は　あれはね　あれはね　あれは蛙の銀の笛」〈童謡―蛙の笛・斎藤信夫〉

クヮクヮ・ケケケケ「かえるのうたがきこえてくるよ。**クヮ**　クヮ　クヮ　クヮ、ケケケケ、ケケケケ、クヮクヮクヮ」〈文部省唱歌―かえるの合唱・岡本敏明〉

ヒュラヒュラ「遠くで**ひゅらひゅら**と渓蛙《かじか》が鳴交はす」〈厲人厲語・杉村楚人冠〉

解説——歴史的変遷とその広がり

——鈴木雅子

本稿は『研究資料日本文法・四』（明治書院・昭和五九・一九八四）所載の旧論文「擬声語・擬音語・擬容語」を基に、その後の昭和六〇（一九八五）年代以降の問題などをも加筆。平成一九（二〇〇七）年現在の視点で補訂し、新たにまとめたものである。

文中に引用する人名の敬称は略す。例文は岩波・日本古典文学大系・新日本古典文学大系、岩波文庫、古典文庫、抄物大系ほか適宜。『日葡辞書』は邦訳による。用例は文献に偏りのないように、かつ理解しやすい例を選んだ。読みやすくするために異体字を改め、拗音・促音は小字で表すなど多少手を加え、読みを（ ）に入れて付けた箇所がある。また、反復記号〱は用いず、文字に書き起こしてある。中世・近世の用例ではジャンルは御伽草子→伽、浮世草子→浮世、滑稽本→滑稽のように省略したことをお断りしておく。

一　擬声語とは何か

犬がワンワン吠える。
ピシャリとたたく。
雨戸をガラガラと開ける。

のワンワン、ピシャリ、ガラガラのように、動物の鳴き声や自然界の物音などを、言語音で表現したもの[1]を擬声語または擬音語といい、

ガランとした部屋。
テクテク歩く。
日がトップリ暮れる。
新鮮でシャキッとしたセロリ。

のように、音響とは直接関係のない、事物の状態・動作・変化など、さらには、

キリキリ痛む。
胸がドキドキする。
カッとなる。
ホッとする。

のように、痛みの感覚とか、心の動き・感情などをも、語音をもって象徴的に表現したものを一般に擬態語という。これらは、音《おん》そのものがその感じをいかにもぴったり表していることばとして、私たちの日常のことばのなかに、無意識に、あるいは意識的に数多く使われることばである。

擬声語・擬態語と一応区別はするが、両者は同じ形態をとり、またどちらとはっきり分けられないような語も多いので、一般には広義に、擬態語をも含めて「擬声語」の名称を用いる。本稿ではとりあえず総称として一応擬声語の名称を用い、とくに区別する場合には擬音語・擬態語と称することとする(後述するように私は、従来慣用されている擬態語という名称を擬容語と称したいのであるが、今回は便宜上擬態語の名称を用いておく)。

犬の声とワンワンとの間に直接的な関係＝事象的類似があることは容易に理解されるが、聴覚とは別の視覚的領域(テカテカ・メラメラのような)、また触覚的領域(ザラザラ・ヌルヌルのような)などを、音声という聴覚的領域によって表現し得るか、ということについては、聴・視・触・味などの異なる感性の間に緊密な照応がある、つまり明暗・大小・粗滑・鋭鈍などが、各種の感性経験にほぼ一様に端的に与えられる(＝心理学で共感覚 Synaesthesia とよばれる)現象で

説明がつく。従って、語音によって象徴的に表現された形と、意味との間には共通性があると認められるのである。故に語源的に見ると、原則として一般の言語は発音と意味との関係が約束的・恣意《しい》的であるが、擬声語は例外で、音《おん》と意味との間に自然的あるいは必然的ともいえる関係を認め得るのである。[2] ただし社会的に通用する言語である以上、慣習的に認められた形（歴史的にも地域的にも異なる形がある）を習得するものなのであって、その意味では擬声語も恣意的言語の一部であり、その特殊な一例というべきなのである。

　なお、擬音語はどこの国の言語にもあるようだが、日本語・英語・フランス語など、それぞれ言語が異なると、その言語特有の音声条件に従った形態を示すので、よく引かれる例であるが、同じ鶏の鳴き声を表現するのに、各言語それぞれの音声的な枠の中で聞きなし、かつ表現するので、（類似点はあっても）違った形となる。

　擬態語のほうは欧米語には少ないので、外国人には理解しにくく、日本語を習得する場合、苦心するようであり、逆に、日本語を翻訳するときにも、その語のもつ感じをどう訳すべきか、苦労するようである。また、「頭がズキズキする」「歯がシクシク痛む」「ときどきキュッと痛む」等々、痛みの表現もいろいろあるので、外国で医者にかかるとき、症状の説明に困ると聞いている。[3]

　さて、最初にあげた例は、誰にでもすぐ納得のゆく明白な例であるが、なかには擬声語に含めるべきかどうか迷うものがある。語数の多い畳語形式（同じ音を重ねたもの）のものを例にとると、擬声語だけでなく、多数を表す場合もあり、意味を強める場合もある。従って語根の研究とも関連して、形だけで擬声語と決めることは危険である。

　反復で下が濁音化した語（カルガル・クログロ）は、ふつう擬声語には含めないが、連濁をおこさない行の場合（あ・な・ま・や・ら・わ行の、もともと連濁をもたない行。アカアカなど）はどうなのか。また、上古には反復により濁音化したと思われる例（コゴ・トド・カクガク）があることや、ホノカ—ホノボノ—ホンノリ、ヒソカ—ヒソヒソ—ヒッソリというような対応を考えると疑問が残る。そしてまた、もともとは擬声語であったものが、長い使用の間に新鮮な意義表示性を失うこともあり（フと・ハッキリ・ビックリ）、一方長い言語習慣の間に語音と意味との間に緊密な関係ができ、いわゆる二次的象徴によって、擬声語と意識されるよ

うになってしまった語(イライラ・ツヤツヤ・ネバネバ)もある。

今は多分に主観的な規定とはなるが、一応の目安として、語源はどうであれ、形の上から擬声語の特徴をそなえ、もとの語とのつながりよりも音感のほうを意識して一般に用いられているような語は、擬声語として考えておく。そして明らかに一般語から導かれてできたと認められ、その語の意味合いが強く意識されている語は、形や用法が同じでも原則として擬声語には含めないこととして論を進める。アカアカ・イキイキ・ハルバルなどがそれに当たる。[4] また、

どうどう(堂堂)と行進する。

こんこん(滾滾)と湧き出る泉。

のような漢語系の語も含めないが、[5] これについては後述する(645ページ)。

注

(1)——演芸などでおこなわれる物まねや声帯模写とは違って、言語音で表現したことばであるから、文字で書き表すことができるし、ことばとして誰もが発音を再現することができる。

(2)——心理学のほうでは擬声語の象徴性に関して、かなり以前から種々の実験研究がある。

宮崎美義「各種感性経験における照応的特性について」(『心理学研究』九巻、昭和九・一九三四)/井原正男・岩原光春「国語象徴音の表現性について」(『心理学研究』一三巻、昭和一三・一九三八)/簗島謙三「邦語における擬声語・擬態語の象徴性について」(『心理学研究』一六巻、昭和一六・一九四一)

次の論文は外国での実験や研究をも紹介・解説し、日本での心理学の研究を概観し、広い視野から日本語の問題、さらに文学表現の問題にまでふれたものである。矢田部達郎「語音象徴について」(『心理』四、昭和二三・一九四八)

(3)——欧米語では、擬態語は少なく、あっても、動詞の形をとることが多いので、擬態語がその形のままで副詞的に用いられる日本語に比べ、どうしても擬声的効果は減少するようである。

川田順造『音・ことば・人間』(昭和五五・一九八〇、岩波書店〈武満徹との往復書簡〉)によると、アフリカのモシ族の言語では擬声語が発達している。

ズキズキ痛む→コエコエ　太陽がジリジリ照りつける→バスバス、ウィムウィム　小雨がシトシト降る→ミナミナ　大粒の雨がパラパラ降る→パダパダ　もっとはげしく降る→バレバレ　等々

擬声語の豊富な日本語を母語とする人間から見ると興味あることだが、欧米の研究者はこういう側面については、あまり注意を払わないようだという。

また、佐々木瑞枝「日本語を歩く」(平成九・一九九七・六・一五、朝日)に留学生の言として、雷がゴロゴロのよう

な表現はフランス、インドネシアには全然ない。タイでは日本のザーザーに当たる強い雨「サーサー」はあるが、シトシト降る雨はない。強いて言えばポツポツに似ている「ポパポパ」だ、と紹介している。いずれも畳語である点は共通している。

なお、尾野秀一『日英擬音・擬態語活用辞典』(昭和五九・一九八四、北星堂書店)/アンドルー・C・チャン『〈和英〉擬態語・擬音語分類用法辞典』(平成二・一九九〇、大修館書店)/郭華江『日中擬声語擬態語辞典』(平成六・一九九四、上海訳文出版社版・東方書店)などの辞典も出版されている。

(4)――石垣幸雄は①ナガナガ・カルガルなどはアクセントがはじめにこない、②カルガル・ホソボソなどは濁りをひきおこすという二点で区別できるとする(「ウツシの母音」〈『計量国語学』九、昭和三四・一九五九〉/「擬声語・擬態語の語構成と語形変化」〈『言語生活』一七一号、昭和四〇・一九六五〉)。が、これにも問題があることは、前島年子「時代を通して見た擬声語・擬態語」(『東京女子大学日本文学』二八、昭和四二・一九六七)/山口仲美「平安時代の象徴詞―性格とその変遷過程―」(『共立女子短期大学文科紀要』一四、昭和四六・一九七一)などでも指摘されている。

(5)――鈴木修次『漢語と日本人』(昭和五三・一九七八、みすず書房)では、漢語の音読みがそのまま日本語の擬態語として定着したとして、あいまいもこ・あくせく・いいだくだく・あんたん・もんもん・どうもう・ゆうゆうなど、百以上の漢語をあげる。しかし漢語の場合は、その漢語の源にさかのぼれば擬態語であっても、それは漢語として考えた場合のことであって、日本語の擬声語と同一に論じるべきものではないと思う。

二　名称について

擬声語・擬態語ということばは、今日では学術用語というよりは、一般的な語としてふつうに使われているように思われるが、さかのぼって調べてみると、さまざまな名付けの試みがなされている。

大体、擬声語という語は、Onomatopoeia の訳語として生まれたもので[1]、欧米語では擬態語はあまりはっきり現れておらず、従って習慣的に擬音語が考察の中心となっていた。日本でもその影響から、オノマトペアに擬声語の訳をあて、擬態語も含めて考察していたものかと思われる。広義に擬態語をも含めて擬声語というのは、こういう事情からであろう。

もともと擬声語は、文法的には副詞として扱われるものが多いので(現代ではもっと多様な使われ方をしているが)明治初期の文法書を見ると、全然ふれていないか、または「声音・形状をうつした副詞」というよう

に記述しているものとある。(2)

しかし当時は文語文を規範とし、主として文語の文法を述べているのがふつうであったから、語例も、古典の「はらはら・ほとほと・ほほと・きと」のような語をあげているのが多い。そのなかで最初に「擬声語」という語が見られるのは、大町芳衛・高橋龍雄共著『国語新文典』(明治三五・一九〇二)である。

副詞の重語となる場合にありて、口語は文語よりも、その種類多く、かつ卑言に聞ゆるもの多し。

文語の重語の副詞

口語の重語の副詞

風そよそよと吹く　雨はらはらと降る

ピカピカ光る　ゴロゴロ鳴る　キシキシ揺る

の如き擬声語は、大抵重語の副詞を用ふるものにて、その言ひざまも種々雑多なれど、文語にては、昔の慣例以外のものにあらざれば、濫に用ふべからず。(四の巻、八〇頁)

同じころ、森鷗外「『言語の起原』附記」(明治三六・一九〇三)に「絵声」の語が見え、その後大正・昭和にかけては、いわゆる擬態語の認識も深まってきたことから、これを分けて命名し、考察・論及したものが見られるようになった。そして、

国語辞典での項目の扱い

<table>
<tr><th>辞典名</th><th>項目の立て方</th><th>備考</th></tr>
<tr><td>『大日本国語辞典』(大正4・1915)</td><td rowspan="3">擬声語の項目はあるが、擬態語の項目はない</td><td></td></tr>
<tr><td>『言泉』(大正11・1922)</td><td></td></tr>
<tr><td>『大言海』(昭和7・1932)</td><td>擬声語を「言語ノ物ノ声音ニ擬《ナラ》ヒテ成リタルモノ」とし、こと、ふえ、はた、つづみ、からす、ほととぎすなどをその例としているので、内容は少し異なる。ただし実際の説明ではコソコソ、ミシミシなどを「擬声語ナリ」としており、ふつうの意味に使っている。</td></tr>
<tr><td>『大辞典』(昭和10・1935)</td><td>擬態語の項目がある</td><td>「写声語」も載っている。</td></tr>
<tr><td>『例解国語辞典』(昭和31・1956)</td><td rowspan="4">擬声語・擬態語を載せている</td><td></td></tr>
<tr><td>『岩波国語辞典』(昭和38・1963)</td><td></td></tr>
<tr><td>『広辞苑』(昭和44・1969、二版)</td><td>『広辞苑』一版(昭和30・1955)では、擬態語はなく「擬態法」として「事物の姿態を具体的に表現する法、『にやにやする』『ざらざらした肌』の類」と説明。</td></tr>
<tr><td>『新明解国語辞典』(昭和47・1972)</td><td></td></tr>
<tr><td>『新選国語辞典』(昭和37・1962、改訂版)</td><td rowspan="3">擬声語・擬態語のほかに、擬音語も載せている</td><td></td></tr>
<tr><td>『日本国語大辞典』(昭和47・1972)</td><td></td></tr>
<tr><td>『角川国語大辞典』(昭和57・1982)</td><td></td></tr>
</table>

写声　写音　擬音

擬貌　声貌　擬容　写容　模様

（そのままか「○○語」または「○○辞」など）

などの種々の試みが提出されている。そのなかで擬声語・擬態語という名称でこれを区別したのは大島正健『国語の組織』（大正三・一九一四）が最初ではないかと思う。彼はこれについて三〇頁を費やして論じているので、そのあたりからこの術語が広まったものかと思われる。『大日本国語辞典』（大正四・一九一五）、『言泉』（大正一一・一九二二）、『大言海』（昭和七・一九三二）には擬声語の項目はあるが、擬態語の項目はない。『大辞典』（昭和一〇・一九三五）になると擬態語の項目があり、このころ「擬態語」が一般に使われるようになってきたものであろうか。

第二次世界大戦後は、宮田幸一の描写詞とか、石黒魯平の模写対象によって三分類しての命名とか、石垣幸雄のウッシなどの変わった命名もあるが、多くは擬声語・擬態語を用い、擬音語・擬容語、一括してオノマトペア（またはオノマトペ）、象徴詞などを用いるものもあるという具合である。昭和五〇年（一九七五）前後には、どの辞書も擬声語・擬態語は載せているものの、擬音語は載せていないものもあり、擬容語は載せていないほうがふつうである。ただ、そのころ出版されたものに『擬音語・擬態語辞典』と銘うっているのが二つもあり、[3]「擬音語」のほうは、いくらか市民権を得たといえるような状況となる。そして『日本国語大辞典・第二版』（平成一二・二〇〇〇）では、擬音語は「擬声語に同じ」、擬態語は「広義の擬声語の一種」、擬容語は「擬態語に同じ」として載せる。

なお、心の状態を表すものは日本語特有のもので、金田一春彦はクヨクヨ・イライラなどをとくに擬情語と称している。しかし、これだけ擬声語・擬態語の名称が通用してしまった現在では、ほかの名称を割りこませても簡単には定着しないように思えるし、またあまり細かく分けて命名するのも、研究者は別として、一般の人にはどうだろうか。どちらかというと私は、声だけを表現するものではないこと、「擬態」という語は動物学上の用語でもあることなどを考え合わせて、擬音語・擬容語を用いたいと思ってはいるが、擬声語・擬態語の通用度と比べてみると五十歩百歩のようにも思われる。

そこで大勢に従い、ここでは一応広義に「擬声語」の名称を、区別する場合は擬音語・擬態語を用いることにする。オノマトペアは外来語なので誰にでもすぐ通

名称のいろいろ

名称	提唱者	文献
擬声語	大町芳衛 高橋龍雄	『国語新文典』（明治35・1902）
絵声	森鷗外	「『言語の起原』附記」(明治36・1903)
擬声語即音画(Sound Pictureの訳)とし、擬態語をも含めているようである	高橋龍雄	『応用言語学』(明治38・1905)
擬声語を音画・意画に分けている	高橋龍雄	『国語音調論』(昭和７・1932)
写声、擬貌(声貌)	三矢重松	『高等日本文法』(明治41・1908)
擬声語、擬態語	大島正健	『国語の組織』(大正３・1914)
擬声語、擬貌語	春日政治	「奈良朝人の擬声語」(『奈良文化』４、大正13・1924、『万葉片々』所収)
擬声音、模様音	芳賀矢一	『国語と国民性』(昭和３・1928、11頁)
音画、意画(意味は少し異なる)	松下大三郎	『改撰標準日本文法』(昭和3・1928、273頁)
象徴音｛擬音語(擬音辞) 擬容語(擬容辞)	小林英夫	「国語象徴音の研究」(『文学』１－８、昭和８・1933、『言語学方法論考』『小林英夫著作集』５所収)／擬音辞・擬容辞は『一般文法の原理』(昭和7・1932)
擬語	浅野信	『巷間の言語省察』(昭和８・1933、160頁)
擬音、写音のほうがよいが、慣用に従う	佐久間鼎	「音声的描写による語構成」(『藤岡博士功績記念言語学論文集』昭和10・1935、『日本語の言語理論的研究』所収)
一類、二類(擬容語、擬態語、模様語、写容語とも)	戸田吉郎	「擬声語」(『日本語』２、昭和17・1942)
描写詞	宮田幸一	『日本語文法の輪郭』(昭和23・1948、三省堂)
第一類(模写語)、第二類(註写語)、第三類(転写語)	石黒魯平	『擬態語』の名称を疑ふ」(『言語研究』16、昭和25・1950)
ウツシ	石垣幸雄	「ウツシの母音」(『計量国語学』９、昭和34・1959)
クヨクヨ、イライラなどをとくに擬情語とする	金田一春彦	浅野鶴子『擬音語・擬態語辞典』(昭和53・1978、角川書店)の巻頭の概説
擬音、擬声、擬態(擬容)、擬情の語	白石大二	『擬声語擬態語慣用句辞典』(昭和57・1982、東京堂出版)はしがき
音まねことば・様まねことば	都竹通年雄	「方言の擬声語・擬態語」(『言語生活』171号、昭和40・1965)
音まねことば・ありさまことば	安野光雅 大岡信 谷川俊太郎 松居直	『にほんご』(昭和54・1979、福音館書店)

じるわけではないし、象徴詞も説明を要する語であり、ことに一般語との境界線上にある語の場合、わざわざオノマトペとか象徴とかの語を使うほどのことはないように思えて、私としてはふつうに使うのはためらわれる。ただ最近は、片仮名ことばが違和感なく受け入れられるようになり、本辞典でもオノマトペの語が用いられているので、それはそれでよしとするが、誰でもが日本語について考え、語るようになるためには、やはりそれなりの配慮が必要だろうと考える。

その意味ではむしろ、都竹通年雄の「音まねことば・様まねことば」などの言い換えとか、子どものために、「音まねことば・ありさまことば」と説明している例などのほうが、誰にでもすぐわかるすなおな命名で、一般向きといえるのではないかと思うのだが……。

注

(1)――近世にも、それらの語群についてふれている辞書や語学書があり、たとえば『俚言集覧』、同書に引用されている『百俚談』。なかでも『かた言』は「――の音、――のかたち、――の心」のように説明しており、擬声語意識が見られる(一方『志不可起』は似た意味の漢字音にひきつけての説明が多い)。また言語の写声起源説をとなえる『雅語音声考』も注目されるが、この時代は俗語・卑語として取り上げていることが多く、近代以後の研究の流れとはつながらない。

(2)――早いもので、田中義廉『小学日本文典』(明治八・一八七五)が、ドンブリ・ガラ・ヘウ・サッなどの物の響音を模する詞を感詞としている。副詞として取り上げたものでは、高津鍬三郎『日本中文典』(明治二四・一八九一)／和田万吉『新撰国文典』(明治三〇・一八九七)など。

(3)――天沼寧『擬音語・擬態語辞典』(昭和四九・一九七四、東京堂出版)／浅野鶴子『擬音語・擬態語辞典』(昭和五三・一九七八、角川書店)

三　通時的考察

擬声語はその語音構造に際だった特徴が見られる。たとえば、

チロチロ　プカプカ　のような反復の型
ドキッと　ピタッと　のような型
コッテリ　スッポリ　のような型
ドンヨリ　ニンマリ　のような型

等々、いくつかの類型がある。これを歴史的にたどってみると、現在のような型、現在使われている語彙《ごい》が、そのまま昔からあったわけではなく、基本のところは古くから変わらないものの、時代が下るにつれてだんだん変化してきたと思われる点、新しく生まれてきた

と思われる点などが考察されて興味深い。
そこで、まず上古からの各時代(1)の特色を見てゆくことにする。(2)

1 上古

上古は『古事記』『日本書紀』『風土記』『万葉集』など、文献は少ないが、そこに見られるあまり多くはない語例からも、形態上の特徴は浮かび上がってくる。

【型と用例】

AA ココ コゴ (連濁と思われる例)

・一つの鹿、み前に立ちき。鳴く声は**比々**《ヒヒ》といひき　(播磨国風土記・託賀《たか》郡)

・馬の音の**跡杼**《トド》ともすれば松蔭に出でてそ見つる　(万葉集・二六五三)

AB サヤ ヒシ

・足玉も手珠も**由良**《ユラ》に織る機《はた》を　(万葉集・二〇六五)

・負征箭《おいそや》の**曾与**《ソヨ》と鳴るまで嘆きつるかも　(万葉集・四三九八)

ABB クルル ニフブ ユララ

・吾妹子《わぎもこ》が袖も**志保々**《シホホ》に泣きしそ思はゆ　(万葉集・四三五七)

・白波の八重折るが上に海人小舟《あまおぶね》**波良々**《ハララ》に浮きて　(万葉集・四三六〇)

ABAB サワサワ スクスク

・枯野を塩に焼き……振れ立つ浸漬《なづ》の木の**佐夜佐夜**《サヤサヤ》　(古事記・下、歌謡)

・風雑へ雨降る夜の……咳かひ鼻**毗之毗之**《ビシビシ》にしかとあらぬ鬚かき撫でて　(万葉集・八九二)

ABラ(またはABロ) ホドロ ハダラ(ホドロの母音交替)

・御頸珠の玉の緒**母由良**《モユラ》に取り由良迦志て　(古事記・上)

・鉤を以ちて…探れば…甲に懸かりて、**訶和羅**《カワラ》と鳴りき　(古事記・中)

ABラABラ ABロABロ ユクラユクラ ホドロホドロ

・其の沼矛を指し下ろして画きたまへば、塩**許々**《コヲ》**袁々呂々**《ロコヲロ》邇。此七字以音。画き鳴して　(古事記・上)

・河船の**毛々曾々呂々**《モソロモソロ》に国来国来と引き来縫へる国は　(出雲国風土記・意宇《おう》郡)

この時代のものには、語義未詳のため疑問の語も多い。また、上古の擬声語というとすぐ思い浮かぶ「内は富良富良《ホラホラ》、外は須夫須夫《スブスブ》」(古事記・上)も、洞・窄との関係が考えられ、トドロク―トドロ、ユタカ―ユタな

ども、かなり一般語的であり、いちいちについて判断してゆくほかはなかろうが、微妙なところである。

【観察される特徴】

① 語基は一音節(Aで示す)のものと、異なる音《おん》による二音節(AとBで示す)のものとがあり、二音節のものが基本の形と思われる。——これは今日まで一貫して見られる特質である。

② 二音節語基の母音が、第一音節の母音に調和する傾向が見られる(同韻連続)。

③ 反復の形式は各国語に共通して見られる形態でもあり、日本語の擬声語では語数も多く、もっとも著しい特徴と思われている。が、上古ではその型がすでに見られるとはいうものの、とくにほかの型に比べて多いというわけではない。同語反復(ABAB)、または反復の際に母音が同化して重複構成をとった部分反復(ABB)として現れているが、同語反復は中古以後にめだってふえてくるのである。

④ むしろ、語末にラ行音のくるものの多いことが著しい特徴といえる。そしてこのラ行音は多くは語基の母音に調和してラまたはロとなる。[3] 起源的にこれら語末のラ行音は、上古に例の多い、ウマ良《ラ》ニ・アカ良《ラ》ガシハ・オホキミ呂《ロ》カモなど、意味のない、または語調を整えるための接尾語といわれているものと同じであろう。発生時には何らかの意味をもっていたのであろうが(擬声語にはラ行音が多いこととも考え合わせられる)、長い間にいつか擬声語の造語成分として固定していったものと思う。なお上古では、ラ・ロに限られており、リは見えない。中古になってリが現れ出し、だんだんとラ・ロにとって代わるのである。

⑤ 固有の日本語では原則として語頭に濁音の立つことはないが、ビシビシは注目すべき例外であり、おそらく俗語としての擬声語の場合、正規の音韻の枠をはみだした形が許されたものであろう。[4]

⑥ 擬声語では拗音、半濁音などの複雑な語音構成が多いが、それは時代が下るにつれて現れてくる特徴で、上古においては単純な音韻による結合が特徴である。

⑦ 上古には擬声語が副詞として機能する場合、「と」「に」の助詞が付くのがふつうである(「内はホラホラ、外はスブスブ」は唱え言《ごと》なので特殊な例。ほかに何も付かず述語となる例が少しある。「浸漬《なづ》の木のサヤサヤ」)。「と」の付くのは擬音語である。その音韻形式は二音節で、母音調和の構成をとるのが一般である。「に」の付くのは擬態語か、または客観的に表現した擬音語で、かなり一般語的な手続きを経て成立してお

り[5]、二音節語基の語末にラ行音が付いて三音節になるものと、重複構成をとって三音節になるものとが典型的である。「と」の付くものは発生は「に」より新しく、「に」は徐々に「と」に統一されてゆく。中古初期にはその傾向がほぼ完成したらしい。

⑧ 語根が擬態語と思われる動詞、許呂呂《コロロ》く（古事記）、簸《ハ》邏《ラ》邏《ラ》かす（日本書紀）のような例があり、可加奈久《カカナク》（万葉集・三三九〇）、可可呑《カカノム》（祝詞《のりと》）のようにAA型と動詞と複合した形がある。古くは擬声語がさまざまな形をとって現れたものとみられる。複合語の例は、その後中世になって少し現れ、近世になってふえる。

⑨ 来武《コム》＝狐・来（万葉集・三八二四）、許呂久《コロク》＝烏・子等来（万葉集・三五二二）など、掛詞《かけことば》としての用例もある。また馬声《イ》、蜂音《ブ》、牛鳴《ム》などの戯書の例もあり、考察の参考となる。

注

（1）――時代区分については、以下のとおり。上古は、中古・近古（中世）に対して文献の有する限りで最古の時代をさす。中古は、上古と近古（中世）との間の時期。一般に平安時代を中心にした時期。中世は、古代のあとにつづく、近世以前の時期。鎌倉時代・室町時代をさす。近世は、古代、中世のあとにつづき、近代以前の時期。安土桃山時代、江戸時代をさす。

（2）――これについては、過去に発表した次のものも参照していただければありがたい。「語音結合の型より見た擬音語・擬容語―その歴史的推移について―」森田（鈴木）雅子（『国語と国文学』三四五号　昭和二八・一九五三）／「むかしの擬声語・擬態語」（『言語生活』一七一号、昭和四〇・一九六五）／「擬声語・擬態語一覧」（『品詞別日本文法講座』一〇巻「資料1」昭和四八・一九七三）

ただし、基本的な考えは変わっていないが、大分前のものなので、用例収集などの点で行き届かなかった面もあり、その点は修正しつつ、今回は現代も含めて記述した。なお、右の論文では、型を符号で示したが、今回はAB…で示す。

（3）――上代特殊仮名遣いの乙類。

（4）――「笹葉にうつや霰の多志陀志《タシダシ》に」（古事記・下）の例は、バラバラ音をたてる霰の音と「確かに」とを掛けた語だが、霰の音がバラバラでなく、いわばハラバラと受けとられているのであって、タシダシのような形が古代日本語の古い正しい言い回しだったのかもしれない。（『日本語の歴史』一、昭和三八・一九六三、平凡社、二九九頁参照）

（5）――朝山信弥「語尾に『に』を有する古代象徴辞の一問題」（『国語国文』一〇ノ二、昭和一五・一九四〇）

2 中古

中古は物語・日記などの堂上《どうじょう》文学が主なので、俗語的性格の濃い擬声語の現れ方に偏りがあるのではな

いかと思われるが、それでも上古とは異なるいくつかの新しい型が見られ、文献には現れない、一般の人々の日常の言語生活のなかでは、だんだんと豊富に使われてゆく傾向だったであろうと想像される。さらに後期になると、説話文学（『今昔《こんじゃく》物語集』『古本《こほん》説話集』）によって、次の時代とのつながりを思わせる新しい型も生まれてきていることが知られる。

　中古には濁音・半濁音や、促音・撥《はつ》音・長音などの表記が発達していなかったため、文献のみでは当時の実際の発音がはっきりしないものも多い。清濁の点を取り上げてみると、声点によって濁音とわかる末期の例[1]を除き、物語などでは、たとえばコホコホの表記は、校訂者によってコホコホ・ゴホゴホ・コボコボのように幾種類もに読まれている。これらは後世のことばとも考え合わせて、ある程度推定することはできよう。また長音・促音は表記されていないが、あるいは実際にはこれらを含んでいる語もあったであろう。サ（と）とあるのはサッ（と）だったかもしれず、烏がカカと鳴くのは、カーカーだったかもしれない。撥音表記も不完全だったので、Aンの形は見られないが、ウはn音を表したものではないかといわれている。ウ・ンの実際の発音は、互いにかみ合って、音価が近かったのではないかと思われ、従ってこれは、実際の音《おん》に対応する表記の違いと見られ、AウはAンの古い表記とも考えられる（促音・撥音は中古初期に国語音として発生、院政期ごろにッ・ンではっきり書き分けるようになったという）。

　ここでは音価の推定はしばらく措いて、[2]翻刻本文に従って用例をあげる。

【型と用例】

◎語基一音節

A（と）　サ　ッ　フ

・このかぐや姫**き**と影になりぬ　（竹取物語）

・**は**と一度にわらひたりしこゑこそ　（大鏡・道隆）

AA　AAAA　カカ　ササ

・いみじく**よよ**となけば　（蜻蛉《かげろう》日記・中）

・女房の十廿人と出で居て、**ほほ**と笑ふぞや　（栄花《えいが》物語・月ノ宴）

・「**ううう**」とうめきけれど　（古本説話集・二八）

Aウ　イウ　チウ

・車宿にさらにひき入れて、轅**ほう**とうちおろすを　（枕草子・二五）

・大キヤカナル者、板敷ニ**トウ**ト着ヌナリ　（今昔物語集・二七ノ四五）

AウAウ　ネウネウ　ホウホウ

・女ノ童、狐ニ成テ**コウコウ**ト鳴テ逃ヌ　（今昔物語集・二七ノ四一）

◎語基二音節

AB　カサ　シト　ハク

・てを**はた**とうちて…いでたまひにけり　（大鏡・伊尹）

・盗人ノ尻ヲ**フタ**ト蹴タリツレバ　（今昔物語集・二三ノ二〇）

ABB　ウララ　ホロロ

・蓑も笠もとりあへで、**しとど**に濡れて惑ひ来にけり　（伊勢物語・一〇七）

・面ヲ見レバ**ニココ**ニ咲《(笑)》《(ママ)》ユテ宣ハク　（今昔物語集・四ノ六）

ABAB　カラカラ　ヒチヒチ　ミシミシ

・火の中にうちくべて焼かせ給ふに、**めらめら**と焼けぬ　（竹取物語）

・より給ふに、伊予簾は、**さらさら**と鳴るも、つつまし　（源氏物語・浮舟）

・毛は**むくむく**とおひたる手の爪ながく　（大鏡・忠平）

ABラ　ABロ　ハタラ　カケロ　コホロ

・にくきもの…物につきさはりて、**そよろ**といはせたる　（枕草子・二八）

・蛇のいくままに…崖《きし》のうへさまに**こそろ**と登りぬ　（古本説話集・六四）

ABラABラ　ABロABロ　ホガラホガラ

・目も**うつらうつら**、かがみに神の心をこそは見つれ　（土佐日記）

ABリ　フツリ

・平張は…**づぶり**《つふり》とおちいりぬ　（大和《やまと》物語）

・おとどの御前にひき出で来て、**はくり**とついするられて　（落窪《おちくぼ》物語・一）

ABリABリ　ハタリハタリ

・藪ノ中ニ者ノ**ソヨリソヨリ**ト鳴テ動《ハタラキ》ケルヲ見テ　（今昔物語集・二六ノ二一）

・河ヲ**サフリサフリ**ト渡ルナリ　（今昔物語集・二七ノ四三）

【観察される特徴】

①　A型の語は、「と」を伴った形で一語という意識が強く、象徴性がうすれて概念語化してきている。「フと」はその著しい例である。従ってどの語も用例が非常に多い。

・宝倉ノ戸、スズロニ**キ**ト鳴テ開ケバ　（今昔物語集・二六ノ八）

は擬音語の例で、これはキー・ギーとかキーッ・ギー

ッのような音をキで表したものであろう。

② AA、Aウ、AウAウなどの型は擬音語で、動物の鳴き声や、笑い声、泣く声などが多い。状態をいうものに、

・ここにある人、**ひゃう**とよりきて　（蜻蛉日記・中）

がある。これは拗音であることでも特殊。

AA型ではヨヨが文語的な常套語として後世にまで残っている。

ホウ・ホウホウは今日のポン・ポンポンに当たると思われる。ハ行音は古くP音であったのが、中古にはF音に変わっていたらしい。しかし擬音語は別で、P音だったのかもしれない。

③ 日本古典文学大系『狭衣物語《さごろも》』では、

・歌を、「ぱつぱつ」と、詠みかけよ　（八六頁）

とあるが、注によると諸本みな明瞭に「はく」であり、校訂者の恣意《しい》による改ざんと思われる。中古にははっきりと書き分けられたAッAッ型の例は見られない。

④ AB型は和文脈のものには例が少なく、後期の説話に例が多い。ABABという反復型の音感に比べると、簡潔でやや硬い感じがすることが、和文脈に少ないことと関連があるかとも思う。

⑤ ABB型は歌語またはそれに類した語として、ウララ・シトド・タワワなど（これらはかなり一般語的ではあるが）の数語が「に」を伴った形で後世にひきつがれる。

・とび立つきじの**ほろろ**とぞなく　（古今和歌集・一〇三三）

実はこれは羽音だという。擬音語なので「と」を伴うのである。

⑥ 今日もっとも数が多く、擬声語の代表的形態と一般に考えられている二音節反復ABAB型が非常に多くなる。なかでウラウラ・キラキラ・コホコホ・ソヨソヨ・ツブツブ・ハラハラ・ホロホロ・ユラユラなどはやや例が多く、情態描写の際に常套《じょうとう》的に使われたのだろうと思われる。アザアザ・ケザケザ・ツヤツヤ・ナヨナヨなどは、鮮やか・けざやかなどの語とつながりが強いように思われるが、表情性のある語であるし、厳密に擬声語とどこで切るか、むずかしいところだと思う。

なお、「コホコホハタハタと」（蜻蛉日記）、「ソヨソヨハラハラと」（落窪物語）、「カハカハソヨソヨと」（狭衣物語）のように重ねた例もある。

⑦ 上古には語末にラまたはロが付いたが、中古はABロ型が数例。ABラ型は、

・笏をさへてたちければ**はたら**とおれけるは　（大鏡・伊尹）

これは「はたう」の誤りか、としてパタンかバタン、ポキンの擬音とする説が主のようであるが、語基ハタにラ（母音調和）が付いたと考えられる例と思う（『大鏡』にはハタ・ハタハタ・ハタラと同語基の語が揃っていることになる）。

反復型は二、三例あるものの、純粋に擬声語とは言いがたい例である。

⑧　注目されるのは、語末にはじめてリが現れたこと。例は少ないが特筆すべきことである。末期にはその反復型も現れる。

⑨　その他、変型として語基交替がある。

・**しどろもどろ**に愛敬づき　（源氏物語・梅枝）

・太き綱をつけて、声を合せて、「**えさまさ**」と引き上げ騒ぐ　（栄花物語・疑）

（これは掛け声ではないかと思う）

⑩　ほとんどの語は下に「と」が付いて副詞となる。なかに「と＋す」の用法が少し見えはじめる。

・目の**きろきろ**としてまたたきゐたり　（堤《つつみ》中納言《ちゆうなごん》物語・はいずみ）

・弾指**はたはた**とす。　（大鏡・道長下）

「に」の付くのはＡＢＢ型などの限られた語である。

⑪　「―めく」の形の派生動詞の例は初期の「ツツめく」（日本霊異《りようい》記《き》）をはじめとして、「キシめく・キラめく・コホめく・ソヨめく・ハラめく・ヒシめく・ホトめく」。末期には「クツめかす・コソめく・サブめく・トロめく・ヒチめかす・ブめく・フタめく」など、例がふえる。

⑫　上古にも例のある「キラキラし」のような形容詞の例として「クネクネし・スクスクし」があるが、「クネクネし」は「くねる」と、「スクスクし」は「すくむ、すくよか」の「スク」と同根かといわれる。一応これらの形容詞は考察から除く。

⑬　掛詞としての例。

「ソヨ」（葉ずれの音）は『古今和歌集』をはじめ、『大和物語』『蜻蛉日記』『宇津保《うつぼ》物語』ほかの多くの作品に「其よ」（感動）との掛詞としての例が見られ、また、「ヒトクヒトク」（鶯・人来人来）も『古今和歌集』『大和物語』『蜻蛉日記』などに例があり、常套的な表現となっている。

その他、ネウネウ＝子猫・寝む寝む（寝よう）（源氏物語・若菜下）、イカイカ＝乳児の泣き声・五十日《イカ》五十日《イカ》（の祝）（宇津保物語・蔵開上）、カヒヨ＝鹿・効《かひ》（古今和歌

集・一〇三四)など、擬音語に掛詞の例が多いが、擬態語的な、ヨヨ＝泣くさま・竹の節・夜(大和物語)の例もある。

⑭　動物や鳥、虫などの写声。

烏　カカ(枕草子)
ひな　ヒヨヒヨ(枕草子)
駒(馬)　イウ(落窪物語)
狐　コウコウ(今昔物語集)……例が多い。
蜂　ブブ(今昔物語集)　等々

注

(1)――『図書寮本類聚名義抄』「蹤踵…小児行皃…宇比阿由美一云多賀多賀」(タガタガ)

(2)――山口仲美「中古象徴詞の語音構造―清濁に問題のある語例を中心に―」(『国語学』九三、昭和四八・一九七三)／山口仲美「続中古象徴詞の語音構造―撥音・長音・促音に関する問題をふくむ語例を中心に―」(『共立女子短期大学文科紀要』一六、昭和四八・一九七三)では、語音の不確定な語について調査・考察し、語音確定の作業を行っている。

3　中　世

文学作品ばかりでなく、抄物・狂言・辞書類などの新しい言語資料が得られ、文語以外の日常語が多数記録されているうえ、これまであいまいであった促音・撥音なども表記されるようになり、またキリシタン物のローマ字資料により、発音もはっきりわかってくる、というわけで、擬声語の種類もこれまでよりぐっと多様に、豊富に見られる。ことに室町期からが著しい。(1)

【型と用例】(反復型は二回反復されたものを代表型とみなし、三回以上の反復は省略)

◎語基一音節

A(と)　ザ　ソ　ツ　ヅ

・ツバキヲ**カ**トハク　(名語記《みょうごき》・二)(2)
・人々**ワ**と咲《わらい》ケレバ　(沙石集《しゃせきしゅう》・五末二)

一〇種類ほど。前時代からの語と、新しい語が少しある程度。表記がAでも、発音はAッの例もある(軍記物)。

AA　AAAA　ウウ　ヒヒ　トトトト　ワワワワ

・細ごゑをいだして**きき**となきけり…古狸なりけり　(古今著聞集《ここんちょもんじゅう》・一七)
・侍ノタノミ入タカイモナイト云ヘト**ニニ**ト笑テキキ入レヌハ…　(毛詩抄《もうししょう》・二)
・ヒヨコヲ引ツレテ…ニワトリハ**クククク**ト云テ虫ヲホリダイテクワセウデ呼ソ　(玉塵抄《ぎょくじんしょう》・一六)

AウAウ　ゴウ　ドウ　チャウ　コウコウ

・しりを**ほう**と蹴たれば　(宇治拾遺物語《うじしゅうい》・一七六)

・スビツヲトビコヱケル程ニ…スビツヲ**トウ**ドヲツ（沙石集・七ノ一七）

・かねをあまたたび**ちゃうちゃう**と物さはがしげにうちて（古今著聞集・一六）

・夏フカクナリテイテクル蟬ノ**ミウミウ**トナク（名語記・六）

これらの例は中古の例とのつながりを感じさせるが、シュウ・チャウ・ヒャウなどの語例は、語基を延ばしたAー型と考えてもよさそうである。

Aー　AーAー　シュウ　クウクウ

・カトヤツナトナトヲアクルヲトノ**ギイ**トナル（名語記・六）

・帆柱…大風ニモマレテ立テ**キイキイ**ト風に嘯テ鳴ソ（四河入海《しがにっかい》・一ノ三）

・毛のこうだ能い猿じゃ　猿 **キャアキャアキャア**（狂言・靭猿《うつぼざる》）

Aン　Aーン　AンAン　ツン　コーン　リンリン

・肩を**づん**どおどりこへてぞたたかいける（平家物語・四）

・さらば撞て見う。**ジャアン**、**モンモンモン**（狂言・鐘の音）

・Vmaga Pinpinto fanuru（ウマガ　**ピンピン**トハヌル）（日葡《にっぽ》辞書）

Aウ・Aー・Aンやその反復などは主に擬音語で、鐘の音、栗のはぜる音、動物の声などを表した語例がある。

Aッ　AッAッ　ツッ　グッ　ヒャッ　ソッソッ　ハッハッ

・土ヲ**ク**ハット庭ノマワリヘモチアケテ笋カ土ヲ裂テ**ヒ**ョット出タソ（四河入海・一〇ノ一）

・二ヒキノ虎カ、庵ノウシロカラ、**ニ**ョットテタソ（玉塵抄・三）

・筧ソ、其水ノヲトカ**トットッ**ト鳴ソ（四河入海・五ノ四）

・激水トハ。水ヲセイテ。**クワックワ**ット。流スコトヲ…（蒙求抄《もうぎゅうしょう》・二）

『太平記』では、「屹ト・颯ト」のように漢字を当てた例があり、漢語との関係も考えられるが、中古の「キと・サと」とのつながりを重く見たい。軍記物では拗音よりも、堅い感じの直音が優勢に見えることとも考え合わせると、男性的な軍記物の特色が、漢字を当てている点にも窺われるように思われる。(3)

抄物では「チャッと・チャッチャッと・チャチャッと・チャッチャャと」などの語が、ある種の情態をいう副

詞として慣習化しているようで、例が多い。

・ヲサナイ子カックエノキワエ**チャット**キテ硯ノ墨ヲコボイテ…　（玉塵抄・五三）

・日月ハ**チャッチャット**推移テ過ルソ　（四河入海・一三ノ三）

AッA　クヮックヮ　パッパ　ポッポ

・牛ニノッテ**トットト**過ソ　（四河入海・一二ノ一）

・岩下ニ電ノ影ガ。**カッカト**。指シタヤウナ。コトソ　（蒙求抄・一）

AンA　ザンザ　バンバ　ボンボ

・地籟ノヲトカ**トントト**スル程ニ…案ノ如ク大風雨カシテ　（四河入海・二三ノ四）

・**Vmaga binbito fanuru**（ウマガ　**ビンビト**　ハヌル）（日葡辞書・補遺）

促音挿入のAッA型に比べると少ない。二音節語基の型の場合も同様で、撥音挿入の型のほうが少ないのである。

このほか、一、二例しか見つからなかったが、

AAラ　ソソラ　ツツラ　ホホラ

・オモヒノホカナル人ノ**ソソラト**キタレレル

AAリ　ホホリ　（名語記・七）

・粧《よそおい》モ**ホホリト**シテ薄ソ　睡サメテウスケワイシテ美人ノイラレタル…　（四河入海・一一ノ三）

AAン　チチン　ポポン

・帯ヤキルモノノスソナドニチイサイ玉ヲツクルソ…アルク時ニ玉ガナルソ…**チチント**ナル音ソ　（玉塵抄・一）

AッAラ　ホッポラ

・温々ハ**ホッホ《（ポ）》ラト**シテニッコラトシタ心ソ　（玉塵抄・五〇）

AンAリ　ドンドリ　ホンボリ　ボンボリ

・ウスウスト眉ヲツクッタソ…**ホンホ《（ボ）》リト**ツクッタソ　トヲ山ニウスウケムリヤ霞ノカカッタ如ナソ　（玉塵抄・三五）

・**Bonborito**（**ボンボリト**）（日葡辞書）

（綿がけば立っているさま。又は、髪がもじゃもじゃなさま。）

◎語基二音節

AB　ガブ　クヮラ　トロ　ムサ

・**メトト**酔テ**ホテテト**飽テヨク眠タコソ　（四河入海・一三ノ一）

・イツモ**メタト**酔テ。我家へ帰ル也　（中華若木詩抄・上）

六〇種ほど。そのうち「ガハ・ハタ・ヒシ・フツ・ムズ」などはジャンルに関係なく共通して多くの例がある。この型は中世が最盛期。

ABB　ABBABB　キララ　クルル

・ソノ葉ガ、夜ハヒラリトノビテ昼ハ**キリリ**トマイタソ　（玉塵抄・四九）

・**バリリバリリ**と音が致しましたによって桶はさだめて噛み砕いたものでござろう　（狂言・清水《しみず》）

ABAB　イゾイゾ　コリコリ　シャラシャラ　スゴスゴ　ムリムリ

・クチニ物ヲイレテ**サイサイ**トカム如何　摧々トナル也　クタクノ字ノ音ニアラハルルナルヘシ　（名語記・六）

・一口クヒケル程ニ…ムセテ**キチキチ**トス　（沙石集・七ノ二三）

・琵琶ノ上手…曲ヲハラリトヒクトキハ雷ノ空堂ニ輥響スルカ如ニシテ窓ナントモ**ビリビリ**トナルソ　（四河入海・一二ノ四）

・利根ナ人ハ、ヒトミガ、チイサウテ、**クリクリ**トスルソ　（玉塵抄・二）

鎌倉期に約八五種、室町期に約一八〇種と、ほかの型に比べて際だって多く、擬声語の代表的形態といえるようになる。今日と同じ音結合のもの、違うもの。表現する意味合いが今日と同じもの、違うもの。と、実に多様。たとえば抄物では、日の出るさまをしばしば「ツルツル」と表現する。今日とは違っているが、これは当時のふつうの、常套的な表現。

・新月ハアタラシク東ヨリヨイニ**ツルツル**ト出ル処ヲ云ソ　（四河入海・九ノ一）

・朝日ノ**ツルツル**ト出トスル時　（毛詩抄・七）

軍記物には漢字を当てた例が少しある。

ABラ　ABロ　シドロ　ウカラ　フクラ　ムサラ

・面ヲモ**スキラ**ト洗イ髪ヲモヨウ洗テ梳テサハサハトシテヲレハ　（四河入海・三ノ二）

・物ヲ飽ホトクウテ**ヌクラ**トシタハ無風騒ナル事ソ　（四河入海・二〇ノ一）

・珠ガアレハ、水ガスンデ、明ニウルウルトテリカカヤクソ…草木ノ色モ**ウルラ**トアルソ　（玉塵抄・一五）

ABラABラ　ABロABロ　シャナラシャナラ

・草ノナニヤラ**イゾロイゾロ**(生)ヲエタヤウナ心ヂャケナソ　（玉塵抄・九）

・**たどろたどろ**と行程に、嵯峨の道をば知ずして、北山に迷ひける　（伽・横笛草紙）

語例は少なく、この型よりABリの反復の型が優勢である。口調を整えるためにABABにラ・ロを付けたもの、あるいはリのなまった形と考えられるのではなかろうか(今日、方言にはこの型が多い。また、詩や昔話風の文などに意図的にこの型を用いたと思われる例を見る)。

ABリ　キロリ　クヮラリ　シクリ　ビシャリ

・其の鳥をとらへて毛を**つるり**とむしりてけり　（古今著聞集・一六）

・とがもなひ尺八を、枕に**かたり**となげあてても、さびしや独寝　（閑吟集《かんぎんしゅう》）

・慈岩寺ノ御僧ノ**ムセリ**トシテモノヲモ云ハヌ程ニ詩モヨウモツクラレヌソ　（四河入海・一ノ二）

鎌倉期に一五種ほどだったのが、室町期には六〇種ほど。ABAB型に次いで多くなる。

ABリッ型、A－Bリ型の例も。

・此水ノ**キラリッ**ト有ハ五色ノ摩尼ノ随方ノ色アルカ如ナソ　（四河入海・二ノ四）

・ウスウテ風ヲフクムホトニ**フウワリ**トスルソ　（玉塵抄・八）

ABリABリ　クラリクラリ　サイリサイリ　ヒカリヒカリ　ホロリホロリ

・飯ヲカキクフヲトノ**サフリサフリ**如何　シタフルレリノ反　舌触也　（名語記・八）

・心カムスホレタソ　腹カ**イルリイルリ**トスホルルヤウナソ　（毛詩抄・七）

ABン　コツン

・Tofonto xite iru（**トホント**　シテ　イル）　（日葡辞書）

今日では相当数あるが二例ほど。

AッB　AッBAッB　ウッカ　ドッピ　トッホ　ニッコ　カッシカッシ

・大グライシテ腹ヲ大鼓ノ如ニ**ホッテ**トシテヲルヲソシッタソ　（玉塵抄・三三）

・意気揚々**エックワ**トシテ。世界ニ。人アリトモ。思ハイテ。心エヌナリヲ。シタソ　（蒙求抄・七）

・いただき給ふ鉢**かっは**(ば)と。前に落ちにけり　（伽・鉢かづき）

・北堂ハマックラニシテ只微螢ノ**ヒッカヒッカ**トスルマテソ　（四河入海・一七ノ二）

室町期に例が多く七〇種ほど。この時期がこの型の最盛期で、近世になるとAッBリ型がぐんと増えて、この型は減る。反復型も一〇種ほどある。

AッBラ　ウットラ　シットラ　バッサラ　ホッコラ

・夕風ノ吹ニ笛ヲ**ニットラ**ト吹テナコリヲ惜テ　（玉塵抄・二五）

・シキムシロヲ毛ノ席ノ氈ヲシイテ…アタタカニ**ムックラ**トシテネムリヨイホトニ　（玉塵抄・四三）

一五種ほど、すべて抄物の例。近世にウッスラ・グッスラの例があり、現代ではウッスラ・フックラが用いられるくらいである。

AッBリ　AッBリAッBリ　ウットリ　ドッタリ　ムックリ　ヒッカリヒッカリ

・石ヲヒロヒアゲテ竹ヤフノ中エナゲラレタレハ石カ竹ニアタッテ**カッチリ**トナッタ声ヲ聞テ悟リ得ラレタソ…竹ノ**ハッチリ**トナッタ声ヲキイテ心ニ色々ノ事を案ジ　（玉塵抄・二七）

・teaximo **succarito** carugueni（テアシモ　**スッカリト**　カルゲニ）　（文禄二耶蘇会板伊曾保《いそほ》物語）

室町期に約三五種。反復の形もある。

AンB　ザンブ　ダンブ

・**Munzuto** ximuru（**ムンズト**　シムル）　（日葡辞書）

促音挿入のAッB型が豊富であるのと対照的に少ない。

AンBラ　アンケラ　タンフ《（プ）》ラ　チンボラ　ヌンメラ

・山ニ生シタウルシハ里ノヨリツヲ《（強）》イソ　色ハ里ウルシノヤウニ**ハンナラ**トハナイソ　（玉塵抄・一六）

・和シヤワライテセワシナウ人ノナリモ心モ**ノンビラ**トアル事ソ　（玉塵抄・四三）

AンBリ　ヅンブリ　ドンミリ　ハンナリ　ミンズリ

・酒ノ…盃ニ**タンフ《（プ）》リ**トアルヲ云ソ　（四河入海・一七ノ四）

・白イ土カ鼻ノサキニ**チンホ《（ボ）》リ**トハイノハネホド付タソ　（玉塵抄・六）

その他、語基交替、異なる型の組み合わせなどの変型。

ABCB　ムサクサ　ワヤクヤ

・渓女ハツヨウシタルイ程ニ**シクホク**ト啼《（なか）》シメテ悲シマシメウスラウ　（四河入海・九ノ三）

ABリCBリ　ユラリサラリ

・雀の啼声コソ面白ケレ　玉佩ノ鳴《ナル》カ如ニ**サラリカラリ**ト云ソ　（四河入海・一三ノ三）

・**Birarixarari**（**ビラリシャラリ**）　（日葡辞書）

ABリCDリ　カラリチタリ

・鉞、薙鎌、熊手舟に**からりひしり**と取入れて　（義経記《ぎけいき》・四）

・からろのをとが**ころりからり**と　（閑吟集）

・秋夜ノ雨ニハタヲヲッテ…**キイリシトリ**トナッタ

ソ　　（玉塵抄・五）

（機織りの音は四河入海もキイリシトリと表現）

ほかに「ムックラニッコラ」「ウルウルヌンメラトシテフックラト」「ウルウルヌメヌメ」（玉塵抄）、「ウルウルホケホケ」（四河入海）など。

【観察される特徴】

① 音韻が複雑になり、拗音が効果的に使われた語が多く見られる（クヮリクヮリ・シャラシャラ・チョロチョロ）。また濁音・半濁音がはっきり現れる。『日葡辞書』でPで始まる副詞は擬声語ばかりであり、語頭に半濁音がくるのは擬声語の特質ということを証明する。

P字で始まる副詞は **Pappato**（パッパと）・**Pararito**（パラリと）・**Patto**（パッと）・**Paxxito**（パッシと）・**Pinpin**（ピンピン）・**Pixxito**（ピッシと）・**Ponpon**（ポンポン）・または **Poponto**（ポポンと）・**Poppoto**（ポッポと）。抄物では半濁音の表記がされていないので、『日葡辞書』と比べ合わせてフッフ→フップ、ワツハ→ワッパと考えることができる。面白いのは、今日ではピカピカというのに、『日葡辞書』では **Ficaficato** とありピカピカがない。それから考えると抄物のヒカヒカ、ヒカリ、ヒカリヒカリなどもF音だったのだろう。狂言でも雷の音はヒッカリヒッカリである。

② 促音・撥音・長音により特徴づけられた型がはっきり現れてきた。語末あるいは語間にあって異なる型となり、異なる表情を見せる。さらにそれぞれの反復型が種々の情態を表現している。

一例ほどなので型としてあげなかったが、

Aーッ（AーAかも）

・下瀬《セヲクダッテ》…玦環ヲ鳴《（ナラ）》スカ如ナソ　**ツウツト**。ハヤイ水テ石モ流ソ　（四河入海・一ノ二）

AーAッ

・水カ口へ入テ**ズウズット**。飲声カ…　（四河入海・一一ノ二）

Aー　AーAー　AーAッ

Aッ　Aーッ　AッAッ

Aン　Aーン　AンAン

AA　AAン　AンA　AッA

ABリ　AーBリ　ABリッ

ABッ　AッB　AッBラ　AッBリ

ABン　AンB　AンBラ　AンBリ

音節がすべて母音で終わるのを建前としていたのが日本語の特徴で、なまの口語では促音もかなり古くから話されていただろうが、一般に卑俗な発音と受けとられてきた。また促音はまず語中に現れ、語末にはだ

かの形で立つことはなかった。擬声語の場合「と」と一つになって話されるので、語中という意識で使われたのであろうか。Aッ型・AッAッ型のほかに「キラリッと」「カリッと」のような例も見られる。[4]

擬声語は促音・撥音、長音化や反復などによってその情態の微妙な違いを言い分けている。現代の語を例にとっていえば、ポタッ・ポタン・ポッタン・ポタポタ・ポタッポタッ・ポタリ・ポターリ・ポッタリなどによって、その言い分けが実感できると思う。ついでにいえば、語音の清濁の対立―清音は澄んでいて軽い、美しい。濁音はその逆で、重い鈍い感じを表す(カリカリ＝ガリガリ)。直音と拗音との対立―拗音のほうが俗語的(クナリ＝グニャリ)などが観察される。

③　これらの型は擬声語をつくる鋳型のような役割を担っているのではないかと思う。たとえば抄物にイキイキ・イッキ・イッキラ・イッキリのように同列に考えられる語が見られるが、これは「生《イキ》」から導かれた語が、この型をとることにより擬声語化したと考えていいのではなかろうか(サクサク・サック・サックラ・サックリと形の上では同じ)。同じく抄物のススス・ススラ・スンズラも「涼し」から派生した語と考えられ、「フクラ・フック(肥えたさま)」や、「ホラリ(竹の中が空虚なさま)」など、この型にはめることによって擬声語と意識されるようになったといってよいと思う。

④　語末ラ・ロについて見ると、中古にはロのほうが多かったが、ロはコソロ(宇治拾遺物語)など少数で、ほかはラの例である。『名語記』にキハラ・クサラ・クリラ・コカラ・シトラなど、ABラの例が多く、文章として残っていなくても、口語では多かったのではなかろうか。ロからABラ・AッBラ・AンBラ(AAラの例も少しある)のようにラに変わり、それがだんだんとリにとって代わられていったように思う。

⑤　語末が撥音のABン型と、はっきりいえる語は、後期になって現れはじめる。

⑥　本来の日本語には語頭にラ行音のくる語はないが、『日葡辞書』に「**Rorirori**(ロリロリ)ロリめく」の例がある。またハ行音が第二音節に立つこともないが、これも『日葡辞書』に「**Tofatofa**(トハトハ)トハめく、トハつく」「**Tofon**(トホン)」「**Gafato**(ガハと)」「**Cafato**(カハと)」の例があって、擬声語の特殊性を示すといえよう。[5]

⑦　狂言では擬声語を、音響や鳴き声そのものとして、狂言師の声による演技として表現する。狂言独特の習慣である。

・さらば引きめくろう、メリ、メリメリメリメリ　（狂言・子盗人）

・急いで走りかかって参ろう。…ずかずかずかずか　（狂言・鎌腹）

従って擬声語単独で文末に用いられる。

⑧　このような狂言の慣用は別として、一般には「と」を伴って副詞となるのが原則である（軍記物・狂言などでは、ウや撥音で終わる擬声語に続く「と」は濁って「ど」となる。「づんどをどりこえて」「ちやうど切る」など）が、(a)「と＋す」の用法が大分見えるようになり、だんだんと(b)「と」を伴わない用法や、(c)「す」が直接付いてサ変動詞となる用法が現れはじめる。主に抄物や『日葡辞書』によって知られるが、抄物ではこの傾向は文明（一四六九～八七）ごろまでさかのぼるという[6]。

(a)・鯰の**ふたふた**として庭にはひ出たり　（宇治拾遺物語・一六八）

・歩むやうにはしけれ共、はかもゆかず、**よろよろ**として出きたり　（平家物語・三）

(b)・我カワカカッシ時進士ニ試ラレシ事ヲ思イ出セハ**シ《ジ》リシリ**アセカ今モタルソ　（四河入海・一一ノ二）

(c)・梨…口エ入レハ**サイサイ**歯モロウテ　（玉塵抄・四二）

・安車ハ老人ハ。**ガタガタ**スル車ハ悪ソ。乗テ。ヲダヤカナソ。　（蒙求抄・二）

・**Munega dacudacu suru**（ムネガ　**ダクダク**　スル）　（日葡辞書）

(d)「に」「な」「の」の付く例も見えはじめる。

・君臣ノアイタヲ云イワッテ**ヘダヘダ**ニナサセラレタソ　（玉塵抄・二八）

・**Musacusana** vmanorini yugiyŏta.（**ムサクサ**ナウマノリニ　ユキ逢ウタ）　（日葡辞書）

・**しどろもどろ**のほそ道　（閑吟集）

⑨　接尾語「めく（めかす）」が付いた擬声動詞が増え、今日では使わない珍しい語が見られる。また「―つく」の形の動詞も現れる。

・ウロめく　ガタめく　ガハめく　ガブめく
　ガラめく　カリめく　ギギめく　グナめく
　ゴリめく　タブめく　ドシめく　ブめく
　ブキめく　ブスめく　など

キリキリめく（梁塵秘抄）・コテコテめく（名語記）のような例もある。

・トチめかす　ビロめかす　メリめかす

・カサつく　ガブつく　トバつく　ドブつく　など

⑩　ヘロヘロ矢（保元《ほうげん》物語）・カラカラ笑ヒ（蒙求抄）・ケラケラ咲《わらい》（四河入海）のような、名詞と複合した語がわ

ずかだが現れた。

⑪　名詞に転成した語もわずかながら見られる。

ピイピイ（笛）（狂言・太刀奪）

コリコリ（たくわん漬）（『御湯殿上日記』の女房詞）

⑫　鈴、鳥、虫、動物などの、音や声を表した擬音語。『名語記』に多いが、抄物・狂言にもいろいろの例がある。

・類型的な形をとるもの。

牛　モウ

狐　コウ　コンコン　クヮイクヮイ

雀　シウ　シウシウ

蚊　ブウ　ブンブン

もず　キチキチ

ふくろう　ホホ　ホホウ

・写音は今とは異なっても類型的なものが多いが、変わった形のものもある。

犬　ケイ　ケイケイ　ヒョクヒョク

ヒャッヒャッ　ビョウビョウ

鼠　ヒヒ

鳶　ヒロロ　ヒッヒ　ヒイヨロ

四十雀　チンチンカラカラ

鶏　カイカイ　コケロ　コキャア

コキャッコウコウ

いかるが　ヒチリコキ

鈴　チリリン（は今と変わらない。）

注

（1）——狂言の台本が定着したのは一六世紀半ばから一七世紀半ばの間というが、その成立はその前の一四世紀後半から一五世紀にかけて能と共演されていたものなので、室町期の口語として扱った。

抄物に関しては研究論文も相当ある。早いものは、寿岳章子「言語観察の対象としての抄物の一意義—擬声語と飜訳—」（『国語国文』二〇四号、昭和二六・一九五一）／寿岳章子「抄物の擬声・擬態語彙」Ⅰ・Ⅱ（『京都府立大学国語国文学会誌』昭和三四—三五・一九五九—六〇）

以下省略するが、抄物に鈴木博・出雲朝子・柳田征司、狂言に佐々木峻各氏の論文がある。

（2）——語源辞書。僧経尊著。建治元年（一二七五）に増補十帖本成立。昭和一〇年になって発見、『国語国文』（五巻一一—一三号、昭和一〇・一九三五）に岡田希雄の詳しい紹介があり、昭和五八（一九八三）に翻刻本も刊行されている（北野克手写本より。勉誠社）。鎌倉中期の日常語、俗語を豊富に収録。

（3）——湯沢幸吉郎「擬声語の収集」（『国語教育』一〇、昭和六・一九三一、『国語史概説』所収）では、鎌倉以後、漢語を取り入れた文が行われ出してから擬声語が避けられるようになり、さらに擬声語を漢語らしくするため、漢字表記さ

れたとしている。

（4）――国金順子「抄物の象徴詞」（『学習院大学国語国文学会誌』一九、昭和五〇・一九七五）には、ABリッ型一八、ABッ型四をあげている。私の見た抄物にはこの型の例は「キラリット」しかなかったのだが、次の例はABッABッ型かもしれない。

・酔テ。ヘヒツヘヒツト云フテ。イタヲ見タレバ。（蒙求抄・七）

（5）――小林英夫は現代の反復型擬声語の考察から、rは第一音節に立たない、hは第二音節に立たない、同じ音節が第一と第二の音節に二回立つことはない、の三原則を立てたが（「国語象徴音の研究」『文学』一ノ八、昭和八・一九三三、『言語学方法論考』『小林英夫著作集』5所収）、過去にはこういう特例も認められる。後世になるほど、一般記号言語にひきつけられていったといえようか。

（6）――柳田征司「抄物に見える擬声擬態の副詞」（『愛媛大学教育学部紀要・人文社会科学』四―一、昭和四七・一九七二）

4　近世

浄瑠璃・歌舞伎脚本・庶民相手の咄本《はなしぼん》・滑稽本・洒落本《しゃれぼん》・川柳など、さまざまのジャンルのものがあり、語例が多い。ほかに語学書・辞書など、日常語・俗語を取り上げたものも多く、しぜん擬声語がたくさん目につく。

中世とのつながりを思わせるAB型などもあるが、それは主に文章語中に見られるようである。日常の口語はずっと近代に近づいた感じだが、今日とは異なる珍しい音結合、意味の語もある。

【型と用例】

◎語基一音節

Aー　AーAー　シウ　ヂウ　シャアシャア

・ふところにて猫「**ニャア**トなく（滑稽・浮世床《うきよどこ》・初中）

・皆旅労れのかけ合鼾**ゴウゴウスウスウ**ムニャムニャムニャ（滑稽・東海道中膝栗毛・二下）

Aン　Aーン　AンAン　シャン　ポン　チンチン
トントン　ボヲウンボヲウン

・駕籠賃をやって女房は**つん**とする。（誹風柳多留《はいふうやなぎだる》・初）

・焼つぎの火かげんのちがったよふに、そふ**ぴん**とする事はねへ（洒落・傾城買二筋道《けいせいかいふたすじみち》）

・巳刻の鐘声**ゴヲン**（滑稽・浮世床・初上）

・ギックリとにらんだらの、亀公めヱ、**とヲン**と落《オッコチ》たア（滑稽・浮世風呂・前下）

・うなぎのにほひ**ぷんぷん**と、あがったも同前（滑稽・東海道中膝栗毛・八上）

Aッ　AッAッ　ギッ　ノッ　グッグッ　ポッポッ

・**くっと**。　物ノ延《ノビ》又ハツメヨセルコトナドニツカフ　(志不可起《しぶがき》)[1]

・熊さんの御誕生。**ぎゃっと**産れたは江戸桜の三の朝　(滑稽・浮世床・初上)

・喰ふた煮鳥も杉焼も**くはっくはっと**燃あがりて目におそろしく　(浮世・世間胸算用・二)

AッA　AッAAッA　サッサ　ピョッピョ

・サアサア**とっとと**帰れ帰れ　(歌舞伎・伽羅先代萩《めいぼくせんだいはぎ》)

・すぐいて見なされ。**ぽっぽと**煙が出てじゃあろ　(滑稽・東海道中膝栗毛・七上)

・御無心ながら火をひとつ。**パッパパッパパッパッパ**　(滑稽・東海道中膝栗毛・七上)

AンA　ビンビ(語例は少ない)

・鼻紙**びんびと**遣ふ者は曲者ぢゃ　(浄瑠璃・冥途の飛脚)

AンAリ　ガンガリ(同じく少ない)

・**がんがり**　明ニ見ルヲ云　眼開カ　(志不可起)

◎**語基二音節**

AB　グヮサ　ザブ　ホカ(口語の例は少ない)

・横様に、泥田へ**がばと**こけ込んだり　(浄瑠璃・冥途の飛脚・下)

・**むくと**起出てやおら戸を開き見るに　(蕪村・新花摘)

ABB　ABBABB　キリリキリリ

・かばい立してけがせまいぞと**じりりじりりと**付廻す　(歌舞伎・伽羅先代萩)

・こはだを**むりりむりりと**あたまからしてやりながら、魚といふものは頭にうまみがあるものだと…　(滑稽・浮世風呂・前上)

ABAB　キヤキヤ　コテコテ　ジミジミ　デクデク　ホチャホチャ

・たばこ**ぱくぱくと**くらはせねば、舟がこぎにくゐ　(洒落・遊子方言《ゆうしほうげん》)

・養生せんと思ひのほか、**けろけろと**なをりければ　(黄表紙・莫切自根金生木《きるなのねからかねのなるき》)

・厚板の帯の**こりこりする**九寸巾さ　(滑稽・浮世風呂・三下)

擬声語の代表型として三〇〇種を超すほど多い。

ABラABラ　ABロABロ　グトラグトラ　ゾベラゾベラ　チガラチガラ

(ロの付くのは少ない。タヂロタヂロ)

・名薬も…いつ何時に手に合ふやら、**まだらまだら**と手間取る内　(歌舞伎・名歌徳三舛玉垣《めいかのとくみますのたまがき》)

・長い着ものを、**びたらびたらと**ひきずってあるく　(滑稽・六あみだ詣・初上)

ABリ　キョロリ　チョキリ　ヒシャリ　ベロリ

・**じろり**と見た目に**ほやり**と笑ひ　（浄瑠璃・平家女護島《へいけにょごのしま》・下）

・大おとこきたりだんびら物を**ひらり**とぬく　（黄表紙・見徳一炊夢《みるがとくいっすいのゆめ》）

AB—リ型（まじイリ　ぽきイリ）、A—Bリ型（きいやり　ふうはり　ぶうらりぶうらり）の例もある。

ABリッ　グヮラリッ　サラリッ　ツラリッ（前の時代より少し増える）

・口びるなりと鼻なりとお首なりとも**ころりっ**と剃りおとして上げませう　（浄瑠璃・嫗山姥《こもちやまんば》・下）

ABリABリ　ウロリウロリ　ノタリノタリ　ムシャリムシャリ（マジイリマジイリもある）

・小児の矢さきはづれず、**ほしりほしり**と当りしことよ（…初期の例）　（咄・醒睡笑《せいすいしょう》）

・**うかりうかり**と此所迄、傾城に附添ござるといふは、それが一国の大名の身持か　（歌舞伎・幼稚子敵討《おさなごのかたきうち》）

ABッ　ゲソッ　ノロッ(2)

・眦に**ほろっ**と零るるは　（浄瑠璃・傾城無間鐘《けいせいむげんのかね》）

ABン　スポン　トホン

・芭蕉翁**ぼちゃん**といふと立留り　（誹風柳多留・一七）

・ツブリ　水中へ物ヲ投入ル声也　今ズブリ又**ドホン**トイフ　（雅語音声考）

そのほかAB—ン型（ストウン　ヅドヲン）の例も。

・岩が脳天へ**ぽかァん**と中《あた》ッて　（滑稽・浮世風呂・四上）

反復の例ABンABン型（ポコンポコン）もある。

AッB　ザップ　シッポ　ドッカ

・**かっぱ**と伏して泣きゐたり　（浄瑠璃・心中宵庚申《よいごうしん》）

（近松浄瑠璃の例が多い）

・幻か夢か、**どっひ**《(び)》と笑戯し跡しら浪の哀な身の果　（談義・教訓差出口・四）

・五色のためいき**ホット**とつき「ヤレヤレ　（滑稽・花暦八笑人《はなごよみはっしょうじん》・春二）

AッBAッB　メッキメッキ（近松浄瑠璃の文語的用例）

カッチカッチ　スッパスッパ　ドッキドッキ（口語の例）

・九平次、**かっらかっら**と笑ひ　（浄瑠璃・曾根崎心中）

・むかふざしきは…むつ言。**ほっちほっち**のはなしごゑ　（洒落・通言総籬《つうげんそうまがき》）

・そろばん**ぱっちぱっち**、三拾五匁とんとぎりぎりじゃわいな　（滑稽・東海道中膝栗毛・七上）

AッBラ　（方言あるいは訛った形ではないかと思われ

る例が少し）

・頭から…びっしょり水をあびて、単物もなにも**ぐっすらづぶぬれ**よ　（滑稽・花暦八笑人・五上）

AッBリ　コッツリ　ズップリ　ヌッケリ　ワッサリ

・**ぼッたり**　没湛《ボッタリ》うるほひたる物の落るさまなり　膏薬のねり加減を水に入れて見る　軒下の草に雨たれの落る音　（百俚談[3]）

・障子越に言葉をかけるあれば、**とっちり**と咄《はな》す有。まことにみへもなくかざりもなく　（洒落・傾城買二筋道）

・何でも朝**むっくり**起るから、晩まで私が内に居続だ　（滑稽・浮世風呂・三下）

この型は通時的に見て、近世にもっとも優勢で一四○種ほど。現代にはない珍しい音結合のものがたくさんある。

AンB　ザンブ　ダンブ（近松浄瑠璃に、中世に例のある語が少し用いられている）

・盃取り…**たんぶ**と請けて一息飲み　（浄瑠璃・堀川波鼓《ほりかわなみのつづみ》）

AンBリ　ガンジリ　ジュンワリ　ゾンベリ　ボンジャリ

・**かんごり**は　かごやかにおくまりたるかた歟

（かた言[4]）

・おいらは**ひんなり**としていろ男　（滑稽・東海道中膝栗毛・八上）

・腹こなしに**どんぶり**温らうといふ腹だが　（滑稽・浮世風呂・三下）

四五種ほどあり、今日よりずっと豊富である。

ABCB　チャラクラ　マジクジ　メキシャキ　ワヤクヤ

・わるく**じたばた**すると、芋ざしだぞ　（黄表紙・文武二道万石通《ぶんぶにどうまんごくとおし》）

ABラCBラ　ツベラコベラ

・**つべらこべら**と此女中よくしゃべるが　（滑稽・東海道中膝栗毛・発端）

ABリCBリ　ヌラリクラリ　ブラリシャラリ

・路の高びくなることを。**だくりぼくり**。だくぼくなどいふは如何　（かた言）

AッBCッB　ヤッサモッサ

・お姫様、今日で三日の逗留…**どっぱさっぱ**と忙しい　（浄瑠璃・丹波与作《たんばよさく》待夜の小室節）

AンBCンB　テンヤワンヤ

・**てんやわんや**　江戸の俗語也　騒動スルを云。手々《テンデ》我々《ワレワレ》の意か　（俚言集覧《りげんしゅうらん》）

ＡＢクサ　チョボクサ　トッパクサ

・袖袂などの雨露にしととにぬれたるを。しほしほといふはよろしけれど。しぼしぼぞ。じっぽりぞなど云は如何。しょぼしょぼ。しっぽりなどはよろしかるべし。又**しょぼくさ**などは如何　(かた言)

・足もとから鳥のたつやうに、**ばたくさ**とはたらきてから　(浮世・世間胸算用・四)

類型をとらない語も豊富になる。

ガタヒシ(ガタビシ・ガタピシ)　ギャハンキュウ

シントントロリ

・真逆様に**ずでんどう**。…大勢掛って**だんぼらぼ**。ほとりも知れぬ海の中　(浄瑠璃・寿《ねびき》の門松)

・すいふろへはいるに…足からさきへ**どんぶりこすっこっこ**　(滑稽・東海道中膝栗毛・初)

・半呑半吐《どちらつかず》の**ぬっぺらぽん**。お蔭で書舗《ほんや》は**すっぺらぽん**也　(滑稽・浮世床・初)

種々の型の組み合わせもあり、さまざまの表情的な例が多くなる。

ウロウロキョロキョロ　カチリガッタリ

ワサワサワサワッサリ

【観察される特徴】

①　音や情態を強調したり、より細かく表情的に表現するために、長音化・促音化し、それを実際に文字でも書き表している。

サアっぱり　ぽかアん　スウっくり　シウ引

ベヱラベヱラ　にょろヲリ　ぐわらりっ(と)

②　仮名遣い表記は一定していないが、一般の語にひきつけて考えたり、慣習的に使い分けたりしていたものと思う。

グズグズーグヅグヅ　ザワザワーザハザハ

グヮラグヮラーグハラグハラ

ジャラジャラーヂャラヂャラ

ジウ　チウ

③　平仮名表記がふつうであるが、俗語辞書などでもいろいろ工夫して漢字を当てている。

瓦落瓦落《ぐはらぐはら》(日本永代蔵)

如鷺如鷺《によろによろ》　右行左行《びらりしやらり》(好色一代女)

和颯利《わつさり》(本朝二十不孝)　噇《どつ》と(浮世床)

散乱散乱《ザラザラ》　質曲輪《シツクリ》　推乱離《スラリ》(世話字尽)

眼尻《マンジリ》　喧嚷《ヤツサモサ》(譬喩尽)

居動《インゴリ》　忽卒《コソリ》　爽早《サツパリ》(百俚談)

『俚言集覧』では『百俚談』の「暮時《ボツトリ》」について「かやうの俗語に充たる字多くは非なり信すべからず」とする(漢字を当てたり、語の由来を漢字で説明したりするの

は当時はふつうのことで、『志不可起』でも「じんみり…滋味ナルベシ」「びろびろしたるト云ハ微々ナラン」などの説明が多い)。

なお、滝沢馬琴も『南総里見八犬伝』を例にとると、

・刀を戛哩《からり》とり墜すを
・乒乓《よろめき》て撲《は》地《た》と仰反《のけそつ》たり
・腰刀を晃《きら》りと抜きつつ
・乒乓《よろよろ》と逡巡《あとしさり》して
・舷《ふなべり》より海へ氼《ざんぶ》と飛入りける

のような面白い当て字が多い(「乒乓」は戦場で兵士がやっと歩いているさまで、足を痛めてよろめくさまをこの字がよく表している。「氼」は「溺」の古字である「休《デキ》」の俗字。水に入るという形の字を実にうまく使っている)。

平仮名書きの文中に片仮名で書いた例は相当あり、文字によって語の種類を表現し分け、際だたせるこの手法は、現在にも継承されている。

・下へどっさりおちるおと、ミシミシガラガラスト ウン　(滑稽・東海道中膝栗毛・二下)
・羽織の折返しをズウイとしごいて、左右へヒラリと羽をって　(滑稽・浮世床・二下)

④「と」を伴って状態の副詞となるのが基本だが、(a)「と＋する」もずいぶんふえ、(b)「と」を伴わずそのままで副詞となるのもふつうになる。(c)「―する」とサ変動詞となる例も相当ある。

(a)・何を**きょろり**としてぞいの　(浄瑠璃・国性爺合戦《こくせんやかっせん》・下)
・此**ちょぼちょぼ**とした筋が鉄火筋とて　(談義・当世下手談義《いまようへただんぎ》・三)
(b)・煎じ茶**がぶがぶ**呑み尽し　(浮世・好色一代男・五)
・なべに、なにか**ぐつぐつ**にへるそばに　(滑稽・東海道中膝栗毛・二下)
(c)・れいの小梅の**かりかり**するので、ちゃづりにしやう　(洒落・通言総籬)
・目を**ぎろぎろ**して、人のかほばかり見てゐる　(滑稽・浮世風呂・前上)

現代では「だ」の付く形容動詞としての用法も多いが、(d)「ぢゃ・で・に・の」などの付くのが十数例、中世よりいくらか多くなってきている。

(d)・あの旅人は…足に牛蒡の毛が**むくむく**ぢゃ　(浄瑠璃・丹波与作待夜の小室節)
・ソレソレたばこ入も紙入も**びっしょり**じゃ　(滑稽・東海道中膝栗毛・四下)
・あつッツツツツ。**しっぱり**だ**しっぱり**だトいひ

ながら　（滑稽・浮世風呂・三下）

・門弟中が**やっさもっさ**で、奥に居らるる　（歌舞伎・幼稚子敵討）

・其衾いたく垢つきたれば…**ばらばら**にほどきける

に　（一茶・志多良《しだら》）

⑤ 近松浄瑠璃では、擬声語そのままで止める例が多く、これは狂言などと軌を一にしている。舞台で上演される際の語りとして、聞き手に与える効果をねらったものであろう（擬声語の繰り返し、対句的・掛詞的手法なども、聞く文芸としての技巧といえよう）。

・ソリャ来たわやらぬとては**がさがさがさ**。のがさぬとては**どたどたどた**　（浄瑠璃・平家女護島・下）

その他のものにも擬声語で止める例がだいぶ現れており、こういう用法は今日ではふつうになっている。

・そのうちに夜が明て鳥が**かあかあ**　（咄・鹿《か》の子餅《こもち》）

・弥次郎とても叶はぬと見て只くちの内に**ぶつくさぶつくさ**　（滑稽・東海道中膝栗毛・四下）

⑥ 名詞と複合した語は非常に多くなる。

・オロオロ涙　キイキイ声　ザンザ雨
ショロショロ水　ソソクサ坊主
チョコチョコ走り　デックリ和尚　ビラビラ簪《かんざし》
ブラリ病《やまい》　ボッチャリ者　ムシャクシャ腹

・ケラ笑ひ　ゴタまぜ　ビショぬれ

・キッと目　ポッと出　ムッと腹　等々

名詞に転成の語もふえ、幼児語にその例が多い。鶏卵《たまご》のふはふは《フワフワ》（卵料理）。コンコン（狐）・ヌックリ（まぬけ）・ペンペン（三味線）。ジョリジョリ（ひげそり・幼児）・ダブダブ（湯・幼児）など。

こザッパリ・いけマジマジ・デックリげ、のように接頭語や接尾語の付いた例もある。

⑦「めく」「つく」を語尾のもつ動詞では、「―つく」の形が多いのが特徴的。

・カラつく　ギシつく　キョトつく　グヮヤつく
ゴロつく　ジクつく　ゾベつく　チョカつく
ニコつく　ヒコつく　メリつく

・ザラめく　ジョナめく　ゾヨめく　チロめく
ワヤめく　キッとめく　サッパリめく

ほかに、グズる・グニャける・シッポる・ビカシャカぶる、のような動詞も見られる。

⑧ 掛詞や、しゃれた技巧的な例いくつか。近松の対句風な用例はすでにあげたが、ほかに、

・弱る心を見られじと門口**びっしゃり**見せ**ぐわったり**　（浄瑠璃・心中宵庚申）

歌謡『松の葉』の掛詞の例、

・からからさきの笑ひ顔＝笑声・唐崎
・忍びくるくる風車＝来る・くるくる
その他、
・くなりくなりと秋風ぞ吹く＝句なり句なり
（咄・醒睡笑）
・ほやほや笑ふ赤貝に心よせ貝＝貝の縁で、ほや貝
（浄瑠璃・国性爺合戦・下）
・すっぽんがつとの中からはい出たのだな。コイツすっぽんとぬけそふなもんだ
（滑稽・東海道中膝栗毛・二上）

⑨犬・猫・馬などの鳴き声の写音は現代に近くなるが、ほかに変わったものでは、

鶏　カッケコウ　トッテカウ（醒睡笑）
機織虫《はたおりむし》　キリハタリチャウ《（チョウ）》（松の葉）
うずら　チチックヮイ（鹿の子餅）

琴の音を「コロリン　シ゚ャン」（洒落・傾城買四十八手）とした例がある。「ツィ」の音を「シ゚」と表記した珍しい例である。

注
（1）――近世前期の国語辞書。箕田熹貞編。享保一二年（一七二七）成立。当時の話しことば・俗語を、いろはごとに分類、考証を加えたもの（国語学大系本による）。
（2）――前掲3の注（4）の論文によると、中世に抄物にこの型が見られ、近世では雑俳・浄瑠璃・洒落本に数例。おそらく口語では使われたであろうが、文字の上にはあまり現れず、近代に入って代表型の一つとなる。
（3）――『俚言集覧』に八五語登載されているが、原本は不明である。『俚言集覧引用書目録』（岡田希雄旧蔵）に「百俚談 桐球感古堂 元禄十四年」と記してあるという。語例・書名から考えて、ABリ・AッBリ・AンBリ型の語を百語集めたものではないかと思う。
（4）――近世前期の俳人・安原貞室の著。慶安三年（一六五〇）刊。京ことばを中心に、方言・訛語を正形と対照させ、よし、わろしと評定する形をとる。なかでも辞書としては、はじめて擬声語を多く取り上げ、解説し、「―の声・音」「―さま・かたち」と説明している。

代表的な型とその歴史的分布状況

・帯のアミの濃さはその時代における語数の多さを表すもので、濃いほど多い。

◎語基一音節

型	上古（奈良時代）	中古（平安時代）	中世（鎌倉・室町時代）	近世（安土桃山・江戸時代）	近代（明治〜昭和20年頃）	現代（昭和20年〜平成）
A		（キ・サ）	（ザ・カ）			（フ・ツ）
Aッ・AッAッ			（クヮッ・ドッドッ）			
Aン（Aウ）		（イウ・トウ）	（ドウ・ヅン）	（ツン・ピン）		
Aーン・AーンAーン			（ジャアン・コーンコーン）			
AンAン（AウAウ）		（ネウネウ・ホウホウ）	（ミウミウ・ピンピン）			（クンクン・ムンムン）
Aー・AーAー			（キイ・クウクウ）	（ニャア・ゴウゴウ）		
Aーッ					（サーッ）	
AA	（ココ・ヒヒ）	（カカ・ヨヨ）				
AAAA			（ブブブブ・ワワワワ）			
AAッ			（チャチャッ）			
AAン			（チチン）			
AAラ・AAリ			（ツツラ・ホホリ）			
AッA			（パッパ・ポッポ）			（セッセ・トット）
AッAラ			（ホッポラ）			
AンA			（ザンザ・ビンビ）			
AンAリ			（ドンドリ）	（ガンガリ）		

型	上古（奈良時代）	中古（平安時代）	中世（鎌倉・室町時代）	近世（安土桃山・江戸時代）	近代（明治〜昭和20年頃）	現代（昭和20年〜平成）
AB	（サヤ・ヒシ）	（カサ・シト）	（トロ・ホテ）	（ガバ）	〈マンガ吹き出し〉	（パカ・ドス）
ABッ				（ゲソッ・ホロッ）		
ABン			（トホン）	（スポン・ポカン）		（キョトン・トロン）
ABB	（クルル・ユララ）	（ニココ・ホロロ）	（キリリ・バリリ）			（シトド・タワワ）

◎語基二音節	
ABAB	（サワサワ・スクスク）（ヒチヒチ・ミシミシ）
ABラ	（カワラ・モユラ）（ハタラ）（ウカラ・ムサラ）
ABロ	（ホドロ）（コソロ・ソヨロ）
ABラABラ	（ユクラユクラ）（シャナラシャナラ）（ゾベラゾベラ）〈方言に残る〉（グジラグジラ）
ABロABロ	（モソロモソロ）（イゾロイゾロ）（タヂロタヂロ）
ABリ	（ハクリ・フツリ）（ツルリ・ビシャリ）
ABリッ	（キラリッ）（グヮラリッ・コロリッ）
ABリABリ	（ソヨリソヨリ・ハタリハタリ）
AッB	（ドッピ・ニッコ）（ザップ・ムック）
AッBAッB	（カッシカッシ・ヒッカヒッカ）（ガッポガッポ・ヒョックヒョック）
AッBラ	（ウットラ・ニッコラ）（フックラ）（方言にザックラ）
AッBリ	（ポッカリ・ムックリ）
AンB	（ダンブ・ムンズ）
AンBラ	（チンボラ・ヌンメラ）
AンBリ	（ドンミリ・ミンズリ）

◎その他の変形	
ABCB	（シクホク・ワヤクヤ）（ウロチョロ・ボカスカ）
ABロCBロ	（シドロモドロ）
ABリCBリ・ABリCDリ	（ヒラリサラリ・カラリチタリ）
ABBン	（チリリン）（ノホホン）（ピロロン・プルルン）
AッBCッB	（ドッパサッパ）
ABCD・ABクサ	（ガタピシ・ショボクサ）（ソソクサ）
その他	（スッペラポン・テンツルテン・ペッチャンコなど）

四　近代から現代へ

1　概　観

〔1〕

明治以後、昭和二〇年(一九四五)の敗戦のころまでを近代とする。

敗戦後の混乱から生活が一応安定した昭和三〇年代に入ると、戦後の価値観の一八〇度の転換、社会情勢のはげしい移り変わり、テレビやマンガの影響などから、言語生活の面で著しい変化が見られ、新語・流行語が次々と生まれた。擬声語もその中で大きな比重を占めている。そこで、そのころから今日までを現代とする。

近代以後、昭和の終わりごろまでは、私や私の父母たちが生きている時代のことなので、自分たちのことばである点がこれまでと違う。従ってアクセントなど、これまでとは別の観点からもいろいろと考察することができる。

〔2〕

擬声語は感覚に訴える語であるから、ふだんの口語に多く使われることはもちろんだが、書きことばとしては日常的で具体性のあるもの、くだけた調子のものなどに多く、従って公用文・法律文にはまず現れないし、学術論文・新聞の政治経済欄などの堅いものにも少ない。文学作品では、作家によってよく使う人とそうでない人とある。使わない人のなかには、擬声語には抽象性がないから、濫用《らんよう》すると言語の抽象性を汚す(三島由紀夫『文章読本』)というような信念をもっている人もあるだろうし、またそれぞれ個人のくせや好みもあるだろう。

よく例にひかれるが、宮沢賢治は擬声語を実にたくみに、たくさん使っている。また、幸田文の文章も擬声語が多いが、どちらも、きめ細かくことばの一つ一つがぬきさしならぬ場所にちりばめられている感じで、擬声語が多いから表現が卑俗になるとか、文の格が落ちるなどということは見当違いだといえる。その他、私の乏しい読書経験からも、長塚節とか仁木悦子・尾辻克彦・椎名誠ら各氏に特徴のあることばが多く見られ、文章中での擬声語の存在感は相当のものとなって

いると思う。

また、詩でも擬声語が重要な役をしている。その典型的な例である草野心平の「蛙」の詩は、「るるり、りりり…」とか「るるるるる…」などの無意味音声結合によって詩のイメージを象徴している。また、萩原朔太郎や北原白秋・中原中也・大手拓次らにも個性的で独特の効果をあげているものがあり、朔太郎は、音楽的効果を主とする詩の表現では聴く人の主観によって勝手に音表することができるのだ[1]としている。個々の作家や作品を、この面から考察した論考もいろいろあるが、実際にこれらの作品を読めば実感できよう。

なお、児童の詩でも、既成の語ばかりでなく、子どもたちが自分で創り出した語が多く使われ、その具象性が精彩を放つ例をよく見る。しかしそれらは、個人の文学的表現であって、日本語の枠の中で表現されたものだから、擬声語の特徴を備えてはいても、社会に通用し辞書にも登載されている語と同列には扱えないだろう。

〔3〕

語例は後に示すこととして、私たちがふつうに日常で使っていることばをもとに、基本的な型をまとめてみる。

◎語基一音節

Aー　キー　ギー
AーAー　ギーギー
Aン　ポン　ボン
AンAン　ポンポン
Aーン　ポーン
AーンAーン　ボーンボーン
Aッ　サッ　スッ
AッA　サッサ
Aーッ　サーッ　ザーッ

◎語基二音節

ABAB　ガタガタ　コチコチ
ABリ　カタリ　ガタリ
ABッ　ガタッ　ボヤッ
ABン　ガタン　ガチャン
ABンABン　カチンカチン　コチンコチン
AッBリ　ガッタリ　ポッカリ
AッBン　ガッタン　スッテン
AッBンAッBン　ゴットンゴットン
AンBリ　アングリ　ボンヤリ
ABCB　ドタバタ　ペチャクチャ

その他の複雑な型（長くて面白い音結合の語は、現代に入ってふえている）。

現代には、ＡＢＡＢッ・ＡッＢＡＢ・ＡＢーリ・ＡＢーッ・ＡＢーン・ＡッＢーン・ＡッＢンコなどのように、これらをさらに促音・長音などで強調したり意味をもたせたりし、さらにその反復によって微妙な違いを表した、さまざまの変型が見られるが、それらはその時々の雰囲気によって話者が自由に表現できるものであり、今はいちいち型としてあげない。

〔4〕

近世と比べて注目されるのは、ＡＢッ型・ＡＢン型である。ともに中世末に現れ、近世にはいくらか例がふえたが、まだ少なく、近代に入って著しくふえたものである。今、この特徴的なＡＢッ型を取り上げ、『日本国語大辞典・第一版』（昭和四七・一九七二）で見ると、同辞典の採録語九五（うち近世の例四、近代作家に例のあるもの六〇、作例によるもの五、例なし二六）で、現代口語ではふつうに使う語なのに載せていない語がたくさんある。その代わり、たとえばガクッ・カサッなどはないが、文学作品に例のあるガクリ・カサリは載せている。これは同辞典が、現代語の資料の膨大さに、積極的に取り入れるゆとりがなかったことによるのであるが、このことで、近代には、文章語としてはＡＢリ型がふつうで、作品にもそれが反映していたことが、この辞典にそのまま表れたと見られる。

昭和四七年（一九七二）ごろの新聞雑誌の用例を主としてまとめた天沼寧編『擬音語・擬態語辞典』を見ると、ＡＢッ型は一八五語で、九〇語多い。これは、現代では文章語でも、ＡＢリ型よりもＡＢッ型のほうがふつうになってきたことを示すものといえよう。話しことばではもっとこの傾向が目立っているものと思う。

・来年度予算の大蔵原案内示…「**カラッ**と**サラッ**と公選がやれてよかったよ」と飛鳥田さんはご満悦だが、**ボソッ**とした党首のもと**デレッ**とした社会党はなんとかなるのかね。

（昭和五六・一九八一・一二・二三、毎日・夕刊「近事片々」）

2　語　例

次に、無作為に読んだ本や新聞雑誌などから、珍しく思われた語、うまく表現しているなと感心させられた語など（なかには方言や創作語も入っているかと思うが）、書きとめておいたものの一部を記してみる。紙数の関係で用例は一部にとどめるが、実にさまざまの語(2)

が使われていることに驚く。

◎語基一音節

Aッ　Aン　AンAン　ビッ　ミュッ　スン　ビン

チンチン(に)

・途端に私は**がっと**のぼせて恥かしかった。

（幸田文「夏の小品」…「がっと」の例は幸田文に多い。）

・さっと明るくなっちゃったのねえ。顔を**ピッ**と上げられるようになって、自尊心も持てるようになった。

（吉武輝子「こどもと私」昭和五六・一九八一・九・二〇、朝日）

◎語基二音節

ABAB　アグアグ　アプアプ　ガジガジ　カパカパ
キシャキシャ　キパキパ　グテグテ　ケリケリ
ゴヤゴヤ　ゴラゴラ　ジブジブ　シャカシャカ
シャコシャコ　シャバシャバ　シュプシュプ
ゾワゾワ　ダバダバ　タプタプ　ダボダボ
チャバチャバ　チョカチョカ　テロテロ　トストス
トプトプ　バカバカ　パシパシ　ビソビソ
ピチョピチョ　ビヤビヤ　ヒャラヒャラ　ヒロヒロ
ヒワヒワ　ピワピワ　ブキブキ　プキプキ
フゴフゴ　プコプコ　フヤフヤ　フヨフヨ
ベカベカ　ペキペキ　ヘグヘグ　ベコベコ
ペシペシ　ベシャベシャ　ペテペテ　ペトペト
ペリペリ　ホガホガ　ポテポテ　ポヤポヤ
ポヨポヨ　モコモコ　モワモワ

・鼻みずやら垢やらで、袖口が**こべこべ**になった着物を着て、飴色のゴム靴を**どぼどぼ**音をさせながらひきずっていた。

（曾野綾子「無名詩人」）

・アツアツのグラタンをオーブントースターから取り出し、**はぐはぐ**と食べる。

（原田宗典「こんなものを買った」平成四・一九九二・一一・二七、毎日）

・赤ちゃん…**ぷにぷに**とゆるんだほっぺた

（脇田能宏「育休父さんの成長日誌」平成九・一九九七・一〇・三〇、朝日）

ABリ　ガギリ　グズリ　グニュリ　ザバリ　シャキリ
ジャボリ　デクリ　ピラリ　プチリ　ペシリ
ペトリ　ムツリ

・薄気味わるく**ぞわり**として、おっかなおっかな聴けばまちがひだったが

（幸田文『流れる』）

・「離婚届に判を押せと言ってくるな」「そうかも知れません」真島は**ずけり**と答え、表情を隠して水割を呑んだ。

（平村良「岬一郎の抵抗」昭和六二・一九八七・五・二一、毎日・夕刊）

ABッ　カキッ　カプッ　ギコッ　ギチッ　キパッ
ゲブッ　ゴキッ　ゴチッ　ゴワッ　シトッ
シャラッ　ジャラッ　シャリッ　ショボッ　スカッ
ズカッ　ズサッ　スチャッ　スペッ　チリッ
テラッ　テロッ　ドアッ　ドテッ　ドバッ　ニカッ
ヌクッ　ヌメッ　バスッ　ヒョクッ　フカッ
プシッ　プシュッ　ブチッ　プチッ　ブリッ
プリッ　ヘタッ　ペチッ　ベフッ　ペラッ　ペリッ
ホカッ　ポソッ　ボテッ　ポヤッ　ホワッ
ボワッ　ムギュッ　ムシッ　メタッ　メリッ　モワッ

・「僕、家出だな」
敏が**しゃれっ**として言った。　（有吉佐和子『恍惚の人』）

・丸顔の**もちゃっ**とした顔だちで　（水上勉『流旅の花』）

・**ダボッ**としたカーディガンを脱ぐとびっくりするほど薄い体。　（平成一・一九八九・五・一八、毎日）

ABーッ　ガオーッ　グギャーッ　デラーッ　ノベーッ
ビヤーッ　ボワーッ　モワーッ

・無感動な子どもが増えているのにはびっくり。…おもしろくておもしろくてたまらないって子がいない。みんな**テレーッ**としているんです。　（「インタビュー・ひと・増井光子」）

昭和五六・一九八一・八・二二、アサヒタウンズ）

ABン　カクン　ガシン　カラン　ガリン　キクン
キコン　キョロン　ケロン　コキン　コテン
コホン　シャラン　ズグン　ズボン　スルン
チャプン　デカン　デクン　デレン　トボン
トポン　バシン　ピコン　ビシン　ヒョクン
ビリン　プスン　ブチン　プチン　プリン　ブワン
ペション

・こんな、**そぼん**とした、これが臨終だろうか。死だろうか　（幸田文『おとうと』）

・顔も姿も声もない、ただ**ぼやん**とした人間のように　（仁木悦子「かあちゃんは犯人じゃない」）

・みんなは**けしょん**として、べそをかくばかり　（川崎大治『日本のふしぎ話』）

ABーン　ガビーン　ゴガーン　シャキーン　ベラーン
ベローン　ボワーン　ルラーン

・マンガに出てくる牛のように**どびーん**とねそべって、じっと…眺めている　（椎名誠『風にころがる映画もあった』）

・変なオモチャ…グニャッと柔らかい半透明の正体のない物で、**ビローン**と一メートルくらい簡単に伸びる。その名は「スライム」

ABンABン　クヒンクヒン　クリンクリン
ケチョンケチョン　コテンコテン　コボンコボン
ジャリンジャリン　ズクンズクン　テレンテレン
ピコンピコン　ピロンピロン　ブヨンブヨン
ブリンブリン　ポヨンポヨン　ホワンホワン
（昭和五三・一九七八・五・一四、毎日）

・笑うと洞窟の中は**ボワンボワン**とひびいてまことにおそろしいほどです
（谷内六郎『旅の絵本』）

・ドレスは**てろんてろん**でも足元はソックスに編み上げのショートブーツかゴツい靴というのがニューヨーク風。
（もん「街の風」平成四・一九九二・五・二二、朝日）

AッBAッB　ガッポガッポ　ギッタギッタ
シュッパシュッパ　ヒョックヒョック　ポッコポッコ

・肥が桶の中で**コッポコッポ**と鳴るのを聞きながら揺られるのはなんともいいものだった。
（志賀かう子『祖母、わたしの明治』）

AンBAンB　ズンガズンガ　チョンワチョンワ

・花の女子大生二人は…**ひょんわひょんわ**と映画「花の応援団」を見に行った。
（昭和五一・一九七六・九・一〇、毎日）

AッBリ　カックリ　スッペリ　ゾックリ　ドッペリ
パッキリ　ピットリ　ブッテリ　ポットリ
モックリ　モッタリ　モッテリ

・なんじゃ、かんじゃ云うて、夜**おっちり**休もうと思うても休むことも出来せん（黒島伝治「ある娘の記」）

・なだらかな輪廓をもった真白い位山《くらいやま》が**どっちり**と浮き上ってみえ
（江馬修『山の民』）

・野犬…**のっしり**、**のっしり**、じつに、ゆうゆうたる歩きかたで
（椋鳩十『孤島の野犬』）

AンBリ　ドンボリ　ナンドリ　ニンガリ

・牛乳を使った料理…味も何だか**モンヤリ**としていて胃の中にペタンと残りそうで
（尾辻克彦「猫が近づく」）

ABCB他　ボカスカ　ビシバシ　ヘチャコチャ
シッチャカメッチャカ　スッペラコッペラ

・手にしていた新聞を**さぱすぱ**と手ぎわよく…折りたたみ
（椎名誠「人生はまぜこぜごはん」）

ABBン他　ノホホン　ペロロン　ボヨヨン　モワワン
ブロローン　ズボラン　スッポロン

・シルクのカジュアル・シャツ。シルクならではの、**てろりん**とした風合いに、質感もたっぷりとしていて
（高垣千尋「MONOろーぐ」平成五・一九九三・三・三、毎日）

・豚肉…シコリシコリとする正肉身と**ピロロン**とする脂肪身の歯応え…そこからピュルル、ピュルルとうま味とコク味が湧き出して
（小泉武夫「食あれば楽あり」平成一八・二〇〇六・七・六、日本経済）

（その他1）　ガッチャンコ　ゴロッチャラ　ジャカボコ
パッパカ　ペタコラ　ワンサカ

・イノシシの肉を、**ぐつりんこ、ぐつりんこ**とになりながら、みんなで食べる
（椋鳩十『孤島の野犬』）

・川は相変らず**チャウロ、チャウロ**と流れています。
（尾辻克彦「お湯の音」）

・昔の靴音は…金属的な、**ニガッキ、ニガッキ**、というような音が響いたのである。…底には、鉄製の鋲が角々《かどかど》にとりつけてあることが多かったのである
（清水義範「ムイミダスむかしありけり事典」平成二・一九九〇・三・二四、毎日・夕刊）

（その他2）　カポチャリカポチャリ　カンカラカンカラ
ギコタンギコタン　ゴトトンゴトトン
サッサカサッサカ　タッタカタッタカ
チンタラチンタラ　ブラッカブラッカ
ホッコラホッコラ

・ヤッコ凧みたいに**ガッタコガッタコ**踊っているジイサンもいる。**ヨッタコヨッタコ**と、中気風に踊っているバアさんもいる
（東海林さだお『ショージ君のぐうたら旅行』）

・朝、改札口をセカセカと歩いて行くのがサラリーマン。**タランコタランコ**しているのが家出人…と上野家出人相談所の係員
（昭和四七・一九七二・四・一三、毎日・当世家出少年気質）

3　表記と用法

〔1〕

表記について見ると、明治文学には擬声語に漢字を当てた例がいろいろあり、これは近世の馬琴などの流れを汲むといえる。たとえば、

薩張《サツパリ》（『浮雲』）　譟然《ガヤガヤ》（『平凡』）　劃然《クツキリ》（『思出の記』）
悵然《シホシホ》（『当世書生気質』）　悄々《スゴスゴ》（『婦系図』）
檻々《ガラガラ》　脱然《ガラリ》　吃々《クスリクスリ》（『多情多恨』）
豁然《カラリ》　孤鼠々々《コソコソ》（『五重塔』）
堅牢《ガツシリ》（『いさなとり』）　等々

近世の例のような、表意的に工夫した表音的当て字もあるが、大体に共通した点は、漢語にわかりやすく口語の読みを付けた点である。こういう例は擬声語ば

かりではなく(燈火《アカリ》・心算《ツモリ》・女児《ムスメ》『みみずのたはこと』)、文語体とか漢語が正規のものと考えられていた時代に、漢語に口語の読み仮名を付けるという方法で、言文一致の第一歩を示したものといえよう。

大体は平仮名書きの文章に平仮名で書くのが建前で、『土』は平仮名書きがふつう。『田舎教師』ではカラカラ・グシャグシャ・ドサリ・がらり・ざわざわ・ばたばた・蕭蕭《しとしと》・莞爾《にこにこ》と片仮名、漢字も混じり、『みみずのたはこと』でもヒョコヒョコ・ビリビリ・フラフラ・がぶがぶ・つかつか・蹌踉《ひょろひょろ》といろいろ混じるというように、好みで自由に書いたものらしい。

〔2〕

昭和二〇〜三〇年代に新仮名遣い、新送り仮名などが次々に制定され、日本語は表記の面で大きく変わった。戦後の文部省編小学校国語教科書では、擬音語に限ってふつうには使わない長音符号を用い、かつ片仮名表記である。三〇年代の新聞雑誌などではふつうの語にも片仮名書きが多く混じるようになり、四〇年代には、朝日新聞・用語課が表記の原則をあげ、平仮名が続きすぎて読みにくい場合、平仮名にするとわかりにくい場合、特別の意味やニュアンスを出す場合に片仮名が使われるとし、

一般的にいって、「ガタガタ」「トントン」などの擬声語は、かたかなで、「ふらふら」「のろのろ」などの擬態語は、ひらがな書きの方がふさわしいようです　(昭和四〇・一九六五・八・二九)

といっている。その後、その傾向はもっと進み、擬態語も片仮名で書く例が多くなっている。

・生コン　コリコリ、サラッと(見出し)　コリコリした口あたり、サラリとした味覚　(昭和四六・一九七一・七・三一、毎日)

・オニバスよみがえる　紫色の花に関係者ホッ(見出し)　元気な姿をみせ、関係者をホッとさせている。　(昭和五六・一九八一・八・二六、朝日)

また、「　」〃　〃で囲む例も(とくに擬音語の場合に)見られる。これらの場合、「と」は助詞として擬声語に付けられたものと一般に意識されているため、片仮名では書かず、またカギの外におくのがふつうである。

・若い選手たちもこれにつられて「ワイ、ワイ」とにぎやかに騒ぐ。　(昭和三〇・一九五五・八・五、朝日)

・落葉が「カサッ」と動く。　(昭和四六・一九七一・六・二、朝日)

・待望の帰国だというのに病気とはまことに気の毒

であり、一瞬あたりが〝シーン〟とした場面となる。（柳田昌男『アムール河、シベリア捕虜記』）

・〝ドスーン〟と、ものすごい衝撃で機体が甲板にたたきつけられた。（昭和五九・一九八四・一・二〇、毎日・憂楽帳）

〔3〕

文末用法——主に新聞などの見出し、記事に、文末にそのままの形でくる例は非常に多くなっている。

・雨道で**つるり**！トラック突入（昭和二五・一九五〇・一二・一五、朝日・見出し）

・坊やもお母さんも**ドキドキ**　入試始まる（昭和二六・一九五一・一・一二、毎日・見出し）

・九日はいつもより三時間も早く大戸を**ピシャリ**。（昭和三六・一九六一・四・一〇、読売）

この傾向はその後も続いて現在に至っている。

文中用法——文中ではAッ・Aン・ABッ・ABンおよびABリ型は大体「と」を付けるのがふつうだったが、ABリ型に「と」を付けない例も出てくる。(3)

・渡辺さんの目が**キラリ**光る。（昭和四七・一九七二・八・八、毎日）

・歌子さんはせっかちに**こくり**うなずくと（水上勉『流旅の花』）

・「キミは傍観者だからそんなにのんきでいられる」と**ピシャリ**言われた（平成一・一九八九・一一・二六、朝日・さんでーすぽっと）

その他の型は「と」を付けないことが多くなってきており、「する」が付いてサ変動詞となる用法、だ型形容動詞の用法もふつうとなる。この場合、アクセントが変わることが注目される。

頭高型（副詞用法・動詞用法）	平板型（形容動詞用法・名詞用法・複合語）
(a) 雨がビ‖ショビショ（と）降る。	ビショビショにぬれる。 ビショビショの着物。
ガ‖ラガラした声。	声がガラガラだ。 ガラガラ声。
(b) ベ‖ロベロ（と）なめる。	ベロベロに酔う。
ペ‖コペコ（と）頭を下げる。 ペ‖コペコする。	おなかがペコペコです。

＊(a)は用法・アクセントが変わっても意味は同じ。(b)は異なる意味となる。

＊ク‖ラクラとめまいがする・ク‖ラクラする―クラクラッとする、のように促音化すると、ッに重点が移るのでアクセントが変わる。

注

(1)——萩原朔太郎「鶏」のあとに付した自注。

(2)——現代のものには、国語辞典編集の参考ともされた近代の作品と異なり、辞書には載せていない珍しい語がよく出てくる。擬声語をよく使う幸田文・水上勉ほか各氏、また、とくに擬声語が多いといわれる作家でなくても、珍しく、目に付く語を使っている場合もあり、それら種々の作品や、朝日・毎日各紙などから語例を拾った。

(3)——個人的なくせもあるかもしれないが、篠田鉱造『幕末百話』(明治三五年より報知新聞に掲載したものをもととする。昭和四四・一九六九・角川選書)では、ABリ型に「と」なしの例が非常に多い。「ニコリ笑ったのが」「コロリ打《ぶっ》倒《たお》れた」「頭巾をスポリ鷹の頭へ被《かぶ》せ」などなど。ちなみにABッには「と」が付く。「スパッと斬《や》られて」「紙入や巾着がこてッと入っていた」。

五 現代の擬声語についての諸問題

1 新語・流行語

昭和二〇年(一九四五)八月六日、アメリカが広島におとした原子爆弾を、ピカリとくる間もなくドンときたというので、被爆直後、広島ではこれを感覚的にピカドンと言った。九日には長崎にも投下され、敗戦は決定的となった。

敗戦後、世の中は大きく変わった。昭和三〇～四〇年代、さらに五〇～六〇年代と、タレントやテレビCM、劇画などを通していろいろな流行語が生み出された。大げさで感覚的で、何となくパッとわかってしまうことば。大した意味もなく、あるいは意味があいまいで、流行語というより流行音とでもいうべきことばであるのに、その響きの面白さや奇抜さが受けて、遊びとしてまず子供の世界に受け入れられ、たちまち若い人々に広がり、新聞の見出しにもすぐ使われて、一般の人々の間にも定着していく。なかには自由で、型にとらわれず、非常に雰囲気に富んだことばもある。が、逆に刺激の強い、品のないことばもある。生活実感のある、自然に生み出されたことばというよりは、人の注意をひきつけようと、意図的に造語したものも多いからであろう。感覚的な面白さに、一時的には流行しても、やがて消えてゆくものもあれば、いつのまにか民衆のことばのなかに根を下ろして、昔からあることばのような顔でふつうに使われるようになる語もでてくる。時代の産物として生まれた流行語、またそこで根を下ろした語などを、年代順に取り上げてみる。

〔1〕昭和二〇年代（一九四五～五四）

テンヤワンヤ、**ヤッサモッサ**――近世にも例のある語でありながら忘れられていた語であった。新聞小説の題名として使われたことからよみがえった。[1]

・後任村長の選任をめぐりまたまた**てんやわんや**ともめている
（昭和二四・一九四九・一・一八、東京・夕刊）

コテンコテン、**ケチョンケチョン**――戦争でとことんまでやられた、その体験から生まれた表現といえようか。俗語としてケチョン・コテン・コテンパンがその後も使われる。

・今晩、大河内衛生タイムズを**こてんこてん**に殴ってしまったのよ」「え？」
（宮崎博史「青春お神楽」昭和二四・一九四九・一二・三〇、東京タイムズ）

・嘘がばれ…その上、主人に侮視されて、まさに**けちょんけちょん**であった。
（花登筺『どてらい男』）

・カオルに**こてんぱん**にやっつけられて怒って帰るにちがいないと
（五木寛之『青春の門』）

ギョッ――戦後の芸能人による流行語のはしり（昭和二四・一九四九年、ＮＨＫラジオ「陽気な喫茶店」で、内海突破のギャグより）。副詞として地の文に用いる驚きを表す擬声語を、感動詞ふうに口で大げさに表現した例。

〔2〕昭和三〇年代（一九五五～六四）

テレビが普及し、画面を通してＣＭやタレントの、変わった言い方、新しいことばが何となくパッとわかって茶の間に受け入れられ、人々の共感を呼んで流行してゆく。そういう語が増えてくる。

ガバチョ――昔からの「ガバと起きる」という表現に、チョという変な語尾を付けた面白さ。ほかにカックン（昭和三三・一九五八、テレビコメディで、脱線トリオの由利徹のせりふから）、ガチョン（昭和三八・一九六三、クレージーキャッツの谷啓のギャグから）など。

ホンワカ、**フンワカ**――トニー谷が「胸がドキリンコ」とか「嬉しくってホンワカホンワカ」などと新語を造り出したという。いかにも温かそうで、快い感じの語であるため命ながく、今日ではふつうの語の仲間入り。

スカッ――昭和三七年（一九六二）、軽快なＣＭソングに乗せてコカ・コーラが日本で販売を開始した。「スカッとさわやかコカ・コーラ」。近世まではスカ語基の語は、滞りなく事が運ぶさま、ことに思いのままに切るさまにいうことが多かった。しかしこのＣＭから、感

覚的な快さを表すことが多くなったように思われる。
・好青年である。イヤ味もないし、**すかっ**とした明るさがある。
(昭和四七・一九七二・一一・二、毎日・夕刊・「ひと」高橋英樹)

〔3〕昭和四〇年代(一九六五～七四)

シコシコ、チンタラチンタラ――大学紛争盛んなころの学生運動用語から。
・作者は…賞金はその分だけなまけていいお許しと解釈して「**ちんたらちんたら**やって行きたい」といっているが
(昭和四七・一九七二・九・一四、朝日・投書)

ガッポ、ガッポガッポ、ガッポリ――大金がころがりこむ、荒かせぎ。逆に、税金をガッポリ取られる、というような桁はずれなさま。世相を反映している感じの語。
・さい銭が**がっぽがっぽ**はいる正月に
(昭和四四・一九六九・七・五、朝日)
・〝黒い所得〟から税金を**がっぽり**とる兵糧攻め作戦を決めた警察庁
(昭和四八・一九七三・四・二六、朝日・青鉛筆)

ビヤーッ、ドヒャー、ポショッ――驚いたとき、気持ちが沈んでいるときなどに擬声語の音だけを独立させて口にする、子供の流行語。

ドバー、ドバッ――血などがすごい勢いで流れ出るさま。マンガからはやったものであろうが、天沼寧編『擬音語・擬態語辞典』に上品な表現ではないと断って載せている。その後、新聞の見出しや作家の文章、ふつうの人たちの投書にも見られるようになり、発生時よりは格も上がり、ドバドバの形もでき、また意味も、大量に思いきりよく入れたり出したりするさまをいうように広がってきている。
・牛・豚・鳥肉などの具が、**ドバッ**とパックされた高級品で、そこそこ腹にたまればいいという代物ではない
(昭和五七・一九八二・八・一二、毎日・当節売れ筋拝見)
・…について、2人の意見を載せたところ、実に**ドバドバーッ**と反響が寄せられました。
(昭和五八・一九八三・九・四、毎日・くりくり)

シッチャカメッチャカ(スッチャカメッチャカ、ヒッチャカメッチャカとも)――『日本国語大辞典』には載っているが用例はない(第二版も同)。
・中村メイコはやっぱり、二足のワラジをはいて、**スッチャカメッチャカ**生きているほうがふさわしいのではないかしら?

（中村メイコ『メイコの「奥さん処世術」』）

・茶だんす、三面鏡、押入れなど部屋の中が**しっちゃかめっちゃか**荒されているんです。空き巣の仕業でした。（昭和五六・一九八一・九・三、朝日・投書）

昭和四三年（一九六八）から始まったＮＨＫのテレビ番組・連想ゲームのワンワンコーナーで、重ねことばをたくさん取り上げているが、これも人々がこの種のことばに関心を向けるようになったきっかけといえようか。ただ畳語の形のものをひっくるめて、漢語由来のものも擬声語とする風潮も生じてきたように思う。

〔４〕昭和五〇年代（一九七五〜八四）

ピッカピカ——小学館のＣＭ「ピッカピカの一年生」（昭和五五・一九八〇）から。できたてのほやほや、新品という意で盛んに使われた。

ギンギン——本来はロックの演奏について用いた語で、熱気を発散させながら乗りに乗っているようなのが「ギンギンになる」である。「に」「の」が付く形容動詞的用法。若者のことばで、命が高揚して、最高に充実している感じ。感覚的なギンギンという音《おん》でしか言い表せないような感じ。川崎洋「流行語」（昭和五六・一九八一・一・一一、毎日）にも記述がみえる。

・高温多湿の夏。いくらわれら日本人とて、**ギンギン**の働きづめでは、とてもじゃないがたまらない。（昭和五八・一九八三・八・一二、毎日・夕刊・憂楽帳）

・カリフォルニアの青い空と、**ギンギン**の太陽の日差し。（昭和五九・一九八四・七・二八、毎日・夕刊）

・ワイン…少し甘口だが、**ぎんぎん**に冷やせばなかなかいける。（平成四・一九九二・一一・二、毎日・生きる悲しみ死ぬ喜び）

ルンルン——私の初見は「ルンルンして」（昭和五六・一九八一・九・一四、朝日広告版、投書）[2]の例だが、その後大流行。ほとんどの例が言い切りにするか、「ルンルン気分」のような複合語。林真理子のエッセイからともいわれるが、テレビアニメーション原作者神保史郎が、主役の少女の名前に、五十音を一つ一つあてはめてゆき、ゴロもよくイメージがぴったりだというので決めたともいう（「花の子ルンルン」）。小学生から女子学生、ＯＬにと伝わり、大人たちにも伝播して、新聞の見出しや主婦の投書にも見られるようになった。個人の創作語だが、その音感から、うきうきした気分が感じられ、そのプラス的要素によって多くの人に受け入れられ、作者の手をはなれてことばだけ飛んでいったというような流行状態。今では外来語の影響などから、ラ行音

が語頭に立つことに人々はそれほど抵抗を感じないようになっており、ルンルンもごく自然に日本語の仲間入りをしたようだ。こういう個人の意図的な造語をも、自然発生的な擬声語と同格の擬声語と呼んでいいか疑問はあるが、流行語というべき段階から、現在では『日本国語大辞典・第二版』ほかにも、大きな顔で載っている。[3]

・春**ルンルン**　闘わずしてベア6％（見出し）臨時ボーナスも支給される予定で、ここばかりは一足先に春らんまん―。

（昭和五九・一九八四・三・一三、毎日・夕刊）

キャピキャピ――ルンルンの新版ともいえる語で、昭和五九年（一九八四）の流行語。キャーキャーピーピーからできた語という。若い女性が明るくぴちぴちと、しかし少し軽い感じではしゃいでいるさま、という感じか（高橋留美子のマンガ「うる星やつら」）。ルンルンほどには通用しなかったかと思われるが、その後も生きて使われている。

・どこもかしこも**キャピキャピ**の若い女性で満員盛況の有り様。

（昭和六二・一九八七・二・一九、朝日・投書）

・女性はサイクルが短いから、**キャピキャピ**してるうちに使っちゃおう、みたいなね。

（昭和六二・一九八七・二・二四、毎日・夕刊・テレビを創る女たち）

・アメリカ仕込みの**〝キャピキャピ〟**ぶり

（平成二・一九九〇・二・九、毎日）

・「ケンゴくーん！」という女性の**キャピキャピ声**が飛んだ

（平成二・一九九〇・三・一八、朝日・さんでーすぽっと）

のような複合語も（『日本国語大辞典・第二版』には載せていない）。

若者が擬声語を、それだけ独立させて口にするのが流行。たとえば、

グサッ――きついことを言われて、それが胸につきささってこたえた、というようなとき。

グスッ――がっくりして涙するようなとき。

フギャー――めげたとき。

ゲコゲコ――「蛙が鳴くから帰ろ」から。

若者ばかりでなく「ズコッ」というのは幼児にまで広く流行したらしい。新聞の投書欄に、三歳の子が叱られると小首をかしげて「ズコッ」（昭和五七・一九八二・一一・二〇、朝日）、二歳の子が「ズコーッ」とジェスチャーまじりに連発（昭和五八・一九八三・一〇・八、アサヒタウン

ズ)など。これが文章でもそのまま「やっぱ、小生『ネクラ』なのかな?・ズキッ。」(昭和五八・一九八三・四・六、朝日)のような大学生の投書に表れる。

〔5〕昭和六〇年代から平成へ(一九八五~)

ワープロ、パソコンなどの電子機器が家庭に普及しはじめ、人々のライフ・スタイルは様変わりし、それに伴い、多くのことばが誕生した。一過性で消えてゆくものもあるが、違和感なく、ふつうのことばにとけこんでしまったものも多い。

プッツン――頭の中の電線が切れている。つまり頭がおかしいという意。テレビで片岡鶴太郎が連発して流行。昭和六一年(一九八六)流行語大賞を受賞。

ピンポーン、ブー――テレビのクイズ番組から。正解を知らせるチャイムの音がピンポーン、当たりの意。はずれはブー。

チン、チンする――電子レンジは台所の必需品となった。動詞化して若い人たちが「チンする」とも言うようになる。

〔6〕一九九〇年代(平成)から二〇〇〇年代へ

前述したグサッ・ズコッの流れで、若い世代を中心に、擬音、効果音、感嘆詞を情報伝達の手段として会話に使うのがはやってくる。くどくど説明するよりも、音で伝えるほうがピンとくるのかもしれない。テレビのCMでも、お茶漬けをおいしそうに食べる音、ジュースを飲むゴクッゴクッという音など、食欲をそそる音を流すだけで売り上げは大幅に伸びたという。

・「ワーオという感じ」。この発言は、NHKアナウンサーの久保純子さん(二六)が十日、紅白歌合戦の司会者に選ばれたときの感想だ。タレントの松田聖子さんも再婚時の会見で「ビビビッときた」と語った。

(平成一〇・一九九八・一一・一四、日本経済・若者、擬音に飛びつく)

・00年に木久蔵は初期の胃がんが見つかり、手術。きくおにとっては「電気ショックみたいに、バシーン!って来た」体験だった。

(平成一九・二〇〇七・五・三〇、朝日・夕刊・親子襲名)

なぜ若者は音でコミュニケーションしたがるのか。前記日本経済新聞の記事では、「自動販売機などボタン一つで何でもできてしまうワンタッチ化現象の延長」「言葉にも、一言で伝わる極端な簡便さが求められているのではないか」と、デザイナーのナガオカケンメイ(三三)の解説。さらに「テレビゲームの影響を指摘する声

もある。ゲームで勝つには頭で考えていては間に合わず、音や光に瞬時に反応しなくてはいけない。ゲームで育った彼らにとって〝音〟こそがピンとくる表現なのだろう。若者に言葉で何かを伝えても分かってもらえないのは、このせいなのかもしれない。」と記している。

この、新しい世代の人たちは、その時その時の感情を伝えるのにぴったりの擬声語が、人まねではなく、口をついて出てくるのかと、私のような旧世代の人間は、彼らの音感に脱帽するほかない。

2　マンガ・劇画の擬声語

現代の擬声語を論じるとき、マンガ・劇画などの擬声語にふれないわけにはゆかない。マンガ・劇画などにはすさまじいくらいに擬声語が氾濫している。[4] そこではもう、擬声語ではなく擬音であり、それをまた視覚的に表現して二重の効果をあげている。吹き出しの字をだんだん大きくしていったり、画面一杯に太い字で書いたり、ときに画面からはみ出したり、また字体をいろいろ工夫し、飾り文字とかローマ字にしてみたり、場面場面に合わせて視覚的効果をねらう。

球技の場合、ポーンもあるが、ボム・ボム・ボムッのような使い分け。テニスのパコーン・パカーン・ポコーン・スパーン・バシッ・パシュッ。拳銃はバーンというおとなしい音でなく、ガガーン・ズガーン・ズキューン・ドギュンドギュン・バキンバキンとはげしい音。そのほか、

・ドス　バキ　パシ　ベキイ

・ガッ　ダッ　カパッ　グゲッ　グヮシッ
ズザアッ　ズバッ　ドガッ　ドフッ　バカッ
バキャッ　パシッ　ビキッ　ビタッ　ピラッ
ブチッ　ブバッ　ベキッ　ベチッ

・カキィン　ガキイン　ガキンッ　ザッバアン
ザパン　スカーン　スターン　ズバアン
ドッパーン　パキィーン　バコン

・パムパム

このように説明ぬきでなまの擬音語だけを画面にたたきつけたような表現法はマンガ特有のもので、この原型は昭和二〇年代の漫画にすでに一部見られる手法であるが、[5] 昭和五〇年代のマンガ・劇画になると、それをぐっと刺激的に表現している。[6]

擬音とは逆にまったく音のない静まりかえった場面を、シーンという文字によって表し、音がしないばかりか不気味さまで感じさせた手法は、手塚治虫があみ

出したという。[7]これも漫画にもあった技法ではないかと思うが、その後、「そそくさそそくさ・セッセセッセ・じわっ・ぎくっ・じたばた」と擬態語をかきこむ画法に継承されており、同じように変わった語が多く見られる。

・シュバ　グァバッ　ズシャッ　ドワッ　ムスッ
・ジロン　タラーン　デロローン　ビターン
・キャピキャピ　トポトポ　ンポンポ

マンガ家の創作になる語のなかには、実にうまく表現していて感心するものがあり、副田義也『マンガ文化』(昭和五八・一九八三・紀伊国屋書店)に、さいとうたかをの擬音を、浅瀬での斬り合い、水しぶきが上がり刃が肉を斬った瞬間の擬音は「ンザッ」。「ザンッ」でなく、それをひっくり返して、リアリティはいっきょに増していた。また馬のひづめの音が、やや遠く「パカラン、パカラン」と表現され、眼前を走り抜けるとき「ドガガ、ドガガ、…」と地ひびきするのを見て、背筋がぞくっとするようなうまさを感じたといっているが、なるほどと思う。

なお現代はクヮ・グヮのような音は、カ・ガと発音され、方言は別として消えているが、マンガの擬音語には生きている。これは次の電子音の写音にも見られることである。

3　機械音・電子音の擬音語

〔1〕　次に、これまでにはなかった新しい機械音・電子音などがふえたためにできた、新しい擬音語について、昭和五〇年代の新聞・小説・マンガなどから引いてみると、

ウォンウォン　キューン　ヒュルヒュル　(B29)
(加賀乙彦『錨のない船』昭和五七・一九八二)

キーッ　キェッ　キェーッ　(ブレーキ)
(尾辻克彦「お湯の音」　昭和五六・一九八一)

カシャカシャ　シュルシュル　(ビデオ作り)
(昭和五七・一九八二・四・二八、朝日)

シュワッ　シュワッ　キュル　キュルル　(スキー)
(昭和五六・一九八一・一・一四、朝日)

ウイーン　(電気のこぎり)
(昭和五七・一九八二・五・三一、朝日「ペエスケ」)

ブィーン　(掃除機)
(昭和五六・一九八一・一〇・四、朝日「ハーイあっこです」)

ジーコン　ジーコン　(電話ダイヤル)
(昭和五八・一九八三・三・七、毎日「アサッテ君」)

キンコーン、ピンポーン、ピンポン　（ブザー）

パプーパプー、ファーファー、ファンファン、パポパポ、ポー

ピイポーピイ　など　（パトカー・救急車のサイレン）

プシッ、プシュッ　（機械音ではないが、それまでなかった缶ビールなどをあける音）

〔2〕

昭和六〇年代から平成にかけての新聞記事から。

ギュイーン　（ロボットメーカーの工場で、モーター音）

（昭和六一・一九八六・八・二三、朝日・夕刊）

ピロピロ、プルルル　（駅の発車ベルの音）

・駅は二年前にベルの「ジリジリ」を電子音の「ピロピロ」に変えた。

（昭和六三・一九八八・八・二、毎日・余録）

・ホームに響く発車ベルはＪＲ、私鉄とも大半が「プルルル」などの電子音。以前の「ジリジリ」という金属音ほど刺激的ではないとはいえ…

（平成一・一九八九・八・二一、毎日・最近ベルの音事情）

ピロピロ　（ポケットベル）

・評判の芳しくないのがポケットベルの「ピーピー」音。昭和四十三年に登場以来の呼び出し音だが…ＮＴＴも昨年末に、初めて「ピロピロピロ」や「ピピピ　ピピピ」など、耳当たりの柔らかな呼び出し音を登場させたが、人気はいま一つ。

（平成一・一九八九・八・二一、毎日）

トゥルルル、トルルルル　（電話、携帯電話）

・ＩＣの普及がベルの音を変えた〝功労者〟という。電話も本体内蔵のゴングを鳴らす「リリリーン」から、より軽やかな「トゥルルル」が主流に。

（平成一・一九八九・八・二一、毎日）

・「トルルルル」…若い女性がブラウスのそでを動かしバッグの電話を取り出す。…大阪・梅田の阪急乗り場前。手に手に携帯電話かＰＨＳ。

（平成八・一九九六・六・一〇、日本経済・夕刊）

ピコピコ　（テレビゲーム機）

・ピコピコピコ　キューン　キューン

（昭和五八・一九八三・一二・二五、朝日「フジ三太郎」）

・ピコピコピコ　ピューン

（昭和六〇・一九八五・七・一五、朝日・アイデアの軌跡）

・ピュン　ピ　ピ　ピコピコピ　ピュンピュン

（平成七・一九九五・七・八、朝日「となりのやまだ君」）

シャカシャカ　（ヘッドホンステレオ）

・電車やバスの中で、ヘッドホンステレオから漏れる「シャカシャカ音」を大幅に減らす新回路を松下

電器産業…が設計、実用化した。

（平成二・一九九〇・二・二四、朝日・夕刊）

・電車内の嫌われもの、あのヘッドホンステレオから漏れる音「ギン、ギン、シャカシャカ」が次第に小さくなってきた。

（平成二・一九九〇・五・二六、朝日）

（ワープロ、パソコン）

・ポータブルのワープロ…年賀状など〝あて名〟を印刷するのも、自動的にジーコ、ジーコ…。もう、これで極めつき

（昭和六〇・一九八五・一一・三〇、夕刊フジ・広告）

・キーボードをたたく「カシャカシャ」の音。

（平成二・一九九〇・七・三、
毎日・夕刊・図書館困ったワープロ騒音）

4　過渡期—世代による受け取り方の違い、表現の違い

いまマンガでは、前述したようにバキューン・ズキューン・ドキューンなどと銃弾発射音を表現し、ズゴゴゴゴゴ（トレーラーの音）、ヴオオオオ・ヴオン・オオン（車の轟音）などと表現する。子供たちが実際にしゃべっているなまのことばには（音まねというべき段階でもあろうが）、もっと迫真的な、特徴をうまくつかんだ表現もあるだろう。ウィ・ウォ・ヴィのような、本来日本語にはない音韻や表記は、外来語などの影響によって、すでに借り物ではなく、ごく当たり前になりつつある。古い年代の人には違和感があったかもしれないが、今では自分たちのものになったといえよう。ちょうどその過渡期といえる昭和五〇〜六〇年代の新聞記事や投書から。

・電車の網だなにあったヤング向け劇画雑誌を読んでみてびっくり…バキャッ、ぐげっ、ピラッ、ンニャオーン、スターン、たらーん、ぐむむ、ブロロロバウバウグカッガロロロ、…昔はピストルはパーン、風はピュー、紙の落ちる音はヒラヒラ、落ち葉ははらはら、かみなりゴロゴロ、いや、単純なものでした。

（昭和五四・一九七九・九・二八、
朝日・投書、…四一歳の会社員）

・若い記者が取材し、紙面にのった汽笛の音は「ブウォーッ」。見出しも「ブウォー」。ところが、私には汽笛は「ボーッ」と聞こえる。尋常高等小学校の国定教科書で汽笛の音は「ボーッ」と習ったのがまだ尾を引いているのだ。

（昭和五六・一九八一・一二・二二、毎日・記者の目）

（この記者は大正一五年〈一九二六〉・一二月二一日生まれで、このとき五五歳。この日以降、大正生まれの現役記者は定年でいなくなったそうだ。）

右の例でも知られるように、近代までは、擬声語にもある規範めいたものがあって、詩や小説の特別な表現は例外として、ふつうには犬はワンワン、飛行機はブーン、小川はサラサラのように習い覚えた形を使うものであった。事実、昭和四〇年代には、教科書編集者が六年生の教科書に「川」という題の小学生の詩「さら　さる　ぴるぽる　どぶる／ぽんぽちゃん／川はいろんなことをしゃべりながら流れていく…」を載せて検定に出したが、文部省（当時）側から「水の音というものはサラサラなのだから、これをみんなサラサラに直してほしい。そうしたら合格にする」と言われ、やむなくこの詩を除いたということがあったそうである。

・厚木基地の近くに住む娘の所へ行き…若いママが一歳ぐらいの子どもに教えています。「そら飛行機よ、ゴオーッ！」飛行機は「ブーン」かと思っていたのでショックでしたが、この辺は、そんな生やさしい音ではないのですね

（昭和五八・一九八三・三・三、朝日・投書…六一歳の主婦）

・「グォーン」「キーン」「ゴーッ」「ギーン」。マンガの吹き出しではない。厚木基地周辺の住宅地で聞いた爆音の描写である。劇画世代の受け取り方と思っては大間違い。控訴審の屋外検証調書にもちゃんと「落雷時の雷鳴に近い『ゴーッ』という爆発音」と書いてある。…そんな「グォーン」「キーン」の鳴り物入りで行われる離着陸訓練。

（昭和六〇・一九八五・四・一〇、毎日・余録）

現代では昔のままの、ありきたりの表現では物足りない、というより、実際それではおさまりきらないのである。もっとそれらしい音《おん》を探して、自由奔放に表現する。音感が意味を規定するといってもよいことばであるから、新しい語が比較的自由に作れるのである。それらの個人的な表現が定着して一般に使われるようになるまでは、浮動的な表現として考えねばならないであろうが、多彩な擬声語があふれていることに違和感を感じることの少ない世の中になってきている、と実感することである。

5　料理記事の擬声語

ところで前段までに、各人各様に感じたままに表現する傾向が一般に見られ、擬音語ではそれが著しく、新しい表現が次々と生まれていると述べたが、料理記

事では別なのである。これは誰でもわかるように、説明に擬声語がよく使われていて、その用語はどちらかといえば限られている。というよりは、その語が一番ぴったりきて誰でも納得できるので、ことさら変わった表現を用いる必要がないからではないかと思われる。

たとえば、よく使われている語は、

・サッと炒める。サッとゆがく。サッと湯をとおす。サッと煮る。ザッと炒める。

・火にかけてトロリと練り。カラリとキツネ色に揚げて。

・油でカリッと揚げる。トウフを…グラッとしたらざるにとり。卵がフワッと煮上がったら。

・シンナリするまで炒める。コンガリと焼き上げ。

・粉をサックリまぜる。ポッテリしたホワイトソースを作る。牛肉をコックリした味に煮込み。酢を加えてコックリと煮ます。

・弱火でコトコト煮る。トロトロの弱火で三〇分ほど。グツグツ煮えている中へ。湯をグラグラ煮立て。カリカリに炒めたベーコン。ひき肉をポロポロに炒める。お芋はホクホクに。煮すぎるとパサパサになりおいしくないので。

このほか、それほど例が多くはないが、

・白っぽくモッタリなるまで泡立てる。

・卵白どうし固まって泡がモロモロになり。

なども、この語でなくてはならない例のように思われる。

これは昭和六〇、六一年(一九八五、八六)の毎日新聞・朝日新聞の料理記事を調べたものだが、平成一九年(二〇〇七)の現在でもほぼ同じ傾向が見られる。揚げ物は「カラリ・カラッと・カリッと」揚げるのだが、なかでもカラリが多い(また、これは擬声語ではないが、「キツネ色」も常套的に用いられる料理用語である)。

料理名では、近世に「鶏卵のフワフワ」があったが、現代は擬声語を付けて複合名詞としたものが多く、「サッと煮」はことに種類が多い。

・エノキのさっと煮、菜ばなとツナのさっと煮、キャベツとワカメのさっと煮、ホタルイカのさっと煮。

・高菜のぴりっと炒め。

・新キャベツのシャキシャキサラダ。ピリピリキュウリ。豚肉とダイコンのコトコト煮。

・鶏肉のさっぱり漬け。

日本人がずっと使いなれ、聞きなれてきた擬声語による説明が、くだくだしく説明するよりも直接的で、

ぱっとわかるから、このように常套的ではあるが、決まった語が用いられるのであろう。（もっとも、平成一九年八月一日、ＮＨＫテレビ「ためしてガッテン」で、オクラを「サッとゆでる」というのを、ゲストが六秒とか二〇秒とか、それぞれの考えている「サッと」は同じではなかったが…）ここは、マンガや劇画とは逆の、昔ながらの擬声語が、落ち着いて住みついていられる世界といえそうである。(8)

6　広告・見出しの擬声語とことば遊び

〔1〕

広告では、早くから擬声語を効果的に用いた例がある。

昭和二七年（一九五二）のポスターから。

・おそばつるつる
　健康すくすく
　再建すらすら　（東京麺業連合会）

・荷造はガッチリ
　宛先はハッキリ
　荷札はシッカリ　（日本通運東京支社）

新聞の広告では、

・不眠に新グレナイト
　夜はグッすり
　朝はパッちり　（武田製薬）
（昭和三六・一九六一・四・九、読売・夕刊）

・土地収益、ガッチリ。
　管理の手間、スッキリ。
　で、地主さん、ニッコリ。
〈中央〉の土地信託。（中央信託銀行）
（昭和六〇・一九八五・一・二三、毎日・夕刊）

のように、ことばの点からも、また、見た目からも対句的な効果をねらっている。同じ型の語を並べることで、口調もよく、耳に入りやすいのである。このような例は、現在でも非常に多く見られる。

〔2〕

新聞の見出しでも、対句的に用いて目立たせた例が多い。

・純綿下るか上るか
　(公)改訂にソワソワモタモタ
（昭和二五・一九五〇・一二・一、読売）

・バッタリ朝潮　スッテン琴風　（大相撲春場所）
（昭和五九・一九八四・三・一三、毎日）

・昼食時グラリ　首都ドッキリ　（関東中震）

（昭和六一・一九八六・六・二四、毎日・夕刊）

・じっくり勉強　しっかり選択　低金利時代のお金の運用　（昭和六一・一九八六・一一・二九、朝日）

・4トン車ドスン　電柱ポッキリ　塾の窓にグサ

（平成一・一九八九・八・一三、朝日）

これなどは見出しだけで内容がよくわかる。

〔3〕

さらに、見出しにことば遊びといった点も見られるようになってくる。これは擬声語に限ったことではなく、たとえば猿の被害がふえて「撃たザルを得ず!!」（平成二・一九九〇・三・七、毎日・夕刊）のような例が出てくるのだが、平成に入り一九九〇年代ごろから顕著になる。記者たちも若い世代が多くなってきたからであろう。

・ギク!!　クギだ　（釘をのみこんだ幼児、X線写真に六センチの釘が）

（昭和五八・一九八三・一〇・一六、毎日）

・(打)ダダダッ　(投)トホホ

（平成二・一九九〇・三・四、毎日・スポーツ欄）

・ドバドバ一〇〇〇頭　（遺跡から多数の素焼きの土馬《どば》が見つかって）

（平成八・一九九六・二・一五、朝日）

また、字を斜めにしたり、工夫して感じを出した例。

・若花コロリ　2大関バタバタ　（大相撲初場所）

（昭和五八・一九八三・一・一〇、毎日）

（「若花コロリ」の字を斜めに配して、若乃花が上手投げに屈したのを示す。）

・安眠妨害…真夜中グラリ

（昭和五九・一九八四・二・一四、毎日・夕刊）

（すべての字がそれぞれいびつな方向に傾いている。）

・映画館や百貨店でグラッときたら…

（昭和六〇・一九八五・五・一二、朝日）

（グラの二字をそれぞれ左と右に傾けて地震の感じを表す。）

見出しに限らず、ことば遊び感覚で目につくのは、たとえば温泉の広告で「湯ったり」と書くような文字遊びはふつうになってしまったようで、若い世代の人たちが擬声語を楽しんで使っている様子が感じられる。こういう傾向はふえていっているように思う。

注

（1）――獅子文六「てんやわんや」昭和二三年（一九四八）一一月二二日より毎日新聞連載。獅子文六「やっさもっさ」昭

和二七年、毎日新聞連載。

(2)――「ワタシが一番最初にマクドナルドに行ったのは、中学生のときでした。ルンルンしてチーズバーガーとポテトをたのみました。…」投書者は一七歳。この語については『現代用語の基礎知識』(昭和五八・一九八三)の若者用語の解説に、子供の「お手手つないでルンルンルン」から、のような説もあるが、神保史郎は昭和五七年(一九八二)秋の毎日新聞・ひと欄にルンルンの仕掛人として取り上げられており、メディアによる広がりが大きいと思われる。なお、草野心平の詩にルンルンがあると指摘するものもあるが、たしかに昭和六年(一九三一)『明日は天気だ』の中の「仲間ノ家へ」に「ルンルン」の例はあるが、これは、たまたま昭和初期の彼の詩に同じようなルンルンが一例あったということであって、この、五〇年代に始まったルンルンの、流行する契機となったものではない。

(3)――山口仲美『暮らしのことば擬音・擬態語辞典』(平成一五・二〇〇三、講談社)

(4)――大量のマンガ・劇画のごく一部しか見ていないので、マンガについて論じる資格は私にはないと思うし、しかもマンガのなかのことば、それも擬声語だけを取り上げて論じるというのはマンガの正しい取り上げ方といえないこともよく承知している。けれども、マンガを抜きにして現代擬声語を論じることはできないので、あえて擬声語だけを取り上げる。

(5)――かつて私の調べたところでは、横山隆一の漫画「デンスケ」(昭和二四~二五・一九四九~五〇、毎日)でも、なまの擬音語を音模倣の意図だけで用いており、その類推からか、擬態語ガッカリ・ガミガミ・ペコペコ・ホロリ・ギョッ・イザコザなどの、語だけが説明なしで書かれている例があった。

(6)――加藤秀俊・山本明「現代まんが論」(『言語生活』一六七号、昭和四〇・一九六五)によると、擬音、間投詞がマンガに欠くことのできぬものとなったのは、昭和二八~三〇年にかけての「少年ケニヤ」あたりからだろうという。また寿岳章子「まんがの文体」(『言語生活』一六七号)に、そのころのマンガに現れた擬声語が例示してあるが、今日のマンガを見慣れた目で見ると、ずいぶんおとなしい語が多いという印象を受ける。その後さらにまたぐっと変わり、より独創的刺激的になっているようだ。

(7)――石子順・新マンガ学(昭和五二・一九七七・一一・二五、毎日・夕刊)

(8)――料理に関連する語として、食感・味覚に関する擬声語もある。パリパリ・シャキシャキ・コリコリのような歯ざわり、嚙む音。ホクホクと温かい焼き芋、ネットリした生ウニ、唐辛子をピリッと。平成一三年(二〇〇一)ごろから日本経済・夕刊の早川文代(食品総合研究所)「食語のひととき」というコラムで、このような語を含めて、食関連の語を取り上げている。

六　方言の擬声語・昔話の擬声語

1　方言の擬声語

〔1〕

擬声語の地方的差異については、とりあえずは『日本方言大辞典』(平成一・一九八九・小学館)とか各地の方言集、論文など[1]を参照して考察するよりほかなく、そこから得たことばの観察によってではあるが、標準的な擬声語の傾向と大体は共通しているように思う。すなわち、

① 形態の面からは、方言においても、基本的な形をとっており、ABAB型が多いことは同じである。

イコイコ　シャガシャガ　バヤバヤ

② ABリ型もあるが、ABラ型やABラABラ型が目立つ。AッBラ型も多いようである。

アオラアオラ　イシェライシェラ　グジラグジラ
イカラマカラ　ザックラ

③[2] ABAB型の、小林英夫により観察・整理された点に当てはめてみると、

(a)第一音節にラ行音が立つことはない。――中世にロリロリがあるが、方言にもロレロレがある。

(b)ハ行音が第二音節に立つことはない。――中世にトハトハがあるが、方言にもプフプフ・ノヘノヘ・オホオホ・アフアフがある。

(c)同じ行が両音節に同時に立つことはない。――カキカキ・キコキコ・ギガギガ・トチトチ・デダデダ・ロレロレがある。

(d)両音節が同時に拗音を含むことはない。――クヮシャクヮシャ・グヮシャグヮシャ・グヮジャグヮジャ・グヮニャグヮニャ。

これは標準語にはないクヮ・グヮだが、みな新潟県西蒲原の語なので、例外といえるかもしれない。ただし、これらの基準は、現在では擬声語が多様になったため、方言に限らず、標準語でも当てはまらない点が出てきている。

④ ともかく標準語と根本的な違いはないものの、音や意味の違いを見ると、思いがけず面白いものがあり、その地方の人たちからはその語でなければ言い表せないという語がずいぶんあるのだろうと思われる。

〔2〕

そのなかでもテレビや新聞記事によって、地方でのことばが注目されて、一般にも使われるようになった例もあると思う。たとえば、

マッタリ——京都の「マッタリとした味」。語音だけ聞いても何となく雰囲気としてわかるように思われる語である。昭和六〇年ごろ（一九八〇年代半ば）に料理評論家がよく使い、おいしさを表す決めぜりふとして流行したという。

・白みそには、とろみがついている。思わずなめる。**まったり**とした甘みの中に酒の味が…。

（昭和五四・一九七九・三・二〇、毎日・料理コツのコツ　京の料理）

味覚としては、まろやかだが切れのある味。味についてだけでなく、ゆったりしているが、底にしっかりしたものを持っているような意味があるらしい。それが平成二年（一九九〇）ごろから、若者の間に、ゆったりした生活態度やボーッとするさまなどをいう用法として広がったという。

・若者が…「きのう、何してた？」「えー？　部屋で**まったり**とかしてた」

（平成一一・一九九九・五・二二、朝日・探検キーワード・南伸坊の言い分）

キトキト——富山の「とれたてのいきのいいキトキトの魚」。テレビ東京「美味豪快！ニッポンの野生味狩り特選編」（平成五・一九九三・二・二七）で、富山県氷見《ひみ》の「キトキトのサバとイカのオキ汁」を放映。キトキトという方言があると紹介。いくらか浸透してきたのではないかと思われ、ときに耳にする。「大学出のキトキト」など。また、平成五年（一九九三）に出版された室井滋のエッセー集は『キトキトの魚』（マガジンハウス）と題する。

〔3〕

方言には古語が生きている、としてよく引き合いに出されるのは「いかいかと泣く」（栄花物語・今昔物語集など）と同系かと思われる「イガ泣き（鹿児島）」「イガイガ（徳島）」などである。

ミンズリ（京都）——「ある根っからの京女のおばあさんがみんずりという語を使っていた。あっさりしたとでもいいたい意味の由であるが、残念ながら私は使わない。ところが…キリシタンの神父さんがこしらえた日本語とポルトガル語の対訳辞書に発見して、とても感激した。意味もほぼ同じようである。」（寿岳章子「女たちが伝え

るもの」昭和五六・一九八一・五・一六、毎日)

・**Minzurito** ―**ミンズリ**トシタアヂハヒ《味わい》…**ミンズリ**トシタヒト　（日葡辞書）

ムタムタ(石川)――石川県出身の私の亡母が「ムタムタと暮らした(とりとめもなく無意味に過ごしたというような意)」とか「ムタムタを集めて燃す」などとよく言っていた。今でも石川県の方言集を見ると、うろうろ、無益な、乱雑のような意で使われている。これは、

・ウチミダイタ碁…石カ。ハラリト乱レテ。**ムタ**ト。ナツタソ。　（蒙求抄・九）

・**Musamusato** ―**ムサムサ**トヒヲクラス―何もしないで、或いはたとえ何かしてもいい加減にして時を過ごす　（日葡辞書）

などとの関連が考えられるかと思う。

〔4〕

ある作家がよく使う語だが、ほかの作家の作品にはあまり登場しないような語がある。これはその作家の口ぐせなのかもしれないが、もしかしたらその作家の(あるいは親の)生まれ育った地の方言かもしれない。

たとえば、

① 江馬修のソヨロ――『山の民』『飛騨百姓騒動記』に三例。

・風が**そよろ**とも動かなかった。　（『山の民』）

『枕草子』のソヨロがすぐ頭に浮かぶ。岐阜生まれの江馬の、故郷の方言だとしたら、古い形が残っている例といえるかと思うが、『日本方言大辞典』にソヨロはない。しかし、明治二二年(一八八九)生まれの彼の幼少時には生きていた語かもしれないと想像すると、ちょっと楽しい。

② 水上勉のブッテリ――私の読んだ単行本・新聞小説など一一作品に二八例。

・背の大きな**ぶってり**肥った人じゃったと　（『その橋まで』）

黒島伝治に一例あるが、あとはすべて水上勉の例である。『日本方言大辞典』を見ると、「太っているさま。でっぷり。大分県北海部郡」とあり、福井生まれの水上とは関係なさそうだが、これだけ例が多いと、推理する価値はありそうだ。

③ 山中峯太郎のドッペリ――『謎の手品師』に二例。血だらけのさま。

・服のそで口に血が**ドッペリ**とかたまって、まだ出血している。　（『謎の手品師』）

『日本方言大辞典』によると、「空の曇っているさま。

どんより。群馬県多野郡」。山中のドッペリとは全然違う。明治一八年、大阪府生まれの山中の幼少時に、大阪では使われていた語なのだろうか。それとも彼の造語か。

ほかに、黒島伝治のチョカチョカ、小林多喜二のムッシリなどもある。

どれも今の方言辞典を見た限りでは、方言とは関係なさそうだが、前述のミンズリのように、高齢の人は使っていても下の世代では忘れられている例もある。その語を習得した幼少時の事情がわからない限り、何ともいえないが、方言ではないとも言いきれないような気がして取り上げてみた。

2　昔話の擬声語

〔1〕

昔話・童話などは、話して聞かせるという性格から、口調よく、擬声語が豊富に効果的に用いられている。かつては、近世からひき続いて近代に至るまで、祖父母とか母親とかが、囲炉裏端や添い寝の床などで、子や孫たちに語り聞かせたものであった。しかし、時代が下って社会状態が変化し、核家族化が進んだ現在は、公民館などで幼児を集めて有志によるお話を聞かせる会などがその役を担うようになった。「子どもたちは音に敏感で、音を感じる言葉が好きだ。だから擬音語にアクセントを置きゆっくりと話す。」(田中康子「幼心はぐくむ『おはなし会』」平成一九・二〇〇七・五・三〇、日本経済・文化欄)

今では民話ということが多いが、民話や作家による再話は、繰り返したり、口調よくコやンを付けたり(ザンワザンワ・ピッカリコ)、いなかの昔話らしくピクラピクラというような、古風な方言らしい感じの語を使ったりすることも多いようだ。

〔2〕

私は昭和四〇年(一九六五)ころまでに各地で記録された昔話から、擬声語の問題を取り上げたことがある[3]が、それをもとに特徴的な点をいくつか紹介する。じじ、ばばの昔話は、どれも擬声語の特性を存分に利用して、繰り返しや対句的な言い回しによって口調もよく、語りの面白さを浮き上がらせている。

・鍋へ入れて**カナコノ**　**カナコノ**と煎ったら一鍋になった。それどて臼に入れて**デンタコ**　**デンタコ**と搗いたら一臼になった。(角館昔話集・婆と豆の粉)

・爺は一服休んだ。猿は**コッチリ**畑を打つし、爺は

スッパコ煙草を吸うた。　（安芸国昔話集・猿聟話）

また、機織りの音、餅つきの音。桃・瓜などが流れてくる、山で木を伐る場面などが多くの話に登場するが、それらの表現が、伝承された土地や人々によってそれぞれ変化に富み、それぞれが実にうまく特徴をとらえて表現されているように思われる。

桃や瓜、ヒョウタンなどが流れてくる。流れてくる物や流れ方の違いはおいて、例をあげると、

・ドンブリドンブリ　ドンブリコンブリ
ドンブラコドンブラコ　ドンブリコッコスッコッコ
ドンブラコッコ　ギッコッコ
・チンプカンプ　チンプクカンプク
・ツブカブカツブカブカ　ツブカブンツブカブン
ツンプコカンプコ　ツンブクカンブク
プカンプカン
・デンデンコロリデンコロリ
・ブングリブングリ　ポッカリポッカリ

機織りの音、

・カラトンカラトン　カランコロンキコパタトン
キコパタトントンカラリ
・キイバッタリ　ギッチャンチャンギリコ
・キイコバッチャン　チャンコロリン
キイチャバッタンスットントン
キッカボッタンハッタンドウ
・キィチョンキィチョン　キーコトキーコト
・キースカカタカタ　キースカドンドンヤ
・チカドンチカドン　チャカドンチャカドン
チャントンチャントン　チャンカラチャンカラ
・チャキリコッコギース
・ドギカカ　チャガカカ　トガカカ　チャガカカ
・トテンバタン　トンカラヒンカラ　テンカラカラ
テンカラリンテンカラリン
・ピインパッタリチャンコロリン

これがあまのじゃくの織る音だと、

・ドジバタドジバタ　ドダリバッタリ
ドンドンガラリドンガダリ

と重苦しい音になる。

森で木を伐る音、

コチコチ　タンコタンコ　ダンキダンキ
ダンギリダンギリ　ダキーンダキーン
ガッキリガッキリ　カッキンカッキン　等々

夜道で遠くに灯が見える、

コカリコカリ　トカリトカリ　トカラトカラ
トカントカン　テカンテカン　テカラーテカラー

チカリチカリ　チカンチカン　チンガリチンガリ
ペカペカ　ペカリペカリ　ヒッカリチョリチョリ
ヒコーン　等々

このほか、ゴホラヤイ（大いびき）、ゴヘーン（蛇がねている）、ドチン（瓶が割れる）、ニシン（白飯が釜一杯になる）、ゴヘゴヘ（鬼が水を飲む）、ポレポレ（地蔵の尻穴から金の粒）、ブングリブングリ（蛙がはねる）、ヤガスコヤガスコ（殿様の所へ行く）、ジンガンガモモン（鐘の音）のような面白いことば――何となくその情景が頭に浮かぶような味のあることば。昔の語り手たちのセンスのすばらしさには圧倒される。

〔3〕

ただ、これらは必ずしも各地で日常に話されていることばとばかりはいえないようで、『日本方言大辞典』に当たってみたが、載っていない語のほうが多かった。昔話の語り手たちは、その場面にぴったりのことばを、長い年月をかけてつむぎ出し、定着させていったのであろう。

〔4〕

なお、東北の方言ニカニカは、

・川下に一人の地蔵様がいて、**にかにか**と笑っていた。（聴耳草紙・糠餅と地蔵）
・娘コは、**ニカニカ**と笑いながらその棺桶から、生まれだばりの嬰児《あかご》の屍《しかばね》とり出して（すねこたんぱこ・ぼっこ食い娘《あね》コ）

再話された民話でも用いられ、

・おにはよろこんで…いいあてられるもんじゃないと**にかにか**わらった（松居直再話「だいくとおにろく」　昭和三七・一九六二、福音館書店『こどものとも』）

今では幼児から一般にも（ことに「ニカッ」という形で）用いられているが、昔話が機縁となったのではなかろうか。

・チームの活躍で、**ニカッ**と笑う顔がテレビで何度も流れた（平成一九・二〇〇七・六・二九、朝日・夕刊・ニッポン人脈記・甲子園アルバム）

注

（1）――方言については、都竹通年雄「方言の擬声語・擬態語」（『言語生活』一七一号、昭和四〇・一九六五）がある。各地方地方の方言を取り上げた論文も多いと思うが、目を通す余裕がなかった。室山敏昭「方言の擬声語・擬態語」（鳥取大学教育学部研究報告『人文』二二・一、昭和四六・一九

七二）

（2）――三―3注（5）参照。小林英夫「国語象徴音の研究」（『文学』一ノ八、昭和八・一九三三、『言語学方法論考』『小林英夫著作集』5所収）

（3）――鈴木雅子「昔話と擬音語・擬容語」（松村明先生喜寿記念会編『国語研究』平成五・一九九三、明治書院）

七　その他の問題

1　動物・鳥などの鳴き声の擬音語と聞きなし

〔1〕

現代は一応、犬＝ワンワン、猫＝ニャアニャア、牛＝モウモウ、鳥＝カアカアのような形とその変化（犬＝キャンキャン、猫＝ニャーゴ・ニャーオなど）が一般的に認められているが、その時々にそれぞれの聞きとり方で基本的な形が長音化したり促音化したり多様な変化が見られるのは、ほかの擬音語と同様である。かつて新聞の投書に「ネコは何となくか」という国語の問題で、教科書には「ニャー、ニャー」とあるので正解は「ニャー、ニャー」。うちのネコはニャーゴとなくからと「ニャーゴ」と書いた子供はバツだった（昭和五二・一九七七・五・一三、朝日）というのがあったが、まったく杓子定規で、おかしな話だと思う。

鳴き声については、本辞典の鳴き声編に取り上げられているので、そちらにゆずる。

〔2〕

また、動物や野鳥の説明などで、その鳴き声を聞こえるままに音表したものは、擬音語というよりは写声の語というべきであろう。

・ロウバシガンは、オスはラッパのようなプーパーという声、メスはアヒルのガーガーとブタのブーブーをミックスした声である。

（吉行淳之介「珍獣戯話」昭和五六・一九八一・一二・八、毎日）

・チーラム　チョチ　チョン　チー　ツイーン　チョチ　チーラム　チョン　チョチ　ツイーン　チーラム　チョチ　ツイーン　チーラム　ツイーン。かつて、川村多実二さんが京大構内で日光浴をしているスズメのさえずりを収録した。スズメはチュッチュッと鳴くばかりだと思っていたのは軽率だった。

（昭和五九・一九八四・三・二、朝日・天声人語）

〔3〕

近世にも見られるが、鳥のさえずりを人のことばに置きかえた聞きなしは各地にあり、面白いものだが、擬音語とは別であるし、本辞典の付録にゆずる。

つばめ「土食うて虫食うて渋ぶーい」
めじろ「長兵衛　忠兵衛　長忠兵衛」
ほおじろ「一筆啓上」「丁稚　びんつけ　いつつけた」　等々

2　漢語由来の語

最後に、これまで埒外《らち》においてきた漢語由来の擬声語について一言ふれておく。

同じような畳語形式のものを、漢語の音読みそのままに、日本語として定着して使われている語としては、たとえば、

唯々《いい》　諾々《だくだく》　侃々《かんかん》　諤々《がくがく》　喧々《けんけん》　囂々《ごうごう》　戦々《せんせん》　兢々《きょうきょう》
鬱々《うつうつ》　汲々《きゅうきゅう》　滾々《こんこん》　悠々《ゆうゆう》
（政治家が好んで使う）粛々《しゅくしゅく》　など(1)

「―と」「―として」という形で用いられている点は同じようだが、漢語由来のものは、また「堂々たる」のようにも用いるところが違う。

ただ、漢字がむずかしいせいもあってか、一九八〇年代にすでに新聞でも片仮名で記した例が見える。

・〝しばれる〟冬に熱い議論が、カンカンガクガクである。
（昭和五八・一九八三・一二・二二、毎日・夕刊・北海道エゾシカ報道）
・トツトツ…飾らぬ人柄（見出し）　身近な話を例に引きながら、トツトツとした語り口で
（昭和六〇・一九八五・一・二二、毎日・夕刊）
・ニッポン企業を学ぶ目ランラン（見出し）
（昭和六三・一九八八・一二・八、朝日）

最近は、若い世代では片仮名で書く人が多くなっているそうであるが、漢字のせいか、または本来の擬声語と同じように、区別せず意識されているからなのだろうか。

3　終わりに

〔1〕

取り上げるべき問題はまだまだたくさんあると思う。本論考では、同じさまを描写するのに昔のままに変わらない語もあれば、また違っている語もあるとか、同じ語でも時代により表現する内容が違っているとか、

意味内容に関する点にはふれる余裕がなかった。

竹取物語のころから、今と同じく火はメラメラと燃え、子供はスクスクと成長し、抄物では腹がすくと腹がグウグウと鳴っている。これは変わらない例。一方、食べれば腹はフクラとなり、ホッテと太鼓腹になる人も。酒を呑めばトロと、またはメタと酔いメトと酔った。あるいはトロリと、またホキホキと酔うこともあった(抄物)。深く酔ったさまでも、ヘベレケにまたはベロベロに酔ったり、グデングデンに酔ったりはしないのが、大分品のよい酔い方のように感じられる。こんなふうに楽しんで読むのも面白いのではないか。

〔2〕

それから、ことばは同じでもまったく違う意味合いで使われるようになった語もある。

アッケラカン——近世後期に「あけらくゎん　あけらこん　あけらほん　あけらひょん」などいろいろな形があるが、あきれてぽかんとしているさまをさす語であった。それが昭和四〇年(一九六五)ごろから違う意味で使われる例がふえてくるが、そのころの辞典には本来の意味しか載っていなかった。昭和五〇年ごろには、新しい用法——物事にこだわらないケロッとした様子を表す例がぐっと多くなり、辞典に記載された本来の用法の例は少ししか見られなくなって、これほど辞書と現実との食い違いが目立つことばは珍しいといわれる状態となった。[2] 辞書に載せていないからといって誤用とするわけにもゆかないくらい、新しい用例が多くなり、一種の流行語のような現象から、それが当たり前になり、辞書にも載せるようになる。方言では、本来の意味に近い、気抜けしたようなさま、ぼんやりと、の意味で使われているようだが、現在ではこの新しい意味に使うのが一般的となっている。

・手紙には「お嫁に来たころはお姑さんと争いが絶えなかったそうです」とも書いてあった。そのことを尋ねると、**あっけらかん**と「ハイ、その通り」

(昭和六二・一九八七・二・一五、朝日・街〝明るくやるっきゃない〟)

・村は全滅した。「私だけが(炎の中から)逃げ出したの」。衝撃から立ち直ったいま、その声はむしろ**あっけらかん**としていた。

(昭和六三・一九八八・五・二七、毎日・エチオピア飢餓再び)

同じ事柄を描写しても、人によって表現が異なり、用いる擬声語にも微妙な違いがあって面白いなと思ったことがある。たとえば、

(a) 昭和五四年(一九七九)八月一六日、鹿野山で、脱走した虎が農家の庭先に現れ、水を飲んでいたという夕刊の記事。

・脱走トラ農家の庭先に　深夜水をピチャピチャ(見出し)　山中広志さんの話によると…庭先で「ピチャピチャ」という音がするので網戸越しにのぞいたところ、トラが洗面器にはいった水を飲んでいた。(朝日)

・山中広志さんが「ピチャピチャ」という水の音に気づき、網戸越しに外を見ると、庭先約二メートルの所にある水道せんのわきにトラがいた。水道の下に置いてあった洗面器の水を飲んでいたらしく、(日本経済)

・神野寺から南東四キロ　水をペチャペチャ、足跡も(見出し)　山中さんは同日午前二時ごろ、「ペチャ、ペチャ」という水音で目をさまし、雨戸越しに二メートル先の裏庭を見ると、大きな動物が洗面器に入った水を飲んでいた。(読売)

・山中広志さん方東側の庭先で「ペチャペチャ」という音がするのを…網戸越しにのぞくと、黄と黒のあざやかなシマ模様。…トラは庭の水道じゃ口の真下においてあった洗面器に顔を突っ込み、水を飲んでいた。(毎日)

・同日午前二時ごろ「ペチャペチャ」という水音で山中さんが目を覚して…(東京)

(b) 約四千年前の町田市原町田の高ケ坂南遺跡から土鈴が発掘された。昭和六〇・一九八五・九・一二の新聞記事。

・カラカラと〝縄文の音〟(見出し)　見つかった土鈴は茶色の粘土を素焼きしたもの。全体が球状で、大きさは長径三・八センチ、短径三・三センチ。手で振るとカラカラと乾いた音がする。(朝日)

・シャラシャラ　縄文の音色(見出し)　この土鈴は長径三・八センチ、短径三・三センチのピンポン玉ぐらい。中に小石が入っているらしく、振るとシャラシャラという音がする。(毎日)

(a)の例、山中さんは何と言ったのだろうか。それを聴いて記事にした各紙の記者のペチャペチャとピチャピチャの微妙な違い。これに対し、カラカラとシャラシャラとは大分違う感じだ。この聞きとりの違いもなかなか興味深い。

ほかにも現代の短歌や俳句の作者で、擬声語を取り入れて新しい境地を開いている人たちのことなど[3]、いろいろあると思うが、長くなるので今回はこれで筆を擱く。

注

（1）——これらの語は、昭和五九・一九八四年に、上海在住の郭華江氏（『日中擬声語擬態語辞典』の編者）に伺ったところでは、中国では文語とか雅語に属することばとして、ある種の文体のものには使われても（戦々兢々などは、比較的現代の文や話の中にも使われているが）、一般の人の間ではあまり使われていないように思われる、ということであった。

（2）——斎賀秀夫「現代〈あっけらかん〉考」『佐伯梅友博士喜寿記念　国語学論集』（昭和五一・一九七六、表現社）／見坊豪紀「現代日本語用例大全集」（『言語生活』三八八号、昭和五九・一九八四・四）

（3）——佐佐木幸綱「はまぐりは身を熱くせり　旨酒とはふはふはふの春の夕ぐれ」「一度もまだ使いしことなき耳搔きの白きほよほよ　海外派兵」など。

方言参考文献

①本辞典の方言欄で示した用例の出典について、書名（題名—副題）、〔巻・版〕、編著者名、出版社（発行者）、刊行年（再版本などを含む）、〈シリーズ名〉、［掲載図書］を記載した。配列は都道府県ごとに示した。
②方言の用例は、読みやすさを考慮し、原典の表記等を適宜改めた場合がある。

■北海道
北海道方言集　渡辺茂／著　楡書房　一九五五
北海道方言辞典〔増補改訂版〕　石垣福雄／著　北海道新聞社　一九九一

■青森県
青森県方言集　菅沼貴一／編　今泉書店　一九三六
青森県五戸語彙〔増補改訂版〕　能田多代子／著　東京堂　一九六三
青森県平内方言集　山村秀雄／編著　青森県平内町教育委員会　一九八〇　［平内町史　別冊］
木造町方言集—青森県西津軽郡　成田秀秋／編　青森県文芸協会出版部　二〇〇二

■岩手県
東磐井郡東山　畠山芳造／著　一九〇二　〈岩手叢書〉
平泉方言の研究　小松代融一／著　岩手方言研究会　一九五四
気仙方言誌　金野静一・菊池武人／共著　（金野静一）　一九六四
気仙ことば〔第2版〕　佐藤文治／著　大船渡市立博物館　一九八〇
岩手西和賀の方言　高橋春時／著　岩手出版　一九八二
ケセン語入門　山浦玄嗣／著　共和印刷企画センター　一九八六
ケセン語大辞典〔上〕〔下〕　山浦玄嗣／著　無明舎出版　二〇〇〇

■宮城県
仙台方言集　土井八枝／著　（土井八枝）　一九一九
石の巻弁〔語彙篇〕　鐸天丸孝／編　郷土社書房　一九三二
仙台方言考　真山彬／著　刀江書院　一九三六
仙台の方言　土井八枝／著　春陽堂　一九三八
仙台方言　藤原勉／著　仙台市　一九五二　［仙台市史　第6巻別篇］
細倉の言葉〔改訂増補版〕　世古政昭／著　三菱金属工業株式会社細倉鉱業所文化会　一九五六
けせんぬま方言ア・ラ・カルト　菅原孝雄／編　三陸新報社　一九九二
胸ば張って仙台弁—ぬくもり伝えるふるさとことば　後藤彰三／著　宝文社　二〇〇一

■秋田県
秋田方言　秋田県学務部学務課／編　秋田県学務部学務課　一九二九
鹿角方言集　内田武志／著　刀江書院　一九三六
鹿角方言考　大里武八郎／著　鹿角方言考刊行会　一九五三
本荘・由利のことばっこ　本荘市教育委員会／編　秋田文化出版株式会社　二〇〇四　〈本荘市文化財調査報告書第三三集〉

■山形県
米沢言音考　内田慶三／編　目黒書店　一九〇二
羽前村山方言〔上〕〔中〕　斉藤義七郎／著　一九三四
米沢方言辞典　米沢女子短期大学国語研究部／編　桜楓社　一九六九
山形県方言辞典　山形県方言研究会／編　山形県方言辞典刊行会　一九七〇

■福島県
大沼郡誌　大沼郡役所／編　福島県大沼郡　一九二三
福島県棚倉町方言集　武藤要／著　一九三二
福島県方言辞典　児玉卯一郎／著　西澤書店　一九三五

福島県の方言—方言は生きている 福島県の方言集成 小林金次郎／著 一九七二
誰にでもわかる福島県の方言 福島郷土文化研究会／編 歴史春秋出版 一九八六
保原町を中心として—昭和一桁生まれが使った方言集〔第4版〕 阿部包昭／編 一九九八
小野町の方言 小野町芸術文化団体連絡協議会／編 小野町芸術文化団体連絡協議会 一九九九

■茨城県
都道府県別全国方言小辞典 佐藤亮一／編 三省堂 二〇〇二
方言事典—大津あたりの言葉と民俗 山形巍／著・黒澤利康／編著 北茨城民俗学会 二〇〇三

■栃木県
宇都宮の方言となまり 宇都宮市立図書館／編 宇都宮市立図書館 一九八六
喜連川町の方言 手塚邦一郎／編 （手塚邦一郎） 一九八九

■群馬県
上州館林町方言集 宮本勢助／著 （橘正一） 一九三一
あちゃがら漫筆—吾妻町方言誌 脇屋真一／著 吾妻町教育委員会 一九六九
館林地方のことば 半田賀男／著 館林市 一九六九 〔館林市誌 歴史編 第二五章〕
上州の風土と方言〔改訂版〕 都丸十九一／著 上毛新聞社 二〇〇二

■埼玉県
埼玉県入間郡宗岡村言語集 池ノ内好次郎／著 一九三〇
埼玉県方言辞典 手島良／編著 桜楓社 一九八九
埼玉のことば〔県北版〕 篠田勝夫／著 さきたま出版会 二〇〇四

■千葉県
北総方言採集帖 伊藤晃／著 一九六四
銚子のことば 銚子市教育委員会／編 銚子市教育委員会 一九八八
房州方言 鈴木英之／著 （鈴木英之） 一九九一
手賀沼周辺生活語彙〔新版〕 星野七郎／編 崙書房 二〇〇五

■東京都
多摩の方言と人情 平井英治／著 教育報道社 一九八二

■神奈川県
神奈川県方言辞典 斎藤義七郎・日野資純／編 神奈川県教育委員会 一九六五

■新潟県
さとことば 幸田文時／編 （栗原九十九） 一九二五
越後方言七十五年 小林存／著 高志社 一九五一 〈新潟県常民文化叢書第三編〉
新潟県方言辞典〔上越編〕 渡辺富美雄／編 野島出版 一九七三
頸城の方言 小林勉／編著 週刊文化新聞社 一九七三
佐渡方言辞典 広田貞吉／編 （広田貞吉） 一九七四
新潟県方言辞典〔佐渡編〕 渡辺富美雄／編 野島出版 一九七四
頸城方言事典 小林勉／編著 耕文堂書店 一九八九
下越方言集 新潟県立村上高等女学校／編 一九——
新潟県方言辞典 大橋勝男／編著 おうふう 二〇〇三

■富山県
越中方言集 伊藤風年 一八九七
砺波民俗語彙—富山県砺波方言集 佐伯安一／著 高志人社 一九六一
日本のまんなか富山弁 簑島良二／編著 北日本新聞社 二〇〇一
氷見のことば 中井精一／編 氷見市教育委員会 二〇〇五

■石川県

加賀なまり　竹中邦香／著　一九三五

能登島町の方言　能登島町教育委員会／編　能登島町教育委員会　一九八二

ワガミのことば辞典　中島桂三／著（中島桂三）一九九六

新・頑張りまっし金沢ことば　加藤和夫／監修　北国出版社　二〇〇五

■福井県

福井県大飯郡方言の研究　末崎強造／編著　福井県大飯郡教育会　一九三三

福井県勝山市の生活語彙　天野義廣／著（天野義廣）一九七五［勝山市史　第1巻］

越廼村漁民方言語彙　青木捨夫／編（青木捨夫）一九七七

ふるさと和泉―いずみ村の方言　和泉村教育委員会／編（福井県大野郡和泉村教育委員会）一九七八

芦原町北潟の方言　組頭佐代子／著（組頭佐代子）一九九三

大飯郡地方方言訛語の調査　大飯郡教員会／編（大飯郡教員会）一九――

■山梨県

奈良田の方言　稲垣正幸・清水茂夫・深沢正志／編　山梨民俗の会　一九五六

甲州の方言　私抄―須玉町江草近傍の俚言　石原望／著　文芸社　二〇〇二

甲州弁を読む―てっ！ずくん、あるじゃん。　渡辺雅喜／著　東京図書出版会　二〇〇五

■長野県

信州佐久地方方言集　大澤心一／編（大澤心一）一九四一

諏訪の方言　岩波泰明／著　岡谷日日新聞社　一九七八

東筑摩方言　東筑摩方言委員会／編　一九――

■岐阜県

北飛騨の方言　荒垣秀雄／著　刀江書院　一九三二〈言語誌叢刊第八〉

郡上方言〔第1集―語彙編〕　岐阜県立郡上高等学校方言研究会／編　岐阜県郡上高等学校方言研究会　一九五二

飛騨のことば　土田吉左衛門／著　濃飛民俗の会　一九五九

岐阜県のことば　下野雅昭ほか／著　明治書院　一九九七〈日本のことばシリーズ21〉

美濃大垣方言辞典　杉崎好洋・植川千代／共著　美濃民俗文化の会　二〇〇二

飛騨弁美濃弁―私の好きな古里の言葉　岐阜新聞社／編　岐阜新聞情報センター出版室　二〇〇三

■静岡県

静岡県方言辞典　静岡県師範学校・静岡県女子師範学校／共編　吉見書店　一九一〇

本川根方言考　伊沢隆俊／編　本川根町教育委員会　一九六〇

え～ら しぞーか―静岡方言誌　富山昭／著　静岡新聞社　二〇〇七

■愛知県

愛知県方言集　黒田鉱一／編　有信社　一九三四［愛知県女子師範学校郷土研究紀要　第一輯］

随筆　名古屋言葉辞典―なごや言葉百年史　山田秋衛／編　泰文堂　一九六一

名古屋弁重要単語熟語集4　舟橋武志／著　ブックショップ「マイタウン」一九九二

試験に出る名古屋弁会話集中講座―五線譜・発音記号つき　二代目勤亭親不孝者／著　サンマーク出版　一九九五

ザ・尾張弁　伊藤義文／著　ブックショップ「マイタウン」一九九六

■三重県

名張ことば―方言集　岡村繁次郎・中貞夫／共編　名張青年会議所・岡村書店　一九七二

■滋賀県

滋賀県方言調査　藤谷一海／編著　教育出版センター　一九七五

京のことば　木村恭造／著　洛西書院　一九九九

滋賀県方言語彙・用例辞典　増井金典／編著　サンライズ出版　二〇〇〇

■京都府

丹後網野の方言　井上正一／著　近畿方言学会　一九六四

京都語辞典　井之口有一・堀井令以知／共編　東京堂出版　一九七五

京ことば辞典　井之口有一・堀井令以知／共編　東京堂出版　一九九二

都道府県別全国方言小辞典　佐藤亮一／編　三省堂　二〇〇二

京都府ことば辞典　堀井令以知／編著　おうふう　二〇〇六

■大阪府

方言と大阪　猪飼九兵衛／著　梅田書房　一九四八

大阪方言事典　牧村史陽／編　杉本書店　一九五五

大阪ことば辞典　堀井令以知／編　東京堂出版　一九九五

南河内ことば辞典―やぃわれ！　富田林河内弁研究会／編　（富田林河内弁研究会）　二〇〇一

大阪ことば事典〔新版〕　牧村史陽／編　講談社　二〇〇四

■兵庫県

伊川谷方言集　森俊秀／編　（森俊秀）　一九五一

播磨加古郡北部方言記録　中島信太郎／編　武蔵野書院　一九七二

都道府県別全国方言小辞典　佐藤亮一／編　三省堂　二〇〇二

ひょうごの方言―暮らしに息づくふるさとの言葉　橘幸男／編著　神戸新聞総合出版センター　二〇〇四

国語教育　一九二八～一九三一

■奈良県

大和方言集　新藤正雄／著　大和地名研究所　一九五一

吉野町方言　鈴木一男／著　奈良県吉野町　一九七二　〔吉野町史下巻〕

■和歌山県

和歌山方言集　杉村楚人冠／著　刀江書院　一九三六

紀州の方言　神坂次郎／編著　有馬書店　一九七〇

■鳥取県

因幡伯耆方言輯録〔改訂3版〕　岩田勝市／著　岩田勝市　一九三八

鳥取県方言辞典　森下喜一／編　富士書店　一九九九

■島根県

島根県方言辞典　広戸惇・矢富熊一郎／編　島根県方言学会　一九六三

■岡山県

ことばをもとめて―岡山の代表的な方言　十河直樹／著　岡山県方言研究会　一九七一

岡山県小田郡矢掛町横谷方言集　長尾人志／著　一九九〇

おかやまのおもしろ方言集　岡山県方言研究同好会／著　松林社　二〇〇二

■広島県

大朝言葉　火曜会／編　火曜会　一九九九

日本語方言の表現法―中備後小野方言の世界　神部宏泰／著　和泉書院　二〇〇六

■山口県

周防大島方言集　原安雄／著　中央公論社　一九四三

山口県方言辞典　山中六彦／著　山口県地方民学会　一九六七

■徳島県

阿波方言集　森本安市／編　博栄堂書店　一九四三
阿波言葉の辞典　金沢治／著　徳島県教育会　一九六〇
大正期徳島市の方言　仁木堯／著　（仁木堯）　一九八九

■香川県

香川県方言辞典　近石泰秋／著　風間書房　一九七六
さぬきのおもしろ方言集―香川の方言辞典　香川県方言研究同好会／編　松林社　一九八六
香川の方言〔増補新版〕　塚田教一／著　（塚田教一）　一九八八
坂出の方言　中川三郎／著　（中川三郎）　一九九〇

■愛媛県

伊予松山方言集　岡野久胤／著　春陽堂　一九三八
伊予大三島北部方言集　藤原与一／著　中央公論社　一九四三
国語拾遺語原考―愛媛新居方言精典　久門正雄／著　新紀元社　一九六〇
瀬戸内海方言辞典―伊予大三島肥海方言を中心に　藤原与一／著　東京堂出版　一九八八
宇和島の方言〔改訂版〕　篠崎充男／著　（篠崎充男）　一九九七

■高知県

土佐の方言　土井八枝／著　春陽堂　一九三五
土佐方言集　宮地美彦／著　冨山房　一九三七
土佐韮生方言辞書　小松元比出／編著　土佐民俗学会　一九七七
高知県方言辞典　土居重俊・浜田数義／編　高知県文化振興事業団　一九八五

■福岡県

博多方言　原田種夫／著　文林堂　一九五六
福岡県嘉穂郡方言集　青柳孫文／著　（青柳孫文）　一九八三
柳川方言総めぐり　松石安兵衛／著　生涯学習振興財団　一九八九
くらしのことば―旧筑前部の生活誌　西義助／著　不知火書房　一九九一
筑後方言辞典　松田康夫／著　久留米郷土研究会　一九九一

■佐賀県

佐賀弁一万語　福山裕／著　（福山裕）　一九九五

■長崎県

平戸郷土誌　平戸尋常高等小学校／編　平戸尋常高等小学校　一九一七
長崎市史〔風俗篇・方言部〕　古賀十二郎／編　一九二五
続壱岐島方言集　山口麻太郎／著　春陽堂　一九三七
対馬南部方言集　滝山政太郎／著　中央公論社　一九四四　〈全国方言集　第7〉
長崎県方言辞典　原田章之進／編　風間書房　一九九三

■熊本県

肥後南ノ関方言類集〔用言篇〕　能田太郎／著　一九三三　［土俗と方言4巻9号］
天草の方言　有働駒雄／著　（中本多勢子）　一九八〇
南関町史〔民俗・方言・建築編〕　南関町史編纂委員会／編　南関町　一九九六
熊本県菊池方言の文法　藤本憲信／著　熊本日々新聞情報文化センター　二〇〇二

■大分県

大分県方言類集　土肥健之助／著　甲斐書店　一九〇二
山香方言考―方言はふるさとの無形文化財　本田幸雄／編著　山香町観光協会　二〇〇六

■宮崎県

宮崎県方言辞典　原田章之進／編　風間書房　一九七九
椎葉のことばと文化　徳川宗賢・那須林　ほか／著　宮崎日日新聞社

一九九四

■鹿児島県

喜界島方言集　岩倉市郎／著　中央公論社　一九四一

鹿児島方言大辞典〔上〕　橋口滿／著　高城書房　二〇〇四

■沖縄県

沖縄語辞典　国立国語研究所／編　大蔵省印刷局　一九六三〈国立国語研究所資料集5〉

沖縄語辞典―那覇方言を中心に　内間直仁・野原三義／編著　研究社　二〇〇六

五十音順さくいん

◎本辞典の本編ならびに付録「漢語オノマトペ編」「鳴き声オノマトペ編」に収録している語を、五十音順に配列した。
◎数字は見出し語の載っているページ数を示す。太字は、本編中の「使い分け」に記述があることを示す。
［方言］……本編中の方言
［鳴］……付録「鳴き声オノマトペ編」中の語
［コラム］…「オノマトペのもと」

あ行

か行

さ行

た行

な 行

は行

ま行

や行

ら行

わ行

◎編者・執筆者紹介

【編者／本編執筆・校閲】
小野正弘（おの・まさひろ）
一九五八年生まれ。東北大学大学院国語学専攻。専門は国語史（語彙・文字）。明治大学文学部教授。

【方言項目執筆・校閲】
三井はるみ（みつい・はるみ）
一九六一年生まれ。東北大学大学院国語学専攻。国立国語研究所研究開発部門主任研究員。
竹田晃子（たけだ・こうこ）
一九六八年生まれ。東北大学大学院国語学専攻。国立国語研究所研究開発部門非常勤研究員。

【使い分け欄構成・執筆】
遠藤織枝（えんどう・おりえ）
一九三八年生まれ。お茶の水女子大学大学院修了。社会言語学・日本語教育専攻。文教大学文学部教授。
宿谷和子（しゅくや・かずこ）
一九五一年生まれ。東京学芸大学大学院教育学研究科国語教育専攻（日本語教育分野）。星美学園短期大学講師。

【コラム・オノマトペのもと執筆】
中里理子（なかざと・みちこ）
一九六一年生まれ。お茶の水女子大学大学院国語学専攻。上越教育大学准教授。
那須昭夫（なす・あきお）
一九六九年生まれ。筑波大学大学院文芸・言語研究科を経て、現在、筑波大学人文社会科学研究科講師。専門は理論言語学（音韻論）・日本語学。
早川文代（はやかわ・ふみよ）
お茶の水女子大学大学院修了。専門は調理科学・官能評価学。独立行政法人農業・食品産業技術総合研究機構 食品総合研究所主任研究員。
宮武利江（みやたけ・としえ）
一九六三年生まれ。筑波大学大学院日本語学専攻。文教大学文学部准教授。
守山惠子（もりやま・けいこ）
一九五四年生まれ。国際基督教大学卒。長崎大学大学院教育学研究科修了。専門は日本語学・日本語教育。福岡女学院大学准教授。

【解説執筆】
鈴木雅子（すずき・まさこ）
一九二八年生まれ。東京大学大学院国語学専攻。専門は擬声語。

◎関係者一覧

【編集】
青木早智子　兼古和昌　児島さくよ　刀禰累佳　村山のぞみ
柳沢文子　吉田暁子

【編集協力】
木下紀美子　小宮輝之　浜口哲一
松田道生

【校正】
大森叔恵　田中祥子　中島万紀
布川智子　山根洋子

【本文イラスト・図版】
熊倉いさお　河野貞治　須貝稔　畠山恭子
平沢茂太郎　古沢博司　蓬生雄司
昭和ブライト

【装丁・本文デザイン】
海野幸裕　宮本香

【装画】
ミヤケマイ

制作企画／大木由紀夫　大栗好喜
資材／池田靖
書籍制作／市村浩一
宣伝／宮村政伸
販売／前原富士夫
編集／谷中利亘　松中健一　香川佳子

擬音語・擬態語4500 日本語オノマトペ辞典

2007年10月31日　初版第１刷　発行
2024年11月16日　　　第８刷　発行

編者／小野正弘

発行者／石川和男

発行所／株式会社　小学館
〒101－8001　東京都千代田区一ツ橋2－3－1
電話　編集（03）3230－5170
　　　販売（03）5281－3555

印刷所／TOPPANクロレ株式会社

製本所／株式会社　若林製本工場

ISBN978－4－09－504174－2